Baedeker

Allianz Reiseführer

Deutschland

VERLAG KARL BAEDEKER

Hinweise zur Benutzung

Sternchen (Asterisken) als typographische Mittel zur Hervorhebung bedeutender Bau- und Kunstwerke, Naturschönheiten und Aussichten, aber auch guter Unterkunfts- und Gaststätten hat Karl Baedeker im Jahre 1844 eingeführt; sie werden auch in diesem Reiseführer verwendet: Besonders Beachtenswertes ist durch * einen vorangestellten 'Baedeker-Stern', einzigartige Sehenswürdigkeiten sind durch ** zwei Sternchen gekennzeichnet.

Zur raschen Lokalisierung der Reiseziele von A bis Z auf der beigegebenen Reisekarte sind die entsprechenden Koordinaten der Kartennetzmaschen jeweils neben der Überschrift in Rotdruck hervorgehoben: Berlin **K 3**.

Farbige Streifen an den rechten Seitenrändern erleichtern das Auffinden der Großkapitel des vorliegenden Reiseführers: Die Farbe Blau steht für die Einleitung (Natur, Kultur, Geschichte), die Farbe Rot für die Reiseziele, und die Farbe Gelb markiert die praktischen Informationen.

Wenn aus der Fülle von Unterkunfts-, Gast- und Einkaufsstätten nur eine wohlüberlegte Auswahl getroffen ist, so sei damit gegen andere Häuser kein Vorurteil erweckt.

Da die Angaben eines solchen Reiseführers in der heute so schnellebigen Zeit fast ständig Veränderungen unterworfen sind, kann der Verlag weder Gewähr für die absolute Richtigkeit leisten noch die Haftung oder Verantwortung für eventuelle inhaltliche Fehler übernehmen. Auch lehrt die Erfahrung, daß sich Irrtümer kaum gänzlich vermeiden lassen.

Baedeker ist ständig bemüht, die Qualität seiner Reiseführer noch zu steigern und ihren Inhalt weiter zu vervollkommnen. Hierbei können ganz besonders die Erfahrungen und Urteile aus dem Benutzerkreis als wertvolle Hilfe gar nicht hoch genug eingeschätzt werden. Vor allem **Ihre Kritik, Berichtigungen und Verbesserungsvorschläge sind uns stets willkommen**. Sie helfen damit, die nächste Auflage noch aktueller zu gestalten. Bitte schreiben Sie in jedem Falle an die

> Baedeker-Redaktion
> Karl Baedeker GmbH
> Marco-Polo-Zentrum
> Postfach 31 62
> D-73751 Ostfildern.

Der Verlag dankt Ihnen im voraus bestens für Ihre Mitteilungen. Jede Einsenderin und jeder Einsender nimmt an einer jeweils zum Jahresende unter Ausschluß des Rechtsweges stattfindenden Verlosung von drei JRO-Leuchtgloben teil. Falls Sie gewonnen haben, werden Sie benachrichtigt. Ihre Zuschrift sollte also neben der Angabe des Buchtitels und der Auflage, auf welche Sie sich beziehen, auch Ihren Namen und Ihre Anschrift enthalten. Die Informationen werden selbstredend vertraulich behandelt und die persönlichen Daten nicht gespeichert.

Titelbild: Schloß Neuschwanstein

◀ *S. 1: Das Wort von Deutschland als dem Land der Dichter und Denker ist im Denkmal für Goethe und Schiller in Weimar in Erz gegossen.*

Vorwort

Dieser Reiseführer gehört zur neuen Baedeker-Generation. In Zusammenarbeit mit der Allianz Versicherungs-AG erscheinen bei Baedeker durchgehend farbig illustrierte Reiseführer in handlichem Format. Die Gestaltung entspricht den Gewohnheiten modernen Reisens: Nützliche Hinweise werden in der Randspalte herausgestellt. Diese Anordnung gestattet eine einfache und rasche Handhabung. Der vorliegende Band "Deutschland" erscheint als Jubiläumsausgabe anläßlich des fünfzigjährigen Bestehens der Firma Mairs Geographischer Verlag.

Der Reiseführer gliedert sich in drei Hauptteile. Angesichts der Menge des zu behandelnden Stoffes beschränkt sich der erste Teil jedoch auf einen kurzen Abriß zu Bevölkerung, politischer Ordnung, Wirtschaft und

Symbolträchtiger Ort deutscher Geschichte: das Brandenburger Tor in Berlin

Naturraum sowie zur Geschichte und Kultur Deutschlands. Einige Vorschläge zu Reiserouten leiten den zweiten Teil ein, in dem die attraktivsten und wichtigsten Reiseziele in Deutschland beschrieben werden. Daran schließt ein dritter Teil mit reichhaltigen praktischen Informationen an. Specials beschäftigen sich u. a. mit der Berliner Mauer, den Hexen im Harz, dem Bauhaus, der Schwarzwälder Kirschtorte, den deutschen Ostseebädern, dem Karneval am Rhein und dem Münchener Bier. Sowohl die Reiseziele als auch die Informationen sind in sich alphabetisch geordnet. Baedeker Allianz Reiseführer zeichnen sich durch Konzentration auf das Wesentliche sowie Benutzerfreundlichkeit aus. Sie enthalten eine Vielzahl eigens entwickelter Pläne und zahlreiche farbige Abbildungen. Zu diesem Reiseführer gehört als integrierender Bestandteil eine ausführliche Reisekarte, auf der die im Text behandelten Reiseziele leicht zu lokalisieren sind. Wir wünschen Ihnen mit dem Baedeker Allianz Reiseführer viel Freude und erlebnisreiche Stunden und Tage in Deutschland!

Baedeker
Verlag Karl Baedeker

Inhalt

Baedeker Specials

Heim

Ein Reiseführer über ganz Deutschland? Nichts leichter als das, eine Aufgabe mit Heimspielcharakter, und für die Baedeker-Redakteurinnen und -Redakteure allemal, denn selbstverständlich kennt sich doch jede und jeder glänzend aus! Also frisch ans Werk und überlegt, was alles ausgewählt und beschrieben werden muß: natürlich Neuschwanstein und das Heidelberger Schloß, selbstredend Berlin und Hamburg möglichst ausführlich, ganz klar den Kölner Dom und den Dresdner Zwinger, keinesfalls den Schwarzwald und die Lüneburger Heide auslassen, nicht zu vergessen den Bodensee und Sylt, das Deutsche Museum und die Stuttgarter Staatsgalerie, den Bamberger Reiter und die Naumburger Stifter, den Solnhofener Archaeopteryx und den Neandertaler, die Münchner Wies'n und den Cannstatter Wasen...

Fachwerk-winkel

gibt es nicht nur in Rothenburg o.T., aber dort sind sie besonders idyllisch.

Halt! Leicht nervös nehmen die Redakteure eine Deutschlandkarte zur Hand. Haben wir schon alles, gibt es noch mehr, ist das nicht schon zuviel, und was fehlt noch: Was gibt es im Fläming zu sehen? Brauchen wir Bad Birnbach? War schon einmal jemand in Attendorn? Wo liegt eigentlich das Waldecker Land? Ein ums andere Mal kreist der Filzstift einen weiteren Ort auf der Landkarte ein, und allmählich mutiert der Flickenteppich zum flächendeckenden Panorama der wichtigsten und schönsten Städte, Landschaften, Schlösser und Burgen in Deutschland. Noch rasch die letzten Lücken gestopft und nicht Erfaßtes kritisch beäugt – was ist denn mit Fallingbostel? Kommt Altentreptow auch dazu? Quakenbrück ? –, und endlich geht es wirklich los. Jetzt wird gefahren, erkundet, telefoniert, gelesen und geschrieben, und siehe da, im Grunde fängt alles wieder von vorne an, denn der Teufel steckt bekannt-

Alpengipfel

Ein herrliches Panorama eröffnet sich bei Berchtesgaden auf den Watzmann.

Metropolen

wie München fesseln die Besucher mit ihrer Überfülle an Sehenswürdigkeiten.

spiel

lich im Detail. Wie ausführlich beschreiben wir die Frauenkirche in München? Ist das Rathaus von Markgröningen wirklich wichtig? Das Deutsche Kochbuchmuseum in Essen muß aber unbedingt noch mit rein! Und die Harzer Schmalspurbahn erst recht!

Und überhaupt – für wen machen wir das eigentlich alles? Wird das ein Reiseführer für den heimatverliebten Landsmann, der selbst den hintersten Winkel des Weserberglands schwarz auf weiß beschrieben finden will? Oder doch eher für Gäste aus dem Ausland, die Deutschland nicht oder noch nicht so recht kennen? Noch einmal muß also gewogen, wenige Male auch als zu leicht befunden werden, doch schließlich und endlich steht das Buch, von dem wir überzeugt sind, daß es einen repräsentativen Querschnitt der sehenswerten Orte und Attraktionen des Reiselands Deutschland darstellt und doch ausführlich genug ist, daß ein jeder findet, was er sucht, um seinen Erlebnishunger zufriedenzustellen, sei er Naturliebhaber, sei er Kunstfreund, sei er Technikfan oder derjenige, den nur der nächste Vergnügungspark mit Riesenwasserrutsche interessiert.

So bleibt am Ende der langen Arbeit die Hoffnung, nichts Wesentliches übersehen zu haben, auch wenn mancher seinen Heimatort vielleicht nicht erwähnt findet, und die Erfahrung, daß das vermeintlich so Bekannte und vor der Haustüre Liegende doch noch etliche Geheimnisse und Überraschungen birgt. Sollte es uns gelingen, dem Gast aus dem Ausland Deutschland nahezubringen und dem einen oder anderen gar Neues mitzuteilen über das Land, in dem er lebt, so sind wir's zufrieden: Willkommen zu Hause!

Karneval und Fasnet

– auch das angeblich so nüchterne Deutschland kennt tolles Treiben.

Burgen

Über 20 000 gibt es in Deutschland – eine der schönsten und bedeutendsten ist die Wartburg.

Meer

Krabbenkutter liegen im Hafen von Greetsiel (Ostfriesland) vor Anker.

Zahlen und Fakten

Vorbemerkung

Angesichts des zu bewältigenden Stoffes und um der Darstellung der Reiseziele in Deutschland einen angemessenen Umfang einräumen zu können, beschränken sich die Angaben in diesem Kapitel auf die wichtigsten statistischen, geographischen und kulturhistorischen Grunddaten.

Allgemeines

Lage und
Ausdehnung

Spätestens seit der Wiedererlangung der staatlichen Einheit nimmt Deutschland wieder die Rolle der wichtigen Drehscheibe im Herzen Europas wahr, die zwischen Skandinavien im Norden und dem Mittelmeerraum im Süden sowie zwischen dem atlantischen Westen und den Weiten des europäischen Ostens vermittelt.

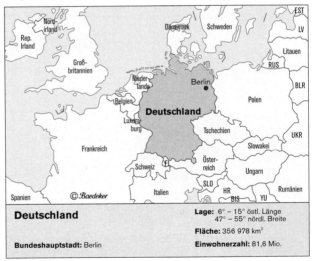

Deutschland

Bundeshauptstadt: Berlin

Lage: 6° – 15° östl. Länge
47° – 55° nördl. Breite

Fläche: 356 978 km²

Einwohnerzahl: 81,6 Mio.

Deutschland hat eine Fläche von rund 357 000 km². Vom nördlichsten Punkt auf der Insel Sylt bis zum südlichsten Punkt in den Allgäuer Alpen bei Oberstdorf mißt man knapp 880 km; von Selfkant an der deutsch-niederländischen Grenze im Westen bis zur Ostgrenze an der Lausitzer Neiße

◀ *Die Sächsische Schweiz ist mit ihren zerklüfteten Felslandschaften, cañonartigen Tälern und weiten Hochflächen eine der attraktivsten touristischen Regionen Deutschlands.*

bei Deschka sind es rund 640 km. Zum Staatsgebiet gehören in der Nordsee u. a. die Ostfriesischen und ein Teil der Nordfriesischen Inseln sowie Helgoland, in der Ostsee die Inseln Fehmarn, Rügen und Hiddensee, der größte Teil der Insel Usedom sowie einige kleinere Eilande.
Seiner zentralen Lage verdankt es Deutschland, daß es von allen europäischen Staaten die meisten Nachbarländer hat: im Norden Dänemark, im Osten Polen und Tschechien, im Süden Österreich und die Schweiz, im Südwesten Frankreich und Luxemburg sowie im Nordwesten Belgien und die Niederlande. Im Nordwesten ist Deutschland Anrainer der Nordsee und im Nordosten Anrainer der Ostsee.

Lage und Ausdehnung (Fortsetzung)

Das höchste Bergmassiv Deutschlands ist das Wettersteingebirge mit der 2962 m hohen Zugspitze, gefolgt vom 2713 m hohen Watzmann im Berchtesgadener Land und den bis zu 2649 m hohen Allgäuer Hochalpen südlich von Oberstdorf. Die höchsten Erhebungen der deutschen Mittelgebirge sind der Feldberg (1493 m) im Schwarzwald, der Große Arber (1456 m) im Bayerischen Wald, der Fichtelberg (1215 m) im Erzgebirge sowie der Brocken (1142 m) im Harz. Der tiefstgelegene Ort Deutschlands heißt Neuendorf und liegt in der Wilster Marsch an der Unterelbe. Deutschlands längste Flüsse sind der Rhein (865 km), die Elbe (700 km), die Donau (647 km), der Main (524 km) und die Weser (440 km), die längsten Kanäle der Mittellandkanal (321 km), der Dortmund-Ems-Kanal (269 km) sowie der Main-Donau-Kanal (171 km). Der mit Abstand größte natürliche See ist der Bodensee (insgesamt 538,5 km², davon 305 km² deutscher Anteil), gefolgt von der Müritz (110,3 km²), dem Chiemsee (82 km²) sowie dem Schweriner See (60,6 km²) und dem Starnberger See (57,2 km²); die drei größten Stauseen sind die Bleiloch-Talsperre (215 Mio. m³) an der Saale, die Schwammenauel-Talsperre (202,6 Mio. m³) an der Rur sowie die Eder-Talsperre (202,4 Mio. m³). Die größten Inseln sind Rügen (930 km²), Usedom (insgesamt 445 km², davon 373 km² deutscher Anteil) und Fehmarn (185 km²) in der Ostsee sowie Sylt (99 km²) und Föhr (83 km²) in der Nordsee.

Deutschland extrem

Bevölkerung · Politische Ordnung · Wirtschaft

Bevölkerung

Die Bundesrepublik Deutschland hat 81,6 Mio. Einwohner, was einer Bevölkerungsdichte von 228 Menschen pro Quadratkilometer entspricht. In Ostberlin und den neuen Bundesländern (Mecklenburg-Vorpommern, Brandenburg, Sachsen-Anhalt, Thüringen und Sachsen) leben 15,4 Mio., in den alten Bundesländern 66,2 Mio. Menschen. Nicht nur zahlenmäßig, auch von der Bevölkerungsdichte her sind die Unterschiede zwischen alten und neuen Bundesländern groß: Im Westen leben durchschnittlich 263 Menschen pro Quadratkilometer, im Osten sind es 145.
Die bundesdeutsche Gesellschaft ist überaltert. Über 16 Mio. Bundesbürger sind älter als 60 Jahre, dagegen gibt es nur wenig mehr als 13 Mio. Kinder unter 15 Jahren. In den vergangenen Jahren war ein leichtes Bevölkerungswachstum zu verzeichnen, das aber nicht durch Geburten, sondern durch gesteigerte Zuwanderung zustande kam.

Bevölkerungszahl und -dichte

Nur wenig bekannt ist, daß auch in Deutschland Minderheiten mit garantierten Sonderrechten – z.B. Schulunterricht in der eigenen Sprache – leben. Es handelt sich dabei um die slawischen Sorben (60 000) in der Lausitz in Sachsen und Brandenburg, die dänischen Südschleswiger (60 000) im Norden Schleswig-Holsteins und um die Friesen im schleswig-holsteinischen Nordfriesland (10 000) bzw. im niedersächsischen Saterland (2 000).

Minderheiten

Sieben Mio. (8,9%) der in Deutschland lebenden Menschen besitzen nicht die deutsche Staatsangehörigkeit. Die größte Gruppe sind mit 2 Mio. die Türken (28,1% der gesamten ausländischen Bevölkerung), gefolgt von

Ausländeranteil

Die Bundesländer

Baden-Württemberg
Hauptstadt: Stuttgart · Fläche: 35751 km^2 · Bevölkerungszahl: 10,32 Mio. (289 Einw./km^2)

Freistaat Bayern
Hauptstadt: München · Fläche: 70545 km^2 · Bevölkerungszahl: 11,99 Mio. (170 Einw./km^2)

Berlin
Fläche: 889 km^2 · Bevölkerungszahl: 3,47 Mio. (3904 Einw./km^2)

Brandenburg
Hauptstadt: Potsdam · Fläche: 29480 km^2 · Bevölkerungszahl: 2,54 Mio. (86 Einw./km^2)

Freie Hansestadt Bremen
Fläche: 404 km^2 · Bevölkerungszahl: 679000 (1682 Einw./km^2)

Freie und Hansestadt Hamburg
Fläche: 755 km^2 · Bevölkerungszahl: 1,7 Mio. (2261 Einw./km^2)

Hessen
Hauptstadt: Wiesbaden · Fläche: 21114 km^2 · Bevölkerungszahl: 6,0 Mio. (285 Einw./km^2)

Mecklenburg-Vorpommern
Hauptstadt: Schwerin · Fläche: 23170 km^2 · Bevölkerungszahl: 1,82 Mio. (79 Einw./km^2)

Niedersachsen
Hauptstadt: Hannover · Fläche: 47609 km^2 · Bevölkerungszahl: 7,78 Mio. (163 Einw./km^2)

Nordrhein-Westfalen
Hauptstadt: Düsseldorf · Fläche: 34075 km^2 Bevölkerungszahl: 17,89 Mio. (525 Einw./km^2)

Rheinland-Pfalz
Hauptstadt: Mainz · Fläche: 19845 km^2 · Bevölkerungszahl: 3,97 Mio. (200 Einw./km^2)

Saarland
Hauptstadt: Saarbrücken · Fläche: 2570 km^2 · Bevölkerungszahl: 1,08 Mio. (289 Einw./km^2)

Freistaat Sachsen
Hauptstadt: Dresden · Fläche: 18411 km^2 · Bevölkerungszahl: 4,56 Mio. (248 Einw./km^2)

Sachsen-Anhalt
Hauptstadt: Magdeburg Fläche: 20445 km^2 Bevölkerungszahl: 2,73 Mio. (134 Einw./km^2)

Schleswig-Holstein
Hauptstadt: Kiel · Fläche: 15738 km^2 · Bevölkerungszahl: 2,72 Mio. (173 Einw./km^2)

Freistaat Thüringen
Hauptstadt: Erfurt · Fläche: 16171 km^2 · Bevölkerungszahl: 2,50 Mio. (155 Einw./km^2)

Deutschland
und seine Länder

D

SCHLESWIG-HOLSTEIN
● Kiel
Lübeck ●

Bremerhaven
ROSTOCK ●
MECKLENBURG-VORPOMMERN
● Schwerin

FREIE UND HANSESTADT HAMBURG

Oldenburg ●
FREIE HANSESTADT BREMEN

NIEDERSACHSEN

BRANDENBURG

● Hannover
SACHSEN-
Münster ●
Braunschweig ●
Potsdam ●
BERLIN

Bielefeld ●
● Magdeburg
ANHALT
● Dessau
Cottbus ●

NORDRHEIN-
● Dortmund
Göttingen ●
Halle (Saale) ●
WESTFALEN
Kassel ●
● Leipzig

Düsseldorf ●
HESSEN
FREISTAAT SACHSEN

Aachen ●
● Köln
Erfurt ●
Jena ●
● Dresden

● Bonn
Gera ●
Chemnitz ●
FREISTAAT THÜRINGEN
Zwickau

Koblenz ●
RHEINLAND-
Wiesbaden ●
● Frankfurt

Mainz ●
● Darmstadt
FREISTAAT BAYERN
PFALZ
Ludwigshafen ●
● Mannheim

SAAR-LAND
Saarbrücken ●
Heidelberg ●
● Nürnberg

● Karlsruhe
● Regensburg
BADEN-
● Stuttgart

WÜRTTEMBERG
Ulm ●
● Augsburg

● Freiburg
● München

HESSEN — Bundesland

——— Landesgrenze

Wiesbaden — Landeshauptstadt

© Baedeker

Bevölkerung · Politische Ordnung · Wirtschaft

Ausländeranteil (Fortsetzung)	Menschen aus dem ehemaligen Jugoslawien (754 000 bzw. 10,3%), Italienern (599 000 bzw. 8,2%), Griechen (362 000 bzw. 5%), Polen (283 000 bzw. 3,9%), und Österreichern (185 000 bzw. 2,5%). 1,8 Mio. (25,3%) aller Ausländer stammen aus EU-Staaten.
Großstädte und Ballungsräume	86% aller Deutschen sind in Städten zu Hause. Deutschlands größte Stadt ist Berlin mit 3,47 Mio. Einwohnern, als weitere Millionenstädte sind Hamburg (1,7 Mio.) und München (1,24 Mio.) zu nennen. In der Einwohnerstatistik folgen Köln (963 000), Frankfurt am Main (652 000), Essen (618 000), Dortmund (601 000), Stuttgart (588 000), Düsseldorf (572 000), Bremen (549 000), Duisburg (536 000) und Hannover (525 000). Das mit Abstand größte städtische Ballungsgebiet ist das Rhein-Ruhrgebiet inkl. dem Raum Düsseldorf / Köln. Sieht man von den Einzugsgebieten der Millionenstädte ab, sind weitere große Verdichtungsräume das Rhein-Main-Gebiet um Frankfurt am Main / Offenbach / Wiesbaden, der mittlere Neckarraum um Stuttgart, das Rhein-Neckar-Gebiet Mannheim / Ludwigshafen, das erzgebirgische Vorland um Chemnitz und Zwickau, das mittlere Elbtal um Dresden, der Raum Halle / Leipzig, sowie die Einzugsgebiete von Hannover und Nürnberg.
Religion	Die evangelische Kirche in Deutschland zählt 28,8 Mio. Mitglieder (35,7% der Bevölkerung), der römisch-katholischen Kirche gehören 28,1 Mio. Menschen (34,7%) an. Kleinere christliche Gruppen sind die Neuapostolische Kirche mit 430 000 Mitgliedern, die Griechisch-Orthodoxen (350 000), die Zeugen Jehovas (151 000) und die Serbisch-Orthodoxen (150 000). Zum Islam bekennen sich 1,7 Mio. der in Deutschland lebenden Menschen; die jüdische Gemeinde hat 47 000 Mitglieder.

Politische Ordnung

Staatsform	Die Bundesrepublik Deutschland ist ein demokratisch-parlamentarischer Bundesstaat. Träger des föderalen Gedankens sind die 16 Bundesländer, die in Teilbereichen (insbesondere in der Kulturpolitik, im Verkehrswesen und in der Wirtschaft) vom Bund unabhängig agieren (s. Tabelle S. 12 / 13).
Staatsorgane	Staatsoberhaupt der Bundesrepublik Deutschland ist der Bundespräsident. Er wird alle fünf Jahre von der Bundesversammlung (Bundestag vergrößert um die entsprechende Anzahl von Ländervertretern) gewählt und hat im wesentlichen nur repräsentative Aufgaben. Oberstes gesetzgebendes Bundesorgan ist der alle vier Jahre gewählte Bundestag. Er wählt aus seiner Mitte den Bundeskanzler. Der Bundesrat ist die Vertretung der Länder und wirkt bei der Gesetzgebungund der Verwaltung des Bundes mit. Seine Mitglieder werden von den einzelnen Bundesländern bestellt. Als höchste deutsche Rechtsinstanz überwacht das Bundesverfassungsgericht die Vereinbarkeit der Gesetzgebungs- und Rechtsprechungspraxis mit dem Grundgesetz. Es agiert unabhängig von den übrigen staatlichen Organen, kann aber von sich aus nicht tätig werden.
Wichtige internationale Mitgliedschaften	Die Bundesrepublik Deutschland ist Mitglied der Vereinten Nationen, der NATO, der G-7-Staaten und Gründungsmitglied der EWG, der heutigen Europäischen Union.

Wirtschaft

Weltwirtschaftsmacht	Die Bundesrepublik Deutschland gehört zu den führenden Wirtschaftsnationen der Erde. Mit einem Bruttoinlandsprodukt von 3 506 Mrd. DM (1996) belegt sie in der Statistik den dritten Platz hinter den USA und Japan. Den Welthandel betreffend ist Deutschland sowohl die Einfuhr als auch die Ausfuhr betreffend gar an zweiter Stelle hinter den USA zu finden. Die wichtigsten Handelspartner sind Frankreich, Italien, die USA, Großbri-

tannien und die Niederlande. Bislang war jährlich ein Handelsbilanzüberschuß zu verzeichnen, allerdings haben sich die Zuwachsraten im Außenhandel in den vergangenen Jahren deutlich verringert.

Wirtschaft
(Fortsetzung)

Die Landwirtschaft ist in Deutschland seit Jahrzehnten ständig im Rückgang begriffen. Ihr Anteil an der Bruttowertschöpfung der Gesamtwirtschaft ist 1996 auf unter 1,5% gesunken. Schlechte Verdienstmöglichkeiten und Unrentabilität führten vor allem zur Aufgabe mittlerer und kleinerer Betriebe, so daß über 40% der insgesamt 553 000 Agrarbetriebe eine Betriebsgröße von mehr als 100 ha haben. Hauptanbauprodukte sind Getreide, Zuckerrüben und Kartoffeln; bei der Erzeugung von Milch- und Milchprodukten steht Deutschland an vierter Stelle der Weltstatistik, bei der Erzeugung von Fleisch an sechster. Deutschland ist nach den USA der weltweit zweitgrößte Importeur von Nahrungs- und Genußmitteln.
Auch die Erträge der deutschen Fischerei sind in den vergangenene Jahrzehnten ständig weniger geworden. 1996 wurden in Deutschlands Fischereihäfen knapp 200 000 t Fisch angelandet, was gerade ein Drittel der Fänge Mitte der siebziger Jahre ausmacht.

Landwirtschaft
Fischerei

Wie in den übrigen großen Wirtschaftsnationen geht auch in Deutschland der industrielle Sektor zugunsten der Dienstleistungsbranche zurück. Das produzierende Gewerbe hatte 1996 einen Anteil von 34,5% am gesamten wirtschaftlichen Aufkommen. Verantwortlich dafür ist vor allem die Auslandsnachfrage nach Investitionsgütern, die mehr als die Hälfte des Gesamtexports des Jahres 1996 ausmachten. Kraftfahrzeuge (Deutschland ist nach den USA und Japan der drittgrößte Automobilproduzent der Erde), Maschinen und elektrotechnische Anlagen gelten immer noch als Inbegriff "deutscher Wertarbeit". Weitere wichtige Industriezweige sind Grundstoffe (weltweit fünftgrößter Rohstahlproduzent), Produktionsgüter vor allem der chemischen Industrie sowie Verbrauchsgüter, wobei hier neben der Nahrungs- und Genußmittelherstellung in erster Linie Textilien zu nennen sind, die allerdings überwiegend außerhalb Deutschlands produziert werden; auch dies ist ein Indiz für die Diskussion um den "Standort Deutschland". Unter den 20 größten Unternehmen der Erde finden sich mit Daimler Benz, Siemens und Volkswagen auch drei deutsche Namen.
Die Inlandsnachfrage nach Konsumgütern ist aufgrund sinkender Realeinkommen in den letzten Jahren zurückgegangen, wodurch sich die Exportabhängigkeit der deutschen Industrie weiter vergrößert hat.

Industrie

Der Dienstleistungsbereich ist in den vergangenen Jahrzehnten ständig gewachsen und erreicht mit 64% (1996) den größten Anteil am Bruttoinlandsprodukt. In diesen Bereich fällt auch der Tourismus. Nach wie vor ist Deutschland das beliebteste Reiseziel der Deutschen, doch ist der Anteil des Inlandstourismus im Rückgang begriffen. Aus dem Ausland kamen 1996 etwas mehr als 13 Mio. Gäste, die meisten (1,7 Mio.) aus den Niederlanden, gefolgt von US-Amerikanern und Briten.

Dienstleistungen

Deutschland ist ein rohstoffarmes Land, sieht man von den Steinkohlevorkommen (Ruhrgebiet, Aachener Revier, Saarland) ab, deren Ausbeutung aber nicht mehr rentabel ist und nur noch dank staatlicher Unterstützung am Leben erhalten wird. Die Braunkohle aus dem Tagebau in der Leipziger Bucht und der Niederlausitz allerdings ist noch mit 38% der wichtigste Energieträger in den neuen Bundesländern, während diesen Rang in den alten Ländern das Mineralöl mit über 40% einnimmt. Die Kernergie hat im alten Bundesgebiet einen Anteil von 12%, während er in den neuen Ländern bei Null liegt.

Bodenschätze
Energie

Von den 38 Mio. Erwerbspersonen in Deutschland sind 3% in der Landwirtschaft, 37% in der Industrie und 60% im Dienstleistungssektor tätig. Mitte 1997 waren 4,3 Mio. Menschen arbeitslos, das entspricht einer Quote von 11,4 %. Davon entfallen 3 Mio. auf die alten und 1,3 Mio. auf die neuen Bundesländer.

Erwerbsstruktur

Naturraum

Naturräumliche Gliederung

Obwohl Deutschland im Vergleich mit anderen Staaten eher klein ist, zeigt es eine in ihrer Variationsbreite überraschende landschaftliche Vielfalt. Weite Ebenen und hohe Gebirge, Beckenlandschaften und Senken, Hügelzonen und Seenplatten wechseln sich ab. Von Norden nach Süden lassen sich grob vereinfacht folgende größere naturräumliche Einheiten differenzieren: das Norddeutsche Tiefland, die Mittelgebirgsschwelle, die ins Süddeutsche Schichtstufenland übergeht, und die Alpen mit ihrem Vorland.

Norddeutsches Tiefland

Lage und Ausdehnung

Das Norddeutsche Tiefland erstreckt sich zwischen den Gestaden von Nord- und Ostsee und der ca. 170–250 km weiter südlich merklich ansteigenden Mittelgebirgsschwelle. Dieser Großraum hat sein heutiges Aussehen während des Eiszeitalters erhalten, als gewaltige Inlandeismassen aus dem skandinavischen Raum mehrfach in südliche bzw. südwestliche Richtung vorstießen und enorme Schutt- und Geröllmassen ablagerten. Das Eiszeitalter begann vor ca. 600 000 Jahren, der letzte große Eisvorstoß kam vor ca. 22 000 Jahren südlich von Berlin zum Stehen. Nur an einzelnen Stellen treten ältere Gesteinspakete in Erscheinung, so etwa der bereits im Erdaltertum gebildete Gips und Kalk des Hügels von Bad Segeberg, die berühmten Kreidefelsen auf der Insel Rügen, der Buntsandstein auf der Insel Helgoland und der Muschelkalk im Berliner Raum.

Schleswig-holsteinische Ostseeküste

Noch relativ jung sind die Spuren der Vereisung in Schleswig-Holstein und in Mecklenburg-Vorpommern, wo die letzten größeren Eisreste erst vor ca. 10 000 Jahren abtauten. Wie Girlanden legen sich von den Gletschern zurückgelassene Landrücken und Moränenhügel um das Ostseebecken. Aus einstigen Schmelzwasserrinnen und Gletscherzungenbecken sind an der schleswig-holsteinischen Ostseeküste "Förden" (Meeresbuchten) entstanden.

Ostseeküste von Mecklenburg-Vorpommern

Das küstennahe und sehr flache Land von Mecklenburg und Vorpommern ist nach der letzten Eiszeit überflutet worden. Es konnten sich jene weiten und ziemlich seichten Buchten bilden, die man als "Bodden" bezeichnet. Wind und Wellen sorgten und sorgen auch heute noch durch Materialverfrachtung dafür, daß an den dem Festland vorgelagerten Inseln und Halbinseln (z.B. Darß, Zingst, Hiddensee, Rügen) Sandhaken und Nehrungen entstehen, die z.T. sogar ganze Uferbereiche von der Ostsee abschnüren.

Nordseeküste

Etwas anders stellt sich die Situation an der Nordseeküste dar. Ebbe und Flut haben hier eine Wattenküste mit vorgelagerten Inseln (Ostfriesische und Nordfriesische Inseln) und tief ins Festland eindringenden Trichtermündungen der großen Flüsse Elbe, Weser und Ems entstehen lassen. Dort, wo der Küstensaum sehr flach ist, sowie entlang der Flußmündungstrichter sind durch Anschwemmung von Sand und Schlick sehr fruchtbare Marschen entstanden. Sie werden von Deichen vor Sturmfluten geschützt.

Geest

Von der Nordseeküste landeinwärts schließt sich die ziemlich unfruchtbare Geest an. Die flachwellige, durch Sand- und Kiesablagerungen früherer Eiszeiten geprägte Landschaft ist von feuchten Niederungen und Flachmooren durchsetzt. Östlich der Weser erheben sich Sandhügel und Binnendünen (z.B. Lüneburger Heide), die von atlantischer Heide und Kiefernwäldern bestanden sind.

Schleswig-Holst. Hügelland und Nördlicher Landrücken

Als attraktiver Erholungsraum bietet sich das Hinterland der Ostseeküste dar. Dies gilt sowohl für das schleswig-holsteinische Hügelland als auch für den aus örtlich bemerkenswert hohen Hügeln bestehenden Nördlichen Landrücken in Mecklenburg-Vorpommern. Einstige Gletscherzungenbek-

Reetgedeckte Fachwerkhäuser und Heidekraut, das im August und September einen violetten Blütenteppich ausbreitet, bestimmen das Bild der Lüneburger Heide.

ken, Schmelzwasserrinnen und früher mit Eis gefüllte Senken präsentieren sich heute als bekannte Seenplatten (Holsteinische Schweiz, Mecklenburgische Seenplatte).

Nördlicher Landrücken (Fortsetzung)

An den Nördlichen Landrücken schließt nach Süden die weite Märkische Tiefebene an. Ihren Kernraum bilden die von Ost nach West verlaufenden Urstromtäler, die einstmals als weit verzweigte Schmelzwasserrinnen am Rande der eiszeitlichen Gletscher in Richtung Atlantik flossen. Zur Märkischen Tiefebene zählt man auch das Oderbruch, das Havelland, die Prignitz, die Mittelmark und den feuchten Spreewald.

Märkische Tiefebene

Von der Märkischen Tiefebene kommt man südwärts in die wenig fruchtbare und ziemlich sandige Landschaft des Südlichen Landrückens. Hier wechseln unterschiedlich mächtige Sandschichten mit feuchten, heute zu Acker- und Grünland umgewandelten Flächen ab. Bemerkenswerte Teilräume des Südlichen Landrückens sind die Hellberge der Altmark, der bis zu 200 m hohe Fläming mit seinen duftenden Kieferbeständen sowie die Heideflächen der Niederlausitz. Der Südliche Landrücken verdankt seine Entstehung älteren Vereisungsperioden.

Südlicher Landrücken

Den südlichen Abschluß der Norddeutschen Tiefebene bildet ein unterschiedlich breiter Gürtel sehr fruchtbarer und deshalb schon seit frühester Zeit besiedelter Börden und Tieflandsbuchten. Nach dem Rückzug des Eises herrschte am Nordrand der Mittelgebirge ein trocken-kaltes Klima. Die Pflanzendecke war damals noch recht spärlich. Vom Eisrand wurde feines Material ausgeweht, das in den Buchten vor den Mittelgebirgen als Feinsand, Sandlöß und Löß abgelagert wurde. Die bekanntesten Lößgebiete sind die Niederrheinische Bucht, die Westfälische Bucht, die Soester Börde, die Magdeburger Börde und die Leipziger Tieflandsbucht.

Börden und Tieflandsbuchten

17

© Baedeker

Mittelgebirge

Südlich des Tieflandes erheben sich die Mittelgebirge, die etwa 400 km weit nach Süden – d.h. bis zur Donau – reichen. Die Mittelgebirgszone zeigt sich als buntes Mosaik waldbestandener, durchschnittlich 450 bis 1000 m hoher Gebirgszüge und fruchtbarer Beckenlandschaften. Der Rhein und seine Nebenflüsse Neckar, Main und Mosel, die Weser mit ihren beiden Quellflüssen Fulda und Werra, die Elbe und ihr Nebenfluß Saale sowie die Donau und ihr Nebenfluß Altmühl haben in den Mittelgebirgen landschaftlich überaus reizvolle Durchbruchstäler geschaffen. Etliche Naturseen und Talsperren bereichern das Landschaftsbild u.a. in der Eifel, im Westerwald, im Hessischen Bergland, im Sauerland, im Thüringer Wald, im Harz und im Schwarzwald.

Lage und Ausdehnung

Die ältesten Massive der Mittelgebirgszone sind vor etwa 300 Mio. Jahren entstanden. Entsprechende Gesteine aus dem Erdaltertum findet man u.a. im Schwarzwald, im Fichtelgebirge und im Bayerischen Wald. In einigen Mittelgebirgszügen bildeten sich reiche Erz- und Mineraliengänge, die später z.B. im Harz, im Erzgebirge, im Thüringer Wald und im Schwarzwald einen lukrativen Bergbau ermöglichten. Am Nordrand der heranwachsenden Mittelgebirgszone entstanden darüber hinaus Kohlelagerstätten, deren Energiepotential einmal den Aufbau des Industrieviers Rhein-Ruhr bewirken sollte.

Erd- und Landschaftsgeschichte

Im Tertiär, vor etwa 65–5 Mio. Jahren, war es im heutigen Mittelgebirgsraum recht unruhig. Kräfte des Erdinnern bewirkten starke Spannungen in der Erdkruste. Diese zerbrach schließlich in einzelne Schollen, die, so im Falle des Thüringer Waldes und des Thüringer Beckens, unterschiedlich stark herausgehoben bzw. abgesenkt wurden. An den tektonischen Störungslinien kam es zu heftigem Vulkanismus (u.a. Siebengebirge, Eifel, Vogelsberg, Rhön), wie die typischen dunklen Basaltgesteine anzeigen. Gleichzeitig "nagten" Wind und Wetter an den neu entstandenen Höhenzügen und füllten die jungen Beckenlandschaften allmählich auf.

Auch der südliche Mittelgebirgsraum blieb von Spannungen nicht verschont. Die Aufwölbung des heutigen Oberrheingebietes zwischen Basel und Mainz und der Einbruch des Oberrheingrabens vor ca. 65 Mio. Jahren bewirkte eine Heraushebung der westlichen Randgebirge Vogesen und Pfälzer Wald sowie der östlichen Randgebirge Schwarzwald, Odenwald und Spessart. Dabei wurde das Grundgebirge stellenweise freigelegt. Außerdem kam es zu einer Anhebung und Schrägstellung der im Erdmittelalter abgelagerten Sedimente. Heute findet man Versteinerungen von Lebewesen des Jurameeres viele hundert Meter über dem Meeresspiegel.

Der Einbruch des Oberrheingrabens und die bis heute anhaltende Auffaltung der Alpen lösten nicht nur zahlreiche Erdbeben, sondern auch vulkanische Tätigkeit aus. Zu heftigen Eruptionen kam es am Kaiserstuhl, im Hegau und auf der mittleren Schwäbischen Alb. Ein gefürchteter Erdbebenherd ist auch gegenwärtig noch der Zollerngraben im Bereich der westlichen Schwäbischen Alb.

Vor ca. 15 Mio. Jahren ereignete sich eine Katastrophe besonderer Art. Damals schlug ein Meteorit gleichsam als Bombe aus dem All auf dem Schwäbischen Jura auf und sprengte den Rieskrater aus, das heutige Nördlinger Ries zwischen Schwäbischer und Fränkischer Alb.

Im Nordwesten breiten sich das Weserbergland und das Leinebergland mit Teutoburger Wald, Wiehengebirge, Deister, Ith und Solling als waldreiche Gebirgszüge aus. Wie eine Insel ist der für sein besonders rauhes Klima bekannte Harz mit dem 1142 m hohen Brocken dem eigentlichen Mittelgebirge vorgelagert.

Nördliche Mittelgebirge

Den Kernbereich der Mittelgebirgsschwelle bilden das Rheinische Schiefergebirge mit Eifel, Hunsrück, Taunus, Westerwald und Sauerland, das Hessische Bergland mit Meißner, Knüllgebirge, Vogelsberg und Rhön, der Thüringer Wald mit dem Thüringer Schiefergebirge, der Frankenwald, das

Zentrale Mittelgebirge

Zwischen Vulkaneifel und Hunsrück schlängelt sich die Mosel dahin.
Hoch über dem Tal thront die Reichsburg Cochem.

Zentrale Mittelgebirge (Fortsetzung)

Elstergebirge, das Erzgebirge, das Elbsandsteingebirge mit der Sächsischen Schweiz und schließlich – ganz im Osten – das Lausitzer Bergland. Zentraler Gebirgsknoten ist das Fichtelgebirge, von dem aus alle großen Gebirgszüge Mittel- und Ostdeutschlands ausstrahlen. Die höchsten Erhebungen sind der Große Beerberg (982 m) im Thüringer Wald und der Fichtelberg (1214 m) im Erzgebirge. Zwischen die einzelnen Gebirgszüge sind u.a. die Täler von Rhein, Weser (bzw. Werra und Fulda) und Elbe sowie Becken (u.a. Thüringer Becken) und Senken (u.a. Hessische Senke) eingetieft. Sie sollten später die Verkehrsleitlinien zwischen dem Norden und dem Süden Deutschlands ermöglichen.

Südliche Mittelgebirge

Zum südlichen Mittelgebirgsraum zählt man die Randgebirge des klimatisch sehr begünstigten Oberrheingrabens, nämlich an seiner Westseite das Saar-Nahe-Bergland und den Pfälzerwald, an seiner Ostseite den Spessart, den Odenwald und den Schwarzwald, in dessen Südteil der Feldberg (1493 m) als höchste Erhebung aufragt. An den sonnenbeschienenen Hängen wird Wein und Obst angebaut.

Auch das Süddeutsche Stufenland mit den Schwäbisch-Fränkischen Keuperwaldbergen sowie der Schwäbischen und Fränkischen Alb rechnet man zum südlichen Mittelgebirgsraum. Typisch für die Alb sind die weit ins Vorland hinausragenden Felsbastionen. Im Innern des stark verkarsteten Kalkgebirges sind weit verzweigte Systeme von Tropfsteinhöhlen angelegt, von denen die meisten bis heute unerforscht sind. Einige sind als Schauhöhlen zugänglich.

Zwischen der Schwäbischen Alb und dem Schwarzwald sowie zwischen den Schwäbisch-fränkischen Keuperwaldbergen und dem Odenwald bzw. dem Spessart erstrecken sich die fruchtbaren, im Muschelkalk angelegten Gäuflächen. Neckar und Main sowie deren Nebenflüsse Kocher, Jagst und Tauber haben hier wunderschöne Täler geschaffen, an deren steilen Hängen Wein- und Obstgärten emporklettern.

Zum geologisch alten Gebirgssystem des Böhmischen Massivs bzw. des Böhmerwaldes gehören der Oberpfälzer und der Bayerische Wald. Südöstlicher Höhepunkt des deutschen Mittelgebirgsraumes ist der Große Arber (1456 m) im Bayerischen Wald. Die nördlichen Donaunebenflüsse Naab, Waldnaab und Regen winden sich durch romantische Täler.

Südöstliche
Mittelgebirge

Alpen und Alpenvorland

Zwischen der Donau im Norden und der Alpenkette im Süden erstreckt sich das Alpenvorland. Dessen bekannteste Teillandschaften sind der Bodenseeraum, Oberschwaben, Bayerisch-Schwaben, das Allgäu und Oberbayern. Das nördliche Alpenvorland besteht aus Ablagerungen verschiedener Epochen der Erdgeschichte. Im Landschaftsbild treten großflächige, waldbestandene Schotterflächen und Hügel aus Ablagerungen der Tertiärzeit in Erscheinung. Von der Donau steigt die von Hügeln durchsetzte Schwäbisch-bayerische Hochebene in Richtung Alpen an, die im Eiszeitalter, also vor 600000–20000 Jahren, von mächtigen Gletschern und weit verzweigten Schmelzwasserflüssen überformt worden ist. Entlang der Donau sowie an den Rändern der Flußtäler (u.a. Iller, Lech, Isar, Inn), die das Alpenvorland in süd-nördlicher Richtung durchschneiden, breiten sich größere Feuchtgebiete (u.a. Donauried, Donaumoos, Dachauer Moos, Erdinger Moos) aus. Am Rand der eiszeitlichen Alpengletscher wurde feiner Gesteinsstaub ausgeblasen und in einigen Gebieten des Alpenvorlandes (u.a. Hallertau, Dungau) als Löß abgelagert.
Als abwechslungsreiche Hügellandschaft bietet sich das südliche Alpenvorland dar. Noch vor rund 20000 Jahren reichten die Alpengletscher weit ins Vorland hinaus. So ist es nicht verwunderlich, daß hier im Süden Deutschlands ganz ähnliche Oberflächenformen wie im Norden in Schleswig-Holstein und Mecklenburg entstanden. Auch hier findet man größere Moränenzüge, auch hier haben die Gletscherzungen tiefe Becken ausgehobelt, die nach dem Abschmelzen der Eismassen zu Seen wurden. Typische Beispiele sind der Ammersee, der Starnberger See und der Chiemsee. Einige beispiele eiszeitlichen Ursprungs, so der oberschwäbische Federsee, sind inzwischen weitgehend verlandet. Auch Moorflächen wie das Wurzacher Ried sind als Überbleibsel des Eiszeitalters anzusehen.

Lage und
Ausdehnung

Ganz im Süden hat Deutschland Anteil an den Alpen, dem größten Hochgebirge Europas. Das vergleichsweise junge Faltengebirge wächst seit der Tertiärzeit heran, d.h. seit etwa 60–70 Mio. Jahren. Die Gebirgsbildung, deren Ursache die anhaltende Norddrift der Afrikanischen Platte gegen die Eurasische Platte ist, dauert immer noch an.
Ziemlich abrupt erheben sich zunächst die aus verschiedenen Sandsteinen und Konglomeraten bestehenden Voralpen. Dahinter ragen die hauptsächlich aus Trias- und Juragesteinen aufgebauten nördlichen Kalkalpen auf. Den 30–40 km breiten deutschen Hochgebirgssaum bilden die Allgäuer Alpen, die Bayerischen Alpen mit der Zugspitze (2963 m) als höchstem Berg Deutschlands und die Salzburger Alpen mit dem Watzmann (2713 m). Scharfe Grate, senkrechte Felswände und steile Schutthalden sind die augenfälligen Ergebnisse der Frostverwitterung. Außerdem kann man hier die gesamte Palette der vom Gletschereis geschaffenen Gelände- und Oberflächenformen (u.a. Kare, Trogtäler, Seiten- und Endmoränen) studieren. Sozusagen als kümmerliche Überreste der gewaltigen eiszeitlichen Gletscher kann man die heute noch existierenden Kargletscher im Zugspitzgebiet und am Watzmann betrachten.

Alpen
(Abb. s. S. 22)

Gewässer

Die meisten und größten natürlichen Seen Deutschlands, deren Gestade als Erholungsräume sehr geschätzt werden, liegen in den eiszeitlich überformten Landschaften des Nordens und des Südens, also einerseits in

Seen

Schleswig-Holstein und Mecklenburg-Vorpommern, andererseits in Bayern und Baden-Württemberg. Besonders beliebt sind der Plöner See in der Holsteinischen Schweiz, die Müritz im Bereich der Mecklenburgischen Seenplatte, der Bodensee sowie in Oberbayern der Ammersee, der Starnberger See und der Chiemsee.

Gewässer, Seen (Fortsetzung)

Praktisch in allen Mittelgebirgen und in den Tälern besonders wasserreicher Flüsse hat man Talsperren bzw. Staustufen angelegt. Einige dieser künstlichen Seen, die als Trink- und Brauchwasserspeicher, Energielieferanten und Flutregulatoren fungieren, sind ebenfalls beliebte Ausflugsziele. Zu nennen wären hier der Forggensee bei Füssen, der Schluchsee im Schwarzwald, der Edersee im Hessischen Bergland und auch die Bleilochtalsperre im Thüringer Wald.

Das größte Einzugsgebiet hat der Rhein, der zusammen mit seinen Nebenflüssen Neckar, Main und Mosel den größten Teil Süd- und Westdeutschlands entwässert. Für große Gebiete Nord- und Ostdeutschlands ist die Elbe mit ihren beiden Nebenflüssen Havel und Saale der wichtigste Fluß, für Deutschlands Mitte ist dies hauptsächlich die Weser und deren Nebenflüsse. Den Südosten Deutschlands sowie das Alpenvorland und die Alpen entwässern die Donau und ihre wasserreichen Nebenflüsse Iller, Lech, Altmühl, Isar und Inn. Ganz im Osten strebt die Oder der Ostsee zu, deren riesiger Einzugsbereich weit nach Ostmitteleuropa hineinreicht. Trotz umfangreicher Schutzbauten hat man an allen genannten Flüssen nach wie vor mit Überschwemmungen zu rechnen.

Flüsse

Klima

Der größte Teil Deutschlands liegt in der kühl-gemäßigten Klimazone, in der Feuchtigkeit bringende Winde aus westlichen Richtungen vorherrschen. Ausgesprochen ozeanisch ist das Klima in Nordwest- und Norddeutschland, wo das ganze Jahr über Niederschläge fallen. Die Winter sind dort relativ mild und die Sommer verhältnismäßig kühl. Im Osten Deutschlands weist das Klima bereits deutlich kontinentale Züge auf. Hier kann es im Winter über längere Perioden sehr kalt und im Sommer recht warm werden. Außerdem werden hier des öfteren länger anhaltende Trockenperioden registriert. In der Mitte und im Süden Deutschlands herrscht ein Übergangsklima vor, das – je nach Großwetterlage – eher ozeanisch oder kontinental geprägt ist. Entscheidenden Einfluß auf das Klima haben jedoch die geographische Breitenlage, die weit nach Norden vorgeschobenen Mittelgebirge sowie die landschaftliche Gliederung in Höhenzüge, Täler, Becken und Senken. Auch die Verteilung von Wäldern, landwirtschaftlichen Nutzflächen und Siedlungen bewirkt signifikante klimatische Unterschiede auf relativ engem Raum.

Jahreszeiten

Niederschläge fallen das ganze Jahr über, wobei im Norddeutschen Tiefland durchschnittlich 500–700 mm pro Jahr gemessen werden. In den Mittelgebirgen liegen diese Werte je nach Exposition zwischen 700 und 1500 mm pro Jahr. Im Süden Deutschlands, d.h. im Nordstau der Alpen, aber auch in ungünstigen Mittelgebirgslagen, werden weit höhere Niederschlagsmengen erreicht. An einigen Stellen im Allgäu mißt man über 2000 mm pro Jahr!

Niederschläge

Die mittlere jährliche Durchschnittstemperatur liegt im Norddeutschen Tiefland bei +9°C und im höheren Bergland bei +2°C. Im Winter liegt die Durchschnittstemperatur im Norddeutschen Tiefland bei knapp +2°C und im Gebirge bei -6°C. Im Sommermonat Juli stellen sich die Durchschnittstemperaturen folgendermaßen dar: Im Norddeutschen Tiefland werden +18°C erreicht, in den "Sonnenstuben" des Südens sind es sogar +20°C!

Temperaturen

◀ *Majestätisch ragt die schroffe Wand des Watzmanns hinter den grünen Matten des Berchtesgadener Landes auf.*

Naturraum

Klima, Temperaturen (Fortsetzung)

Etwas aus dem Rahmen fallen drei Landschaften: der Harz mit seinen ziemlich kühlen Sommern und schneereichen Wintern, der Oberrheingraben mit seinem ganzjährig sehr milden, örtlich fast schon mediterranen Klima und die Alpen bzw. das Voralpengebiet, wo nicht selten mit Föhneinbrüchen zu rechnen ist. Diese von Süden über das Hochgebirge wehenden Fallwinde treiben mitten im Winter die Quecksilbersäule in die Höhe und können einer vorhandenen Schneedecke empfindlich zusetzen.

Pflanzen und Tiere

Pflanzenwelt

Der deutsche Charakterbaum ist die Eiche, die praktisch überall vorkommt. Im größten Teil Deutschlands findet man sommergrüne Eichen-Buchen-Mischwälder als natürliche Vegetation, insbesondere in den Mittelgebirgen. In den klimatisch ungünstigeren Hochlagen der Mittelgebirge, so auch im Schwarzwald, im Bayerischen Wald, im Erzgebirge und im Harz, treten Tannen- und Fichtenwälder hervor, die jedoch in den nordwestlich exponierten Hang- und Kammlagen seit einiger Zeit durch Schadstoffemissionen stark geschädigt werden. Auf den nährstoffarmen Sandböden des Norddeutschen Tieflandes gedeihen lediglich anspruchslose Nadelhölzer wie Kiefern und Fichten, oder es dehnen sich gar Heideflächen mit den typischen Charakterpflanzen Glockenheide, Ginster und Fingerhut aus. In den noch vorhandenen Moorgebieten wachsen Birken und Kiefern. Auf den Kalkböden Süddeutschlands gedeihen normalerweise Laubmischwälder, doch vielerorts sind die natürlichen Baumbestände durch rasch wachsende Fichtenwälder ersetzt worden. Ganz typisch für Kalkböden sind Linden und Hainbuchen mit ihren weit ausladenden Kronen. In den Flußauen trifft man auf Hart- und Weichhölzer, wobei Erlen, Pappeln, Birken und Weiden zu den hier am häufigsten vorkommenden Baumarten gehören.

Tierwelt

Die starke Inanspruchnahme der Landschaft durch den Menschen hat den Lebensraum der heimischen Tierwelt in erheblichem Maße eingeschränkt. Rehe, Hirsche, Wildschweine, Füchse, Dachse, Marder, Wiesel, Hasen und Kaninchen sind als einzige noch in größerer Zahl vorkommende Säugetiere zu nennen. Luchse, Wölfe und andere Raubtiere sind längst ausgestorben oder allenfalls in wenigen Nationalparks (z.B. Bayerischer Wald oder in der Sächsischen Schweiz) anzutreffen. Auch die ursprüngliche Artenvielfalt der Vogelwelt ist inzwischen durch Störungen des ökologischen Gleichgewichts in vielen Teilen Deutschlands stark reduziert worden. Störche, die früher einmal in allen Feuchtgebieten Deutschlands vorkamen, trifft man heute in größerer Zahl nur noch im dünn besiedelten Nordosten der Republik. Ähnliches gilt für manche Greifvogelarten. Nur mit größter Mühe gelingt es, einzelne Vogelpärchen wieder in ihren angestammten Gebieten anzusiedeln. Die jahrzehntelange Gewässerverschmutzung hat zu einem dramatischen Rückgang der Artenvielfalt in Flüssen, Seen und Küstengewässern geführt. Nur ganz langsam stellt sich eine Erholung ein, wie die erfreuliche Zunahme des Bestandes an Bachforellen zeigt. Es wird aber noch einige Zeit dauern, bis man im Rhein und anderen Flüssen wieder Lachse angeln kann.

Naturschutzgebiete

Nationalparks und Naturparks

Seit einiger Zeit werden große Anstrengungen unternommen, was den Erhalt der letzten noch vorhandenen "Urlandschaften" betrifft. Inzwischen sind mehrere Nationalparks und Biosphärenreservate, 80 Naturparks sowie zahlreiche größere und kleinere Natur- und Landschaftsschutzgebiete ausgewiesen, die über die ganze Bundesrepublik verteilt sind. Folgende Gebiete stehen als Nationalparks unter besonderem Schutz: das gesamte deutsche Wattenmeer, große Teile der vorpommerschen Boddenlandschaft, Teile der Ostseeinsel Rügen, die Müritz, das Untere Odertal, der

Hochharz, die Sächsische Schweiz, ein Teil des Bayerischen Waldes und das südliche Berchtesgadener Land. Praktisch alle Kernräume der von Touristen stark frequentierten Erholungsgebiete sind als Naturparks ausgewiesen. Dies gilt für so bekannte Landschaften wie die Lüneburger Heide oder die Lauenburgischen Seen ebenso wie für weniger bekannte Gegenden wie den Schönbuch oder die Wildeshauser Geest.

Nationalparks
und Naturparks
(Fortsetzung)

Ferienlandschaften

Nachstehend sind die attraktivsten Ferienlandschaften Deutschlands in nord-südlicher Reihenfolge aufgelistet: Nordseeküste und vorgelagerte Inseln, Ostseeküste und -inseln, Holsteinische Schweiz, Mecklenburgische Seenplatte, Lüneburger Heide, Münsterland, Spreewald, Oberlausitz, Harz, Sauerland, Weserbergland, Eifel, Mittleres Rheintal, Moseltal, Nahetal, Hessisches Bergland, Thüringer Wald, Erzgebirge, Elbsandsteingebirge mit Sächsischer Schweiz, Schwarzwald, Neckarland, Schwäbische Alb, Fränkische Alb, Bayerischer Wald, Oberschwaben, Bodensee, Allgäu und Oberbayern.

Geschichte und Kultur

Vor- und Frühgeschichte

Steinzeit
150 000 – 2000
v. Chr.

Im badischen Mauer bei Heidelberg fanden sich jene berühmten menschlichen Überreste, der Kiefer des Homo Heidelbergensis, die eine Besiedlung Mitteleuropas für das Mittelpaläolithikum bezeugen. Dort, wo sich der heutige deutsche Staat befindet, lebten also schon vor etwa 150 000 bis 35 000 Jahren Vorfahren des Homo sapiens. Die nachfolgende Epoche der Altsteinzeit (Jungpaläolithikum, 35 000 – 8000 v. Chr.) wies erste Merkmale einer Zivilisation auf: Das tägliche Leben der Jäger und Sammler erreichte einen gewissen Grad an Organisation, und es entstanden die ersten Kultobjekte wie z.b. Venusfigürchen oder Felsenbilder. Die Verbesserung des Klimas wandelte auch die Lebensweise der Menschen in der Mittleren Steinzeit (Mesolithikum, 10 000 / 8000 – 5000 v. Chr.). Die nomadischen Horden verschwanden, und es entstanden kleinere Verbände, Familien, die sich seßhaft machten. Diese Tendenz setzte sich auch in der Jungsteinzeit fort: Mehr und mehr betrieb man Ackerbau und Viehzucht, und die Gebrauchsgegenstände und kunsthandwerklichen Produkte nahmen an Vielfalt zu. Typisch für diese Epoche ist die sogenannte Bandkeramik. Die Funde ortsfremder Rohstoffe, etwa Bernstein, lassen vermuten, daß in dieser Zeit Handelsbeziehungen entstanden. Zeugnisse magisch-kultischer Vorstellungen in West-, Nord- und Südeuropa sind Riesensteingräber, nach denen diese Zivilisationen auch als Megalithkultur bezeichnet werden.

Bronzezeit
1700 – 1000 v. Chr.

Mit einer Verzögerung von etlichen hundert Jahren gelangte die Kenntnis von der Metallherstellung um die Mitte des zweiten Jt.s v. Chr. aus dem mediterranen Raum und aus Skandinavien nach Mitteleuropa. Die erhaltenen Fürstengräber zeugen von der beginnenden sozialen Gliederung. Stämme und Völker bildeten sich heraus: Aus der großen Familie der Indogermanen siedelten auf deutschem Gebiet die Kelten in Süd- und Südostdeutschland und die Germanen in Norddeutschland.

Eisenzeit
ab ca. 800 v. Chr.

Wieder einmal führte ein Wandel des Klimas um 800 v. Chr. zu veränderten gesellschaftlichen Strukturen. Für den Ackerbau verschlechterten sich die Bedingungen, gleichzeitig fand die Pferdezucht Ausbreitung, und es etablierte sich ein Reiteradel. Wirtschaftliche Zentren entstanden, die Gesellschaft differenzierte sich weiter in Bauern, Handwerker und Händler. Zwei wichtige Kulturen brachte diese Epoche hervor.

Hallstattkultur
800 – 400 v. Chr.

Das Zentrum der Hallstattkultur lag in den Ostalpen und in Süddeutschland, doch erstreckten sich ihre Einflüsse bis in den norddeutsch-jütländischen Raum. In den reich ausgestatteten Fürstengräbern fand man geometrisch verzierte Urnen sowie vielfältigen Schmuck, darunter besonders zahlreiche Fibeln. Die Jüngere Eisenzeit fällt mit der La-Tène-Kultur zusammen, die nach einem Fundplatz am Neuenburger See (Schweiz) benannt wird. Bedeutendste Träger dieser Kultur waren die Kelten, die im 4. und 3. Jh. v. Chr. nach Britannien vordrangen und sich bis ins südliche Niedersachsen und Böhmen ausdehnten, wo sie an die Gebiete der Germanen stießen. Sie vermittelten dabei mediterrane Einflüsse und nutzten als erster Stamm nördlich der Alpen den Eisenpflug und die Töpferscheibe. Die typisch spiralig verzierten Kunstgegenstände, die man in Gräbern fand, wa-

La-Tène-Kultur
500 v. Chr. bis
Christi Geburt

ren wiederum vorrangig Fibeln; aber auch Geld, Glasarmringe, Münzen und Gürtelketten gehörten zu den keltischen Grabbeigaben. Ein unversehrtes und deshalb eines der reichhaltigsten keltischen Fürstengräber fand man im baden-württembergischen Hochdorf an der Enz.

La-Tène-Kultur
(Fortsetzung)

Altertum

Gaius Julius Caesar (um 100 - 44 v. Chr.) berichtet in seinem "De bello gallico" als erster Römer über die Germanen, mit denen er in den Jahren 58 bis 51 v. Chr. bei der Eroberung Galliens in Kontakt kam. Alle linksrheinischen Gebiete waren romanisiert, die Grenze durch Kastelle gesichert. So wuchsen u. a. die Städte Trier, Köln und Mainz aus römischen Lagern hervor.

In der römischen
Einflußsphäre

Ein mächtiges Zeugnis hinterließen die Römer im heutigen Trier: die Porta Nigra, ehemals das Nordtor der römischen Stadtmauer.

Unter Augustus (63 v. Chr. – 14 n. Chr.) strebte das Römische Reich nach Sicherung seiner Nordostgrenze. Dabei drang das römische Heer mit seinem Feldherrn Drusus in den Jahren 12 – 9 v. Chr. bis zur Elbe vor, doch konnte sich eine römisch-germanische Provinz im nördlichen Deutschland nicht etablieren, denn schon 9 n. Chr. besiegten die Germanen unter Arminius in der Schlacht nördlich des Teutoburger Waldes drei römische Legionen. Die Römer zogen sich daraufhin bis hinter den Rhein und die Donau zurück und errichteten einhundert Jahre später mit dem obergermanisch-rätischen Limes eine befestigte Grenze zwischen ihrem und dem germanischen Herrschaftsgebiet. Damit war die ganze mittelalterliche Entwicklung vorgegeben: Im römischen Germanien (Germania Romana) vollzog sich der soziale, staatliche und kulturelle Fortschritt schneller als im freien Germanien (Germania libera), das jedoch durch Handelsbeziehungen ebenfalls von der römischen Kultur beeinflußt wurde. Die Germanenstämme waren in Gaue und Sippen gegliedert, die soziale Schichtung setzte sich aus einem Adel, Freien, Halbfreien und Sklaven zusammen. Sie betrieben

Römisches
Germanien

Geschichte im Überblick

5. Jt. v. Chr.	Jundgsteinzeit: band- und schnurkeramische Kulturen
1700 – 1000 v. Chr.	Bronzezeit: Hügelgräber- und Urnenfelderkultur
ab 800 v. Chr.	Eisenzeit: Kelten in Süd- und Mittel-, Germanen in Norddeutschland
ab 58 v. Chr.	Eroberung Galliens durch die Römer. Linksrheinische Gebiete unter römischer Herrschaft
9 v. Chr.	Schlacht im Teutoburger Wald
3. Jh.	Ansturm der Alamannen, Franken und Sachsen gegen den seit 83 n. Chr errichteten Limes
4. – 6. Jh.	Völkerwanderung und Entstehung der Germanenreiche
482 – 751	Merowingisches Frankenreich
768 – 814	Karl der Große
800	Karl der Große zum Kaiser gekrönt
814	Teilung des Karolingerreichs
919 – 1024	Sächsische Kaiser
936	Otto I. zum Deutschen König gewählt, Ausdehnung des Reichsgebiets
1024 – 1125	Salische Kaiser
1074 – 1122	Investiturstreit (1077 Gang nach Canossa)
1138 – 1254	Staufische Kaiser, Ausdehnung des Gebiets des "Heiligen Römischen Reichs" bis Sizilien
ab Mitte 13. Jh.	Aufstieg der Städte und Herausbildung eines Patriziertums
1256 – 1273	Interregnum
1273	Rudolf von Habsburg Deutscher König, Beginn der Habsburgerdynastie
1356	Goldene Bulle
1414 – 1418	Konzil zu Konstanz
1419 – 1436	Hussitenkriege
um 1450	Erfindung des Buchdrucks
1517	Beginn der Reformation
1524 / 1525	Bauernkriege
1546 – 1547	Schmalkaldischer Krieg

Augsburger Religionsfriede	1555
Dreißigjähriger Krieg	1618 – 1648
Westfälischer Friede, Aufsplitterung des Reichsgebiets	1648
Zeitalter der Aufklärung	18. Jh.
Preußen wird Königreich	1701
Aufstieg Preußens unter Friedrich dem Großen	1740 – 1786
Siebenjähriger Krieg	1756 – 1763
Frieden von Lunéville: linksrheinische Gebiete unter französischer Herrschaft	1801
Reichsdeputationshauptschluß	1803
Rheinbund, Ende des Heiligen Römischen Reichs Deutscher Nation	1806
Völkerschlacht bei Leipzig	1813
Wiener Kongreß	1814 / 1815
Restauration und Demagogenverfolgung	1819 – 1848
Deutscher Zollverein	1834
Bürgerliche Revolution, Nationalversammlung in der Frankfurter Paulskirche	1848 / 1849
Preußisch-Österreichischer Krieg und Norddeutscher Bund	1866
Deutsch-Französischer Krieg	1870 / 1871
Proklamation des Deutschen Kaiserreichs in Versailles	18. 1. 1871
Erster Weltkrieg	1914 – 1918
Ausrufung der Republik	9. 11. 1918
Hitler wird Reichskanzler	30. 1. 1933
Zweiter Weltkrieg, Ermordung von sechs Millionen europäischer Juden	1939 – 1945
Gründung der Bundesrepublik Deutschland (23. 5.) und der Deutschen Demokratischen Republik (7. 10.)	1949
Aufstand in der DDR	17. 6. 1953
Bau der Berliner Mauer	1961
Sturz des Honecker-Regimes in der DDR, Öffnung der Grenzen	1989
Deutsche Einheit	3. 10. 1990

Geschichte und Kultur

Römisches Germanien (Fortsetzung)

Landwirtschaft und Viehzucht; teils wanderten sie, teils lebten sie in hölzernen Pfostenhäusern. Aus der Verschmelzung des sakralen Königsrangs mit dem Amt des Herzogs, dem gewählten Führer des Heerzugs, entstand das Königtum des frühen Mittelalters.

4.–6 Jh.: Völkerwanderung

Der Einfall der Hunnen in die Gebiete der Ostgoten löste 375 die Völkerwanderung aus. Nach den jahrhundertelangen Wirren dieser umfassenden Migrationsbewegung etablierten sich im mitteleuropäischen Raum die Stämme der Alamannen, Hessen, Franken und Baiern.

Frühes Mittelalter

Merowinger

Chlodwig

Frankenkönig Chlodwig (482–511) gelang es, die unter zahlreichen Gaukönigen aufgeteilten Frankenstämme unter seiner Herrschaft politisch zu einen. Der wichtigste Schritt zur Einheit des Frankenreichs war aber sein Übertritt zum Christentum: 497/498 wurde er in Reims getauft und leitete damit die Sakralisierung des Königtums ein. Bis 539 dehnte sich das Frankenreich bis zu den Ostgoten hin aus, d. h. von Mittelmeer- und Atlantikküste bis über die Elbe in thüringisches und alamannisches Gebiet. Nach Chlodwigs Tod teilten seine vier Söhne das Reich. Zunehmende Auseinandersetzungen führten dazu, daß der Adel 561 durchsetzte, das Reich unter jeweils einem Majordomus (Hausmeier) dreizuteilen. Von den Germanen waren um diese Zeit nur noch die Sachsen unabhängig.

Kulturelle Entwicklung

Als literarisches Zeugnis sind aus heidnisch-germanischer Zeit die Merseburger Zaubersprüche in althochdeutscher Überlieferung erhalten.
Die Christianisierung der Germanen besorgten um die Wende des 6. Jh.s iroschottische Mönche. Sie gründeten bedeutende Klöster, unter anderem bei Würzburg, in Regensburg und auf der Insel Reichenau. Von herausragender Bedeutung war das Benediktinerkloster St. Emmeran in Regens-

Der Thron Karls des Großen im Dom zu Aachen

burg. Es wies die typische mittelalterliche Anlage mit Kreuzgang auf, die im St. Galler Klosterplan festgehalten ist, der Anfang des 9. Jh.s entstand. Je weiter das Christentum vordrang, um so mehr vollzog sich eine Klerikalisierung des Kulturlebens: Statt antiker Rhetorikschulen dominierten jetzt Kathedral- und Klosterschulen das geistige Leben. In diesen isolierten Zentren der Gelehrsamkeit entstand eine erste Blüte der Buchmalerei, in der Fisch- und Vogelornamente dominierten. Schrift und Symbol wurden in einen Bildzusammenhang gebracht. Wie sehr sich die universelle Bildung der Antike dabei auf eine theoretische Geistesbildung christlicher Ausrichtung reduzierte, verdeutlicht der schmale Kanon der sieben freien Künste (artes liberales), bestehend aus Grammatik, Dialektik und Rhetorik (Trivium), Geometrie, Arithmetik, Astronomie und Musik (Quadrivium).

Kulturelle Entwicklung (Fortsetzung)

Im 8. Jh. gelang es dem Hausmeier Karl Martell, die fränkische Oberhoheit über das ganze ursprüngliche Reich zu erneuern sowie auf die Länder der Baiern, Alamannen und Friesen auszudehnen. Diese militärischen Erfolge ermöglichten schwerbewaffnete Reiterkrieger, die sich dem Hausmeier verpflichteten. Das Lehnswesen hat in diesem Dienst-und Treueverhältnis seinen Ursprung: Den sog. Vasallen wurde gegen die Verpflichtung, für ihren Herrn ins Feld zu ziehen, Land widerruflich zur Verfügung gestellt.

8. und 9. Jh: Karolinger

Der angelsächsische Missionar und spätere Erzbischof Winfried-Bonifatius (672/673–754) gründete Klöster in Fritzlar und Fulda und schuf unter anderem die Bistümer Erfurt, Würzburg, Regensburg und Freising. Karl Martells im Kloster St. Denis erzogene Söhne Karlmann und Pippin stellten schließlich auch die weltliche Gewalt in den Dienst der von Bonifatius organisierten Kirchenreform, die die neuen Bistümer an Rom band. Die neue Einheit des Abendlandes erfüllte sich im christlichen Glauben. Gleichzeitig verbreitete sich mit der römischen Kirche der Imperiumsbegriff im Frankenreich und der germanischen Welt.

Bonifatius, "Apostel der Deutschen"

Als 751 Pippin von Bonifatius kraft seiner Funktion als päpstlicher Legat in Soissons zum König gekrönt und gesalbt wurde, hatten die Karolinger die Nachfolge der Merowinger angetreten.

Pippins Sohn Karl bekräftigte die königliche Schutzherrschaft über den Papst. Er verfolgte auch nach Osten eine expansive Politik und festigte seine Landgewinne durch Pfalzen und neue Bistümer (Bremen, Paderborn, Verden, Münster, Osnabrück und Minden). Der 30 Jahre anhaltende Widerstand der Sachsen gegen die gewaltsame Christianisierung schwand erst mit dem Übertritt ihres Herzogs Widukind zum Christentum im Jahre 785. Nach Feldzügen gegen die Slawen und Awaren erstreckte sich das Frankenreich nun von der Odermündung bis an die Adria. Am Weihnachtstag des Jahres 800 krönte Papst Leo III. in der Peterskirche zu Rom Karl zum Kaiser und erkannte damit den Frankenherrscher und nicht mehr den byzantinischen Basileus als Oberherrn an. Karl der Große verstand es, römische, byzantinische und fränkisch-germanische Traditionen miteinander zu verbinden. Er vertrat das germanische Königspriestertum und den augustinischen Gedanken einer Civitas Dei. Seine umfassende Machtstellung schloß sowohl die Herrschaft über die Kirche wie die Gesetzgebung ein. Das Reich wurde dezentral durch Pfalzen verwaltet, erhielt aber seine Einheit sinnbildlich in einer christlichen Reichskultur.

768–814: Karl der Große

800: Karl wird zum Kaiser gekrönt

Nicht nur politisch, auch kulturell knüpften die Karolinger seit Karl dem Großen an das weströmische Kaiserreich und die spätantik-frühchristlichen Traditionen. Die künstlerische Hochblüte, die der karolingischen Kultur einsetzte, wird deshalb auch "Renaissance" bezeichnet. Zentrum der Künste und Gelehrsamkeit war der Hof in Aachen. Hier stand die programmatische Pfalzkapelle, in der antike Spolien und Zitate germanischer Bauten architektonisch vereint waren. Mit der karolingischen Minuskel besaß das Reich Karls des Großen erstmals eine einheitliche Schriftform, die die Basis der modernen lateinischen Schreibschrift werden sollte. In der Buchmalerei wurden für das ganze Mittelalter gültige Formen geprägt. Ein charakteristisches Beispiel ist das um 800 entstandene Ada-

Karolingische Renaissance

Karolingische
Renaissance
(Fortsetzung)

Evangeliar (Stadtbibliothek Trier) mit seinen ganzseitigen Initialen und den Evangelistenbildern. Der Benediktinermönch Walahfrid, ein Schüler des Universalgelehrten Hrabanus Maurus, führte das Kloster Reichenau als Abt seit 838 zu einem einflußreichen kulturellen Zentrum in der Dicht- und Buchkunst. Erste Zeugnisse althochdeutscher Dichtung sind das sog. Wessobrunner Gebet, das "Muspilli" (beide Anfang 9. Jh. aufgezeichnet), das Heliandslied (um 830) und Otfried von Weißenburgs Evangelienharmonie (um 870). Die Musik dieser Zeit ist im gesamten christlichen Abendland bestimmt durch den Gregorianischen Choral, der auf eine Neuordnung der Liturgie durch Papst Gregor I. um 600 zurückgeht.

Entstehung
des deutschen
Regnums

Die Nachfahren Karls des Großen teilten das Frankenreich auf. So entstanden das Westfrankenreich unter Karl dem Kahlen, das heutige Frankreich, und das Ostfrankenreich unter Ludwig dem Deutschen. Aus diesem Königreich entwickelte sich im 10. Jh. das eigentliche Deutsche Reich. Im Gegensatz zum monistisch strukturierten Westfrankenreich mit einem christlich legitimierten König setzte sich in dem Reich, das man nach seiner gemeinsamen Sprache das deutsche zu nennen begann, die vorfränkische Form des Königtums durch. Es stützte sich auf einen von den Herzögen geführten Stammesadel, der sich lediglich durch den Umfang des beherrschten Gebietes vom König unterschied.

Hohes Mittelalter

919 – 1024:
Ottonen

Als die karolingische Erbfolge im Jahre 919 erlosch, wurde der Sachse Heinrich I. von den Sachsen und Franken zum König erhoben. Er führte umfassende Heeres- und Verwaltungsreformen durch und sicherte so das Reichsgebiet, das er durch die Eroberung slawischer Gebiete im heutigen Brandenburg und Sachsen vergrößerte. Die fünf von Herzögen geführten Stämme der Franken, Sachsen, Schwaben, Bayern und Lothringer bildeten das Reich, das jetzt erstmals als "Deutsches Reich" (Regnum Teutonicorum) bezeichnet wurde. Die Stammesfürsten wählten 936 in Aachen

Otto I.

Heinrichs Sohn Otto einstimmig zum König. Otto I. der Große (reg. 936 bis 973) stärkte die Königsgewalt gegenüber dem Adel, indem er Bischöfe und Äbte als Reichsfürsten einsetzte. Dieser Akt war gleichbedeutend mit der Gründung der Reichskirche. Mit großem militärischen Aufwand machte sich Otto dem Papst unentbehrlich und nahm die Rolle eines Schiedsrichters und obersten Friedenswahrers in Deutschland, in Frankreich und in Italien an. Mit der Einteilung der östlichen und südlichen Randgebiete des Reiches in Marken trug er zur Sicherung des Territoriums bei; im Osten fixierte er durch den Sieg über die Ungarn in der Schlacht auf dem Lechfeld am 10. August 955 nicht nur endgültig die Grenzen, sondern rettete auch Europa vor der Eroberung. Im Jahr 962 wurde Otto I. in Rom zum Kaiser gekrönt.

Ottonische Kunst

Die Kunst jener Epoche zeichnete sich durch Ausdrucksstärke und Verfeinerung aus. Großen Anteil an dieser Kulturblüte hatten die Frauen: Adelheid, die zweite Frau Ottos I. unterstützte die Klosterreform von Cluny; die hochgebildete, mit Otto II. verheiratete Theophanu vermittelte byzantinische Einflüsse; Hrotsvit von Gandersheim schuf die ersten Lesedramen des Mittelalters. Weitere herausragende Zeugnisse ottonischer Kunstentfaltung sind die Bronzetüren des Bischofs Bernward in der Klosterkirche St. Michael in Hildesheim, die selbst architektonisch eine neue Stufe durchdachter Ausgewogenheit darstellt. Nicht mehr die abgeschlossene Werkstätte der Hofschule Karls des Großen schuf die Kunst der Zeit, sondern es waren einzelne bedeutende Klöster, die zu Kunstzentren aufstiegen. Die erlesensten Kunstwerke ottonischer Malerei kamen von der Insel Reichenau, wo in den Jahrzehnten um 1000 zahlreiche Handschriften und Fresken entstanden. Das Perikopenbuch Heinrichs II. (Bayer. Staatsbibliothek, München) gibt einen Eindruck von der Virtuosität, mit der damals geistige Inhalte zur Darstellung gebracht wurden.

Nach Ende der ottonisch-sächsischen Erbfolge gelangte im Jahre 1024 mit Konrad II. das Geschlecht der Salier auf den Thron. Auch ihnen war zunächst daran gelegen, ihre Position gegenüber den Herzögen auszubauen. Als Heinrich IV. (reg. 1056 – 1106) 1073 vom sächsischen Adel bedroht wurde, begab er sich in den Schutz der aufstrebenden Reichsstädte – ein Novum in dem stetigen Machtkampf zwischen Kaiser und Adel.

1024 – 1125: Salier

Der zweite große Konflikt des Mittelalters war die Auseinandersetzung zwischen Papst und Kaiser um die Unabhängigkeit des Papsttums und die Vorherrschaft im Abendland. Heinrich III. hatte den Höhepunkt der kaiserlichen über die päpstliche Gewalt erreicht, als er sich die cluniazensischen Reformen zu eigen machte und dadurch seine kirchlichen Rechte wahren konnte. Die Kontroverse kulminierte im Investiturstreit. Papst Gregor VII. verhängte den Bann über Heinrich IV., als dieser sich dem Verbot, Bischöfe einzusetzen, entzog. Das kam einer Absetzung des Königs gleich und verfehlte seine Wirkung unter den deutschen Fürsten nicht. Es kam zum Bürgerkrieg gegen die aufständischen süddeutschen Herzöge. Heinrichs Bußgang nach Canossa 1077 nötigte den Papst, den Bann zunächst wieder aufzuheben. Ein zweiter Bann traf 1080 einen inzwischen gefestigten König, der den Gegenkönig besiegt hatte und die meisten Bischöfe, den niederen Adel und die Bürger der rheinischen Städte hinter sich wußte. Vom Gegenpapst Clemens III. ließ sich Heinrich 1084 in Italien zum Kaiser krönen. Die Führung Europas aber hatte nun der Papst übernommen.

1077: Gang nach Canossa

Erst Heinrich V. (reg. 1106 – 1125) verzichtete 1122 im Wormser Konkordat auf das Recht der Investitur mit Ring und Stab, konnte die Bischöfe aber weiterhin durch ein Lehnsverhältnis an den König binden. Die Reichskirche ottonischer Prägung bestand damit nicht mehr, denn die Bischöfe waren jetzt geistliche Fürsten und damit dem weltlichen Adel gleichgestellt. Dessen Interessen wurden auf diese Weise gestärkt.

Im 11. Jh. war der Dom zu Speyer kaiserliche Grablege geworden – der Bedeutungszuwachs spiegelt sich in der Architektur wider. Die Kirche ist ebenso wie die Kaiserdome in Worms und Mainz ein monumentales Zeugnis der Hochromanik. Eine neue, raffinierte Bautechnik (u. a. Einwölbung unter Erhalt der großen Fensterreihen) wurde hier erstmals in Deutschland angewandt. Weitere Merkmale der romanischen Baukunst sind die additive Auffassung des Baukörpers ("Gruppenbau"), die Erweiterung und Differenzierung des Raumprogramms (z.B. mehrschiffige Krypten; Westchöre) und die Gliederung des Außenbaus durch Turmfassaden und bauplastischen Schmuck.

Romanik

*Der berühmte Minnesänger
Walther von der Vogelweide*

An den europäischen Höfen entwickelte sich im 12. Jh. der Minnesang, der in seiner reinsten Form – vorgebracht durch Heinrich von Meißen, gen. Frauenlob – an einem Ideal ausgerichtete Liebeslyrik sein konnte, aber auch gesellschaftliche Zustände widerspiegeln konnte. Ein meisterhafter Vertreter aller Richtungen war Walther von der Vogelweide, der in seinen Liedern auch an Zeitkritik nicht sparte. Wie im Minnesang, so orientierte sich auch im höfischen Epos das Handeln der Personen an ritterli-

Mittelhochdeutsche Literatur

Mittelhoch-
deutsche
Literatur
(Fortsetzung)

Mystik und
Scholastik

chen Idealen. Zum Transport dieser Werthaltungen waren ritterliche "Abenteuergeschichten" wie das Nibelungenlied oder der "Parsifal" des bedeutendsten Epikers Wolfram von Eschenbach am geeignesten – erzieherische Wirkung auf die höfische Jugend war beabsichtigt.

In dieser Zeit entdeckte die Wissenschaft insbesondere durch die Scholastik Aristoteles wieder. Sie setzt sich kontrovers mit der gleichzeitigen Strömung der Mystik (Bernhard von Clairvaux, Hildegard von Bingen) auseinander.

1138 – 1254:
Staufer

Friedrich
Barbarossa

Kreuzzüge

Friedrich II.

Im Wechselspiel der um einen schwachen König bemühten Fürsten entbrannte Mitte des 12. Jh.s ein Machtkampf um den Königsthron zwischen Staufern und Welfen. Die deutschen Fürsten wählten 1152 Herzog Friedrich von Schwaben aus staufischem Hause und gleichzeitig Sohn einer Welfin zum König. Ihm gelang es, den Konflikt der beiden Adelshäuser beizulegen. Durch geschickte und zielstrebige politische Manöver gewann der 1155 zum Kaiser gekrönte Friedrich I. Barbarossa (reg. 1152 – 1190) die weitreichende Machtstellung der ottonischen Kaiser zurück. Er führte den Terminus "Heiliges Römisches Reich" ein, um den gleichberechtigten Rang des deutschen Kaisers neben dem Papst zu behaupten. Die Universalherrschaft ließ sich aber nicht verwirklichen, da die europäischen Könige und viele Bischöfe dem Streben nach uneingeschränkter kaiserlicher Macht entschiedenen Widerstand entgegensetzten. Zudem gab es auch im Deutschen Reich freie Klöster wie Hirsau, die dem Kaiser entgegenwirkten. Ließ sich auch der universale christliche Herrschaftsgedanke mit den Kreuzzügen des 12. und 13. Jh.s nicht einlösen, so hatte die Kreuzzugsbewegung doch mannigfaltige Auswirkungen auf das Abendland. Geistliche Ritterorden entstanden, der Ritterstand bildete sich heraus und es kam zu einem vielfältigen Kultur- und Handelsaustausch mit dem Orient. Auf dem dritten Kreuzzug 1190 zur Rückeroberung Jerusalems aus osmanischer Hand starb Friedrich I. Sein Sohn, Heinrich VI. (reg. 1190 – 1197), stand auf dem Zenit staufischer Universalmonarchie. Durch seine Heirat mit der Normannenprinzessin Konstanze schloss das Deutsche Reich nun auch Sizilien mit ein. Nach seinem Tod 1197 erlosch die deutsche Herrschaft in Italien. Die wieder aufbrechende Rivalität zwischen Welfen und Staufern um den deutschen Königsthron nutzte Papst Innozenz III. dazu, seine Machtposition und den Kirchenstaat auszubauen.

Im Jahre 1208 erlangte Friedrich II. (reg. 1212 – 1250), der Sohn Heinrichs VI., die Volljährigkeit und machte sich auf, seine angestammte Stellung einzunehmen. In einem große Teile Europas ergreifenden Krieg konnte er sich durchsetzen und wurde 1215 in Aachen gekrönt. Der in Sizilien aufgewachsene König verfolgte mit seiner Politik vor allem Interessen im Mittelmeerraum und versuchte, das von Innozenz III. unter kirchenstaatliche Lehnsherrschaft gebrachte Land wieder dem Deutschen Reich anzuschließen.

Bereits 1159 hatte Heinrich der Löwe die Stadt Lübeck gegründet und damit die Voraussetzung für die deutsche Vormachtstellung an der Ostsee geschaffen. Der zunehmende Handel stärkte die Macht des städtischen Bürgertums. Die stärksten befreiten sich aus der Herrschaft des Klerus. Zeichen dieses Aufstiegs sind die monumentalen Bürgerkirchen, die wie z. B. in Lübeck die Bischofskirchen an Größe und Pracht weit übertreffen konnten. Das Stadtwesen entwickelte sich mit seiner bürgerlicher Freiheit, der Marktordnung und den Zünften.

Die staufische Architektur gewann gegenüber der romanischen an Differenziertheit. Die Kirche St. Aposteln in Köln ist ein gutes Beispiel dafür, wie neue architektonische Kleinformen die schwereren romanischen Formen gliederten. Im 13. Jh. vermischten sich die regionalen Eigenheiten mit den Einflüssen der französischen Gotik. In Straßburg, Magdeburg und Naumburg entstanden die frühen gotischen Dome Deutschlands, in Trier (Liebfrauenkirche) und Marburg (St. Elisabeth) die ersten einheitlichen Pfarr- und Wallfahrtskirchen nach dem neuen architektonischen Muster. Die Auseinandersetzung mit französischer Kathedralplastik läßt sich deutlich an der Skulptur der Trierer Liebfrauenkirche, dem Münster in Straßburg und dem Bamberger Dom nachvollziehen. Im Rheinland und insbesondere im Rhein-Maas-Gebiet blühte eine Kunstlandschaft außerordentlichen Ranges. Dort arbeitete unter anderen der Goldschmied Nikolaus von Verdun, dem Arbeiten am Kölner Dreikönigsschrein zugeschrieben werden.

Staufische Architektur und Frühgotik (Fortsetzung)

Spätmittelalter

In Deutschland kennzeichnete das Kräftemessen zwischen König, Fürsten und Städten das Spätmittelalter. Die Königswahl wurde 1257 erstmals von einem festen Gremium, den Kurfürsten, vorgenommen. Nach einigen Wirren um Könige und Gegenkönige in der Zeit des Interregnums seit 1256 kam 1273 mit Rudolf I. von Habsburg nach den Staufern wieder ein machtvoller Herrscher auf den deutschen Königsthron. Sein Ziel war es, die alte Machtposition des Königs wieder zu erlangen. Dazu setzte er die systematische Rückforderung des verlorengegangenen Reichsgutes ein.

Seit 1273: Habsburger

In diese Zeit fällt auch der erste Versuch, Recht zu kodifizieren: Um 1230 verfaßte Eike von Repgow den sogenannten Sachsenspiegel, das älteste deutsche Rechtsbuch und Vorbild späterer, ähnlicher Codici.

Die Nachfolger des ersten Habsburgers auf dem Königsthron strebten wieder nach dem Titel des Römischen Kaisers. Karl IV. (reg. 1346–1378) aus dem böhmischen Zweig des Hauses Luxemburg verschaffte sich wieder eine souveräne Haltung im Reich und in Bezug auf das Kräftespiel zwischen Kurfürsten und Papst. In der Goldenen Bulle ließ er 1356 die wichtigsten Elemente der Reichsverfassung und des Reichsrechts zusammenfassen. Das Kolleg der sieben Kurfürsten wurde festgelegt: Den Erzbischöfen von Mainz, Köln und Trier, dem Pfalzgrafen bei Rhein, dem Herzog von Sachsen, dem Markgrafen von Brandenburg und dem König von Böhmen war es allein vorbehalten, den deutschen König zu wählen.

1356: Goldene Bulle

Im 13. Jh. erlangte der Deutsche Orden, ein geistlicher Ritterorden nach Vorbild der Templer und Johanniter, zunehmend Bedeutung als Träger einer Missions-, Siedlungs- und Expansionsstrategie. Das Pruzzenland (Preußen), Livland und später Estland wurden der christlichen Hemisphäre eingegliedert. Der Orden war unmittelbar nur Papst und Kaiser verantwortlich. Sein Zentrum und Sitz des Oberhauptes, die Hochmeisters, war die Marienburg in Westpreußen. Die Siedlungsbewegung nach Osten vollzog sich meist unter Beteiligung der einheimischen Bevölkerung. Zahlreiche Stadtgründungen im 13. Jh. gehen auf diese Aktivitäten zurück.

Deutscher Orden

Der bedeutendste Städtebund des Mittelalters, die Hanse, formierte sich 1358 und stellte im 14. Jh. eine Wirtschaftsmacht dar. Dabei fiel einigen Städten eine Sonderrolle zu: Köln war z.B. Zentrum der Goldschmiede und Goldschläger, Braunschweig die Stadt der Messingproduktion. Bereits im 15. Jh. neigten sich die Bünde der Städte zugunsten von einzelnen Gesellschaften ihrem Ende zu, so z.B. der Ravensburger Handelsgesellschaft. Die Hanse büßte einen großen Teil ihrer Macht ein: Bankhäuser in Familienhand wie das der Fugger in Augsburg wurden zu potenten wirtschaftlichen und – als Finanziers der Fürsten – auch zu politischen Faktoren.

Weiteres Erstarken der Städte

Auch die Kirche bot kein einheitliches Bild mehr. Ausufernde Heiligenverehrung und Ketzerverfolgung durch die Inquisition standen zeitgleich neben dem Aufstieg der Bettelorden und den Dominikanern seit 1216 und den Franziskanern seit 1223. Das 14. Jh. dann war das Jahrhundert der Mystik, die neben dem herausragenden Meister Eckhart und seinen Schülern Johannes Tauler und Heinrich Seuse maßgeblich von Frauenklöstern getragen wurde. Zentrum der Frauenmystik war das Zisterzienserinnenkloster Helfta bei Eisleben. Die Juden hatten kaum Rechte und mußten eine hohe Steuerlast tragen. Trotz Absonderung in Ghettos, vielfacher Verfolgung und Pogromen – besonders zu Zeiten der Pestepidemien – wuchsen bedeutende jüdische Siedlungen in Mainz, Köln, Worms und Frankfurt.

Kirche und Judentum

Geschichte und Kultur

Kirchenschisma

Die Zerrüttung der Kirche führte 1378 zum sogenannten Großen Schisma, der Wahl zweier Päpste. Ganz Europa spaltete sich in zwei Lager. Obwohl Deutschland zur Unterscheidung von ehemals zum Reich gehörenden Teilen wie Italien und Burgund seit der ersten Hälfte des 15. Jh.s den Namen "Heiliges Römisches Reich Deutscher Nation" trug, war es nicht im mindesten einheitlich geordnet. So hatte das Schisma im Deutschen Reich vielfältige und wechselnde Bünde von König, Fürsten und Städten zur Folge.

1414–1418:
Konzil zu Konstanz

Schließlich kam 1414–1418 das Konzil von Konstanz zustande, das das Ende der Kirchenspaltung bewerkstelligte. Jan Hus, der tschechische Reformator, wurde 1415 in Konstanz als Ketzer verbrannt. Sein Märtyrertod löste die Erhebung der Hussiten gegen die Deutschen aus, die in die erst 1436 beendeten Hussitenkriege mündete.

Architektur,
Skulptur und
Malerei der Gotik

Gotische Formen fanden sich nun an allen wichtigen Bauten Deutschlands. Die wandernden Bauhütten verbreiteten den Fortschritte in der Bautechnik. Ganz wesentlich war dabei die Erfindung der seriellen Fertigung: Man konnte die Bauten höher und lichter aufführen, die vertikale Gliederung betonter und differenzierter gestalten und durch Glasmalerei ergänzen. Ein hervorragendes Beispiel für solche filigrane Architektur ist das Turmoktogon des Freiburger Münsters (Anfang 14. Jh.). Im Norden Deutschlands entfaltete sich eine ganz eigene Spielart der Baukunst, die Backsteingotik. Die imponierenden Kirchen von Lübeck, Stralsund und Greifswald, die Marienburg und die Rathäuser von Lübeck und Stralsund zeugen von dieser speziellen Kunst.

Gutenbergbibel (gegen 1455):
Die Erfindung des Buchdrucks revolutionierte
das kulturelle und politische Leben.

In der Skulptur bildete sich der Typus der Andachtsbilder heraus. Die Berliner Museen besitzen ein vorzügliches Beispiel der Christus-Johannes-Gruppen (aus Oberschwaben um 1330). Eine andere häufige Form dieser Vesperbilder ist die Pietà.

Während in Italien die Kunst der Frührenaissance aufblühte, datieren aus dem 14. Jh. die ersten Tafelbilder und Flügelaltäre in Deutschland. Noch ganz mittelalterlichen Formen sind beispielsweise die Werke des Meister Bertram und des Meister Francke (beide Kunsthalle Hamburg) verpflichtet. Im Kölner Raum entstanden allerdings nur wenige Jahre später viel subtilere Gemälde der sogenannten Internationalen Gotik. Stellvertretend für die Kölner Schule sei hier Stefan Lochner (um 1400–1451) genannt. Konrad Witz (um 1400–um 1445) vollzog einen revolutionären Schritt, als er zum ersten Mal den imaginären Bildhintergrund durch das Abbild einer in der Natur existierenden Landschaft ersetzte. Insgesamt zeichnete sich die Kunst nördlich der Alpen durch Überfeinerungen, den sogenannten Schönen Stil, aus. Auf dem Gebiet der Architektur und der Bildhauerei wirkte hier vor allem die Familie der Parler stilbildend.

Wissenschaft und
Universitäten

Aristoteles' Schriften wurden nach und nach übersetzt. Sie bestimmten zusammen mit den Kommentaren – darunter der einflußreichste von dem arabischen Gelehrten Averroës – die Wissenschaften und verdrängten platonisches, neuplatonisches und augustinisches Gedankengut. In Köln trat Albertus Magnus (um 1200–1280) hervor, der die aristotelische Philosophie systematisierte und den Naturwissenschaften den Boden ebnete. Universitäten wurden gegründet: 1386 die Heidelberger als erste Hochschule Deutschlands, 1409 die Leipziger. Johann Gensfleisch aus Mainz, gen. Gutenberg (um 1400–1468), der seit ca. 1445 mit beweglichen Druck-

Erfindung des
Buchdrucks

lettern experimentierte, druckte 1453 die Bibel. Damit bewirkte er eine kulturelle Revolution ohnegleichen: Schriftliche Erzeugnisse erlangten rascheste Verbreitung, denn man druckte auf Papier, das das teurere Pergament verdrängte. Schriftlichkeit erhielt eine eminente Bedeutung für Staatswesen und Kultur. So begannen auch langsam humanistische Ideen zu kursieren; die Scholastik verlor dagegen an Einfluß.

Erfindung des Buchdrucks (Fortsetzung)

Die augenfälligste Tendenz des Spätmittelalters ist die der sozialen Differenzierung. Die Bevölkerung stieg stark an, und es bildeten sich an den Kreuzungen der wichtigen europäischen Handelsstraßen Großstädte heraus wie Köln, Hamburg, Lübeck und Nürnberg. Hier entwickelten sich eine eigene Kultur und ein eigenes Recht. Die Städtebünde, etwa die Hanse und der Rheinische Bund, genossen Privilegien. Dennoch war das Spätmittelalter agrarisch geprägt. Das Leben war durch Mobilität bestimmt, sowohl im eigentlichen Wortsinn, wie auch sozial und wirtschaftlich.

Mobilität und soziale Differenzierung

Mitte des 14. Jh.s brach die Pest über Europa herein. Die Epidemien, Hungersnöte, Kriege und Naturkatastrophen dezimierten die Bevölkerung in Europa bis Ende des 14. Jh.s um fast 50%. Dieses Phänomen und die Landflucht führten zu "Wüstungen", Verwahrlosung weiter Agrarflächen, und zu einer Krise der Landwirtschaft.

Pest

Humanismus, Reformation und Gegenreformation

Im 16. Jh. entwickelten sich Augsburg, Hamburg und Danzig zu Umschlagplätzen des europäischen Binnenhandels. Politisch verloren die großen Städte gegenüber den weltlichen Fürsten jedoch an Bedeutung. Das Verkehrswesen erlebte einen steilen Aufschwung: 1505 richtete Franz von Taxis eine Postverbindung zwischen Spanien, Deutschland und den Niederlanden ein. Gleichzeitig verfeinerte und präzisierte sich die Kartographie, die in Deutschland eine Hochburg hatte. Im Rahmen der neuen wirtschaftlichen Systeme entstand der moderne Geldhandel. Erste deutsche Börsen wurden 1540 in Augsburg und Nürnberg gegründet. In Ostdeutschland bildete sich im 15. und 16. Jh. die Gutsherrschaft heraus, die sich als Variante der Leibeigenschaft bis ins 19. Jh. halten sollte.

Ausbau von Wirtschaft und Verkehr

Im Unterschied zu anderen europäischen Ländern, die aufgrund ihrer zentralistischen Organisation dem Absolutismus zustrebten, glich das Römische Reich Deutscher Nation einem Flickenteppich aus weltlichen und geistlichen Herrschaftsgebieten. Die Reichsstände suchten ihre Position gegeneinander und dem Kaiser gegenüber auf den Reichstagen zu regulieren. Dort wurden vorrangig jene Angelegenheiten verhandelt, die die Gesamtheit der Reichsglieder betrafen. Ausgehend von den österreichischen Stammlanden verstanden es die Habsburger in den Jahrzehnten um 1500, ihren Länderbesitz durch Heirats- und Erbverträge geschickt und ausdauernd zu mehren. Sie wuchsen so zu einer europäischen Großmacht. Unter Maximilian I. (reg. 1493–1519) herrschte das Haus Habsburg über Deutschland, Österreich, Böhmen, Ungarn, Burgund und Spanien samt dessen Eroberungen in Amerika und Asien. Als Maximilians Enkel Karl V. (reg. 1519–1556) erstmals mit der Wahl zum deutschen König auch automatisch zum Römischen Kaiser gewählt wurde, war das Herrschaftsgebiet der Habsburger so umfassend, daß Schiller ihm in seinem "Don Carlos" die Worte vom Reich, "in dem die Sonne nicht untergeht" in den Mund legen konnte.

"Das Reich, in dem die Sonne nicht untergeht"

Maximilian I.

Karl V.

Die geistesgeschichtlichen Strömungen des frühen 16. Jh.s bereiteten den Boden für die Reformation. Der auch in Basel und Freiburg wirkende Erasmus von Rotterdam (1466–1537) propagierte eine auf dem Neuen Testament fußende, unbefangene Einstellung zu Welt und Kirche, die er "Philosophia Christi" nannte. Im Ganzen gesehen nahm die Bildung der Bevölkerung zu. Die Städte wurden zu geistigen Zentren, in denen die humanistische Zirkel sprossen.

Humanismus

Geschichte und Kultur

Albrecht Dürer und seine Nachfolger

Herausragende Künstlerpersönlichkeit dieser Zeit in Deutschland war sicherlich der in Nürnberg lebende Albrecht Dürer (1471–1528). Sein universeller Geist hob ihn über die traditionelle Gebundenheit von Ständen und Zünften, in der viele Künstler noch verharrten. Neben Gemälden von abgeklärter psychologischer Intensität und den aus dem Status der Arbeitsskizze heraustretenden Zeichnungen und Aquarellen zeugen vor allem seine graphischen Arbeiten von hoher Meisterschaft. Einer seiner Schüler, Matthias Grünewald (um 1480–vor 1532), brachte jenseits der intellektuellen Kunst des Melancholikers Dürer ein ganz anderes Element zu einer vollkommenen Darstellung: den leidenschaftlichen Ausdruck. Tilman Riemenschneider (um 1460–1531), ebenfalls ein Zeitgenosse Dürers, schuf im fränkischen Raum Schnitzaltäre und Skulpturen, die zwar noch den Formen der Spätgotik treu blieben, bei denen aber die Unruhe dieses Stils durch eine Betonung des idealen Schönen bereits überwunden wird.

Albrecht Dürer: Selbstbildnis (1498)

Meistersinger

Eine neue Form der Lieddichtung löste den Minnesang im 15./16. Jh. ab. In Süddeutschland schlossen sich zunftähnliche Singschulen zusammen, die Meistersinger. Der bekannteste unter diesen Sängerpoeten war der Nürnberger Schuster Hans Sachs (1494–1576), der über 4000 Lieder und etwa 200 Schauspiele schrieb und als Dichter Partei für die Reformation ergriff.

1517: Beginn der Reformation

Im Herbst 1517 formulierte der Augustinermönch Martin Luther (1483 bis 1505) das Unbehagen an der herrschenden Kirchenpraxis in seinen berühmten 95 Thesen gegen Ablaßwesen und päpstliche Selbstherrlichkeit, die die evangelische Bewegung auslösten. Daß Luther sich der deutschen und nicht der lateinischen Sprache bediente, erklärt auch die ungeheure Resonanz seiner Streitschrift und machte ihn zur Leitfigur der Reformation. Trotz des 1518 ausgesprochenen Bannes konnte er sich auf dem Reichstag zu Worms 1521 vor Karl V. erklären, wurde aber im Wormser Edikt von 1521 als Ketzer mit der Reichsacht belegt. Luther zog sich ins sichere Asyl

1521/1522: Luther übersetzt die Bibel

auf die Wartburg zurück und übersetzte das Neue Testament ins Deutsche, genauer in die ihm geläufige kursächsisch-meißnische Kanzleisprache. Damit gilt er als eigentlicher Begründer der neuhochdeutschen Schriftsprache. War Luther eher ungewollt zum politischen Sprecher der Reformation geworden, so liegt hier sein eigentlich originärer Beitrag zur deutschen Geistesgeschichte.

1524/1525: Bauernkrieg

Die evangelische Bewegung wurde in den folgenden Jahrzehnten zu einer ganz Europa verändernden Kraft. In Deutschland gerieten auch soziale Unruhen wie der Ritterkrieg des Franz von Sickingen von 1522/1523 und der blutig niedergeschlagene Bauernaufstand der Jahre 1524/1525 in den Wirbel der umstürzenden Veränderungen in der Kirche.

Gegenreformation

Nach und nach bekannten sich viele Landesherren zur Reformation, zweifellos auch, weil ihnen die Neuordnung der Kirchen- und damit vieler

Machtstrukturen gelegen kam. Das Haupt der Gegenreformation war Kaiser Karl V., der die Wiederherstellung der Glaubenseinheit als eine seiner wichtigsten Aufgaben sah. Die protestantischen Reichsstände schlossen sich nach dem gescheiterten Augsburger Reichstag des Jahres 1530 zum Schmalkaldischen Bund zusammen, gegen den der Kaiser 1546–1547 Krieg im eigenen Land führte. Als sich die Fürsten mit dem französischen König verbündeten und Karl V. überraschend angriffen, mußte sich der Habsburger geschlagen geben. Auf dem Augsburger Reichstag 1555 konnten die protestantischen Fürsten ihre beiden Hauptanliegen durchsetzen: weitgehende politische Autonomie und Religionsfreiheit. Das bedeutete für die Bevölkerung allerdings die Bindung an die jeweilige landesherrliche Konfession ("cuius regio, eius religio").

Gegenreformation (Fortsetzung)

1546–1547: Schmalkaldischer Krieg

1555: Augsburger Religionsfriede

Einzelne Fürsten statteten nun ihre Höfe nach kaiserlichem Vorbild majestätisch aus und pflegten die Künste. In München beispielsweise war einer der bedeutendsten Musiker der Renaissance, Orlando di Lasso (1532–1594), von 1564 bis zu seinem Tod Kapellmeister der bayerischen Hofkapelle Herzog Albrechts. Auch innerhalb der katholischen Kirche konnten Reformen Fuß fassen. Hauptträger der Erneuerung war der 1534 von Ignatius von Loyola gegründete Orden der Jesuiten, der zum Träger der Gegenreformation wurde. Am Ende des 16. Jh.s hatten sich im Ringen von Reformation und Gegenreformation die Gewichte verteilt: Mittel- und Norddeutschland war fast gänzlich protestantisch, West- und Süddeutschland überwiegend katholisch.

Martin Luther (1483 – 1540)

Ein ausgeprägtes Merkmal dieser Zeit war, daß sich der Glaubenskrieg in den Künsten fortsetzte. Bilder konnten theologische Pamphlete sein, Gedichte und Lieder dogmatische Inhalte transportieren. Im Gegensatz zur bald bilderfeindlichen evangelischen Kirche zelebrierte der Katholizismus mit dem aufblühenden Barock seine Regeneration und bezog die Künste bewußt in den Kult mit ein.

Die Künste und die Reformation

Im ausgehenden 16. Jh. verdrängte zunächst aber die Profanarchitektur den Sakralbau von seiner tonangebenden Stellung. Schlösser, Stadtpaläste und Rathäuser stellten die wichtigste Bauaufgabe nachgotischer Zeit dar. Ein Stilzusammenhang bildete sich in Deutschland allerdings nur im Nordwesten: Den Wohlstand der Bürger und des Adels im Wesergebiet zwischen Hannoversch Münden und Minden begleitete von etwa 1530 bis 1630 eine Blüte in der Architektur, die sogenannte "Weserrenaissance".

Profanarchitektur

Wichtig für die spätere Barockmalerei und ein Vorläufer der idealistischen Landschaftsmalerei war der Frankfurter Maler und Radierer Adam Elsheimer (1578–1610). Martin Opitz' (1597–1639) 1624 erschienenes "Buch von der deutschen Poeterey" blieb stilbildend für die Barockliteratur bis ins 18. Jahrhundert. Die erste deutsche Oper komponierte 1627 Heinrich Schütz (1585–1672) nach einem von Opitz übertragenen Libretto.

Malerei, Literatur und Musik

Auf wissenschaftlichem Terrain leistete der Theologe, Mathematiker und Astronom Johannes Kepler (1571–1630) mit seinen Gesetzen zur Planetenbewegung Bahnbrechendes.

Johannes Kepler

Unter dem Vorwand der Verteidigung des wahren Glaubens verfolgten zahlreiche Fürsten und Stände ihre höchst eigennützigen Interessen und fanden sich in Schutzbündnissen zusammen. Der Gründung der protestantischen Union von 1608 folgte 1609 die Katholische Liga. Zu ersten Kämpfen kam es in Böhmen, wo die überwiegend evangelischen Landesstände 1619 Kaiser Ferdinand II. absetzten. Der folgende Krieg, in den nach und nach die Dänen, die Spanier, die Schweden und die Franzosen eintraten, verwüstete weite Landstriche Deutschlands, forderte ca. ein Drit-

1618–1648: Dreißigjähriger Krieg

Dreißigjähriger Krieg (Fortsetzung)

tel der Bevölkerung an Todesopfern und hatte die Verarmung der Bauern und Bürger zur Folge. Ein eindrückliches Zeugnis dieser Schreckensjahre und zugleich eines der sprachgewaltigsten Werke der deutschen Literaur ist der 1669 erschienene Roman "Der abenteuerliche Simplizissimus" von Hans Jakob Christoffel von Grimmelshausen (um 1622 – 1676).

1648: Westfälischer Friede

1644 begannen schließlich die langwierigen Friedensverhandlungen in Münster und Osnabrück, die 1648 zum Westfälischen Frieden und damit zum Ende des Krieges führten. Die Bestimmungen des Friedensvertrages legten die konfessionelle und politische Landkarte Deutschlands fest und bereiteten, indem sie die kaiserlichen und päpstlichen Befugnisse einschränkten, die Grundlage für die barocke Prachtenfaltung der Fürsten.

Das Zeitalter des Absolutismus

Grundlagen des Absolutismus

Schon bald nach den Religionskriegen und Glaubensverfolgungen des 16. und frühen 17. Jh.s setzte sich eine kritische Distanz zum konfessionellen Kirchentum durch. Die Ziele des Staates mußten nicht mehr religiös motiviert sein, es genügte ihr Selbstzweck. Der französische König Ludwig XIV. verkörperte in universeller Weise die neue Maxime: Das Wohl des Staates rechtfertigte alle Unternehmungen. Begriffe wie "Staatsinteresse" und "Staatsräson" ersetzten christliche Parolen wie die vom "Heiligen Krieg". Der aufkommende Merkantilismus, die staatliche Wirtschaftslenkung durch den Landesherrn, bewirkte eine effizientere Staatswirtschaft.

Aufstieg der Regionalmächte

Gegen Ende des 17. Jh.s bestimmte eine kleine Zahl mächtiger Fürsten die deutsche Geschichte. Vor allem im Westen und Südwesten bestand das Reich aus kleinen und kleinsten Staaten, den sogenannten Duodezfürstentümern. Als Reich agierte Deutschland nur vereinzelt wie z. B. bei der Verteidigung Süddeutschlands im Pfälzischen Krieg 1688 – 1697. Die Stellung des Kaisers bemaß sich nach der Stärke seiner Hausmacht. Zu bedeutenden Territorien waren im Laufe des 17. Jh.s Kurbayern, Kursachsen, Kurbraunschweig-Lüneburg und Kurbrandenburg-Preußen unter dem Großen Kurfürsten Friedrich Wilhelm (reg. 1640 – 1688) aufgestiegen. Sie betrieben jeweils eine eigene Freundschafts- und Bündnispolitik. Bayern lehnte sich an Frankreich an, um Unterstützung gegen Österreich zu erhalten, Sachsen stellte 1697 den polnischen König und hatte in August dem Starken (reg. 1697 – 1733) die glänzende Gestalt des deutschen Barock, der Dresden zu einem Zentrum der Künste von europäischem Rang ausbaute.

Preußen und Österreich

Im Laufe des 18. Jh.s stabilisierten sich zwei Großmächte auf deutschem Boden: Habsburg und Preußen. Letzteres war 1701 zum Königreich avanciert und die Herrscher, allen voran König Friedrich I. und seine Gattin Sophie Charlotte, versuchten, der Residenz Berlin ähnlichen Glanz zu geben, wie ihn die Fürstenhöfe in Dresden und München verbreiteten. Friedrichs Nachfolger Friedrich Wilhelm I. reduzierte den repräsentativen Aufwand des Hofes wieder und verwirklichte eine konsequent absolutistische Herrschaft mit stark merkantiler Ausrichtung. Er konzentrierte sich darauf, den Staat im Innern zu stärken und betrieb Außenpolitik nur sehr zurückhaltend.

Aufklärung

Um die Wende zum 18. Jh. wirkte sich der Verlust des einheitlichen christlichen Weltbildes auf das allgemeine geistige Leben aus. Vernunft, Natur und Erfahrung waren die Werte, an denen sich nun das Denken orientierte; Wissenschaft und Forschung gewannen an Gewicht. Gottfried Wilhelm Leibniz (1646 – 1716) gründete 1700 in Berlin eine Akademie der Wissenschaften. Der in Königsberg lehrende Philosophieprofessor Immanuel Kant (1724 – 1804) war der Repräsentant der deutschen Aufklärung schlechthin. Kern seiner Lehre war das Gebot, die vernunftbestimmte Freiheit an ein sittliches Gesetz zu binden.

Friedrich der Große

Seit 1740 regierte in Preußen der erste Monarch, der die Postulate der Aufklärung politisch umzusetzen begann. Diesen König, Friedrich II. (reg. 1740 bis 1786), nannten schon seine Zeitgenossen wegen seines toleranten und weltoffenen Regierungsstils "den Großen". Er verkörperte einerseits die althergebrachten "preußischen" Tugenden, war aber auch Freund und Förderer der Künste und übte kraft seines Herrschaftsethos' als "erster Diener seines Staates" eine Vorbildwirkung auf andere Fürsten aus. Außenpolitisch nutzte er die von Friedrich Wilhelm I. aufgebaute militärische Macht, um in zwei Kriegen gegen seine österreichische Widersacherin Maria Theresia Schlesien in preußische Hand zu bekommen. Im Siebenjährigen Krieg 1756–1763 konnte sich Friedrich gegen die übermächtige Allianz von Frankreich, Österreich und Rußland behaupten und Preußens Existenz retten.

Friedrich der Große (Fortsetzung)

1756–1763: Siebenjähriger Krieg

Im 17. und 18. Jh. war mit den barocken Residenzen weltlicher und geistlicher Fürsten zum ersten Mal eine Art Gesamtkunstwerk entstanden, an dem alle Künste Anteil hatten. Eines der Paradebeispiele, die Residenz der Würzburger Fürstbischöfe, vereinte die raffinierte Architektur Balthasar Neumanns (1687–1753) mit Tiepolos Fresken sowie einem in den Park ausgreifenden ästhetischen Programm. Im Dresden Augusts des Starken entstand aus der Zusammenarbeit von Matthäus Daniel Pöppelmann und Balthasar Permoser der Zwinger (1710–1732). In Berlin leitete der Bildhauer und Baumeister Andreas Schlüter ab 1699 den dortigen Schloßbau. Im habsburgischen Herrschaftsbereich im süddeutschen Raum entfaltete sich in der ersten Hälfte des 18. Jh.s die Baukunst zu außerordentlichem Reichtum. Neben Neumann beherrschten die Baumeisterfamilie Dientzenhofer, Johann Michael Fischer (1692–1766), die Brüder Asam und Dominikus Zimmermann (1685–1766) die süddeutsche Architekturlandschaft. In Westfalen begründete der im Dienst von Kurfürst Clemens August von Köln stehende Johann Conrad Schlaun (1695–1773) eine eigene Schule spätbarocker Profanarchitektur. Die Architektur des späten 18. Jh.s veränderte sich nicht in ihrer Struktur, sondern an ihrer Oberfläche. In der Kunst des Rokoko galt alle Aufmerksamkeit dem Ornament.

Barock und Rokoko

Das barocke Musikleben gedieh in erster Linie an den Höfen, so z. B. dem von Sachsen-Weimar, wo der außerordentliche Musiker Johann Sebastian Bach (1685–1750) arbeitete, bevor er 1723 Thomaskantor und "Director musices" in Leipzig wurde. 1678 eröffnete das erste deutsche "öffentliche und populäre" Opernhaus in Hamburg. Dort kamen unter anderem die 45 Opern des Hamburger Musikdirektors Georg Philipp Telemann (1681 bis 1767) zur Aufführung. Neben Bach und Georg Friedrich Händel (1685 bis 1759) – letzterer lebte freilich seit 1712 in London – war Telemann einer der ersten deutschen Musiker von abendländischer Geltung. War die Zeit des Barock auch eine Epoche großer Prachtentfaltung, so schwang doch auch immer das "memento mori", die Mahnung an die Sterblichkeit, mit. In der Literatur stehen hierfür die Dramen des Andreas Gryphius (1616–1664) und die von der Mystik angeregten Gedichte von Angelus Silesius (1624 bis 1677). Im 18. Jh. kamen die Salons des Bürgertums auf, die einerseits höfische Zirkel nachahmten, andererseits als Konversations- und Lesegesellschaften den Intellektuellen eine Bühne boten, auf der sich eine unabhängige "öffentliche Meinung" artikulieren konnte. An der Schwelle zu einer neuen Zeit wies der bedeutendste deutsche Geist der Aufklärung, Gotthold Ephraim Lessing (1729–1781), der Literatur ihren Weg in die Klassik. Neben seinen literatur- und kunsttheoretischen Schriften ist von den zahlreichen Dramen und Lustspielen sein Plädoyer für die Toleranz, "Nathan der Weise", wohl am besten im kulturellen Gedächtnis verwahrt.

Musik und Literatur

Johann Sebastian Bach

Gotthold Ephraim Lessing

Napoleonische Zeit

Als das 18. Jh. zu Ende ging, hatte in England bereits die industrielle Revolution eingesetzt, die Vereinigten Staaten von Amerika waren entstanden und die Französische Revolution hatte mit Vehemenz das Zeitalter des Absolutismus beendet. Für Deutschland sollte die Machtpolitik des Generals Napoleon Bonaparte bestimmend werden, der sich 1799 mit einem Staatsstreich an die Spitze Frankreichs gestellt hatte.

Folgen der Französischen Revolution

Geschichte und Kultur

Schon in den Jahren vor 1800 hatte das revolutionäre Frankreich als Folge der Kriege gegen die restaurativen Mächte Europas seinen Einflußbereich erheblich ausweiten können. 1801 mußte das Deutsche Reich im Frieden von Lunéville alle linksrheinischen Gebiete abtreten.

Der in Regensburg geschlossene Reichsdeputationshauptschluß von 1803 untermauerte den Vertrag von Lunéville und bedeutete das Ende zahlreicher deutscher Kleinstaaten sowie die weitgehende Auflösung des Kirchenbesitzes. Danach schuf sich Napoleon, seit 1804 Kaiser der Franzosen, ein System von Vasallenstaaten, indem er 1806 16 süd- und westdeutsche Fürstentümer im Rheinbund zusammenschloß und das Protektorat übernahm. Indem er sie für souverän erklärte, erreichte er, daß sie aus dem Reichsverband austraten. Bayern und Württemberg erhob er zu Königreichen. Das alte Römische Reich Deutscher Nation erlosch, als Kaiser Franz II. daraufhin die Reichskrone niederlegte. Deutschland war in drei Parteien zerfallen: Die Rheinbundstaaten waren an das Empire gebunden und ordneten zumindest in Süddeutschland ihre Staatsorganisation nach französischem Vorbild. Österreich, das durch den Reichsdeputationshauptschluß seine Gebiete in Schwaben und am Oberrhein verloren hatte, geriet unter Franz II. zum spätabsolutistischen Polizeistaat. Preußen, das sich 1806 im Vierten Koalitionskrieg gegen Frankreich erhoben hatte, wurde vernichtend geschlagen und entging nur durch russischen Einspruch der völligen Auflösung. Es mußte drakonische Besatzungsbestimmungen hinnehmen. Die Belastungen dieser Zeit bewirkten allerdings Reformen in der preußischen Verwaltung und im wirtschaftlichen Bereich.

Die neue Staatsauffassung vom mitbestimmenden Bürger erklärt ebenso wie das aufkeimende Nationalbewußtsein, warum eine Welle des Widerstands durch die deutsche Bevölkerung ging, als Frankreich 1812 gegen Rußland zu Felde zog und dabei zahlreiche Truppenkontingente der ihm abhängigen Staaten seiner Grande Armée einverleibte. Jedoch erst als diese im russischen Winter untergegangen war, standen nach und nach fast alle deutschen Staaten gegen Napoleon auf, angeführt von Preußen, das sich 1813 mit Rußland verbündete. Mit vereinten Kräften gelang im Oktober 1813 in der Völkerschlacht bei Leipzig der befreiende Sieg über die französischen Truppen. Im Ersten Pariser Frieden von 1814 wurden Frankreichs Grenzen etwa auf den Stand von 1792 zurückgeführt.

Noch einmal setzte der bereits verbannte Napoleon an, Europa zu erobern. Er wurde 1815 bei Waterloo vor den Toren Brüssels von einer Allianz der Engländer, Preußen und Niederländer endgültig geschlagen.

Von nicht zu unterschätzender Wirkung auf die Künste waren die nach der Mitte des 18. Jh.s entstandenen Schriften des deutschen Altertumsforschers Johann Joachim Winckelmann (1717 – 1768). Seine "Gedanken über die Nachahmung der griechischen Werke in der Malerei und Bildhauerkunst" von 1755 legten die theoretische Basis zur klassizistischen Kunst. Was die Architektur anbetraf, konnten Baumeister wie Karl Friedrich Schinkel (1781 – 1841), Leo von Klenze (1784 – 1864) und Friedrich von Gärtner (1792 – 1847) den neuen Stil erst in den nachnapoleonischen Jahren verwirklichen. Kunstzentren waren Berlin und München, wo die bemerkenswertesten Bauten entstanden: in Berlin die Neue Wache Unter den Linden (1817 / 1818) und das Alte Museum (1824 – 1828), beide von Schinkel, in München Gärtners Ludwigstraße (1832 – 1843) und die Glyptothek (1816 bis 1834) von Klenze. In Berlin wirkten in dieser Zeit auch die Bildhauer Johann Gottfried Schadow (1764 – 1850) und Christian Daniel Rauch (1777 – 1857). Für viele deutsche Maler wurde Rom zum Mittelpunkt ihres Schaffens. Um den dort lebenden Anton Raphael Mengs (1728 – 1779) scharte sich ein Kreis von Künstlern und Gelehrten.

Auch Johann Wolfgang von Goethe (1749 – 1832) wurde auf seiner ersten Italienreise (1786 – 1788) von klassizistischem Gedankengut beeinflußt. Damals hatten er und Friedrich Schiller sich schon mit ihren "Sturm und Drang"-Dichtungen – allen voran Goethes "Werther" – einen Platz in der

Literaturgeschichte gesichert. Besteht Schillers Werk im wesentlichen aus seinen literarischen Arbeiten und den ästhetischen Schriften, so war der in kein Schema zu pressende Goethe universeller Gelehrter schlechthin. Sowohl auf wissenschaftlichem Gebiet (Farbenlehre, 1810) und im politisch-administrativen Bereich (seit 1779 Geheimer Rat am Weimarer Hof) wie als Dichter war er in ähnlicher Weise produktiv. Daß am Hof des kleinen Staates Sachsen-Weimar-Eisenach ein literarisch-wissenschaftlicher Kreis heimisch werden konnte, der eine ganze Epoche, die Klassik, prägte, ist der aktiven Kulturpolitik der Herzogin Anna Amalie (1739–1807) und ihres Sohnes Karl August (1757–1828) zu danken.

Weimarer Klassik, Goethe und Schiller (Fortsetzung)

Auch die Musikgeschichte nennt die Epoche des ausgehenden 18. Jh.s die klassische – gemeint ist damit die Blütezeit der Wiener Klassik. Historisch bedeutsam war jedoch auch Christoph Willibald Gluck (1714–1787), der mit "Orpheus und Eurydike" die Barockoper durch eine moderne, dramatischere Form ablöste.

Restauration und Revolution

Unter Federführung Englands und Österreichs wurde auf dem Wiener Kongreß 1815 eine europäische Friedensordnung verabschiedet, die im Großen und Ganzen die Verhältnisse vor Napoleon wiederherstellte. Die linksrheinischen Gebiete blieben indessen bei Frankreich. Auch die Säkularisation blieb bestehen. Bedeutsam für die Zukunft war, daß sich die Orientierung Preußens und Österreichs verschob: Preußen wuchs westlich nach Deutschland hinein, Österreich richtete sich nach Südosten aus. Auf Veranlassung des Kongresses schlossen sich die 38 deutschen Einzelstaaten zum Deutschen Bund zusammen. Bei weitgehender Souveränität der Mitglieder zielte der "völkerrechtliche Verein" darauf, die zwischenstaatlichen Beziehungen zu verbessern und eine gemeinsame Sicherheitspolitik zu betreiben. Zentrales Organ wurde der Bundestag in Frankfurt. Österreich hatte hier den Vorsitz und betrieb im Sinne des Staatskanzlers Fürst Metternich eine entschieden reaktionäre Innenpolitik.

1814/1815: Wiener Kongreß

Die im Befreiungskampf gegen Napoleon entstandenen Hoffnungen auf Einheit und Freiheit Deutschlands waren in der Restauration enttäuscht worden. Ein Teil der Studenten machte sich die nationalen Bestrebungen zu eigen und gründete patriotische Burschenschaften. Zwar gewann ein als Fanal gedachtes Fest auf der Wartburg große Aufmerksamkeit, doch blieb das Konzept zu vage, um politische Erfolge zu erzielen.

1817: Wartburgfest

Metternich nutzte die studentische Strömung und insbesondere den Mord an dem reaktionären Schriftsteller August von Kotzebue, um 1819 mit den Karlsbader Beschlüssen liberale Tendenzen zu unterbinden. Die Burschenschaften wurden verboten, die Universitäten überwacht, die Zensur verschärft. Erst als 1830 in Frankreich, Belgien und Polen bürgerliche Revolutionen einsetzten, erhielten auch in Deutschland die unterdrückten politischen Bewegungen neuen Auftrieb und äußerten sich 1832 im Hambacher Fest. Die Presse erlangte gerade in der Zeit der Reaktion besondere Bedeutung, als Pressefreiheit zum Inbegriff politischer Freiheit wurde. Außer modifizierten Verfassungen in einigen Kleinstaaten änderte sich jedoch wenig im Deutschen Reich. Der aus bitterster Not angezettelte Aufstand der schlesischen Weber wurde 1844 blutig niedergeschlagen.

Demagogen-verfolgung

Die Revolution erfaßte 1848 schließlich doch noch die deutschen Staaten. Dabei vermochten sich genau wie in Frankreich nicht die sozialrevolutionären Kräfte durchsetzen. Vielmehr focht eine bürgerliche Mittelschicht um ihre Forderungen: Pressefreiheit, Schwurgericht, Koalitionsfreiheit, Volksbewaffnung und gesamtdeutsches Parlament. Preußens König (1840 bis 1861) Friedrich Wilhelm IV. versuchte, sich selbst an die Spitze der nationalen Bewegung unter dem neuen schwarz-rot-goldenen Banner zu setzen. Nur ein knappes Jahr sollte der erste Versuch andauern, dem Deutschen

1848: Märzrevolution

Paulskirche

Märzrevolution
(Fortsetzung)

Reich eine Verfassung zu geben. Nachdem im Mai 1848 die Nationalversammlung zu diesem Zweck zusammengetreten war, bewirkte die Ablehnung der Kaiserkrone durch Friedrich Wilhelm IV. eine Radikalisierung der Volkserhebung. Preußische Truppen schlugen im Frühjahr 1849 den badisch-pfälzischen Aufstand rücksichtslos nieder. Die nationale Revolution war gescheitert, das Bürgertum wandte sich von politischen zu wirtschaftlichen Zielen, Zehntausende der unteren Schichten wanderten aus.

Zwischen Preußen und Österreich hatte sich der Konflikt um die Führungsrolle in Deutschland verschärft. Im Bundestag übte Österreich noch den Vorsitz aus, doch Mitte des 19. Jh.s begünstigte die voranschreitende Industrialisierung und die Freihandelspolitik in Preußen dessen Machtposition.

Industrialisierung

1834:
Deutscher
Zollverein

1847: Kommunistisches Manifest

Im ersten Drittel des 19. Jh.s schritt vor allem der Ausbau der Verkehrswege rasch voran. Seit 1816 gab es Dampfschiffe, 1835 wurde zwischen Nürnberg und Fürth die erste Bahnstrecke Deutschlands eröffnet. Preußen gewann in dieser Zeit durch eine geschickte Handelspolitik wirtschaftlich und politisch an Gewicht. Es initiierte 1834 die Gründung des Deutschen Zollvereins, der als eine Etappe auf dem Weg zum Nationalstaat gesehen wurde. Der allmähliche Übergang zur Massenproduktion und das dadurch bedingte Entstehen einer neuen gesellschaftlichen Schicht förderte sozialreformerische und sozialistische Theorien. Gab es diese vor 1800 nur in literarischer Form, wurden sie nun Grundlage gesellschaftlicher Gruppierungen, die um die Mitte des 19. Jh.s entstanden. 1847 verfaßten Karl Marx und Friedrich Engels das "Kommunistische Manifest".

Romantik

Die sich formierende bürgerliche Gesellschaft veränderte auch den Status der Künstler. Sie mußten sich nun dem freien Markt stellen. Diese veränderten äußeren Bedingungen brachten den Typus des Romantikers hervor. Stellvertretend von der Gesellschaft isolierenden Dichter seien hier Novalis (1772–1801) und Joseph von Eichendorff (1788–1869) genannt. Andere romantische Tendenzen wie die Rückwendung zum Mittelalter und das Interesse für die Volksüberlieferung von Märchen und Sprache – insbesondere bei den Gebrüdern Grimm ("Kinder- und Hausmärchen" 1812–1815, Deutsches Wörterbuch) – sind als Versuch zu verstehen, auch auf literarisch-sprachlichem Gebiet eine nationale Identität zu stiften. Die Vertreter der Vormärzliteratur wie Ferdinand Freiligrath (1810 bis 1876) agitierten dagegen direkt. Eine Sonderstellung unter den Literaten nahm Heinrich Heine (1797–1856) ein, der selbst mit romantischen Dichtungen begonnen hatte, aber dann von Frankreich aus die deutschen Verhältnisse mit einer spöttischen Lyrik und Prosa bedachte.

Noch immer waren die Stätten der Antike Anziehungspunkte für deutsche Künstler. Zu den "Deutschrömern" zählten Maler wie Anselm Feuerbach (1829–1880), der die klassizistische Tradition fortführte, aber auch der Kreis der Nazarener, die sich gegen den akademischen Stil wandten. In Deutschland dominierten zwei norddeutsche Künstler die Malerei der Romantik: Philipp Otto Runge (1777–1810) und Caspar David Friedrich (1774–1840). Die Abkehr vom Klassizismus in der Architektur regte Gottfried Semper (1803–1879) an. Er propagierte eine an den Formen der Renaissance geschulte, monumentale Architektur (Dresdner Oper, 1838 bis 1841). In der Musik stand Ludwig van Beethoven (1770–1827) als Mittler zwischen Klassik und Romantik. Er eröffnete neue Dimensionen, indem er die Orchester für seine Sinfonien erweiterte, der Musik thematischen Gehalt zumaß und in seinem Spätwerk die Melodik aufzulösen begann. Clara Schumann (1819–1896), Robert Schumann (1810–1856) und Felix Mendelssohn-Bartholdy (1809–1847) vertreten die romantische Musik.

Kaiserreich

1866:
Norddeutscher
Bund

1862 war Otto von Bismarck Ministerpräsident in Preußen geworden. Durch seine zielstrebige Stärkepolitik wurde Preußen zur unbestrittenen Vormacht in Norddeutschland, als sich der Deutsche Bund infolge des

Preußisch-Österreichischen Kriegs 1866 auflöste. Alle Staaten nördlich des Mains wurden in diesem Jahr im Norddeutschen Bund zusammengeschlossen. Er war in seiner Verfassung darauf angelegt, Durchgangsstufe zu einem geeinten Deutschland zu sein.

Norddeutscher Bund (Fortsetzung)

Der französische Kaiser Napoleon III. hatte schon im Konflikt zwischen Österreich und Preußen zu vermitteln versucht, um die Übermacht eines der beiden Kontrahenten zu verhindern. Nun befürchtete er die Hegemonie Preußens über Europa und forderte daher einen Verzicht des Erbprinzen von Hohenzollern auf die spanische Thronkandidatur. Diese Prestigefrage löste den von beiden Lagern erwarteten und vorbereiteten Krieg aus, der in Deutschland als Nationalkrieg begriffen wurde. Die süddeutschen Staaten beteiligten sich ohne Zögern; Frankreich wurde geschlagen.

1870 / 1871: Deutsch-Französischer Krieg

"Die Proklamation des Deutschen Kaiserreichs": König Wilhelm I. von Preußen im Spiegelsaal des Schlosses von Versailles am 18. Januar 1871 (Gemälde von 1885 von Anton von Werner)

Bismarck nutzte die nationale Begeisterung im siegreichen Deutschland und konnte die süddeutschen Staaten bewegen, zusammen mit den Ländern des Norddeutschen Bundes das Deutsche Reich zu bilden. Am 18. Januar 1871 wurde der preußische König Wilhelm im Spiegelsaal des Schlosses von Versailles als Wilhelm I. zum Deutschen Kaiser proklamiert. Im neu gegründeten Reichstag nahm Bismarck, gestützt von der nationalliberalen Fraktion, die dominierende Position des Reichskanzlers ein. Unter seiner Regie vollzog sich die rechtliche und wirtschaftliche Vereinheitlichung im Deutschen Reich.

1871: Gründung des zweiten deutschen Kaiserreiches

Die Jahre bis 1890 bestimmten die Auseinandersetzung zwischen Staat und Kirche (Kulturkampf) und die Furcht konservativer Kreise vor revolutionärer Veränderung. Sowohl die Sozialistengesetze von 1878, die die sozialdemokratischen Organisationen und Zeitungen verboten, wie auch die So-

Geschichte und Kultur

Zweites deutsches
Kaiserreich
(Fortsetzung)

zialgesetze der 80er Jahre (Kranken-, Unfall-, Alters- und Invalidenversicherung), waren primär dazu gedacht, die sozialen Krisenherde zu dämpfen und politischer Gefahr von links vorzubeugen.

Außenpolitisch verfolgte Bismarck eine Strategie zahlreicher Bündnisse, die jedoch oft nur von kurzer Dauer waren.

Gründerjahre

Die sich rasant entwickelnde Industrie verstärkte die Urbanisierung. Die Ballungszentren wuchsen; die Städte veränderten ihr Gesicht, es wurden große Mietskasernen gebaut. Der Verkehr erreichte eine neue Größenordnung: 1879 fuhren in Berlin die ersten elektrischen Straßenbahnen. Die Schwerindustrie erlebte einen Aufschwung durch die Optimierung der Stahlherstellung und den riesigen Bedarf im Verkehrswesen und in der Rüstung. Die chemische Großindustrie war ab 1880 führend auf dem Weltmarkt. Wirtschaftliche Verflechtung, Kartelle und die Macht der Banken nahmen Ende des 19. Jh.s im Zeichen eines ungehemmten Kapitalismus zu.

Fin de siècle

Zwei markante Persönlichkeiten repräsentieren vielleicht am besten das zu Ende gehende 19. Jahrhundert: Friedrich Nietzsche (1844–1900) und Richard Wagner (1813–1883). Der Philosoph entwickelte eine Lehre, in der er den Menschen von zwei Prinzipien geleitet sah: dem apollonischen (Ordnung und Harmonie) und dem dionysischen (Rausch und Ursprünglichkeit). Die christliche Welt setze diesem Lebenswillen moralische Grenzen, aus denen es sich zu befreien gelte. In Wagners Musikdramen erkannte er eine Erfüllung dieser lebensbejahenden Utopie. In der Intention, Grenzen zu sprengen, traf sich der Komponist mit dem Philosophen: Er nämlich versuchte aus den Kategorien der Musikgattungen herauszutreten und mit seinen Opern Gesamtkunstwerke zu schaffen. In ähnlichem Maße wie Nietzsche Einfluß auf das Weltbild des 20. Jh.s hatte, revolutionierte Wagner die Musik seiner Zeit.

Obwohl eine breite Schicht lieber die Fortsetzungsromane der Zeitschrift "Die Gartenlaube" las, boten die Romane Theodor Fontanes (1819–1898) ein genaueres Bild der Zeit. Freilich porträtierte der märkische Dichter die Gesellschaft, die ihn selbst umgab; wer etwas über das Leben der unteren Schichten erfahren wollte, griff zu den naturalistischen Dramen Gerhart Hauptmanns (1862–1946).

Der technische Fortschritt vollzog sich Ende des 19. Jh.s in Riesenschritten: 1885 knatterte der erste Benzinmotor in Gottlieb Daimlers Versuchswerkstatt: ein Jahr später schon "brauste" diese Daimler-Motorkutsche über das Pflaster.

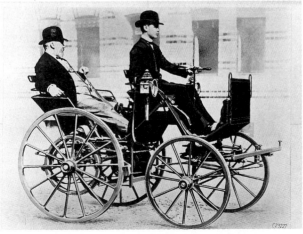

Ende des 19. Jh.s trat in Deutschland die sog. Kolonialfrage immer mehr in den Vordergrund. Kolonien wurden als wirtschaftliche Existenzgrundlage betrachtet, aber auch als Demonstration nationaler Größe verstanden. In diese Atmosphäre fiel 1890 nach Differenzen mit Wilhelm II. die Demission Bismarcks, die einen schwankenden außenpolitischen Kurs zur Folge hatte. Mit England kam es wegen Deutschlands Ansprüchen in Afrika und der seit 1897 immens in die Höhe getriebenen Seerüstung zu anhaltenden Spannungen. Die Machtkonstellationen in Europa veränderten sich. Deutschland gelang es nicht, über den Dreibund (Deutsches Reich, Österreich-Ungarn, Italien) hinaus Bündnispartner zu gewinnen; England und Frankreich (Entente cordiale 1904) sowie England und Rußland (Vertrag von Petersburg 1907) dagegen näherten sich an.

Die Kolonialfrage

Die Entwicklung in Wissenschaften und Technik schritt immer schneller voran. Albert Einsteins (1879–1955) Relativitätstheorie aus dem Jahre 1906 und Max Plancks (1858–1947) Beiträge zur Quantenphysik seit 1900 veränderten die Physik von Grund auf. 1885 bauten Gottlieb Daimler (1834–1900) und Carl Benz (1844–1929) unabhängig voneinander die ersten Benzinmotoren.

Technischer Fortschritt

Noch wirkte in Deutschland der französische Impressionismus bei Malern wie Max Liebermann (1847–1935) nach, da entstand auch eine ganz neue Kunst, der Expressionismus. Besonders in der Münchner Künstlergruppe "Der Blaue Reiter", zu der Wassily Kandinsky (1866–1944), Paul Klee (1879–1940), Gabriele Münter (1877–1962) und Franz Marc (1880–1916) gehörten, wurde dieser Stil entwickelt. Sein norddeutsches Pendant war der Dresdener Kreis "Die Brücke" – hierzu zählten Ernst Ludwig Kirchner (1880–1938), Otto Müller (1874–1930), Erich Heckel (1883–1970) und Karl Schmidt-Rottluff (1884–1976). Seit 1910 faßte die Bewegung im Umkreis der Zeitschrift "Sturm" auch in Berlin Fuß. Nicht mehr die sichtbare, äußere Welt, sondern subjektive Empfindungen bestimmten die Inhalte von Malerei und Plastik. Ganz ähnliche Strömungen gab es in der Literatur, die mit der 1919 erschienenen Lyrikanthologie "Menschheitsdämmerung" exemplarisch dokumentiert sind. Daneben bestand gleichzeitig die ästhetizistische Welt eines Rainer Maria Rilke (1875–1926).

Expressionismus

In einer Atmosphäre des sich steigernden Imperialismus, des englisch-deutschen Gegensatzes und der nationalistischen Bestrebungen vor allem im Vielvölkerstaat Österreich-Ungarn wurden am 28. Juni 1914 der österreichische Thronfolger Franz Ferdinand und seine Gattin in Sarajevo ermordet. Nach Ablehnung eines Ultimatums an Serbien erklärte Österreich am 28. Juli dem Balkanstaat mit deutscher Rückendeckung den Krieg, Deutschland folgte mit der Kriegserklärung an Rußland am 1. August und an Frankreich am 3. August, England trat am 4. August in den Krieg ein. Die Schrecken des Ersten Weltkrieges waren vor allem die ungeheuren Materialschlachten, der sich bald ergebende Stellungs- und Grabenkrieg und der bedingungslose U-Boot-Krieg. Aufgrund wiederholter Versenkung neutraler, auch US-amerikanischer Schiffe, traten 1917 die USA in den Krieg ein. Im gleichen Jahr schied Rußland durch einen Waffenstillstand aus dem Kreis der kämpfenden Staaten aus. Im Sommer 1918 zwang die erstmals mit Tanks vorgetragene Offensive an der Westfront die deutschen Truppen zum Rückzug. Die Oberste Heeresleitung erklärte die Weiterführung des Kriegs für aussichtslos. Im November 1918 wurde der Waffenstillstand zwischen Deutschland und den Alliierten geschlossen. Deutschland mußte im 1919 unterzeichneten Versailler Vertrag harte Friedensbedingungen akzeptieren, die die deutsche Wirtschaft lange beeinträchtigen und durch die provozierten Revanchegedanken einer der Gründe für den Aufstieg des Nationalsozialismus sein sollten.

1914–1918: Erster Weltkrieg

Versailler Vertrag

Die Novemberrevolution im kriegsmüden Deutschland des Jahres 1918 ging von Matrosen der Hochseeflotte aus, die sich weigerten, in diesem Stadium des Kriegs noch auszulaufen. In den Küstenstädten bildeten sich

9. November 1918: Revolution und Republikausrufung

Geschichte und Kultur

Soldatenräte, denen es zusammen mit den kurz darauf entstanden Arbeiterräten gelang, die Menschen gegen die Monarchie zu mobilisieren. Am 9. November 1918 wurde in Berlin der Thronverzicht Wilhelms II. bekanntgegeben. Der Sozialdemokrat Philipp Scheidemann rief am selben Tag in Berlin die Republik aus, die Regierungsgeschäfte wurden dem SPD-Vorsitzenden Friedrich Ebert (1871 – 1925) übertragen. Dieser zog die Oberste Heeresleitung auf seine Seite. Dadurch gelang es ihm, die im Spartakusaufstand für eine Räterepublik kämpfenden linksradikalen Soldaten und andere Gruppen auszuschalten und Wahlen zu einer Nationalversammlung durchzusetzen. Die Mitbegründer des Spartakusbundes und der KPD, Rosa Luxemburg (1870 – 1919) und Karl Liebknecht (1871 – 1919), wurden dabei im Januar 1919 von Freikorpssoldaten ermordet.

Weimarer Republik

Die Nationalversammlung trat am 6. Februar 1920 in Weimar zusammen und verabschiedete eine Verfassung, die auf der starken Position des vom Volk gewählten Reichspräsidenten basierte und ein Verhältniswahlrecht ohne Hürden vorsah, das sich als destabilisierend erweisen sollte, da es die Zersplitterung der Parteienlandschaft begünstigte. Zunächst aber hatte die junge Republik mit reaktionären Kräften zu kämpfen, die im Kapp-Putsch vom März 1920 das Rad zurückdrehen wollten. Die desolate Nachkriegswirtschaft bewirkte ab 1922 eine rapide ansteigende Inflation, doch 1923 kam es mit Einführung der Rentenmark zur Konsolidierung der Währung. Doch gerade in diesem Jahr erhob der Nationalsozialismus mit dem gescheiterten Hitler-Putsch vom 9. November in München zum ersten Mal sein Haupt.

In den Jahren nach 1920 war Deutschland bestrebt, die Einschränkungen des Versailler Vertrags abzubauen und die hohen Reparationsleistungen durch Verhandlungen zu mindern. Der mit Rußland 1923 geschlossene Vertrag von Rapallo war der erste Versuch, Deutschlands Isolierung zu durchbrechen; der Dawesplan von 1924 brachte erträglichere Bedingungen für die Reparationszahlungen. Auf der Konferenz von Locarno 1925 schaffte vor allem Außenminister Gustav Stresemann (1878 – 1929) den Ausgleich mit dem Westen. 1926 wurde das Deutsche Reich in den Völkerbund aufgenommen, wodurch es gleichberechtigt in den Kreis der Großmächte aufrückte. Schließlich erklärte sich Frankreich 1932 mit der einmaligen Restzahlung von drei Milliarden Reichsmark einverstanden.

Zum ersten Mal traten in Deutschland auch Massenphänomene in Erscheinung: Die sozialen Klassen tendierten zu Nivellierung, ganze Gesellschaftsschichten verarmten. Eine populäre Kultur brachte Sport-, Schlager- und Filmstars hervor. Mit den Filmen von Fritz Lang (1890 – 1976) und Friedrich W. Murnau (1889 – 1931) verlor das Kino seinen Jahrmarktscharakter. Eine Kunstrichtung der Weimarer Jahre schien gerade dieses Etikett als Banner vor sich herzutragen: DADA. Tatsächlich sind die Kunstwerke Hans Arps (1887 – 1966) und Kurt Schwitters' (1887 – 1948) genauso als Reflex der Sinnentleerung des Ersten Weltkrieges und als Absage an die bürgerliche Kunst wie als Jux zu verstehen.

Mit großem Engagement setzte ein anderer Kreis von Künstlern ganz andere Prioritäten. Den Lehrern am Weimarer und später am Dessauer Bauhaus ging es darum, den Gegensatz zwischen hoher und angewandter Kunst aufzuheben. Zu ihnen gehörten Architekten wie Walter Gropius (1883 – 1969) und Ludwig Mies van der Rohe (1886 – 1969), Maler wie Paul Klee (1879 – 1940), Oskar Schlemmer (1888 – 1943) und Lyonel Feininger (1871 – 1956), Lichtkünstler und Fotografen wie Làszlo Moholy-Nagy (1895 bis 1946) sowie Designer wie Wilhelm Wagenfeld (1900 – 1990) und Marcel Breuer (1902 – 1981).

In der Literatur etablierte sich nach den großen ambitionierten Romanen von Thomas Mann und Alfred Döblin eine "Neue Sachlichkeit" genannte Richtung, die Gesellschaftskritik mit Witz und Spott mischte. Kurt Tucholsky

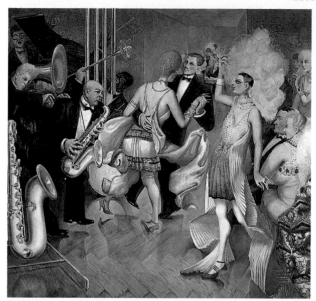

1927/1928 schuf Otto Dix sein Triptychon "Großstadt" (hier der Mittelteil).

(1890–1935), Erich Kästner (1899–1974) und Mascha Kaléko (1907 bis 1975) sind hier die herausragenden Exponenten, denen die Maler Otto Dix (1896–1969) und George Grosz (1893–1959) sowie der Publizist Carl von Ossietzky (1889–1938) mit seiner "Weltbühne" zur Seite standen.

Literatur und Malerei in der Weimarer Republik (Fortsetzung)

Die zwanziger Jahre brachten auch dem Theater neue Impulse: Erwin Piscator (1893–1966) konnte sein "Proletarisches Theater" an der Volksbühne in Berlin weiterführen, Max Reinhardt (1873–1943) experimentierte mit neuen Formen der Inszenierung und Bertolt Brecht (1898–1956) entwickelte das Epische Theater.

Theater

Der große Börsenkrach an der Wall Street führte 1929 durch die internationalen Kreditverflechtungen zur Weltwirtschaftskrise. In Deutschland wurde die Erschütterung der bisherigen staatlichen und wirtschaftlichen Systeme zur Geburtsstunde einer gezielten Konjunkturpolitik, denn das freie Spiel trug die Wirtschaft nicht mehr, staatliche Eingriffe wurden notwendig. Dennoch machten Arbeitslosigkeit und materielle Not die Massen empfänglich für die Propaganda radikaler Gruppen.

1929: Weltwirtschaftskrise

Schon um 1920 hatte Oswald Spengler (1880–1936) mit einem vieldiskutierten Buch den "Untergang des Abendlandes" prognostiziert. Als Faschisten und Nationalsozialisten die Weltbühne betraten, schien kaum einer diesen Prozeß aufhalten zu wollen. Der Anfang der zwanziger Jahre in Italien aufkommende Faschismus beeinflußte mit den Elementen einer allmächtigen Partei, dem Führerkult und dem Gemeinschaftsmythos andere nationalistische und antiliberale Strömungen in Europa. Nach faschistischem Vorbild hatte auch Adolf Hitler die NSDAP nach ihrer Neugründung 1925 zu einer militanten Kaderpartei geformt. Der spezielle Wahn des deutschen Nationalsozialismus lag in der Rassenlehre, die Hitler in seinem 1924 in der Festungshaft geschriebenen "Mein Kampf" ausführte. Die Eroberung neuen "Lebensraums" für die "arischen Herrenmenschen" war hier mit den Konsequenzen des Holocaust schon deutlich vorgezeichnet.

Faschismus und Nationalsozialismus

Das Bauhaus

Was wäre das moderne Design ohne seine bunten Hunde? Sie stehen in feinen Möbelhäusern und Museen des Kunsthandwerks, sie können in Katalogen der schicken Lebensart erworben werden und sind die Stars eines neuen Design-Booms. Sie tragen so klingende Namen wie "Wassily", "Tizio", "Schneewittchensarg" oder heißen schlicht "Tischleuchte WG 24". Die Herkunft läßt sich nicht verleugnen: Ihre Ahnen entstammen der bedeutendsten Kunsthochschule unseres Jahrhunderts, dem Bauhaus.

Die Großherzoglich Sächsische Kunsthochschule und die Großherzoglich Sächsische Kunstgewerbeschule wurden am 1. April 1919 unter der Leitung von Walter Gropius zum Staatlichen Bauhaus Weimar zusammengeschlossen. Es trat mit universalem Anspruch an. Noch unter dem Einfluß expressionistischer Ideen forderte Gropius in seinem Gründungsprogramm: "Architekten, Bildhauer, Maler, wir alle müssen zum Handwerk zurück! Denn es gibt keine 'Kunst von Beruf'. Es gibt keinen Wesensunterschied zwischen dem Künstler und dem Handwerker. Der Künstler ist eine Steigerung des Handwerkers." Dem Architekten Gropius schwebte als Ideal des Künstlerkollektivs eine zeitgemäße Form der mittelalterlichen Bauhütte vor. Neu war dabei nicht die Idee, Kunst, Handwerk und industrielle Technik zu verbinden - das hatte sich schon seit 1907 der Deutsche Werkbund auf die Fahnen geschrieben - , neu war der Versuch, eine Arbeits- und Lebensgemeinschaft aller Mitglieder des Bauhauses zu schaffen. Sinnbild und Keimzelle dieses Konzeptes war die Werkstatt. Hier arbeiteten oft nur drei oder vier Studierende je Jahrgang unter der Anleitung von zwei Meistern. Ein Werkmeister sorgte für die handwerkliche Ausbildung; ein Formmeister war für den künstlerischen Unterricht zuständig. Da Gropius als Formmei-

ster gereifte Künstlerpersönlichkeiten an das Bauhaus berief, gestaltete sich die Zusammenarbeit nicht ohne Probleme. Lediglich auf dem Papier waren Form- und Werkmeister gleichberechtigt, de facto hatte sich meistens der Handwerker dem Künstler unterzuordnen. Erst als nach 1923 Absolventen des Bauhauses selbst beide Funktionen übernahmen, hob sich das Ungleichgewicht zwischen den beiden Meisterämtern auf. In den ersten Jahren gaben die Formmeister Itten, Klee und Kandinsky die Richtung am Bauhaus vor. Insbesondere Johannes Itten brachte neue künstlerische und reformpädagogische Gedanken mit an die Schule. Im Vorkurs, einem ersten Probesemester, versuchte er in erster Linie, die individuellen schöpferischen Kräfte der Studierenden zu fördern. Damit geriet er zunehmend in Opposition zu Walter Gropius, der verlangte, die Ausbildung auf die produktive Arbeit in den Werkstätten hin zu orientieren.

Itten verließ 1923 das Bauhaus. So war der Weg frei zu neuer Zielsetzung. Wenn überhaupt etwas am Bauhaus Kontinuität hatte, dann war es die Veränderung. Konzept und Aufbau der Lehre blieben Gegenstand beständiger Diskussionen. Der wichtigste Kurswechsel fand aber tatsächlich 1923 statt. In diesem Jahr wurden alle Kräfte für die große Ausstellung "Kunst und Technik - eine neue Einheit" gesammelt. Mit dem von Georg Muche entworfenen "Haus am Horn" verwirklichte das Bauhaus zum ersten Mal die angestrebte Produktionsgemeinschaft: Alle Werkstätten beteiligten sich, um das Modell eines funktionalen, modernen Haushaltes zu verwirklichen. Damit war der Schritt von der Utopie zur Wohnmaschine im Sinne LeCorbusiers vollzogen.

Die politischen Veränderungen dieser Jahre brachten dem Bauhaus in Weimar das Ende. 1924 kürzte ihm der inzwischen deutsch-nationale Thüringer Landtag die Mittel um die Hälfte. Durch ein Angebot der freisinnigen Stadt Dessau gelang es, die Kunsthochschule dorthin zu transferieren. 1926 wurde das von Gropius entworfene Bauhaus-Gebäude mit einem glanzvollen Festakt eröffnet. Hatten in der Weimarer Zeit vor allem die Erzeugnisse der Metallwerkstatt und der Weberei Furore gemacht, so erlangten in den folgenden Jahren die Dessauer Möbelwerkstätten Berühmtheit. Marcel Breuer kreierte den Stahlrohr-Sessel "Wassily", und die Freischwinger von ihm und Mies van der Rohe traten ihren Siegeszug um die Welt an.

Während all der Turbulenzen um Konzepte und Personen hatte die Bühnenwerkstatt von 1922 bis 1929 unangefochten eine Sonderstellung eingenommen. Sie verkörperte am lebendigsten die Idee gemeinschaftlicher Kreativität, denn hier liefen Bemühungen mehrerer Werkstätten zusammen. Unter Oskar Schlemmers bedachtsamer Führung konnten sich die Studierenden auf der Bühne frei entfalten. Nicht zuletzt deshalb war die Bühne ein beliebter Tummelplatz, weil sie eng mit dem festlichen Leben verbunden war. Und ins Feiern wurden nicht unbeträchtliche Energien investiert.

1928 verließ Gropius das Bauhaus, um in Berlin als freier Architekt zu arbeiten. Sein Nachfolger Hannes Meyer straffte die Ausbildungsstruktur und setzte im Sinne kommunistischer Ideale auf die Entwicklung von Massenprodukten; "Volksbedarf statt Luxusbedarf" wurde zum Schlagwort seiner Ära. Die Werkstatt bekam einen kollektiven Charakter. Vielen Studierenden war es jetzt möglich, sich mit Lizenzgebühren ihr Studium zu finanzieren.

Das von Walter Gropius errichtete Meisterhaus in Dessau gehört zum Weltkulturerbe der UNESCO.

1930 - wieder war durch die politische Landschaft Deutschlands ein Rechtsruck gegangen - entließ der Magistrat der Stadt Dessau Hannes Meyer mit der Begründung, er öffne der marxistischen Agitation am Bauhaus Tür und Tor. Auf Empfehlung von Gropius wurde der damals schon renommierte Architekt Ludwig Mies van der Rohe als Direktor berufen. Unter seiner Leitung änderte sich erneut das Ausbildungskonzept: Das Bauhaus wurde zur Architekturakademie. Allerdings hatte das Institut nur noch zwei Jahre in der anhaltischen Residenzstadt Bestand. Die Dessauer Nationalsozialisten lösten 1932 die Hochschule auf. Nachdem Mies van der Rohe noch versuchte, das Bauhaus als Privatinstitut in Berlin fortzuführen, kam im Juli 1933 das endgültige Aus: Die Gestapo versiegelte die Räume und erzwang so die "Selbstauflösung".

Legende sind die Drachenfeste, das "Metallische Fest", das "Bart-, Nasen-, Herzensfest" und die Auftritte der Bauhaus-Kapelle. Die Studierenden führten ein für damalige Verhältnisse sehr freizügiges Leben. Sie genossen die avantgardistischen Kulturereignisse, die Kabarett-Abende, den ungezwungenen Umgang mit den Lehrenden und sie pflegten unorthodoxe Lebensweisen: man residierte in Wohngemeinschaften, und die Weberinnen gingen in Hosen. Die Bürger waren davon eher irritiert. Im Grunde ist das Bild vom extravaganten Kunststudenten ein Produkt des Bauhauses. Ein ehemaliger Student resümierte fast wehmütig: "Wenn wir kamen, sagten die Mütter zu ihren Töchtern: 'Guck da nicht hin, das ist ein Bauhäusler.' Also, wir waren wohl die Punks hier für die Dessauer Welt."

Stufenweiser
Abbau des
parlamentarisch-
demokratischen
Systems

Das ohnehin nicht stark verankerte parlamentarisch-demokratische System geriet durch ständigen Parteienhader und damit wechselnde Regierungen zunehmend in Mißkredit und begünstigte Parteien wie die NSDAP, die dieses System ablehnten, aber, solange es ihnen nützte, daran teilnahmen. Zwischen 1930 und 1933 nahm die Massenarbeitslosigkeit ständig zu und wurde – neben der eigentlichen Rettung der Republik überhaupt – zum Hauptproblem der Regierungen Brüning, Papen und von Schleicher, die sich z.T. mangels Mehrheiten im Parlament auf den seit 1925 amtierenden Reichspräsidenten Hindenburg (1847 – 1934) stützten und ihr Heil in Neuwahlen suchten. Die aber brachten auch keine Klarheit – bis auf eines: In den Wahlen 1930 und 1932 machte die NSDAP einen gewaltigen Sprung nach vorn und stieg zu einem gewichtigen politischen Faktor auf. Aus den Wahlen vom November 1932 gar ging sie als stärkste Partei hervor, doch noch lehnte es Hindenburg ab, Hitler zum Reichskanzler zu ernennen. Die Regierung Kurt von Schleichers trat jedoch im Januar 1933 zurück, und jetzt, am 30. Januar 1933, übertrug Hindenburg die Macht an den "böhmischen Gefreiten" Hitler.

30. Januar 1933:
Hitler wird
Reichskanzler

Nationalsozialistisches Deutschland

Der Reichstagsbrand vom 27. Februar 1933 verschaffte den Nationalsozialisten die Gelegenheit, ihre politischen Gegner auszuschalten. Die Reichstagswahl vom 5. März 1933 brachte Hitler und seinen rechtsnationalen Partnern Hugenberg und von Papen den Sieg. Nun war der Weg in Diktatur und Gleichschaltung vollends beschritten: Am 23. März entledigte sich die Regierung mit dem Ermächtigungsgesetz der Kontrolle durch den Reichstag, am 1. April wurden jüdische Geschäfte boykottiert, am 2. Mai die Gewerkschaften liquidiert, am 10. Mai brannten die Bücher verfemter Autoren und Autorinnen, im Juni und Juli 1933 wurden die Parteien bis auf die NSDAP aufgelöst. Kultur und Wissenschaft trockneten unter der Herrschaft des Propagandaministers Goebbels förmlich aus. Wer in der Kunst als "entartet" bezeichnet wurde, zog sich entweder ins sog. innere Exil zurück oder versuchte, ins Ausland zu gelangen. Es blieben die monumentale Aufmarscharchitektur eines Albert Speer (1905 – 1981) und Arno Brekers (1900 – 1991) heroische Skulpturen vom "Herrenmenschen".

23. März 1933:
Ermächtigungs-
gesetz

Rüstung als
Wirtschaftsmotor

Nach den Jahren der Depression florierte die Wirtschaft nun wieder, aber die Konjunktur war eine künstliche. Arbeitsbeschaffungsmaßnahmen und Hochrüstung führten zu einer unübersehbaren Verschuldung – auch aus wirtschaftlichen Gründen war der Weg in den Krieg vorgezeichnet. Gleichzeitig gab sich das "Dritte Reich" nach außen als weltoffene Großmacht. Dieses Bild sollten die Olympischen Spiele von 1936 in Berlin und Garmisch-Partenkirchen vermitteln.

Der SS-Staat

Judenverfolgung

9. November 1938:
Pogromnacht

Seit der Ausschaltung der SA als Machtfaktor im Juni 1934 herrschte der SS-Staat. Das bedeutete äußersten Staatsterror; jeder einzelne war in seiner individuellen Freiheit gefährdet; die Konzentrationslager drohten. In besonderem Maße galt diese Schreckensherrschaft für Juden. 1935 wurden die "Nürnberger Gesetze" erlassen, die die Entrechtung der Juden einleiteten. In der Nacht vom 9. auf den 10. November 1938, der sogenannten "Reichskristallnacht", brannten in ganz Deutschland die Synagogen und gaben das Signal zur systematischen Vernichtung der jüdischen Bevölkerung. Erzwungene Auswanderung und die "Arisierung" von Geschäften und Vermögen begannen. Die "Endlösung der Judenfrage", der Holocaust, wurde auf der Berliner Wannsee-Konferenz im Januar 1942 besiegelt. Der Plan zur Ausrottung "unwerten Lebens" traf nicht nur Juden, sondern auch Behinderte, Geisteskranke und Sinti und Roma.

Widerstand

Widerstand gegen das Regime regte sich früh vor allem bei der Linken und bei Teilen der Kirchen; ein Umsturz schien sehr bald aber nur noch dem Militär möglich. Diese Versuche scheiterten jedoch, wie z. B. das Attentat auf Hitler am 20. Juli 1944. Auch pazifistische Aktionen schlugen fehl. Die "Weiße Rose", eine Münchener Gruppe von Studentinnen und Studenten, wurde 1943 verhaftet und hingerichtet.

Widerstand
(Fortsetzung)

Hitlers territorialen Forderungen boten die Großmächte zunächst keinen Einhalt. Sie versuchten mit ihrer Strategie des "appeasement", Deutschlands Forderungen in gewissem Umfang nachzugeben und den Frieden um fast jeden Preis zu erhalten, provozierten damit letztendlich aber nur neue Forderungen des zum Krieg entschlossenen Hitlers. Nach dem Anschluß Österreichs im März 1938, der Abtrennung Sudetendeutschlands von der Tschechoslowakei im September 1938 und der "Zerschlagung der Resttschechei" im Frühjahr 1939 war jedoch auch für Frankreich und England die Geduld zu Ende, als Hitler am 1. September 1939 deutsche Truppen in Polen einmarschieren ließ: der Zweite Weltkrieg begann.

1939–1945:
Zweiter Weltkrieg

Zunächst verzeichnete Deutschland und das mit ihm verbündete Italien große Landgewinne: Polen, Norwegen, Dänemark, Frankreich und die Beneluxstaaten wurden in "Blitzkriegen" überrollt. Zur Unterstützung des Bundesgenossen Italien dehnte Hitler den Krieg auf Jugoslawien, Griechenland und Nordafrika aus. Am 22. Juni 1941 löste er den Angriff auf die Sowjetunion aus. Als das seit 1940 mit Deutschland und Italien paktierende Japan am 7. Dezember 1941 den US-amerikanischen Hafen Pearl Harbour auf Hawaii bombardierte, erklärte Hitler auch den USA den Krieg. Vor allem im Osten brachten die deutschen Eroberer dabei im Zeichen der Blut- und Boden-Ideologie und des Antisemitismus schlimmstes Leid über die Zivilbevölkerung. Im besetzten Polen wurden die Todesfabriken betrieben, deren Namen – Auschwitz, Sobibor, Treblinka, Majdanek, Chelmno und Belzec – für den Tod von Millionen von Menschen stehen.

Die Kapitulation der 6. Armee in Stalingrad im Februar 1943 markierte den Wendepunkt des Kriegs. An der Westfront kam die Wende mit der Landung alliierter Truppen in der Normandie am 6. Juni 1944. Aus beiden Richtungen rückten nun die Truppen der Alliierten nach Deutschland vor. Der

Berlin im Jahr 1945: Zerstörung, wohin man blickt.

Geschichte und Kultur

Zweiter Weltkrieg
(Fortsetzung)

Bombenkrieg vernichtete einen großen Teil der deutschen Städte und forderte Hunderttausende von Toten. Die bedingungslose Kapitulation wurde schließlich am 8. Mai 1945 unterzeichnet.

Unmittelbare Nachkriegszeit

Vier
Besatzungszonen

Bereits beim ersten Zusammentreffen von Roosevelt, Churchill und Stalin im Dezember 1943 in Teheran war die Trennung Deutschlands in eine West- und eine Ostzone verabredet worden. Das Potsdamer Abkommen vom August 1945 teilte Deutschland in vier Zonen, wobei der Sowjetunion von vornherein ein anderes Zugriffsrecht auf die Ostzone (Demontage von Industrieanlagen) zugesprochen worden war. Auch die Westgrenze Polens (Oder-Neiße-Linie) und die Umsiedlung der Deutschen aus dem östlichen Mitteleuropa waren darin vereinbart. Großbritannien und die USA vereinigten die von ihnen kontrollierten Zonen Anfang 1947 zur Bizone, um ein einheitliches Westdeutschland zu fördern. Mitte desselben Jahres legte der amerikanische Außenminister George C. Marshall ein Programm zum Wiederaufbau der europäischen Wirtschaft vor. 1948 folgte die Währungsreform in den drei Westzonen, die schon zu großen Teilen föderativ gegliedert waren. Für Berlin, das einen Sonderstatus innehatte, gelangten die Großmächte zu keiner Einigung in der Währungsfrage.

Deutschland im
Kalten Krieg

Die Differenzen zwischen der Sowjetunion und den drei westlichen Siegermächten traten nach Kriegsende deutlich hervor. Der Eiserne Vorhang trennte bald nicht nur Deutschland, sondern die Welt in eine westliche und eine östliche Hemisphäre. 1947 markierte dann die von den USA ausgegebene Doktrin des "containment", die Eindämmung sowjetischer Einflußnahmen, den Beginn des Kalten Krieges.

1948 / 1949:
Berliner
Blockade und
Luftbrücke

Die Sowjets nahmen die Einführung der D-Mark in den Westzonen zum Anlaß, alle Landverbindungen von dort nach Berlin zu blockieren. Die sofort eingerichtete Luftbrücke und die Ausdauer der Berliner Bevölkerung machten die Blockade wirkungslos. Stalin lenkte im Mai 1949 ein und gab die Zufahrten nach Berlin wieder frei. Die gemeinsame Überwindung der Blockade wirkte nachhaltig auf die Verbundenheit von Westdeutschen und ihren Besatzungsmächten.

Der Weg zu zwei
deutschen Staaten

Mitte 1948 gaben die USA, Großbritannien und Frankreich den Ministerpräsidenten der westdeutschen Länder den Auftrag, die Gründung einer demokratischen Republik vorzubereiten. Angesichts der Teilung Deutschlands wählte der Parlamentarische Rat Formulierungen, die dem Provisorium der Bundesrepublik Rechnung tragen sollten. Mit der Verkündung des Grundgesetzes am 23. Mai 1949 entstand die Bundesrepublik Deutschland, im August desselben Jahres fanden unter hoher Wahlbeteiligung die ersten Wahlen zum Bundestag statt. Theodor Heuss (1884–1963) wurde erster Bundespräsident.

23. Mai 1949:
Gründung der
Bundesrepublik
Deutschland

7. Oktober 1949:
Gründung der
Deutschen
Demokratischen
Republik

In der Sowjetischen Besatzungszone war bereits 1945 die Enteignung des Großgrundbesitzes und bis 1948 die Verstaatlichung der Industrie durchgeführt worden. Im Dezember 1947 wurde der Deutsche Volkskongreß gewählt, aus dem wiederum der Deutsche Volksrat hervorging. Dieser verabschiedete am 7. Oktober 1949 die Verfassung der Deutschen Demokratischen Republik. Die Entwicklung bestimmten die aus dem Zwangszusammenschluß von KPD und SPD entstandene Sozialistische Einheitspartei Deutschlands (SED) und die sowjetische Besatzungsmacht.

Zwei deutsche Staaten

Einbindung in die
Machtblöcke

Seit 1949 gab es in Deutschland nun zwei Staaten, die beanspruchten, ganz Deutschland zu repräsentieren. Hinzu kam das in vier Sektoren geteilte Berlin, das immer wieder zum Schauplatz deutsch-deutscher Konfrontationen werden sollte. Zunehmend verfestigten sich die Lager in Ost und

West. Die westlichen Staaten strebten wirtschaftliche Zusammenarbeit an und konnten 1949 zusammen mit den USA die NATO gründen. 1952 wurde auch die Bundesrepublik in das Verteidigungsbündnis integriert und das Besatzungsstatut aufgehoben. Die damit verbundene Wiederbewaffnung löste in der deutschen Öffentlichkeit und im Bundestag heftige Diskussionen aus. Stalin unterbreitete das Angebot eines bündnisfreien Deutschlands. Das wäre einer Rückkehr zur Ausgangsposition des Potsdamer Abkommens gleichgekommen und hatte deshalb wenig Chancen auf Verwirklichung. Nachdem die Sowjetunion bereits 1954 eine Souveränitätserklärung für die DDR abgegeben hatte, wurde auch die Bundesrepublik Deutschland mit den Pariser Verträgen des Jahres 1955 zum souveränen Staat. Die Sowjetunion antwortete darauf im selben Jahr mit der Gründung des Warschauer Paktes. Die Grenze der DDR zum Westen und zu Westberlin wurde bis auf wenige Berliner Übergänge abgeriegelt.

Einbindung in die Machtblöcke (Fortsetzung)

Im Wechselspiel der globalen Interessen verlor die deutsche Wiedervereinigung für die USA und die Sowjetunion an Bedeutung. So ist zu erklären, daß der Bau der Berliner Mauer im August 1961 von den Westmächten ohne entschiedenen Widerstand hingenommen wurde (→ *Baedeker Special* S. 142). Die Integration der beiden deutschen Staaten in die jeweiligen Machtblöcke geschah auch auf wirtschaftlichem Gebiet. Die DDR war seit 1950 Mitglied im Rat für gegenseitige Wirtschaftshilfe, dem COMECON; die BRD gehörte 1957 zu den Mitunterzeichnern der Römischen Verträge und somit zu den Gründungsmitgliedern der Europäischen Wirtschaftsgemeinschaft EWG.

13. August 1961: Berliner Mauer

Unter der Führung von Walter Ulbricht (1893–1973) nahm die SED eine alles beherrschende Rolle im Staat ein. Bereits 1950 setzte die sozialistische Planwirtschaft ein. 1952 beschloß die SED die Kollektivierung der Landwirtschaft. Stalins Tod bewirkte 1953 die Phase des "Tauwetters". Aus Moskau kam die Weisung, die Sowjetisierung Ostdeutschlands zu bremsen, was allein in den ersten vier Monaten des Jahres 1953 über 100 000 Menschen nach Westdeutschland übergesiedelt waren. Zwar folgten Erleichterungen für die Bevölkerung, die kurz zuvor angeordnete Erhöhung der Arbeitsnorm wurde jedoch nicht zurückgenommen. In Berlin und anderen Städten kam es zu Unruhen, die am 17. Juni 1953 mit sowjetischer Waffengewalt unterdrückt wurde.

Entwicklung in der DDR

17. Juni 1953

Es herrschte nun "Ruhe im Land" und man konnte sich, von der Staatssicherheit überwacht, dem Aufbau des "sozialistischen Vaterlands" widmen. Der zeitige immerhin bessere Ergebnisse als in den sozialistischen Bruderländern – der Lebensstandard in der DDR war höher als in allen anderen Staaten des Ostblocks. 1971 ging die Ära Ulbricht zu Ende. Erich Honecker (1912–1994) nahm den Platz des Ersten Sekretärs der SED ein. Die Annäherung an die Bundesrepublik öffnete die hermetisch abgeriegelte DDR ein wenig und brachte es mit sich, daß immer mehr DDR-Bürger ihre Unzufriedenheit mit manchen Zuständen äußern wollten. Die Repressionen gegen die freie Meinungsäußerung nahmen drastischere Formen an. Als der Sänger Wolf Biermann 1976 ausgebürgert wurde, erhob sich unter den Intellektuellen eine Welle des Protestes. Viele Künstler verließen die DDR in den folgenden Jahren.

Konrad Adenauer (1876–1967)

Die bundesrepublikanische Politik der ersten Jahre trug die Handschrift des langjährigen Bundeskanzlers Konrad Adenauer (CDU, 1876–1967). Er erreichte die Annäherung an Frankreich, er betrieb die Wiederbewaffnung, er nahm aber auch 1955 erste diplomatische Kontakte zu Moskau auf. 1963 lö-

Entwicklung in der Bundesrepublik

Geschichte und Kultur

Entwicklung in der
Bundesrepublik
(Fortsetzung)

ste ihn Ludwig Erhard (1897–1977) ab, der als Wirtschaftsminister zwischen 1949 und 1963 die soziale Marktwirtschaft lanciert hatte und als Vater des "deutschen Wirtschaftswunders" gilt. Die SPD sah sich veranlaßt, im Godesberger Programm von 1959 klassenkämpferische Positionen aufzugeben und sich damit zur Volkspartei zu wandeln.

Die "68er-Revolte"
und ihre Folgen

Ab 1966 regierte eine große Koalition von CDU/CSU und SPD mit Bundeskanzler Kurt-Georg Kiesinger (1904–1988). Die bundesrepublikanische Politik sonnte sich im Erfolg des Wirtschaftswunders und nahm dabei nicht wahr, daß es in der Studentenschaft gärte. Das Fehlen einer echten Opposition im Bundestag, die überkommenen hierarchisch-autoritären Verhältnisse an den Universitäten, die mangelhafte Aufarbeitung und Bewältigung des Nationalsozialismus und der Protest gegen den Krieg in Vietnam waren die Themen der Außerparlamentarischen Opposition, die sich anläßlich der Debatte über die Notstandsgesetze formierte. Die Diskussion fand zunächst, getragen von der Studentenschaft (Sozialistischer Deutscher Studentenbund SDS), weitgehend im intellektuellen Spektrum statt, doch nach der Erschießung des Studenten Benno Ohnesorg auf der Demonstration gegen Schah Reza Pahlevi am 2. Juni 1967 in Berlin und nach dem Attentat auf den SDS-Funktionär Rudi Dutschke 1968 weiteten sich die Proteste auf größere Kreise aus. Auf lange Sicht fand die Bewegung jedoch keinen Rückhalt in der Bevölkerung, speziell nicht in der umworbenen Arbeiterschaft. Aus dieser Situation der schwindenden Hoffnung auf eine linke Revolution bildete sich die terroristische Gruppe der Rote Armee Fraktion, die bis in die neunziger Jahre Anschläge gegen Repräsentanten der Führungsschicht verübte.

Langfristig hat die 68er-Bewegung aber zweifellos eine Veränderung der Gesellschaft bewirkt. Nicht nur der von Rudi Dutschke proklamierte "Marsch durch die Institutionen" hat manchen Demonstranten von damals heute in prominente Position geführt, die Gesellschaft selbst wurde offener und erzeugte eine andere Kultur. Neben Erscheinungen der Subkultur und des Pop (Rockmusik, Kleidung, lange Haare) fanden auch Kulturschaffende in traditionellen Medien größere Freiräume.

Machtwechsel

1970: Ostverträge

Der gesellschaftliche Wandel führte auch zu einem politischen Wandel: 1969 übernahm die sozialliberale Koalition unter Willy Brandt (SPD, 1913 bis 1992) mit dem Slogan "Mehr Demokratie wagen" die Regierung.

Brandt leistete einen entscheidenden Beitrag zur Entspannungspolitik, als er zusammen mit Staatssekretär Egon Bahr (geb. 1922) den Ausgleich vor allem mit der Sowjetunion und Polen suchte. In den sog. Ostverträgen bestätigten die jeweiligen Seiten ihren Verzicht auf Gewalt und die Respektierung ihrer aktuellen Grenzen. Brandt und Bahr verfolgten mit ihrer Politik des "Wandels durch Annäherung" vor allem auch das Ziel, das Verhältnis zur DDR zu regeln. 1970 kam es zum historischen Treffen zwischen DDR-Ministerpräsident Stoph und Brandt in Erfurt, im Herbst 1972 folgte der Grundlagenvertrag mit der DDR, der die gegenseitige Anerkennung zwar nicht formulierte, aber beiden Staaten die Achtung ihrer Selbständigkeit versprach. Für seine Bemühungen wurde Willy Brandt im Jahr 1971 mit dem Friedensnobelpreis ausgezeichnet. Be-

Willy Brandt (1913 – 1992)

vor die Ostverträge 1972 ratifiziert werden konnten, fand im deutschen Bundestag eine stürmische Auseinandersetzung statt. Das konstruktive Mißtrauensvotum der CDU/CSU scheiterte nur knapp. Am 22. Juni 1973 wurde die DDR gleichzeitig mit der Bundesrepublik Mitglied der Vereinten Nationen. Der mit überzeugender Mehrheit 1972 wiedergewählte Willy

Brandt trat Mitte 1974 zurück, als die Spionagetätigkeit seines Referenten Günter Guillaume bekannt wurde. Helmut Schmidt (geb. 1918) übernahm nun das Amt des Bundeskanzlers.

Ostverträge (Fortsetzung)

Sowohl für die Entspannung wie für die Stärkung der Opposition in den sozialistischen Staaten war die internationale KSZE-Konferenz in Helsinki 1973 – 1975 ein wichtiges Signal. Trotzdem verstärkten die Supermächte zu dieser Zeit ihre Rüstung. Die Sowjetunion stationierte SS-20-Mittelstrekkenraketen und die NATO legte den Doppelbeschluß vor, der die Verringerung der eurostrategischen Waffen und die gleichzeitige nukleare Modernisierung vorsah. Dagegen wandte sich eine breite außerparlamentarische Friedensbewegung, die am 10. Oktober 1981 in Bonn mit der bis dahin größten Demonstration in der Geschichte der Bundesrepublik gegen die Stationierung neuer atomarer Waffen protestierte. Auch in der DDR hielten sich ungeachtet der SED-Repressionen die pazifistischen Strömungen, vor allem in Rahmen der evangelischen Kirche.

Friedens-bewegungen

In der Bundesrepublik war die Friedensbewegung wesentlich von einer neuen gesellschaftlichen Kraft getragen, der Partei der Grünen. Sie hatte sich aus Bürgerinitiativen der 70er Jahre gegen Atomkraftwerke und Umweltzerstörung formiert und bekam erstmals 1979 Sitze in einem Landesparlament.

1982 löste eine CDU / FDP-Koalition mit Bundeskanzler Helmut Kohl (geb. 1930) die Regierung Schmidt ab. Die die neuen Waffen wurden trotz dieses beträchtlichen Widerstandes in Stellung gebracht. Die damit einhergehenden Spannungen zwischen Ost und West ließen erst nach, als Michail S. Gorbatschow (geb. 1931) 1985 zum Generalsekretär der sowjetischen KPdSU gewählt wurde.

Regierung Kohl

Unmittelbar nach Kriegsende waren die ersten Zeitungen und Verlage wieder zugelassen worden. Hans Werner Richter (1908 – 1993) scharte zwei Jahre nach Ende des Krieges in Westdeutschland die "Gruppe 47" um sich. Diese war sich in dem Grundsatz einig – ohne starre Satzungen und eine feste Mitgliedschaft zu besitzen –, daß die Schriftsteller eine große Verantwortung im gesellschaftlichen Leben trugen. Mit Dichterlesungen und Preisverleihungen rückte sie bald ins Licht der Öffentlichkeit. Aus ihr kam eine ganze Reihe von Literaten, die für lange Zeit die bundesrepublikanische Literatur prägen sollten: Alfred Andersch (1914 – 1980), Heinrich Böll (1917 – 1985), Günter Grass (geb. 1927) und Martin Walser (geb. 1927).

Getrennte Wege auch in der Kultur

Literatur

In der DDR fanden die exilierten Schriftsteller und Schriftstellerinnen nach 1945 eine wohlwollendere Aufnahme als im Westen. Anna Seghers (1900 bis 1983) und Bertolt Brecht wurden zu literarischen Leitfiguren der jungen Republik. Bald jedoch war deren kritischer Blick unerwünscht; man brauchte Literatur, die den herrschenden Sozialismus bejahte (Bitterfelder Weg seit 1959). Viele Autoren verließen deshalb in den folgenden Jahrzehnten die DDR: Peter Huchel (1903 – 1981), Sarah Kirsch (geb. 1935), Jurek Becker (1937 – 1997) und Reiner Kunze (geb. 1933). Es gab aber auch zahlreiche Schriftsteller wie etwa Christa Wolf (geb. 1929), die sich dem Diktat der Partei nicht beugen wollten und trotzdem in der DDR blieben.

Die Musik der Nachkriegszeit läßt sich nicht auf eine nationale Richtung einengen. In Deutschland sind seit 1950 die Donaueschinger Musiktage für die neue Musik von Bedeutung. Zahlreiche von Karlheinz Stockhausens (geb. 1928) elektronischen Klangkompositionen wurden hier zum ersten Mal aufgeführt. In der Bildenden Kunst suchte man in der Bundesrepublik den Anschluß an die Vorkriegszeit und an internationale Tendenzen. So ist nicht verwunderlich, daß in Westdeutschland die abstrakte Malerei zunächst überwog. Das bestimmte noch die ersten Ausstellungen der documenta, die sich im Laufe der Jahre zur bedeutendsten Plattform der internationalen Kunst entwickelte. 1955 und 1959 waren der vom Expressionismus zur Abstraktion gelangte Ernst Wilhelm Nay (1902 – 1968) und ein Vertreter des "Informel" Hans Hartung (1904 – 1989) an prominenter Stelle zu finden. Die ebenso überragende wie umstrittene Künstlerpersönlichkeit

Musik und Bildende Kunst

10. November 1989 am Brandenburger Tor: seit 24 Stunden ist die Mauer geöffnet.

Musik und
Bildende Kunst
(Fortsetzung)

der siebziger Jahre war Joseph Beuys (1921–1986), dessen schwer zugängliche Installationen auf einen komplexen Gehalt verwiesen. Expressive Gegenständlichkeit kehrte Anfang der 80er Jahre mit den großformatigen Gemälden der sog. Neuen Wilden wieder zurück (Baselitz, Lüppertz, Hödicke u. a.).
In der DDR ging die Malerei durch ihre Bindung an die Parteilinie einen anderen Weg. Hier entwickelte sich mit Wolfgang Mattheuer (geb. 1927), Werner Tübke (geb. 1924), Bernhard Heisig (geb. 1925) und Willi Sitte (geb. 1921) eine vielgestaltige realistische Schule.

Vereintes Deutschland

Glasnost und
Perestroika

Zwei Schlagworte bezeichnen die Reformen, die in der Sowjetunion seit Anfang der achtziger Jahre vor sich gingen: Glasnost (Transparenz) und Perestrojka (Umgestaltung). Die Auswirkungen dieser Veränderungen ließen sich vor allem in den Satellitenstaaten der Sowjetunion nicht mehr unter Kontrolle halten. In der DDR, die im Vergleich zu anderen Staaten des Ostblocks als wohlhabend und stabil galt, versuchte das Regime die aufkeimenden Unruhen einzudämmen. Offene Opposition brach erst aus, als die Fälschung der Kommunalwahlen vom Mai 1989 bekannt wurde. In der Leipziger Nikolaikirche versammelten sich jeden Montag immer mehr Menschen zum Gebet, die anschließend auf den Straßen demonstrierten. In Prag stürmten ausreisewillige DDR-Bürger die bundesdeutsche Botschaft, in Ungarn nahm der Druck der Ausreisewilligen derart zu, daß dort vorübergehend die Grenzen nach Österreich geöffnet wurden. Auch wenn von Seiten der Intellektuellen eine reformierte sozialistische DDR gefordert wurde, verlangten die demonstrierenden Massen mit dem Ruf "Wir sind das Volk" die Wiedervereinigung. Darüber stürzte schließlich auch Erich Honecker, dessen Nachfolger Egon Krenz nichts anderes mehr übrigblieb, als am 9. November 1989 die Grenzen der DDR zu öffnen. Bundeskanzler Kohl legte am 28. November 1989 dem Bundestag ein Zehn-Punkte-Programm vor, das ein vereinigtes, föderalistisches Deutschland zum Ziel hatte. Die DDR-Volkskammer setzte für den 18. März 1990 freie Wahlen an. Daraus ging eine große Koalition unter Führung des CDU-Politikers Lothar de Maizière (geb. 1940) hervor, die den Beitritt der DDR zur Bundesrepublik beschloß. Nach der Wirtschafts-, Währungs- und Sozialunion trat am 3. Oktober 1990 der Einigungsvertrag in Kraft.

9. November 1989: Öffnung der DDR-Grenzen

3. Oktober 1990: Deutsche Einheit

Die weiter vorherrschenden Probleme des ausgehenden 20. Jh.s liegen im wirtschaftlichen Bereich (1994 überstieg die Zahl der Arbeitslosen erstmals seit Kriegsende die 4 Mio.-Marke), in der Krise des Sozialstaats, in den ungelösten Fragen der Energie- und Umweltpolitik (fortschreitende Klimaveränderungen), in der Bekämpfung von zunehmendem Rechtsradikalismus und Fremdenfeindlichkeit, in der angespannten Haushaltslage des Bundes und nicht zuletzt in der Aufgabe, Ost- und Westdeutschland zusammenwachsen zu lassen.

Ausblick

Reiseziele
von A bis Z

Routenvorschläge

Hinweis

Im Rahmen dieses Reiseführers orientieren sich die nachfolgenden Routenvorschläge an den Deutschen Ferienstraßen. Als erste Ferienstraße wurde die Deutsche Alpenstraße geplant; es folgten bis heute über 80 Touristikstraßen, die durch reizvolle Landschaften und zu sehenswerten Orten führen. Aus Platzgründen kann hier allerdings nur eine Auswahl der zahlreichen Ferienstraßen und Touristikrouten vorgestellt werden. Einen ersten Eindruck über den Routenverlauf vermittelt die nebenstehende Übersichtskarte. Für eine detaillierte Planung und Orientierung sei an dieser Stelle die Deutsche Generalkarte empfohlen (37 Blätter im Maßstab 1:200 000), die Mairs Geographischer Verlag in regelmäßiger Neubearbeitung herausgibt. Die Hinweise in der Marginalienspalte verdeutlichen den Verlauf der Ferienstraße. Innerhalb der aufgeführten Routen erscheinen die Orte, die bei den Reisezielen als Hauptstelle beschrieben sind, in **halbfetter Schrift**; Beschreibungen der anderen Orte und Sehenswürdigkeiten erschließen sich über das Register. Die vorgeschlagenen Routen werden ergänzt durch die Empfehlung für Abstecher entlang der jeweiligen Strecken.

1. Grüne Küstenstraße (ca. 750 km)

Allgemeines

Die Grüne Küstenstraße gliedert sich in zwei Teile. Die erste Route verläuft von der dänischen Grenze bis zur Elbe, die zweite Strecke zieht sich durch das nördliche Niedersachsen. Als Symbol weist der Neptun-Dreizack auf Orte und Sehenswürdigkeiten entlang der Grünen Küstenstraße hin.

1. Teilstrecke

Seebüll

Sylt

Husum

Nordstrand

St. Peter-Ording
Friedrichstadt

Büsum

Heide

Der erste Teil der Grünen Küstenstraße beginnt bei Süderlügum an der deutsch-dänischen Grenze und führt, nach einem Abstecher zum Nolde-Museum nach Seebüll, parallel zur Nordseeküste durch Nordfriesland. Weiter gelangt man südwärts nach Niebüll, dem Ausgangspunkt für einen Ausflug auf die Insel *Sylt mit ihren berühmten Dünen und Stränden oder für eine Exkursion zu den Halligen im Nationalpark Wattenmeer. Von Bredstedt, der nächsten Station, gelangt man schließlich nach **Husum**, der von Theodor Storm so benannten "Grauen Stadt am Meer". Von hier aus sollte man die Insel Nordstrand besuchen, die durch einen befahrbaren Damm mit dem Festland verbunden ist. Wenige Kilometer südlich von Husum lohnt ein Abstecher auf die Halbinsel Eiderstedt mit ihren stattlichen reetgedeckten Bauernhäusern. An der Spitze der Halbinsel erreicht man das vielbesuchte Seebad St. Peter-Ording. Südöstlich der genannten Abzweigung liegt Friedrichstadt mit seinen Grachten und putzigen Giebelhäuschen. Südwestlich davon zweigt ein Sträßchen zum Eidersperrwerk ab. Dieser gewaltige Damm schützt das Hinterland vor Sturmfluten. Von dort geht es südwärts durch den Wesselburener Koog nach Büsum, dem malerischen Hafen der Nordsee-Krabbenfischer. Wenige Autominuten nordöstlich von Büsum erreicht man das Städtchen Heide mit seinem ansehnlichen Markt. Hier gabelt sich die Grüne Küstenstraße. Ihr östlicher

◄ *Das harmonische Ensemble von Schloß, Altstadt und Neckar macht Heidelberg zu einem einzigartigen Anziehungspunkt in Deutschland.*

①—	Grüne Küstenstraße	
②---	Nordostdeutsche Hanse-Route	
③—	Deutsche Alleenstraße	
④—	Straße der Romanik- Nordroute	
⑤—	Deutsche Märchenstraße	
⑥—	Klassikerstraße Thüringen	
⑦—	Sächsische Silberstraße	

⑧—	Kannenbäcker- und Bäderstraße
⑨—	Liebfrauen- und Bergstraße
⑩—	Deutsche Weinstraße
⑪—	Nibelungen- und Siegfriedstraße
⑫—	Straße der Kaiser und Könige

⑬---	Burgenstraße
⑭—	Romantische Straße
⑮	Schwarzwald-Hochstraße und -Tälerstraße
⑯---	Schwäbische Albstraße
⑰---	Oberschwäbische Barockstraße
⑱—	Deutsche Alpenstraße

© Baedeker

63

Routenvorschläge

Grüne Küstenstraße (Fortsetzung)	Zweig führt landeinwärts über den Geestrücken, überquert den Nordostsee-Kanal und erreicht schließlich die Städte Itzehoe und Elmshorn.
	Die interessantere, südwestliche Route führt von Heide und durch die Landschaft Dithmarschen zur Unterelbe. Dabei passiert man die Kreisstadt
Meldorf	Meldorf mit dem weithin sichtbaren "Dom der Dithmarscher". Südlich von Meldorf streift die Route das junge Marschland der Köge, das man der

GRÜNE KÜSTENSTRASSE

Nordsee in mühevoller Arbeit abgerungen hat. An der Unterelbe liegt die Industriestadt

Brunsbüttel Brunsbüttel. Hier mündet der 1895 eröffnete und sehr stark frequentierte Nord-Ostsee-Kanal in den Elbmündungstrichter. Die gewaltigen Schleusenanlagen sind einen Besuch wert. Etwa eine halbe Autostunde elbaufwärts

Glückstadt erreicht man den Hafen Glückstadt. Die heute recht malerisch wirkende Festungsstadt ist 1617 vom Dänenkönig Christian IV. gegründet worden. Über Kollmar gelangt man schließlich in die Rosenstadt Elmshorn. Von dort geht es auf der Bundesstraße 431 bzw. auf der A 23

Hamburg via Pinneberg in die Freie und Hansestadt ****Hamburg**, die berühmte Hafenstadt und zweitgrößte Stadt Deutschlands.

2. Teilstrecke	Der zweite Teil der Grünen Küstenstraße führt von Hamburg durch das fruchtbare Alte Land nach Stade. Von dort biegt man in südwestlicher
Bremen	Richtung zum Teufelsmoor und nach ***Bremen** ab. Die historische Innenstadt bietet mit Marktplatz, Böttcherstraße und Schnoorviertel interessante Einblicke in eine Stadt, die jahrhundertelang von Schiffahrt und Handel geprägt wurde. Die Hauptroute überquert nun die Weser und erreicht über die Delmenhorster Geest und den Hasbruch mit tausendjährigen Eichen die
Oldenburg	alte Residenzstadt **Oldenburg**. Danach geht es durch das flach gewellte Ammerland mit seinen saftigen Weiden, kurz darauf streift man das Was-
Zwischenahner Meer	sersport-Dorado Zwischenahner Meer. Über Ammerlands Blumen- und Baumschulstadt Westerstede geht es weiter auf der Landstraße nach
Leer	Hesel und von dort über die B 436 in südlicher Richtung nach Leer, dem bekannten "Tor nach **Ostfriesland**".
Cuxhaven	Eine Nebenstrecke verläuft von Stade nach **Cuxhaven**. Das große Nordseeheilbad besitzt ausgedehnte Sandstrände und ist Ausgangspunkt für
Insel Helgoland	Fahrten zur Insel ***Helgoland**. Parallel zur A 27 fährt man nun südwärts nach Bremerhaven, das mit Übersee- und Fischereihafen besondere Attraktivität besitzt. Von dort geht es mit der Fähre über die Wesermündung auf die Halbinsel Butjadingen. Anschließend fährt man gemächlich
Wilhelmshaven Aurich Norddeich Emden	rund um den Jadebusen nach Wilhelmshaven und von dort auf einem Abstecher nach Aurich, in das "Herz Ostfrieslands". Von Wilhelmshaven führt die Strecke küstennah weiter nach Norddeich und dann südwärts nach Emden. Hier lohnt ein Besuch der modernen Kunsthalle. An der Ems entlang erreicht man nun wiederum Leer. Einige Kilometer südwestlich davon, in Bunde nahe der deutsch-niederländischen Grenze, endet die Grüne Küstenstraße.

2. Nordostdeutsche Hanse-Route (ca. 480 km)

Allgemeines	Die Hanse war ein Zusammenschluß von Kaufleuten, der über 1500 km hinweg Grenzen überwand – von Flandern bis zum Finnischen Meerbusen. Die Hanse bestand über 500 Jahre lang und zählte einst über 200 Städte. Die Kerngruppe bildeten Lübeck, Hamburg, Lüneburg, Rostock, Wismar und Stralsund, einige Zeit auch Greifswald. In allen Städten, die durch den Bund wohlhabend wurden, hat die Hanse mit ihren Backsteinbauten eindrucksvolle steinerne Zeugnisse einer hohen wirtschaftlichen Blüte hinterlassen.

Wer den Spuren der Hanse folgen will, sollte in ****Lübeck** starten. Diese Stadt war das Haupt der Hanse, hier begann der historische Handelsweg in den Osten. Die großartige Altstadt wurde von der UNESCO in die Liste des Weltkulturerbes aufgenommen. Man verläßt das Stadtzentrum in Richtung Travemünde und biegt im weiteren Verlauf auf die B 104 und kurz darauf auf die B 105 in Richtung Rostock ab. Schöne Alleen durchziehen die Landschaft des Klützer Winkels. Klütz besitzt mit Schloß Bothmer das größte Barockschloß Mecklenburgs. Nach wenigen Autominuten erreicht man die Hansestadt ***Wismar**, auch Ausgangspunkt zur Insel Poel. Wismar, Partnerstadt Lübecks, war einst die zweitmächtigste Stadt im Handelsbund. Hinter Neubukow lohnt ein Abstecher in den romantischen Fischereihafen von Rerik. In Kühlungsborn erinnern prächtige Villen an die große Zeit des Ostseebades. Weiter geht es nach Heiligendamm, "Weiße Stadt am Meer" genannt, und nach Bad Doberan, das man durch eine großartige Lindenallee erreicht. Man fährt nun an eindrucksvollen gotischen Münster vorbei und biegt wieder auf die B 105 ein, die in die alte Hansestadt ***Rostock** führt, und folgt der Beschilderung nach Ribnitz-Damgarten. Von dort ist das einige Kilometer westlich gelegene Freilichtmuseum Klockenhagen einen Abstecher wert.

Stadtauswärts geht es Richtung **Fischland-Darß**. Kurz vor Körkwitz überrascht ein herrlicher Blick auf den Saaler Bodden. Auf der Weiterfahrt in das Ostseebad Zingst streift man das Ahrenshooper Holz, ein geschlossenes Waldgebiet aus Buchen und Eichen. Über Barth und Löbnitz stößt man wieder auf die B 105 und kommt kurz darauf nach ***Stralsund**, die "Perle der Hanse". Die See- und Hafenstadt am Strelasund gilt als Tor zur Insel Rügen. Über die B 96 erreicht man ***Greifswald**, am gleichnamigen Bodden gelegen. Neben Stralsund war Greifswald die zweite bedeutende Hansestadt in Vorpommern. Einen Besuch lohnt die südwestlich gelegene Hansestadt Demmin. In östlicher Richtung erreicht man kurz hinter Greifswald die Klosterruine Eldena, die dem Maler Caspar David Friedrich als Motiv für seine Werke diente.

In Pritzier folgt man der B 111 nach Wolgast. Von dort empfiehlt sich ein Abstecher nach Peenemünde. Das geschichtsträchtige Dorf informiert über seine Vergangenheit im historisch-technischen Informationszentrum. Hinter dem Badeort Zinnowitz erreicht man die engste Stelle Usedoms. Die schöne Inselnatur machte Usedom bereits im 19. Jh. zu einem der beliebtesten Urlaubsziele im Norden Deutschlands. So bekannte Badeorte wie Bansin, Heringsdorf und Ahlbeck erinnern mit ihrer "Bäderarchitektur" an die "Belle Epoque". In alter Pracht präsentiert sich Ahlbecks bekanntestes Bauwerk und Wahrzeichen, die 1898 eröffnete Seebrücke. Bei Zecherin überquert man auf der B 110 den Peenestrom und verläßt die Insel Usedom. Nächste Station ist die alte Hansestadt Anklam. Im Otto-Lilienthal-Museum wird der Flugpionier und große Sohn der Stadt geehrt. Endpunkt der nordostdeutschen Hanse-Route ist Ueckermünde am Stettiner Haff.

3. Deutsche Alleenstraße (ca. 1 910 km)

Die Arbeitsgemeinschaft "Deutsche Alleenstraße" hat sich die Aufgabe gestellt, bestehende Alleen in Deutschland zu schützen und neue Alleen anzupflanzen. Als Symbol weist ein braunes Schild mit der Aufschrift "Deutsche Alleenstraße" und einem Alleenemblem den Weg. Insgesamt sind acht Teilstrecken geplant, sechs davon wurden bereits eröffnet. Eines Tages wird die Deutsche Alleenstraße die Insel Rügen mit dem Bodensee verbinden und dabei sehenswerte Ausflugsziele streifen.

Die Route beginnt im reizvoll gelegenen Ostseebad Sellin auf ***Rügen** und führt, nach Ausflügen zum Jagdschloß Granitz und auf die Halbinsel Mönchgut, in die ehemalige klassizistische Residenzstadt Putbus. Von dort lohnt ein Abstecher nach Kap Arkona. Über den Rügendamm erreicht man die traditionsreiche Hansestadt ***Stralsund**. Auf der B 194 führt die

Routenvorschläge

Deutsche Alleenstraße (Fortsetzung)

Strecke südwärts in die Hansestadt Demmin. Die Route erreicht nun die reizvolle Landschaft der Mecklenburgischen Schweiz mit den Orten Malchin und Teterow, mit Kummerower und Malchiner See sowie der Reuterstadt Stavenhagen. Man verläßt Malchin südwärts und erreicht bald das teilweise unter Naturschutz stehende Gebiet der ****Mecklenburgischen Seen**, die für den Wassersport ideale Bedingungen bieten. Bei Wesenberg lohnt ein Abstecher in die Barockstadt Neustrelitz. Durch eine unberührte Seenlandschaft führt die Route weiter bis nach Rheinsberg und zu seinem weltbekannten Schloß am Grienerick-See, dem Ende der ersten Etappe.

Die Deutsche Alleenstraße berührt auch die Sächsische Schweiz, die den Wanderer mit ungewöhnlichen Felsformationen überrascht.

2. Teilstrecke: Rheinsberg bis Wittenberg (168 km)

Die zweite Teilstrecke verläuft von Rheinsberg durch die Ruppiner Schweiz, deren Charme Fontane in seinen "Wanderungen durch die Mark Brandenburg" eindrucksvoll beschrieben hat. In seiner Heimatstadt Neuruppin wurde ihm dafür ein Denkmal gesetzt. Man verläßt die Stadt in Richtung Fehrbellin, unterquert hinter Staffelde die A 10, streift das Havelland und erreicht schließlich die geschichtsträchtige Stadt **Brandenburg**. Rund 20 km südöstlich überrascht in der märkischen Heide das wuchtige Lehnin-Kloster. Vom 33 m hohen Bergfried der Burg Eisenhardt bietet sich eine gute Aussicht über den Hohen **1Fläming**. Bald darauf erreicht man die ***Lutherstadt Wittenberg**. Hier endet die zweite Teilstrecke.

3. Teilstrecke: Wittenberg bis Goslar (249 km)

Von der ***Lutherstadt Wittenberg** führt die Route in westlicher Richtung über den romantischen Wörlitzer Park, südlich von Coswig, nach **Dessau**, international bekannt durch das Architekturdenkmal Bauhaus. In Köthen teilt sich die Deutsche Alleenstraße: Der südliche Zweig führt über das alte Saale-Städtchen Könnern, der nördliche erreicht über Nienburg Stassfurt, die "Wiege des Kalibergbaus". Man verläßt nun die Deutsche Alleenstraße und fährt weiter bis ***Quedlinburg** und besucht die historische Altstadt, die zum Weltkulturerbe der UNESCO gehört. Die Route setzt sich in nördlicher Richtung fort. In Halberstadt lohnt der Besuch des gotischen

Domes, bevor man in südwestlicher Richtung nach **Wernigerode** abzweigt. Die "Bunte Stadt am **Harz**" lädt zu einem Bummel durch den mittelalterlichen Stadtkern ein. Bald darauf erreicht man Bad Harzburg: Den besten Blick über die Stadt und den Harz bietet der 483 m hohe Burgberg. In ****Goslar**, seit 1992 Weltkulturerbe, beeindrucken vor allem die Kaiserpfalz und das geschlossen erhaltene Stadtbild.

Deutsche Alleenstraße (Fortsetzung)

Von ***Wittenberg** erreicht man in südlicher Richtung über die B 182 die alte Residenzstadt **Torgau**. Wiederum südlich davon erstreckt sich das Waldgebiet der Dahlener Heide. Auf der B 6 fährt man weiter bis in die Porzellanstadt ***Meißen**. Nun lohnen zwei Abstecher: Das prunkvoll ausgestattete Schloß Moritzburg trägt die Handschrift Augusts des Starken und Radebeul die von Karl May. Nach kurzer Zeit erreicht man Sachsens Landeshauptstadt ****Dresden** mit ihren zahlreichen Sehenswürdigkeiten. Von Dresden lohnt ein Ausflug in die **Sächsische Schweiz**. Besonders markant sind die 200 m aufragende Bastei und die Festung Königstein. Von Pirna mit seiner historischen Altstadt fährt man auf der B 171 in südwestlicher Richtung bis Olbernhau im **Erzgebirge** und von dort, als Abstecher, in die Spielzeugstadt Seiffen. Auf der B 101 erreicht man Annaberg-Buchholz, wo Adam Ries lehrte. In Plauen, dem kulturellen Zentrum des **Vogtlandes**, endet die 4. Teilstrecke.

4. Teilstrecke: Wittenberg bis Plauen (420 km)

Diese Strecke beginnt in Plauen und führt – ein Abstecher lohnt zur Elstertalbrücke – durch die wellige Hochfläche des **Vogtlandes**. Nordwestlich davon liegt Lobenstein mit seinem altfränkischen Markt. Von dort führt der Weg weiter nach Rudolstadt, das von der barocken Heidecksburg überragt wird. Über den ***Thüringer Wald** und den Wintersportort Oberhof gelangt man in die Residenzstadt **Meiningen**, die man in nordwestlicher Richtung verläßt. Die Route streift auf der B 285 die nördliche Rhön und erreicht, über die B 84, ***Eisenach** mit der geschichtsträchtigen Wartburg. Weiter geht es nach Bad Langensalza, in die "Stadt der Türme und Tore". Der zweite Teil dieser Route befindet sich als Alleenstraße in Vorbereitung: Entlang der B 247 schlängelt sich die Unstrut nördlich bis Leinefelde, auch "Tor zum Eichsfeld" genannt. Über Heiligenstadt, wo Theodor Storm einige Jahre lebte, besucht man das schöne Rathaus in Duderstadt, unterquert hinter Northeim auf der B 248 die A 7 und erreicht schließlich ***Goslar** mit der berühmten Kaiserpfalz.

5. Teilstrecke: Plauen bis Goslar (510 km)

Das letzte Stück der Deutschen Alleenstraße gliedert sich in zwei Teile: Der erste beginnt hinter **Meiningen** und führt von dort über die **Rhön**. Auf der Wasserkuppe lädt das Deutsche Segelflugmuseum zu einem Besuch ein, bevor es nach Bad Brückenau bzw. in die alte Bischofsstadt ***Fulda** geht. Dort erstrahlt der barocke Dom aus dem 18. Jh. wieder in altem Glanz. Die Route streift nun in nordwestlicher Richtung die malerischen Städtchen Schlitz und Lauterbach und erreicht den Vogelsberg. Das Fachwerkstädtchen Schotten ist Ausgangspunkt der zweiten Teilstrecke, die in naher Zukunft zur Allee aufgeforstet wird. Die Reiseroute zieht sich weiter in westlicher Richtung, auf der B 275, über Friedberg und Bad Nauheim mit seiner Volkssternwarte Wetterau nach Usingen. Dort lohnt das großartig rekonstruierte Limeskastell einen Besuch. Über die Kubacher Kristallhöhle bei Weilburg erreicht man Limburg an der Lahn. Über der historischen Altstadt thront der siebentürmige Dom aus dem 13. Jh. Von dort führt die geplante Alleenstraße weiter in die geschichtsträchtige Kurstadt Bad Ems und endet kurz darauf in Braubach am Rhein.

6. Teilstrecke: Meiningen bis Braubach/Rhein (330 km)

4. Straße der Romanik – Nordroute (ca. 480 km)

Auf der "Straße der Romanik", die wie eine große Schleife durch Sachsen-Anhalt führt, kann an ausgewählten Beispielen nachvollzogen werden, wie sich das Leben im Deutschen Mittelalter – in der Zeit zwischen 950 und

Allgemeines

Routenvorschläge

Straße der Romanik (Fortsetzung)

1250 – gestaltete. Die hier aufgezeichnete Route umfaßt nur den nördlichen Teil der "Straße der Romanik". Ein weinrotes Schild mit weißem Säulensignet, das speziell für diese Route entwickelt wurde, weist den Weg zu romanischen Bauten mit ihren charakteristischen Rundbögen.

Magdeburg

In **Magdeburg**, der Landeshauptstadt Sachsen-Anhalts, beginnt und endet die "Straße der Romanik". Seit Anfang des 13. Jh.s prägen der großartige Dom und das ehem. Kloster Unserer Lieben Frauen, eine bedeutende romanische Anlage, das Bild dieser Stadt. Man verläßt Magdeburg nach Nordwesten auf der B 71 in Richtung Salzwedel. Die Klosterkirche in

Groß Ammensleben
Hillersleben

Groß Ammensleben bewahrte im Langhaus und in der Apsis des nördlichen Nebenchores ihre romanische Gestalt. Man überquert nun den Mittellandkanal und erreicht kurz darauf das Dörfchen Hillersleben und seine sehenswerte, in ihrem Kern romanische ehem. Klosterkirche. Am Rande des Flechtinger Höhenzuges, einem schönen Wandergebiet, gelangt man

Walbeck

nach Walbeck. Auf dem Burgberg befindet sich die Ruine der ehem. Stiftskirche aus dem 10. Jh. Die Straße der Romanik führt weiter durch die von Theodor Fontane schwärmerisch erwähnte Altmärkische Schweiz mit gut erhaltenen romanischen Dorfkirchen in Wiepke, Engersen und Rohrberg.

Diesdorf

In Diesdorf, der nächsten Station, lohnen das gleichnamige Freilichtmuseum sowie die ehem. Klosterkirche des Stifts Marienwerder einen Besuch. Die Route führt zunächst in die Baumkuchen-Stadt Salzwedel. Im

Salzwedel

Innenraum der Lorenzkirche ist eine klare romanische Gliederung zu erkennen. In nordöstlicher Richtung, auf der alleengesäumten B 190, geht es

Arendsee
Havelberg

nun weiter zum Luftkurort Arendsee, am Südufer des gleichnamigen Sees gelegen. Kurz vor Havelberg setzt man mit einer kleinen Fähre über die Elbe. Das Stadtbild Havelbergs wird vom mächtigen Dom, der in großen Teilen romanisch blieb, beherrscht. Auf der B 107 verläuft die Route südwärts bis kurz vor Jerichow. Von dort lohnt ein Abstecher in das mittelalter-

Jerichow
Tangermünde
Stendal

liche Tangermünde und nach Stendal, der größten Stadt der **Altmark**. Zurück in Jerichow lädt vor allem das berühmte spätromanische Prämonstratenserstift zu einem Besuch ein. Über die mittelalterliche Kaufmann-

Burg
Leitzkau

stadt Burg, in der seit 1600 Jahren Bier gebraut wird, erreicht man Leitzkau. Am Ortsende stößt man auf die Ruine der romanischen Klosterkirche St. Maria. Das Klostergebäude wurde im Stil der Weserrenaissance zum Schloß umgebaut. Von Leitzkau lohnt ein Abstecher zur Flugsand-

Pretzien

düne in Gommern. Auf einer schmalen Straße gelangt man nach Pretzien. Auf einer Anhöhe steht die gut erhaltene romanische Dorfkirche St.Thomas. Sie birgt wertvolle spätromanische Wandmalereien. Zurück nach Magdeburg führt zuerst die B 184 und nach rund 10 km die B 246.

5. Deutsche Märchenstraße (ca. 600 km)

Allgemeines

Von Bremen bis Hanau reihen sich die Lebensstationen der Brüder Grimm sowie die Orte und Landschaften, aus denen ihre Märchen stammen, zu einem märchen- und fabelhaften Reiseweg aneinander. Farbenprächtig angereichert wird die "Deutsche Märchenstraße" durch die Lokalisierung der Märchenfiguren, sie schließt aber auch Sagen und Legenden ein. Ebenso märchenhaft sind die Landschaften: Acht Naturparke und mehrere Landschaftsschutzgebiete liegen am Wege. Die Deutsche Märchenstraße wird im folgenden von Nord nach Süd beschrieben.

Bremen

In der Freien Hansestadt *Bremen, bei den "Bremer Stadtmusikanten", beginnt (oder endet) die märchenhafte Reise und führt über die Reiterstadt

Verden
Minden
Bückeburg
Porta Westfalica
Bad Oeynhausen

Verden in südlicher Richtung nach *Minden. Hier lohnen, neben der sehenswerten Altstadt, Potts Freizeitpark und die Museums-Eisenbahn einen Besuch. Ein Abstecher führt ins Hubschraubermuseum nach Bückeburg. Südlich von Minden blickt man vom Kaiser-Wilhelm-Denkmal in Porta Westfalica weit ins grüne Wittekinds-Land, und in Bad Oeynhausen, der nächsten Station, bezaubert das Märchen- und Wesersagenmuseum. Auf den B 238 und 83 erreicht man das Münchhausenschloß in Hess. Oldendorf und die Stadt *Hameln. Prachtvolle Zeugnisse der Weserrenaissance säumen die Straßen Hamelns. Vor dieser zauberhaften Kulisse folgt man auf Schritt und Tritt dem sagenhaften Rattenfänger. Über Bad Pyrmont führt die Route nun in die Münchhausen-Stadt Bodenwerder, wo der Lügenbaron einst seine abenteuerlichen Geschichten erzählte. Hinter Polle teilt sich die Deutsche Märchenstraße: Ein Zweig führt in die alte Hanse- und Fachwerkstadt Höxter, in deren Umland die Brüder Grimm nahezu alle plattdeutschen Märchen sammelten. Über Bad Karlshafen erreicht man Trendelburg, die Heimat der Riesin "Trendula", und bei Hofgeismar thront mitten in Dornröschens Märchenland, im Reinhardswald, die Sababurg. Südlich davon erstreckt sich eine der schönsten Fachwerkstädte des *Weserberglandes, Hann. Münden, wo einst Doktor Eisenbart praktizierte. Über die B 80 führt die Strecke nun direkt in die documenta-Stadt *Kassel, den Mittelpunkt der Märchenstraße. Leben und Werk der Brüder Grimm präsentieren sich im Gebrüder Grimm-Museum. Der zweite Zweig führt über Holzminden und den Naturpark Solling-Vogler nach Oberweser und weiter auf der B 3 in die Universitätsstadt *Göttingen. Hier lehrten einst die Brüder Grimm; Generationen von Studenten verhalfen der anmutigen "Gänseliesel" zum Attribut "meistgeküßtes Mädchen der Welt". Auf der B 27 erreicht man Ebergötzen: In der alten "Herrenmühle" verübten Wilhelm Busch und sein

Die Gebrüder Grimm

Freund Erich Bachmann die tollen Streiche von "Max und Moritz". Im südlich gelegenen Witzenhausen lohnt das Völkerkundemuseum ebenso einen Besuch wie der Erlebnispark mit dem sehenswerten Automuseum. Und in der alten Salz- und Badestadt Bad Soden-Allendorf plätschert noch immer der "Brunnen vor dem Tore". Über die B 7 geht es wieder Richtung Kassel. Südwestlich von Kassel beginnt bei Niedenstein der Naturpark Habichtswald. Die alte Kaiserstadt Fritzlar präsentiert sich als "märchenhafte" Stadt auf dem Weg nach Schwalmstadt, der Hauptstadt des Rotkäppchen-Landes. Die Route führt nun weiter über die B 254 in die Fachwerkstadt Alsfeld und, als Abstecher, in die Universitätsstadt *Marburg an der Lahn. In dieser historischen Stadt begannen die Brüder Grimm mit der Erforschung der Volksliteratur. Zurück in Alsfeld verläuft die Route auf der B 275 weiter gen Süden über den sagenumwobenen Hohen Vogelsberg nach Schlüchtern im romantischen Bergwinkel. Das gleichnamige Museum präsentiert zahlreiche Andenken an die Brüder Grimm. Über die Barbarossa-Stadt Gelnhausen, die Erinnerungen an Kaiser Rotbart weckt, erreicht man zum guten Schluß Hanau am Main. Hier kamen Jacob und Wilhelm Grimm in den Jahren 1785 und 1786 zur Welt. Am Gebrüder Grimm-Denkmal endet (oder beginnt) die Deutsche Märchenstraße.

6. Klassikerstraße Thüringen (ca. 300 km)

Die Klassikerstraße führt zu kulturhistorischen Orten wie Weimar, Eisenach, Jena und Meiningen, die zu unterschiedlichen Zeiten Wirkungsstätten berühmter deutscher Persönlichkeiten waren. Sie führt zugleich durch das Bundesland Thüringen – mitten durch das "grüne Herz Deutschlands", das mit seinen langgestreckten Bergrücken und lieblichen Tälern auch zum Wandern einlädt. Durchgehend braune Schilder mit der Aufschrift "Klassikerstraße" und dem Symbol einer Schreibfeder markieren diese Route.

Die Klassikerstraße beginnt und endet in *Eisenach. Hoch über der Stadt thront die berühmte Wartburg, in der Martin Luther die Bibel übersetzte.

Routenvorschläge

Klassikerstraße Thüringen (Fts.) Gotha Arnstadt	Man verläßt Eisenach in östlicher Richtung und erreicht nach kurzer Fahrt die Residenzstadt **Gotha**, deren unverwechselbare Silhouette das mächtige Schloß Friedrichstein prägt. Über das Burgenland der Drei Gleichen führt die Route in die älteste Stadt Thüringens, nach Arnstadt. Hier lebte ein Zweig der Musikerfamilie Bach. Man fährt nun auf der B 4 in nördlicher Richtung, besucht das sehenswerte Schloß Molsdorf und erreicht bald
Erfurt	darauf die Landeshauptstadt **Erfurt*. In der ehem. kurmainzischen Statthalterei trafen sich anno 1808 Napoleon und Goethe. Über die B 7 führt die
Weimar	Strecke weiter nach ****Weimar**, dem Dreh- und Angelpunkt der Klassikerstraße Thüringen. Das literarische Quartett Goethe, Schiller, Herder und Wieland sowie unzählige Zeitgenossen, die sie in Weimar besuchten, ließen die Stadt an der Ilm weltbekannt werden.
Jena Rudolstadt	In **Jena**, der nächsten Station, begründeten Goethe und Schiller 1794 ihre Freundschaft. Nun geht es an der Saale entlang nach Rudolstadt und zur mächtigen Heidecksburg. In Rudolstadt erhielt Schiller die entscheidende Anregung für "Das Lied von der Glocke". Ein Abstecher lohnt zu den Feen-
Saalfeld Bad Blankenburg Schwarzburg	grotten in Saalfeld. Über Bad Blankenburg und durch das schluchtartige Schwarzatal erreicht man Schwarzburg mit dem gleichnamigen Schloß. Im dortigen Hotel unterzeichnete 1919 Reichspräsident Friedrich Ebert die Verfassung der ersten deutschen Republik. Die Route verläuft nun in nord-
Paulinzella Ilmenau	westlicher Richtung, streift die imposante Ruine des Klosters Paulinzella und erkundet die Universitätsstadt Ilmenau, in der sich Goethe oft und gerne aufhielt. Man verläßt Ilmenau auf der B 4 in Richtung Coburg. Hinter Stützerbach windet sich die Straße durch den Thüringer Wald und über-
Schleusingen	quert den Rennsteig. In Schleusingen ist vor allem Schloß Bertholdsburg sehenswert. Nach kurzer Fahrt erreicht man die Residenz- und Theater-
Meiningen	stadt **Meiningen**, in der sich Goethe und Schiller so wohlfühlten. Im Barockschloß Elisabethenburg erinnert die theatergeschichtliche Abteilung des Museums an die große Vergangenheit Meiningens. Auf der B 19 geht
Schmalkalden	es nun durch das Werratal nordwärts nach Schmalkalden, wo 1531 der Schmalkaldische Bund geschlossen wurde. Am Rande der Altstadt erhebt sich das Renaissance-Schloß Wilhelmsburg mit sehenswertem Interieur und schönem Blick auf das Werratal. Über das Städtchen Bad Lieben-
Bad Liebenstein	stein, das durch seine klassizistische Bäderarchitektur geprägt wird, erreicht man nach kurzer Zeit wieder Eisenach.

7. Sächsische Silberstraße (ca. 160 km)

Allgemeines	Die Silberstraße, ausgeschildert mit einem silbernen S auf braunem Grund, ist seit dem Mittelalter ein Begriff. Auf dieser Route, die sich großteils durch das Erzgebirge schlängelt, wurde früher das geschürfte Silber zuerst nach Meißen, später dann nach Dresden gebracht. Die Silberstraße führt heute durch eine weitgehend intakte Landschaft und zu bergbaulichen Anlagen, die in jüngster Zeit stillgelegt und zu attraktiven Schauobjekten umfunktioniert wurden.
Zwickau Schneeberg	Die Fahrt beginnt in **Zwickau**, der Geburtsstadt von Robert Schumann. Auf der B 93 geht es bergauf nach Schneeberg im ****Erzgebirge**. Die heutige "Weihnachtsstadt" war im 15. Jh. ein Zentrum des Silberbergbaus. Über Aue fährt man auf der B 101 ins hoch über dem Tal gelegene Schwarzenberg, wo 1380 der erste Eisenhammer des Erzgebirges in Betrieb ge-
Annaberg-Buchholz	nommen wurde. Die nächste Station ist die Adam Ries-Stadt Annaberg-Buchholz. Bereits 1509 gehörte der Ort mit seinen fast 600 Silbergruben zu den reichsten Städten Deutschlands. Nach Annaberg teilt sich die Silberstraße. Auf der B 101 führt sie über das idyllische Wolkenstein nach Schönbrunn; die interessantere Strecke läuft
Frohnau Ehrenfriedersdorf	von Frohnau nach Geyer. Weiter geht es, an den imposanten Greifensteinen vorbei, nach Ehrenfriedersdorf, wo bereits um 1240 Bergbau betrieben wurde. Besonders sehenswert ist das Besucherbergwerk "Zinngrube". Bald darauf teilt sich die Sächsische Silberstraße noch einmal. Die

interessantere Tour verläuft auf der B 174 nach Marienberg. Hier ist die gesamte Bergwerkslandschaft zum technischen Denkmal erklärt worden. Nach Marienberg folgt - auf der B 171 - Olbernhau mit einem gut erhaltenen Kupferhammer aus dem 16. Jh. Hinter Olbernhau beschreibt die Silberstraße einen Bogen und trifft bei Großhartmannsdorf wieder auf die B 101, auf der es nun ins Zentrum des Bergbaus, nach **Freiberg** geht. In der ältesten Bergstadt des Erzgebirges begann 1168 die Silbererzförderung. Freiberg ist der Höhepunkt und fast auch das Ende der Silberstraße. Diese führt durch den Tharandter Wald in die Elbresidenz **Dresden, deren Herrscher mit dem Silberreichtum bedeutende Kunstwerke schufen.

Sächsische Silberstraße (Fts.)
Marienberg
Olbernhau

Freiberg

Dresden

8. Kannenbäcker- und Bäderstraße (ca. 160 km)

Die Kannenbäckerstraße führt mitten durch den Westerwald. Sie erhielt ihren Namen vom Kannenbäckerland, in dem schon vor Jahrtausenden grauer Ton gewonnen und in Töpfereien verarbeitet wurde. Als Symbol weist ein blauer Tonkrug auf grünem Grund den Weg; ein Tonkrug auf braunem Grund führt zu Töpfereien und Keramikfabriken, die besichtigt werden können.

Allgemeines Kannenbäckerstraße

Südöstlich von Hillscheid schließt sich die Bäderstraße an, die sich bis Wiesbaden erstreckt. Bereits die Römer kurierten ihr Rheuma in dieser Gegend mit heilkräftigem Quellwasser. Deshalb wurde als Wahrzeichen der Bäderstraße auch ein Römer gewählt, der in einem Holzzuber badet und einen Weinpokal in der Hand hält.

Allgemeines Bäderstraße

Die Route beginnt in dem kleinen Ort Boden und führt durch eine Landschaft, die hochwertige Tonvorkommen aufweist. Über Wirges erreicht man Ransbach-Baumbach. Hier und im nächsten Ort, in Höhr-Grenzhausen, befinden sich die meisten Töpfereien und Industriebetriebe des Kannenbäckerlandes – und sehenswerte Museen zurm Thema Töpferkunst. Bereits vor mehr als 2 000 Jahren wurden hier Tongefäße hergestellt. Östlich von Hillscheid, der nächsten Station, verlief vor 1 800 Jahren der Limes. Man fährt nun Richtung Koblenz bis Neuhäusel, wo die Kannenbäckerstraße endet.

Boden

Ransbach-Baumbach
Höhr-Grenzhausen

Hillscheid
Neuhäusel

Kurz hinter Neuhäusel zweigt die Route der Bäderstraße von der B 49 links auf die B 261 ins Lahntal ab und erreicht Bad Ems. Das Stadtbild des international bekannten und geschichtsträchtigen Heilbades wird durch zahlreiche klassizistische Häuser geprägt. Nassau lädt zu einem Stadtbummel ein. Hinter dem Städtchen überquert die Bäderstraße auf einer Hängebrücke die Lahn und steigt in den nördlichen **Taunus** auf. Es folgt auf der B 260 das Staatsbad Bad Schwalbach. Von dort fährt man in südlicher Richtung nach Schlangenbad, dessen warme Quellen bereits die Römer zu schätzen wußten. Über Eltville, der ältesten Stadt im Rheingau, erreicht die Tour kurz darauf Hessens Landeshauptstadt *Wiesbaden, wo sich ebenfalls vor mehr als 2 000 Jahren die Römer labten. Die Wilhelmstraße, eine um 1800 angelegte Prachtstraße, spiegelt noch heute Wiesbadens große Zeit als Badeort im 19. Jahrhundert wider.

Bad Ems

Nassau

Bad Schwalbach
Schlangenbad
Eltville
Wiesbaden

9. Liebfrauen- und Bergstraße (ca. 200 km)

Die Liebfrauen- und Bergstraße, zwei landschaftlich verschiedene Ferienstraßen, erschließen das Rheintal. Westlich des Rheins verbindet die Liebfrauenstraße Bingen mit Worms und Speyer. Quer zur Rheinebene wird die östlich des Rheins gelegene Bergstraße erschlossen, die darin ein mildes Klima verwöhnt wird. Sie ist mit braunen Schildern gekennzeichnet.

Allgemeines

Startpunkt der Liebfrauenstraße ist die alte Römerstadt Bingen mit dem markanten Mäuseturm und Burg Ehrenfels. Über Ingelheim erreicht man

Bingen
Ingelheim

Routenvorschläge

Liebfrauen- und Bergstraße (Fts.) Mainz Nackenheim	die rheinland-pfälzische Landeshauptstadt *Mainz mit ihrem über 1 000 Jahre alten Dom. Besonders sehenswert ist u.a. das Gutenberg-Museum am Liebfrauenplatz. Von Mainz geht es nach Nackenheim, das der Drama-tiker Carl Zuckmayer mit seinem Erfolgsstück "Der fröhliche Weinberg"
Nierstein Oppenheim Worms	verewigte. Nun folgen berühmte Weinorte wie Nierstein und Oppenheim, das als "Stadt der Gotik und des Weins" gerühmt wird. Auf der B 9 gelangt man anschließend nach *Worms, das mit seiner über 5 000jährigen Ge-schichte zu den ältesten Siedlungsplätzen Deutschlands zählt. Bedeutend-stes Bauwerk ist der romanische Dom, der genauso sehenswert ist wie der
Speyer	Kaiserdom zu *Speyer. Dieses Bauwerk, Wahrzeichen der Stadt Speyer, wurde von der UNESCO vor einigen Jahren in die Liste des Weltkultur-erbes aufgenommen.

Ab Speyer verläuft die Route quer durch die Rheinebene zur *Bergstraße, die am westlichen Hang des *Odenwaldes entlangführt. Auf dem Weg

Schwetzingen
Heidelberg

dorthin streift man Schwetzingen mit seinem berühmten Schloßgarten und erreicht bald darauf die Universitätsstadt **Heidelberg. Wie kaum eine andere Stadt hat Heidelberg Dichter und Denker inspiriert und beflügelt. Altstadt und Schloß, Ziel von Touristen aus aller Welt, vermitteln noch heute eine ganz eigene Atmosphäre. Die Strecke verläuft nun in nördlicher

Schriesheim
Weinheim

Richtung. Über Schriesheim erhebt sich die Ruine Strahlenburg und über Weinheim die Burgruine Windeck. Das Pfalzgrafenschloß in Weinheim liegt am Rande eines reizvollen Parks, dem sich ein Exotenwald anschließt. Die

Heppenheim
Bensheim

Fachwerkstadt Heppenheim kündigt sich mit der Ruine Starkenburg an. Kurz hinter Bensheim lohnt ein Abstecher zur Ruine Schloß Auerbach und zum Melibokus, mit 515 m die höchste Erhebung des vorderen Odenwal-

Zwingenberg

des. Zu seinen Füßen liegt Zwingenberg, dessen mittelalterliches Stadtbild zu einem Besuch einlädt. Man folgt anschließend den Wegweisern nach

Darmstadt

*Darmstadt, der einstigen Residenzstadt hessischer Großherzöge. Auf der Mathildenhöhe präsentieren sich mit dem Hochzeitsturm und den Wohn- und Atelierhäusern der Künstlerkolonie besonders schöne Jugend-stilbauten. Darmstadt ist zugleich Endstation der Bergstraße.

10. Deutsche Weinstraße (ca. 100 km)

Allgemeines

Die *Deutsche Weinstraße führt durch das größte Weinanbaugebiet Deutschlands, der Region zwischen Pfälzer Wald und Rheinebene. Entlang der Route reihen sich schmucke Winzerdörfer und malerische Städtchen mit engen Straßen und verwinkelten Gassen, von den Höhen grüßen Bur-gen und Aussichtstürme. Ein überdurchschnittlich mildes Klima läßt im Frühjahr die Mandel- und Obstbäume blühen und im Sommer neben den Weintrauben verschiedenste exotische Früchte gedeihen. Die Deutsche Weinstraße wurde bereits 1936 ausgeschildert, sie ist durchgängig mit ei-ner schwarzen Traube auf gelbem Grund gekennzeichnet.

Bockenheim

Die Route beginnt im über 2 000jährigen Bockenheim, dessen mildes Kli-ma bereits die Römer veranlaßte, Wein anzubauen. Auf der B 271 erreicht man allmählich die Ausläufer des Pfälzer Waldes und über Grünstadt das

Neuleiningen
Freinsheim

uralte Städtchen Neuleiningen. Von der gleichnamigen Burg geht der Blick weit über das Pfälzische Weinbaugebiet. Freinsheim, von Türmen, Toren und Wehrgängen umgeben, lädt zum Bummeln ein. Nächste Station ist

Bad Dürkheim

Bad Dürkheim, drittgrößte Weinbaugemeinde Deutschlands. Die Tradition der Salzgewinnung reicht hier bis ins 14. Jh. zurück. Man fährt nun an den bewaldeten Hängen des Haardtgebirges entlang und erreicht das fast

Deidesheim
Neustadt an der Weinstraße

1 300 Jahre alte Städtchen Deidesheim, wo im Jahresverlauf zahlreiche Weinfeste stattfinden. Nun folgt Neustadt an der Weinstraße, die "Wein-hauptstadt der Pfalz". Hier werden die Weinköniginnen gewählt und ge-krönt. Von Neustadt lohnt ein Abstecher zum 4 km entfernt liegenden Hambacher Schloß, seit 1832 Symbol der Demokratiebewegung.

St. Martin
Edenkoben

Weiter geht es nach St. Martin, wohl eines der schönsten Dörfer an der Deutschen Weinstraße, und südlich nach Edenkoben, einem schmucken

Weinstädtchen mit schönen Winzerhöfen. Von hier sollte man einen Abste- | Deutsche
cher zur Rietburg und zum Schloß Ludwigshöhe einplanen. Hinter Eden- | Weinstraße
koben verläuft die Route streckenweise schmal und kurvenreich. Bei Birk- | (Fortsetzung)
weiler fährt man auf der B 10 in die Dreiburgenstadt Annweiler. Über Leins- | Annweiler
weiler und den Slevogthof führt die Route nach Klingenmünster. Von der | Klingenmünster
nahen Burg Landeck sind Schwarzwald und Odenwald zu erkennen. In
Bad Bergzabern, das man auf der B 48 in südlicher Richtung erreicht, im- | Bad Bergzabern
poniert das ehemalige herzogliche Schloß mit seinen wuchtigen Rundtür-
men, und im idyllischen Weindörfchen Dörrenbach bestimmen Fachwerk- | Dörrenbach
häuser aus dem 16. – 18. Jh. das Bild. Man fährt nun zurück auf die B 38
und weiter nach Süden. In Schweigen-Rechtenbach steht das Deutsche | Schweigen-
Weintor, Wahrzeichen des Ortes. Hier, kurz vor der französischen Grenze, | Rechtenbach
endet die Deutsche Weinstraße.

11. Nibelungen- und Siegfriedstraße (ca. 310 km)

Alle Gebiete, die von der Nibelungen- und Siegfried-Sraße durchzogen | Allgemeines
werden, sind weithin bekannt als Sagenlandschaften. Die beiden Straßen
führen in einer Rundstrecke vom Rhein zum Main und an die Tauber. Die
Route berührt dabei alte Städtchen, geheimnisvolle Schlösser und Burgen,
schlängelt sich durch schöne Täler und verschwiegene Wälder. In unregelmäßigen Abständen ist vor allem die Siegfriedstraße durch braune Schilder
mit weißer Aufschrift gekennzeichnet.

Ausgangs- und Endpunkt der Rundreise ist *Worms, die ehem. Haupt- | Worms
stadt des Nibelungenreiches. Als Meisterwerk der Romanik gilt der Wormser Dom. Man verläßt die Stadt auf der B 47, der Nibelungenstraße, Rich-
tung Bensheim und erreicht Lorsch. Die Stadt birgt in ihren Mauern Reste | Lorsch
der ehemaligen Reichsabtei mit der berühmten Königshalle, ein Juwel ka-
rolingischer Baukunst. Nach Bensheim und Lautertal-Reichenbach steigt | Bensheim
die Nibelungenstraße etwas steiler an. Vom Parkplatz "Schöne Aussicht" | Lautertal-
überblickt man das Nibelungenland, wie der Odenwald auch genannt wird. | Reichenbach
Nun geht es berg- und talwärts weiter bis nach Michelstadt. Im Stadtteil | Michelstadt
Steinbach lohnen Schloß Fürstenau und die Einhardsbasilika einen Besuch. Michelstadt, oft auch als "Herz des Odenwaldes" bezeichnet, bezaubert mit seiner märchenhaften Altstadt. Die Nibelungenstraße folgt weiter
der B 47, führt auf den nächsten Höhenrücken und zum ehem. gräflichen
Jagdschloß Eulbach. Über die B 469 erreicht man anschließend das hüb-
sche Fachwerkstädtchen Miltenberg. Im geschichtsträchtigen Hotel | Miltenberg
"Zum Riesen", Deutschlands ältester Fürstenherberge, stiegen im 16. und
17. Jh. bedeutende Persönlichkeiten ab.
Die Nibelungenstraße orientiert sich nun am Main, bis die fränkische Klein-
stadt Wertheim erreicht wird. Von dort lohnt ein Abstecher mainaufwärts | Wertheim
nach *Würzburg. Die ehem. fürstbischöfliche Residenz gehört zu den be- | Würzburg
deutendsten Profanbauten der deutschen Barock. Sehenswert sind ferner
Dom, Mainbrücke und Festung Marienberg. Hinter Wertheim verläuft die
Route im romantischen Taubertal nach Tauberbischofsheim, das mit zwei | Tauber-
charakteristischen Türmen aufwartet: Der Türmesturm ziert das kurmainzi- | bischofsheim
sche Schloß, der viereckige Turm die Stadtkirche. Nächste Stationen sind
Walldürn mit der berühmten Wallfahrtskirche und Amorbach mit seiner | Walldürn
nicht weniger berühmten Abteikirche, in der vor allem die großartigen Dek- | Amorbach
kengemälde und die Barock-Orgel beeindrucken. Ein Abstecher führt zur
sagenumwobenen Wildenburg. Hinter Amorbach beginnt dann die eindrucksvollste Strecke der Siegfriedstraße, in deren weiterem Verlauf man
zwei Paßhöhen mit 461 bzw. 555 m überwindet, die höchsten Punkte der
Rundfahrt. Über Beerfelden führt die Strecke dann am Stausee Marbach | Beerfelden
entlang, streift auf der B 460 den Fremdenverkehrsort Fürth und erreicht
bald darauf Heppenheim mit seinem viel bewunderten mittelalterlichen | Heppenheim
Stadtbild. Man überquert nun die B 3, die Bergstraße, und fährt durch die
Oberrheinische Tiefebene wieder zurück nach Worms.

12. Straße der Kaiser und Könige (ca. 450 km)

Allgemeines	MIt der Straße der Kaiser und Könige wird ein Abschnitt der historischen Route von Frankfurt/Main nach Wien nachvollzogen, die die Könige nach ihrer Wahl in Frankfurt benutzten. Der nachfolgend vorgestellte Teilabschnitt dieser Straße zieht sich vom windungsreichen Maintal bei Aschaffenburg bis Bamberg und folgt dann der Regnitz in südlicher Richtung bis Nürnberg, wo die Könige den ersten Reichtag abhielten.
Aschaffenburg	In **Aschaffenburg**, auch "Tor zum **Spessart**" genannt und am rechten Ufer des Mains gelegen, beginnt die Straße der Kaiser und Könige. Besonders sehenswert ist Schloß Johannisburg, eines der bedeutendsten Renaissance-Schlösser Deutschlands. Bei Hessenthal verläßt man die offizielle Strecke der Straße der Kaiser und Könige und wählt die interessante Variante durch den Naturpark Bayerischer Spessart. In Hessenthal zweigt man von der B 8 südlich ab und besucht das einige Kilometer entfernte Wasserschloß Mespelbrunn. Über Hobbach, Mönchberg und Großheubach gelangt man in das Mudautal und zu dem 8 km südlich gelegenen Barockstädtchen Amorbach. Sehenswert ist die Abteikirche mit ihrer grandiosen barocken Orgel. Von Amorbach lohnt ein Abstecher zur Eberstadter Tropfsteinhöhle. Nun geht es weiter zurück bis Kleinheubach und von dort mainaufwärts in das mittelalterliche Miltenberg. Überragt wird das reizvolle Städtchen von der Mildenburg, von deren Terrasse der Blick weit in das Maintal und bis zum Spessart reicht. Die parallel zum Fluß verlaufende Maintalstraße ist zwischen Miltenberg und Wertheim mit der Nibelungenstraße identisch. Bald kommt Stadtprozelten ins Blickfeld, das von der Ruine der Feste Prozelten überragt wird. Man fährt nun weiter in das inmitten von Weinbergen gelegene Kreuzwertheim. Um nach Marktheidenfeld zu gelangen, sollte man die landschaftlich reizvolle Strecke über Homburg am Main wählen. Über dem bekannten Weinort erhebt sich eine gut erhaltene Burg mit bemerkenswerten Fachwerkbauten. Von Marktheidenfeld folgt man zunächst weiter dem Maintal, erreicht Lohr mit seinem ehem. kurmainzischen Schloß, in dem sich heute das Spessartmuseum befindet. Vorbei an Veitshöchheim mit der einstigen fürstbischöflichen Sommerresidenz erreicht man **Würzburg**, den kulturellen Mittelpunkt Unterfrankens. Besonders sehenswert sind die ehem. fürstbischöfliche Residenz, die Alte Mainbrücke und die Festung Marienburg mit dem Mainfränkischen Museum. Über Ochsenfurt, das sich an der Spitze des sogenannten Maindreiecks befindet, gelangt man nach Kitzingen und Schweinfurt. Die Stadt am Main liegt schön zwischen Steigerwald, Rhön und Haßbergen. Auf der B 26 wird nun die traditionsreiche Bischofs- und Kaiserstadt ****Bamberg** erreicht. Im viertürmigen Dom befindet sich der berühmte Bamberger Reiter. Die sehenswerte Altstadt erklärte die UNESCO 1994 zum Weltkulturerbe. Bei Pommersfelden lohnt das barocke Schloß Weißenstein einen Besuch. Hinter Forchheim folgt die Route der Regnitz und dem Main-Donau-Kanal. Nächste Station ist die Universitätsstadt Erlangen mit sehenswertem Barockschloß, Orangerie und Schloßpark. In Cadolzburg kann man die Ruine der gleichnamigen Feste besichtigen. Kurz darauf erreicht man *Nürnberg und damit das Ende der hier vorgestellten Straße der Kaiser und Könige. Die alte Reichs- und Kaiserstadt an der Pegnitz, die zu einem längeren Aufenthalt einlädt, glänzt mit einer Fülle von Sehenswürdigkeiten – eine Schatzkammer des Mittelalters.

Hessenthal

Amorbach

Miltenberg

Stadtprozelten

Kreuzwertheim
Marktheidenfeld
Homburg am Main

Lohr

Würzburg

Ochsenfurt
Schweinfurt

Bamberg

Pommersfelden
Forchheim

Erlangen
Cadolzburg
Nürnberg

13. Burgenstraße (ca. 460 km)

Allgemeines	Die Burgenstraße führt in West-Ost-Richtung durch reizvolle Landschaften und berührt dabei mittelalterliche Städte mit bedeutenden kulturellen Schätzen. So säumen neben Burgen und Schlössern weitere eindrucks-

volle Zeugen der Vergangenheit diese Route. Zur Orientierung ist die Burgenstraße mit einem Symbol gekennzeichnet, das stilisierte Zinnen und die Aufschrift "Burgenstraße" trägt.

Burgenstraße (Fortsetzung)

Den westlichsten Punkt der Burgenstaße bildet **Mannheim** mit seinem Kurfürstlichen Residenzschloß, eine der größten barocken Schloßanlagen. Nach kurzer Zeit erreicht man ✱✱**Heidelberg**. Die romantische Stadt am Neckar wird beherrscht durch die Schloßruine, einst glanzvolle Residenz der Kurpfalz. Die Burgenstraße schlängelt sich nun bis Heilbronn am Nekkar entlang. Als erste grüßt die Vierburgenstadt Neckarsteinach mit ihren sehenswerten Ruinen, dann folgt, wenige Kilometer weiter, Burg Hirschhorn, über dem gleichnamigen Ort, mit weitem Blick über das Neckartal.

Mannheim

Heidelberg

Neckarsteinach
Neckargerach

Rothenburg ob der Tauber mit seinem herrlichen mittelalterlichen Stadtbild ist eines der schönsten Ziele an der Burgenstraße.

Die Fahrt geht weiter zur Burg Zwingenberg, einem Musterbeispiel gotischer Burgenarchitektur, und zur sagenumwobenen Minneburg, hoch über Neckargerach. Hinter Obrigheim erreicht man die B 27 und sieht bald darauf, bei Neckarzimmern, den Bergfried der Ruine Hornberg, in der Götz von Berlichingen viele Jahre seines Lebens verbrachte. Bald erkennt man das ehem. Deutschordensschloß Horneck bei Gundelsheim und auf der anderen Seite des Neckars Burg Guttenberg, eine fast unzerstörte Burganlage aus der Stauferzeit mit der Deutschen Greifenwarte. Bad Wimpfen, einer der Höhepunkte der Burgenstraße, grüßt mit seiner berühmten Silhouette. Das malerische Ensemble der Altstadt wird von den mächtigen Türmen der ehem. Kaiserpfalz überragt. Nächste Station ist Neckarsulm mit dem Deutschen Zweiradmuseum im ehem. Deutschordensschloß.
Bei **Heilbronn** verläßt die Route das Neckartal Richtung Osten, streift auf der B 39 die Weinbaugemeinde Weinsberg und die Burgruine Weibertreu, die durch eine Ballade von Justinus Kerner bekannt wurde. In Öhringen, der ehem. Residenz der Grafen und Fürsten zu Hohenlohe, lohnt der schöne Hofgarten einen Besuch, ebenso ein Abstecher nach Jagsthausen

Neckarzimmern

Bad Wimpfen

Neckarsulm

Weinsberg
Öhringen

Jagsthausen

Routenvorschläge

Burgenstraße (Fortsetzung) Neuenstein	mit der bekannten Götzenburg. Das Wasserschloß in Neuenstein, eine prunkvolle Residenz, zählt zu den bedeutendsten Renaissance-Schlössern in **Hohenlohe**. Über Braunsbach gelangt man in das bezaubernde Jagsttal. Prunkstück des von Rundtürmen flankierten Schlosses Langenburg ist der Renaissance-Innenhof, im Marstallgebäude befindet sich das
Rothenburg ob der Tauber	Deutsche Automobilmuseum. Die Route führt weiter nach ****Rothenburg ob der Tauber**. Dieses einzigartige Juwel des Mittelalters lockt mit seiner reichsstädtischen Vergangenheit und mit hübschen Fachwerkwinkeln. In
Ansbach	**Ansbach**, der "Stadt des fränkischen Rokoko", sollte man das Markgrafenschloß besuchen. Von dort fährt man auf der B 14 nach Südosten und
Nürnberg	in die alte Freie Reichsstadt ***Nürnberg**, deren mittelalterliches Stadtbild zu einem längeren Aufenthalt einlädt. Parallel zur Regnitz und zum Main-Donau-Kanal wird die traditionsreiche
Bamberg	Bischofs- und Kaiserstadt ****Bamberg** erreicht. Aufgrund seiner reizvollen Lage, der prächtigen Kirchen und der malerischen Altstadt wurde Bamberg von der UNESCO zum Kulturdenkmal erklärt. Man verläßt Bamberg in
Coburg	nördlicher Richtung und fährt auf der B 4 bis nach ***Coburg**, der ehemaligen Residenz des Fürstenhauses Sachsen-Coburg-Gotha. Hoch über der Stadt ragt die mächtige Veste Coburg auf. Von Coburg geht es weiter nach
Kronach	Kronach, am Fuß der mittelalterlichen Festung Rosenberg gelegen und Geburtsort des Malers Lucas Cranach d.Ä. Von dort verläuft die Strecke
Kulmbach	gen Süden und folgt der B 85 bis in die Bierstadt Kulmbach. Die guterhaltene Plassenburg birgt das sehenswerte Deutsche Zinnfigurenmuseum. Die letzte Station der Burgenstraße, die grenzüberschreitend bis nach Prag weiterführt, bildet auf deutscher Seite die am Roten Main gelegene
Bayreuth	"Richard-Wagner-Stadt" ***Bayreuth**. Sehenswert sind die barocken Schlösser, das Richard-Wagner-Festspielhaus nördlich der Stadt und der Landschaftspark Eremitage.

14. Romantische Straße (ca. 370 km)

Allgemeines	Die Romantische Straße, mit dem gleichnamigen Schriftzug und einheitlichem Symbol durchgängig gekennzeichnet, verläuft zwischen Würzburg im Norden und Füssen im Süden. Die Reise führt vom Madonnenländchen zwischen Main und Tauber bis zum Pfaffenwinkel im Voralpenland. Kultur und Natur, Baukunst und landschaftliche Vielfalt, das bietet die Romantische Straße in einer abwechslungsreichen Kulturlandschaft.
Würzburg	***Würzburg** bildet mit der Festung Marienberg, die sich über dem Main erhebt, den glanzvollen Auftakt dieser Route. Auf der B 27 folgt nun
Tauberbischofsheim	Tauberbischofsheim, eine der ältesten Städte im "Lieblichen Taubertal". Um den Türmersturm gruppiert sich das ehem. kurmainzische Schloß. Auf
Bad Mergentheim	der Weiterfahrt durch das Taubertal folgt man der B 290 bis Bad Mergentheim. Die ehem. Residenzstadt der Hoch- und Deutschmeister des Deutschen Ritterordens genießt als Heilbad internationalen Ruf. Bald darauf
Weikersheim Creglingen	erreicht man Weikersheim mit seinem prunkvollen Renaissance-Schloß. Creglingen im sogenannten "Herrgottsländle" birgt mit Tilman Riemenschneiders Marienaltar in der Herrgottskirche ein Kleinod von kunsthistori-
Rothenburg ob der Tauber	schem Rang. Die ehem. Freie Reichsstadt ****Rothenburg ob der Tauber** präsentiert anschließend ihr einzigartiges mittelalterliches Stadtbild: Die unvergleichliche Silhouette erhebt sich hoch über dem Taubertal. Auf ei-
Schillingsfürst	nem lohnenden Abstecher erreicht man im Naturpark Frankenhöhe Schillingsfürst mit sehenswertem Barockschloß. Die Romantische Straße, bis Augsburg mit der B 25 identisch, führt über
Feuchtwangen Dinkelsbühl	Feuchtwangen in das idyllische Wörnitztal und in die einstige Freie Reichsstadt ***Dinkelsbühl**. Das unverwechselbare Stadtbild besticht durch seine geschlossene Anlage, die seit dem 16. Jh. fast unverändert geblieben ist.
Nördlingen	Die Route führt nun auf der B 466 in die alte ehemals Freie Reichsstadt Nördlingen, mitten im Ries gelegen. Die rundum begehbare Stadtmauer ist einzigartig, der historische Marktplatz weitbekannt. Von Nördlingen lohnt

ein Abstecher nach Wallerstein, ländlicher Residenzort der Fürsten zu Oettingen-Wallerstein. Man fährt auf der B 25 weiter in Richtung Donauwörth und streift auf halbem Weg das Städtchen Harburg mit seiner mächtigen gleichnamigen Burg. An der Mündung der Wörnitz in die Donau liegt die ehem. Freie Reichsstadt Donauwörth, die mit der Reichsstraße einen der schönsten Straßenzüge Süddeutschlands besitzt. Man verläßt die Stadt in südlicher Richtung und gelangt auf der B 2 durch das Lechtal in die uralte Stadt *Augsburg. Ihre wirtschaftliche und kulturelle Blütezeit begann im 15. Jh. durch die Geschicke mächtiger Kaufmannsfamilien.

Die Romantische Straße folgt nun der B 17 nach Landsberg am Lech, eine Gründung Heinrichs des Löwen. Am Lech entlang geht es weiter südwärts in den Pfaffenwinkel und ins mittelalterliche Schongau. Von dort lohnt, der schönen Aussicht wegen, ein Abstecher auf den Hohen Peißenberg. Hinter Peiting führt die Route auf der B 23 über Rottenbuch nach Steingaden und biegt kurz davor zur weltbekannten Wieskirche, einem Kleinod des bayerischen Rokoko, ab. Man verläßt Steingaden, folgt der B 17 bis Schwangau und besucht die Königsschlösser Hohenschwangau und Neuschwanstein. Kurz darauf erreicht man *Füssen mit Hohem Schloß und schmucker Innenstadt. Die Stadt im Ostallgäu markiert zugleich den Endpunkt der Romantischen Straße.

Romantische Straße (Fts.)
Wallerstein
Harburg
Donauwörth

Augsburg

Landsberg am Lech

Schongau

Steingaden

Schwangau

Füssen

15. Schwarzwald-Hochstraße und -Tälerstraße (ca. 200 km)

Die großartige Schwarzwald-Hochstraße, die Bundesstraße 500, führt von Baden-Baden nach Freudenstadt, am Kamm des nördlichen Schwarzwaldes entlang. Die Route erschließt die Schönheiten dieser Berglandschaft in unvergleichlicher Weise. Die Ferienstraße ist auf der gesamten Strecke ausgeschildert.

Allgemeines Schwarzwald-Hochstraße

Die Schwarzwald-Tälerstraße schlängelt sich durch die wildromantischen Täler von Murg und Kinzig von Freudenstadt über Wolfach nach Rastatt. Tiefe Schluchten und Felsformationen mit gefällige Talabschnitten wechseln sich ab als ständige Begleiter auf dieser nichtmarkierten Ferienstraße.

Allgemeines Schwarzwald-Tälerstraße

Die Auffahrt zur Hochstraße beginnt in *Baden-Baden, der weltberühmten Kurstadt am Fuße des **Schwarzwaldes. Nach kurvenreicher Bergfahrt gelangt man zum noblen Schloßhotel Bühlerhöhe. Die Schwarzwald-Hochstraße bietet auf dem schönen Streckenabschnitt schöne ausgeschilderte Aussichtspunkte. Als nächste Station erreicht man den links neben der Route in 1036 m Höhe gelegenen Mummelsee. Die Schwarzwald-Hochstraße führt nun steil abwärts zum Paßeinschnitt Ruhestein. Von hier lohnen Abstecher zur Klosterruine Allerheiligen und zum romantischen Wildsee. Vom Ruhestein geht es wieder bergauf zur Alexanderschanze. Hier mündet die Route in die B 28. Über den Ort Kniebis fährt man hinunter nach Freudenstadt. Der große, fast quadratische Marktplatz im Zentrum der Stadt lädt zum Flanieren ein.

Baden-Baden

Bühlerhöhe

Kniebis
Freudenstadt

Die Straße führt weiter hinab in die Täler von Kinzig und Murg, durch die sich die Schwarzwald-Tälerstraße windet. Man verläßt Freudenstadt auf der B 294 und nach 2 km auf der B 294, fährt durch das malerische Kinzigtal und nach Alpirsbach. Der Luftkurort besitzt eine sehenswerte Klosterkirche, deren Kreuzgang den Rahmen für stimmungsvolle Konzerte bildet. Die Schwarzwald-Tälerstraße schlängelt sich weiter durch das enge Kinzigtal, erreicht die reizvollen Orte Schiltach und Wolfach und erreicht mit einem Abstecher das Freilichtmuseum Vogtsbauernhof. Ab Wolfach verläuft die Straße durch das liebliche Schapbachtal, kurz vor Bad Rippoldsau zweigt sie in Richtung Freudenstadt ab. Steil und kurvenreich geht es hinauf bis Zwieselberg und weiter nach Freudenstadt. Von dort verläuft die Schwarzwald-Tälerstraße auf der B 462 und erreicht Baiersbronn. Bei Raumünzach lohnt ein Ausflug zum Schwarzenbach-Stausee und in Forbach der Blick auf die überdachte Holzbrücke. Die Wälder weichen nun Obstgärten und Weinbergen, vor Gernsbach erkennt man hoch über dem

Alpirsbach

Schiltach
Wolfach
Bad Rippoldsau

Zwieselberg
Baiersbronn
Raumünzach
Forbach
Gernsbach

Tal Schloß Eberstein. Hinter Kuppenheim zweigt eine Straße nach Rastatt-Förch zum barocken Kleinod Schloß Favorite ab. In Rastatt selbst, dem Endpunkt der Schwarzwald-Tälerstraße, ließ Markgraf Ludwig Wilhelm von Baden seine fürstliche Residenz, ein prunkvolles Barockschloß, errichten.

16. Schwäbische Albstraße (ca. 240 km)

Allgemeines

Die Schwäbische Albstraße ist keine in sich geschlossene Route, sondern erstreckt sich über die gesamte Alb hinweg von Nördlingen im Ries am Nordostende bis nach Tuttlingen an der Donau im Südwesten des Mittelgebirges. Charakteristisch für die Schwäbische Alb sind die Wacholderheiden, sanften Bergkuppen, Burgen, Höhlen und Maare. Die Strecke ist in beiden Richtungen durchgehend mit einer stilisierten Silberdistel auf blaugrünem Untergrund ausgeschildert.

Aalen

Heidenheim
an der Brenz
Nördlingen
Bopfingen

Neresheim

Königsbronn

Steinheim
Böhmenkirch-
Steinenkirch
Geislingen
an der Steige
Wiesensteig

Bad Urach
St. Johann

Albstadt

Hechingen

Meßstetten
Spaichingen
Trossingen
Tuttlingen

Der Nordostflügel der Schwäbischen Albstraße beginnt in Aalen, sehenswert ist dort u.a. das Limesmuseum, und führt über Königsbronn nach Heidenheim an der Brenz. Eindrucksvoll erhebt sich Schloß Hellenstein über der Altstadt. Der Ostflügel der Ferienstraße beginnt in Nördlingen im Ries, dem durch Meteoriteneinschlag entstandenen kreisrunden Krater, von wo aus sich ein Abstecher nach Bopfingen zu Füßen des Ipf lohnt. Hinter Nördlingen windet sich die Schwäbische Albstraße hinauf aufs Härtsfeld und erreicht Neresheim mit seiner weltberühmten Klosterkirche, um dann wieder nach Heidenheim zu gelangen.
Die Hauptstrecke führt von Heidenheim zunächst nach Königsbronn, wo der Brenz-Quelltopf einen Besuch lohnt, und weiter durch den waldreichen Albuch mit dem Steinheimer Becken. Von Steinheim sollte man eine Wanderung durch das nahe Wental unternehmen. Bei Böhmenkirch-Steinenkirch führt die Straße steil hinab ins Roggental und in die Fünftälerstadt Geislingen an der Steige. Von hier lohnt eine Rundfahrt zu den Drei-Kaiser-Bergen. Von Geislingen fährt man bergauf nach Bad Überkingen, Bad Ditzenbach und nach Wiesensteig. Für den Weg nach Bad Urach gibt es zwei Varianten. Die nördliche Strecke streift Weilheim an der Teck und steigt von dort wieder hinauf ins Randecker Maar, um anschließend ins Lenninger Tal abzufallen. Die südliche Variante führt von Wiesensteig südwärts über Westerheim und Römerstein nach Bad Urach.
Von Bad Urach steigt die Albstraße steil nach St. Johann auf, südwestlich davon erreicht man die Burg Lichtenstein und über einen Abstecher das Lautertal. Ein weiterer Ausflug führt zur sehenswerten Nebelhöhle bei Genkingen und zur beeindruckenden Bärenhöhle bei Erpfingen. Nun geht es in südwestlicher Richtung weiter ins Laucherttal und ins Wanderparadies Albstadt. Von hier bietet sich eine Rundfahrt durch das Stammland der Zollern an, auf der man die Burg Hohenzollern, das Residenzstädtchen Hechingen, ferner Haigerloch und Balingen kennenlernt. Die letzte Etappe der Hauptstrecke führt von Albstadt hinauf auf den Großen Heuberg, zum Wintersportplatz Meßstetten und hinunter nach Spaichingen, zu Füßen von Dreifaltigkeitsberg und Klippeneck, dem westlichsten Ausläufer der Schwäbischen Alb. Von Spaichingen geht ein Zweig nach Trossingen und ein weiterer nach Tuttlingen, dem Endpunkt der Schwäbischen Albstraße.

17. Oberschwäbische Barockstraße (ca. 460 km)

Allgemeines

Die Oberschwäbische Barockstraße führt ins "Himmelreich des Barock". In dem Landstrich zwischen Donau und Bodensee gab es einen einheitlichen Kulturraum, Künstler und Kunsthandwerker schufen eine barocke Pracht, die es auf der gesamten Strecke zu bewundern gilt. Die Route ist sehr gut gekennzeichnet mit dem Schriftzug "Oberschwäbische Barockstraße" und einem Puttenköpfchen als Emblem.

Die Oberschwäbische Barockstraße nimmt ihren Ausgang in *Ulm. Das gotische Münster mit dem höchsten Kirchturm der Welt und das malerische Fischerviertel erinnern an vergangene Zeiten. Außerdem faszinieren das Ulmer Museum mit seiner Kunstsammlung und das Brotmuseum. Die Route führt auf der B 28 an der Blau entlang nach Blaubeuren mit seiner sehenswerten Klosteranlage und dem sagenumwobenen See Blautopf. Weiter geht es nach Erbach. Hoch über der Donau stehen Schloß und Kirche und laden zu einem Besuch ein. Über die B 311 erreicht man Ehingen, das mit bedeutenden Baudenkmälern aus der Barockzeit aufwartet. Die Route verläuft in südwestlicher Richtung bis Obermarchtal. Die bemerkenswerte Kirche der ehemaligen Prämonstratenserabtei stammt noch aus der Frühzeit des Barock. Der Innenraum des zweitürmigen Münsters in Zwiefalten, das man kurz darauf erreicht, bietet einen Überreichtum an Glanz und Pracht. Südlich davon liegt Riedlingen, dessen historische Altstadt zum Bummeln einlädt. In Bad Buchau lohnt ein Abstecher zum Federsee. Die Fahrt verläuft nun durch eine weite, ebene Moorlandschaft bis nach Steinhausen. Dort steht eine der schönsten Dorfkirchen der Welt, ein Werk des genialen Dominikus Zimmermann und seiner Helfer. Wenige Kilometer entfernt liegt Bad Schussenried mit einem sehenswerten Bibliothekssaal im ehemaligen Prämonstratenserkloster. Bad Waldsee, die nächste Station, liegt idyllisch zwischen zwei Seen. Zu den schönsten Profanbauten Oberschwabens zählt sein gotisches Rathaus. Von Bad Waldsee führt die Route auf der B 30 in südlicher Richtung nach Weingarten. Die Basilika auf dem Martinsberg ist ein Höhepunkt süddeutschen Barocks. Direkter Nachbar von Weingarten ist **Ravensburg** mit seiner historischen Altstadt. Über Meckenbeuren führt die Strecke nach Friedrichshafen und zur barocken Schloßkirche, dem Wahrzeichen der Stadt. Auf der B 31 gelangt man in südöstlicher Richtung nach Langenargen mit stattlicher Barockkirche und dem auf einer Halbinsel liegenden, im maurischen Stil erbauten Schloß Montfort. Hinter Langenargen wird die B 31 überquert und Tettnang, die "Stadt der Schlösser und Kapellen", erreicht. Prunkstück ist das Neue Schloß mit seinen markanten Ecktürmen. Auf der kurvenreichen B 18 kommt man nun in die ehem. Freie Reichsstadt Wangen. Im Mittelpunkt der historischen Altstadt steht das Rathaus mit seiner prächtigen Barockfassade. Über Isny mit seinen Türmen und Wehranlagen gelangt man in den Luftkurort Kißlegg, eingebettet zwischen Seen und Mooren. Zwei Schlösser und eine sehenswerte Barockkirche prägen das Ortsbild. In Wolfegg dominieren die barocke Pfarrkirche und das hochgelegene Schloß. Von hier lohnt ein Abstecher ins Tal der Wolfegger Ach zum Freilichtmuseum. Man verläßt Wolfegg in nordöstlicher Richtung und gelangt nach Bad Wurzach. Das Neue Schloß birgt das "schönste Barock-Treppenhaus Oberschwabens". Nach einem Besuch des Bad Wurzacher Rieds erreicht man über eine landschaftlich schöne Strecke Seibranz und das herrlich gelegene Schloß Zeil. Weiter geht es in die alte Freie Reichsstadt Leutkirch, und, abseits der Barockstraße, zum Schwäbischen Bauernhausmuseum Illerbeuren. Auf der B 18 folgt nun **Memmingen**. Es lohnt ein Spaziergang durch die malerische Altstadt.

Die Oberschwäbische Barockstraße biegt jetzt nach Ottobeuren ab. Die Basilika der Benediktiner-Abtei wird als eine der schönsten deutschen Barockkirchen gepriesen. Anschließend geht es wieder zurück nach Memmingen und weiter nach Rot an der Rot. Dort verblüfft die vielfältige Klosteranlage mit Türmen, Giebeln und Erkern. Nach etwa 10 km erreicht man Ochsenhausen. Eindrucksvoll wirken der hohe Glockenturm und die Barockfassade der Klosterkirche. Die große Kreisstadt Biberach an der Riß folgt nun auf der B 312. Sehenswert sind der historische Marktplatz und die gotische, barockisierte Stadtpfarrkirche. Die Barockstraße führt weiter nach Gutenzell und zur dreischiffigen ehemaligen Klosterkirche, deren reiche Ausstattung unter der Leitung von Dominikus Zimmermann geschaffen wurde. In Laupheim zeugen mehrere Schlösser von der ruhmreichen Vergangenheit des Ortes. Vor Ulm, Ausgangs- und Endpunkt der Oberschwäbischen Barockstraße, liegt Wiblingen. Der große Kirchen- und Klosterbau birgt mit seinem Bibliothekssaal ein Kleinod des Rokoko.

Margin route stations:

Oberschwäbische Barockstraße (Fts.)
Ulm
Blaubeuren
Erbach
Ehingen
Obermarchtal
Zwiefalten
Riedlingen
Bad Buchau
Steinhausen
Bad Schussenried
Bad Waldsee
Weingarten
Ravensburg
Friedrichshafen
Langenargen
Tettnang
Wangen
Isny
Kißlegg
Wolfegg
Bad Wurzach
Leutkirch
Memmingen
Ottobeuren
Rot an der Rot
Ochsenhausen
Biberach an der Riß
Gutenzell
Laupheim
Ulm-Wiblingen

18. Deutsche Alpenstraße (ca. 460 km)

Allgemeines

Die Deutsche Alpenstraße ist eine der ältesten deutschen Touristikstraßen, doch sie blieb unvollendet. Die Route verläuft abwechselnd zwischen Voralpen und Hochgebirge, vom Bodensee im Westen zum Königssee im Osten, am Saum der Allgäuer und Bayerischen Alpen. Burgen und Schlösser, verträumte Seen und malerische Ortschaften begleiten diese Route. Unterwegs bieten sich einzigartige Ausblicke auf stolze Gipfel, Tiefblicke in wilde Schluchten und Rundblicke auf stille Seenlandschaften.

Lindau

Scheidegg
Oberstaufen

Immenstadt
Sonthofen
Hindelang

Oberjochpaß

Wertach

Pfronten
Füssen

Lindau am Bodensee bildet den reizvollen Auftakt. Nach einem Rundgang verläßt man die Inselstadt nordwärts und steigt kurvenreich nach Scheidegg auf. Dort beginnt eine der beeindruckendsten Panoramastrecken der Alpenstraße. Auf den nächsten 40 km bis Oberstaufen erlebt man in 800 m Höhe immer neue Landschaftsbilder und genießt großartige Ausblicke. Hinter Oberstaufen senkt sich die Alpenstraße zum Großen Alpsee und nach Immenstadt, von wo sich ein Abstecher nach Kempten anbietet. Auf der gut ausgebauten B 19 führt der Weg in den Luftkurort Sonthofen. Die Straße steigt nun wieder an, bald ist Hindelang erreicht. Östlich davon beginnt eine der schönsten Paßstraßen Deutschlands, die Jochstraße, mit zahlreichen Kurven und Kehren. Der Oberjochpaß in 1178 m Höhe bildet zugleich den höchsten Punkt der Deutschen Alpenstraße. Von dort führt die B 310 hinunter nach Wertach. Einige Kilometer nördlich von Unterjoch zweigt eine Straße in die Enklave Jungholz ab, und zwischen Wertach und Nesselwang fügt sich malerisch der Grüntensee in die Voralpenlandschaft. Es folgen Pfronten und ✳**Füssen**. Sehenswert sind hier die malerische Altstadt, das Hohe Schloß und die Königsschlösser bei Schwangau.
Eine Lücke im Verlauf der Route findet man östlich von Füssen. Es bietet sich nun die Möglichkeit, über Steingaden und Oberammergau zu fahren

*Bei einer Fahrt entlang der Deutschen Alpenstraße
lohnt sich ein Stop am romantischen Schliersee.*

oder aber die kürzere und abwechslungsreichere Variante über Reutte in Tirol nach Linderhof und Ettal zu wählen: Hinter der Grenze trifft man auf die österreichische B 314, die nach Reutte führt. Dort folgt man der Beschilderung zum Plansee. Über den Ammersattel kommt man zurück nach Deutschland und erreicht durch ein einsames Tal König Ludwigs II. Märchenschloß Linderhof. Durch das liebliche Graswangtal führt die Route hinaus ins Ammertal nach Ettal. Im Zentrum des Klosters steht der eindrucksvolle Kuppelbau der Kirche. Über den Ettaler Sattel geht es nun hinunter ins Loisachtal, wo sich die Deutsche Alpenstraße nach Süden in Richtung *Garmisch-Partenkirchen* wendet. Hier bietet diese Ferienstraße vor der imposanten Kulisse des Wettersteingebirges mit Alp- und Zugspitze erstmals ein Hochgebirgspanorama. Von Garmisch-Partenkirchen lohnt ein Abstecher auf die Zugspitze, Deutschlands höchsten Berg.

Man verläßt die Wintersportstätte auf der B 2 nach Osten und besucht den schmucken Geigenbauort Mittenwald. Nördlich davon liegt Wallgau; am Ortsende folgt man der Beschilderung nach Vorderriß und trifft bald auf einen Schlagbaum. Hier wird Maut verlangt, denn auf den nächsten 14 km verläuft die Route über eine bayerische Forststraße. Die schmale Straße schlängelt sich kurvenreich durch eine urtümliche Landschaft unterhalb der Karwendelspitzen. In Vorderriß folgt man der B 307 und sieht schon bald das dunkelgrüne Wasser des Sylvensteinsees. Die Alpenstraße überquert das Gewässer auf einer geschwungenen Brücke und führt am Nordufer weiter. Vom Sylvensteinsee lohnt ein Abstecher nach Lenggries und Bad Tölz, in den sogenannten Isarwinkel. Man folgt der Ausschilderung nach Tegernsee über den Achenpaß und gelangt ins mondäne Rottach-Egern am Südzipfel des Tegernsees, der zu den landschaftlichen Höhepunkten der Alpenstraße zählt. In Tegernsee sollte man dem Bräustüberl einen Besuch abstatten oder mit einem der zahlreichen Ausflugsdampfer über den See schippern. Von Tegernsee führt die Route weiter nach Norden und biegt kurz vor Gmund in östlicher Richtung nach Schliersee ab. Ein Abstecher führt über den 1128 m hohen Spitzingsattel zum wunderschön gelegenen Spitzingsee. In Schliersee folgt man der B 307 durch Neuhaus und weiter bis in den malerischen Ferienort Bayrischzell, am Fuße des Sudelfelds gelegen. In vielen Kurven und mit schönen Ausblicken zieht sich die B 307 dort hinauf, auf 1097 m Höhe bis zum "Feurigen Tatzlwurm", einem historischen Gasthaus. Über die steile Tatzlwurmstraße (14% Gefälle) gelangt man anschließend nach Niederaudorf und Aschau. Das sehenswerte Schloß Hohenaschau lädt zur Besichtigung ein.

In der Ortsmitte von Bernau trifft man wieder auf die B 305. Von hier aus bietet sich ein Abstecher an den reizvollen Chiemsee und eine Fahrt mit einem Ausflugsdampfer an. Hinter Grassau steigt die Alpenstraße wieder langsam an, bis sie den 793 m hohen Masererpaß erreicht und das Gebirgsdorf Reit im Winkl. Hinter dem Höhenluftkurort führt die Route durch das Naturschutzgebiet Chiemgauer Berge und hinunter in den Ferienort Ruhpolding, der mit dem Vorderen Rauschberg einen der prächtigsten Aussichtsberge der **Bayerischen Alpen** besitzt. Von Ruhpolding verläuft die Alpenstraße in östlicher Richtung und trifft südlich von Inzell auf die B 306. Nun fährt man in südlicher Richtung weiter zum Gletschergarten. Auf diesem letzten Abschnitt gewinnt die Deutsche Alpenstraße alpinen Charakter. Hinter Schneizlreuth überquert man die Saalach und fährt hinauf zum Schwarzbachwacht-Sattel in 868 m Höhe. Ein beliebter Abstecher führt von hier in die Ramsau. Die Alpenstraße bietet nach Süden immer wieder prachtvolle Ausblicke, so auch auf das 2713 m hohe Watzmannmassiv, und senkt sich in vielen Kehren ins Tal der Ramsauer Ache hinab, durch das man **Berchtesgaden** erreicht. Dort lohnen ein Bummel durch den alten Ortskern, ein Besuch des Salzbergwerks sowie ein Ausflug zum großartig gelegenen Königssee. Reizvoll ist auch eine Fahrt über die Roßfeldstraße, mit 1550 m Deutschlands höchste Paßstraße. Im nahen Marktschellenberg an der deutsch-österreichischen Grenze endet die Deutsche Alpenstraße.

Seitenmarginalien:

Deutsche Alpenstraße (Fortsetzung)

Ettal

Garmisch-Partenkirchen

Mittenwald
Wallgau
Vorderriß

Lenggries
Bad Tölz
Rottach-Egern

Tegernsee

Schliersee

Spitzingsee
Bayrischzell

Niederaudorf
Aschau
Bernau

Grassau

Reit im Winkl

Ruhpolding

Inzell

Ramsau

Berchtesgaden

Marktschellenberg

Reiseziele von A bis Z

Aachen C 5

Bundesland: Nordrhein-Westfalen
Höhe: 125–410 m ü. d. M.
Einwohnerzahl: 254 000

Lage und Allgemeines

Aachen, die westlichste Stadt Deutschlands und historisch eine der wichtigsten Städte Europas, liegt nahe der niederländischen und der belgischen Grenze in einem waldumkränzten Talkessel an den Ausläufern der → Eifel und der Ardennen. Die Stadt ist u. a. Sitz der bedeutenden Rheinisch-Westfälischen Technischen Hochschule und besitzt das größte Klinikum Europas. Die Stadt vergibt jedes Jahr seit 1949 den "Internationalen Karlspreis zu Aachen" für Verdienste um die Verständigung und die internationale Zusammenarbeit in Europa. Ein wichtiges Ereignis ist auch der alljährlich im Reitstadion im Stadtteil Soers ausgetragene CHIO, ein internationales Reit-, Spring- und Fahrturnier, das sog. Wimbledon der Reiterei. Schließlich gilt Aachen auch als Kur- und Bäderstadt mit den heißen, schwefelhaltigen Kochsalzquellen, die besonders gegen Gicht, Rheuma und Ischias wirksam sind. Über die Stadtgrenzen hinaus beliebt sind die Aachener Printen, eine Art Honigkuchen.

Geschichte

"Aquae Granni", die heißesten Quellen nördlich der Alpen (37–75° C), wurden schon von den Römern für Kurzwecke genutzt. Mit dem Ausbau zur Residenzstadt unter Karl den Großen (742 – 814) wurde Aachen zum Zentrum des Reiches und nach der Heiligsprechung des Kaisers 1165 zu einem der bedeutendsten Wallfahrtsorte Europas. Seit der Krönung Ottos I. zum deutschen König (936) blieb Aachen für 600 Jahre der Krönungsort der Könige sowie Tagungsort zahlreicher Reichstage und Kirchenversammlungen. Ein Stadtbrand vernichtete 1656 fast 80 % aller Häuser. Zum eleganten "Bad der Könige" schwang sich Aachen erst wieder im 18. und 19. Jh. auf. Im Zweiten Weltkrieg wurde die Stadt zum überwiegenden Teil zerstört; beim Wiederaufbau nach 1945 wurden jedoch die bedeutenden Kulturdenkmäler wiederhergestellt.

⁕Stadtbild

Die meisten der historisch bedeutenden Baudenkmäler sind in der hübschen, fußgängerfreundlichen Innenstadt mit ihren vielen Plätzen und Brunnen versammelt. Mehrere Museen begründen Aachens Anspruch als Kulturstadt im Dreiländereck. Außerdem laden schöne Geschäfte, stolze Bürgerhäuser und gemütliche Cafés und Restaurants zu einem Stadtbummel durch die stark von Studenten geprägte Stadt ein.

Altstadt

⁕⁕Dom

Im Mittelpunkt der Altstadt erhebt sich das Wahrzeichen Aachens, der Dom, der als erstes deutsches Bauwerk in die UNESCO-Liste der Weltkulturgüter aufgenommen wurde. Der achteckige Mittelbau (Oktogon) wurde von Karl dem Großen um 800 als Pfalzkapelle errichtet – zur Zeit ihrer Entstehung war sie der größte Kuppelbau nördlich der Alpen; hier wurden innerhalb von 600 Jahren (936 – 1531) über 30 deutsche Könige gekrönt. In dem nach antiken Vorbildern geschaffenen Oktogon steht der Marmorthron Karls des Großen; unter der mosaikgeschmückten Kuppel hängt ein von Friedrich I. Barbarossa gestifteter Radleuchter. 1414 baute man die gotische Chorhalle, in der sich wertvolle Schätze wie der goldene Karlsschrein mit den Gebeinen des Kaisers und die vergoldete Kanzel befinden. Sakrale Kunstschätze von einzigartigem Wert birgt die Domschatzkammer (Eingang in der Klosterstraße).

Dom
(Fortsetzung)

Östlich neben dem Dom liegt die Kirche St. Foilian mit einer Schönen Madonna von 1411. Ebenfalls nahe des Doms, wo sich die Nachbildung eines römischen Portikus erhebt, wurden 1967/1968 Reste römischer Badeanlagen und Tempel freigelegt. Westlich vom Dom liegt der Fischmarkt mit schönen alten Bürgerhäusern und Brunnen. Südwestlich vom Dom befindet sich im "Grashaus" (1267; ältestes Rathaus der Stadt) das Stadtarchiv.

Sehenswertes in Domnähe

Am Marktplatz im Norden des Doms steht das um 1350 auf den Grundmauern der Palastaula der karolingischen Kaiserpfalz errichtete Rathaus. An der reichgeschmückten Nordfassade sind die Statuen der in Aachen gekrönten Kaiser und Könige zu sehen. Im Erdgeschoß sind der barocke Weiße Saal, ein prachtvoller Repräsentationsraum, und der Ratssaal untergebracht. Im Krönungs- bzw. Reichssaal im zweiten Obergeschoß wurden die Festbankette nach den Krönungsfeierlichkeiten ausgerichtet. Fünf Karlsfresken von Alfred Rethel zieren die Wände, in einer Vitrine sind die Kopien der Reichsinsignien (Reichsapfel, Schwert, Krone; Originale heute in Wien) ausgestellt. Südlich des Rathauses dehnt sich der Katschhof aus, der ehemalige karolingische Palasthof.

Rathaus

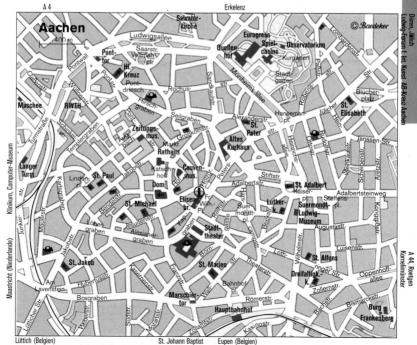

Aachen

Couven-Museum

Im südöstlich vom Rathaus gelegenen Couven-Museum (Hühnermarkt 17) in einem alten Bürgerhaus wird Aachener Wohnkultur von 1740 bis etwa 1840 vorgestellt (Mo. geschlossen).

Internationales Zeitungsmuseum

Im Internationalen Zeitungsmuseum in der Pontstraße 13 werden vorwiegend Jubiläums-, Erst- und Letztausgaben des internationalen Pressewesens gezeigt (So. und Mo. geschlossen).

Im Aachener Dom, der zu den UNESCO-Weltkulturgütern zählt, wurden jahrhundertelang die deutschen Könige gekrönt. Hier blickt man auf die Kaiserloge mit dem Thron Karls des Großen.

Elisenbrunnen

Südöstlich liegt der Friedrich-Wilhelm-Platz mit dem klassizistischen Elisenbrunnen, dem Wahrzeichen des Bades Aachen, mit dem Trinkbrunnen im mittleren Rundbau. Die Wandelhalle wurde nach einem Entwurf von Friedrich Schinkel gebaut. Schräg gegenüber steht eine moderne Bronzeplastik in der Ursulinerstraße: drei Jugendliche heben ihren kleinen Finger zum Aachener Gruß, dem "Klenkes". Wenige Schritte entfernt befindet sich das Theater Aachen (1825) für Oper, Operette und Schauspiel.

Außerhalb der Graben-Straßen

Suermondt-Ludwig-Museum

Östlich der Fußgängerzone erstreckt sich der Kaiserplatz mit der Kirche St. Adalbert; unweit südlich von hier in der Wilhelmstraße 18 präsentiert das Suermondt-Ludwig-Museum Malerei und Skulptur vom Mittelalter bis zur Gegenwart – Schwerpunkte bilden die Gemälde und Skulpturen des Spätmittelalters und die Malerei des 17. Jh.s – sowie Spezialsammlungen zur Glasmalerei, zum Kunsthandwerk und zur Antike (Mo. geschlossen).

Kurbezirk

Im Nordosten der Stadt beginnt das "Kurgebiet Monheimsallee", in dem sich das Eurogress Aachen befindet, der gesellschaftliche Mittelpunkt der Stadt mit einem Tagungs- und Kongreßzentrum, außerdem das Internationale Spielkasino Bad Aachen im Neuen Kurhaus und der Kurpark. Weiter westlich, am Ende der Ludwigsallee erhebt sich das trutzige Ponttor (um Vorburg (um 1320). Ein weiterer Kurbezirk liegt im südlichen Stadtteil Burtscheid.

Aachen,
Kurbezirk
(Fortsetzung)

Das Ludwig-Forum für Internationale Kunst liegt östlich des Kurbezirks an der Jülicher Straße 97 – 109. In der ehemaligen Schirmfabrik im Bauhausstil werden zeitgenössische berühmte und auch unbekannte Künstler aus aller Welt ausgestellt. Der Bereich der bildenden Kunst wird durch Darbietungen darstellender Kunst (Musik, Theater, Tanz, Performance, Film) ergänzt.

Ludwig-Forum
für Internationale
Kunst

In der Burg Frankenberg (Bismarckstraße 68), östlich vom Hauptbahnhof, hat man das Heimatmuseum untergebracht, das die Stadtgeschichte – angefangen bei steinzeitlichen Funden – dokumentiert.

Burg Frankenberg

Am westlichen Stadtrand erhebt sich der weitläufige Neubau des zur Rheinisch-Westfälischen Technischen Hochschule gehörenden Klinikums Aachen. Das Gebäude mit seiner bemerkenswerten avantgardistischen Architektur, die völlig von den technischen Erfordernissen geprägt ist, war bereits in der Entstehungszeit nicht unumstritten.

Klinikum

In der Sommerfeldstraße 32 / Ecke Melatenstraße (nahe beim Klinikum) liegt das Computer-Museum Aachen, das die Entwicklung der Rechnertechnik und der Datenverarbeitung vom Abakus zum PC darstellt (geöffnet nur Dienstagvormittag und Mittwochnachmittag).

Computer-
Museum

Ein kleiner Ausflug bietet sich zum 340 m hohen, bewaldeten Lousberg im Norden der Stadt an. Vom Drehturmrestaurant Belvedere aus hat man einen schönen Rundblick auf die Aachener Innenstadt und die Umgebung.

Lousberg

Umgebung von Aachen

Der hübsche Aachener Stadtteil Kornelimünster mit seinem historischen Stadtbild liegt rund 6 km südöstlich vom Zentrum. Einen Besuch lohnt vor allem die aus karolingischer Zeit stammende Propsteikirche und das ehemalige Benediktinerkloster (Kirche 14./15. Jh.). Im barocken Ambiente der ehemaligen Reichsabtei (Abteigarten 6) wird zeitgenössische Kunst aus Nordrhein-Westfalen gezeigt.

Kornelimünster

Im Südosten und Süden der Stadt erstreckt sich bis in die → Eifel der grenzüberschreitende Deutsch-Belgische Naturpark.

Naturpark

Dreißig Kilometer nordöstlich von Aachen liegt die von den Römern gegründete Stadt Jülich, deren historische Bausubstanz und -denkmäler allerdings im Zweiten Weltkrieg bis auf wenige Reste zerstört wurden. Beachtenswert sind vor allem das 1547 von Alessandro Pasqualini entworfene Jülicher Schloß im Stil der italienischen Hochrenaissance, das innerhalb der Wälle und Bastionen einer Zitadelle liegt. An der Ostfront des Schlosses liegt die sehenswerte Schloßkapelle. Heute ist im Schloß ein Gymnasium untergebracht.

Jülich

Ahrtal   C/D 5

Bundesland: Rheinland-Pfalz

Das Ahrtal im Norden der → Eifel ist eines der schönsten Nebentäler des Rheins. Die 89 km lange Ahr entspringt bei Blankenheim, schlängelt sich durch das Rheinische Schiefergebirge und mündet unterhalb von Sinzig in den Rhein. Im engen, gewundenen Tal drängen sich die Weinorte Altenahr,

Lage und
Allgemeines

Ahrtal

Lage und
Allgemeines
(Fortsetzung)

Mayschoß, Rech, Dernau, Marienthal, Walporzheim, Bachem und Ahrweiler. Oberhalb der Orte thronen meist verfallene Burgen auf den Bergrücken. Schon seit der Römerzeit (etwa seit 260 n.Chr.) wird im Ahrtal, im nördlichsten deutschen Anbaugebiet, Weinbau betrieben. Hier reifen vorwiegend Rotweine (Spätburgunder). Dem Wanderer erschließt sich die reizvolle Rebenlandschaft auf dem 30 km langen Rotwein-Wanderweg von Altenahr bis Lohrsdorf. Vielbesucht sind die Weinfeste in den Winzerorten im Spätsommer und Herbst.

*Landschaftsbild

Landschaftlicher Höhepunkt ist das romantische Flußstück der mittleren Ahr zwischen Altenahr und Bad Neuenahr-Ahrweiler. Hier bahnt sich der Fluß in zahlreichen Windungen seinen Weg durch zerklüftete Schieferfelsen; besonders eindrucksvoll die hohe Felswand "Bunte Kuh" bei Walporzheim. Burgruinen grüßen von den Höhen; Wald und Rebfluren bedecken die Hänge.

Reiseziele im Ahrtal

Altenahr

Der zwischen zwei Ahrschleifen gelegene, 1000jährige Weinbauort mit seinem malerischen Ortsbild ist ein beliebtes Ausflugsziel. Oberhalb Altenahrs erhebt sich die Ruine der um 1100 gebauten Burg Are, wo auch der Rotwein-Wanderweg beginnt. Von hier aus hat man eine wunderbare Aussicht über Altenahr und das Tal.

Ein reizvolles Wander- und Radfahrgebiet ist das Ahrtal mit seinen Weinbergen und Wäldern.

Mayschoß und
Dernau

Dem Flußlauf in östlicher Richtung folgend erreicht man zunächst den Weinort Mayschoß mit der ältesten Winzergenossenschaft Deutschlands und der Ruine der ältesten Burg des Ahrtals, der Sachenburg. Auf dem weiteren Weg nach Bad Neuenahr-Ahrweiler öffnet sich der Blick auf Dernau, einen Weinbauort mit vielen Weinkellern und der Ruine Mariental.

Der Doppelort Bad Neuenahr-Ahrweiler hat zwei völlig unterschiedliche Gesichter: Ahrweiler, 1969 mit Bad Neuenahr zur Stadt vereint, besticht durch seine malerische Altstadt mit zahlreichen Fachwerkhäusern und seinem alten Rathaus des Spätrokoko am Marktplatz. Eine mittelalterliche Stadtmauer umgibt den Ort. Während Ahrweiler ein bekanntes Zentrum des Rotweinhandels ist, präsentiert sich Bad Neuenahr als eleganter Kurort mit Spielcasino und Kuranlagen, die sich entlang des rechten Ufers der Ahr erstrecken. Bad Neuenahr ist für die heilende Wirkung der einzigen alkalischen Thermalquellen (36° C) Deutschlands bekannt und für die Apollinaris-Quelle, deren Mineralwasser hier in Flaschen abgefüllt wird. Im Süden des Orts liegt die Willibrorduskirche (18. Jh.), über Neuenahr erhebt sich die gleichnamige Burg.

Ahrtal (Fortsetzung) Bad Neuenahr-Ahrweiler

Allgäu　　　　　　　　　　　　　　　　　　　　　　　F/G 8

Bundesländer: Baden-Württemberg und Bayern

Das Allgäu, eine der schönsten Ferienregionen im Süden Deutschlands, erstreckt sich vom → Bodensee bzw. vom Bodenseezufluß Argen ostwärts hinüber bis zum Lech. Ausgedehnte Wälder sowie große Moor- und Riedflächen mit Birken, Föhren, Wollgras und Heidekraut prägen den nördlichen Teil des Allgäu. Weiter im Süden dominieren die typischen, meist von kleinen Waldstücken bekrönten Moränenhügel mit ihren sattgrünen Viehweiden als Landschaftsbild. Eingebettet in diese eiszeitliche Hügellandschaft liegen idyllische Seen und stille Weiher. Skifreunde und Bergwanderer zieht es vor allem in den äußersten Süden des Allgäus, in die Allgäuer Alpen, eine Hochgebirgslandschaft mit bis zu 2657 m hohen Gipfeln, Hochplateaus und tief eingeschnittenen Tälern.
Land- und Forstwirtschaft, Milchverwertung bzw. Nahrungsmittelindustrie, Holz- und Papierindustrie sowie der bereits im 19. Jh. einsetzende Fremdenverkehr – etwa ein Fünftel aller Fremdenbetten Bayerns stehen im Allgäu – sind die wirtschaftlichen Säulen der Region.

Lage und ✻✻Landschaftsbild

Die beiden wichtigsten Ferienstraßen, die das Allgäu durchqueren, sind die Deutsche Alpenstraße (s. u.), der östliche Zweig der Oberschwäbischen Barockstraße, sowie die Schwäbische Bäderstraße. An der Ostgrenze des Allgäus verläuft die Romantische Straße, die in → Füssen endet.

Ferienstraßen

Rundfahrt durch das Allgäu

Die nachfolgende Route berührt die wichtigsten Reiseziele im Allgäu, ausgenommen die Allgäuer Alpen, die anhand der Deutschen Alpenstraße beschrieben werden. Ausgangspunkt der Route ist die Stadt Lindau, die unter dem Stichwort → Bodensee näher beschrieben wird.

Lindau

Die einstige Freie Reichsstadt (26 000 Einw.) liegt rund 20 km nordöstlich von Lindau im oberen Argental und ist heute touristischer Mittelpunkt des württembergischen Allgäus. Gemütliche Lokale und ansprechende Geschäfte findet man vor allem in der hübschen mittelalterlichen Altstadt von Wangen, die als Ensemble unter Denkmalschutz gestellt wurde. Am Marktplatz steht das z. T. noch aus dem 15. Jh. stammende, 1721 barock umgebaute Rathaus. Neben dem Rathaus fällt der "Ratloch" genannte Torturm ins Auge. Das Innere der ebenfalls dem Rathaus benachbarten, spätgotischen Stadtpfarrkirche St. Martin (13. Jh.) ist 1684 im Stil des Barock ausgestattet worden. Südlich unterhalb des Gotteshauses öffnet sich der Saumarkt mit dem Antoniusbrunnen ("Saubrunnen"; Bronzefigur des hl. Antonius im Kreise von Schweinen). Bei einem Gang durch die Herrenstraße, die vom Marktplatz nordwärts zum mittelalterlichen Ravensburger Tor (Liebfrauentor) zieht, passiert man einige historische Bauten mit schönen

✻Wangen im Allgäu

Allgäu

Wangen im Allgäu (Fortsetzung)

Fassadenmalereien. Von der Südecke des Marktes führt die reizvolle Paradiesstraße westwärts zum bemalten Martinstor (Lindauer Tor), das im 14. Jh. errichtet und 1608 umgestaltet worden ist. Durch das Ratloch gelangt man östlich zum malerischen Postplatz (auch Kornhausplatz oder Kornmarkt), dem Hauptplatz der Unterstadt, der vom 1595 erbauten Kornhaus beherrscht wird. Von hier führt die Spitalstraße nordöstlich zum Alten Spital mit seiner 1732 erbauten Kirche und zur ehemaligen Eselsmühle, in der heute das Heimat- und Käsereimuseum untergebracht ist. Nahebei lädt das Eichendorff-Museum zum Besuch ein.

Kißlegg

Der ländliche Luftkurort (8000 Einw.) rund 15 km nördlich von Wangen besitzt zwei Schlösser. Im Neuen Schloß, das man besichtigen kann, wird eine interessante Kunstsammlung mit Werken des sog. expressiven Realismus gezeigt. Hervorragend zum Baden geeignet sind der Kißlegger Obersee oder einer der anderen Seen in der Umgebung von Kißlegg.

Wolfegg

Publikumsmagnet in Wolfegg, etwa 25 km nördlich von Wangen gelegen, ist das sehenswerte Freilichtmuseum mit 13 originalgetreu wiederaufgebauten Bauernhäusern und einer Museumsgaststätte. Das auf einem Hügel thronende Schloß wird noch bewohnt und kann nur im Rahmen von Konzerten während des Sommers besichtigt werden. In den Nebengebäuden des Schlosses ist ein Automobilmuseum untergebracht.

Leutkirch

Etwa 23 km nordöstlich von Wangen erreicht man die einstige Freie Reichsstadt Leutkirch. Ein Schmuckstück ist das Rathaus von 1741 am Marktplatz. Dahinter befindet sich der sog. Bock mit dem Bock- oder Blaserturm. Der Bock beherbergt das reichhaltige Heimatmuseum der Stadt.

Schloß Zeil

Wenige Kilometer nordwestlich von Leutkirch liegt das um 1600 erbaute und heute noch bewohnte Stammschloß der Fürsten Waldburg-Zeil.

Memmingen

→ dort

Mindelheim

Nächste Station an der Allgäu-Route ist Mindelheim (12 000 Einw.) mit seiner hübschen, von der Mindelburg beherrschten Altstadt. Die im 12. Jh. angelegte Feste war Sitz von Georg von Frundsberg (1473–1528), dem berühmten Heerführer der Landsknechte. Vom Oberen Tor (14. Jh.) im Osten der Altstadt führt die breite, von schönen Giebelhäusern flankierte Maximilianstraße zum Untertor. Beim Untertor steht die 1625 errichtete und 1721 umgestaltete Jesuitenkirche mit ihrer spätbarocken Ausstattung. Das ehem. Jesuitenkolleg beherbergt interessante Funde aus der Hallstattzeit und vor allem aus der Landnahmezeit der Alamannen. Ferner sind hier ein schwäbisches Krippenmuseum sowie ein Textilmuseum untergebracht. Beachtung verdienen ferner das Heimatmuseum im ehem. Heilig-Kreuz-Kloster sowie das Turmuhrenmuseum in der ehem. Silvesterkirche. In der 1712 erbauten Pfarrkirche St. Stephan beachte man das gotische Grabmal von Herzog Ulrich und Herzogin Ursula von Teck.

Bad Wörishofen

Etwa 10 km südöstlich von Mindelheim liegt die aus einer alten Klostersiedlung hervorgegangene Kurstadt Bad Wörishofen (14 000 Einw.) an der durchs Unterallgäu führenden Schwäbischen Bäderstraße. Weltruhm hat Wörishofen durch Pfarrer Sebastian Kneipp (1821–1897) erlangt, der hier ab 1855 seine Wasserkuren einführte. Neben dem im Klosterhof untergebrachten Kneipp-Museum verdienen zwei Sakralbauten Beachtung: die katholische Pfarrkirche (16. u. 18. Jh.) sowie die von Franz Beer im 18. Jh. erbaute Klosterkirche St. Maria mit Fresken von Johann Baptist Zimmermann. Im Sommer ist das Rosarium in den Kuranlagen eine Augenweide. Ein gern besuchtes Ausflugsziel ist die Falknerei im nahen Zillertal.

Irsee

In Irsee, knapp 8 km nördlich von Kaufbeuren, sollte man die ehemalige Klosterkirche Mariä Himmelfahrt besichtigen. Der 1699–1702 entstandene Barockbau besitzt eine bemerkenswerte Ausstattung.

Die an der Wertach gelegene ehemalige Freie Reichsstadt Kaufbeuren (40000 Einw.) ging aus einem im 8. Jh. angelegten fränkischen Königshof hervor. Hauptachse der hübschen Altstadt ist die breite Kaiser-Max-Straße. Romanische und gotische Stilelemente weist die im 15. Jh. erbaute Martinskriche auf. Im Kaisergäßchen findet man das Stadtmuseum mit dem Arbeitszimmer von Ludwig Ganghofer (1855–1920), dem berühmten bayerischen Heimatschriftsteller, der in Kaufbeuren das Licht der Welt erblickt hat. Im nahen historischen Spielberger Hof ist ein sehenswertes Puppentheatermuseum eingerichtet. Die 1436 erbaute St.-Blasius-Kapelle beherbergt einen Schnitzaltar aus dem Jahr 1518. Alljährlich im Juli findet in Kaufbeuren das historische Tänzelfest statt.

Kaufbeuren

Nach dem Zweiten Weltkrieg wurden aus dem Raum Gablonz (Neiße) vertriebene Sudetendeutsche am nordöstlichen Stadtrand von Kaufbeuren angesiedelt. Diese haben hier ihre aus der Heimat mitgebrachte Glas- und Schmuckindustrie wiederaufblühen lassen. Ein Besuch im hiesigen Industrie- und Schmuckmuseum ist zu empfehlen.

Neugablonz

Die ehemalige Kreisstadt Marktoberdorf (18000 Einw.), wegen ihrer gepflegten Parkanlagen auch als "Blumenstadt des Allgäus" bezeichnet, wird heute auch als Erholungsort besucht. Sehenswert sind die 1738 auf dem Schloßberg erbaute barocke Pfarrkirche, das aus dem 15. Jh. stammende Alte Rathaus mit dem Heimatmuseum sowie das Paul-Röder-Museum mit seinen wertvollen Stilmöbeln. Das Riesengebirgsmuseum erinnert daran, daß kurz nach dem Ende des Zweiten Weltkrieges viele Heimatvertriebene aus dem Sudetenland in Marktoberdorf angesiedelt worden sind.

Marktoberdorf

→ dort

Kempten

Ca. 10 km nordwestlich von Kempten kommt man nach Altusried, einem heute aus fünf Dörfern und mehr als 150 Einzelhöfen bestehenden ländlichen Erholungsort an der Iller. Die Milch- und Viehwirtschaft sowie der Flachsanbau haben hier eine lange Tradition, wie ein Blick in eine im Haus des Gastes untergebrachte Ausstellung vermittelt. In der Pfarrkirche St. Blasius kann man schöne Stukkaturen bewundern.

Altusried

Etwa 3 km nördlich, bei der Burgruine Kalchen, hat die Iller ein wildromantisches, heute als Naturschutzgebiet ausgewiesenes Durchbruchstal mit einer mehr als 70 m hohen Steilwand geschaffen.

*Illerdurchbruch

Auch die Altstadt von Isny (14000 Einw.), 26 km westlich von Kempten, ist von einem mittelalterlichen Mauerring umgeben. Beachtung verdienen in der ehemals Freien Reichsstadt der schlanke Blaserturm am Markt, das im 17. Jh. in der Wassertorstraße erbaute Rathaus und die 1288 im romanischen Stil errichtete Nikolauskirche mit ihrer interessanten Predigerbibliothek. Der Wassertorturm neben dem Gotteshaus beherbergt das Heimatmuseum.

*Isny

Ca. 6 km östlich von Isny erhebt sich der Schwarze Grat, mit 1118 m der höchste Punkt des württembergischen Allgäus (herrliche Aussicht).

*Schwarzer Grat

Ca. 7 km südlich von Isny, zwischen den Dörfern Maierhöfen und Grünenbach, erreicht man den Eistobel (Naturschutzgebiet), eine wildromantische Schlucht, die die Obere Argen ins Gestein gegraben hat.

*Eistobel

Deutsche Alpenstraße (Westabschnitt)

Die 500 km lange Deutsche Alpenstraße stellt eine West-Ost-Verbindung vom Bodensee durch die Allgäuer und Bayerischen Alpen zum Königssee im Berchtesgadener Land her. Von herrlichen Ausblicken auf die Allgäuer Alpen begleitet ist der Westabschnitt zwischen → Lindau und → Füssen. Die in Lindau beginnende Route zieht zunächst nach Nordosten und in

Streckenverlauf

89

Allgäu

Deutsche Alpenstraße (Fortsetzung)

Kehren aufwärts ins Allgäu. Erstes Ziel ist der Erholungsort Scheidegg. Etwas abseits liegt das Städtchen Lindenberg. Es folgen Ferienorte wie Weiler-Simmerberg und Oberstaufen sowie die vielbesuchte Urlaubsregion um Sonthofen mit Immenstadt und dem Großen Alpsee. Von Sonthofen lohnt auch ein Abstecher in südlicher Richtung nach → Oberstdorf und ins Kleinwalsertal. Man verläßt Sonthofen in östlicher Richtung und kommt über Hindelang und die kurvenreiche Jochstraße zu dem Wintersportort Oberjoch. Es geht in nördlicher Richtung weiter und vorbei an der Abzweigung (rechts) der Strecke in die Tiroler Exklave Jungholz. Hinter Wertach folgen der schöne Grüntensee, dann Oy-Mittelberg und Pfronten. Nahe der österreichischen Grenze fährt man weiter nach → Füssen.

Lindenberg im Allgäu

Rund 20 km nordöstlich von Lindau liegt das Städtchen Lindenberg (11 000 Einw.), Standort einer der größten Käsereien Deutschlands. Auch die Hutfabrikation hat in Lindenberg eine lange Tradition (Hutmuseum westlich der Pfarrkirche).

Oberstaufen

Ca. 17 km südwestlich von Lindenberg liegt Oberstaufen (4000 Einw.), das heute einer der meistbesuchten Kurorte des Allgäus ist (v. a. Schroth-Kuren). Sehenswert sind das Heimatmuseum mit einer komplett eingerichteten Sennerei aus dem 19. Jh. sowie die Pfarrkirche mit einer Kreuzigungsgruppe aus dem 15. Jahrhundert.

Steibis
*Hoher Häderich
*Hochgrat

Südlich oberhalb liegt auf 861 m Höhe das bekannte Skidorf Steibis am Imberger Horn (Sessellift). Zwei sehr lohnende Gipfelziele der Allgäuer Voralpen sind der Hohe Häderich südwestlich von Steibis und der Hochgrat südöstlich von Steibis, dessen Gipfel man auch per Seilbahn erreicht.

Immenstadt

Immenstadt (14 000 Einw.), ein alter Salzhandelsstützpunkt am Fuß des Immenstädter Horns, 16 km östlich von Oberstaufen, ist heute trotz seiner Industrieansiedlungen auch ein lebhafter Fremdenverkehrsort. Am Marienplatz, im historischen Stadtkern stehen das 1620 vollendete spätgotische Schloß mit schönem Rittersaal sowie das 1640 erbaute Rathaus. Die barocke Pfarrkirche St. Nikolaus besitzt im Innern schöne Fresken und gotische Plastiken. Alljährlich in der dritten Septemberwoche ist Immenstadt Schauplatz eines großen Almabtriebs, des sog. "Viehscheid".

Mittag

Ein beliebtes Ausflugsziel ist der 1452 m hohe Mittag, den man bequem per Sessellift erklimmen kann.

Großer Alpsee

Westlich von Immenstadt breitet sich der 3 km lange und von Wassersportlern sehr geschätzte Große Alpsee aus, der vom 1450 m hohen Gschwender Horn überragt wird. In Bühl am Alpsee sollte man die Pfarrkirche St. Stephan und die Loretokapelle (beide 17. Jh.) besuchen.

Sonthofen

Im breiten Tal der Iller liegt Sonthofen (22 000 Einw.), die südlichste Stadt Deutschlands. Beachtenswert sind die 1891 erneuerte Stadtpfarrkirche St. Michael, der Marktplatz mit dem Alten und Neuen Rathaus sowie ein als "Heimathaus" hergerichtetes altes Bauernhaus mit volkskundlicher Ausstellung. Südöstlich außerhalb der Stadt ließen 1935–1941 die Nationalsozialisten die düster wirkende "Ordensburg" erbauen, die heute Sitz einer Bundeswehrschule ist. Am östlichen Stadtrand erhebt sich der Kalvarienberg, an dessen Fuß ein Soldatenfriedhof mit Gedenkstätte angelegt ist.

Starzlachklamm
*Grünten

Nordöstlich von Sonthofen ist die wildromantische Starzlachklamm ein gern besuchtes Wanderziel. Nordöstlich der Stadt erhebt sich der bei Skiläufern beliebte Grünten mit seinem weithin sichtbares Sendemast. Von dem 1738 m hohen Berg, der auch als "Wächter des Allgäus" bekannt ist, reicht der Blick bei günstiger Witterung bis zur Zugspitze und zum Säntis.

Fischen
Oberstdorf
Kleinwalsertal

Einige Fahrminuten südlich von Sonthofen erreicht man die vor der überwältigenden Kulisse der höchsten Gipfel der Allgäuer Alpen gelegenen Ferienorte Fischen und Oberstdorf, von wo aus ein Abstecher ins Kleinwalsertal unbedingt lohnt (→ Oberstdorf · Kleinwalsertal).

*Von der Jochstraße blickt man weit ins Tal auf Hindelang (rechts)
und Bad Oberdorf (links).*

Etwa 14 Kilometer trennen Sonthofen von dem bekannten Klimakurort und   Hindelang
Wintersportplatz Hindelang (5000 Einw.). Früher war Hindelang wichtige
Zwischenstation an der Salzhandelsstraße, die von Hall in Tirol kommend
über das Oberjoch weiter an den Bodensee bzw. nach Oberschwaben
führte. Sehenswert ist das Rathaus mit seiner barocken Hochzeitskapelle.
Im 17. Jh. war es Jagdschloß der Fürstbischöfe von Augsburg. Das "Haus
mit den drei Kugeln" beherbergte einstmals die Hindelanger Salzfakturei.
Ein lohnendes Wanderziel ist das südlich von Hindelang gelegene Naturschutzgebiet Rettenbachtal. Im Ortsteil Bad Oberdorf kann man das Luit-   Bad Oberdorf
poldbad (Moor- und Schwefelbäder) besuchen. Die Pfarrkirche von Bad
Oberdorf hat einen berühmten, 1519 von Jörg Lederer geschaffenen "Hindelanger Altar" sowie eine 1493 von Hans Holbein d. Ä. gemalte Madonna.

Sehr zu empfehlen ist die Weiterfahrt auf der kurvenreichen Jochstraße   *Jochstraße
nach Oberjoch. Von hier aus bietet sich ein hervoragender Blick auf die
imposante Hochgebirgskulisse der Allgäuer Alpen mit Imberger Horn, Ise-
ler, Breitenberg, Nebelhorn und Großem Daumen.

Knapp 10 nördlich von Oberjoch liegt auf 1058 m Höhe der bei Wanderern   Jungholz
und Skifahrern bekannte Erholungsort Jungholz (300 Einw.). Das Besondere an Jungholz: das Dorf ist österreichische Enklave.

Die Doppelgemeinde 12 km nördlich von Jungholz besteht aus dem hoch-   Oy-Mittelberg
gelegenen Mittelberg und dem bekannten Kneippheilbad Oy. An der Strek-
ke von Oy-Mittelberg nach Nesselwang sollte man einen Blick in die prächtig ausgestattete Wallfahrtskirche Maria Rain werfen.

Knapp 4 km hinter Oy-Mittelberg, an der B 309, liegt der Luftkur- und Win-   Nesselwang
tersportort Nesselwang (3000 Einw.). Als besonders schneesicher gelten
seine "Hausberge" Edelsberg (1629 m) und Alpspitze (1575 m). Die Besich-

Allgäu,
Nesselwang
(Fortsetzung)

tigung der barocken Wallfahrtskirche Maria Trost macht einen knapp ein-
stündigen Spaziergang erforderlich. Ebenfalls nur zu Fuß erreichbar ist die
Ruine Nesselburg aus dem frühen 13. Jahrhundert (1595 abgebrannt).

*Pfronten

Rund 6 km östlich von Nesselwang erreicht man Pfronten (8000 Einw.) am
Nordostrand der Allgäuer Alpen. Die Gemeinde besteht aus nicht weniger
als 13 Siedlungen, die im weiten Tal der Vils nahe der Grenze zu Österreich
(Tirol) verstreut liegen. Die überaus reizvolle Umgebung sowie die vielen
Kur- und Erholungseinrichtungen haben Pfronten zu einem beliebten Fe-
rienort werden lassen. Wahrzeichen von Pfronten ist die spätbarocke Pfarr-
kirche St. Nikolaus im Ortsteil Berg mit ihrem schlanken, hohen Turm. Die
Fresken stammen von dem einheimischen Künstler Josef Anton Keller.

*Burgruine
Falkenstein

Östlich oberhalb von Pfronten-Steinach thront die Ruine der 1646 zerstörten Burg Falkenstein 1284 m auf steilem Fels. Im 19. Jh. wollte der bayerische "Märchenkönig" Ludwig II. hier oben ein weiteres Prunkschloß errichten lassen, das jedoch nur Modell-Stadium erreichte.

Hochalpe
Breitenberg

Von Pfronten-Steinach aus erschließt eine Kabinenbahn die Hochalpe
(1502 m), von der aus man per Sessellift weiter hinauf auf den 1838 m
hohen Breitenberg kommt. Von dessen Gipfel bietet sich ein herrlicher
Panoramablick.

*Aggenstein

Weiter südlich erhebt sich der 1987 m hohe Aggenstein (Naturschutzgebiet), ebenfalls ein herrlicher Aussichtspunkt.

Füssen

→ dort

Altenburg   I 4/5

Bundesland: Thüringen
Höhe: 180–230 m ü. d. M.
Einwohnerzahl: 46 000

Lage und
Allgemeines

Die Stadt Altenburg liegt rund 45 km südlich von → Leipzig. Die einst wegen ihrer Baudenkmäler und Kunstschätze berühmte Residenz, inder seit
über 400 Jahren Spielkarten hergestellt werden, ist heute als "Skatstadt"
international bekannt, denn hier wurde um 1810 das Skatspiel erfunden.

Geschichte

Im Jahre 976 erstmals urkundlich erwähnt, entstand die Stadt im Schutze
einer Burg als Marktsiedlung niedersächsischer Kaufleute am Ausgangspunkt wichtiger Handelsstraßen. Von dem Stauferkaiser Friedrich I. Barbarossa zur Reichsstadt und Residenz erhoben, wurde die Burg zur Kaiserpfalz. Als die Macht der Staufer abnahm, gelangte die Stadt 1328 in die
Hand der Markgrafen von Meißen. Von 1603 bis 1672 und von 1826 bis
1918 war Altenburg Hauptstadt des Herzogtums Sachsen-Altenburg. 1990
wurde die Stadt an Thüringen angeschlossen.

Sehenswertes in Altenburg

*Schloß

Das Schloß steht auf einem Porphyrfelsen nordöstlich des Stadtkerns.
Eine geschwungene Auffahrt (1725) mit zwei Obelisken führt zum Triumph-
tor (1742–1744). Durch den Glockenturm betritt man den geräumigen
Schloßhof; hier befindet sich eine Freilichtbühne (im Sommer Aufführungen
des Landestheaters Altenburg). Vom Hausmannsturm aus hat man einen
schönen Rundblick. Die "Flasche", ein Mantelturm, der einst als Burgver-
lies diente, stammt aus dem 11. Jh., die Renaissancegalerie aus dem Jahre 1604. Ansonsten ist das Schloß im wesentlichen durch die Umbauten
aus dem 18. Jh. geprägt. Im Inneren des Schlosses verdienen unter den
prunkvollen Räumen vor allem der Festsaal mit dem Deckengemälde
"Amor und Psyche" (K. Moosdorf) und der Bachsaal mit Deckengemälden
zur wettinischen Geschichte Beachtung. Das Schloßmuseum besitzt ne-

ben einer ostasiatischen und einer Meißner Porzellansammlung, einer Waffensammlung u.a. vor allem eine umfangreiche Spielkartensammlung; zu ihr gehört eine Kartenmacherwerkstatt von 1600. In der Schloßkirche (nach 1444) befindet sich eine Orgel von H.G. Trost (1738), auf der Johann Sebastian Bach im Jahre 1739 spielte.

*Schloßmuseum

Über den H.-Gottfried-Trost-Weg stößt man auf den weitläufigen, 400 Jahre alten Schloßpark, der nordöstlich an das Schloß anschließt. Hier passiert man zunächst das Teehaus, einen Rokokopavillon, und die Orangerie (1712). Am nördlichen Ende des Parks zeigt das Lindenau-Museum (1873–1875), das im Stil der italienischen Renaissance errichtet wurde, antike Keramik, Malerei und Graphik des 17.–20. Jh.s sowie eine kostbare Sammlung frühitalienischer Malerei mit 180 Tafelbildern des 13.–16. Jahrhunderts. Nahebei steht das naturkundliche Museum "Mauritianum", das vor allem die Tierwelt (Vögel, Kleinsäuger, Insekten) dokumentiert.

Schloßpark mit Museen

Unterhalb des Schlosses steht am Theaterplatz das 1869–1871 errichtete Landestheater, ein viergeschossiger runder Neurenaissancebau. Hinter dem Theater liegt der Brühl, der älteste Marktplatz von Altenburg. An seiner Südseite fällt das barocke Seckendorffsche Palais (1724/1725) auf; gegenüber steht ein ehemaliges Regierungsgebäude (1604) mit einer außergewöhnlichen Modeldecke (Stempelstuck). Auf dem Platz hat man dem berühmten Kartenspiel mit dem Skatbrunnen ein Denkmal gesetzt – mit seinem Wasser getaufte Karten sollen Glück bringen. Die spätgotische Bartholomäi- oder Stadtkirche hat eine romanische Krypta aus dem 12. Jahrhundert.

Brühl

Überquert man die südlich des Brühl verlaufende Burgstraße und biegt in die Sporenstraße ein, steht man schon auf dem sehenswerten großen Markt, der von schönen alten Bürgerhäusern umrahmt ist. Beherrscht wird das Bild des Platzes vom Rathaus, einem bedeutenden Renaissancebau (1562/1564), der nach Plänen von Nikolaus Grohmann entstand. Der rote

Marktplatz

Rathaus und Brüderkirche am Altenburger Marktplatz

Altenburg, Marktplatz (Fortsetzung)	Backsteinbau der Brüderkirche (1901/1904) mit einem großen Wandmosaik schließt den Markt nach Westen ab.
Rote Spitzen	Die "Roten Spitzen", ein romanischer Ziegelbau mit einem spitzen und einem geschweiften Turm, ragen hinter der östlichen Marktfront auf. Sie sind Reste der Kirche eines Augustiner-Chorherren-Stiftes von 1172.
Nikolaiviertel	Sehenswert ist auch das Nikolaiviertel, ein malerisches altes Stadtviertel, das südlich an den Markt anschließt. Vom Nikolaiturm (12. Jh.) auf dem Nikolaikirchhof hat man einen schönen Blick über die Stadt. Man erreicht das Viertel vom Markt aus über die Moritzstraße, die am Topf- und Kornmarkt vorbei auf den Roßmarkt stößt.
Volkspark	Südöstlich des Nikolaiviertels dehnt sich der Große Teich aus. Auf seiner Insel befindet sich ein Kleintierzoo, dahinter liegt der Volkspark mit einer Schwimmhalle. Am Talhang und auf der Höhe erstreckt sich der Stadtwald mit dem Turm der Jugend.

Umgebung von Altenburg

Altenburger Land	Altenburg liegt im Herzen des Altenburger Landes, einer sanften Hügellandschaft mit Tälern, Fluß- und Bachläufen, Talsperren, Seen, einigen Landschaftsschutzgebieten, Burgen, Schlössern und idyllischen Dörfern, zwei Highligths darunter sind Windischleuba und der Pahnaer See.
Windischleuba	Sieben Kilometer nördlich von Altenburg trifft man auf die Ortschaft Windischleuba. An der Stelle einer ehemaligen Wasserburg aus dem 14. Jh. steht jetzt ein Schloß, das heute als Jugendherberge dient. Hier wohnte der Balladendichter Börries von Münchhausen (1874–1945). Nördlich von Windischleuba liegt das Naherholungsgebiet am Pleiße-Stausee Windischleuba (165 ha).
Pahnaer See	Rund 2 km nordöstlich von Windischleuba kommt man zum Pahnaer See, an dem sich ebenfalls Erholungseinrichtungen befinden.
Kohrener Land	Nordöstlich von Altenburg erstreckt sich das Erholungsgebiet Kohrener Land (→ Chemnitz, Umgebung).

Altmark   G/H 3

Bundesland: Sachsen-Anhalt

Lage und Bedeutung	Bis vor wenigen Jahren noch trennte die deutsch-deutsche Grenze die beiden dünn besiedelten Landschaften Altmark und → Wendland. Die Altmark liegt nördlich von Magdeburg und wird nach Osten und Norden von der Elbe begrenzt. Im Nordwesten stößt sie an das Wendland in Niedersachsen, im Westen an die Lüneburger Heide. Der Name Altmark erinnert daran, daß im 12. Jh. von dieser Markgrafschaft aus Albrecht der Bär das Land östlich der Elbe, die spätere ("neue") Mark Brandenburg, eroberte und germanisierte.
Landschaftsbild	Das ehemalige Grenzgebiet mit einer Ausdehnung von ca. 80 km in nordsüdlicher und 70 km in westöstlicher Richtung besticht durch eine fast unberührte Landschaft mit malerisch gelegenen Dörfern und Städten, darunter Stendal, eine alte Hansestadt und ein wichtiger Verkehrsknotenpunkt, Tangermünde, sehenswert wegen seiner mittelalterlichen Stadtanlagen, sowie Gardelegen, Salzwedel und Osterburg. Der Oberflächengestalt nach ist die Altmark ein teils ebenes, teils flachwelliges Gebiet mit ausgedehnten feuchten Niederungen; prägend für die Landschaft ist auch das Elbetal

im Norden und Osten. Die leichten, sandigen Böden der Altmark werden land- und forstwirtschaftlich genutzt. Große geschlossene Waldgebiete erstrecken sich im Südteil der Altmark, in der Colbitz-Letzlinger Heide.

Landschaftsbild
(Fortsetzung)

Stendal und Umgebung

Stendal, die größte Stadt der Altmark mit heute 43 100 Einwohnern, liegt rund 60 km nördlich von Magdeburg an der Uchte. Die im 12. Jh. gegründete Stadt, die 1359–1518 Mitglied der Hanse war, gilt heute als Wirtschafts- und Kulturzentrum der Region. Die Stadt ist der Geburtsort des Kunstwissenschaftlers Johann Joachim Winckelmann (1717–1768), des Begründers der modernen Kunstwissenschaft und Archäologie.

Stendal

Den Stendaler Marktplatz mitten in der Altstadt bestimmt das Ensemble aus Marienkirche, Rathaus und Roland. Das gotische Rathaus mit seinen Staffel- und Schweifgiebeln ist ein Kleinod aus dem 14. Jh., das später mehrfach verändert wurde. Vor der Gerichtslaube des Rathauses steht eine Kopie des Roland von 1525. In der Nähe des Rathauses befindet sich die zweitürmige Pfarrkirche St. Marien (1447 geweiht), eine dreischiffige Hallenkirche mit schönem Chorgitter und einem wertvollen Marienaltar (1471). Sehenswert ist an der Westseite des Kirchenschiffes die astronomische Schauuhr (15. Jh.). Das Leben in Stendal spielt sich vornehmlich in der Breiten Straße ab, die von zahlreichen Backsteinbauten mit prachtvollen Giebeln gesäumt ist. Am Domplatz erhebt sich St. Nikolai (1423–1467), ein Wahrzeichen mittelalterlicher Backsteingotik, in dem sich als größter Schatz ein spätgotischer Glasgemäldezyklus (Leben Christi und Heiligenlegenden) befindet. Gegenüber dem Dom liegt das 1456 gegründete ehemalige Katharinenkloster. Von den spätgotischen Gebäuden sind neben der Klosterkirche noch Reste des Süd- und des Westflügels der Klausur sowie ein kleiner schmaler Kreuzgang vorhanden. Dort ist jetzt das Altmärkische Museum untergebracht, das über Geschichte und Kulturgeschichte der Altmark informiert. Wenig weiter trifft man auf das Tangermünder Tor (1220), einen der zwei von der mittelalterlichen Stadtbefestigung erhaltenen Tortürme. Sehenswert im Norden der Altstadt ist die Jakobikirche (1311–1477) mit einer bemerkenswerten Ausstattung. Beachtung verdient im nördlichen Teil Stendals ferner die Pfarrkirche St. Petri; sie entstand Ende des 13. Jh.s und ist die älteste Kirche der Stadt. Im Geburtshaus Johann Joachim Winckelmanns (Winckelmannstr. 36) ist ein Museum eingerichtet, das Leben und Werk des Kunstgelehrten dokumentiert. Das zweite erhaltene Stadttor, das Uenglinger Tor (aus dem 15. Jahrhundert) im Nordwesten der Altstadt, ist eines der schönsten Back-

*Rathaus

*Dom St. Nikolai

*Uenglinger Tor

Ein herrliches Zeugnis norddeutscher Backsteinarchitektur ist das Uenglinger Tor in Stendal.

Altmark

Stendal
(Fortsetzung)

steintore Norddeutschlands, von dem aus man zudem einen wunderbaren Rundblick über die Stadt hat.

Arneburg

Arneburg, 11 km nordöstlich von Stendal am Steilufer der Elbe gelegen, ist eine der ältesten Siedlungen der Altmark. Der Marktplatz wird von sog. Ackerbürgerhäusern eingerahmt; im Rathaus befindet sich das Heimatmuseum. Vom Burgberg, auf dem nur noch Reste der ehemals mächtigen Burganlage zu sehen sind, hat man einen schönen Blick in das Elbtal.

Tangermünde und Umgebung

Tangermünde

Die einstige Hansestadt Tangermünde (heute ca. 10 000 Einwohner) liegt rund 50 km nördlich von Magdeburg und 6 km südöstlich von Stendal an der Mündung der Tanger in die Elbe. Das mittelalterliche Stadtbild ist noch weitgehend erhalten; Bauwerke der Backsteingotik und Fachwerkhäuser prägen das Gesicht der Innenstadt, die unter Denkmalschutz steht. Die Stadt entwickelte sich im Schutze einer bereits 1009 erwähnten Burg, die 1373–1378 als Residenz Kaiser Karls IV. diente.

Stadtansicht des mittelalterlichen, denkmalgeschützten Tangermünde mit Rathaus, Neustädter Tor und Schrotturm

*Stadttore

Nahezu vollständig erhalten ist die mittelalterliche Stadtbefestigung: die Stadtmauer aus Backstein (um 1300) mit Wiekhäusern und Türmen, darunter der stattliche Schrotturm. Von den Stadttoren sind noch der spätgotische Hühnerdorfer Torturm sowie das Wassertor (1470) und das reich verzierte Neustädter Tor (um 1450) vorhanden. Kommt man von Südwesten durch das Neustädter Tor in die Stadt, so steht man unvermittelt vor der ehemaligen Pfarrkirche St. Nikolai (12. Jh.) mit ihrem stattlichen spätgotischen Backsteinturm (um 1470). Zur Linken ragt der Schrotturm auf. Ein

*Rathaus

bedeutender Bau der Backsteingotik ist das Rathaus (um 1430), dessen Schaugiebel mit reichem Filigranwerk geschmückt ist. Über die Kirchstraße und die Lange Straße kommt man an zahlreichen Fachwerkhäusern (17. Jh.) mit teilweise schmuckreichen Portalen vorbei. Am Ende der Langen Straße liegt die Kirche St. Stephan, ein spätgotischer Backsteinbau mit schöner Innenausstattung (Renaissance-Kanzel von 1619, Taufkessel von 1508). Außerhalb der Stadtmauern stehen dicht am Steilrand der Elbe die Überreste der Burg; sie wurde nach 1373 von Kaiser Karl IV. neu ausgebaut, im 15. Jh. verändert und – nachdem sie im Jahre 1640 niedergebrannt war – 1902 historisierend ergänzt. Aus dem Spätmittelalter sind Reste der Ringmauer, das Burgtor (um 1480, "Gefängnisturm") und der Bergfried (1376) erhalten. Das einzige noch erhaltene Gebäude der Hauptburg ist die Kanzlei (14. Jh.) mit Sälen mit schönen Balkendecken. Nordwestlich der Burg thront die spätgotische Kapelle St. Elisabeth, eine einstige Spitalkapelle, die in den 90er Jahren zur Konzert- und Ausstellungshalle umgestaltet wurde.

Tangermünde
(Fortsetzung)

In der Kleinstadt Jerichow (9 km südöstlich von Tangermünde) östlich der Elbe steht eine berühmte Klosterkirche, ein meisterhafter spätromanischer Backsteinbau und zugleich der älteste der Altmark. Sie ist Teil des 1144 gegründeten Prämonstratenserklosters. In der zweischiffigen Krypta ist an einem Pfeiler das Sandsteinrelief, das die Marienkrönung zeigt, besonders beachtenswert (14. Jh.). Südlich der Kirche liegen Reste des Klosters. Die spätromantische Pfarrkirche von Jerichow besitzt ein bemerkenswertes Wandepitaph von Arnstedt (1609).

Jerichow
**Klosterkirche

Am anderen Elbufer, ca. 8 km nordwestlich von Havelberg, lohnt ein Abstecher nach Werben, um die spätgotische Hallenkirche St. Johannis (1868 erneuert) zu besichtigen. Beachtung sollte man besonders den Glasmalereien und dem reich gegliederten Nordportal ("Brauttür") schenken. Sehenswert ist auch die ehemalige Heilig-Geist-Kapelle, ein spätgotischer Backsteinbau. Das klassizistische Rathaus (1792/93) wurde später aufgestockt. Ein Überrest der Stadtbefestigung ist das Elbtor (nach 1450).

Werben

Osterburg an der Biese, 24 km nördlich von Stendal in der Altmark gelegen, ist seit 1151 urkundlich als Stadt nachgewiesen. Hier ist die Pfarrkirche St. Nikolai sehenswert, eine dreischiffige Hallenkirche (urspr. spätromanisch) mit barockem Turmaufsatz und Dreiabsidenschluß. Im Innern der Kirche beeindrucken vor allem der bronzene Taufkessel (1442) und das große Kruzifix.

Osterburg

In Krumke (2 km nordwestlich von Osterburg) gibt es ein neugotisches Schloß (1854–1860), ferner einen Park im englischen Stil mit zahlreichen dendrologischen Seltenheiten, eindrucksvollen Rhododendronbeständen, Buchsbaumhecken und Sumpfzypressen (am Parkteich).

Krumke

Der 1151 von holländischen Kolonisten gegründete Ort (12 km nördlich von Osterburg) galt im Mittelalter als reiche Stadt und gehörte zeitweise sogar der Hanse an. Wahrzeichen der Stadt sind das spätgotische Beuster Tor, ein Rest der Stadtmauer aus dem 15. Jh., und die St. Petrikirche mit ihrer mächtigen Doppelturmfassade. Ursprünglich wurde sie 1170 – 1180 als Basilika im spätromanischen Stil erbaut, wovon noch das reiche Portal und der Chorbogen zeugen; später wurde sie zur spätgotischen Hallenkirche umgebaut.

Seehausen

Eine Fläche von rund 540 ha nimmt der Arendsee, die "Perle der Altmark", ein, der 15 km westlich von Seehausen liegt. Die Landschaft mit ihren Seen und Wäldern ist das am stärksten besuchte Erholungsgebiet in diesem sonst seenarmen Gebiet. Ein Wanderweg am Seeufer beginnt am Parkplatz beim Strandbad.
Im Luftkurort Arendsee sind ein ehemaliges Benediktinerkloster mit einer spätromanischen Pfeilerbasilika und Fachwerkhäuser aus der ersten Hälfte des 19. Jh.s sehenswert. Das im Spätmittelalter (1184–1210) errichtete Kloster liegt hoch über dem See.

Arendsee

Idyllisch wirkt die Elblandschaft in der Altmark (hier bei Arneburg).

Salzwedel und Umgebung

Salzwedel

Salzwedel, die zweitgrößte Stadt der Altmark, liegt am Zusammenfluß von Dumme und Jeetze westlich des Arendsees. Die sehenswerten Fachwerkbauten der mittelalterlichen Stadt zeugen noch heute von der Bedeutung der ehemaligen Hansestadt (1263 – 1518). 1233 wurde Salzwedel erstmals als Stadt bei einer Burg genannt. 1247 wurde um die Katharinenkirche die Neustadt gegründet, die man erst 1713 mit der Altstadt vereinte. Eine Spezialität der Stadt ist der Baumkuchen.

Von der ehemaligen Burg, die 1112 erstmals urkundlich erwähnt wird, sind der Bergfried, ein mächtiger Rundturm aus Backstein (vermutlich aus dem 12./13. Jh.), und Reste der Burgkapelle St. Anna erhalten. Nahebei steht die St.-Lorenz-Kirche (ursprüngl. 13. Jh.), einst Ausgangspunkt der altstädtischen Entwicklung. Bemerkenswert sind die noch vorhandenen Teile der Stadtmauer (14./15. Jh.), vor allem im Westen und Süden (Park des Friedens), so der Karlsturm, ein runder Feldsteinbau, der Neuperver Torturm und der Steintorturm, beides quadratische Backsteinbauten. Den Mittelpunkt der neustädtischen Siedlung bildet die St.-Katharinen-Kirche von 1280, die um 1450 spätgotisch umgebaut wurde. Bei Restaurierungsarbeiten wurden im Jahre 1983 wertvolle Wandmalereien entdeckt, die Teile der mittelalterlichen Stadt zeigen. Unweit der St.-Lorenz-Kirche steht das altstädtische Rathaus (16. Jh.), eine spätgotische Zweiflügelanlage mit Staffelgiebeln und Türmchen (heute Kreisgericht). Westlich der St.-Lorenz-Kirche erreicht man ein stattliches Barockgebäude (Jenny-Marx-Str. 20), das Geburtshaus der Jenny von Westphalen (1814 – 1881), der Lebensgefährtin von Karl Marx; es ist heute ein Museum. Die ursprünglich spätromanische Pfarrkirche St. Marien (12. Jh.; 1450 – 1468 spätgotisch umgestaltet) ist eine fünfschiffige Backsteinbasilika mit Kreuzrippengewölben und spätgotischer Innenausstattung. In der ehemaligen Propstei befindet sich das Museum des Historikers Johann Friedrich Danneil († 1868 in Salzwedel). Hier werden neben Exponaten zur Ur- und Frühgeschichte der Altmark auch Kostbarkeiten wie die Salzwedler Madonna (13. Jh.) und ein Altarbild von Lucas Cranach d. J. (1582) gezeigt. Sehenswert sind auch die mit reichem Fachwerk verzierten Bürgerhäuser, darunter das Hochständerhaus (Schmiedestr. 30). Zu den schönsten Bauten der Stadt gehört das Ritterhaus (Radestr. 9) mit seinem reichen Renaissanceschnitzwerk.

Altmark, Salzwedel (Fortsetzung)

Im 27 km südwestlich von Salzwedel gelegenen Diesdorf befindet sich das Altmärkische Bauernhausmuseum mit niederdeutschem Langdielenhaus (1787), Backstube (17. Jh.) und Speicher (18. Jh.). Die Klosterkirche ist eine der am besten erhaltenen und schönsten spätromanischen Kirchen der Altmark (13. Jh.) mit einem aufgesetztem Turm von 1872.

Diesdorf

Gardelegen und Umgebung

Gardelegen, 43 km südöstlich von Salzwedel, liegt im Süden der Altmark. Eine Stadtbesichtigung sollte am Rathaus (1526–1552) mit dem offenen Laubengang im Erdgeschoß vorbeiführen. Ferner sind das Salzwedeler Tor, der einzige Rest der Stadtbefestigung, mit den zwei mächtigen Rundbastionen und der Renaissancebau des ehemaligen Hospitals St. Spiritus (1591) sehenswert. An die spätromanische fünfschiffige Hallenkirche Sankt Marien (um 1200) wurde im 14. Jh. ein gotischer Chor angebaut. Die Kirche hat eine sehr reiche Ausstattung aus dem 15. und 16. Jahrhundert. Sehenswert sind ferner zahlreiche schlichte Fachwerkhäuser mit Renaissanceportalen. Vor den Toren der Stadt Gardelegen liegt die Gedenkstätte "Isenschnibber Feldscheune", die für die am 13. April 1945 von der SS lebendig verbrannten 1016 Häftlinge des Konzentrationslagers "Mittelbau Dora", Außenlager Rottleberode, errichtet wurde.

Gardelegen

Die im 12. Jh. planmäßig angelegte Stadt Haldensleben liegt 40 km nordwestlich von Magdeburg am Südrand der Altmark. Beim 1703 erbauten Rathaus am Markt steht auch eine Kopie eines Standbilds des reitenden Roland. Die Pfarrkirche St. Marien wurde im 14./15. Jh. erbaut und nach einem Stadtbrand 1665 stark verändert. Von der Stadtbefestigung sind nur noch zwei Tore erhalten, das Bülstringer und das Stendaler Tor. Das wertvollste Exponat des Kreismuseums im Breiten Gang ist ein Gemälde von Lucas Cranach d. Ä. Im Haldenslebener Forst im Westen des Ortes befindet sich ein reiches prähistorisches Großsteingräbergebiet.

Haldensleben

Altmühltal   G/H 6/7

Bundesland: Bayern

Die Altmühl, ein linker Nebenfluß der Donau, entspringt auf der Frankenhöhe und fließt durch das Keuperland der Fränkischen Alb, die sie in einem felsenreichen Tal durchbricht, um dann bei Kelheim in die Donau zu münden. Das Altmühltal gilt besonders in seinem unteren Abschnitt als landschaftlich überaus reizvoll. Da der Rätische Limes von der Fränkischen Alb, das Altmühltal kreuzend, zur Donau führte, stößt man in dieser Gegend vielfach auf Reste römischer Legionslager und Siedlungen.

Verlauf der Altmühl

*Landschaftsbild

Eichstätt

Die barocke Stadt Eichstätt liegt im Naturpark Altmühltal am Fuß der Fränkischen Alb, überragt von der mächtigen Willibaldsburg. Keltische Funde weisen auf eine frühe Besiedlung dieser Gegend hin. Der hl. Willibald, ein Angelsachse und Gehilfe des hl. Bonifatius, gründete 741 in "Eihstat" ein Missionskloster. Mit dem Wirken seiner Schwester Wallburga entfaltete

Lage und Allgemeines

Altmühltal

**Eichstätt
(Fortsetzung)**

sich Eichstätt zu einem Wallfahrtsort. 1634 brannten große Teile der Stadt nieder. Seit 1980 ist Eichstätt Sitz der einzigen katholischen Universität im deutschsprachigen Raum.

**Dom

Das Zentrum der mittelalterlichen Stadt bildet der Dom St. Salvator, Unsere Liebe Frau und St. Willibald. Aus romanischer Zeit stammen die beiden Türme. Teile von Vorgängerbauten wurden in den Neubau der um 1350 bis 1396 errichteten dreischiffigen gotischen Pfeilerhalle miteinbezogen. Gabriel de Gabrieli schuf die barocke Westfassade. Am Hauptportal (Nordseite) sind Darstellungen des Marientods und der Marienkrönung zu sehen. Im Dom kann man eine Fülle wertvoller Ausstattungsstücke bewundern. Der Westchor, der sogenannte Willibaldschor, birgt die Gebeine des hl. Willibald in einer Marmorurne auf dem Altar. Im nördlichen Querschiff befindet sich der figurenreiche Pappenheimer Altar, der wahrscheinlich um 1495 von dem Nürnberger Bildhauer Veit Wirsberger geschaffen wurde. An der Südostseite des Doms verläuft ein zweigeschossiger Kreuzgang mit einem zweischiffigen Mortuarium (15. Jh.), der ehemaligen Domgrablege der Angehörigen des Domkapitels und anderer Geistlicher. Hier fallen neben den Grabplatten die Schöne Säule und die von Hans Holbein d. Ä. entworfenen Glasfenster an der Ostwand auf.
Das Dachgeschoß des Mortuariums beherbergt das Diözesanmuseum mit der Domschatzkammer.

**Residenzplatz

Glanzpunkt von Eichstätt ist der Residenzplatz, der durch seine barocke Einheitlichkeit zu den schönsten Stadtplätzen Deutschlands gehört. Auf dem Platz steht über einem Brunnenbecken die 16 m hohe Mariensäule. Den nördlichen Platzabschluß bildet die ehemalige fürstbischöfliche Residenz, die 1976/1977 saniert wurde und jetzt Sitz des Landratsamtes ist.

Marktplatz

Nördlich vom Domplatz liegt der annähernd dreieckige Marktplatz, Mittelpunkt der Bürgerstadt. Sein barockes Erscheinungsbild wird vornehmlich vom Rathaus und vom Willibaldsbrunnen (1695) bestimmt.

**Informations-
zentrum
Naturpark
Altmühltal**

In der ehemaligen Klosterkirche Notre Dame de Sacré Cœur (Notre Dame 1) ist das "Informationszentrum Naturpark Altmühltal" eingerichtet. Die Ausstellung "Natur" zeigt in Dioramen, Schauvitrinen und Filmen die ökologischen Systeme, die für den Naturpark Altmühltal bestimmend sind. Dazu informiert sie über Sinn und Zweck des Naturparks mit seinen vielfältigen landschaftspflegerischen Aufgaben.

Willibaldsburg

Außerhalb von Eichstätt steht, auf einem Felssporn über dem Altmühltal und von einem Befestigungsgürtel umgeben, das Wahrzeichen der Stadt, die Willibaldsburg. Sie war von 1335 bis zum 18. Jh. Residenz der Eichstätter Fürstbischöfe. Nach der Säkularisation (1803) begann der Zerfall.

*Jura-Museum

Heute sind in der Burg das Jura-Museum sowie ein Museum für Ur- und Frühgeschichte untergebracht. Das Jura-Museum zeigt die erdgeschichtliche Entwicklung und die Besonderheiten der südlichen Fränkischen Alb. Den Schwerpunkt bilden die 150 Millionen Jahre alten Fossilien der weltberühmten Solnhofener Plattenkalke aus dem Oberen Jura. Kostbarstes Ausstellungsstück ist das guterhaltene Skelett des Urvogels Archaeopteryx. Eine Multivisionsschau stellt die Fossilien in den größeren Rahmen der Entstehung des Lebens.

**Museum
für Ur- und
Frühgeschichte**

In diesem Museum zeigt der Historische Verein Eichstätt die Entwicklungsgeschichte der Region von der Steinzeit bis zum Frühmittelalter. Schwerpunkte sind der Raum mit eiszeitlichen Tierskeletten, u.a. Mammut und Rentier, sowie eine spätmerowingische Grabanlage.

**Figurenfeld
Eichstätt**

Östlich von Eichstätt, an der Jura-Hochstraße nach Kinding, befindet sich das interessante "Figurenfeld Eichstätt". Der Bildhauer Alois Wünsche-Mitterecker stellte 78 Figuren in die karge Juralandschaft – als Mahnmal gegen Krieg und Gewalt. Als Material für die Figuren wurde Portlandzement mit Granit- und Basaltkörnern verwendet.

*Hoch über der Altmühl thront die Willibaldsburg von Eichstätt,
in der jahrhundertelang die Fürstbischöfe residierten.*

Naturpark Altmühltal

Der Naturpark Altmühltal ist mit 3000 km² Fläche der größte deutsche Naturpark. Über 90 km zieht sich die Altmühl mit zahlreichen romantischen Nebentälern, ausgedehnten Wäldern, Wildgehegen und Lehrpfaden durch die urtümliche Schönheit dieser Flußregion. Die Stadt Eichstätt und ihr Umland bilden den Kernbereich des Naturparks, dessen Bild geprägt ist durch den Wechsel von schroffen Felspartien mit sanften, wacholderbewachsenen Hängen. Nahe der Altmühl beherrschen Weiden und Pappeln sowie Schilfflächen das Landschaftsbild. An den Südhängen finden sich Halbtrockenrasen und Steppenheiden wie die Gungoldinger Wacholderheide. Ferner stößt der Besucher in dem Naturpark auf eine Fülle unterschiedlicher Naturdenkmäler wie Baumgruppen, Felsbildungen und Quellen.

*Landschaftsbild

Wer lebensechte fränkische Wirklichkeit kennenlernen möchte, sollte das Jura-Bauernhof-Museum in Hofstetten südöstlich von Eichstätt besuchen (Autobahn München–Nürnberg). Breit und behäbig steht das Wohnhaus da, errichtet aus Bruchsteinen und Kalkplatten, wie sie für die Bauweise im Altmühl-Jura typisch sind. Gezeigt werden alte Einrichtungen – ein gußeiserner Ofen, die "Rußkuchl" mit offenem Kamin und die "Speis" mit Geräten der bäuerlichen Wirtschaft. In der Schlafkammer steht ein Himmelbett.

Jura-Bauernhof-Museum

Sehr sehenswert ist im Naturpark Altmühltal auch das Römerkastell zu Pfünz östlich von Eichstätt. Das Kastell wurde im 1. Jh. n. Chr. als befestigtes Lager zum Schutz gegen die Germanen erbaut. Um Besuchern einen möglichst lebensnahen Eindruck von einem römischen Kastell zu geben, wurden das Nordtor und ein Eckturm originalgetreu rekonstruiert. Mit seinen handbehauenen Kalkbruchsteinen im Mauerwerk, seinen Torbögen aus Tuffstein und seinen Ziegeldächern bietet das Nordtor den Eindruck

Römerkastell zu Pfünz

Altmühltal

Römerkastell
(Fortsetzung)

eines typischen Bauwerks der Römerzeit. Das Tor ist Ausgangspunkt für einen Römer-Lehrpfad: Auf Tafeln wird die Anlage des Kastells erläutert.

Limesturm

Mitten durch Erkertshofen, einen Ort nördlich von Eichstätt, verlief einst der Limes. Vom Rhein bei Koblenz bis zur Donau bei Eining zog die ehemalige römische Reichsgrenze durch Deutschland. An der Stelle bei Erkertshofen wurde ein steinerner Limesturm nachgebildet, von dem ein Lehrpfad zu zwei originalen Turmresten aus römischer Zeit führt.

Wandern
Radfahren
Paddeln

Der Naturpark Altmühltal ist eine ideale Region für Wanderungen und Radtouren. Das Gebiet ist mit einem dichten Netz von Radwegen durchzogen, so daß Radfahrer die landschaftlichen Schönheiten und die Sehenswürdigkeiten aus römischer Zeit leicht erreichen können. Die Gesamtstrecke des Altmühlradwegs von Gunzenhausen nach Kelheim beträgt 157 km. Er gliedert sich in mehrere Abschnitte; Stationen an der Strecke sind Treuchtlingen, Pappenheim, Solnhofen, Dollnstein, Eichstätt, Kipfenberg, Kinding, Beilngries, Dietfurt, Riedenburg und schließlich Kelheim. Wanderer können verschiedenen Lehrpfaden folgen.

Schließlich ist die Altmühl auch ein sehr beliebtes (und gemächliches) Revier für Kanu- und Kajakfahrer. Entlang des Flußlaufs sind Übernachtungs- und Campingplätze mit Anlegern eingerichtet; an den Wehren gibt es zumeist Bootsrutschen.

Von Eichstätt im Altmühltal aufwärts

Dollnstein

Von Eichstätt folgt man dem windungsreichen Tal der Altmühl. Über Dollnstein, einen Markt mit eindrucksvollen Befestigungsanlagen aus dem 12. Jh., der als Altmühlübergang entstand, erreicht man Solnhofen.

Solnhofen

Das Gebiet um Solnhofen ist durch den Abbau von Jurakalk, den Solnhofner Schiefer, bekannt geworden. Im Plattenkalk der Steinbrüche fand man zahlreiche Fossilien (s. Jura-Museum) von Pflanzen und Tieren aus dem Jurameer, das sich vor 150 Millionen Jahren hier ausbreitete. Von besonderer Schönheit sind im Ort die Reste der Sola-Basilika (um 600) mit herrlichen Rundbogenarkaden.

Pappenheim

In einer Schleife der Altmühl folgt der Luftkurort Pappenheim, mit dem sich der von Friedrich Schiller verewigte Ausspruch Wallensteins "Ich kenne meine Pappenheimer" verbindet. Beachtenswert sind die gotische Stadtkirche aus dem 15. Jh. und die Galluskirche, ferner das Alte Schloß (1593) und das Neue Schloß (1819/1820). Von der Stammburg der Grafen von Pappenheim sind Reste des romanischen Bergfrieds und Mauerteile des Palas erhalten.

Weißenburg

Einen Abstecher wert ist Weißenburg nördlich vom Altmühltal. Ein Mauergürtel umzieht noch in geschlossenem Ring die Stadt. Erhalten sind das Ellinger Tor, das die von Nürnberg kommende Straße einläßt, und das Spitaltor, durch das früher die Augsburger Straße führte. In der Stadt am Westhang der Fränkischen Alb gibt es sehenswerte Gebäude, darunter das spätgotische Rathaus, die evangelische Pfarrkirche St. Andreas (14./ 15. Jh.) und das Deutschordensschloß. Aus der Römerzeit stammt der 1977 freigelegte Rest einer Thermenanlage; weitere Funde sind im Römermuseum ausgestellt.

Treuchtlingen

Im Altmühltal folgt nun Treuchtlingen, dessen Schloßruinen an die Ritter von Treuchtlingen erinnern. Beachtenswert sind die barocke St. Lambertus-Kirche mit spätgotischen Tafelbildern und die Marienkirche.

Gunzenhausen

Schließlich erreicht man Gunzenhausen, den nördlichen Eingang in den Naturpark Altmühltal. Interessant sind die prähistorischen Sammlungen im Heimatmuseum. In der Nähe liegt der Altmühlsee mit einer Vogelinsel.

Ammersee · Starnberger See   H 7/8

Bundesland: Bayern

Der Ammersee liegt 35 km südwestlich von München im Alpenvorland und   Lage und
bedeckt eine Fläche von rund 47 km². Seine Entstehung verdankt er der   *Landschaftsbild
letzten Eiszeit, die aus dem Loisachtal einen mächtigen Gletscher nach
Norden vorschob. Ursprünglich war die Wasserfläche des langgestreckten
Sees fast doppelt so groß wie heute; Anschwemmungen der Ammer ließen
ihn im Norden und Süden immer mehr verlanden. Schöne Ausflugs- und
Urlaubsorte säumen die Seeufer, Strandbäder laden zum Schwimmen ein.
Es besteht vielfältige Gelegenheit zum Rudern, Segeln und Angeln.
Der Starnberger See oder Würmsee liegt ebenfalls südwestlich von München und östlich vom Ammersee. Der See, an dessen Nordende die Würm
austritt, füllt ein von Moränenhügeln umschlossenes ehemaliges Glet-
scherbecken von rund 20 km Länge. Die an schönen Sommertagen von
Segelbooten und Ausflugsschiffen belebte Wasserfläche wird umrahmt
von bewaldeten Uferhöhen, Ausflugs- und Ferienorten, Villensiedlungen
und Parkanlagen, so daß der See ein schönes Bild bietet, dem im Süden
die ferne Alpenkette einen eindrucksvollen Abschluß gibt.

Ammersee

Auf dem Ammersee verkehren Linienschiffe zwischen den größeren Orten   Schiffahrt
des West- und Ostufers sowie zwischen kleineren Ortschaften an jeweils
einer Seeseite.

An der Nordspitze des Ammersees liegt Inning, ein Ort mit einer hübschen   Inning
Rokoko-Dorfkirche. Südlich von Inning erstreckt sich Oberbayerns wärm-
ster Badesee, der Wörthsee. Auf der Insel Wörth, nach der der See benannt wurde, steht ein kleines Schloß. Der Pilsensee, ca. 4 km südlich des
Wörthsees, ist eine ehemalige Bucht des Ammersees.

Der vielbesuchte Ort Herrsching liegt am "Herrschinger Winkel", der öst-   Herrsching
lichen Bucht des Sees, der hier mit 6 km seine größte Breite erreicht. Auf
einem Hügel steht die Kirche St. Martin, das Wahrzeichen von Herrsching.
1996 wurde im Bereich der Gemeinde Herrsching ein archäologischer Park
eröffnet, wo u.a. altbayerische Adelsgräber zu sehen sind.

Unweit südlich von Herrsching erhebt sich der "heilige Berg" Andechs   *Andechs
(711 m) mit seinem Benediktinerkloster. Die Klosterkirche, ein bekanntes
Wallfahrtsziel, wurde 1754 von J. B. Zimmermann im Rokokostil ausgestaltet. Das berühmte Gnadenbild der thronenden Muttergottes im Hochaltar
stammt aus der Zeit um 1500. Der Komponist Carl Orff, der in München
lebte, ist in der Klosterkirche beigesetzt. Bekanntheit über die Grenzen
Bayerns hinaus hat Andechs jedoch seiner Klosterbrauerei zu verdanken,
die besonders an heißen Sommerwochenenden die Trinkfreudigen zu Tau-
senden heranströmen läßt, um hier einer durchaus gewöhnungsbedürfti-
gen Mischung aus Bierseligkeit und Frömmigkeit zu huldigen.

In Dießen am südwestlichen Ufer des Ammersees entstand im 12. Jh. ein   *Dießen
Augustiner-Chorherrenstift. Die Klosterkirche, heute Pfarrkirche, 1732–1739
von J. M. Fischer erbaut, ist ein Meisterwerk des bayerischen Rokoko.
Beachtung verdienen der Hochaltar von François de Cuvilliés, die Figuren
der vier Kirchenväter von Joachim Dietrich, ein Gemälde von Giovanni Battista Tiepolo, die Stuckarbeiten von Franz Xaver und Johann Michael
Feichtmayr sowie die farbenprächtigen Deckenbilder.

Südlich von Dießen steht bei Raisting eine Satelliten-Funkstation mit riesi-   Erdfunkstelle
gen Parabolspiegeln. Auf über 2500 Kanälen für den Fernsprech-, Fern-   Raisting

Viele Orte am Ammersee lassen sich auf erholsame Art und Weise per Schiff erreichen.

Erdfunkstelle Raisting (Fortsetzung)

schreib- und Datenverkehr wird über Raisting Verbindung mit rund 50 Ländern unterhalten. Weiter im Süden begrenzen das Ammergebirge und die Benediktenwand die Seelandschaft. Bei klarem Wetter kann man bis zur Zugspitze blicken.

Utting Schondorf

Die Straße von Dießen nach Norden entfernt sich nach kurzer Zeit vom Westufer des Ammersees und führt über den Luftkurort Utting und über Schondorf zur Nordspitze des Sees. Die Filialkirche St. Jakobus (Seekapelle) in Schondorf zeigt noch romanische Bauformen, wurde später jedoch barock umgestaltet.

*Ammersee-Höhenweg

Von Schondorf aus führt der Ammersee-Höhenweg, von dem man immer wieder schöne Ausblicke genießen kann, parallel zum Westufer des Sees südwärts nach Dießen.

Starnberger See

Hinweis

Im folgenden werden die wichtigsten Orte und Sehenswürdigkeiten am Ufer des Starnberger Sees auf einer Route von Starnberg aus im Uhrzeigersinn beschrieben.

Starnberg

An der Nordspitze des Sees steigt in Terrassen das freundliche Städtchen Starnberg an, darüber steht auf einem Hügel das ehemalige Schloß der Herzöge aus Bayern (16. Jh.). In der Pfarrkirche sind die Rokoko-Ausstattung, der von Ignaz Günther geschaffene Hochaltar und die Fresken in Chor und Langhaus beachtenswert. Im städtischen Heimatmuseum werden eine Sammlung zur Geschichte des Starnberger Raums gezeigt, ferner Gemälde und Skulpturen. Den Höhepunkt bildet die von Ignaz Günther geschaffene Skulptur einer Heiligen.

Am nördlichen Ostufer liegt das Dorf Berg mit dem Schlößchen gleichen Namens. Im See bezeichnet ein Kreuz die Stelle, an der am 13. Juni 1886 König Ludwig II. zusammen mit seinem Begleiter, dem Arzt Dr. Gudden, den Tod fand. Am Ufer wurde eine Votivkapelle errichtet.

*Berg

Etwa in der Mitte des Ostufers liegt der Villenort Ammerland mit einem Schloß, das ursprünglich für einen Bischof erbaut wurde. 1842 kam der von Zwiebeltürmen flankierte Bau in den Besitz Ludwigs II., der ihn seinem Zeremonienmeister, dem Grafen Franz von Pocci, schenkte.

Ammerland

Am landschaftlich reizvollen Südende des Starnberger Sees liegt Seeshaupt. Beachtenswert ist die katholische Kirche St. Michael, auf Resten aus romanischer Zeit errichtet. Südlich von Seeshaupt findet man versteckt die malerischen Osterseen.

Seeshaupt

Der Ort Bernried liegt am Südwestufer des Starnberger Sees inmitten von Obstgärten. In der um 1670 neu erbauten Klosterkirche St. Martin verdienen das Altarblatt und ein Flügelaltar aus der Zeit um 1500 Beachtung.

Bernried

Die Stadt Tutzing ist heute der zweitgrößte Ort am Starnberger See und Mittelpunkt des westlichen Seeufers. Zum Ortsbild gehören ansehnliche Villen. Das bereits im 16. Jh. erwähnte Schloß, eine dreiflügelige klassizistische Anlage, ist heute Sitz der renommierten Evangelischen Akademie Tutzing. Um 1870 gestaltete der Hofgartenbaumeister Karl Effner den Tutzinger Schloßpark im englischen Stil. Oberhalb von Tutzing befindet sich die Ilkahöhe (711 m), von der sich eine prächtige Aussicht auf den See und die Alpen vom Watzmann bis zum Grünten bietet.

*Tutzing

Das ehemalige Bauerndorf Feldafing, das sich seit Mitte des 19. Jh.s zu einem Villenort entwickelt hat, liegt schön am Westufer des Starnberger Sees. Im alten Dorfkern steht die St. Peter und Paul geweihte Pfarrkirche. Der Landschaftspark an der Tutzinger Straße ist um 1860 nach Plänen des preußischen Gartenbaudirektors Peter Joseph von Lenné angelegt und in südländischem Stil gestaltet worden.

Feldafing

Possenhofen, am nördlichen Teil des Westufers gelegen, gehört zur Gemeinde Pöcking. Die spätere Kaiserin und Gemahlin Franz Josephs von Österreich, Sissi, verbrachte dort ihre Kindheit.

Pöcking

Umgebung von Ammersee und Starnberger See

Ein beliebtes Ausflugsziel der Münchner ist Wolfratshausen, östlich vom Starnberger See an der Loisach gelegen. Am Straßenmarkt findet man etliche typisch oberbayerische Giebelhäuser, die aus dem 17. und 18. Jh. stammen. Einen Besuch lohnt das Heimatmuseum in der Bahnhofstraße. Zahlreiche Gemälde und alte Stiche, Möbel und Trachten informieren dort über Kultur und Brauchtum der Region. Von der Frauenkapelle im Norden der Stadt führt ein Kreuzweg hinauf zur Dreifaltigkeitskapelle.

*Wolfratshausen

Unterhalb der Benediktenwand (1801 m) liegt Benediktbeuern, bekannt wegen seines Benediktinerklosters, das als Kloster im engeren Sinne 1803 seine Funktion verlor. Die Klosterbibliothek enthielt neben Gemälden und Handschriften die "Carmina Burana", die bedeutendste Sammlung mittelalterlicher Vagantenlieder des 13. Jh.s (heute in der Bayerischen Staatsbibliothek, München). Berühmt wurde die "Carmina Burana" durch die Vertonung von Carl Orff. Die zweitürmige Klosterkirche St. Benedikt ist in den Formen des italienischen Barock errichtet.

*Benediktbeuern

In einmaliger Lage hoch über dem Kochelsee liegt das Freilichtmuseum des Bezirks Oberbayern an der Glentleiten. Hier sind die verschiedenen Haustypen Oberbayerns zu sehen. In dem besucherfreundlich eingerichte-

*Freilichtmuseum Glentleiten

Umgebung
Freilichtmuseum
Glentleiten
(Fortsetzung)

ten Museum werden größere Höfe und Anwesen von Kleinbauern sowie Handwerksstätten vorgestellt. Die Ställe und Häuser – überwiegend aus dem 18. Jh. – sind originalgetreu hergerichtet worden, so daß man ihre einstige Nutzung gut nachvollziehen kann.

*Kochel am See

Am östlichen Ufer des Kochelsees, malerisch zwischen den weiten Moorflächen im Norden und den ihn südlich umrahmenden steilen Wald- und Felshängen gebettet, liegt der Luftkurort Kochel am See. Zur Erinnerung an Franz Marc (1880–1916), der eine Zeitlang in Kochel lebte und arbeitete, richtete die Franz-Marc-Stiftung in einer Villa ein Museum ein (Herzogstandweg 43). Es bietet eine Sammlung von Gemälden, Plastiken und Zeichnungen des Künstlers und seiner Freunde.

Panoramablick vom Kesselberg über den Kochelsee

*Walchensee

Südlich vom Kochelsee erstreckt sich der Walchensee, der mit seinem blaugrünen Wasser und den schroffen Kalkwänden von Karwendel- und Wettersteingebirge einen der großartigsten Natureindrücke in Oberbayern bietet. Südlich der Ortschaft Kochel liegt der Zugang zum Walchensee-Kraftwerk der Bayernwerk AG. Bei dieser Anlage dient der Walchensee als Speicherbecken, während dem Kochelsee die Rolle des Ausgleichbeckens zukommt. Das Speicherbecken wird durch Zuleitung von Wasser der Isar und, seit 1949, durch Einleitung des Rißbaches gespeist.

Herzogstand

Vom Herzogstand (1761 m), einem Berg im Westen des Walchensees, bietet sich eine herrliche Rundsicht über das Wetterstein- und das Karwendelgebirge bis hin zu den Tiroler Alpen. Der Herzogstand ist Ausgangspunkt für interessante Bergwanderungen. Darüber hinaus bietet er mit seinen Liften gute Voraussetzungen für den Wintersport.

*Murnau

Auf einem Höhenrücken zwischen dem Murnauer Moos und den drei Seen Staffelsee, Riegsee und Froschhauser See liegt – vor der großartigen Kulisse von Ammer- und Estergebirge – der ansprechende Ort Murnau. Von

1909 bis 1914 arbeiteten Wassily Kandinsky (1866–1944) und Gabriele Münter (1877–1962) mit ihren Freunden in Murnau. In der Kottmüllerallee 6 steht das Gabriele-Münter-Haus. Das Treppenhaus und zwei Räume im Obergeschoß hat man als Museum eingerichtet. Nicht nur Regionalgeschichte erzählt das 1993 eröffnete Kunst- und Regionalmuseum Murnaus, sondern es dokumentiert auch die Geschichte der ehemals ortsansässigen Künstler und der Entwicklung der Kunst innerhalb der Region mit Gemälden, Glasmalerei, Votivbildern u.a. Der Literatur, vor allem Ödön von Horváth, der 1924 bis 1933 in Murnau lebte, wird im Obergeschoß des Museums gedacht.

Ammersee und Starnberger See, Umgebung, Murnau (Fortsetzung)

Die Kreisstadt Weilheim liegt im bayerischen Alpenvorland an der Ammer. Sie ist ein Zentrum des sogenannten Pfaffenwinkels (→ Füssen). Das alte Rathaus am Marienplatz beherbergt heute das Weilheimer Stadtmuseum ("Museum des Pfaffenwinkels"). Im Mittelpunkt der Sammlungen steht das Kunstschaffen Weilheimer Künstler von der Spätgotik bis zum Rokoko. Neben dem schönen Engelsrelief von Hans Krumper (um 1620) ist die Skulptur eines Schmerzensmannes von Hans Leinberger (1527) hervorzuheben.

Weilheim

Nordwestlich der Stadt Weilheim bzw. südwestlich vom Ammersee liegt Wessobrunn. Bekannt wurde der Ort durch sein Kloster, vor allem aber durch das "Wessobrunner Gebet" und die Wessobrunner Schule. Unter der Dorflinde ist auf einem Steinblock das "Wessobrunner Gebet" eingemeißelt. Es handelt sich dabei um eines der ältesten deutschen Sprachdenkmäler, das bald nach 800 im Kloster aufgezeichnet wurde. In Stabreimen wird darin die Schöpfungsgeschichte beschrieben; heute befindet sich die Handschrift in der Bayerischen Staatsbibliothek, München. Im 17. und 18. Jh. war Wessobrunn ein Zentrum des Stukkatoren-Handwerks. Zur Wessobrunner Schule, deren Vertreter seit dem Jahre 1680 in Oberbayern und Oberschwaben die Kirchen mit Stuck ausstatteten, gehörten neben den Schmuzers zahlreiche bedeutende Stukkatoren, Architekten und Maler, darunter die Familien Feichtmayr und Zimmermann.

✳Wessobrunn

Schongau liegt auf einem ehemals vom Lech umflossenen Hügel, eingefaßt von einer fast vollständig erhaltenen Stadtbefestigung (14.–17. Jh.) mit hölzernem Wehrgang, Toren und Türmen.
Rund 3 km nordwestlich von Schongau steht die katholische Pfarrkirche St. Michael, der bedeutendste romanische Kirchenbau in Oberbayern. Um 1200 wurde die dreischiffige Basilika mit ihren beiden mächtigen Osttürmen aus Tuffquadern erbaut. Als kunsthistorisch bedeutendstes Ausstattungsstück gilt ein romanisches Kruzifix, der sogenannte "Große Gott von Altenstadt" (nach 1220), eine als wundertätig verehrte Christus-Figur. Am nördlichen Seitenschiff liegt die Taufkapelle, deren romanisches Taufbecken zu den schönsten in Deutschland zählt.

Schongau

✳Basilika von Altenstadt

Ansbach   G 6

Bundesland: Bayern
Höhe: 409 m ü. d. M.
Einwohnerzahl: 40 000

Ansbach mit seinem hübschen barocken Stadtbild liegt westlich von Nürnberg im Tal der Rezat und ist von sanften Hügeln und herrlichen Wäldern umgeben. Geprägt wurde die sehenswerte Stadt von den Markgrafen von Brandenburg-Ansbach, die hier mehr als 300 Jahre residierten. Heute ist Ansbach die Regierungshauptstadt von Mittelfranken. Die gelungene Altstadtsanierung Ansbachs gilt als Paradebeispiel für ganz Bayern. Von 1829 bis 1833 lebte der geheimnisumwitterte Kaspar Hauser hier in der Pfarrstraße Nr. 18.

Lage und Stadtbild

Ansbach

Geschichte

Ansbach (früher Onoldsbach) ist aus einem im Jahre 748 gegründeten Benediktinerkloster entstanden. Die 1221 erstmals urkundlich als Stadt erwähnte Siedlung kam 1331 durch Kauf an die Burggrafen von Nürnberg, von 1460 bis 1791 war sie Residenz der Markgrafen von Brandenburg-Ansbach. Im Jahre 1791 fiel Ansbach an Preußen, 1806 an Bayern.

Sehenswertes in Ansbach

*Residenz

Am nordöstlichen Rande der Altstadt liegt die ehemalige markgräfliche Residenz, eines der bedeutendsten Schlösser des 18. Jh.s in Franken. Ursprünglich eine Wasserburg (14. Jh.), wurde sie zunächst zu einem Renaissanceschloß (16. Jh.) umgebaut, bevor man es im Stil des Barock umgestaltete. Die 27 prunkvollen Rokoko-Staatsräume sind zu besichtigen, Höhepunkte sind der Festsaal, das Spiegelkabinett, der Kachelsaal und das Audienzzimmer. Beachtlich ist auch die Bayerische Staatssammlung "Ansbacher Fayence und Porzellan" und die Staatsgalerie mit Gemälden aus dem 17. und 18. Jahrhundert.

Hofgarten

Südöstlich vom Schloß erstreckt sich der wunderbare Hofgarten mit der 102 m langen Orangerie (1726–1734; heute Veranstaltungs- und Kongreßräume) und einem Gedenkstein für das 1833 hier erstochene rätselhafte Findelkind Kaspar Hauser.

Altstadt

In der Altstadt steht am Johann-Sebastian-Bach-Platz die Gumbertuskirche (11. Jh.) mit ihren "drei Türmen ohne Dach". Vergrößert und umgebaut wurde die ehemalige Stifts- und Hofkirche im 18. Jahrhundert. Links hinter dem Altar liegt der Eingang zur Schwanenritterkapelle, darunter liegt die romanische Krypta und Fürstengruft (25 Sarkophage). Am Martin-Luther-Platz ragt die Johannis-Kirche auf, eine spätgotische Hallenkirche aus dem 15. Jahrhundert. An der Schaitbergerstraße, nördlich vom Martin-Luther-Platz, dokumentiert das Markgrafenmuseum die Stadtgeschichte und präsentiert die Kaspar-Hauser-Sammlung. Im südlichen Innenstadtbereich an der Rosenbadstraße erinnert die barocke Synagoge an die einst große jüdische Gemeinde der Stadt.

Umgebung von Ansbach

*Wolframs-Eschenbach

Gut 20 km südöstlich liegt das noch von Wall und Graben umgebene Wolframs-Eschenbach, ein malerisches mittelalterliches Städtchen. Der im 11. Jh. erstmals erwähnte Ort Eschenbach trägt erst seit 1917 den Doppelnamen zu Ehren des Dichters Wolfram von Eschenbach (um 1170 bis um 1220), der laut Überlieferung hier in der Pfarrkirche begraben sein soll. Sein Denkmal befindet sich am Markt, wo auch das alte Fachwerk-Rathaus, die ehemalige Deutschordenskomturei und das Liebfrauenmünster stehen. Im Alten Rathaus ist seit 1995 das originelle Neue Literaturmuseum Wolfram von Eschenbach untergebracht: In 9 kleinen Räumen sind Szenen und Motive aus Wolframs großen Werken "Parzival" und "Willehalm", aus seinen Liedern u.a. dargestellt. Sehenswert sind außerdem die gut erhaltene Stadtbefestigung, der Wolframs-Brunnen und die Alte Vogtei.

Neues Fränkisches Seenland

Südlich von Ansbach erstreckt sich um Altmühlsee, Brombachsee und Rothsee das Neue Fränkische Seenland, eine Erholungslandschaft mit vielfältigen Wassersportmöglichkeiten. Die Seen verdanken ihre Entstehung dem Wasserbau für den Rhein-Main-Donau-Kanal und sollen als Feuchtbiotope auch Rückzugsgebiete für bedrohte Tierarten sein.

*Bad Windsheim

Im Fränkischen Freilandmuseum, ca. 35 km nordwestlich von Ansbach, wird den Besuchern Bad Windsheims auf ca. 40 ha in rund 60 historischen Gebäuden die fränkisch-ländliche Bauernkultur seit dem 14. Jh. nähergebracht. Sondervorführungen zeigen u. a., wie man einst Brot buk.

Aschaffenburg

Bundesland: Bayern
Höhe: 130 m ü. d. M.
Einwohnerzahl: 67 000

Die unterfränkische Stadt Aschaffenburg liegt am hügeligen rechten Ufer des Mains am Rande des → Spessarts. Die Altstadt wird beherrscht vom mächtigen Renaissancebau des Schlosses, der ehemaligen Residenz der Mainzer Kurfürsten. Gemeinsam mit Stiftskirche und Brücke bildet das Schloß seit dem Mittelalter den Kern der Stadt.

Lage und Stadtbild

Aschaffenburg entwickelte sich um ein fränkisches Kastell und kam mit dem Mitte des 10. Jh.s gegründeten Kollegiatsstift um 957 an das Erzstift Mainz, bei dem die Stadt bis 1803 verblieb. Als Brückenstadt und wichtige Zollstätte gelangte Aschaffenburg, seit 1122 befestigt, zu hoher Blüte und wurde seit Ende des 13. Jh.s neben Mainz Residenz der Kurfürsten, 1803–1810 war es Hauptstadt des für Karl von Dahlberg neu gebildeten Fürstentums Aschaffenburg, das 1814 zu Bayern geschlagen wurde.

Geschichte

Sehenswertes in Aschaffenburg

An der Nordwestseite der Altstadt erhebt sich über dem Main das Schloß Johannisburg, ein 1605–1614 errichteter Spätrenaissancebau, der ehemals neben Mainz Residenz der Kurfürsten war. Die Staatsgalerie im Innern gilt, außerhalb Münchens, als größte bayerische Staatsgemälde-Sammlung. Zu besichtigen sind außerdem die fürstlichen Prunkräume, das Schloßmuseum und die Schloßbibliothek.

*Schloß

Staatsgalerie

Im malerisch am Main gelegenen Schloß Johannisburg ist die größte Staatsgemälde-Sammlung Bayerns außerhalb von München untergebracht.

Augsburg

Aschaffenburg
(Fortsetzung)
Schloßgarten
Pompejanum

Nordwestlich vom Schloß liegt der Schloßgarten, dahinter das Kapuziner-kloster und das Pompejanum, eine 1842–1849 errichtete Nachbildung der in Pompeji ausgegrabenen "Villa des Castor und Pollux". 1994 wurde sie als Teil-Domizil der Bayerischen Antikensammlungen wiedereröffnet. Von hier aus öffnet sich ein schöner Blick auf den Main.

Schloßgasse und Altstadt

In südöstlicher Richtung führt die Schloßgasse am klassizistischen Stadt-theater (1811) vorbei – vis-à-vis erhebt sich die Pfarrkirche Zu Unserer Lie-ben Frau mit ihrer herrlichen Barockfassade und einem romanisch-goti-schen Turm (13. Jh.). Das Rathaus (1957) liegt am Ende der Schloßgasse an der Dahlbergstraße; hier in der Altstadt lohnt ein Bummel durch die Straßen mit ihren schmucken Fachwerkhäuschen und typischen Kneipen und Restaurants.

*Stiftskirche

Beim Rathaus steht auch die Stiftskirche St. Peter und Alexander aus dem 12./13. Jahrhundert. Im Innern birgt die päpstliche Basilika, die durch etliche Umbauten Stilelemente der Romanik, Gotik und des Barock ver-eint, wertvolle Kunstwerke, u.a. die "Beweinung Christi" von Matthias Grünewald und ein romanisches Kruzifix aus dem 10. Jahrhundert. Bedeu-tend ist auch der spätromanische Kreuzgang. Im ehemaligen Stiftskapitel-haus ist das Stiftsmuseum untergebracht (kirchliche Kunst, Fayence-sammlung).

Schönborner Hof

Östlich der Stiftskirche, an der Wermbachstraße, steht der dreiflügelige ba-rocke Schönborner Hof, in dem das Naturwissenschaftliche Museum zu finden ist.

Sandkirche und Park Schöntal

Vom Rathaus führen Freihof- und Sandgasse in östliche Richtung. Am An-fang der die Sandgasse fortsetzenden Würzburger Straße steht die 1756 in Formen des Rokoko erbaute Sandkirche, die eine reiche Ausstattung be-sitzt. Nördlich gegenüber erstreckt sich der 1780 angelegte Park Schöntal mit idyllischen Seen, Magnolienbäumen und einer malerischen Kloster-ruine.

*Automuseum

Am südlichen Stadtrand (Obernauer Str. 125) findet man das Renn- und Sportwagenmuseum "Rosso Bianco Collection", die größte Sportwagen-sammlung der Welt mit zahlreichen, zum Teil einmaligen Oldtimern, Stra-ßen- und Rennsportwagen, u.a. auch der größten Ferrari-Sammlung Deutschlands und den größten Alfa Romeo-, Lola- und McLaren-Samm-lungen der Welt.

Umgebung von Aschaffenburg

*Schönbusch

Der Park Schönbusch, ein englischer Landschaftsgarten mit klassizisti-schem Lustschlößchen, See, Pavillons und Restaurants, befindet sich knapp 4 km südwestlich außerhalb.

Augsburg   G 7

Bundesland: Bayern
Höhe: 496 m ü. d. M.
Einwohnerzahl: 265 000

Lage und Stadtbild

Als wohlhabende Reichsstadt, in der die Textilherstellung und andere Handwerke blühten, Fugger und Welser ihre Geschäfte tätigten und Kurfür-sten zu Reichstagen zusammenkamen, ging Augsburg in die Geschichte ein. Den Glanz dieser Tage spürt man heute noch bei einem Spaziergang durch die historische Altstadt mit ihren stattlichen Patrizierhäusern, den Handwerkervierteln, den Kirchen und Klöstern. Das 65 km nordöstlich von

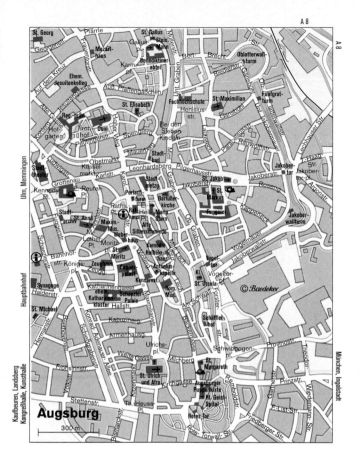

→ München, am Zusammenfluß von Lech und Wertach gelegene Augsburg ist heute nach der Landeshauptstadt und → Nürnberg, die drittgrößte Stadt Bayerns, Verwaltungssitz des Regierungsbezirks Bayerisch-Schwaben und seit 1970 auch Universitätsstadt. Und welches Kind kennt nicht die Augsburger Puppenkiste?

Lage und Stadtbild (Fortsetzung)

Augsburg ist eine der ältesten Städte Deutschlands – 1985 feierte es sein 2000jähriges Jubiläum. Aus einem römischen Militärlager (15 v. Chr. gegründet) entwickelte sich die Siedlung Augusta Vindelicum, die mit Verona durch eine Römerstraße verbunden war. In der Nähe Augsburgs, auf dem Lechfeld, stoppte König Otto der Große 955 in der berühmten Schlacht die nach Westen vordringenden Ungarn. Ab dem 12. Jh. wuchs südlich der Bischofsstadt um den Dom die Kaufmannssiedlung heran. Die freie Reichsstadt (seit 1276) war im 15./16. Jh. der bedeutendste Umschlagplatz in Süddeutschland. Auf einem der zahlreichen Reichstage, 1530, proklamierten die protestantischen Fürsten die grundlegenden Bekenntnisse der lutherischen Kirche ("Augsburgische Konfession"). Der Dreißigjährige Krieg beendete die wirtschaftliche und kulturelle Blüte. 1806 kam die Stadt an das junge Königreich Bayern.

Geschichte

Sehenswertes in Augsburg

*Rathaus
Perlachturm

Mittelpunkt der Altstadt ist der Rathausplatz, der von dem mächtigen Renaissancebau des Rathauses, 1615–1620 nach Plänen von Stadtbaumeister Elias Holl entstanden, beherrscht wird. Im Innern des Rathauses kann der 1985 rekonstruierte "Goldene Saal" besichtigt werden. Neben dem Rathaus erhebt sich der 78 m hohe Perlachturm (schöner Rundblick). Der Augustusbrunnen (1589–1594) ist nach dem römischen Kaiser benannt.

Der Augsburger Rathausplatz mit dem mächtigen Renaissance-Rathaus und dem Perlachturm ist vor allem im Sommer ein beliebter Treffpunkt.

*Maximilianstraße
Weberhaus

Südlich des Rathausplatzes verläuft die Maximilianstraße, das erste Stück der römischen Kaiserstraße nach Italien. Mit ihren Renaissance- und Barockbauten ist sie die Prachtstraße Augsburgs. Bei der Einmündung der Wintergasse stehen an der Westseite das rekonstruierte Weberhaus, eines der vielen Zunfthäuser der Stadt, und die gotische St.-Moritz-Kirche mit dem Merkurbrunnen von 1599 davor.

Fuggerhaus

Durch den Zusammenschluß mehrerer Gebäude hinter einer einheitlichen Renaissancefassade entstand das Fuggerhaus, die 1512–1515 erbaute Stadtresidenz der Fürsten Fugger von Babenhausen (sehenswert vor allem der Damenhof von 1516).

Herkulesbrunnen
*Schaezler-Palais

Einen Häuserblock weiter beherrscht der Herkulesbrunnen von Adriaen de Vries (1602) das Straßenbild. Das 1765–1770 erbaute Schaezler-Palais, ein Rokokobau mit großem Festsaal, beherbergt die Deutsche Barockgalerie mit bedeutenden Werken des 17. und 18.Jh.s sowie die Staatsgalerie mit Gemälden altdeutscher Meister (u. a. von Holbein, Burgkmair, Dürer).

St. Ulrich
und Afra

Den südlichen Abschluß der Maximilianstraße bildet das Ensemble aus der turmbekrönten, spätgotischen Kirche St. Ulrich und St. Afra und der kleinen evangelischen Ulrichskirche (1458).

Nördlich des Rathausplatzes führen Karolinenstraße und Hoher Weg zum Dom (9.–14. Jh.) mit seinem prächtigen Südportal und einer Bronzetür aus dem 11. Jahrhundert. Im Innern beachte man v. a. die Altargemälde von Hans Holbein d. Ä. und die fünf Fenster an der Südseite, die als die ältesten figürlichen Glasmalereien Deutschlands gelten (Prophetendarstellungen; Mitte 12. Jahrhundert).

*Dom

Östlich des Rathausplatzes, in der sog. Jakobervorstadt, liegt die Fuggerei. Die 1516 von den Fuggern für schuldlos verarmte Bürger gestiftete, durch vier Tore abgeschlossene "Stadt in der Stadt" ist die älteste Sozialsiedlung der Welt und heute noch bewohnt. Eines der Häuser ist als Fuggereimuseum zu besichtigen.

**Fuggerei

Von der Fuggerei ist es nicht weit zu den schmalen Gassen entlang der teils unterirdischen, teils aufgedeckten Lechkanäle. Ein ausgeschilderter "Handwerkerweg" führt heute die Besucher durch dieses alte Handwerksviertel Ausgsburgs, in dem sich einige Werkstätten erhalten haben oder wiederbelebt wurden.

Lechviertel

Stadtgeschichte und Augsburger Kunsthandwerk sind die Themen des Maximilianmuseums in der Philippine-Welser-Straße Nr. 24, einem Bürgerhaus mit rekonstruierter Fassadenmalerei (1546). In der westlich parallel verlaufenden Annastraße lohnt die ev. St.-Anna-Kirche (1321; im 15. Jh. erweitert; 1747/1749 umgestaltet) wegen der dortigen Grabkapelle der Familie Fugger einen Besuch. Sie gilt als erstes größeres Renaissancebauwerk in Deutschland. Durch einen Häuserdurchgang kommt man von der Annastraße auf den Stadtmarkt, wo man sich mit bayerischen Spezialitäten stärken kann.

Maximilianmuseum
St. Anna
Stadtmarkt

Für kulturelle Zwecke wird heute das ehemalige Waffenarsenal Zeughaus am gleichnamigen Platz genutzt. Das 1607 von Elias Holl entworfene Gebäude glänzt mit einer herrlichen Fassade im Stil des Manierismus.

Zeughaus

In der ehemaligen Dominikanerkirche ist heute das Römische Museum untergebracht (Vor- und Frühgeschichte, römische und alemannische Funde). Im Heilig-Geist-Spital (1631; Elias Holl) im Süden der Altstadt hat z. Zt. die Augsburger Puppenkiste ihren Sitz. Im ehemaligen Brunnenmeisterhaus daneben informiert das Handwerksmuseum über rund 40 Handwerksberufe. Den südlichen Eingang in die Stadt bildet das Rote Tor mit einem Turm von Elias Holl (1622). In den Wallanlagen davor befindet sich seit 1929 die Freilichtbühne von Augsburg.

Weitere
Sehenswürdigkeiten

Südöstlich vom Roten Tor und jenseits der Eisenbahnlinie liegen am Rand des Siebentisch-Walds der Augsburger Zoo mit über 2000 Tieren und der schöne Botanische Garten.

Zoo
Botanischer
Garten

Seit den Olympischen Spielen 1972 besitzt Augsburg ein Kanu-Slalom-Stadion am sogenannten Hochablaß.

Hochablaß

Umgebung von Augsburg

Ca. 7 km östlich von Augsburg liegt die Stadt Friedberg (30 000 Einwohner), die im 13. Jahrhundert als bayerische Grenzfeste Erwähnung fand. Sehr hübsch bietet sich der Stadtplatz mit dem Marienbrunnen dar. Beachtung verdienen außerdem das im 13. Jahrhundert unter Ludwig dem Strengen erbaute Schloß, das im 17. Jahrhundert von Elias Holl errichtete Rathaus sowie das Stadtgeschichtliche Museum, das u.a. das Uhrmacherhandwerk dokumentiert und Fayencen zeigt.

Friedberg

Rund 25 km nordöstlich von Augsburg liegt die alte Herzogstadt Aichach (18 000 Einw.), die 1347 von Kaiser Ludwig dem Bayern die Stadtrechte

Aichach

Augsburg

erhielt. Ein Relikt aus dem Mittelalter ist die Stadtmauer mit dem Oberen und dem Unteren Tor. Der malerische Stadtplatz wird von hübschen Giebelhäusern umrahmt. Als Musterbeispiel barocker Baukunst zeigt sich das Rathaus. Sehenswerte Sakralbauten sind die Pfarrkirche (16. Jh.) mit ihrem wunderschönen Rokoko-Altar sowie die bereits Mitte des 15. Jh.s entstandene Spitalkirche.

Oberwittelsbach

Wenige Kilometer nordöstlich von Aichach, im Stadtteil Oberwittelsbach, sind noch Reste der 1209 zerstörten Stammburg der Wittelsbacher nachweisbar. Dieses Adelsgeschlecht regierte von 1180 bis 1918 ununterbrochen in Bayern.

Naturpark Augsburg – Westliche Wälder

Westlich von Augsburg erstreckt sich der als Naherholungsgebiet sehr geschätzte Naturpark Augsburg – Westliche Wälder. Flache, aus eiszeitlichen Schottern bestehende und recht dicht bewaldete Hügel sowie örtlich geradezu liebliche Täler prägen diese von der A 8 durchschnittene Landschaft zwischen Lech und Mindel.

Ziemetshausen

Am Westrand des Naturparks, etwa eine halbe Autostunde südwestlich von Augsburg, liegt der Markt Ziemetshausen mit seiner prachtvollen Pfarrkirche (17./18. Jh.), an deren Bau und Ausstattung Johann Schmuzer, Franz Xaver Feichtmayr, Tassilo Zöpf u.a. mitgewirkt haben.

*Kirchheim in Schwaben

Am Südwestrand des Naturparks liegt die Ortschaft Kirchheim in Schwaben mit ihrem weithin sichtbaren Fuggerschloß (16. Jh.). Besonders prachtvoll bietet sich die Eingangshalle, der Festsaal und der Empfangssaal dar. Ein kunsthistorisches Kleinod ist die Schloßkirche, in der u. a. Altarbilder von Domenico Zampieri und Peter Paul Rubens zu sehen sind.

Lechfeld

Südlich von Augsburg weitet sich das Lechfeld, eine von den reißenden Gebirgsflüssen Lech und Wertach aufgeschüttete Schotterebene, wo Kaiser Otto I. im Jahre 955 die herandrängenden Ungarn vernichtend schlug.

Königsbrunn

Wenige Autominuten südlich von Augsburg liegt die Stadt Königsbrunn (18 000 Einw.) auf dem Lechfeld. Die Siedlung ist erst 1833 im Auftrag von König Ludwig I. angelegt worden und hat sich seither geradezu stürmisch entwickelt. Hauptattraktion von Königsbrunn ist das moderne Erlebnisbad Königstherme.

*Klosterlechfeld

Ca. 24 km südlich von Augsburg liegt Klosterlechfeld mit seiner wunderschönen, 1603 von Elias Holl erbauten Wallfahrtskirche Maria Hilf. In ihrer Nachbarschaft haben sich wenig später Franziskaner niedergelassen. In der Umgebung der Klostersiedlung bestehen seit Jahrzehnten große Militärlager des Heeres und der Luftwaffe.

*Landsberg am Lech

Die Stadt Landsberg am Lech (24 000 Einw.), ca. 26 km südlich von Augsburg gelegen, baut sich mit ihren alten Stadtmauern, Toren, Türmen, Kirchen und Giebelhäusern malerisch über dem rechten Ufer des Flusses am Südrand des Lechfeldes auf. Sie wurde 1160 von Heinrich dem Löwen gegründet und entwickelte sich in der Folgezeit zu einem wichtigen Salzhandelsplatz und Gewerbestandort. Mitte des 18. Jh.s prägte der berühmte Baumeister Dominikus Zimmermann das Bild der Stadt nachhaltig. Er war einige Jahre lang Bürgermeister und Ratsherr. 1923/24 verfaßte der in Landsberg inhaftierte Adolf Hitler sein Werk "Mein Kampf".
Alle vier Jahre (nächster Termin: Juli 1999) wird in Landsberg eines der ältesten und schönsten Kinderfeste Bayerns, das Ruethenfest, mit historischem Umzug abgehalten.
Mittelpunkt der Stadt ist der von schmucken Bürgerhäusern umrahmte, nahezu dreieckige Marktplatz mit seinem hübschen, von einer Mariensäule gezierten Brunnen. An der Westseite des Platzes steht das um 1700 nach Plänen von Dominikus Zimmermann erbaute Rathaus mit prächtiger Stuckfassade. Unweit nordöstlich erhebt sich die Stadtpfarrkirche Mariä

Durch das Bayertor betritt man die Altstadt von Landsberg am Lech.

Himmelfahrt, ein im Kern gotischer Sakralbau, der um 1700 barockisiert worden ist. In ihrem Innern sind Glasgemälde aus dem 15. und 16. Jh. sowie eine geschnitzte Madonna (um 1440) des Ulmer Meisters Hans Multscher beachtenswert. Im Norden der Altstadt fällt die Johanniskirche ins Auge, die 1750–1752 nach Plänen von Dominikus Zimmermann entstanden ist. Vom Hauptplatz gelangt man durch den Schönen Turm ("Schmalztor") und die steile Alte Bergstraße aufwärts zur ehemaligen Jesuitenklosterkirche Heilig Kreuz, die Mitte des 18. Jh.s prunkvoll im Stil des Rokoko ausgestattet worden ist. Im gegenüberliegenden ehemaligen Jesuitengymnasium ist das interessante Stadtmuseum untergebracht. Am oberen Ende der Bergstraße schließt das 36 m hohe Bayertor (1425) als stattliche und vollständig erhaltene gotische Toranlage den eigentlichen Altstadtkern ab.

Am jenseitigen Flußufer ließ der deutsch-englische Porträtmaler Sir Hubert Herkomer 1884–1888 einen Atelierturm in neuromanischem Stil errichten und widmete ihn seiner Mutter. Heute kann man in dem Turm Gemälde und Grafiken des Künstlers bewundern.

Südlich der Stadt ist der in der Flußaue und am Steilufer angelegte Landsberger Wildpark ein beliebtes Ausflugsziel.

Nördlich und südlich von Landsberg ist der Lech mehrfach aufgestaut. Einige Uferabschnitte sind als Naherholungsgebiete hergerichtet.

Etwa 10 km südlich von Landsberg ist Vilgertshofen ein beliebtes Ausflugsziel. Ein Schmuckstück ist die hiesige Wallfahrtskirche, die 1687–1692 nach Plänen von Johann Schmuzer errichtet worden ist. Sie ist mit Wessobrunner Stuck reich verziert. In ihrem Innern beeindrucken das Gnadenbild (16. Jh.) sowie das von Joh. Bapt. Zimmermann entworfene Chorfresko.

Marginalien:
Augsburg, Umgebung, Landsberg am Lech (Fortsetzung)

Wildpark

Lechstaustufen

Vilgertshofen

Baden-Baden   E 7

Bundesland: Baden-Württemberg
Höhe: 183 m ü. d. M.
Einwohnerzahl: 50 000

Vorstellungen von der eleganten High-Society, wie sie allabendlich in das Spielcasino der Stadt strömt, drängen sich den meisten beim Gedanken an Baden-Baden auf. Die Gründung der Spielbank im Jahr 1838 und die

Lage und Allgemeines

Baden-Baden

Lage und
Allgemeines
(Fortsetzung)

seit 1858 veranstalteten Pferderennen von Iffezheim ließen den Kurort auch wirklich zu einem Treffpunkt der eleganten Welt und zur "Sommerhauptstadt Europas" werden. Am Rande des Schwarzwalds unweit der französischen Grenze gelegen, ist die Stadt aber auch ein internationaler Kur- und Bäderort. Die günstige Lage, das milde Klima und die elf warmen Thermen (68° C) bilden dazu die Voraussetzung. Die Eingemeindung des Städtchens Steinbach hat Baden-Baden auch zu einer Weinbaustadt gemacht. Die Schwarzwald-Hochstraße, die bei Baden-Baden beginnt und nach Freudenstadt führt, berührt das ausgedehnte Waldgebiet der Stadt.

Geschichte

Die Heilkraft der hier entspringenden Thermalquellen war schon den Römern bekannt, die den Ort Civitas Aurelia Aquensis nannten. Die Franken errichteten auf dem Schloßberg eine Königspfalz. Das Alte Schloß wurde gegen Ende des 12. Jh.s Sitz der Zähringer. Zu Füßen des Schloßberges entstand die mittelalterliche Stadt. Markgraf Christoph I. erbaute 1479 das Neue Schloß, umgab die Stadt mit Mauern und erließ 1507 eine Stadtordnung für das Bäder- und Herbergswesen. 1689 brannten die Franzosen die Stadt nieder; Anfang des 19. Jh.s wurde sie zur Sommerresidenz des von Napoleon geschaffenen Großherzogtums Baden. Im 20. Jh. erweiterte sich das Stadtgebiet durch umfangreiche Eingemeindungen.

Sehenswertes in Baden-Baden

Altstadt

Östlich des Oosbachs zieht sich die enggebaute Altstadt am Schloßberg entlang. Am klassizistischen Rathaus und dem Stadtmuseum vorbei erreicht man auf halber Höhe die gotische Stiftskirche, in deren Inneren vor allem das Grabmal des als "Türkenlouis" bekannten Markgrafen Ludwig Wilhelm († 1707) und das Sandsteinkruzifix des Nikolaus von Leyden von 1467 beachtenswert sind. Südlich der Stiftskirche am Abhang des Schloßberges lädt das Friedrichsbad, ein Römisch-Irisches Dampfbad, zu einem Besuch ein: von Thermaldampfbädern bis zum Thermal-Bewegungsbad in einer prächtigen Kuppelhalle bietet der 1877 im Stil der Neurenaissance errichtete Badetempel Entspannung und Erholung. Am Römerplatz beim Friedrichsbad liegen auch das Frauenkloster und die Kirche vom Heiligen Grab (17. Jh.); unter dem Platz entdeckte man 1847 römische Badruinen aus dem 2. Jh. n. Chr.

*Caracalla-
Therme

Östlich am Hang liegen die Caracalla-Therme, ein modernes Bade- und Therapiezentrum mit heißen und kalten Innen- und Außenbecken und einem "Wasserpilz" als Mittelpunkt. Südlich der Caracalla-Therme befindet sich das "Paradies", eine 1925 geschaffene Wasserkunst mit Kaskaden.

Neues Schloß

Auf der Höhe nördlich des Friedrichsbads erhebt sich das 1479 von Markgraf Christoph I. erbaute Neue Schloß, das zeitweilig als Wohnsitz der großherzoglichen Familie diente, mit dem Zähringer Museum in den Prunkräumen und der Stadtgeschichtlichen Sammlung im ehemaligen Marstall.

*Kurgarten
Casino

Mittelpunkt des eleganten Kurlebens ist der von der Durchgangsstraße untertunnelte Kurgarten. In dem 1821–1824 von Weinbrenner erbauten Kurhaus an der Werderstraße ist außer einem Café-Restaurant auch das Spielcasino untergebracht. In den Kolonnaden vor dem Kurhaus sind die Auslagen der elegantesten Läden Baden-Badens zu bestaunen. Nördlich vom Kurhaus befindet sich im Kurpark die 1839–1842 errichtete Trinkhalle mit Fresken, die Schwarzwaldsagen illustrieren. Nordwestlich über der Trinkhalle erhebt sich am Michaelsberg die 1863–1866 von Leo v. Klenze erbaute griechisch-rumänische Kapelle mit Grabmälern der Bojarenfamilie Stourdza. Von hier aus hat man eine wunderbare Aussicht über die Stadt. Südlich vom Kurhaus stößt man auf das Kleine Theater und die Staatliche Kunsthalle, die Wechselausstellungen zur Kunst des 19. und 20. Jh.s zeigt. Östlich, jenseits der Oos, befinden sich das Haus des Kurgastes und das Kongreßhaus.

*Trinkhalle

Kunsthalle

*Das Spielcasino im Kurhaus von Baden-Baden ist die bekannteste
Spielbank Deutschlands und die größte in Europa.*

Bei der Kunsthalle beginnt die berühmte Lichtentaler Allee; sie führt in südliche Richtung am linken Ufer der Oos an den Tennisplätzen, dem Bert-
holdbad (Frei- und Hallenbad) und der Gönneranlage vorüber, einem wunderbaren Jugendstilgarten, zur 1245 gestifteten und bis heute weitgehend
erhaltenen Zisterzienserinnen-Abtei Lichtental mit einer 1248 geweihten
Kirche, der Fürstenkapelle und dem Klostermuseum. 400 m östlich liegt
das zu besichtigende Brahmshaus, der Wohnsitz des Komponisten in den
Jahren 1865–1874.

*Lichtentaler
Allee

Über den 670 m hohen Aussichtsberg Merkur, der sich 4 km östlich von
Baden-Baden erhebt, schlängeln sich ein Naturlehrpfad sowie Wander-
und Terrainkurwege. Eine Bergbahn und ein Lift führen hinauf zu einem
Aussichtsturm mit sensationellem Blick über das Rheintal.

*Merkur

Die knapp fünf Kilometer nördlich von Baden-Baden gelegene Ruine des
Alten Schlosses Hohenbaden war einst die Residenz der Markgrafen von
Baden. Vom Turm aus hat man eine prachtvolle Aussicht. In der Nähe beginnt das Naturschutzgebiet Battertfelsen, wo sich auch eine Kletterschule
befindet.

Hohenbaden

Umgebung von Baden-Baden

Die Barockstadt Rastatt liegt in der Oberrheinebene an der Murg, etwa
10 km nördlich von Baden-Baden. Die 1084 erstmals urkundlich erwähnte
Stadt mit heute 40 000 Einwohnern besticht vor allem durch ihr monumentales Schloß. 1689 wurde der Ort nach seiner Zerstörung durch französische Truppen nach einheitlichem Plan neu angelegt, weshalb er im Kern
bis heute deutlich barockes Gepräge zeigt. 1700 erhielt Rastatt Stadtrechte; der Friede von Rastatt beendete 1714 den Spanischen Erbfolgekrieg.
Das zur Besichtigung freigegebene Schloß an der Herrenstraße mitten in

*Rastatt

*Schloß

Bad Homburg

der Stadt ist ein stattlicher Barockbau mit einer 230 m langen Gartenfront. Der Grundriß des Schlosses lehnt sich weitestgehend an das Vorbild von Versailles an und bezieht auch die angrenzende Innenstadt in seine Symmetrieachse ein. Markgraf Ludwig Wilhelm ("Türkenlouis") berief 1697 nach dem großen Stadtbrand den italienischen Architekten Domenico Egidio Rossi zum Leiter der Stadtplanung; 1700 schloß dieser die Errichtung des Schlosses ab. Die prunkvolle Innenausstattung besorgten italienische Künstler. In der 1719–1723 erbauten, reich ausgestatteten Schloßkirche befindet sich das Grab der Markgräfin Sibylla Augusta († 1733). Von den im Schloß untergebrachten Museen ist an erster Stelle das Wehrgeschichtliche Museum zu nennen. Es zeigt deutsche Wehrkunde vom Mittelalter bis zur Neuzeit (Uniformen, Rüstungen, Waffen, Dioramen). Das Freiheitsmuseum, eine "Erinnerungsstätte für die Freiheitsbewegungen in der deutschen Geschichte", hält die Erinnerung an Männer und Frauen wach, die sich um die Freiheit in Deutschland verdient gemacht haben; der Schwerpunkt liegt auf den Revolutionen von 1789/1790 und 1848/1849. Rechtwinklig zur Symmetrieachse des Schlosses verläuft die Kaiserstraße. Mitten in dem breiten Straßenzug liegt das barocke Rathaus (1750), davor der Alexiusbrunnen; südöstlich schließen der Johannesbrunnen und die Stadtkirche St. Alexander (1756–1764) mit einem prächtigen Hochaltar an.

*Schloß Favorite

Südöstlich außerhalb von Rastatt, nicht weit von Kuppenheim, wurde 1710–1712 das hübsche barocke Lustschloß Favorite als Sommersitz für Sibylla Augusta, die Witwe des "Türkenlouis", errichtet. Das überaus kostbare Innere gibt einen guten Überblick über die Wohnkultur jener Zeit.

Gaggenau

Die große Kreisstadt Gaggenau 10 km nordöstlich von Baden-Baden präsentiert sich als moderne Kur- und Einkaufsstadt. Im Ortsteil Bad Rotenfels fällt eine hübsche Barockkirche (18. Jh.) auf; weiter südlich erstreckt sich das Kurgebiet mit einem großen Thermal-Mineralbad.

*Gernsbach

Der Luftkurort Gernsbach 10 km östlich von Baden-Baden hat neben einem malerischen Stadtbild den Storchenturm, die Liebfrauenkirche (14. Jh.), ein Renaissance-Rathaus und die Jakobskirche (15. Jh.) als Sehenswürdigkeiten zu bieten.

Bühl

Knapp 10 km südwestlich von Baden-Baden liegt die durch ihren Obstbau bekannte Stadt Bühl; berühmt sind vor allem die Bühler Frühzwetschgen. Die alte Kirche mit einem Turm aus dem 16. Jh. wurde zum Rathaus umgebaut, nahebei liegt die neugotische Kirche St. Peter und Paul. In der Luisenstr. 2 befindet sich das Heimatmuseum, südlich außerhalb der Stadt das attraktive Schwarzwaldbad.

*Bühlerhöhe

Südlich bei Baden-Baden bzw. südöstlich von Bühl liegt an der Schwarzwald-Hochstraße in einem Waldpark das bekannte Schloßhotel Bühlerhöhe, das 1988 von Max Grundig erworben und restauriert wurde.

Bad Homburg vor der Höhe   E 5

Bundesland: Hessen
Höhe: 192 m ü. d. M.
Einwohnerzahl: 52 000

Lage und
Allgemeines

Bad Homburg vor der Höhe, ca. 25 km nördlich Frankfurts am Fuße des → Taunus gelegen, ist die über 1200 Jahre alte Residenzstadt der Landgrafen von Hessen-Homburg und heute einer der bekanntesten deutschen Kurorte. Zudem hat sich die Stadt zu einem wichtigen Kongreßzentrum entwickelt. In ihrem prachtvollen Kurpark entspringen eisenhaltige Kochsalzquellen, die vor allem bei Magen-, Darm- und Gallenkrankheiten sowie Stoffwechselstörungen heilend wirken sollen.

Ursprung der Stadt war eine um 1180 erwähnte Burg, an deren Stelle in den Jahren 1680–1685 das heutige Schloß erbaut wurde. Von 1622 bis 1866 war Homburg Residenz der Landgrafen von Hessen-Homburg. Seit 1834 entwickelte sich der Badebetrieb; 1841 wurde die Spielbank gegründet. Als Lieblingsbad Kaiser Wilhelms II. wurde Bad Homburg zu einem Treffpunkt der deutschen Aristokratie; auch der damalige Prinz von Wales weilte hier oft zur Kur.

Geschichte

Sehenswertes in Bad Homburg

Die Hauptgeschäftsstraße der Stadt ist die Louisenstraße, eine Fußgängerzone, mit dem Kurhaus (Festsaal). Das nordwestliche Ende der Straße öffnet sich zum Marktplatz. Unweit südwestlich liegen die im neuromanisch-byzantinischen Stil errichtete Erlöserkirche und das vom Weißen Turm (13. Jahrhundert) überragte Landgräfliche Schloß (17. bis 19. Jahrhundert), dessen Festsaal und Spiegelkabinett zu besichtigen sind. Durch den oberen und unteren Torbogen gelangt man an der Schloßkirche vorbei in den Schloßpark.

Innenstadt

Nördlich der parallel zur Louisenstraße verlaufenden Kaiser-Friedrich-Promenade erstreckt sich der 1854 von P. J. Lenné im englischen Stil angelegte Kurpark (44 ha). In diesem größten Kurpark Deutschlands befindet sich in den schönen Anlagen u. a. das traditionsreiche Kaiser-Wilhelm-Bad, das Spielcasino, mehrere kohlensäurehaltige Mineralbrunnen und der Siamesische Tempel. An der Stelle des 1983 abgebrannten Thermalbades wurde mit stilistischen Anklängen an den Fernen Osten das neue Gesundheits- und Erholungsbad Taunus-Therme im Südosten des Parks errichtet.

✳Kurpark

Das nachgebaute Römerkastell am Limes, die Saalburg, beschwört mit seinen Anlagen und dem Museum die Vergangenheit herauf. Es liegt 7 km nordwestlich von Bad Homburg.

Umgebung von Bad Homburg

Taunus

Lohnenswerte Ausflugsziele liegen westlich und nordwestlich von Bad Homburg im → Taunus.

*Saalburg

Auf den Grundmauern eines Römerkastells, 7 km nordwestlich von Bad Homburg, wurde die einzigartige Anlage der Saalburg in den Jahren 1898–1907 rekonstruiert. Sie ist ein anschauliches Beispiel eines römischen Kastells am Limes, der ehemaligen Grenze des Römischen Reichs. Die Ausgrabungsfunde, die einen interessanten Einblick in das tägliche Leben der römischen Legionäre gewähren, sind im Saalburgmuseum zu besichtigen.

Bad Reichenhall   I 8

Bundesland: Bayern
Höhe: 470 m ü. d. M.
Einwohnerzahl: 18 000

Lage und
Bedeutung

Bad Reichenhall liegt in einem weiten Talkessel der Saalach – nahe der österreichischen Grenze am Eingang zum Berchtesgadener Land (→ Berchtesgaden). Der Predigtstuhl (1613 m) und der Hochstaufen (1771 m) sind die Reichenhaller "Hausberge". Die Solequellen des Heilbads werden bei Rheuma und Atemwegserkrankungen angewandt.

Geschichte

Um 700 erwarb das Bistum Salzburg hier einen Besitz. 1507 erbohrte man zahlreiche Quellen, deren Sole zunächst der Salzgewinnung diente. Im 18. Jahrhundert begann man dann die Sole auch zur Heilung von Krankheiten zu nutzen.

*Viele Wanderwege schlängeln sich durch die
idyllische Landschaft in der Nähe von Bad Reichenhall.*

Sehenswertes in Bad Reichenhall

Mittelpunkt des Kurviertels und des Kurlebens sind die Ludwigstraße und die Salzburger Straße, an der sich der Kurgarten mit dem Salzbrunnen, dem Kurhaus, dem Kurmittelhaus, der Trinkhalle und dem Gradierwerk entlangzieht. Das moderne Kurgastzentrum an der Wittelsbacher Straße ist der kulturelle und gesellschaftliche Mittelpunkt des Staatsbads. In der Bayerischen Spielbank Bad Reichenhall an der Wittelsbacher Straße kann man Roulette und Blackjack spielen.

*Kureinrichtungen

Im Quellenbau der alten Saline (Salinenstraße) und im Reichenhaller Salzmuseum ist die Geschichte der Sole- und Salzgewinnung nachvollziehbar. Die moderne Technik der Salzherstellung wird in einem Lehrfilm gezeigt.

*Alte Saline

Im Städtischen Heimatmuseum in der Getreidegasse sind Zeugnisse der frühen Siedlungsgeschichte des Saalachtals zu sehen. Ein Diorama zeigt Vögel und Tiere dieser Gegend.

Heimatmuseum

Im Nordosten der Stadt liegt das ehemalige Augustinerkloster St. Zeno, das 1803 aufgehoben wurde. In das Innere der romanischen, später z.T. gotisch veränderten Kirche führt ein Stufenportal aus Untersberger Marmor, flankiert von zwei Löwen. Beachtenswert sind ein Taufstein mit geschnitztem Deckel und am Hochaltar eine Gruppe mit Marienkrönung.

*St. Zeno

Auf den Predigtstuhl (1613 m), der sich im Süden erhebt und von dem sich eine schöne Aussicht bietet, führt eine Kabinenseilbahn.

*Predigtstuhl

Bamberg G 6

Bundesland: Bayern
Höhe: 231–386 m ü. d. M.
Einwohnerzahl: 71 000

Die alte fränkische Kaiser- und Bischofsstadt Bamberg erstreckt sich über die fruchtbare Talaue der hier in zwei Arme geteilten Regnitz, die 7 km unterhalb in den Main mündet. Tausend Jahre Baukunst prägen das unverwechselbare Stadtbild des wie das antike Rom auf sieben Hügeln erbauten Bamberg. Seine vom Krieg verschont gebliebene Altstadt, überragt vom einzigartigen Kaiserdom, ist ein denkmalgeschütztes Gesamtkunstwerk zwischen Gotik und bürgerlichem Barock.
Aber nicht nur die Bau-, auch die Braukunst ist in Bamberg zu Hause: Zehn Brauereien versorgen die durstigen Kehlen, und zwei von ihnen – Schlenkerla und Spezial – brauen mit dem würzigen Rauchbier eine echte Bamberger Spezialität. Mindestens eine dieser beiden sollte ebenfalls zum Programm eines Bamberg-Besuchs gehören – ins Schlenkerla in der Dominikanerstraße als urig-gemütliche Braustube, im Sommer auf den Spezial-"Keller" (ein Biergarten, denn man zechte auf den Lagerkellern) auf dem Stephansberg.

Lage und Allgemeines

**Stadtbild

Bamberg wurde im Jahr 902 als Sitz des Geschlechts der Babenberger (castrum Babenberch) erstmals genannt. 1007 gründete Kaiser Heinrich II. das Bistum, errichtete eine Kaiserpfalz und ließ den 1012 vollendeten ersten Dom erbauen. Dieser brannte allerdings zweimal nieder und wurde von 1211 an durch den heutigen Dom mit dem berühmten Bamberger Reiter ersetzt. Im 16. Jh. probten die Bürger den Aufstand, doch behielten die katholischen Fürstbischöfe die Oberhand. Folgerichtig stand die Stadt im Dreißigjährigen Krieg auf seiten der Katholischen Liga; nach dessen Ende (1648) erlangte Bamberg unter den Fürstbischöfen Lothar Franz und Friedrich Karl von Schönborn eine hohe kulturelle Blüte: Der Barock hielt Einzug. 1818 wurde das Bistum zum Erzbistum erhoben.

Geschichte

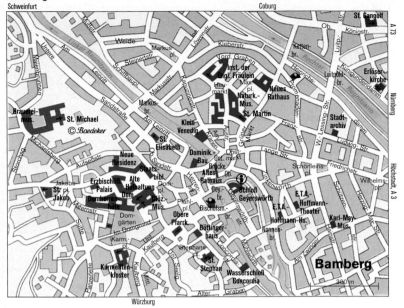

Bürgerstadt

Grüner Markt

St.-Martins-Kirche

Mittelpunkt der zwischen den beiden Armen der Regnitz gelegenen Bürgerstadt ist der langgestreckte, vom Barock geprägte Grüne Markt. Diesen Stil verkörpern höchst repräsentativ die imposante, 1686–1691 von den Brüdern Dientzenhofer erbaute St.-Martins-Kirche mit ihrem Hochaltar von Giovanni Battista Brenno sowie das großbürgerliche Raulinohaus (Nr. 14). An die Kirche schließt sich rückseitig das Jesuitenkolleg an, in dem das Naturkunde-Museum eingerichtet ist. Auf den Grünen Markt folgt der Maximiliansplatz mit dem Katharinenspital und dem einstigen Priesterseminar, heute Rathaus. Beide Gebäude entwarf Balthasar Neumann.

E. T. A.-Hoffmann-Haus
Karl-May-Museum

Am Schillerplatz Nr. 26 wohnte von 1809–1813 der Dichter und Kapellmeister E. T. A. Hoffmann, heute ist die Wohnung ein Museum. Von dort gelangt man über die Richard-Wagner-Straße in die Hainstraße, wo in Haus Nr. 11 das Karl-May-Museum an den sächsischen Abenteuerschriftsteller erinnert. Bamberg ist Sitz des Karl-May-Verlags.

**Altes Rathaus

Vom Grünen Markt gelangt man über den Obstmarkt Richtung Domberg zur 1453–1456 erbauten Oberen Brücke. Hier, inmitten der Regnitz und genau auf der Grenze zwischen Bürger- und Bischofsstadt, posiert in einzigartiger Lage das farbenfrohe Alte Rathaus. Es zeigt sich heute im barocken Gewand, das ihm 1744–1756 J. M. Küchel anpaßte, ist im Kern aber das gotische Gebäude von 1463 geblieben. Der Fachwerkbau des Rottmeisterhauses wurde 1688 vorgebaut. Heute werden im Alten Rathaus Fayencen und Porzellan des 18. Jh.s aus der Sammlung Ludwig ausgestellt. Den schönsten Blick auf das Ensemble hat man vom wenig oberhalb über das Regnitzwehr führenden Steg. Dieser führt zum Wasserschloß Geyerswörth, 1585 als fürstbischöfliches Stadtschloß erbaut.

Blick auf "Klein-Venedig"

Von der Unteren Brücke genießt man regnitzabwärts den Anblick von "Klein-Venedig", putzigen ehemaligen Fischerhäuschen direkt am Wasser.

Es scheint geradezu, als schwebe das kleine, an das Alte Rathaus angebaute Rottmeisterhaus über dem Fluß.

Bischofsstadt

Hoch über der Stadt ragen am Domplatz die vier Türme des Bamberger Doms auf, eines der herrlichsten Bauten des deutschen Mittelalters, 1211 begonnen und 1237 geweiht. Am nördlichen Seitenschiff zeigt das Fürstentor die auf den Schultern der Propheten stehenden Apostel und im Bogenfeld das Jüngste Gericht; die Adamspforte an der Südseite des Ostchors ist das älteste Domportal (um 1220). ****Dom**

Im Georgen- bzw. Ostchor sind in einem 1499–1513 von Tilman Riemenschneider gearbeiteten Hochgrab Kaiser Heinrich II. († 1024) und seine Gemahlin Kunigunde († 1033) begraben. Am linken Chorpfeiler thront auf einer Akanthuskonsole der berühmte Bamberger Reiter. Diese um 1235 geschaffene Skulptur ist einer der Höhepunkte mittelalterlicher deutscher Bildhauerkunst und soll König Stephan den Heiligen von Ungarn, Schwager Kaiser Heinrichs II., verkörpern – es gibt allerdings auch genügend andere Deutungen. An den Außenseiten der steinernen Chorschranken stellen je zwölf Reliefgestalten die Apostel und die Propheten dar, zwischen den Propheten am Pfeiler Figuren von Maria und Elisabeth und auf der Apostelseite die Allegorien der Kirche und der Synagoge. In der Ostkrypta sieht man den neuzeitlichen Sandsteinsarkophag König Konrads III. († 1152 in Bamberg), im Peters- oder Westchor befindet sich das Marmorgrab des Papstes Clemens II. († 1047) und vormaligen Bischofs von Bamberg, das einzige Papstgrab in Deutschland (um 1235). An der Westwand des südlichen Querschiffs befindet sich der sog. Bamberger Altar (1520 – 1523) von Veit Stoß. ****Bamberger Reiter**

Bamberg (Fortsetzung) Diözesanmuseum	Im Diözesanmuseum im Domkapitelhaus werden der reiche Domschatz, wertvolle Gewänder – u. a. Kaisermäntel Heinrichs II. und der Grabornat von Clemens II. – und die Standbilder von Adam und Eva von der Adamspforte aufbewahrt, die ersten nackten Gestalten der deutschen Kunst.
*Alte Hofhaltung	An der Westseite des Domplatzes zeigt ein herrliches Renaissanceportal den Eingang zur Alten Hofhaltung (Alte Residenz) an, die 1571 – 1576 als bischöflicher Sitz erbaut wurde. Das Portal zeigt Heinrich II. und Kunigunde mit einem Modell des Doms. Schönster Teil ist der Renaissancebau der Ratsstube, im Hauptbau ist das Historische Museum untergebracht.
*Neue Residenz	Quer über den großartigen Domplatz geht man nun zur Neuen Residenz (1695 – 1704), Hauptwerk von Johann Leonhard Dientzenhofer. Die historischen Räume, u.a. der Kaisersaal und das Zimmer, in dem Napoleon am 6. Oktober 1806 die Kriegserklärung an Preußen unterzeichnete, sind zu besichtigen. Ferner wartet in der Residenz die Staatsgalerie mit altdeutschen, flämischen, fränkischen und barocken Gemälden auf.
*Michaelsberg	Zwischen Neuer Residenz und Hofhaltung hindurch erreicht man den Jakobsplatz. Dort geht es rechts bergab und bald wieder hinauf zur ehemaligen Benediktinerabtei Michaelsberg (1015 gestiftet, 1803 aufgehoben) mit der St.-Michaels-Kirche (12. – 15. Jh.), deren Gewölbe außergewöhnliche Darstellungen von Heilkräutern aufweist. Die Abteigebäude sind 1696 bis 1702 von J. L. Dientzenhofer bzw. 1742 von Balthasar Neumann neu errichtet worden. In der ehemaligen Klosterbrauerei ist ein sehenswertes Brauereimuseum mit einem imposanten Eiskeller eingerichtet.
Domgrund

Böttingerhaus | Vom Jakobsplatz geht es links hinab durch verwinkelte, stimmungsvolle Sträßchen zum grünen und stillen Domgrund. Man kommt am Pfahlplatz heraus, von wo einerseits die Untere Kaulberg zur Oberen Pfarrkirche abzweigt, dem bedeutendsten gotischen Bauwerk der Stadt (14./15. Jh.), andererseits die Judenstraße zum barocken Böttingerhaus (1706 – 1713) und weiter zum Barockpalast Concordia (1716 – 1722) führt. |

Umgebung von Bamberg

Auf die Dörfer	Die Dörfer um Bamberg sind nichts Spektakuläres, und doch sollte man gerade sie kennenlernen – was gibt es Schöneres als eine fränkische Brotzeit in einem der vielen Gasthöfe und Biergärten? Einfach losfahren oder auch -wandern, irgendwo einkehren und sich an den niedrigen Preisen und der guten Qualität des Gebotenen erfreuen.
*Schloß Weißenstein	Wem dabei der Sinn nach Kunstgenuß steht, verbinde den Ausflug mit einem Besuch des prunkvollen Barockschlosses Weißenstein bei Pommersfelden, 20 km südwestlich von Bamberg. Es wurde 1711 – 1718 von J. L. Dientzenhofer errichtet und besitzt eines der berühmtesten Treppenhäuser der Barockarchitektur. Die erlesene Gemäldegalerie zeigt vor allem Werke niederländischer Maler.
Fränk. Schweiz	→ dort

Bautzen L 4

Bundesland: Sachsen
Höhe: 219 m ü. d. M.
Einwohnerzahl: 46 000

Lage und *Stadtbild	Bautzen, sorbisch Budyšin, das über 1000 Jahre alte Zentrum der Oberlausitz (→ Lausitz), liegt rund 50 km östlich von → Dresden am Oberlauf der

Über der Spree ragen die Türme der tausendjährigen Stadt Bautzen auf.

Spree. Die imposante Silhouette der vieltürmigen Stadt auf einem Granit-
plateau über der Spree und das mittelalterlich-barocke Stadtbild machen
Bautzen zu einer der anziehendsten Städte im Osten Deutschlands.

Lage und
Stadtbild
(Fortsetzung)

Bautzen ist heute Mittelpunkt des kulturellen und politischen Lebens der
(überwiegend katholischen) Oberlausitzer Sorben. Hier haben die "Domowina", die Interessenvertretung der Sorben, das Sorbische Nationalensem-
ble und das Deutsch-Sorbische Volkstheater ihren Sitz.

Zentrum
der Sorben

Anstelle des einstigen Stammeszentrums der slawischen Milzener und
nach wechselvollen Kämpfen während der deutschen Ostexpansion als
Grenzfeste Ortenburg der Markgrafen von Meißen errichtet, wird der Ort
1002 erstmals urkundlich erwähnt. Um 1200 begann die planmäßige Anlage der Stadt durch deutsche Kolonisten, 1213 erhielt Bautzen Stadtrecht.
Seiner raschen Entwicklung verdankte es die führende Stellung im Lausitzer Sechsstädtebund (1346 bis 1815). Mit der Strumpfwirkerei (17. Jh.) und
der Tuchweberei (18. Jh.) entwickelten sich bescheidene Ansätze eines
industriellen Aufschwungs, der sich im 19. Jh. weiter verstärkte. Als 1963
die Staatssicherheit der DDR das Bautzener Gefängnis übernahm, um dort
Regimegegner und "Republikflüchtlinge" einzusperren, wurde der Name
der Stadt ungerechterweise zu einem Synonym für das Unrechtssystem
der DDR.

Geschichte

Sehenswertes in Bautzen

Traditioneller Mittelpunkt der Stadt ist der Hauptmarkt, in den sieben Straßen und Gassen münden. An seiner Nordseite ragt der Turm des unter Einbeziehung gotischer Bauteile 1729–1732 barock aufgeführten dreistöcki-
gen Rathauses auf, die Ost- und Westseite des Platzes zieren Patrizierhäuser wie das "Goldene Buch" (Nr. 5), die Stadtapotheke und der Gasthof

*Hauptmarkt
Rathaus

Bautzen

Hauptmarkt (Fortsetzung)

Innere Lauenstraße

Goldener Adler. Ecke Hauptmarkt/Innere Lauenstraße steht das Gewandhaus, ein Bau im Stil der Neurenaissance (1882/1883) mit dem Ratskeller von 1472; gegenüber das barocke Jahreszeitenhaus. Die hier beginnende Innere Lauenstraße – auch sie gesäumt von stattlichen Bürgerhäusern – führt zum 1400 in die Stadtbefestigung eingefügten Lauenturm.

Reichenstraße

*Reichenturm

Museum für Stadtgeschichte

Noch schöner sind die barocken Bürgerbauten entlang der vom Hauptmarkt nach Osten abgehenden Reichenstraße, vor allem die Hausnummern 12, 27 und 29. Am Ende der Straße erhebt sich Bautzens "Schiefer Turm", der um 1,44 m von der Senkrechten abweichende Reichenturm (1490–1492). Ihn krönen ein Barockaufsatz und eine Laterne (1715–1718); an der Basis trägt er ein Denkmal Kaiser Rudolphs II. (1577).
Unweit südlich des Reichenturms befindet sich am Kornmarkt (Nr. 1) das Museum für Stadtgeschichte.

*Dom St. Peter

Domschatz

Domstift

Hinter dem Rathaus öffnet sich der Fleischmarkt, wo sich das Denkmal des sächsischen Kurfürsten Johann Georg I. (1865) unter Bäumen fast versteckt. Unübersehbar aber ist der Dom St. Peter (Petridom), eine dreischiffige gotische Hallenkirche (1213–1497) mit fast 85 m hohem Turm. Der Dom, heute Konkathedrale des Bistums Dresden-Meißen, kann drei Besonderheiten vorweisen: sein Grundriß ist in der Längsachse geknickt, den drei Schiffen wurde 1463 ein viertes hinzugefügt, und er ist seit 1524 Simultankirche für Katholiken und Protestanten. Im katholischen Teil (Chor) ist vor allem der Hochaltar (1722–1724) von Fossati mit dem Altarbild "Petrus empfängt den Schlüssel" von Pellegrini und den Sandsteinplastiken des Permoser-Schülers Benjamin Thomae sowie dem lebensgroßen Kruzifix (1714) von Permoser sehenswert. Im protestantischen Teil befindet sich die Fürstenloge (1673/1674). Der Domschatz wird im Haus An der Petrikirche Nr. 6 ausgestellt.
Links am Dom vorbei führt der Weg in die Burgstadt hinein auf das farbenfrohe Hauptportal des Domstifts von 1683 zu.

Burgstadt

*Ortenburg

*Sorbisches Museum

Die Straßen An der Petrikirche und Schloßstraße – mit dem ehemaligen Ständehaus von 1668 und der Schloßapotheke von 1699 – führen durch den ältesten Stadtteil, der – im Unterschied zu der geplanten Anlage um den Hauptmarkt – in Bautzens Frühzeit unregelmäßig im Schutze der Ortenburg gewachsen war.
Die über tausendjährige Ortenburg, einst Sitz der königlichen Verwalter der Oberlausitz, macht infolge starker Zerstörungen im Dreißigjährigen Krieg und mehrerer Umbauten architektonisch einen wenig geschlossenen Eindruck. Man betritt die Anlage durch den spätgotischen Mathiasturm (1486), den ein Sitzbild des ungarischen Königs Mathias Corvinus schmückt. Die Lausitz war 1469–1490 eine Provinz des ungarischen Königreiches. Links sieht man das ebenfalls auf die Spätgotik zurückgehende Hauptgebäude des Schlosses, das nicht besichtigt werden kann.
Unbedingt anschauen sollte man sich das Sorbische Museum, das auf drei Stockwerken über Geschichte und Kultur der Sorben (→ *Baedeker-Special* S. 466/467) unterrichtet.

Gang entlang der Stadtbefestigungen

*Alte Wasserkunst

Mehrere Bautzener Architekturdenkmäler kann man auch auf dem reizvollen Spaziergang entlang der alten Stadtbefestigungen, die zur Spreeseite hin fast durchgängig erhalten sind, kennenlernen. Dazu gehören in der nördlichen Burgstadt der Nikolaiturm (vor 1522) und die Ruine der im Dreißigjährigen Krieg (1620 und 1634) nach Beschuß abgebrannten Nikolaikirche (1444), die Gerberbastei (1503) und der Schülerturm (vor 1515), von dem man zum Hauptmarkt zurückkommt.
Am Oster-Reymann-Weg, der an der Ausfallpforte der Ortenburg beginnt, liegen der Burgwasserturm mit der Fronfeste, wohl aus dem 10. Jh., dann gelangt man an der Mühlbastei (um 1480) vorbei und durch das 1606 neu erbaute Mühltor auf den Wendischen Kirchhof mit der Michaeliskirche der evangelischen Sorben (1498 vollendet) und schließlich zum Wahrzeichen Bautzens, der Alten Wasserkunst, die dem Schutz und mit ihrem Schöpf-

werk zugleich der Wasserversorgung der Stadt diente. Die Schöpfanlage wurde 1588 von Wenzel Röhrscheidt d. Ä. konstruiert und ist heute noch funktionsfähig, wie eine Vorführung beweist.

Bautzen, Alte Wasserkunst (Fortsetzung)

Jenseits der Friedensbrücke erreicht man in der Fischergasse die Neue Wasserkunst, von Wenzel Röhrscheidt d. J. 1606–1610 erbaut. Unweit der Neuen Wasserkunst steht bei den Schilleranlagen das 1975 errichtete Gebäude des Deutsch-Sorbischen Volkstheaters. Am Postplatz befindet sich das Haus der Sorben (Serbski Dom), in dem auch der Bundesvorstand der "Domowina" seinen Sitz hat. Ein Teil der Bautzener Haftanstalt ist zur Gedenk- und Begegnungsstätte umgestaltet worden. Dokumentiert wird die Geschichte der beiden Gefängnisse in der Stadt (Weigangstr. 8 a).

Weiterhin Sehenswertes

Umgebung von Bautzen

Jurassic Park in Sachsen: Eine wissenschaftlich fundierte, anschauliche Darstellung zahlreicher Saurier in Lebensgröße bietet der aus einer Hobbybeschäftigung hervorgegangene Saurierpark im 5 km nordöstlich von Bautzen liegenden Kleinwelka.

*Saurierpark Kleinwelka

In Neschwitz (sorb. Njeswǎcidlo), noch einmal 6 km weiter von Kleinwelka, ließ sich Herzog Friedrich von Württemberg-Teck 1723 ein sehr hübsches Barockschlößchen bauen. Dieses kann man leider nicht besichtigen, aber der Park voller exotischer Hölzer lohnt den Besuch.

Neschwitz

In Wilthen, ca. 10 km südlich, findet man alte Lausitzer Umgebindehäuser um die Kirche und das ehemalige Gut. Vom nahen Mönchswalder Berg bietet sich eine herrliche Aussicht über das Bautzener Land.

Wilthen

Das 15 km südlich liegende Schirgiswalde (sorb. Šeřachow) nennt sich die "Perle der Oberlausitz" und ist ein beliebter Ferienort. Sehenswert sind die barocke Pfarrkirche, der Markt mit dem klassizistischen Rathaus (1818), zwei Laubenhäusern und einigen Umgebindehäusern. Im ehemaligen Domstiftlichen Herrenhaus (St.-Pius-Haus) sind noch handgedruckte Tapeten aus dem 19. Jh. erhalten.

Schirgiswalde

In Weißenberg, 18 km östlich von Bautzen, sollte man das Heimatmuseum "Alte Pfefferküchlerei" nicht versäumen. Es handelt sich dabei um eine 1683 gegründete und erst 1937 aufgegebene Pfefferkuchenbackstube mit allerlei alter Gerätschaft.

Weißenberg

Bayerische Alpen

G – K 8

Bundesland: Bayern

Ein Paradies für Urlauber, Wanderer und Skiläufer sind die mächtigen Berge, die tief in das Gebirge eingeschnittenen Täler und die unzähligen hübschen Orte der Bayerischen Alpen. Sie umfassen mit ihrem Vorland das Gebiet zwischen Allgäuer Alpen und Chiemgauer Alpen, d. h. etwa vom Lech bzw. Pfronten und Füssen im Westen bis zur Inn im Osten. Die Bayerischen Alpen lassen sich untergliedern in die Ammergauer Alpen, den nördlichen Teil des Wetterstein- und Karwendelgebirges, die Walchensee-, Tegernsee- und Schlierseeberge, die Isarwinkel- und Mangfallgebirge sowie die Chiemgauer Alpen. Hinter den Nördlichen Kalkalpen erheben sich die höheren Zentralalpen. Das Gebirge ragt in der Zugspitze fast bis 3000 m auf, während seine Haupttäler 700–1000 m hoch liegen. Das von zahlreichen Seen durchzogene Vorland bildet eine Hochfläche, die von etwa 500 m im Süden auf ca. 700 m im Norden ansteigt und durch 50–200 m tiefe Täler gegliedert ist.

Lage und **Landschaftsbild

Bayerische Alpen

Entstehungs-
geschichte
Erdgeschichtlich sind die Kalkalpen ein verhältnismäßig junges Gebirge. Sie wurden im Tertiär, also vor rund 70 Millionen Jahren, aufgefaltet. Die tiefen Taleinschnitte verdanken ihre Entstehung den Gletschern der Eiszeit, die auch das hügelige Alpenvorland durch Schotterablagerungen und Moränen prägten. Beim Abschmelzen des Eises entstanden die vielen, heute als Ausflugsziele beliebten Seen.

Urlaubsparadies
Die Alpen bieten dem Urlauber viele Möglichkeiten der Freizeitgestaltung und Erholung. In den Voralpen, zu denen die Ammergauer Alpen, die Berge des Isarwinkels zwischen Bad Tölz und dem Walchensee sowie die anmutigen Tegernseer und Schlierseer Berge gehören, kann man hervorragend wandern, leichtere Gipfel besteigen und darüber hinaus herrliche Rundsichten auf Ebene und Hochgebirge genießen. Großartig präsentieren sich die Allgäuer Alpen, in denen durch das Zurücktreten des Waldes der Formenreichtum der Berge mehr zur Geltung kommt. Die eindrucksvollsten Felslandschaften findet man im Wettersteingebirge, mit der Zugspitze als dem höchsten Gipfel Deutschlands (2964 m), und im wild zerrissenen Karwendelgebirge.

Alpentiere
Die Bayerischen Alpen sind auch ein Rückzugsgebiet einiger charakteristischer Tierarten. Typische Alpentiere sind die Gemsen mit ihren nach hinten gekrümmten Hörnern und schwarzem Rückenstreifen und die kleinen Murmeltiere. Über 1300 m leben Schneehasen mit einem graubraunen bis grauen Sommerpelz und einem weißen Winterpelz. Die seltenen Steinadler – mit bis zu 2 m Flügelspannweite – horsten auf Felsvorsprüngen.

Alpenpflanzen
Nachstehend werden die wichtigsten Alpenpflanzen genannt, die in ihrem Bestand gefährdet und daher unter Naturschutz gestellt sind: Akelei, Alpenrose, Alpenveilchen, Anemone, Aurikel, Bergwohlverleih, Christrose, Edelweiß, Eibe, Eisenhut, Enzian, Gelber Fingerhut, Himmelsschlüssel, Küchenschelle, Leberblümchen, Gelbe Narzisse, Orchideen (u. a. Frauenschuh), Schwertlilie, Seidelbast, Silberdistel, Steinbrech, Trollblume und Türkenbund. Man beachte, daß in Naturschutzgebieten nichts gepflückt werden darf – auch solche Pflanzen nicht, die üblicherweise nicht geschützt sind.

Reiseziele in den Bayerischen Alpen

Hinweis
Eigene Kapitel sind den Orten → Füssen mit Pfronten und Umgebung sowie → Garmisch-Partenkirchen mit der Zugspitze und Umgebung gewidmet.

Bad Tölz und Umgebung

Bad Tölz
Der Luftkur- und Wintersportort liegt an der Isar, die hier aus dem breiten, schotterbedeckten Alpental ins Vorland tritt: Am rechten Ufer erstreckt sich die malerische Altstadt, am linken Isarufer das Badeviertel. Bad Tölz wird wegen seiner Jodquellen bei Herzerkrankungen u.a. besucht. Die über Bad Tölz hinaus bekannte Leonhardifahrt am 6. November ist dem hl. Leonhard, Patron der Pferde, geweiht: Mit Vierergespannen fährt man in einem langen Zug auf den Kalvarienberg zur Leonhardikapelle.
Im 17. Jh. entstand die ost-westlich angelegte und leicht gekrümmt verlaufende Marktstraße, die an der Isar beginnt. Mit ihren heiter wirkenden, kunstvoll mit Stuck, Lüftlmalerei und Sinnsprüchen verzierten Fassaden gehört sie zu den eindrucksvollsten Straßenzügen Oberbayerns. Einen Besuch lohnt das Heimatmuseum der Stadt Bad Tölz in der Marktstraße 48.

*Leonhardikapelle
Von den Tölzer Gotteshäusern sollte man die Leonhardikapelle besuchen, die auf dem Kalvarienberg über Bad Tölz neben einer Kreuzigungsgruppe steht. Ein langer Kreuzweg mit Kapellen führt von der Stadt zum Ort der Wallfahrt (Leonhardifahrt) hinauf. Tölzer Zimmerleute errichteten die Ka-

Hoch über der Isar erhebt sich auf dem Kalvarienberg
bei Bad Tölz die vielbesuchte Leonhardikapelle.

pelle 1718 zum Dank für ihre unversehrte Heimkehr aus der Sendlinger
Bauernschlacht (1705); im Inneren der Kirche stehen zahlreiche Votivga-
ben. Seit dem 19. Jh. ist Tölz Heilbad und seit 1969 heilklimatischer Kurort.
Einen Schwerpunkt der Anwendungen bilden die Jodquellen-Trink- und
Badekuren; ein anderes Heilverfahren ist die Moortherapie. Über die Isar-
brücke gelangt man von der Altstadt in das Kurviertel, das als moderne
Gartenstadt gestaltet wurde. Hier gibt es eine Trink- und Wandelhalle so-
wie ein Kurhaus, ferner das Freizeit-Center "Alpamare" mit Wellenbad,
Freibad und Solarium.

Bad Tölz
(Fortsetzung)

Nördlich von Bad Tölz sollte man die Orte Weyarn und Dietramszell besu-
chen, die beide auf Klostergründungen zurückgehen und daher sehens-
werte Stiftskirchen haben. Die barocke Kirche des ehemaligen Augustiner-
Chorherrenstifts in Weyarn wurde von Johann Baptist Zimmermann mit
Stukkaturen (Blattwerk) und mit Fresken ausgestattet. Verbunden ist die
Kirche jedoch auf ganz besondere Art und Weise mit dem Namen des
Münchner Bildhauers Ignaz Günther, der für das Gotteshaus meisterhafte
Bildwerke schuf: Schnitzgruppen der Verkündigung, der Beweinung Christi
und der Immaculata.

*Weyarn

Nach mehrfachem Umbau des Klosters und der Kirche wurde Dietramszell
1803 zu einem Ort, an dem Ordensschwestern zusammenkamen, die durch
die Säkularisation ihre Bleibe verloren hatten. Seit 1830 wird es von Sale-
sianerinnen bewohnt. Die spätbarocke Klosterkirche Mariä Himmelfahrt
zählt zu den großen Barockkirchen Oberbayerns. Das Innere schmücken
Stuck und Deckengemälde in leuchtenden Farben von Johann Baptist
Zimmermann. Er schuf auch das Altarbild "Himmelfahrt Mariens" (1745).
An der Wand des südlichen Seitenschiffes befindet sich die Figur des seli-
gen Dietram, eine gotische Arbeit, die vermutlich von einem Hochgrab
stammt.

*Dietramszell

129

Reiseziele am Tegernsee

*Tegernsee

Von Bad Tölz aus bieten sich Ausflüge zum Tegernsee und zum Schliersee an. Der Tegernsee zählt mit seinem Kranz schöner, bis hoch hinauf mit Wald und Matten bedeckter Berge zu den beliebtesten Luftkur- und Wintersportgebieten in Oberbayern. Der See ist nicht groß: 6 km lang und bis zu 2 km breit. Dank der Ringkanalisation genießt sein Wasser einen überdurchschnittlich guten Ruf. Seine Ufer sind nur an wenigen Stellen frei zugänglich; baden kann man praktisch nur in den Strandbädern. Am besten lernt man ihn vom Wasser aus kennen, auf einem der kleinen weißen Motorboote, welche die vier Hauptorte am See miteinander verbinden: Gmund, Tegernsee, Rottach-Egern und Bad Wiessee.

Gmund am
Tegernsee

Als "Tor zum Tegernsee" wird die ländliche Gemeinde Gmund am nördlichen Ende des Sees bezeichnet. Sehenswert ist die Pfarrkirche St. Ägidius mit einem Gemälde von Hans Georg Asam, das die Geschichte des hl. Ägid darstellt. Aus Gmund stammt Hans Obermayr, ein Viehhändler, dessen Kühe den Grundstock für das bayerische Alpenfleckvieh bildeten. Obermayr kreuzte Kühe aus seinem eigenen Bestand mit Schweizer Kühen, das Ergebnis war eine Rasse mit gesteigerter Milchproduktion und besserem Fleisch.

*Tegernsee
(Ort)

Die ansprechende Ortschaft Tegernsee am Ostufer des gleichnamigen Sees ist heilklimatischer Kurort und wird "Sonnenterrasse des Tegernseer Tales" genannt. Der Ort ist aus einer 746 gegründeten Benediktinerabtei hervorgegangen. Kloster Tegernsee wurde u. a. berühmt durch die kunstvolle Buch- und Glasmalerei seiner Mönche. In späterer Zeit haben sich am Tegernsee Maler und Schriftsteller niedergelassen, darunter Ludwig Ganghofer und Ludwig Thoma sowie Olaf Gulbransson.

*Rottach-Egern

Am Südostufer des Sees liegt Rottach-Egern, im Zentrum überragt vom schlanken Turm der spätgotischen Pfarrkirche St. Laurentius. Auf dem

Rottach-Egern mit der St. Laurentius-Kirche am Tegernsee

Friedhof in Egern sind bekannte Künstler beigesetzt, darunter Ludwig Thoma, Ludwig Ganghofer, Leo Slezak und Heinrich Spoerl. Im örtlichen Heimatmuseum sind Bauerntruhen zu bewundern. Lohnend ist ein Besuch der "Ludwig-Thoma-Bühne", die Stücke von Ludwig Thoma aufführt.

Rottach-Egern
(Fortsetzung)

Bad Wiessee, schön am Westufer des Sees gelegen, ist mit seinen Quellen das einzige Heilbad am Tegernsee. Die heilende Wirkung der Quellen beruht auf dem hohen Jod-Schwefel-Gehalt. Die Kureinrichtungen liegen in Wiessee-Nord; in Wiessee-Süd mit Alt-Wiessee stehen noch gemütliche, alte Wohnhäuser. Die Spielbank Bad Wiessee ist ein beliebter Treffpunkt. Etwas außerhalb des Ortes liegt ein Golfplatz.
Auf der beliebten Seepromenade über den Ringseeweg führt ein Spaziergang südwärts nach Abwinkel, einem Ortsteil von Bad Wiessee. Über den Prinzenruheweg gelangt man durch das Zeiselbachtal zum Aussichtspunkt Prinzenruhe: Von dort bietet sich eine herrliche Sicht über den Tegernsee.

*Bad Wiessee

Reiseziele am Schliersee und in seiner Umgebung

Rund 7 km östlich des Tegernsees liegt, schön von Bergen umrahmt, der kleinere Schliersee. Er ist Mittelpunkt eines vielbesuchten Sommererholungs- und Wintersportgebiets. Mitten im See erstreckt sich die kleine Insel Wörth (privat). Um den Schliersee führt ein Rundweg (7 km).

*Schliersee

An der Nordspitze des Sees liegt der Markt Schliersee, von den Einheimischen ursprünglich "Schliers" genannt. In der barocken Pfarrkirche St. Sixtus befinden sich schöne Stukkaturen und Fresken von Johann Baptist Zimmermann (im Chor Darstellung des hl. Sixtus); beachtenswert ist der Erasmus Grasser zugeschriebene Gnadenstuhl (1480). Im Ortsbild fallen das Rathaus auf, das spätgotische Schrödelhaus, in dem das Heimatmuseum untergebracht ist – mit Zeugnissen bäuerlicher Wohnkultur und volkstümlicher Frömmigkeit, Glas, schmiedeeisernen Türbeschlägen und Trachten, ferner das originelle Schlierseer Bauerntheater, in dem immer noch Theater gespielt wird. Von der Weinbergkapelle oberhalb der Pfarrkirche bietet sich ein schöner Blick über den See.

Schliersee
(Ort)

Vom Südende des Schliersees führt die Spitzingstraße über den Spitzingsattel zum hochgelegenen Spitzingsee, der sehr viel kleiner ist als der Tegernsee und der Schliersee. Der See ist sozusagen der Mittelpunkt einer für Touristen ganzjährig attraktiven Region: im Sommer und Herbst lädt sie Wanderer ein, im Winter und Frühjahr Skifahrer. Der See selbst ist zum Baden zu kalt, doch neuerdings von Surfern entdeckt worden. Die bekanntesten Gipfel ringsum sind Stümpfling, Bodenschneid, Taubenstein und Rotwand, mit 1885 m der höchste von allen. Vom Spitzingsattel (1128 m) bietet sich ein weiter Blick über den Schliersee im Norden.

*Spitzingsee

Folgt man an der Abzweigung der Spitzingstraße weiter geradeaus der Deutschen Alpenstraße, so erreicht man nach knapp 10 km den freundlichen Luftkurort Bayrischzell, der sich auch unter Wintersportlern großer Beliebtheit erfreut. Das Gebirgsdorf wird umgeben von den Hängen des Wendelsteins (1838 m), des Großen Traithen und des Seebergs. Im Osten bietet das Sudelfeld hervorragende Wintersportmöglichkeiten.
Mittelpunkt der Ortschaft ist die Pfarrkirche St. Margaretha mit einem spitzen spätgotischen Turm. Im Inneren der Kirche, die im 18. Jh. mit viel Stuck ausgestattet wurde, verdienen besonders der Hochaltar mit den Figuren mehrerer Heiliger und die bedeutenden Deckenfresken Beachtung.

Bayrischzell

Auf den 1838 m hohen Wendelstein nördlich von Bayrischzell kann man von Osterhofen mit einer Seilbahn fahren oder in 2½ Stunden zu Fuß hinaufgehen. Auf dem Gipfel, von dem sich eine weite Sicht bietet, steht die Wendelsteinkapelle. Wegen der exponierten Lage des Berges sind dort mehrere technische Anlagen errichtet worden: ein Sonnenobservatorium

*Wendelstein

Bayerische Alpen, Wendelstein (Fortsetzung)	und eine Wetterwarte, eine Rundfunkstation und eine Fernsehantenne. Von Brannenburg, einem Ferienort im Inntal, rattert seit 1912 eine nostalgische Zahnradbahn den Berg hinauf (Fahrzeit 25 Min.).
Miesbach	Einen Mittelpunkt für die Pflege bayerischen Brauchtums bildet Miesbach, 6 km nördlich des Schliersees gelegen. Im 17. und 18. Jh. erlebte der Ort eine Blütezeit durch die Wallfahrten zur Schmerzhaften Maria und durch das Kunsthandwerk, das auf Holz- und Edelmetallverarbeitung basierte. Das ursprüngliche Gnadenbild ist noch in der Stadtpfarrkirche Mariä Himmelfahrt zu sehen. Die Altstadt steht heute unter Denkmalschutz. Im Miesbacher Heimatmuseum (Waagstraße 2) sind lokalgeschichtliche und volkskundliche Sammlungen ausgestellt (Schwerpunkt bemalte Möbel).

Bayerischer Wald   I/K 6/7

Bundesland: Bayern

Lage und Allgemeines	Als Bayerischer Wald wird das große Waldgebirge im Osten Bayerns bezeichnet; im Süden wird es von der Donau (zwischen Regensburg und Passau) begrenzt. Nordöstlich geht es in den Böhmerwald (Tschechische Republik und Österreich) über und setzt sich im Nordwesten im Oberpfälzer Wald fort. Die dünn besiedelte Region (98 Einwohner pro Quadratkilometer) besticht durch ihre weitgehend ursprüngliche Natur, ihre zahlreichen Wander- und Skirouten über sanftgewellte Hügellandschaften und an einsamen Seen entlang, ihre kleinen Kirchdörfer, Schlösser, Burgen und sehenswerten Kunstdenkmäler. Am südwestlichen Rand des Bayerischen Waldes liegen an der Donau die sehenswerten großen Städte → Regensburg, → Passau und → Straubing.
*Landschaftsbild	In der Nähe der Donau liegt der Vordere Wald, ein etwa bis 1100 m hohes, welliges Bergland, in dem nur die höchsten Teile und die steileren Hänge noch bewaldet sind. Dahinter erhebt sich als Hauptzug des Gebirges der Hintere Wald, der im Arber (1457 m) bei Bayerisch Eisenstein gipfelt. Zwischen dem Vorderen und Hinteren Wald verläuft ein besonderer Gesteinszug: der etwa 140 km lange Pfahl, ein riffartiger, aus dem Granit und Gneis durch Verwitterung freigelegter, 50–100 m breiter Quarzgang. Da Quarz der wichtigste Rohstoff für die Glasherstellung ist, siedelten sich hier früh die Glasmacher an. Die charakteristische Schönheit des Gebirges, die von dem Dichter Adalbert Stifter im 19. Jh. beschrieben wurde, bildet der z.T. urwaldartig erhaltene Hochwald (Buchen, Tannen und Fichten) im südlichen Teil des Bayerischen Waldes, vor allem in einigen Naturschutzgebieten (u.a. am Arber, am Falkenstein und am Dreisessel). Unterhalb von Arber und Rachel liegen einsame Seen; sie bildeten sich in Becken, welche von eiszeitlichen Gletschern ausgeschürft worden waren.
Wirtschaft	Die Bevölkerung lebt von der Forstwirtschaft, der Holzverarbeitung und von der Glasindustrie. Darüber hinaus ist der Fremdenverkehr (über 2 Mio. Gäste jährlich) heute für die Region von großer wirtschaftlicher Bedeutung; Ostbayern zählt zu den preiswertesten Reisegebieten Deutschlands.
Glasherstellung	Ein beliebtes Souvenir und das typische Erzeugnis aus dieser Gegend ist Glas, mundgeblasene Vasen und Trinkgefäße, Kristallglas und Werke der Hinterglasmalerei. Bekannte Glashütten findet man vor allem in der Umgebung von Bodenmais, in Zwiesel, Spiegelau und Frauenau.

Reiseziele im Bayerischen Wald

*Cham	Bewegt man sich von Nordwesten nach Südosten durch den Bayerischen Wald, kommt man zunächst durch die Stadt Cham, südlich von der die

ehemalige Klosterkirche Chammünster (13. Jh.) liegt. Von der Stadtbefestigung im 13. Jh. hat sich das mächtige Burgtor in Cham erhalten; weitere sehenswerte Zeugnisse der jahrhundertealten Stadt sind das Rathaus und die Pfarrkirche St. Jakob. In Loifling befindet sich der größte Freizeit- und Erlebnispark Ostbayerns, der Churpfalz-Park.

Cham
(Fortsetzung)

Im Norden Chams liegt die Grenzstadt Furth im Wald mit einer schönen barocken Kirche und einem neugotischen Stadtturm.

Furth im Wald

Falkenstein im Südwesten von Cham lohnt einen Abstecher wegen seiner wunderbar gelegenen Burganlage mit einem sehenswerten Arkadenhof (11. Jh.) und dem die Burg umgebenden Naturfelsenpark.

Falkenstein

Das mit Wehranlage und Befestigungsringen geschützte Schloß, die hübsche historische Altstadt und der Kurpark sind die Attraktionen des Luftkurorts Kötzting östlich von Cham. Beim berühmten Kötztinger Pfingstritt veranstalten am Pfingstmontag 600 Reiter einen Umzug durch die Stadt, der mit einer "Pfingsthochzeit" gekrönt wird. Oberhalb der Stadt erhebt sich die barocke Wallfahrtskirche Weißenregen mit der Fischerkanzel.

* Kötzting

Östlich von Kötzting auf dem Weg zum Großen Osser passiert man das hübsche Örtchen Lam, das zudem ein Mineralienmuseum und in Lambach ein Märchen- und Gespensterhaus besitzt.

Lam

In Viechtach südlich von Kötzting lohnt die Besichtigung des barocken Rathauses und der Rokokokirche St. Augustinus. Im Ortsteil Blossersberg entsteht aus alten Schuppen die riesige sog. Gläserne Scheune (Raubühl 3). Im Naturschutzgebiet bei Viechtach ragt ein weißes Quarzfelsenriff des ansonsten meist unterirdisch verlaufenden "Pfahls" aus der Erdoberfläche heraus.

Viechtach

Am Regen, dem wichtigsten Fluß im Bayerischen Wald, liegt die gleichnamige hübsche Kreisstadt. In dem modernen Niederbayerischen Landwirtschaftsmuseum in der Schulgasse 2 sind 150 Jahre Bauerngeschichte dokumentiert. Jedes Jahr im Juli feiert man hier im Wintersport- und Erholungsort das Pichelsteinerfest mit dem berühmten Eintopfgericht.
In der südöstlich gelegenen Burgruine Weißenstein sind heute ein Museum und die größte Schnupftabaksammlung der Welt untergebracht.

Regen

Der wohl meistbesuchte Urlaubsort im Bayerischen Wald ist Bodenmais (700 m; 3400 Einw.) in seiner reizvollen Lage am Südwesthang des Arbermassivs. Im 15. Jh. gelangte der Ort durch den Silberbergbau zu erheblichem Wohlstand; hinzu kam etwa gleichzeitig die Glasherstellung, die auch heute noch eine wichtige Rolle spielt, vor allem seit nach dem Zweiten Weltkrieg viele böhmische Glasbläser einwanderten. Heute ist vielfach eine Glashüttenbesichtigung möglich, z.B. in der Waldglashütte Joska (beim Postamt). Am nördlichen Ortsrand befinden sich das Kurhaus und der Kurpark sowie Freibad und Sportanlagen.

Bodenmais

Südöstlich von Bodenmais erhebt sich der 955 m hohe Silberberg mit Sommerrodelbahn, Wildgehege, Abenteuerspielplatz und Streichelzoo. Eine Sesselbahn führt hinauf – von oben hat man einen wunderbaren Rundblick. In den Berg wurden früher etliche Stollen zum Erzabbau getrieben, die man heute z.T. befahren kann (Stollentherapie für Asthmatiker).

Silberberg

Nördlich von Bodenmais erhebt sich der Große Arber, mit 1457 m der höchste Berg des Bayerischen Waldes und ein beliebtes Wintersportgelände. An seinem Fuß breiten sich die Arberseen aus, von wo man zu Fuß in ca. 2 Std. oder per Seilbahn auf den Gipfel gelangen kann. Von oben genießt man eine großartige Rundsicht. Um den Großen Arbersee führt ein Uferrundweg, hier gibt es auch einen Bootsverleih. An der Straße nach Regenhütte liegt die Freizeitanlage Märchenwald.

* Großer Arber

Blick vom Silberberg auf Bodenmais, einen der beliebtesten Urlaubsorte im Bayerischen Wald

Deggendorf

Die Donaustadt Deggendorf südwestlich von Regen gilt als "Tor zum Bayerischen Wald". Wichtig für die Geschichte der Stadt, die im Mittelalter eine kleine Siedlung war, die später von den Wittelsbachern ausgebaut wurde, ist die Heilig-Grab-Kirche, die bis ins 19. Jh. ein bekanntes Wallfahrtsziel war. Sehenswert sind außerdem die erhaltenen Zeugnisse mittelalterlicher Baukunst, vor allem der typisch niederbayerische Stadtturm aus dem 15. Jh., das Rathaus (16. Jh.) und die zwei Brunnen am Marktplatz sowie die Innenausstattung der Kirche Mariä Himmelfahrt. Von der Burg auf dem Ulrichsberg hat man eine wunderbare Aussicht über Deggendorf.

Metten

Burg Egg

Nördlich von Metten, wo man einen Abstecher in eines der ältesten Klöster Bayerns (8. Jh.) und vor allem in die weltberühmte hochbarocke Klosterbibliothek (1720) machen kann, lohnt die Besichtigung der Burg Egg, einer mittelalterlichen Burganlage, in der heute ein Schloßhotel eingezogen ist.

Osterhofen-
Altenmarkt
*Asamkirche

Die Asamkirche (1727–1740) in Osterhofen-Altenmarkt gilt als eine der prunkvollsten barocken Kirchen Bayerns. Neben überreichem Stuck, Gewölbefresken und sonstiger Ausstattung bildet der Hochaltar von E. Q. Asam den Höhepunkt.

Windberg

Auf der Strecke ins nordwestlich gelegene Straubing liegt in Windberg bei Bogen ein Prämonstratenserkloster aus dem 12. Jh., das u.a. wertvolle alte Handschriften besitzt.

Zwiesel

Nordöstlich von Regen liegt Zwiesel, der Hauptort des Bayerischen Waldes, der vor allem für seine Glashütten bekannt ist. In der Stadtmitte liegt das Glasmuseum Theresienthal, das die ehemalige Produktion der königlich priviligierten Glasfabrik Theresienthal zeigt – u.a. Goldrubingläser für das bayerische Königshaus. Nebenan befindet sich die Glasbläserei Schmid und die Theresienthaler Krystallglas- und Porzellanmanufaktur sowie der

Schott-Zwiesel-Werksverkauf. Der touristisch vielbesuchte Ort zeichnet sich außerdem durch mehrere Museen aus, allen voran das Waldmuseum (Stadtplatz 29) mit Abteilungen zum Naturraum des Bayerischen Waldes sowie zur Glasmacherkunst und zum bäuerlichen Leben. Sehenswert sind auch das Spielzeugmuseum am Stadtplatz 35, die neugotische Backsteinkirche St. Nikolaus und das Bauernhausmuseum im nahen Lindberg.

Zwiesel
(Fortsetzung)

Von Zwiesel führt eine abwechslungsreiche Strecke durch die Glashüttenorte Buchenau und Spiegelhütte zum Großen Falkenstein. Über das Forsthaus Scheuereck und die Höllbach-Schwelle erreicht man den Gipfel (1315 m). Alternativ biegt man von der Straße von Zwiesel nach Bayerisch Eisenstein etwa auf halber Strecke in eine Nebenstraße zum Zwieseler Waldhaus ab, von wo man zu Fuß in knapp 2 Std. den Großen Falkenstein ersteigen kann.

*Großer
Falkenstein

Etwa 12 km nördlich von Zwiesel kommt man nach Bayerisch Eisenstein, unmittelbar an der tschechischen Grenze (Übergang). Im Ort lohnt das Local Bahn Museum einen Besuch, ferner einige Glashütten sowie das Arber-Wellenhallenbad.

Bayerisch
Eisenstein

Südlich von Bayerisch Eisenstein, an der Abzweigung zu den Arberseen, liegt der Ort Regenhütte mit einem Tiermuseum und einer Glashütte.

Regenhütte

Der Weg von Zwiesel nach Grafenau im Südosten führt an mehreren Orten vorbei, die für ihre Glaserzeugnisse bekannt sind, vor allem an Frauenau, dem "gläsernen Herz des Bayerischen Waldes". Hier zeigt das Glasmuseum die Zeugnisse von 2500 Jahren Glasgeschichte, während die älteste Glasfabrik der Welt, die Firma der von Poschingers, eine Fabrikbesichtigung anbietet. Auch der Glaskünstler Erwin Eisch hat in Frauenau seine Werkstatt.

Frauenau

Der Fremdenverkehrsort Spiegelau lockt mit einer bekannten Glashütte sowie mit diversen Wandermöglichkeiten.

Spiegelau

In Grafenau im südlichen Teil des Bayerischen Waldes laden das Schnupftabak- und Stadtmuseum (Spitalstr. 4) und das Bauernmöbelmuseum im Parkweg zu einem Besuch ein. Sehenswert in der 8000-Einwohner-Stadt sind außerdem die Reste der Stadtbefestigung aus dem 18. Jh., die barock erneuerte Kirche Mariä Himmelfahrt und die Spitalkirche von 1760.
Nördlich von Grafenau erstreckt sich das Rachelgebiet mit dem ursprünglichen Waldgebiet, dem tiefen Rachelsee und dem Rachelberg (1453 m).

Grafenau

Der Nationalpark, der mit 24300 Hektar als größter europäischer Waldnationalpark gilt, nimmt das Gebiet im Südosten des Bayerischen Waldes entlang der Grenze zur Tschechischen Republik ein. Seit 1970 wird die Natur innerhalb der kaum bewohnten Region um die Berge Rachel und Lusen besonders geschützt. Herrliche Wanderwege und Lehrpfade (z.B. beim Rachelsee, bei Neuschönau und bei Finsterau) führen durch die riesigen Wälder des Parks. Am Nationalparkhaus nördlich von Neuschönau beginnt der Wanderweg durch ein großes Tierfreigelände. Bei Finsterau liegt der malerischste und größte Stausee der Region, die Reschbachklause. Im Freilichtmuseum Finsterau ist u.a. ein im 18. Jh. errichteter Dreiseithof aus Trautmannnsried zu sehen. Schöne Wanderwege ziehen sich auch um den Dreisesselberg bei Haidmühle, einem kleinen Erholungsort am Fuß des Berges. Mit einer Dampflok kann man von Haidmühle aus zum Moldau-Stausee fahren.

**Nationalpark
Bayerischer Wald

Finsterau

Über dem Luftkurort Freyung südöstlich des Naturparks erhebt sich das Renaissance-Schloß Wolfenstein, dessen Mauern heute ein Jagd- und Fischereimuseum beherbergen. Der touristisch gut erschlossene Ort mit mehreren schönen Bürgerhäusern zeigt im Schramlhaus in der Abteistraße Nr. 8 Exponate zur Wolfensteiner Heimatgeschichte.

Freyung

Bayer. Wald (Fts.)
Buchberger Leite

Über Ringelei und Aigenstadl westlich von Freyung gelangt man zum herrlichen Wanderweg durch die Buchberger Leite, eine tiefe Talschlucht.

Waldkirchen

Die im 13. Jahrhundert gegründete Stadt Waldkirchen gilt heute als beliebte Einkaufsstadt mit verschiedensten Freizeitmöglichkeiten, vom großen Schwimmbad bis zum Golfplatz. Um die Altstadt zog sich einst eine große Wehrmauer, die heute nur noch zum Teil erhalten ist. Die große, neugotische Kirche St. Peter und Paul gilt als Dom des Bayerischen Waldes.

*Museumsdorf
Dreiburgensee

Am Dreiburgensee im Nordwesten von Tittling liegt ein sehenswertes weitläufiges Freilichtmuseum, das sog. Museumsdorf, ein Ensemble von Waldlerhäusern, Mühlen, historischen Handwerkerbetrieben usw.

Bayreuth H 6

Bundesland: Bayern
Höhe: 342 m ü. d. M.
Einwohnerzahl: 73 000

Lage und
Stadtbild

Bayreuth, im weiten Tal des Roten Mains zwischen → Fichtelgebirge und → Fränkischer Schweiz gelegen, ist für seine schönen Barockbauten und Rokokopaläste bekannt. Die vielseitig begabte Königstochter Wilhelmine drückte im 18. Jh. der Stadt im Herzen Frankens ihren Stempel auf, als sie sie zu einer schillernden Residenz mit Schlössern und Lustgärten ausbaute. Seit 1975 ist Bayreuth Sitz einer Universität. Weltruf erlangte es als dem Werk Richard Wagners verpflichtete Festspielstadt.

Geschichte

Die schon im 12. Jh. angelegte Stadt Bayreuth erlebte ihre glänzendsten Jahre erst unter den Markgrafen von Brandenburg-Bayreuth im 17./18. Jh., insbesondere unter Prinzessin Wilhelmine (1709–1758), der Gemahlin des Markgrafen Friedrich und Lieblingsschwester Friedrichs des Großen. Ihr ist die hohe bauliche Blüte die Stadt und die Durchsetzung des "Bayreuther Rokoko" zu verdanken. 1874 bezog Richard Wagner mit seiner Frau Cosima das Haus Wahnfried, 1872–1876 wurde das Richard-Wagner-Festspielhaus errichtet. Zu den bedeutenden Persönlichkeiten der Stadt zählen außerdem der Dichter Jean Paul und der Komponist Franz Liszt.

Richard-Wagner-
Festspiele

Die Bayreuther Festspiele wurden 1872 von Richard Wagner gegründet und dienen ausschließlich der Aufführung seiner Musikdramen. Nach Wagners Tod leiteten zunächst seine Witwe Cosima, dann sein Sohn Siegfried bzw. dessen Witwe Winifred die Spiele. Nach der Neueröffnung (1951) lag die Leitung in den Händen der Wagner-Enkel Wieland und Wolfgang; seit 1966 ist Wolfgang Wagner allein zuständig. Die alljährlich stattfindenden Festspiele, für die von Anfang an ein eigenes Opernhaus zur Verfügung stand, nehmen im letzten Drittel des Juli ihren Anfang und dauern bis Ende August; mit wechselndem Spielplan bringen sie Musiker, Sänger und Regisseure von internationalem Rang zusammen.

Sehenswertes in Bayreuth

*Opernhaus

In der Opernstraße in der Stadtmitte steht das 1745–1748 von Prinzessin Wilhelmine erbaute Markgräfliche Opernhaus mit einer prächtigen Barockausstattung. Es gilt als eines der schönsten Barocktheater der Welt. Nahebei in der Münzgasse zeigt das Iwalewa-Haus (Nr. 9) zeitgenössische Kunst aus der Dritten Welt.

Altes Schloß

Das Alte Schloß in der Maximilianstraße wurde im 13. Jh. als Vierflügelanlage errichtet, im 17. Jh. umgebaut und nach seiner Zerstörung im Zweiten Weltkrieg in den fünfziger Jahren wiederaufgebaut. In der anschließenden ehemaligen Schloßkirche (1753/1754) fallen die reiche Stuckverzierung des Kirchenschiffs und die Grabmäler des Markgrafen Friedrich und seiner Gemahlin Wilhelmine auf. Südwestlich von hier befindet sich die Stadtkirche (15. Jh.) mit der Fürstengruft. An der Friedrichstraße Nr. 5 steht das Wohn- und Sterbehaus des Dichters Jean Paul.

Altes Schloß (Fortsetzung)

Auch das in nur zwei Jahren (1753–1754) entstandene Neue Schloß an der Ludwigstraße ist der Initiative Wilhelmines zu verdanken, die vorhandene Gebäude umbauen, erweitern und miteinander zu einem Ganzen verbinden ließ. Im Innern sind heute die markgräflichen Wohnräume, das Museum Bayreuther Fayencen und im Italienischen Bau das Archäologische Museum zu besichtigen. Dahinter dehnt sich der großzügige Hofgarten aus, an dessen Nordostseite auch das Freimaurer-Museum zu finden ist.

*Neues Schloß

An der Richard-Wagner-Straße 48, d.h. am Nordostrand des Hofgartens, dokumentiert das Museum im 1873 erbauten Haus Wahnfried, in dem Richard Wagner ab 1874 lebte, Leben und Werk des berühmten Komponisten und die Geschichte der Festspiele. Hinter dem Haus liegen die Gräber Wagners und seiner Gattin Cosima, der Tochter von Franz Liszt. Die beiden berühmten Komponisten Wagner und Liszt verband außer den verwandschaftlichen Beziehungen auch gegenseitige Bewunderung.

Haus Wahnfried

In der Nähe befindet sich Ecke Wahnfried- und Lisztstraße das Sterbehaus von Franz Liszt (1811–1886), das zum Liszt-Museum umgebaut wurde. Das Jean-Paul-Museum nahebei (Wahnfriedstr. 1) ist dem, der eigentlich Jean Paul Friedrich Richter hieß, gewidmet.

Liszt- und Jean-Paul-Museum

Auf einer Anhöhe ("Grüner Hügel") nördlich vor der Stadt (1 km vom Bahnhof) erhebt sich das 1872–1876 errichtete Richard-Wagner-Festspielhaus (1800 Sitzplätze), eine der größten Opernbühnen der Welt, für die alljährlich im Juli und August stattfindenden Richard-Wagner-Festspiele.

Richard-Wagner-Festspielhaus

Die Eremitage, 5 km östlich des Stadtzentrums, war das Lustschloß der Markgrafen im 18. Jahrhundert. Prachtvoll ist nicht nur der große Landschaftspark, sondern auch das dortige Alte Schloß (1715–1718) mit einer Inneren Grotte und das Neue Schloß (1749–1753) mit Sonnentempel und Wasserspielen.

*Eremitage

Im südlichen Stadtbereich befindet sich das Naherholungsgebiet Röhrensee, wo es einen Bootsverleih und einen Streichelzoo gibt.

Röhrensee

Umgebung von Bayreuth

Rund 23 km nordöstlich erreicht man die am Weißen Main gelegene Stadt Kulmbach, die nicht zuletzt für ihre vielen Brauereien bekannt ist (Starkbierfest zu Beginn der Fastenzeit; Bierfest Juli/August). Am Markt fällt das Rathaus mit seiner feingegliederten Rokoko-Schauseite (1752) auf. Am Burgberg erhebt sich der ehemalige Langheimer Klosterhof, ein reicher Barockbau um 1694. Vom Markt Kulmbachs gelangt man hinauf zur mächtigen Plassenburg, die 1340 an die Hohenzollern kam und bis 1604 Sitz der Markgrafen von Brandenburg-Kulmbach war. Der heutige Bau wurde im wesentlichen 1560–1570 errichtet; sein Glanzstück ist der im Renaissancestil erbaute Schöne Hof, der von übereinanderliegenden Arkadengängen eingerahmt wird. Die Schloßräume enthalten u.a. das eindrucksvolle Deutsche Zinnfigurenmuseum mit mehr als 300 000 Figuren in über 220 Dioramen; in ungeraden Jahren finden Zinnfigurenbörsen statt.

Kulmbach

*Plassenburg

Im wenige Kilometer südöstlich von Kulmbach gelegenen Örtchen Ködnitz wurde 1993 das Oberfränkische Dorfschulmuseum in einem 130 Jahre alten Gebäude eingeweiht. Es vermittelt durch altes Mobiliar, Fotos und eine historische Bibliothek viel vom Flair früherer Schuljahre.

Ködnitz

Berchtesgaden K 8

Bundesland: Bayern
Höhe: 573 m ü. d. M.
Einwohnerzahl: 8 500

*Lage und
Bedeutung

Berchtesgaden liegt wunderschön, von hohen Bergen umgeben, in einem Talkessel im südöstlichsten Winkel Bayerns. Der Ort im Berchtesgadener Land, das hier keilförmig in österreichisches Gebiet vorstößt, gehört wegen seiner traumhaften Lage – das Panorama wird vom Watzmann bestimmt – und seinen vielfältigen Möglichkeiten zum Wandern und für diverse Ausflüge zu den beliebtesten Reisezielen in Bayern.

*Berchtesgadener
Land

Das Berchtesgadener Land umfaßt das Gebiet der Berchtesgadener Alpen zwischen der Saalach im Westen und der Salzach im Osten, dem Steinernen Meer im Süden und dem Untersberg im Norden. Zum Berchtesgadener Land gehören die fünf Gemeinden Berchtesgaden, Bischofswiesen, Marktschellenberg, Ramsau und Schönau am Königssee. Das Gebiet südlich von Berchtesgaden nimmt der Nationalpark Berchtesgaden ein.

Sehenswertes in Berchtesgaden

Marktplatz

Am Marktplatz, dem Mittelpunkt des Ortes, stammen fast alle Gebäude – z.T. mit Fresken – aus dem Mittelalter. Jahrhundertelang wohnten dort Handeltreibende, besonders Holzwaren- und Spielzeughersteller.

Schloß

In der Nähe des Markts steht das prächtige Schloß der Wittelsbacher, das heute ein Museum beherbergt. Ausgestellt sind Waffen, Möbel und Porzellan; ferner gibt es eine Skulpturensammlung und Gemälde, die in dem schönen, frühgotischen Dormitorium, dem ehemaligen Schlafraum der Chorherren, untergebracht sind. Der romanische Kreuzgang (13. Jh.) gilt mit seinen drei Arkadenflügeln als einer der besterhaltenen seiner Art.

Stiftskirche

Kennzeichnend für die Stiftskirche ist die Doppelturmfassade aus romanischer Zeit. Die Wände des Langhauses und des Chors sind geschmückt mit bemerkenswerten Grabsteinen der Fürstpröpste, z. T. aus Marmor.

Heimatmuseum

Nordöstlich vom Ortskern, an der Schroffenbergallee, ist in Schloß Adelsheim das Heimatmuseum untergebracht, das vorwiegend Werke der einheimischen Holzschnitzerei zeigt.

*Salzbergwerk
und -museum

Im Nordosten der Stadt kann man ein Salzbergwerk besichtigen. Dem Bergwerk angeschlossen ist ein Salzmuseum, das über die Geologie der Salzlagerstätten und die Salzgewinnung informiert. Das Kur- und Erlebnisbad Watzmann-Therme in der Nähe des Salzbergwerks bietet Möglichkeit zu Erholung und Entspannung.

Umgebung von Berchtesgaden

*Obersalzberg

Südöstlich von Berchtesgaden erhebt sich der Obersalzberg mit parkartiger Landschaft und prachtvollem Ausblick. Die einst von Adolf Hitler und seinen Gefolgsleuten bewohnten Gebäude sind größtenteils zerstört.

*Kehlstein

Ein Meisterwerk der Ingenieurskunst ist die 6,5 km lange, in den Felsen gebaute Straße vom Obersalzberg zum Kehlstein. Vom Parkplatz am Ende der Kehlsteinstraße führt ein Tunnel zum Aufzug, der die Besucher in ein ▶

*Ein unvergleichliches Panorama bietet sich bei der Pfarrkirche ▶
von Ramsau an der Ache im Berchtesgadener Land.*

Bertechsgaden,
Umgebung,
Kehlstein
(Fortsetzung)

paar Sekunden ins Innere des Kehlsteinhauses bringt. Das Kehlsteinhaus, ein Dokument nationalsozialistischer Architektur, das jetzt von privaten Pächtern als Restaurant geführt wird, eröffnet den Besuchern einen überwältigenden Blick über das Berchtesgadenener Land.

**Königssee

Der Königssee (602 m) ist einer der landschaftlich schönsten Punkte des Berchtesgadener Landes. Ein Fußweg führt am Ostufer zum bekannten Malerwinkel; von dort bietet sich eine herrliche Sicht auf den See und die steil aufragende Wand des Watzmann.
Am Ufer des Königssees liegt die Abfahrtsstelle für eine Bootsfahrt zum Südende des Sees; von dort führt ein Fußweg zum Obersee. Die Hauptattraktion einer solchen Fahrt ist die Halbinsel St. Bartholomä, ein Landvorsprung, der sich am Fuß des kleinen Watzmann weit in den See vorschiebt. Das architektonische Wahrzeichen des Königssees ist die Kirche St. Bartholomä, eine Wallfahrtskapelle aus dem 12. Jahrhundert.

Jenner

Der am Königssee aufragende Jenner (1874 m) ist im Sommer eine beliebte Wanderregion und im Winter ein vielbesuchtes Skigebiet. Eine Bergbahn, die Jennerbahn, führt vom Königssee bis auf 1802 m Höhe.

*Nationalpark
Berchtesgaden

Der rund 210 km² große Nationalpark Berchtesgaden nimmt den Südzipfel des Berchtesgadener Landes mit dem Königssee und die Berggruppe des Watzmanns ein. Es wird angestrebt, in diesem Areal die Natur weitgehend sich selbst zu überlassen. Sogar der Fremdenverkehr unterliegt hier gewissen Einschränkungen; gefördert werden dagegen die Alm- und die mit traditionellen Mitteln betriebene Forstwirtschaft. Unter den Blütenpflanzen sind Tauernblümchen, Steinbrech, Alpenmohn und Zwerg-Alpenrose hervorzuheben. Von den Tieren verdienen besonders jene Arten Beachtung, die nur noch in wenigen Regionen Europas anzutreffen sind – z.B. Adler, Schneehase und Alpensalamander. Von Mai bis Oktober werden im Nationalpark Berchtesgaden geführte Wanderungen angeboten.

*Ramsau

Ramsau ist ein vielbesuchter heilklimatischer Kurort südwestlich von Berchtesgaden, über den im Westen die Reiter Alpe und im Süden der Hochkalter aufragen. Zu Füßen der Reiter Alpe liegen der stimmungsvolle Hintersee und der gleichnamige Ort. In etwa einer Stunde kann man den See umwandern. Er ist Ausgangspunkt für Bergtouren, u.a. zum Blaueisgletscher, einem weit nach Norden vorgeschobenen Alpengletscher.

*Watzmann

Südlich von Ramsau ragt unvergleichlich majestätisch das Bergmassiv des Watzmann auf, des höchsten Bergstocks der Berchtesgadener Alpen (Südspitze: 2712 m). Nach Osten fällt er steil zum Königssee ab. Eine Herausforderung ist für viele Kletterer die Durchsteigung der Watzmann-Ostwand (Wandhöhe: ca. 1800 m ab Einstieg). Von den Hauptrouten gilt der Kederbachweg als der klassische Durchstieg. Die Firnfelder verleihen ihm eine alpine Note.

Berlin   K 3

Hauptstadt der Bundesrepublik Deutschland und Bundesland
Höhe: 35 – 50 m ü.d.M.
Einwohnerzahl: 3,45 Mio.

Hinweis

Die Beschreibung von Berlin im Rahmen dieses Reiseführers ist bewußt knapp gehalten, da es in der Reihe Baedeker Allianz Reiseführer bereits einen ausführlichen Stadtführer "Berlin" gibt.

**Deutschlands
Hauptstadt

Berlin, Hauptstadt der Bundesrepublik Deutschland, erster Amtssitz des Bundespräsidenten und als Stadtstaat auch Bundesland, liegt inmitten der Norddeutschen Tiefebene umgeben vom Land Brandenburg. Die Haupt-

Landesgrenze

Bezirksgrenzen

············· Einstiger Verlauf der 'Berliner Mauer' zwischen Berlin (West) und Berlin (Ost)

Deutschlands
Hauptstadt
und Metropole
(Fortsetzung)

stadtfunktion bekleidet die Spreemetropole offiziell wieder seit dem Beschluß des Deutschen Bundestags vom 20. Juni 1991 über den Umzug von Parlament und Regierung. Allerdings wird die Umsetzung des Vorhabens noch etwas auf sich warten lassen, denn erst zur Jahrtausendwende oder kurz danach wird der Umzug des Bundestags, des Bundesrats und der meisten Ministerien voraussichtlich vollzogen sein. Bis dahin bietet Berlin das einzigartige Erlebnis einer Hauptstadt im Entstehen: Überall wird gebaut, sowohl am repräsentativ-offiziellen als auch am privatwirtschaftlichen und kulturellen Berlin, nicht immer zur Freude der Berliner und der Architekturkritiker, aber auf jeden Fall sehr groß und meist auch sehr teuer. Berlin soll sich zu einer echten Metropole mausern, und es hat schon jetzt das Zeug dazu: bedeutende Orte der deutschen Geschichte, eine Museumslandschaft, die sich nur im europäischen Rahmen vergleichen läßt, ein Nachtleben, das mit London, Paris und New York zwar noch nicht schritthalten kann, aber in Deutschland immerhin ohne Konkurrenz ist, und ein Kulturangebot auf höchstem Niveau, das von den Berliner Philharmonikern bis zu den Filmfestspielen reicht. Darüberhinaus ist Berlin ein Zentrum von Forschung und Wissenschaft mit drei Universitäten (Freie Universität, Technische Universität und Humboldt-Universität) und renommierten Forschungsinstituten wie dem Hahn-Meitner-Institut für Kernforschung sowie die bedeutendste deutsche Industriestadt, für die Namen wie Siemens, AEG und Borsig stehen. Seine Position als Messestadt baut Berlin mit der Vergrößerung des Messegeländes am Funkturm weiter aus.

Doch Berlin ist nicht nur Riesenbaustelle und Metropole im (Wieder-) Werden, es ist in gewisser Hinsicht auch Experimentierfeld: Hier muß ganz unmittelbar "zusammenwachsen, was zusammengehört". Wer aber wachen Sinnes die Stadt durchstreift, wird feststellen, daß oft noch deutliche Unterschiede in der west-östlichen Befindlichkeit zu spüren sind.

Die Berliner Mauer

Noch bis vor wenigen Jahren teilte ein unübersehbar monströses Bauwerk die Stadt, heute muß man seine Überreste suchen: die Berliner Mauer. Die Teilung begann in der Nacht vom 12. auf den 13. August 1961 mit der Abriegelung des Ostteils Berlins, der ab dem 15. August der Bau einer Baustein- und später einer Betonplattenmauer folgte.

Die Mauer, von der DDR-Führung als "antifaschistischer Schutzwall" bezeichnet, trennte innerstädtisch die westlichen Bezirke Reinickendorf, Wedding, Tiergarten, Kreuzberg und Neukölln von den östlichen Bezirken Pankow, Prenzlauer Berg, Mitte, Friedrichshain und Treptow und wurde perfektioniert, bis sie 1988 eine Gesamtlänge von rund 155 km, davon 43,1 km im innerstädtischen Bereich, erreicht hatte. Die Sperranlagen bestanden aus der bis 4,10 m hohen Mauer, dahinter Beobachtungstürme (293), Bunker (57), der ca. 10 m breite, beleuchtete 'Todesstreifen' mit Hundelaufanlage, Patrouillenweg und Kontaktzaun sowie einem 100 m breiten Sperrgebiet. Schon am 24. August 1961 war der erste Flüchtling erschossen worden. Über 70 Menschen kamen bei Fluchtversuchen ums Leben, weit über 100 wurden durch Schußwaffen verletzt, über 3000 Festnahmen konnten beobachtet werden. Einer Vielzahl von Menschen gelang jedoch auch die Flucht.

Das Ende der Mauer kam mit der Öffnung der DDR-Grenzen am 9. November 1989. Schon in dieser Nacht rückten ihr die "Mauerspechte" mit Hammer und Meißel zuleibe; bis Dezember 1990 wurde sie mit schwerem Gerät abgerissen. Geblieben sind u.a. ein von Mauerspechten bis auf die Armierungseisen "abgenagtes", 150 m langes Stück an der Niederkirchnerstraße, ein einschließlich der Grenzanlagen erhaltener 200 m langer Abschnitt an der Bernauer Straße und ein 1300 m langer Abschnitt von der Oberbaumbrücke an entlang der Spree, der auf der Ostseite bemalt wurde: die "East Side Gallery".

Geschichte Berlins

Unter den Askaniern entstanden an der Spree beim heutigen Mühlendamm die beiden Fischerdörfer Berlin und das 1237 erstmals erwähnte Cölln, die sich 1307 ein gemeinsames Rathaus bauten. Den Askaniern folgten die Hohenzollern, deren Graf Friedrich II. den Grundstein zum Bau des "Schlosses zu Cölln" legte. 1470 wurde Berlin zur Residenz des Landesherrn erhoben.

Gründung

In den nächsten 150 Jahren dezimierten die Pest und und der Dreißigjährige Krieg die Einwohnerzahl beträchtlich; erst die zielbewußte Regierung des Großen Kurfürsten Friedrich Wilhelm (1610 – 1688) brachte der Stadt und der Mark Brandenburg einen neuen Aufschwung: Hugenotten wurden ins Land geholt, Berlin wurde zur Festung ausgebaut und erfuhr durch die Städte Friedrichswerder und Dorotheenstadt die ersten planmäßigen Erweiterungen. Der Sohn des Großen Kurfürsten, Preußens erster König Friedrich I., fügte die Friedrichstadt hinzu und vereinigte 1709 alle fünf Städte zur Haupt- und Residenzstadt Berlin. Friedrich der Große forcierte die Ansiedlung von Manufakturen, ließ repräsentative Bauten errichten und machte Berlin zur "deutschen Hauptstadt der Aufklärung". Im Jahr 1800 hatte Berlin 200 000 Einwohner und war nach London und Paris die drittgrößte Stadt Europas. Nach dem Ende der zweijährigen französischen Besetzung 1808 setzte eine Entwicklung ein, die Berlin zu einer modernen Industriestadt, zum Knotenpunkt des europäischen Eisenbahnverkehrs und am Ende des 19. Jh.s schließlich zu einer Weltstadt werden ließ.

Hauptstadt Preußens

Auch politisch hielt die Stadt Schritt: Mit der Proklamation des Deutschen Kaiserreichs am 18. Januar 1871 wurde sie zu dessen Hauptstadt. Betrug die Einwohnerzahl zu dieser Zeit 823 000, waren es am Vorabend des Ersten Weltkriegs 1,9 Millionen. Am Ende dieses Kriegs erlebte Berlin die entscheidenden Augenblicke des Werdens der deutschen Republik: Abdankung des Kaisers, Ausrufung der Republik, Spartakusaufstand und Kapp-Putsch. In diese Zeit fiel auch die Zusammenlegung einer Vielzahl von Vororten und -städten zur Stadtgemeinde Groß-Berlin. Kaum hatte sich die Republik konsolidiert und war Berlin zur vibrierenden Metropole der Goldenen Zwanziger geworden, war auch schon alles wieder vorbei: Die Nazis feierten am 30. Januar 1933 ihren Führer und neuen Reichskanzler mit einem Fackelzug durch das Brandenburger Tor; dann verwandelten sie binnen weniger Monate Berlin in die Schaltzentrale ihres Terrors. Mit der Olympiade 1936 versuchten sie das Ausland noch einmal zu blenden, doch drei Jahre später begann der Zweite Weltkrieg, an dessen Ende von zuvor 4,3 Mio. Menschen noch 2,8 Mio. in der Stadt lebten; von 82 000 jüdischen Berlinern überlebten 7 427. Das Zentrum der Stadt war zu drei Vierteln zerstört.

Hauptstadt des Deutschen Reichs

Kurz vor Kriegsende hatten die Alliierten auf der Konferenz von Jalta den Viermächte-Status für Berlin beschlossen. Differenzen zwischen den Besatzungsmächten führten 1948 zur Blockade Berlins durch die Sowjetunion, die in ihrer Besatzungszone ein sozialistisches System etablierte. Als 1949 zunächst die Bundesrepublik und bald darauf die DDR gegründet wurden, war Berlin zweigeteilt: Westberlin als Exklave der Bundesrepublik und Ostberlin als Hauptstadt der DDR. Dort – wie auch in anderen Städten der DDR – schlugen sowjetische Panzer den Aufstand am 17. Juni 1953 nieder. Die Spaltung der Stadt wurde durch den Mauerbau vom 13. August 1961 zementiert; erst 1963 wurde die Grenze durch das erste Passierscheinabkommen wieder etwas durchlässig. Während es in Ostberlin unter der Kontrolle der Stasi lange ruhig blieb, wurde Westberlin Ende der sechziger Jahre zum Brennpunkt der Außerparlamentarischen Opposition und in den Achtzigern zum Zentrum der linksalternativen Bewegung.

Geteilte Stadt

1989 aber bekam auch die SED den Unmut des Volkes zu spüren: Erich Honecker stürzte, und seinem Nachfolger blieb nichts anderes übrig, als

Vereintes Berlin

Berlin · Westen

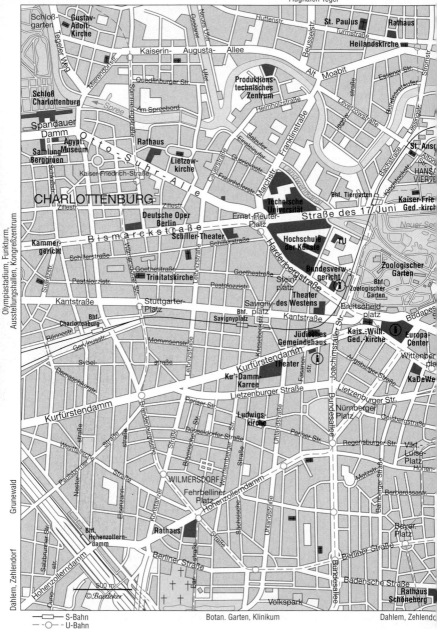

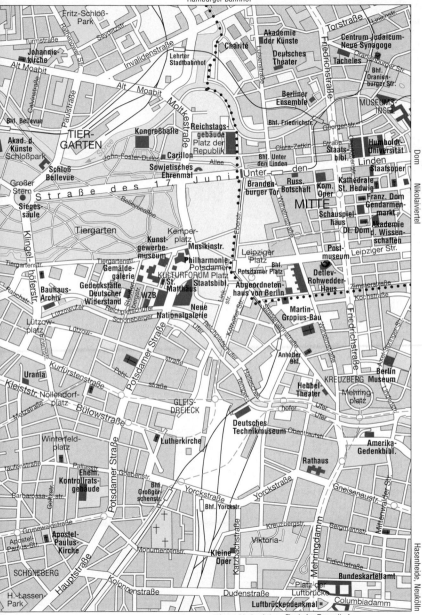

Berlin · Westen

Hamburger Bahnhof

Fritz-Schloß-Park

Turmstraße

Johannis-kirche

Alt Moabit

Invalidenstraße

Lehrter Stadtbahnhof

Akademie der Künste

Charité

Deutsches Theater

Centrum Judaicum-Neue Synagoge

Tacheles

Bhf. Oranien-burger Str.

Torstraße

Friedrichstraße

Oranienburger Str.

Alt Moabit

Moltkestraße

Berliner Ensemble

MUSEUMS-INSEL

Bhf. Bellevue

TIER-GARTEN

Kongreßhalle

Reichstags-gebäude

Platz der Republik

Bhf. Friedrichstr.

Georgenstr.

Straße

Humboldt-Universität

Staats-bibl.

Akad. d. Künste

Schloßpark

Carillon

John-Foster-Dulles-Allee

Bhf. Unter den Linden

Clara-Zetkin-

den

Linden

Staatsoper

Schloß Bellevue

Sowjetisches Ehrenmal

Unter

Kathedrale St. Hedwig

Franz. Dom

Großer Stern

Straße des 17. Juni

Branden-burger Tor

Russ. Botschaft

Kom. Oper

Gendarmen-markt

Siegessäule

Tiergarten

Kemper-platz

Kunst-gewerbe-museum

Musikinstr.

Schauspiel-haus

Dt. Dom

MITTE

Akademie d. Wissen-schaften

Philharmonie

Leipziger Platz

Post-museum

Leipziger Str.

Tiergartenstr.

Gemälde-galerie

Potsdamer Platz

KULTURFORUM

Bhf. Potsdamer Platz

Detlev-Rohwedder-Haus

Zimmerstr.

Kochstraße

Rauchstr.

Bauhaus-Archiv

Gedenkstätte Deutscher Widerstand

St. Matthäus

WZB

Staatsbibl.

Abgeordneten-haus von Berlin

Martin-Gropius-Bau

Friedrichstraße

Lützow-platz

Lützowufer

Reichpietschufer

Schöneberger

Neue Nationalgalerie

Stresemannstraße

Berlin Museum

Urania

Kleiststr.

Nollendorf-platz

Kurfürstenstraße

Potsdamer Straße

straße

Anhalter Bhf.

Hebbel-Theater

KREUZBERG

Mehring-platz

Metzstraße

Bülowstraße

GLEIS-DREIECK

hofer

Ufer

Winterfeld-platz

Lutherkirche

Deutsches Technikmuseum

Obentrautstr.

Amerika-Gedenkbibl.

taufenstraße

Palliasstr.

Ehem. Kontrollrats-gebäude

Goebenstr.

Bhf. Großgör-schenstr.

Rathaus

Barbarossa-str.

Yorckstraße

Yorckstraße

Gneisenaustr.

Bhf. Yorckstr.

Kreuzbergstr.

Bergmannstr.

Grunewaldstraße

Apostel-Paulus-Kirche

Monumentenstr.

Viktoria-

Katzbachstraße

Fidicinstraße

SCHÖNEBERG

Kleine Oper

Mehringdamm

Bundeskartellamt

Hauptstraße

Kolonnenstraße

Dudenstraße

Platz der Luftbrücke

Columbiadamm

H.-Lassen-Park

Luftbrückendenkmal

Flughafen Tempelhof

Dom   Nikolaiviertel

Hasenheide, Neukölln

•••••• ehem. Verlauf der Flughafen Tempelhof
'Berliner Mauer'

145

Lehrter Stadtbahnhof

Museum für Naturkunde

Chausseestraße

Schlegelstraße

Tieckstraße

Novalisstraße

Breslauer Straße

Charitéstraße

Ackerstraße

Zille-park

Stadtbad Mitte

Linienstraße

Platz vor dem Neuen Tor

Brecht-Haus

Invalidenstraße

Torstraße

F. d. Dorotheen-städt. + Franzö́s. Gemeinde

Hannoversche Str.

Linienstraße

Augustraße

Gipsstraße

Charité

Akademie der Künste

MITTE

Friedrichstraße

Oranienburger

Centrum Judaicum-Neue Synagoge

Krausnickstraße

Sophienstraße

Rosenthaler

Kammer-spiele

Deutsches Theater

Tacheles

Johannisstraße

Straße

Sophien-kirche

Schumannstraße

Friedrich-stadt-palast

Bhf. Oranienburger Straße

Reinhardtstraße

Ziegel-

straße

Monbijou-park

Bhf. Hackescher Markt

Berliner Ensemble

Marienstraße

Am Kupfergraben

Bodemuseum

Geschw.-Scholl-Str.

Alte Nationalgalerie

Metropol-theater

MUSEUMS-

INSEL

Schiffbauerdamm

Distel

Bhf. Friedrichstraße

Georgenstraße

Pergamon-museum

Neues Museum (Techn.)

Berliner Dom

Spree

Reichstagufer

Internationales Handelszentrum

Maxim-Gorki-Theater

Bode-

Altes Museum

Marx-Engels-Denkmal

Zetkin-

Humboldt-Universität

Zeug-haus

Lustgtn.

Reichstags-gebäude

Robert-Koch-Museum

Staats-bibliothek

Neue Wache

Palast der Republik

Clara-

Bhf. Unter den Linden

Unter den Linden

Staats-oper

Schloß-platz

Brandenburger Tor

Russ. Botschaft

Universitäts-bibliothek

Behrenstraße

Schinkel-museum

Marstall

Ribbeck-haus

Komische Oper

Kathedrale St. Hedwig

Oberwallstraße

Ehem. Staatsratsgebäude

Stadt-biblio-thek

Ebertstraße

Behrenstraße

Wilhelmstraße

Französische

Franz. Dom

Straße

Gendarmen-markt

Ehem. ZK-Gebäude

Spree-kanal

Hochschule für Musik

Mauerstraße

Jägerstraße

Friedrich-stadt-passagen

Tauben-

Schau-spielhaus

Akademie der Wissenschaften

Spindler-brunnen

Glinkastraße

Charlottenstraße

Deutscher Dom

Voßstraße

Mohrenstraße

Kronenstraße

Spittel-

Spittel-kolonnade

markt

Internationale Musikbibliothek

Leipziger Straße

Leipziger Straße

KREUZ-

Leipziger Platz

Wilhelm-

Markgrafenstraße

Krausenstraße

BERG

Bhf. Potsdamer Platz

Detlev-Rohwedder-Haus

Post-museum

Schützenstraße

Kommandantenstr.

Abgeordneten-haus von Berlin

Zimmerstraße

Friedrichstraße

Martin-Gropius-Bau

Kochstraße

Oranienstr.

Bundes-druckerei

Siegessäule

•••••• ehem. Verlauf der 'Berliner Mauer'

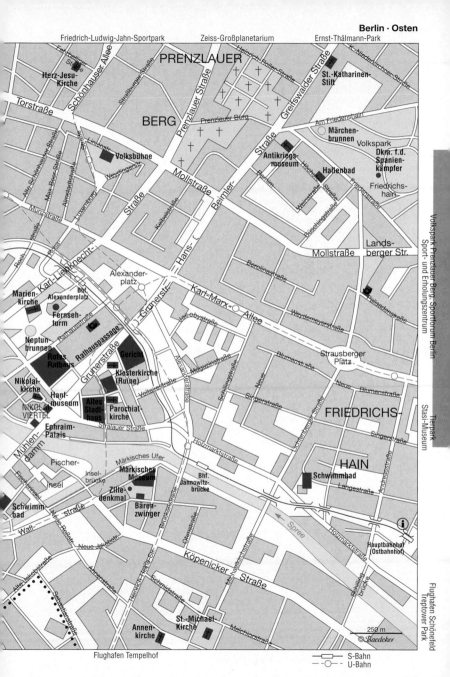

Friedrich-Ludwig-Jahn-Sportpark Zeiss-Großplanetarium Ernst-Thälmann-Park

PRENZLAUER

Fehrbelliner Str.

Herz-Jesu-Kirche

Torstraße

Schönhauser Allee

Strelitzer Straße

BERG

Heinrich-Roller-Straße

Prenzlauer Straße

Prenzlauer Berg

K.-Niederkirchner-Straße

Greifswalder Straße

St.-Katharinen-Stift

Am Friedenshain

Märchen-brunnen

Volkspark

Dkm. f. d. Spanien-kämpfer

Friedrichs-hain

Lindenstr.

Volksbühne

Weydingerstr.

Mollstraße

Straße

Beimler

Antikriegs-museum

Hochstraße

Hallenbad

Weinstraße Straße

Friedenstraße

Landsberger Str.

Hans-

Straße

Mollstraße

Berolinastraße

Weydemeyerstraße

Palisadenstraße

Karl-Liebknecht-

Marien-kirche

Alexanderplatz

Bhf. Alexanderplatz

Alexander-platz

Grunerstr.

Karl-Marx-Allee

Jacobystraße

Magazinstraße

Strausberger Platz

Neue Blumenstraße

Fernseh-turm

Rathausstraße

Rathauspassage

Grunerstraße

Gericht

Alexanderstraße

Voltairestraße

Blumenstraße

Neptun-brunnen

Rotes Rathaus

Klosterkirche (Ruine)

Schillingstraße

Singerstraße

FRIEDRICHS-

Nikolai-kirche

NIKOLAI-VIERTEL

Hanf-museum

Altes Stadt-haus

Parochial-kirche

Stralauer Straße

Lichtenberger Straße

Singerstraße

HAIN

Ephraim-Palais

Mühlendamm

Fischer-

Insel-brücke

Märkisches Ufer

Insel

Märkisches Museum

Bhf. Jannowitz-brücke

Holzmarktstraße

Schwimmbad

Langestraße

Ziller-denkmal

Brückenstraße

Spree

Holzmarktstraße

Annenstraße

Andreasstraße

Schwimm-bad

Straße

Watt-

Fischerstraße

Heinrich-Heine-Str.

Bärenzwinger

Ohmstraße

Michaelkirchstraße

Hauptbahnhof (Ostbahnhof)

Schillingbrücke

Neue Jakobstr.

Köpenicker Straße

Alte Jakobstraße

Schmidstraße

St.-Michael-Kirche

Melchiorstraße

Annen-kirche

250 m

© Baedeker

Flughafen Tempelhof

S-Bahn

U-Bahn

Volkspark Prenzlauer Berg, Sportforum Berlin Sport- und Erholungszentrum

Tierpark Stasi-Museum

Flughafen Schönefeld Treptower Park

147

am 9. November 1989 die Grenzen zu öffnen. Auch die Mauer war kein Hindernis mehr, und innerhalb weniger Stunden strömten Hunderttausende vom Ost- in den Westteil der Stadt. Die feierliche Öffnung der Mauer am 22. Dezember 1989 zu beiden Seiten des Brandenburger Tores beendete nach 28 Jahren symbolisch die Teilung der Stadt; im Laufe des Jahres 1990 wurde die Mauer bis auf wenige als Mahnmal gedachte Stücke komplett abgerissen. Den Weg zur völligen Vereinigung der Stadthälften ebneten die Unterzeichnung des Einigungsvertrags zwischen den beiden deutschen Staaten im Palais Unter den Linden am 31. August 1990 und die sog. "Zwei+Vier-Verhandlungen", in denen die Siegermächte des Zweiten Weltkrieges mit sofortiger Wirkung ihre besonderen Rechte in bezug auf Deutschland als Ganzes und auf Berlin suspendierten. In der Nacht vom 2. auf den 3. Oktober 1990 fand zur Wiedervereinigung Deutschlands ein großes Volksfest rund um das Brandenburger Tor statt. Am Tag darauf trat das aus Volkskammer und Bundestag gebildete gesamtdeutsche Parlament im Reichstagsgebäude zusammen; am 20. Juni 1991 bestimmte der erste für ganz Deutschland frei gewählte Bundestag die Verlegung von Parlament und Regierungssitz nach Berlin. Seitdem wird in Berlin gebaut. Bittere Pille für die Euphorie aber bleibt die Ablehnung der Fusion von Berlin und Brandenburg in einem Volksentscheid im Mai 1996.

Stadtbeschreibung

Die nachstehenden Beschreibungen der bedeutendsten Sehenswürdigkeiten Berlins orientieren sich an der Einteilung in die Bezirke.
Die wichtigsten Abfahrtstellen für Stadtrundfahrten mit dem Bus sind: Kurfürstendamm 216, 220 und 225, Karl-Liebknecht-Straße (am Radisson SAS-Hotel) und Alexanderplatz (am Hotel Forum). Ganz andere Eindrücke von Berlin erhält man bei Ausflugsfahrten auf Spree und Havel, die u.a. am Wannsee, vor der Terrasse der Kongreßhalle und am Festungsgraben neben dem Zeughaus starten.

Mit S- und U-Bahn, Straßenbahnen und Bussen des Berliner Verkehrsverbunds können fast alle Sehenswürdigkeiten problemlos erreicht werden. Einzelfahrausweise und Zeitkarten sind in Bussen, Straßenbahnen und an Automaten und Verkaufsschaltern in den U- und S-Bahnhöfen erhältlich. Die 24-Stunden-Welcome Card (inkl. Ermäßigungen in einigen Museen) erhält man auch bei den Tourist-Informationen und in Hotels.

Berlin-Mitte

Brandenburger Tor · Unter den Linden

Berlins Wahrzeichen und Symbol der überwundenen Teilung schlechthin ist das Brandenburger Tor an der Grenze der Stadtbezirke Mitte und Tiergarten. Es wurde 1788–1791 von Carl Gotthard Langhans nach Motiven der Propyläen in Athen als repräsentativer Abschluß der "Linden" errichtet. Die seitlichen Säulenhallen sind 1868 von Johann Heinrich Strack angebaut worden. Das Tor bekrönt eine Quadriga mit der Siegesgöttin Viktoria, die von ihrem Schöpfer Johann Gottfried Schadow jedoch als Friedensgöttin Eirene gedacht war. Nach der Niederlage Preußens gegen Frankreich war sie 1806 auf Befehl Napoleons nach Paris transportiert worden, kehrte nach den Befreiungskriegen nach Berlin zurück, erhielt den Eichenkranz mit Eisernem Kreuz und war fortan Siegesgöttin. Nach Beseitigung der im Zweiten Weltkrieg entstandenen Schäden wurde 1958 die neu getriebene Quadriga aufgestellt. Wie kaum ein anderer Ort war das Brandenburger Tor Zeuge der deutschen Geschichte, von den Siegesparaden der preußischen Truppen bis zum SA-Fackelzug, vom Mauerbau und symbolträchtigsten Ort der Teilung bis schließlich zum deutschen Vereinigungsvolksfest am 3. Oktober 1990.

Zu den Linden hin öffnet sich der Pariser Platz, dessen dichte Vorkriegsbebauung in Anlehnung an die historischen Gegebenheiten wieder entstehen soll. Bereits fertiggestellt ist das legendäre Luxushotel Adlon an der
Ecke zur Wilhelmstraße, entlang der sich das einstige Regierungsviertel
erstreckte. Von dessen Bauten ist bis auf das ehemalige Reichsluftfahrtministerium an der Kreuzung mit der Leipziger Straße nichts mehr erhalten.

Pariser Platz

Die etwa 1400 m lange und 60 m breite berühmte Straße Unter den Linden
verbindet den Pariser Platz mit der zum Schloßplatz führenden Schloßbrücke. Sie entstand aus einem mit Linden bepflanzten kurfürstlichen Reitweg und erhielt vor allem unter Friedrich dem Großen ihre prächtigen Bauten. Ein Spaziergang beginnt am besten am Pariser Platz.

**Unter den Linden

Den Abschnitt westlich der Kreuzung mit der Friedrichstraße säumen überwiegend moderne Nachkriegsgebäude, jenseits der Friedrichstraße ist die
historische Bebauung meist nach dem Krieg wiederhergestellt worden. Auf
der linken Straßenseite fällt zunächst die Staatsbibliothek auf, 1903 – 1914
anstelle des Marstalls erbaut. Auf sie folgt das Gebäude der Humboldt-
Universität, das 1748 – 1753 von J. Boumann d. Ä. als Palais für Prinz Heinrich, den Bruder Friedrichs II., errichtet und 1809 auf die Initiative Wilhelm
von Humboldts (1767 – 1835) zur Hochschule umgewidmet wurde. Seit
1946 trägt sie seinen Namen. Standbilder des Gründers und seines Bruders Alexander säumen den Eingang.

Auf dem Mittelstreifen zwischen Bibliothek und Universität erhebt sich das
Reiterdenkmal Friedrichs II. von Christian Daniel Rauch (1851). Das
13,50 m hohe Standbild, das lange Zeit im Park von Sanssouci stand, wurde 1980 wieder an seinen angestammten Platz gebracht. Es zeigt den
König im Krönungsmantel auf seinem Lieblingspferd "Condé" sowie preußische Feldherren und Reliefs mit Szenen aus dem Leben Friedrichs.

*Reiterdenkmal Friedrichs II.

Gegenüber der Universität öffnet sich der Bebelplatz, früher Opernplatz,
unter Friedrich dem Großen als repräsentatives Forum Fridericianum geplant. Die Westseite des Platzes, in dessen Mitte ein Mahnmal für die Bü-
cherverbrennung vom Mai 1933 eingelassen ist, säumt die wegen ihrer geschwungenen Form "Kommode" genannte Alte Bibliothek (1774 – 1788), an
die zur Straße hin das Alte Palais (1834 – 1836) anschließt, einst Wohnung
Kaiser Wilhelms I. In der Südostecke des Platzes liegt die St.-Hedwigs-
Kathedrale (1747 – 1773), ein Zentralbau nach dem Muster des römischen
Pantheon und einziger großer friderizianischer Kirchenbau in Berlin.

Bebelplatz

*St.-Hedwigs-Kathedrale

Die Deutsche Staatsoper gegenüber der "Kommode" wurde als erster Bau
des Forums 1741 – 1743 durch Georg Wenzeslaus von Knobelsdorff errichtet und nach dem Brand von 1843 durch Carl Ferdinand Langhans in ver-
änderter Form erneuert. Nach der Zerstörung 1945 ist sie bereits 1955 wiedereröffnet und 1986 umfassend restauriert worden. An die Oper schließt
sich das ehemalige Kronprinzessinnenpalais (1733 – 1737) an, das die drei
Töchter Friedrich Wilhelms III. bis zu ihrer Verheiratung bewohnten. Heute
befindet sich hier das Operncafé. In der davorliegenden Grünanlage stehen vier Denkmäler der preußischen Generale Scharnhorst, Blücher, Yorck
und Gneisenau von Rauch und seinen Schülern. Letztes Gebäude auf dieser Straßenseite ist das 1732 in barockem Stil umgebaute Kronprinzenpalais, in dem Kaiser Wilhelm II. geboren wurde. Davor steht das Denkmal
des preußischen Reformers Freiherr vom und zum Stein.

*Deutsche Staatsoper

Kronprinzenpalais

Die Neue Wache (1816 – 1818) gegenüber der Oper ist eines der bekanntesten Bauwerke von Karl Friedrich Schinkel. Nach dem Muster eines römischen Kastells als Wachgebäude errichtet, ist sie in der Weimarer Republik
zum Ehrenmal für die Gefallenen des Ersten Weltkriegs umgewidmet worden, um in der DDR Mahnmal für die Opfer von Faschismus und Militaris-
mus und nach 1990 schließlich zentrale Gedenkstätte der Bundesrepublik
Deutschland zu werden. Als solche erhielt sie eine mehrfach vergrößerte
Kopie der Pietà von Käthe Kollwitz. Hinter der Neuen Wache liegt das Maxim-Gorki-Theater im Gebäude der ehemaligen Singakademie.

*Neue Wache

Das älteste Bauwerk Unter den Linden ist das benachbarte Zeughaus,
1695 – 1706 von Johann Arnold Nering, Andreas Schlüter und Jean de
Bodt als einer der schönsten deutschen Barockbauten errichtet. Der plastische Schmuck, vor allem auch die berühmten "Köpfe sterbender Krieger"

*Zeughaus (Deutsches Historisches Museum)

*Wo die Schloß-
brücke die
Spree überquert,
beginnen "die
Linden" mit
Zeughausturm,
Neuer Wache
und Staatsoper.
Im Hintergrund
ragen der Berli-
ner Dom und
der Fernsehturm
auf.*

Zeughaus
(Fortsetzung)

im Innenhof stammen überwiegend von Schlüter, die allegorischen Gestalten der Pyrotechnik, Arithmetik, Geometrie und Mechanik am Eingang und die Dachfiguren schuf Guillaume Hulot. Das Zeughaus beherbergt heute das noch im Aufbau befindliche Deutsche Historische Museum, das aber bereits Ausstellungen veranstaltet.

Schloßbrücke

Beim Zeughaus führt die Schloßbrücke über einen Spreearm zum Schloßplatz. Die sehr qualitätvollen acht Skulpturengruppen antiker Gottheiten wurden 1845–1857 nach Entwürfen Schinkels geschaffen.

**Friedrich-
werdersche Kirche
(Schinkelmuseum)**

Die freie Fläche hinter dem Denkmal des Freiherrn vom Stein belegte bis vor wenigen Jahren das Außenministerium der DDR. Hier soll nun wieder der Schinkelplatz entstehen. Ganz am Südende sieht man die Backsteintürme der im 19. Jh. nach Plänen Schinkels erbauten Friedrichwerderschen Kirche, heute als Schinkelmuseum Leben und Werk des Baumeisters Karl Friedrich Schinkel (1781–1841) dokumentierend.
Südlich jenseits der Werderstraße steht am Werderschen Markt das einstige Gebäude des Zentralkomitees der SED, früher Reichshauptbank und in Zukunft Auswärtiges Amt.

Gendarmenmarkt · Friedrichstraße

****Gendarmen-
markt**

Berlins schönster Platz, der Gendarmenmarkt, liegt südlich der Linden und eine Parallelstraße östlich der Friedrichstraße. Seinen Namen verdankt er dem hier von 1736–1782 stationierten Garderegiment "Gens d'Armes". Nach dem Krieg ist er in jahrelanger Arbeit wiederhergestellt worden.
Den Platz beherrscht das ehemalige Schauspielhaus (1818–1821) von Schinkel, unter Intendanten wie Gustaf Gründgens eine der bedeutendsten Bühnen Deutschlands. Sie wurde 1984 äußerlich originalgetreu wiederhergestellt und sodann als Konzerthaus wiedereröffnet. Davor steht das 1871 enthüllte Schillerdenkmal, das erst 1988 wieder hierher zurückgekehrt ist.

*Gendarmenmarkt mit Schillerdenkmal
vor dem Französischen Dom*

An der Südwestseite des Platzes steht der Deutsche Dom, 1701–1708 für die reformierte lutherische Gemeinde errichtet. 1848 wurden auf seinen Stufen die "Märzgefallenen" aufgebahrt – auch dies Thema der Ausstellung "Fragen an die deutsche Geschichte" im Dom.
Als Gegenstück zum Deutschen Dom ist 1701–1705 auf der Nordseite der Französische Dom für die französisch-reformierte Gemeinde erbaut worden. Wie auch am Deutschen Dom stammt der prächtige Kuppelturm von Karl von Gontard. Im Dom illustriert das Hugenotten-Museum die Geschichte der Hugenotten in Frankreich und in Preußen.

Die Friedrichstraße kreuzt die Linden ungefähr in deren Mitte. Sie war im kaiserlichen Berlin die weltstädtisch-elegante Geschäfts- und Vergnügungsmeile schlechthin, was sie – zumindest nach dem Willen der Investoren – durch eine Masse von Neubauten von meist weltbekannten Architekten auch wieder werden soll.

Die Bautätigkeit macht sich am frappierendsten im Abschnitt südlich der Linden bemerkbar. Die spektakulärsten neuen Gebäude sind die Friedrichstadtpassagen mit dem Kaufhaus Galeries Lafayette von Jean Nouvel und, an der Grenze zum Bezirk Kreuzberg, das American Business Center von Philip Johnson. Dieses Riesengebäude bedeckt völlig den ehemaligen Checkpoint Charlie, den legendären Ausländerübergang im geteilten Berlin. Wenig südlich, schon in Kreuzberg, erfährt man im Museum Haus am Checkpoint Charlie, wie es hier einmal ausgesehen hat und auf welche Weise viele Menschen versuchten, die Mauer zu überwinden.

Nördlich der Kreuzung mit den Linden kommt man zunächst zum Bahnhof Friedrichstraße, nach dem Mauerbau die einzige Anknüpfungsstelle für Fern- und Nahbahnen in der geteilten Stadt. Darauf folgt rechts der ehemalige Admiralspalast (1910), nun Metropol-Theater, in dem 1946 die Zwangsvereinigung von KPD und SPD zur SED vollzogen wurde. Jenseits der über die Spree führenden Weidendammer Brücke (1895 / 1896) erreicht man den 1984 eröffneten neuen Friedrichstadtpalast mit einem Denkmal für die Diseuse Claire Waldoff (1884 – 1957) davor. Von der Brücke blickt man nach links auf das Theater am Schiffbauerdamm, seit 1954 Sitz des "Berliner Ensembles" und Wirkungsstätte von Bertolt Brecht und Helene Weigel, nach rechts sieht man die Museumsinsel.

Diese beiden sind ebenso wie z. B. Johann Gottlieb Fichte, Georg Wilhelm Friedrich Hegel, Karl Friedrich Schinkel, Gottfried Schadow, Heinrich Mann, Hans Eisler, Arnold Zweig, Anna Seghers und Heiner Müller auf dem Dorotheenstädtischen Friedhof an der Chausseestraße im Anschluß an die Friedrichstraße begraben.

Weiter die Chausseestraße hinauf kommt man zur letzten Wohnung von Brecht und Weigel, das heute das Bertolt-Brecht-Zentrum mit den Archiven der beiden beherbergt sowie deren original gestaltete Wohn- und Arbeitsräume zeigt.

Das Museum für Naturkunde an der Invalidenstraße Nr. 34 besitzt Sammlungen zur Erd- und Lebensgeschichte, eine sehenswerte Mineraliensammlung sowie Riesensaurierskelette.

Das Nachtleben von Berlin-Mitte findet in der von der Friedrichstraße abzweigenden Oranienburger Straße statt: vom koscheren Restaurant, Szenekneipen, alternativen Kunstzentrum bis hin zum Straßenstrich. Auf ihr kommt man, am Kulturzentrum Tacheles vorbei, zur wiederaufgebauten, ursprünglich 1866 eröffneten Neuen Synagoge, einst das größte jüdische Gotteshaus Deutschlands. Hier zeigt nun das Centrum Judaicum u.a. die Geschichte der jüdischen Gemeinde Berlins.

Nach der Synagoge führt die Krausnickstraße zur Großen Hamburger Straße. Dort lag der erste jüdische Friedhof Berlins, auf dem Moses Mendelssohn († 1786) begraben war. Ein Gedenkstein erinnert an das jüdische Altersheim, das von 1941 an Sammelstelle für die zum Transport in die Vernichtungslager bestimmten Berliner Juden war. Kurz darauf sieht man die zwischen 1721 und 1734 errichtet Sophienkirche, die den wohl schönsten barocken Kirchenturm Berlins besitzt und sich besonders nachts in farbenfrohem Glanz zeigt.

Am Ende der Oranienburger Straße liegt der Hackesche Markt, wo man über die Rosenthalstraße die 1906 entstandenen Hackeschen Höfe betritt, damals größter zusammenhängender Arbeits- und Wohnkomplex Europas. Der erste Hof ist jüngst hervorragend renoviert worden.

Marginalia (right column):

Friedrichstraße

Südliche Friedrichstraße

Ehemaliger Checkpoint Charlie

Nördliche Friedrichstraße

*Dorotheenstädtischer Friedhof

Brecht-Haus

*Museum für Naturkunde

Oranienburger Straße
*Centrum Judaicum

Große Hamburger Straße

Hackesche Höfe

Museumsinsel

Museen von
Weltgeltung

Die von Spreekanal und Kupfergraben umflossene Museumsinsel nördlich der Linden wurde im Jahre 1841 durch königliche Order zu einem "der Kunst und der Altertumswissenschaft geweihten Bezirk" bestimmt und ab 1843 ausgebaut. Bereits seit 1830 bestand das Alte Museum im Lustgarten, 1843 – 1855 entstand das Neue Museum, 1897 – 1904 folgte das heutige Bode-Museum und schließlich 1909 – 1930 das Pergamonmuseum. Unter dem 1905 – 1920 amtierenden Generaldirektor Wilhelm von Bode gelangten die Sammlungen zur Weltgeltung. Die Auslagerung im Krieg hatte zur Folge, daß während der Teilung der Stadt die Sammlungen auseinandergerissen wurden. Man will sie nun, allerdings nicht an den alten Standorten, wieder zusammenführen. Die Museumsinsel wird dann ihren Schwerpunkt in der Archäologie und der Antike haben. Alle Museen haben Di. – So. 9.00 – 17.00 Uhr geöffnet.

*Bodemuseum

Von der Friedrichstraße kommend erreicht man zuerst das 1956 nach Bode benannte vormalige Kaiser-Friedrich-Museum, das mehrere Sammlungen beherbergt. Das Ägyptische Museum zeigt Exponate zur ägyptischen Geschichte von der Vorzeit bis zur griechisch-römischen Epoche, darunter einen eigenen Raum über den Totenkult der Ägypter mit Mumien und Grabbeigaben. Die Papyrussammlung besitzt neben ägyptischen und griechischen Schriftdokumenten auch lateinische, hebräische, aramäische, persische, syrische, nubische und äthiopische Texte. Die Frühchristlich-byzantinische Sammlung zeigt Ikonen, koptische Kunst, Grabstelen und Keramik; die Skulpturensammlung, die in das Kulturforum umziehen wird, legt ihren Schwerpunkt auf Architekturplastik deutscher Länder, der Niederlande, aus Venedig und Florenz von der Romanik bis zum Frühklassizismus. Die Gemäldegalerie im Obergeschoß gibt einen Überblick über die Malerei des 15. – 18. Jh.s in Deutschland, Italien und den Niederlanden und

*Im 2. Jh. v. Chr. entstand der Pergamonaltar –
die Hauptattraktion des gleichnamigen Museums.*

besitzt auch englische und französische Malerei des 17. und 18. Jahrhunderts. Das Münzkabinett zeigt lediglich eine Auswahl seiner mehr als 500 000 Stücke aus aller Welt.

Bodemuseum
(Fortsetzung)

Auch das Pergamonmuseum, größtes und bedeutendstes Museum auf der Insel, umfaßt mehrere Einzelmuseen. Die Antikensammlung besitzt so einmalige Schätze wie den namengebenden Pergamonaltar (180–160 v. Chr.), Weihegeschenk der kleinasiatischen Stadt Pergamon an Zeus und Athene, und das großartige, um 165 n. Chr entstandene römische Markttor von Milet. Hinzu kommen wertvolle griechische und römische Plastiken. Das Vorderasiatische Museum verfügt über eindrucksvolle Denkmäler der neubabylonischen Baukunst, darunter Objekte aus der Zeit Nebukadne-

**Pergamon-
museum

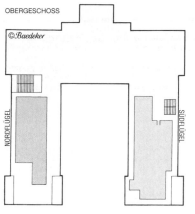

OBERGESCHOSS

©Baedeker

NORDFLÜGEL

SÜDFLÜGEL

OBERGESCHOSS

Museum für Islamische Kunst
Prunkfassade des Wüstenschlosses
Mschatta (Jordanien; 8.Jh.)
Funde aus Ktesiphon und Samarra
Gebetsnische aus der Maidan-
Moschee in Kaschan (1226)
Aleppo-Zimmer
Teppiche, Miniaturen,
Schnitzereien

Antikensammlung
Geometr. und archaische
Kleinkunst, zyprische
Werke, klassische und
hellenistische Klein-
plastik, griechische
Terrakotten und
Vasen, römische
Porträts und Kleinkunst

■ Antikensammlung   ■ Museum für
                        Islamische Kunst

■ Vorderasiatisches Museum

Pergamonmuseum

HAUPTGESCHOSS

©Baedeker

Telephosfries

Hellenistische
Baukunst

Pergamonaltar

Pergamonsaal

Architekturteile

Römische
Baukunst

Marktor von Milet

Ischtartor

ⓘ Eingang

Ver-
kaufs-
stand

Gar-
de-
robe

Zugang

NORDFLÜGEL

M

Skulpturen

Prozessionsstraße

SÜDFLÜGEL

Pergamonsteg über
den Kupfergraben

HAUPTGESCHOSS

Antikensammlung
Skulpturen: Griechische Plastik des
6.-4.Jh.s v. Chr., hellenistische und
römische Kopien griechischer Werke des
5.-4.Jh.s.v. Chr., griechische Plastik
der hellenistischen Zeit und römische
Kopien griechischer Originale; römische
Kunst
M Münzausstellung

Vorderasiatisches Museum
Abgüsse hethitischer Reliefs
Altertümer der Hethiter, Churriter
und Aramäer
Funde aus Sumer, Akkad, Uruk, Babylon,
Persien (Susa, Persepolis)
Ischtartor und Prozessionsstraße
aus Babylon (erbaut unter Nebukad-
nezar II., 604-562 v. Chr.)
Funde aus Assur (Wandreliefs aus dem
Palast Assurnasipals II., 9.Jh. v. Chr.;
Wasserbecken)
Keilschrifturkunden; Urartäische Funde;
Stelensammlung

Berlin

zars II. (603–562 v.Chr.) wie das Ischtar-Tor, die Prozessionsstraße und Teile der Kronsaalfassade von Babylon. Aus älterer Zeit stammen die Stiftmosaikwand (um 3000 v. Chr.) und die Backsteinfassade (etwa 1415 v. Chr.) aus dem Eanna-Heiligtum in Uruk; einzigartig ist das Riesenvogelstandbild vom Tel Halaf (um 900 v. Chr.). Das wertvollste Stück des Islamischen Museums ist die Fassade des Wüstenschlosses Mschatta in Jordanien (8. Jh.). Außerdem werden persische und indische Miniaturen, Teppiche und Schnitzereien gezeigt.

Neues Museum

Am Wiederaufbau des Neuen Museums wird seit 1986 gearbeitet. Nach Fertigstellung soll es die Ägyptischen Sammlungen des Bodemuseums und aus Charlottenburg aufnehmen.

Alte
Nationalgalerie

Hinter dem Neuen Museum erhebt sich die Alte Nationalgalerie, die Gemälde und Plastiken deutscher Meister aus dem 19. und frühen 20. Jh., vor allem Berliner Künstler, sowie Werke französischer Impressionisten ausstellt. Sie wird komplett renoviert; die schönsten Stücke werden zwischenzeitlich im Alten Museum ausgestellt.

*Altes Museum

Jenseits des Kupfergrabens und mit der Front auf den Lustgarten zeigend steht das Alte Museum, Schinkels bedeutendste städtebauliche Leistung mit großer Freitreppe und langgestreckter Säulenhalle. Hier soll zukünftig die Antikensammlung untergebracht werden.

Lustgarten · Schloßplatz

Lustgarten

Vor dem Alten Museum erstreckt sich der Lustgarten, einer der wichtigsten Kundgebungsplätze des alten Berlin. Die große Granitschale (1827–1830) vor der Freitreppe des Museums wurde aus einem einzigen märkischen Findling gehauen.

*Berliner Dom

Der Berliner Dom erhebt sich an der Ostseite des Lustgartens. Er wurde 1894–1905 nach Plänen von Julius Raschdorff auf Wunsch von Kaiser Wilhelm II. als Hauptkirche des preußischen Protestantismus anstelle einer früheren Domkirche von 1750 errichtet. Im Kirchenraum sind der Große Kurfürst und seine Gemahlin, das preußische Königspaar Friedrich I. und Sophie Charlotte und Kaiser Friedrich III. bestattet. Über das Kaiserliche Treppenhaus kommt man auch hinauf zur Kuppel, die eine herrliche Sicht über das Zentrum Berlins bietet.

Schloßplatz

Jenseits der Karl-Liebknecht-Straße stand früher das große Berliner Stadtschloß, dessen Ruine man 1950 sprengte, um unter Einbeziehung des Lustgartens einen weiten Aufmarschplatz zu schaffen. Der Platz wird beherrscht vom Palast der Republik (1973–1976), bis 1990 Sitz der Volkskammer, Versammlungs- und Kulturstätte und seit Jahren wegen Asbestverseuchung geschlossen. Was mit ihm geschehen soll – Abriß und vielleicht Wiederaufbau des Schlosses oder Sanierung – ist immer noch nicht geklärt. Den Platz begrenzt an seiner Südostseite das ehemalige Gebäude des Staatsrats der DDR (1962–1964), in dessen Fassade das Portal IV des Stadtschlosses eingefügt wurde. Von dessen Balkon hatte Karl Liebknecht am 9. November 1918 die deutsche sozialistische Republik ausgerufen.

Ribbeckhaus

Links vom Staatsratsgebäude liegen der Alte Marstall (1665–1670) und daran anschließend das Ribbeckhaus, 1624 für die bei Theodor Fontane vorkommende märkische Adelsfamilie erbaut und einzig erhaltenes Renaissancehaus Berlins.

Nicolaihaus

In der Brüderstraße südlich vom Schloßplatz wohnte im Haus Nr. 13 der Verleger Friedrich Nicolai (1733–1811), der sein Heim zu einem Treffpunkt der bedeutendsten Köpfe der deutschen Aufklärung machte.

Zwischen Nikolaiviertel und Alexanderplatz

Das Nikolaiviertel südöstlich vom Schloßplatz am jenseitigen Spreeufer ist eine auf dem Reißbrett entworfene "Alt-Berliner Milieu-Insel" mit etlichen historischen Bauteilen, die sich früher z. T. andernorts befanden. Es handelt sich hierbei um die östliche Hälfte der Doppelstadt Cölln-Berlin an der Stelle der ältesten Siedlungsstätte. Die historischen Gebäude scharen sich um die auf einer romanischen Basilika erbaute spätgotische Nikolaikirche (14. / 15. Jh.), deren spitzer Doppelturm das Wahrzeichen des Viertels ist. Von 1657 – 1666 wirkte hier Paul Gerhardt, der Dichter evangelischer Kirchenlieder, als Geistlicher. Der Kirchenraum mit wertvollen Grabmälern zeigt als Zweigstelle des Stadtmuseums Berlin die Geschichte der Stadt vom Mittelalter bis zum Dreißigjährigen Krieg.

Zu den bekanntesten historischen Gebäuden im Viertel gehören die Gerichtslaube des mittelalterlichen Rathauses, das Lessinghaus, in dem Lessing die "Minna von Barnhelm" schrieb, das herrlich ausgestattete Knoblauchhaus (1754 – 1760), das prachtvolle barocke Ephraim-Palais (1764; heute Galerie der Berliner Kunst vom 17. – 19. Jh.) und das Restaurant "Zum Nußbaum". Nicht weit vom Ephraim-Palais befindet sich am Mühlendamm das originelle Hanfmuseum.

*Nikolaiviertel

Mittelpunkt und Wahrzeichen des Nikolaiviertels ist die Nikolaikirche. Im Hintergrund erkennt man den Dom, das Rote Rathaus und den Fernsehturm.

Über dem an das Nikolaiviertel anschließenden Molkenmarkt ragt der Turm des Alten Stadthauses auf. An ihm vorbei kommt man zu Berlins erster Barockkirche, der Parochialkirche (1695 – 1714), und dahinter zu einem Rest der Berliner Stadtmauer (13. Jh.) mit der angeblich ältesten Kneipe Berlins "Zur Letzten Instanz" daneben. Weiterhin findet man in diesem Viertel das Stadtgericht Berlin-Mitte (1896 – 1905) mit seinem sehenswerten Jugendstil-Treppenhaus und die Ruine der Franziskaner-Klosterkirche (13. Jh.), nun als Skulpturengarten genutzt.

Molkenmarkt und Umgebung

Berlin

Rotes Rathaus

Östlich vom Nikolaiviertel erhebt sich das Berliner Rathaus, nicht der Politik, sondern seiner roten Backsteine wegen "Rotes Rathaus" genannt. Es wurde 1861–1869 als dreigeschossige Neurenaissance-Mehrflügelanlage mit 74 m hohem Turm errichtet. Auf dem umlaufenden Terrakottafries berichtet die "Steinerne Chronik" aus der Geschichte Berlins. Das Rote Rathaus ist heute Sitz des Regierenden Bürgermeisters und des Senats. Der Neptunbrunnen (1891) vor dem Rathaus zeigt den Meeresgott, umgeben von vier Allegorien auf Elbe, Oder, Rhein und Weichsel. Links sieht man an der Rückseite des Palasts der Republik das Marx-Engels-Forum.

∗Marienkirche

Über den Brunnen hinweg schaut man zur ältesten erhaltenen Berliner Kirche. Die 1270 begonnene und 1380 erweiterte Marienkirche bewahrt in der Turmhalle das Freskogemälde "Totentanz" mit niederdeutschen Versen (1484). Zur reichen Innenausstattung gehören eine barocke Alabasterkanzel (1703) von Andreas Schlüter und das Lucas Cranach d. Ä. zugeschriebene Schnitzbild der Heiligen Familie.

∗Fernsehturm

Alles überragend steigt 365 m hoch der 1969 vollendete Fernsehturm auf. Er bietet eine Aussichtsplattform in 207 m Höhe und ein drehbares Café.

Alexanderplatz

Unter den Hochgleisen hindurch betritt man den 1805 zu Ehren Zar Alexanders I. von Rußland so benannten Alexanderplatz, von dessen Vorkriegsbebauung so gut wie nichts mehr geblieben ist und den heute mehr oder weniger einfallslose Neubauten prägen. Ob ihn die hier geplante "Hochhaus-City" attraktiver macht, bleibt abzuwarten.

Scheunenviertel

Auch vom alten Scheunenviertel nördlich vom Alexanderplatz sieht man kaum noch etwas. Es war vor 1933 das geschäftige Quartier der aus Osteuropa gekommenen Juden. Geblieben ist nur die Gaststätte "Weißer Elefant" an der Almstadtstraße / Ecke Schendelgasse.

∗Märkisches Museum

An der Stadtgeschichte Interessierte sollten den Weg zum Märkischen Museum auf sich nehmen, das man vom Nikolaiviertel über den Mühlendamm und die Fischerinsel erreicht. Das Gebäude im Stil der märkischen Backsteingotik wurde von 1899–1908 erbaut. Das Museum zeigt als Teil des Stadtmuseums Berlin die Geschichte der Stadt in der Urzeit und vom Dreißigjährigen Krieg bis zur Gegenwart, darüberhinaus eine Ausstellung zum Berliner Theater, Berliner Kunsthandwerk und Musikautomaten.

Potsdamer Platz · Leipziger Straße

Potsdamer Platz

An der Grenze zum Bezirk Tiergarten, im Herzen Berlins, erstreckt sich der Potsdamer Platz, 1741 von Friedrich Wilhelm I. angelegt und vor dem Zweiten Weltkrieg der verkehrsreichste Platz Europas und das verkehrstechnische Bindeglied zwischen dem Osten und dem Westen der Stadt. Die Bomben des Zweiten Weltkriegs zerstörten sämtliche Gebäude bis auf das Weinhaus Huth und Teile des Hotels Esplanade. Mit dem Bau der Berliner Mauer wurde der Platz zum öden Niemandsland zwischen zwei Mauerlinien, durch welche erreicht werden sollte, daß niemand durch das Labyrinth unterirdischer Gänge, die zu Hitlers "Führerbunker" an der Voßstraße gehört hatten, in den Westen gelangen sollte. Der Platz zeigt sich heute als größte Baustelle Europas, auf dem die Konzerne Daimler Benz, Sony und Asean Brown Boveri von den namhaftesten Architekten der Welt Berlins neue Mitte erbauen lassen. Wie sie aussehen wird, erfährt man in der knallroten Infobox am Leipziger Platz.

Leipziger Straße

Die Leipziger Straße führt ostwärts zur Wilhelmstraße. Hier steht das Detlev-Rohwedder-Haus, 1934–1936 als Reichsluftfahrtministerium erbaut, dann nacheinander Haus der Ministerien der DDR, Sitz der Treuhandanstalt und zukünftig des Bundesfinanzministeriums. Etwas weiter an der Mauerstraße befindet sich das Postmuseum.

Südlich parallel zur Leipziger Straße verläuft die Niederkirchnerstraße, an der entlang die Mauer die Bezirke Mitte und Kreuzberg trennte. Im Bezirk Mitte liegt der ehemalige Preußische Landtag, jetzt Abgeordnetenhaus von Berlin, auf Kreuzberger Seite der für seine Kunstausstellungen bekannte Martin-Gropius-Bau. In der Niederkirchnerstraße, der früheren Prinz-Albrecht-Straße, wird die Vergangenheit des Viertels lebendig: Hier befanden sich die Zentralen von SS, SD und Gestapo. In freigelegten Kellerräumen eines Nebengebäudes der Gestapozentrale ruft die Ausstellung "Topographie des Terrors" diese Zeit wieder in Erinnerung.

Martin-Gropius-Bau

Topographie des Terrors

Tiergarten

Reichstagsgebäude · Spreebogen

Vom Brandenburger Tor sieht man bereits das Reichstagsgebäude, das 1884–1894 von Paul Wallot im Stil der italienischen Hochrenaissance entworden wurde. Bis zum 27. Februar 1933, dem Tag des Reichstagsbrandes, kam hier der Deutsche Reichstag zusammen. Der Brand, mit großer Wahrscheinlichkeit von dem niederländischen Kommunisten Marinus van der Lubbe als Alleintäter gelegt, war Anlaß für die "Verordnung zum Schutz von Volk und Staat" am Tag darauf, die den Nazis die Gelegenheit gab, ihre politischen Gegner zu verfolgen und und zu beseitigen. Das Gebäude wurde nicht mehr renoviert und 1945 beim Kampf um Berlin weitgehend zerstört. Der Wiederaufbau war 1970 abgeschlossen, um dann regelmäßig dem Deutschen Bundestag für Sitzungen zu dienen.
Der Reichstag wird nach dem umfangreichen Aus- und Umbau nach Plänen des britischen Architekten Norman Foster zukünftig ständiger Tagungsort des Bundestags. Im Sommer 1995 verhüllten Christo und Jeanne-Claude das Objekt in einer spektakulären Aktion.

*Reichstagsgebäude

Auf längere Zeit wird auch die Umgebung des Gebäudes eine riesige Baustelle sein, denn im Spreebogen nördlich davon entstehen das neue Bundeskanzleramt und Abgeordnetenbüros.

Neubauten

Tiergarten

Tiergarten ist nicht nur ein Stadtbezirk, sondern auch Berlins größter innerstädtischer Park. Sehenswert sind die ehemalige Kongreßhalle, nun Haus der Kulturen der Welt sowie Schloß Bellevue (1785), einst Sommerwohnung von Prinz August Ferdinand, des Bruders Friedrichs des Großen, heute Amtssitz des Bundespräsidenten. Westlich an den Bellevuepark anschließend erbauten 1955–1957 führende Architekten der Welt (u.a. Aalto, Düttmann, Eiermann, Gropius, Niemeyer) das Hansaviertel.

Haus der Kulturen der Welt
Schloß Bellevue

Von Westen nach Osten durchzieht den Tiergarten die Straße des 17. Juni. Am Großen Stern erhebt sich die 67 m hohe Siegessäule, ursprünglich vor dem Reichstag für die Feldzüge von 1864, 1866 und 1870/1871 aufgerichtet und 1938 hierher versetzt. Von ihrer Plattform bietet sich eine hervorragende Rundsicht. Kurz vor dem Brandenburger Tor erinnert das aus Trümmerstücken von Hitlers Neuer Reichskanzlei erbaute Sowjetische Ehrenmal an die Toten der Roten Armee beim Kampf um Berlin.

Straße des 17. Juni
Siegessäule

Kulturforum

Am Südostrand des Tiergartens ist am Kemperplatz und um die St.-Matthäus-Kirche (1846) von Friedrich August Stüler von 1960 bis heute das Kulturforum entstanden, sowohl Schauplatz moderner Architektur als auch zweiter großer Museumsstandort Berlins, in dem schwerpunktmäßig die Europäische Kunst versammelt ist.

Allgemeines

Berlin

**Philharmonie
Staatsbibliothek**

Als erstes Gebäude wurde 1960–1963 die von Hans Scharoun entworfene Philharmonie erbaut. Vom selben Architekten stammt die 1967–1978 entstandene Staatsbibliothek jenseits der Potsdamer Straße.

***Musik-
instrumenten-
museum**

Mit der Philharmonie verbunden ist das Musikinstrumentenmuseum, das 500 unterschiedlichste Instrumente vom 16.–20. Jh. zeigt, darunter als Glanzstück die riesige Wurlitzer-Orgel "The Mighty" von 1929.

****Kunst-
gewerbemuseum**

Das bereits 1867 gegründete Kunstgewerbemuseum zog 1985 in den Neubau von Rolf Gutbrod. Es zeigt Beispiele aus allen Bereichen des europäischen Kunsthandwerks vom Mittelalter bis heute. Höhepunkt ist der Welfenschatz mit 44 Reliquiaren, Kreuzen und Tragaltären aus dem 11. bis 15. Jh. (Öffnungszeiten: Di.–Fr. 9.00–17.00, Sa. und So. 10.00–17.00 Uhr).

**Kupferstich-
kabinett und
Kunstbibliothek**

Erst 1994 hat das Kupferstichkabinett sein neues Domizil bezogen. Die Spanne der ausgestellten Werke reicht vom Mittelalter bis zur Gegenwart und beinhaltet Illustrationen Botticellis zu Dantes "Göttlicher Komödie" ebenso wie Arbeiten der Expressionisten des "Blauen Reiters" und der "Brücke". Angeschlossen ist die Kunstbibliothek.

**Gemäldegalerie

Mitte 1998 eröffnet die vordem in Dahlem angesiedelte Gemäldegalerie ihre neuen Räume. Sie bietet einen ausgezeichneten Überblick über die europäische Malerei bis zum 19. Jh., darunter acht Werke von Albrecht Dürer und als besonderen Schwerpunkt innerhalb der für sich schon umfangreichen niederländischen Abteilung Werke von Rembrandt und seiner Werkstatt, vor allem den berühmten "Mann mit dem Goldhelm".

***Neue
Nationalgalerie**

Der Moderne widmet sich die Neue Nationalgalerie in ihrer 1965–1968 nach Plänen von Ludwig Mies van der Rohe erbauten Stahl- und Glashalle. Ausgestellt sind u.a. Werke von Edvard Munch, George Grosz, Max Beckmann und Max Ernst. Kunst ab 1960 präsentiert die Neue Nationalgalerie im Museum der Gegenwart im völlig neugestalteten ehemaligen Hamburger Bahnhof nördlich vom Spreebogen an der Invalidenstraße.

**Gedenkstätte
Deutscher
Widerstand**

Die Gedenkstätte Deutscher Widerstand gehört zwar nicht mehr zum Kulturforum, liegt aber nur wenig entfernt von ihr. Sie befindet sich im ehemaligen Oberkommando der Wehrmacht, dem sog. Bendlerblock, einem der Hauptorte der Ereignisse am 20. Juli 1944, und beschreibt in einer Ausstellung den Widerstand aller politischen Richtungen gegen die Nazis. Eine weitere Gedenkstätte zum Widerstand befindet sich im Bezirk Charlottenburg in der ehemaligen Haftanstalt Plötzensee, wo 1800 Männer, Frauen und Jugendliche hingerichtet wurden.

Charlottenburg und Spandau

Kurfürstendamm und Umgebung

***Kaiser-Wilhelm-
Gedächtniskirche**

Im Osten des Bezirks Charlottenburg steht am Breitscheidplatz als eines der bekanntesten Wahrzeichen Berlins die Turmruine der neuromanischen Kaiser-Wilhelm-Gedächtniskirche (1891–1895). Die Kirche wurde 1943 bei einem Bombenangriff zerstört, ihre Ruine beließ man als Mahnmal, unmittelbar daneben aber ist 1959–1961 nach Plänen von Egon Eiermann ein achteckiger blauverglaster Neubau entstanden.

Europa-Center

Nachbar der Kirche ist das 1963–1965 erbaute Europa-Center, ein Geschäftskomplex mit 22geschossigem Hochhaus, das in 86 m Höhe auch eine Aussichtsplattform bietet. Die Freifläche zwischen Kirche und Hochhaus ist einer der beliebtesten Treffpunkte in Berlin.

Breitscheidplatz

Der Breitscheidplatz und seine unmittelbare Umgebung ist die lebhafteste Ecke Berlins. Hier beginnen die Tauentzienstraße, die südöstlich zum Wit-

*Durch die Plastik "Berlin" in der Tauentzienstraße sieht man die als
Mahnmal belassene Ruine der Kaiser-Wilhelm-Gedächtniskirche.*

tenbergplatz mit dem großen Kaufhaus KaDeWe führt (östlich, Kleiststr. 13,
das Kulturzentrum "Urania" mit dem Berliner Postmuseum) und die Buda-
pester Straße. An ihr liegt einer der Eingänge zum Zoologischen Garten
(Bezirk Tiergarten). Besondere Attraktionen dieses ältesten Zoos in Deutschland sind die Menschenaffen, ein Pandabär und das Aquarium. Auf der
Hardenbergstraße gelangt man nordwestlich zum Hochschulviertel.

Breitscheidplatz
(Fortsetzung)
KaDeWe
*Zoologischer
Garten

Der vom Breitscheidplatz nach Westen bis nach Wilmersdorf führende,
3,5 km lange Kurfürstendamm hat sich vom kurfürstlichen Reitweg des
16. Jh.s zur Berliner Flanier- und Einkaufsmeile schlechthin gewandelt, auf
der man an zahllosen Geschäften, Restaurants, Cafés, Kinos und Theatern
vorbeispaziert. Das vielbeschworene Weltstadtflair allerdings hat angesichts der Masse von Fastfoodlokalen, Schuhfilialen, Kaufhäusern und
Spielsalons erhebliche Kratzer erlitten. Ein kürzerer Spaziergang beginnt
am besten am Breitscheidplatz und führt vorbei am Café Kranzler zur Fasanenstraße, an der südlich das Käthe-Kollwitz-Museum und nördlich das
Jüdische Gemeindehaus liegen. Es folgt das Kurfürstendammkarree mit
dem Wachsfigurenkabinett Berliner Panoptikum, dann weiter bis zur Kne-
sebeckstraße und auf dieser hinauf zum atmosphärisch stimmigen Savig-
nyplatz, wo es weit schönere Kneipen gibt als am Kudamm. Von dort geht
man auf der Kantstraße zurück zum Breitscheidplatz.

*Kurfürstendamm

Schloß Charlottenburg und Umgebung

Im Herzen von Charlottenburg liegt das in mehreren Etappen zwischen
1695 und 1746 entstandene Charlottenburger Schloß, nach dem Verlust
des Stadtschlosses bestes Beispiel für die Baulust der preußischen Könige
in Berlin. Seine markante Note erhält es durch den fast 50 m hohen Kuppelturm, der über dem Ehrenhof mit dem Reiterstandbild des Großen Kur-

*Schloß
Charlottenburg

Berlin

Schloß
Charlottenburg
(Fortsetzung)

fürsten aufragt, das 1697–1700 von Schlüter und Jacobi geschaffen wurde. Die historischen Räume im von Johann Arnold Nering und Eosander Göthe entworfenen Mittelbau sind nach Kriegsschäden originalgetreu wiederhergestellt worden und bieten mit dem Porzellankabinett und den Wohnräumen Friedrichs des Großen ihren Höhepunkt.

Museen

Im Westflügel befaßt sich das Museum für Vor- und Frühgeschichte mit den Ursprüngen der Kulturen Alteuropas und des alten Orients. Im Ostflügel zeigt die Galerie der Romantik ausgewählte Werke dieser Kunstrichtung vom Beginn des 19. Jahrhunderts.

*Schloßpark

Besondere Beachtung verdienen im Schloßpark das Mausoleum für Königin Luise († 1810) und ihren Gemahl König Friedrich Wilhelm III. († 1840), die in von Christian Daniel Rauch geschaffenen Grabmälern ruhen. Auch Kaiser Wilhelm I. († 1888) mit seiner Gemahlin Kaiserin Augusta († 1890) sowie andere Hohenzollern sind hier bestattet. Das Belvedere beherbergt eine Sammlung "Berliner Porzellan".

*Ägyptisches
Museum und
Papyrussammlung

Die beiden identischen Gebäude gegenüber vom Schloß wurden 1850 von Friedrich August Stüler erbaut. Im Ostbau befindet sich das Ägyptische Museum mit Papyrussammlung, zu dessen herausragenden Stücken das Kalabschator und selbstverständlich die um 1350 v. Chr. geschaffene Büste der Nofretete, Ehefrau des Pharaos Echnaton, gehören.

*Sammlung
Berggruen

Der Westtrakt beherbergt den jüngsten Stern an Berlins Museumshimmel: Die Sammlung Berggruen ist eine der bedeutendsten Privatsammlungen moderner Malerei mit allein 70 Werken von Picasso.

Bröhan-Museum

Im Gebäude neben der Sammlung Berggruen zeigt das Bröhan-Museum eine erlesene Sammlung von Jugendstil- und Art-Deco-Stücken.

Westend

Messegelände

Funkturm

ICC

Im Charlottenburger Stadtteil Westend erstreckt sich das Ausstellungs- und Messegelände, das der Schauplatz aller großen Berliner Ausstellungen ist. Inmitten der Hallen erhebt sich ein weiteres Wahrzeichen Berlins, der mit Antenne 150 m hohe Funkturm, der 1924–1926 zur Funkausstellung errichtet wurde. Direkt an seinem Fuß kann man im Deutschen Rundfunkmuseum die Geschichte des Rundfunks in Deutschland durchstreifen. Das Messegelände ist mit dem 1979 fertiggestellten Internationalen Congress-Centrum verbunden.

Avus

Nahebei südöstlich liegt die Nordschleife der 1921 angelegten Avus (Automobil-Verkehrs- und Übungs-Straße), auf der in den zwanziger und dreißiger Jahren Fahrer wie Caracciola und Rosemeyer Rekorde einfuhren.

*Olympiastadion

Das Olympiastadion im Nordwesten von Charlottenburg ist von 1934 bis 1936 nach Plänen von Werner March für die XI. Olympischen Spiele angelegt worden. Das 300 m lange, 230 m breite und 12 m abgesenkte Stadion für 76 000 Zuschauer strahlt in seiner Gesamtheit den Monumentalcharakter nationalsozialistischen Bauens aus. Unmittelbar nordwestlich liegt die ebenfalls von March für Thingspiele geplante Waldbühne, heute beliebter Veranstaltungsort für Freiluftkonzerte.

Spandau

*Zitadelle

Im westlich an Charlottenburg anschließenden Bezirk Spandau sollte man die in der Havel liegende Zitadelle besuchen. Sie ist ab 1560 auf den Mauern einer Wasserburg der Askanier und unter Einschluß älterer Bauten zum Schutz der Stadt Berlin errichtet worden. Ihre wichtigsten Teile sind das Kommandantenhaus mit dem Stadtgeschichtlichen Museum Spandau, der auf das Jahr 1350 zurückgehende Palas und der Juliusturm vom Beginn des 14. Jh.s, somit ältester Teil der Anlage. In ihm ist von 1874 an der sog. Reichskriegsschatz aufbewahrt worden.

Zitadelle Spandau (Fortsetzung)

In den Hangars des ehemals britischen Militärflugplatzes Gatow – weit westlich jenseits der Havel – stellt das aus Hamburg hierher gekommene Luftwaffenmuseum der Bundeswehr Militärmaschinen vom Ersten Weltkrieg bis zur Gegenwart aus.

Luftwaffenmuseum

Wilmersdorf, Schöneberg und Steglitz

Die grüne Lunge Berlins ist der 3149 ha große Grunewald, der entlang von Havel und Wannsee durch die Bezirke Wilmersdorf und Zehlendorf reicht. Im Wilmersdorfer Teil liegen der nach dem Kriege aus Trümmerschutt aufgerichtete 115 m hohe Teufelsberg als höchste Erhebung im Westen Berlins, der prächtige Aussichten über die Havel bietende Grunewaldturm und das 1542 als Renaissancebau errichtete und im 18. Jh. umgebaute Jagdschloß Grunewald. Es beherbergt neben dem Jagdzeugmagazin und einer Waldlehrschau eine feine Sammlung deutscher und niederländischer Gemälde, darunter von Lucas Cranach d. Ä. und Jacob Jordaens.

*Grunewald

Die Sehenswürdigkeit des südlich an Charlottenburg und östlich an Wilmersdorf angrenzenden Bezirks Schöneberg ist das Rathaus am John-F.-Kennedy-Platz, bis 1991 Amtssitz des Regierenden Bürgermeisters von Berlin. Eine Gedenktafel erinnert an den US-Präsidenten John F. Kennedy, der 1963 hier die berühmten Worte "Ich bin ein Berliner" sprach. Im Rathaus ehrt eine Ausstellung den langjährigen Regierenden Bürgermeister und Bundeskanzler Willy Brandt.

Rathaus Schöneberg

Im Bezirk Steglitz liegt der Botanische Garten, dessen Attraktionen das Victoria-Regia-Haus, das Botanische Museum, der Kurfürstliche Garten aus dem 17. Jh. sowie ein Duft- und Tastgarten für Sehbehinderte sind.

Botanischer Garten

Zehlendorf

Dahlem

Zum Bezirk Zehlendorf ganz im Südwesten Berlins gehört der Stadtteil Dahlem mit Auditorium Maximum der Freien Universität Berlin, den Instituten der Max-Planck-Gesellschaft und den an der Lansstraße liegenden Museen, die als dritter großer Museumsstandort neben Museumsinsel und Kulturforum ihren Schwerpunkt in der Völkerkunde haben.

Allgemeines

Dieses Museum nimmt eine Spitzenposition unter den ethnographischen Museen Europas ein. Zu seinen Prunkstücken zählen Terrakottaplastiken aus dem westnigerianischen Ife (10.–13. Jh.), Bronzen des 16. Jh.s aus Benin und die sog. Goldkammer mit Stücken aus Kolumbien, Mittelamerika und Peru, darunter eine Opferschale der Inkas (Öffnungszeiten: Di.–Fr. 9.00–17.00, Sa. und So. 10.00–17.00 Uhr).

**Museum für Völkerkunde

Das Museum für Indische Kunst ist das einzige selbständige Haus seiner Art in Deutschland. Herausragend ist eine Sammlung von Wandmalereien des 5.–12. Jh.s aus den Turfan-Klöstern an der nördlichen Seidenstraße.

*Museum für Indische Kunst

Dieses Museum zeigt Objekte aller islamischen Kulturkreise, vor allem aus dem arabisch-persischen Raum, aber auch seltene Stücke aus dem maurischen Spanien.

*Museum für Islamische Kunst

Berlin

Museum für Ostasiatische Kunst

Die aus China, Japan und Korea stammenden Stücke sind der Rest der einst wesentlich größeren Ostasiatischen Kunstsammlung, deren schönste Objekte 1945 in die Sowjetunion verbracht wurden und sich zum größten Teil noch immer in der Eremitage von St. Petersburg befinden.

Weitere Museen

Zwei weitere sehenswerte Museen gehören nicht zu den Dahlem-Museen. Das Brücke-Museum am Bussardsteig widmet sich der expressionistischen Künstlergemeinschaft "Die Brücke"; das Museumsdorf Düppel südwestlich von Dahlem stellt die Rekonstruktion einer mittelalterlichen Siedlung dar.

Wannsee

*Erholungsgebiet

Gedenkstätte Wannseevilla

Der von der Havel durchflossene Wannsee bedeckt eine Fläche von 260 ha. Mit ihm besitzt Zehlendorf Berlins beliebtestes Naherholungsgebiet, das Strandbäder, Wassersport und Ausflugsschiffahrt bietet. Der Stadtteil Wannsee ist eine der bevorzugtesten Wohngegenden der Stadt, von denen sich die Insel Schwanenwerder die exklusivste nennen darf. In der Villa Am Großen Wannsee 56–58 allerdings fand am 20. Januar 1942 die sog. Wannsee-Konferenz "zur Endlösung der Judenfrage" statt. Heute ist hier eine erschütternde Gedenkstätte eingerichtet.

*Pfaueninsel

Der reizvollste Punkt des Havelgebiets ist die weit im Südwesten liegende Pfaueninsel mit dem 1794–1797 im Stil einer Ruine erbauten Lustschloß und einem sehr schönen englischen Park.

Schloß und Park Glienicke

Schloß Glienicke über der Havel ist 1826 von Karl Friedrich Schinkel als Sommerresidenz für Prinz Carl von Preußen erbaut worden. Auch die Pa-

"Nischt wie raus nach Wannsee!"
Dieses Motto, in den Fünfzigern von Conny Froboess gesungen, galt nicht nur zu den Zeiten, als Berlin vom Umland abgeschnitten war.

villons und den gotischen Jägerhof für den Schloßpark Glienicke schuf Schinkel. Unterhalb vom Schloß verbindet die legendäre Glienicker Brücke Berlin mit Potsdam. Hier spielte sich während des Kalten Kriegs manch Austausch hochrangiger Agenten ab.

Schloß und
Park Glienicke
(Fortsetzung)

Kreuzberg und Tempelhof

Der an Tiergarten und Mitte grenzende Bezirk Kreuzberg war lange Jahre Inbegriff für Randale und alternatives Leben. Mit der Wende ist er von der Randlage in Westberlin plötzlich in das Zentrum der vereinten Stadt gerückt – mit der Folge, daß Immobilienspekulanten viele Alternative verdrängten, manche soziale Probleme aber auch verschärft wurden. So zählt die einst alternative Hochburg SO 36 heute zu den Problemvierteln der Stadt. Immer noch aber gibt es den Kreuzberger Kiez wie in der Gegend um die Bergmannstraße, und immer noch ist Kreuzberg eine "kleine Türkei", was besonders beim türkischen Markt (Di. und Fr.) am Maybachufer des Landwehrkanals (allerdings schon in Neukölln) zu erleben ist.

Allgemeines

Oberhalb der Einmündung des Landwehrkanals in die Spree verbindet die 1896 im Stil der märkischen Backsteingotik erbaute Oberbaumbrücke die Bezirke Kreuzberg und Friedrichshain.

Oberbaumbrücke

Das Deutsche Technikmuseum auf einem ehemaligen Bahnbetriebsgelände begeistert mit einer Vielzahl originaler Ausstellungstücke aus Schienen- und Straßenverkehr, Luftfahrt, Haushalts- und Fertigungstechnik, Druck, Maschinenbau, Elektronik u.a. und bietet auch eine Experimentierabteilung zu wissenschaftlichen Grundprinzipien.

*Deutsches
Technikmuseum

Das im Gebäude des ehemaligen Alten Kammergerichts (1734 / 1735) eingerichtete Berlin Museum beschäftigt sich als Teil des Stadtmuseums Berlin mit der Geschichte der Stadt. Ihm angeschlossen ist das Jüdische Museum in dem sehr exzentrischen Erweiterungsbau des Architekten Daniel Libeskind. Während das Berlin Museum derzeit umfassend reorganisiert wird, ist das Jüdische Museum ein neues Projekt. Beide sollen voraussichtlich 1999 eröffnet werden.

Berlin Museum

Der ganz im Süden des Bezirks liegende 66 m hohe Kreuzberg wurde 1894 zum Viktoriapark mit künstlichem Wasserfall umgestaltet. Seinen Gipfel ziert das von Schinkel entworfene Denkmal für die Befreiungskriege. Auf dem Kreuzberg wird sogar Wein angebaut, an seinem Fuß allerdings liegt die burgartige Schultheiß-Brauerei.

Kreuzberg
(Viktoriapark)

Vom Kreuzberg blickt man auch auf den Flughafen Tempelhof im gleichnamigen Bezirk. Das weite Tempelhofer Feld war seit dem 18. Jh. Paradeplatz der Berliner Garnison, 1923 – 1974 Zentralflughafen von Berlin und ist seit 1986 Regionalflughafen. Vor dem großen Flughafengebäude, 1936 bis 1939 von Ernst Sagebiel im nationalsozialistischen Monumentalstil erbaut, erinnert das 1951 enthüllte Luftbrückendenkmal an die Luftbrücke der westlichen Alliierten zur Versorgung der Stadt während der sowjetischen Blockade vom Juni 1948 bis zum Mai 1949.

Flughafen
Tempelhof

Prenzlauer Berg, Friedrichshain und Lichtenberg

Der Bezirk Prenzlauer Berg nordöstlich von Berlin-Mitte gehört zu den dichtbesiedelten Gebieten Berlins und hat mittlerweile Kreuzberg als autonom-alternatives Zentrum fast abgelöst. Hierher geht man weniger aus touristischen Gründen, sondern vielmehr, um Kneipen und Kultur zu erleben. Man tut dies u. a. in der Kulturbrauerei an der Knaackstraße und um den Kollwitzplatz herum. Natürlich gibt es aber auch etwas zu besichtigen.

Allgemeines

Berlin

Jüdischer Friedhof

Auf dem 1827 angelegten Jüdischen Friedhof an der Schönhauser Allee sind u. a. Giacomo Meyerbeer († 1864), Leopold Ullstein († 1899) und Max Liebermann († 1935) bestattet.

**Kollwitzplatz
Husemannstraße
Rykestraße**

Der Kollwitzplatz – Käthe Kollwitz wohnte in der jetzigen Kollwitzstr. Nr. 25 – ist eines der Zentren der Szene. Vom Platz geht die noch zu DDR-Zeiten im Stil der Wilhelminischen Zeit herausgeputzte Husemannstraße ab. Im Haus Nr. 12 dokumentiert die Ausstellung "Stube, Kammer, Küche" die Lebensbedingungen einer Arbeiterfamilie um 1900. In der Rykestraße befinden sich Deutschlands einzige Synagoge, die die Pogromnacht 1938 unbeschadet überstand, sowie das Wahrzeichen des Prenzlauer Bergs, der Wasserturm von 1873.

***Zeiss-
Großplanetarium**

Im Ernst-Thälmann-Park hat ein recht monumentales Denkmal für den im KZ Buchenwald ermordeten deutschen Kommunistenführer die Wende überstanden. Interessanter ist aber wohl das Zeiss-Großplanetarium mit seiner Ausstellung über die Astronomie und den von Mi. – So. gebotenen verschiedenen Vorführungen.

**Volkspark
Friedrichshain**

Der Volkspark Friedrichshain im gleichnamigen Bezirk südlich vom Prenzlauer Berg ist eine der größten Parkanlagen der Innenstadt, 1846 an den Hängen des "Mühlenbergs" nach Entwürfen von Gustav Meyer angelegt. Anziehungspunkte sind der neubarocke Märchenbrunnen (1913) und der Friedhof der Märzgefallenen für die Opfer der Barrikadenkämpfe von 1848.

*Stasi-Museum

Im ehemaligen Hauptquartier der DDR-Staatssicherheit an der Rusche- / Normannenstraße im östlich von Friedrichshain liegenden Bezirk Lichtenberg dokumentiert die Forschungs- und Gedenkstätte Normannenstraße die Methoden der Stasi. Mittel- und Höhepunkt der Ausstellung ist das Dienstzimmer des Stasi-Chefs Erich Mielke.

***Tierpark
Friedrichsfelde**

Der Tierpark Friedrichsfelde, ebenfalls in Lichtenberg, ist 1955 im Park des 1719 gebauten Schlosses Friedrichsfelde (in diesem die Ausstellung "Herrschaftliches Wohnen") als Pendant zum Zoologischen Garten im Westen eröffnet worden. Besonderheiten sind das Alfred-Brehm-Haus mit der Tropenhalle und dem Großkatzengehege.

**Deutsch-
Russisches
Museum**

Als weitere Sehenswürdigkeit bietet Lichtenberg das Deutsch-Russische Museum im ehemaligen Hauptquartier des Sowjetmarschalls Schukow im Ortsteil Karlshorst, wo am 8. / 9. Mai 1945 die deutsche Kapitulation unterzeichnet wurde. Dieses und andere Ereignisse der deutsch-russischen Geschichte seit 1917 untersucht das Museum.

Treptow und Köpenick

Treptower Park und Plänterwald

***Treptower
Park**

Der Treptower Park im Südosten Berlins im Bezirk Treptow wurde 1876 – 1882 vom ersten Berliner Gartenbaudirektor Gustav Meyer angelegt und war 1896 Schauplatz der "Großen Berliner Gewerbeausstellung". Die weite, an der Spree sich hinziehende Gartenlandschaft ist eines der beliebtesten und schönsten Ausflugsziele im Osten Berlins, nicht zuletzt auch wegen der bereits 1821 / 1822 als "Neues Gartenhaus an der Spree" erbauten heutigen Gaststätte "Zenner".

***Sowjetisches
Ehrenmal**

Das riesige Sowjetische Ehrenmal (1947 – 1949) im Treptower Park ist die zentrale Gedenkstätte für die 1945 bei den Kämpfen um Berlin gefallenen Sowjetsoldaten. 5000 von ihnen sind hier bestattet. An der großen Frauenfigur "Mutter Heimat" vorbei kommt man zum Hauptmonument der Anlage, ein den Heldengräbern der Donebene nachempfundenes Mausoleum. Auf ihm steht eine 11,60 m hohe Soldatenfigur, die ein deutsches Kind auf dem Arm trägt und ein gesenktes Schwert hält, welches das Hakenkreuz zerschlagen hat. Der Kuppelsaal des Mausoleums ist mit dem Mosaik "Die Vertreter aller Unionsrepubliken gedenken ihrer Toten" ausgeschmückt.

Sowjetisches Ehrenmal (Fortsetzung)

Im Südostteil des Parks liegt an dem Straßenstück Alt-Treptow die Archenhold-Sternwarte, 1896 anläßlich der Berliner Gewerbeausstellung erbaut und 1908/1909 erneuert. Die Hauptattraktion der Volkssternwarte bildet das 21 m lange Riesenfernrohr, das größte Linsenfernrohr der Welt.

Archenhold-Sternwarte

Im Hain der Kosmonauten erinnern Denkmäler an die sowjetischen Raumflüge und an den Flug des DDR-Kosmonauten Sigmund Jähn 1978.

Hain der Kosmonauten

Der Treptower Park geht am "Zenner" in den Plänterwald über, wo der Spreepark allerlei Fahrgeschäfte, darunter eine Riesenloopingbahn, bietet.

Plänterwald

Stadt und Schloß Köpenick

In der Altstadt von Köpenick muß man natürlich zum alten Rathaus (1901 – 1904), das durch den legendären "Hauptmann von Köpenick", den Schuhmacher Wilhelm Voigt, weithin bekannt wurde. Seit 1996 erinnert auch ein Denkmal an den Mann, der in einer geliehenen Hauptmannsuniform zwölf Grenadiere seinem Kommando unterstellte, den Bürgermeister von Köpenick verhaftete und die Gemeindekasse beschlagnahmte.

Rathaus

Das Köpenicker Schloß auf der Schloßinsel entstand in seiner heutigen Form Ende des 17. Jh.s nach Plänen von Rutger van Langerfeld. Im Oktober 1730 tagte hier das Kriegsgericht über den Kronprinzen Friedrich, den späteren Friedrich II., und seinen Freund Leutnant Katte, der dem Prinzen bei seinem Fluchtversuch geholfen hatte. Heute ist im Schloß das Kunst-

*Schloß (Kunstgewerbemuseum)

Preußische Geschichte spielte sich in Schloß Köpenick ab, als hier 1730 Leutnant von Katte zum Tode verurteilt wurde.

Berlin

Schloß Köpenick (Fortsetzung)

gewerbemuseum eingerichtet, das einen Überblick über 400 Jahre europäisches Kunsthandwerk bietet.

＊Müggelsee

Was den Wessis der Wannsee, ist den Ossis der Müggelsee. Müggelsee und Müggelberge sind zu allen Jahreszeiten beliebte Ausflugsziele. Außer Müggelturm und Spreetunnel ist das Strandbad Müggelsee in den Sommermonaten ein Besuchermagnet.

Sehenswertes in den übrigen Bezirken

Jüdischer Friedhof Weißensee

Der Jüdische Friedhof im Bezirk Weißensee ist der größte in Europa. Hier sind u. a. der Kaufhausbesitzer Hermann Tietz (Hertie), der Verleger Samuel Fischer und die Eltern von Kurt Tucholsky beerdigt.

Alt-Marzahn

Inmitten der baulichen Einöde des Bezirks Marzahn wirkt das Dörfchen Alt-Marzahn reichlich verloren. Aber es gibt hier einige außergewöhnliche Museen: das Dorfmuseum Alt-Marzahn mit bäuerlichem Gerät, das Friseur- und Badermuseum und das Gründerzeitmuseum der berühmten, inzwischen ausgewanderten Charlotte von Mahlsdorf.

Schloß Niederschönhausen

Schloß Niederschönhausen im Bezirk Pankow erhielt 1704 von Eosander von Göthe seine heutige Gestalt. Es diente von 1949–1960 als Amtssitz des DDR-Staatspräsidenten Wilhelm Pieck, war danach Gästehaus der DDR-Regierung, erlebte die Verhandlungen am Runden Tisch und die Zwei + Vier-Gespräche und ist heute Gästehaus der Bundesregierung. Der ursprüngliche Rokokogarten, den Peter Joseph Lenné später zu einer englischen Parklandschaft umgestaltete, ist zugänglich.

Lübars

Echte ländliche Idylle findet man im Dorf Lübars ganz im Nordwesten des Bezirks Reinickendorf.

Volkspark Hasenheide

Die Hasenheide im Bezirk Neukölln wurde 1936–1939 zum Volkspark umgewandelt. Nach dem Krieg kam der Trümmerschuttberg Rixdorfer Höhe hinzu. Bekannt geworden aber ist die Hasenheide als erster Turnplatz Deutschlands, 1810 vom "Turnvater" Friedrich Ludwig Jahn gegründet.

Umgebung von Berlin

＊Bernau

Das 22 km nordöstlich liegende Bernau bietet das Kuriosum einer sozialistischen Planstadt innerhalb seiner mittelalterlichen Stadtmauern. Immerhin sind die Neubauten nicht höher als vier Stockwerke. An alter Bausubstanz erhalten sind Reste der Stadtmauer einschließlich Wiekhäusern, dem Pulverturm, dem Hungerturm und dem Steintor, jetzt Heimatmuseum. In der Kirche St. Marien verdienen ein spätgotischer Hochaltar mit sechs Flügeln, eine Triumphkreuzgruppe und ein Sakramentshaus Beachtung.

Wandlitz

Wandlitz, 28 km nördlich vom Berliner Zentrum am Wandlitzer See, erwählten sich die DDR-Oberen als Refugium. Sie ließen sich hier, vom Ort abgeschieden und streng bewacht, 23 komfortable Häuser in den Wald bauen. Heute ist hier eine Rehabilitationsklinik eingerichtet. Wie Erich Honecker mit kapitalistischem Komfort dem sozialistischen Alltag zu entrinnen trachtete, kann man in seinem jetzt zum Museum umgewandelten Haus sehen.

＊Märkische Schweiz

Die Märkische Schweiz im Osten von Berlin ist ein beliebtes Naherholungsgebiet der Hauptstädter. Hier wird gewandert, etwa auf die Bollersdorfer Höhe, die einen prachtvollen Ausblick über den Scharmützelsee bietet, den man auch per Ruderboot erkunden kann. Mittelpunkt der Märkischen Schweiz ist die über 700 Jahre alte Kleinstadt Buckow. Hier lebten Bertolt Brecht und Helene Weigel. In ihrem heute zur Gedenkstätte umgewidmeten Haus entstanden 1953 die "Buckower Elegien".

Auch die Teupitz-Köriser Seen im Süden von Berlin locken viele Ausflügler an. Man erreicht sie nicht nur auf dem Landweg, sondern mit den Schiffen der Weißen Flotte auch über die Dahme auf dem Wasserweg.

Der Scharmützelsee, mit 10 km Länge und 13,8 km² Fläche der größte der 3000 brandenburgischen Seen, liegt in der Saarower Hügellandschaft südöstlich von Berlin, umgeben von Laub- und Nadelwäldern. An seiner Nordseite steigen bis auf 148 m ü.d.M. die Rauenschen Berge an, in denen mit den Markgrafensteinen zwei große Findlinge der Eiszeit zurückgeblieben sind. Der größere von ihnen wurde 1827 halbiert, um aus der einen Hälfte eine große Granitschale herzustellen, die heute vor dem Alten Museum in Berlin steht. Hauptanlaufstelle für Erholungssuchende ist Bad Saarow-Pieskow mit Kurhaus, Strandbad und Campingplatz.

*Scharmützelsee

Oranienburg

Die 1216 erstmals urkundlich erwähnte und von der Havel durchflossene Stadt Oranienburg liegt 30 km nordwestlich von Berlin und ist von dort aus problemlos auch mit der S-Bahn (S 1) zu erreichen.

Lage und
Allgemeines

Schloß Oranienburg, im 17. Jh. erbaut und auch erweitert, zeigt sich als zweigeschossige Dreiflügelanlage mit einer die Jahreszeiten symbolisierenden Figurenattika an der Stadtseite. Westlich davon erstreckt sich der Schloßpark, der ein sehenswertes Gartenportal von 1690, geschaffen von Johann Arnold Nering, und die 1754 erbaute Orangerie besitzt.

Schloß
Oranienburg

Das Heimatmuseum im alten Amtshauptmannshaus (Breite Str. 1), einem frühbarocken Putzbau von 1657, würdigt u. a. das Schaffen des Chemikers Friedlieb Ferdinand Runge (1795–1867).

Heimatmuseum

Im Jahr 1933 richteten die Nazis in einer ehemaligen Brauerei ein erstes Konzentrationslager ein, dem 1936 im Nordosten der Stadt das Lager Sachsenhausen folgte. Von den über 200 000 Häftlingen aus vielen Nationen wurden mehr als 100 000 ermordet. Deren Schicksal beschreibt das Museum zur Geschichte des Konzentrationlagers Sachsenhausen in der ehemaligen Häftlingsküche; ein neuer Teil dokumentiert auch die Geschichte des Lagers nach 1945, als die Sowjets hier Nazis und solche, die sie dafür hielten, sowie politische Gegner – selbst kurz zuvor dem KZ entronnene Häftlinge – internierten. Noch einmal 65 000 Menschen starben.

*Mahn- und
Gedenkstätte
Sachsenhausen

Bernburg

H 4

Bundesland: Sachsen-Anhalt
Höhe: 85 m ü. d. M.
Einwohnerzahl: 36 600

Die Stadt Bernburg, einstige Residenz der Fürsten und Herzöge von Anhalt-Bernburg, liegt rund 40 km westlich von → Dessau an der Saale. Mit seinem Schloß und den Baudenkmälern aus verschiedenen Stilepochen in der historischen Innenstadt ist Bernburg heute ein gernbesuchtes Touristenziel.

Lage und
Allgemeines

Bereits 961 erwähnt, wurde die Bernburg im 12. Jh. als askanische Festung ausgebaut. In ihrem Schutz entwickelten sich drei unabhängige Siedlungen, von denen die Altstadt und die Neustadt 1278, die Bergstadt dagegen erst um 1450 das Stadtrecht erhielten. Von 1251 bis 1765 war das Schloß Residenz der Fürsten und späteren Herzöge von Anhalt-Bernburg.

Geschichte

Sehenswertes in Bernburg

*Schloß

Wahrzeichen der Stadt ist das an der Saale gelegene Renaissanceschloß (1538–1570) mit einem reichen Barockportal als Haupteingang, dem Blauen Turm (um 1300), dem sichtbar schiefen, romanischen Bergfried, auch Eulenspiegelturm genannt (Aussichtsturm), und Renaissancebauten (Langhaus). Im Schloß ist das Kreismuseum untergebracht. Im Schloßbereich befindet sich das klassizistische ehemalige Hoftheater (1826/1827), heute Carl-Maria-von-Weber-Theater, mit benachbarten Kavaliershäusern. Die überwiegend barocke Schloßkirche (1752) birgt die dreigeschossige Fürstengruft mit barocken Prunksärgen der Fürsten und Herzöge von Anhalt-Bernburg. Eine Attraktion ist der Bärenzwinger: 1860 wurden am Schloß erstmals Bären gehalten; 1996 richtete man den Zwinger neu und großzügiger ein. Von einem Plateau aus können die Schloßbesucher das Treiben der Tiere beobachten.

Sehenswerte Häuser in der Altstadt

Von den Wohnhäusern, meist aus der Zeit der Renaissance und des Barock, ist das ehemalige Regierungsgebäude (Nr. 28; erbaut 1746) am Marktplatz bemerkenswert; Teile der Fassade eines schönen Fachwerkbaus von 1550 wurden an einem später neuerrichteten Haus am Markt verwendet. In der Breiten Straße stehen die ehemalige fürstliche Kanzlei (Nr. 25; um 1600) und ein 1775 entstandener spätbarokker Bau (Nr. 115) mit reicher Fassade.

Stadtmauer

Die zwischen dem 15. und 17. Jh. entstandene Mauer der ehemaligen Stadtbefestigung um Altstadt und Neustadt ist noch teilweise erhalten, ebenso einige Turmbauten wie der Nienburger Torturm (um 1400) mit Renaissancegiebel und der aus dem 15. Jh. stammende Hasenturm. In die Stadtmauer einbezogen ist auch das bereits in der Neustadt gelegene, um 1300 erbaute Augustinerkloster.

Blick über die Saale zum Schloß

Kirchen

Bedeutende sakrale Bauwerke Nienburgs sind die dreischiffige Pfarrkirche St. Marien (13. Jh.) mit einem reichskulptierten Chor (um 1420) und die unvollendete spätgotische Hallenkirche St. Nicolai mit Teilen einer frühgotischen Basilika und einem sehr schönen Grabmal aus der Renaissance. Die Kirche St. Stephan (12. Jh.) im Ortsteil Waldau, ein einschiffiger romanischer Bau mit Flachdecke ist Bestandteil der "Straße der Romanik". Im Ortsteil Dröbel steht eine klassizistische Kirche (1827–1829)

Brücken

Im Stadtbereich überspannen zwei Brücken die Saale. Die Neustädter Brücke, ein technisches Denkmal mit mehreren Bögen und Strompfeilern, ist im 15. Jh. errichtet worden und wurde 1787 erneuert. Die Waldauer Brücke geht auf das 14. Jh. zurück.

Umgebung von Bernburg

In Nienburg (5 km nördlich) steht eine ehemalige Benediktinerklosterkirche, die 1242 als Basilika begonnen und nach 1282 als Hallenkirche fertiggestellt wurde. Sie ist ein Hauptwerk der deutschen Hochgotik mit spätromanischer Monatssäule (figürliche Darstellung der zwölf Monate), einem Gemälde von Lucas Cranach d. J. (1570) und Grabsteinen (14. Jh.).

Nienburg

Fährt man die Straße von Bernburg nach Nienburg weiter nach Norden, erreicht man Calbe (13 km nördlich Bernburgs). Sehenswert sind hier die Renaissance- und Barockwohnhäuser am Markt sowie die Pfarrkirche St. Stephan, eine spätgotische Hallenkirche (15. Jh.) mit Backstein-Vorhalle, zwei niedrigen Türmen, spätgotischem Flügelaltar, Kanzel und Taufstein (1561/1562). Der Innenraum der Laurentiuskirche aus dem 12. Jh. wurde 1964/1965 modern gestaltet.

Calbe

In Plötzkau (8 km südlich von Bernburg) befindet sich ein fürstliches Renaissanceschloß (1566–1573), das auf dem Grundriß einer mittelalterlichen Burg angelegt wurde und 21 Zwerchhäuser besitzt.

Plötzkau

Köthen (32 000 Einwohner), die einstige Residenzstadt des Fürstentums Anhalt-Köthen, liegt in einer flachwelligen Ebene, knapp 20 km östlich von Bernburg in Richtung Halle. Erstmals 1115 als Siedlung und 1313 als Stadt urkundlich erwähnt, diente Köthen mehrfach als Fürstenresidenz. Ab 1629 wirkte hier die "Fruchtbringende Gesellschaft", die erste deutsche Vereinigung zur Pflege der Sprache. Johann Sebastian Bach war von 1717 bis 1723 in Köthen als Hofkapellmeister tätig; hier entstanden seine bedeutenden Instrumentalwerke. 1821–1835 praktizierte hier der Begründer der Homöopathie, Samuel Hahnemann (1755–1843), erstmals nach den Grundsätzen seiner Lehre.
Das älteste Bauwerk und Wahrzeichen der Stadt, deren mittelalterliche Befestigung (um 1560) z.T. erhalten blieb, ist die spätgotische Marktkirche St. Jakob (1400; fertiggestellt Ende des 16. Jh.s); die Türme wurden um 1897 umgebaut. Das Rathaus im Stil der Neurenaissance liegt zwischen Markt und Holzmarkt. Am Holzmarkt steht ein Fachwerkhaus (Nr. 6) mit schönem Portal (um 1600). Das Renaissanceschloß (1547–1608) beherbergt im Nordflügel, dem Ferdinandsbau (1823 angefügt), das Naumann-Museum, das nach dem Begründer der wissenschaftlichen Vogelkunde Johann Friedrich Naumann (1780–1857) benannt ist. Es gilt als einziges aus dem Biedermeier original erhaltenes ornithologisches Museum; gezeigt werden Vogelsammlungen und Aquarelle Naumanns. Im Ludwigsbau des Schlosses (1823) ist die Wirkungsstätte J.S. Bachs zu sehen. Die Bach-Gedenkstätte befindet sich im Historischen Museum in der Museumsgasse. In der klassizistischen katholischen Kirche St. Marien (1827), befindet sich in der Krypta eine "Gedenkstätte für die Opfer der ungerechten Gewalt". Die Kirche St. Agnus (1694–1698), erbaut im Stil des holländischen Barock, ist mit Gemälden aus der Werkstatt von Lucas Cranach und von Antoine Pesne ausgestattet. Die einstige "Cöthener Fasanerie", wurde im Jahre 1884 als Tierpark neu angelegt. In der heutigen Anlage tummeln sich ca. 150 Arten.

Köthen

In Gröbzig (12 km südlich von Köthen) befindet sich eine 1796 erbaute Synagoge. Sie gehört zu den wenigen jüdischen Sakralbauten in Deutschland, die in der Pogromnacht vom 9. November 1938 nicht zerstört worden sind. Sie ist als Museum zugänglich und reich an wertvollen Sammlungen jüdischer Kultgeräte und kulturgeschichtlicher Gegenstände.

Gröbzig

Das 26 km südöstlich gelegene Löbejün besitzt eine spätgotische Hallenkirche mit einem großen Altar von 1605, eine Sandsteinkanzel aus dem ausgehenden 16. Jh. sowie recht gelungene gotische Schnitzfiguren. Beim Busbahnhof ist in einer Parkanlage der Zylinder der ersten in Deutschland im Bergbau eingesetzten Dampfmaschine (1785) aufgestellt.

Löbejün

Bielefeld   E 3

Bundesland: Nordrhein-Westfalen
Höhe: 115 m ü. d. M.
Einwohnerzahl: 325 000

Lage und
Stadtbild

Bielefeld, am Durchgang einer alten Handelsstraße durch den → Teutoburger Wald, ist der wirtschaftliche und – mit junger Universität, Fachhochschule, Theater und Veranstaltungshallen – auch der kulturelle Mittelpunkt Ostwestfalens. Die Altstadt hat durch Bombenangriffe im Zweiten Weltkrieg schwer gelitten. Wahrzeichen der Stadt ist der hohe Turm der Sparrenburg im Süden der Innenstadt.

Geschichte

1015 wurde Bielefeld erstmals urkundlich erwähnt, 1214 von Graf Hermann von Ravensberg zur Stadt erhoben. Wenig später errichteten die Grafen die Sparrenburg zum Schutz der Stadt. Seit dem Ende des 14. Jh.s war Bielefeld Mitglied der Hanse. 1647 fiel das Ravensberger Land an Preußen: der Große Kurfürst ließ die alte Burg der Ravensberger Grafen verstärken und errichtete 1678 in Bielefeld eine Leinenschauanstalt (Legge). Durch seine Förderung des Leinenhandels legte er die Grundlage für die spätere industrielle Entwicklung, wobei jahrhundertelang die Leinenherstellung und -verarbeitung vorherrschend waren.

Altstadt

Alter Markt

Die Bielefelder Innenstadt ist von den Wallstraßen ringförmig umgeben, die an die alte Stadtbefestigung erinnern. Zentrum der Altstadt ist der Alte Markt mit dem Merkurbrunnen und sehenswerten alten Bürgerhäusern; die Südseite des Marktes ziert das Batig-Haus (1680) mit einem schönen Renaissancegiebel. Gegenüber liegt das Theater am Alten Markt.

Crüwell-Haus

Westlich des Marktes, am Eingang zur Obernstraße, einer der Hauptgeschäftsstraßen, steht das um 1530 erbaute Crüwell-Haus mit einem prachtvollen spätgotischen Treppengiebel.

Nikolaikirche

Nördlich des Marktes lohnt ein Besuch der im Zweiten Weltkrieg zerstörten, jedoch wiederaufgebauten Altstädter Nikolaikirche (1340); sie birgt einen kostbaren Antwerpener Schnitzaltar mit über 250 Schnitzfiguren (1520). Östlich der Kirche liegt der Leineweberbrunnen (1909).

St. Jodokus

An der Obernstraße, südwestlich vom Alten Markt, liegt etwas versteckt die spätgotische St.-Jodokus-Kirche (1511 geweiht), deren wertvollster Schatz eine "Schwarze Madonna" von 1220 ist. Südlich der Kirche hat das Kulturhistorische Museum seinen Sitz in einem ehemaligen Adelshof, dem Waldhof (Welle 61).

Kunsthalle

In der Artur-Ladebeck-Straße im Südwesten der Innenstadt zeigt die Kunsthalle (1966–1968) ihre bedeutenden Sammlungen zur Kunst des 20. Jh.s; vor dem Gebäude steht die Plastik "Der Denker" von Auguste Rodin.

Spiegelshof

In der Kreuzstraße weiter östlich ist im Spiegelshof (Nr. 20), einem ehemaligen Adelshof des 16. Jahrhunderts im Stil der Frührenaissance mit einem schönen Kleeblattgiebel, vorübergehend das Naturkundemuseum untergebracht.

Neustädter
Marienkirche

Nahebei erhebt sich die doppeltürmige spätgotische Neustädter Marienkirche. Die dreischiffige Hallenkirche aus dem 13./14. Jahrhundert ist vor allem wegen ihrer beachtenswerten Maßwerkfenster und eines wertvollen Flügelaltars (1400) einen Besuch wert.

Außerhalb der Wallstraßen

Die neue Stadthalle nahe beim Hauptbahnhof im Norden der Innenstadt an der Herforder Straße dient als Veranstaltungszentrum. Östlich vom Alten Markt erbaute man 1904 sowohl das Stadttheater im Jugendstil wie auch nebenan das Alte Rathaus im Stil der Neurenaissance und Neugotik.

Stadthalle
Stadttheater

Weiter östlich steht im Rochdale-Park das Gebäude der ehemaligen Ravensberger Spinnerei (1855–1857), in der heute u.a. die Volkshochschule untergebracht ist. Nördlich vom Rochdale-Park ist das Wiesenbad mit Sprungturm, Eisbahn, Spielflächen und Tribüne ein beliebtes Freizeitziel .

Spinnerei

Sparrenburg
Im Süden des Stadtkerns liegt die um 1240 errichtete Sparrenburg, die alte Burg der Ravensberger Grafen. Beeindruckend sind die 300 m langen unterirdischen Gänge und der 37 m hohe Aussichtsturm. Das Burg-Gasthaus sorgt für das leibliche Wohl. Zur alten Bausubstanz zählen das gotische Eingangstor und die vier Renaissance-Bastionen, die erst 1535 errichtet wurden; der heutige Hauptbau entstand durch Um- und Neubauten im 19. Jahrhundert. Während des Sparrenburgfestes werden mittelalterliche Singspiele aufgeführt.

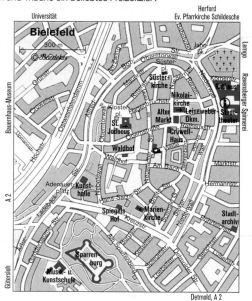

Bethel
Südwestlich der Sparrenburg richtete Pastor Friedrich von Bodelschwingh (1831–1910) im Stadtteil Gadderbaum die Anstalt Bethel für Epileptiker und psychisch Kranke ein; eine Historische Sammlung dokumentiert die Geschichte des Hauses und des Ortes Bethel.

Die Innenstadt wird westlich vom Ostwestfalendamm (Schnellstraße) und der Eisenbahn begrenzt. Jenseits davon liegen der Botanische Garten und der Heimattierpark Olderdissen mit über 600 heimischen Tieren.

Botanischer Garten und Tierpark

Unweit nördlich vom Tierpark gelangt man zum Bauernhausmuseum, das sich rühmt, das älteste Freilichtmuseum Deutschlands zu sein. In der Anlage sind u.a. eine Windmühle (1686), ein Backhaus (1764), und eine Bokemühle (1826) zu sehen.

Bauernhausmuseum

Umgebung von Bielefeld

In der näheren Umgebung von Bielefeld gibt es einige sehenswerte Reiseziele, die unter dem Stichwort → Teutoburger Wald beschrieben werden.

Teutoburger Wald

Die einstige Hansestadt Herford mit heute ca. 66000 Einwohnern, 14 km nordöstlich von Bielefeld gelegen, ist an der Mündung der Aa in die Werre in das fruchtbare Ravensberger Hügelland zwischen Wiehengebirge, Weser und → Teutoburger Wald gebettet. In der Hauptstadt des "Wittekinds-

*Herford

Bielefeld

landes" wurde 1662 der Barockbaumeister Matthäus Daniel Pöppelmann geboren, der u.a. den Zwinger in → Dresden entwarf. Keimzelle der Stadt war ein Frauenstift (789). Um 1170 erhielt Herford Stadtrecht; um 1200 entstand die Neustadt, die aus dem alten Hof Libbere hervorging. Seit 1342 bis ins 17. Jh. war Herford Mitglied der Hanse und Freie Reichsstadt. 1816 wurde es Kreisstadt, die sich in Altstadt, Radewig und Neustadt gliedert. Die Altstadt, in der sich zahlreiche Fachwerkhäuser des 16./17. Jh.s finden, gruppiert sich um die Münsterkirche des einstigen Damenstifts (13. Jh.), die älteste große Hallenkirche Westfalens. Im Inneren birgt sie ein spätgotisches Taufbecken aus dem 16. Jahrhundert. Gegenüber befindet sich das Rathaus (1917). Weiter westlich steht die Jakobikirche (14. Jh.) mit einer Barockausstattung aus dem 17. Jh.; nahebei liegt der beschauliche Gänsemarkt. Am Deichtorwall am westlichen Rand der Altstadt ist das Städtische Museum im Daniel-Pöppelmann-Haus untergebracht. Nordöstlich der Münsterkirche am Neuen Markt stößt man auf die aus der Mitte des 14. Jh.s stammende Johanniskirche mit gotischen Glasfenstern und geschnitzten Zunftemporen (17. Jh.). An der vom Neuen Markt nach Südwesten führenden Höckerstraße (Fußgängerzone) sieht man einen schönen spätgotischen Staffelgiebel aus ehemaligen Bürgermeisterhaus von 1538, angeblich das Geburtshaus von Matthäus Daniel Pöppelmann. Architektonisch bemerkenswert ist auch das an der nahen Brüderstraße stehende Remensnider-Haus, ein Fachwerkbau (1521) mit figurenreichen Knaggen (dreieckigen Stützen). Östlich außerhalb der Innenstadt erhebt sich auf dem Lutterberg die Stiftberger Kirche, auch Marienkirche genannt, aus dem 14. Jahrhundert. Im Inneren der Hallenkirche ist vor allem das spätgotische Sakramentshäuschen auf dem Hochaltar bemerkenswert.

6 km südöstlich von Herford liegt Bad Salzuflen, eine alte Salzstätte, die heute vor allem wegen ihres Heilbades mit Sol- und Thermalquellen bekannt ist. In der fast kreisrund angelegten Altstadt fallen die alten Bürgerhäuser, besonders die um den Markt, das spätgotische Rathaus (1545) mit seinem schönen Renaissancegiebel, die Reste der Stadtbefestigung und der Kurpark auf.

Enger, 9 km nordwestlich von Herford, ist als "Wittekindstadt" bekannt. In der ehemaligen Stiftskirche St. Dionysius (12. und 14. Jh.) wird der Sarkophag des angeblich 807 gestorbenen Sachsenherzogs mit einer prachtvollen Reliefplatte (um 1100) aufbewahrt.

Bünde, 13 km nordwestlich von Herford, ist Zentrum der westfälischen Tabakindustrie. Interesse verdient das Deutsche Tabakmuseum, in dem Tabakspfeifen verschiedenster Herkunft, Tabaktöpfe, eine 1,60 m lange Zigarre u.v.a. ausgestellt ist.

Die Stadt mit ihren 93 000 Einwohnern liegt unweit südlich des → Teutoburger Waldes. Obwohl Gütersloh schon seit mehr als 800 Jahren existiert, entwickelte es sich erst im 18. Jh. von einem unbedeutenden Heidedorf zu einer Stadt. Das Herzstück des einstigen Dorfes ist der Alte Kirchplatz. Hier stehen schöne Fachwerkhäuser, darunter das Veerhoffhaus, das heute als Sitz des Kunstvereins dient. Südlich setzt die neue Stadtbibliothek einen städtebaulichen Akzent. Unweit nordöstlich (Kökerstr. 7–9) stößt man auf das Stadtmuseum, ein anschaulich gestaltetes Museum mit dem Schwerpunkt auf der Medizin- und Industriegeschichte. Südöstlich außerhalb befinden sich der Stadtpark sowie der kleine, aber feine Botanische Garten. Nördlich kommt man zum Westfälischen Kleinbahn- und Dampflokmuseum Mühlenstroth.

Ungefähr 10 km westlich von Gütersloh liegt Rheda-Wiedenbrück. Im Stadtteil Rheda ist das Wasserschloß der Fürsten zu Bentheim-Tecklenburg (13. und 18. Jh.) sehenswert, im Stadtteil Wiedenbrück gibt es noch Ackerbürgerhäuser aus dem 17. Jh. mit sehr schönen Schnitzereien an den Toreinfahrten.

Bochum

Bundesland: Nordrhein-Westfalen
Höhe: 104 m ü. d. M.
Einwohnerzahl: 405 000

Die Stadt Bochum, im Herzen des Ruhrgebiets zwischen Emscher und Ruhr gelegen, verdankte ihren Aufschwung einst der Kohle und dem Stahl. Heute gibt es keine Zechen mehr. Stattdessen haben sich andere Industriezweige wie z.B. der Automobilbau (Opel) in Bochum angesiedelt. Die Ruhruniversität, das Schauspielhaus und die Musicalbühne "Starlight Express" setzen die kulturellen Akzente in der Stadt, die nicht gerade eine Schönheit ist, aber ihre Vergangenheit als Bergbaustadt wachhält.

Lage und Bedeutung

Im Jahre 1321 verlieh Graf Engelbert von der Mark dem Ort Stadtrechte. Mit der industriellen Entwicklung im 19. Jh. – Bergbau und Stahlindustrie – begann der Aufstieg zu einer wirtschaftlich bedeutenden Stadt.

Geschichte

Sehenswertes in Bochum

Die Propsteikirche am Unteren Markt stammt aus dem 16. Jh. und besitzt u. a. einen romanischen Taufstein vom Ende des 12. Jahrhunderts.

Propsteikirche

Wer sich für die Geschichte des Ruhrgebiets und des Kohlebergbaus interessiert, sollte das Deutsche Bergbau-Museum (Am Bergbaumuseum 28) aufsuchen, dessen 68 m hoher Fördertum ein Wahrzeichen der Stadt bildet. In einem unter der Erde aufgebauten Vorführstollen werden werktags Maschinen, die in Betrieb sind, vorgeführt.

*Deutsches Bergbau-Museum

Relief an der Eingangstür des Bochumer Bergbau-Museums

Im Planetarium mit großer Innenkuppel (Castroper Str. 67) kann man sich über Himmelskörper und künstliche Satelliten informieren. Nördlich vom Planetarium erstreckt sich der Stadtpark mit Tierpark und Aussichtsturm. Gegenüber der Südwestecke des Parks zeigt das Museum Bochum Kunstsammlung moderne Kunst nach 1945.

Planetarium und Stadtpark

Südöstlich der Innenstadt liegt die Ruhr-Universität Bochum, der ein Botanischer Garten angeschlossen ist. Die Universität unterhält eine Kunstsammlung mit Exponaten aus der Antike und modernen Kunstwerken.

Ruhr-Universität

Allein 15 Dampflokomotiven besitzt das Eisenbahnmuseum, das auf einem stillgelegten Bahnhof in Bochum-Dahlhausen eingerichtet ist. Dessen Betriebsanlagen von 1914 sind weitgehend original erhalten.

Eisenbahnmuseum

Umgebung von Bochum

In Bochum-Stiepel (10 km südöstlich) gibt es in einer Dorfkirche, der spätromanischen Marienkirche, Wandmalereien aus dem 12.–16. Jh. zu sehen.

Stiepel

Bochum,
Umgebung
(Fortsetzung)
Haus Kemnade

Von Stiepel lohnt ein Ausflug nach Haus Kemnade. Die ehemalige Wasserburg von 1664 liegt am Kemnader See, einem Stausee der Ruhr mit Bootshafen. Sehenswert ist in Haus Kemnade die Instrumenten- und Uhrensammlung von Hans und Hede Grumbt, die etwa 500 Objekte umfaßt.

Bodensee   E/F 8

Bundesländer: Baden-Württemberg und Bayern
Anrainerstaaten: Schweiz und Österreich
Mittlerer Wasserspiegel: 395 m ü. d. M.

Hinweis

Im Rahmen dieses Reiseführers ist die Beschreibung des Bodensees bewußt knapp gehalten. Ausführlichere Informationen liefert der Baedeker Allianz Reiseführer "Bodensee".

Lage und
Allgemeines

Der Bodensee, im Volksmund auch "Schwäbisches Meer" genannt, ist Deutschlands größter Binnensee und eines der beliebtesten touristischen Ziele Deutschlands: Dazu trägt nicht nur die Schönheit der Landschaft und Orte, sondern auch das günstige Klima bei. Der See, der sich von Südost nach Nordwest erstreckt, liegt im Alpenvorland bzw. im Dreiländereck Deutschland, Österreich, Schweiz. Zwischen Bregenz (Österreich) und Konstanz dehnt sich der Obersee aus. Im Nordwesten zweigen der fördenartige Überlinger See und der von sanften Hügeln umrahmte Untersee ab. Zwischen diese beiden Becken schiebt sich der Bodanrücken. Ganz im Westen trennt die Halbinsel Mettnau den Gnadensee vom Zeller See. In jedem der drei Seebecken befindet sich eine größere Insel: am Ostende des Obersees die Inselstadt Lindau, am Südende des Überlinger Sees die

Die Bodenseeregion zählt zu den beliebtesten Urlaubszielen in Süddeutschland. Hier schweift der Blick über die Inselstadt Lindau bis zu den Allgäuer Alpen und dem Bregenzer Wald.

Blumeninsel Mainau und inmitten des Untersees die Gemüseinsel Reichenau mit ihren kunst- und kulturgeschichtlich bedeutenden Denkmälern.

Lage und
Allgemeines (Fts.)

Die einzigartige, südliche Hochgebirgskulisse des Sees bilden in erster Linie die Appenzeller Alpen mit dem 2504 m hohen Säntis. Südöstlich des Sees erheben sich die Gipfel des Bregenzer Waldes und der Allgäuer Alpen. Das nördliche deutsche Seeufer ist geprägt von einem reizvollen, von vielen Bach- und Flußläufen durchzogenen Hügelland. Höchste Erhebung ist der Höchsten (837 m). Obstkulturen, Hopfengärten und Rebhänge bedecken die seenahen Hügel. Ein Kranz geschichtsträchtiger Städte und malerischer Ortschaften umschließt den See. Die Ufer des Obersees sind weithin flach und besonders im Bereich des Mündungsdeltas von Rhein, Dornbirner und Bregenzer Ach durch große Buchten gekennzeichnet.

**Landschaftsbild

Die Gesamtfläche des See beträgt 545 km^2 (Ober- und Überlinger See zusammen 480 km^2, Untersee 65 km^2), seine größte Länge von 76 km erreicht er zwischen Bregenz und Stein am Rhein, seine breiteste Stelle von 14,8 km befindet sich zwischen Kreßbronn und Rorschach. Die größte Seetiefe liegt bei 252 m im Obersee (zwischen Fischbach und Uttwil), bei 147 m im Überlinger See und 46 m im Untersee. Die Küste ist insgesamt 263 km lang, davon entfallen 168 km (64%) auf deutsches, 69 km (26%) auf schweizerisches, 26 km (10%) auf österreichisches Gebiet.

Wissenswerte
Daten

Rings um den Bodensee führt mit wechselndem Abstand vom Seeufer und in unterschiedlicher Höhenlage ein mit einem gebogenen schwarzen Pfeil um einen blauen Punkt markierter, 272 km langer Rundwanderweg.

Rundwanderweg

Reiseziele am Bodensee

Die sehenswerten Landschaften, Orte und Denkmäler werden im Rahmen einer Route beschrieben, die vom Hegau, nordwestlich vom Bodensee, über Überlingen, Meersburg und Friedrichshafen bis Lindau im Ostteil des Sees verläuft.

Hinweis

Hegau

Der Hegau, die Landschaft nordwestlich des Bodensees, gehört zu den altbesiedelten Kulturlandschaften Südwestdeutschlands. Er war im Mittelalter Kernraum des Herzogtums Schwaben. Der Hegau erhält seinen besonderen landschaftlichen Reiz durch zwei Reihen von Vulkanen. Die markanteste Erhebung der westlichen Reihe ist der Doppelgipfel des Hohenstoffels (844 m) und des Hohenhewens (846 m), zur östlichen Reihe gehören Hohentwiel (686 m), Hohenkrähen (643 m) und Mägdeberg (664 m).

Lage und
*Landschaftsbild

In der vorbildlich sanierten malerischen Altstadt von Engen (9200 Einw.) sind die spätromanisch, später barock umgestaltete Stadtpfarrkirche Mariä Himmelfahrt und das Krenkinger Schloß (14. Jh.) sehenswert. Das Städtische Museum (Klostergasse 19) in dem ehemaligen Kloster St. Wolfgang zeigt Funde aus dem Magdalénien und wertvolle Exponate sakraler Kunst.

Engen
*Altstadt

Im Schloß Langenstein, 12 km östlich von Engen, ist ein Fasnachtsmuseum untergebracht, in dem das Fasnachtsgeschehen im schwäbisch-alemannischen Raum anhand von Kostümen, Dokumenten u.a. veranschaulicht wird.

*Fasnachts-
museum Schloß
Langenstein

Der kleine alte Stadtkern von Tengen (4000 Einw.) liegt auf einem nach drei Seiten steil abfallenden Felsen. Gut erhalten sind das alte Stadttor und die alten Brücken. Darüber finden sich die Reste der vor 1200 errichteten Burg mit einem 32 m hohen Turmrest.

Tengen
*Altstadt

Hegau
(Fortsetzung)

Unterhalb der Stadt verläuft die wildromantische Mühlbachschlucht mit Wasserfällen und Resten einer Mühle. Der Ortsteil Blumenfeld 2 km östlich weist ein bemerkenswertes Deutschordensschloß des 16. Jh.s auf.

Büßlingen
*Römischer
Gutshof

Etwa 4 km südöstlich wurde beim Stadtteil Büßlingen ein römischer Gutshof freigelegt und als Freilichtmuseum (frei zugänglich) eingerichtet. Ausgegraben sind die Fundamente von neun Gebäuden, darunter ein Herrenhaus, Wirtschaftsgebäude, Werkstätten und Badeanlagen. Der Büßlinger Gutshof ist die größte derartige Anlage, die bislang in Deutschland gefunden wurde. Zwei Räume des Herrenhauses besaßen sogar Fußbodenheizung.

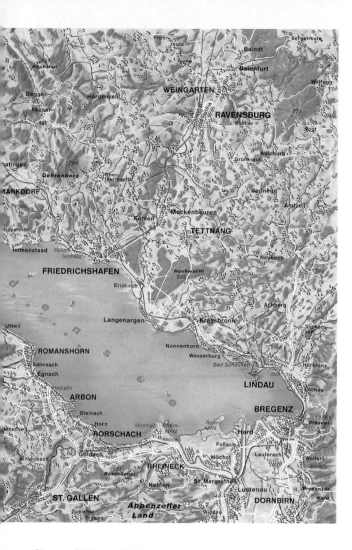

Singen (Hohentwiel)

Singen (46 000 Einw.), Hauptort und Wirtschaftszentrum des Hegaus, ist mit seinen Ortsteilen Beuren an der Aach, Bohlingen, Friedingen, Hausen an der Aach, Schlatt unter Krähen und Überlingen am Ried eine regelmäßig angelegte Stadt am Fuß des Hohentwiel. Nördlich vom Rathaus (1960), in dem sich Fresken von Otto Dix befinden, steht das 1810 erbaute ehemalige gräfliche Schloß. Es beherbergt das Hegaumuseum mit vor- und frühgeschichtlichen Sammlungen. Im Kunstmuseum östlich vom Rathaus sind Werke des 20. Jh.s vorwiegend aus dem westlichen Bodenseeraum ausgestellt.

Stadtbild

Bodensee

*Hohentwiel

Westlich über der Stadt ragt der Vulkanschlot des Hohentwiel (686 m) auf. Er ist bekrönt von einer mächtigen Burgruine, eine der größten Festungsruinen Deutschlands. Auf der Anhöhe erhebt sich der Turm der zerstörten Kirche, von dem man eine schöne Aussicht hat.

Höri

Lage

Die südlich von Singen gelegene Halbinsel Höri mit dem auf 708 m ansteigenden waldreichen Schiener Berg schneidet tief in den Untersee ein. Sie beginnt ca. 4 km südwestlich von Radolfzell mit der Gemeinde Moos und endet an der Schweizer Grenze vor Stein am Rhein.

Gaienhofen

*Hermann-Hesse-Höri-Museum

Das Dorf Gaienhofen (3900 Einw.) war schon früh bevorzugter Wohnsitz von Malern und Dichtern, u. a. von Hermann Hesse. Unmittelbar neben der Schiffslände steht das im 12. Jh. erbaute und im 17. Jh. erneuerte Schloß, das heute eine Internatsschule beherbergt. In der Kapellenstraße 8 findet sich das Hermann-Hesse-Höri-Museum, eine Gedenkstätte für Höri-Künstler, in der die Wohnräume von Hermann Hesse und dem Arzt Ludwig Finckh zu sehen sind. Ferner werden die neuesten Ergebnisse der Pfahlbauarchäologie vorgestellt.

Horn

Horn, der bei Malern beliebte Ortsteil von Gaienhofen, besitzt hübsche Fachwerkhäuser, die einzigartig gelegene spätgotische Kirche St. Johann und St. Veit, das Wahrzeichen der Höri, und das Schloß Hornstaad mit Gaststätte direkt am See.

Hemmenhofen

Den Kur- und Ferienort Hemmenhofen schmücken schöne Fachwerkhäuser und eine große ehemalige Zehntscheuer. Die spätgotische Pfarrkirche St. Agatha und St. Katharina (um 1400) weist einen teilweise romanischen Chorturm auf. In dem Ort lebte seit 1936 der Maler Otto Dix. 1991 wurde sein ehemaliges Wohnhaus als Gedenkstätte Otto-Dix-Haus zugänglich gemacht.

Öhningen

Der Erholungsort Öhningen (4000 Einw.) verfügt über Fachwerkhäuser des 15. – 19. Jh.s. Sehenswert sind zudem das ehemalige Augustiner-Chorherrenstift, das 965 gegründet wurde, dessen heutige Gebäude aber hauptsächlich aus dem 16. Jh. stammen, und die ehemalige Stifts- und heutige katholische Pfarrkirche St. Peter, Paul und Hippolyt (um 1615), deren Innenraum barockisiert ist.

Schienen

Petruskirche

Der ruhige Erholungsort Schienen, am Hang des aussichtsreichen Schiener Berges (708 m) gelegen, ist als Wanderzentrum beliebt. Sehenswert sind die Wallfahrtskirche St. Genesius, eine frühromanische Pfeilerbasilika (10. Jh.) sowie das heute als Pfarrhaus genutzte Propsteigebäude (16. Jh.). An der Straße nach Wangen steht die evangelische Petruskirche von 1958 mit Fenstern von Otto Dix.

Wangen

Wangen, Ortsteil von Öhningen, ist ein von Künstlern gern aufgesuchtes Erholungsdorf mit malerischen Fachwerkhäusern. Das älteste Haus des Ortes, um 1604 erbaut, beherbergt als "Höri-Fischerhaus" das lokale Heimatmuseum.

Radolfzell

Stadtbild

*Münster

Die Stadt Radolfzell (30000 Einw.) liegt am Zeller See und begrenzt die Höri im Nordosten. Die malerische Altstadt mit engen, verwinkelten Gassen besitzt noch schöne Adels- und Patrizierhäuser. Mittelpunkt der Altstadt ist der Marktplatz mit dem Ratoldusbrunnen. Beherrscht wird der Platz von dem gotischen Münster Unserer Lieben Frau, das 1436 erbaut, später z. T. barockisiert und 1963 – 1965 erneuert wurde. Sehenswert im Innern sind die Altäre und der Münsterschatz. Nahe dem Münster findet man das Österreichische Schlößchen, ein Renaissancebau mit Staffelgiebel, das 1620 begonnen und im 18. Jh. fertiggestellt wurde, und das Reichsritterschaftsgebäude der Adelsgesellschaft zu St. Georgenschild, ein mächtiger Renaissance- und Barockbau von 1626, in dem heute das Amtsgericht untergebracht ist. Ferner beachtenswert sind die Reste der Stadtmauer mit drei erhaltenen Türmen und die "Griener Winkel" genannten Teile einer Fischersiedlung.

Radolfzell
(Fortsetzung)

Südöstlich der Altstadt gibt es auf der zum Stadtgebiet gehörenden Halbinsel Mettnau zahlreiche Freizeitanlagen, ferner ein Kur- und Kneippbad mit Sportanlagen und den schönen Mettnaupark. Am Südostende des Parkes, bei der Kurverwaltung, steht das Scheffelschlößchen mit Erinnerungen an den Dichter Joseph Viktor von Scheffel (1826 – 1886).

⁕Halbinsel
Mettnau

⁕Insel Reichenau

Im Untersee liegt 19 km östlich von Radolfzell die Insel Reichenau, mit 4,3 km² die größte Bodenseeinsel. Bekannt ist sie vor allem wegen des gleichnamigen bedeutenden Klosters.

Lage und
Bedeutung

Die Kirchen des 724 von Karl Martell gegründeten und einst weltberühmten Klosters Reichenau in den Siedlungen Oberzell (Stiftskirche St. Georg mit prachtvollen Wandmalereien aus ottonischer Zeit), Mittelzell (Münster St. Maria und St. Markus mit sehenswerter Schatzkammer) und Niederzell (Stiftskirche St. Peter und Paul) gehören mit ihren großartigen Fresken zu den wichtigsten Zeugnissen frühromanischer Kunst in Deutschland.

⁕Kirchen

Auf der äußersten Landspitze steht das "Bürgle" genannte ehemalige Schloß Windegg (14./15. Jh.).

Schloß Windegg

→ dort

Konstanz

Wer die Insel Mainau besucht, taucht in ein Blütenmeer ein.

181

**Insel Mainau

Park- und
Gartenanlagen

Rund 7 km nördlich von Konstanz liegt am Südufer des Überlinger Sees die 45 ha große "Blumeninsel" Mainau (geöffnet tgl. 7.00 Uhr bis zum Einbruch der Dämmerung). Sie ist wegen ihrer prachtvollen Park- und Gartenanlagen mit subtropischer und z. T. tropischer Vegetation ein vielbesuchtes Ausflugsziel. Zudem ist ein Schmetterlingshaus zu sehen. Die Insel gehört in den Besitz einer Stiftung unter der Leitung des schwedischen Grafen Lennart Bernadotte.

*Schloß

Auf der Insel steht das ehemalige großherzoglich-badische Schloß (1739 – 1746) mit dem großen Deutschordenswappen am Giebel. Beachtenswert ist vor allem der Weiße Saal. Westlich gegenüber erheben sich ein alter Wehrturm – einer von einst 16 – und das Torgebäude.

Überlingen und Umgebung

Überlingen

Die ehemalige Freie Reichsstadt Überlingen (21 000 Einwohner) liegt malerisch am Überlinger See, 25 km östlich von Radolfzell. Sie ist das einzige Kneippheilbad Baden-Württembergs.
An dem "Hofstatt" genannten Platz befindet sich das Rathaus (14./15. Jh.) mit sehenswertem Ratssaal, der mit prachtvollen Holzschnitzereien ausgestattet ist.
Über dem Rathaus erhebt sich das gotische Münster St. Nikolaus aus dem 14. – 16. Jh. mit zwei Türmen. Im kleineren Turm hängt die unvollendete, 6650 kg schwere "Osannaglocke". Im Inneren sind schöne Renaissance- und Barockaltäre zu besichtigen.
Am Münsterplatz findet sich zudem das Stadtarchiv, dessen Bau auf das Jahr 1600 zurückgeht.
Nordwestlich steht die spätgotische Franziskanerkirche (14./15. Jh.) mit barocker Ausstattung.
Hält man sich vom Münsterplatz in nordöstliche Richtung, trifft man auf das Reichlin-von-Meldegg-Haus mit dem umfangreichen Städtischen Museum, in dem vor- und frühgeschichtliche, römische und stadthistorische Sammlungen sowie 50 historische Puppenstuben gezeigt werden.
Südwestlich vom Münster steht das spätgotische ehemalige Zeughaus aus dem 16. Jh. mit einer privaten Waffensammlung.
Der Stadtgarten westlich der Altstadt bietet einen Rosen- und Kakteengarten sowie ein Rehgehege. Weiter südlich, längs des Sees, erstreckt sich der Kurgarten.

Sipplingen

Auf der Ausstellungsfläche der sog. Erlebniswelt Sipplingen (im 6 km nördlich von Überlingen gelegenen gleichnamigen Ort) ist eine Modell-Auto-Technik-Sammlung zu sehen, die größte dieser Art in der Welt. Mehr als 20 000 Modelle (Pkw, LKW, Traktoren, Baumaschinen, Busse, Feuerwehrautos u.a.) aus 40 Ländern sowie Motorräder, Blechspielzeug, alte Tanksäulen, Plakate, Modelleisenbahnen u.v.m. sind hier zu bestaunen. Außerdem gibt es in der Erlebniswelt ein Puppenmuseum und ein Reptilienhaus.

*Birnau

Etwa 3 km südöstlich steht hoch über dem Bodensee die barocke Wallfahrtskirche St. Maria (1746 – 1750) des ehemaligen Salemer Filialklosters Birnau. Das Innere ist in verschwenderisch reichem Rokokostil ausgestattet; bemerkenswert sind vor allem die überaus phantasievollen Stukkaturen von Joseph Anton Feuchtmayr.

Unteruhldingen
*Pfahlbaumuseum

Die Hauptsehenswürdigkeit von Unteruhldingen (3 km südlich von Birnau) ist das Pfahlbaumuseum. Es umfaßt zwei rekonstruierte Pfahlbausiedlungen aus der Stein- und Bronzezeit und ein Museum mit Ausgrabungsfunden aus dem gesamten Bodenseeraum von der Stein- bis zur Völkerwanderungszeit.

Meersburg

Das alte hübsche Bodenseestädtchen Meersburg (5200 Einw.) liegt malerisch an steilem Uferhang am Übergang vom Obersee zum Überlinger
See, 7 km südöstlich von Unteruhldingen. Das Gesicht der Stadt wurde
vor allem in jener Zeit geprägt, als Meersburg Sitz der Konstanzer Bischöfe
war (1526 – 1803). Heute ist Meersburg Hauptort des Fremdenverkehrs am
Bodensee. Die erste – umstrittene – urkundliche Erwähnung von Meersburg stammt aus dem Jahre 988. Der älteste Teil des Ortes ist die Unterstadt, die aus einer Fischersiedlung entstand und 1299 zur Stadt erhoben
wurde. 1994 stieß man bei Bohrungen auf eine Thermalquelle.

*Lage und
Allgemeines*

*Stadtbild

*Im Alten Schloß von Meersburg lebte vor mehr als
150 Jahren die Dichterin Annette von Droste-Hülshoff.*

In der Oberstadt erhebt sich als älteste bewohnte Burg Deutschlands das
bis ins 7. Jh. zurückgehende Alte Schloß, die "Meersburg", ein 1508 mit
vier Rundtürmen versehener Bau. Die Dichterin Annette von Droste-Hülshoff lebte hier von 1841 bis zu ihrem Tod (1848). Sehenswert sind zahlreiche Schauräume und vor allem die Droste-Zimmer.

**Oberstadt
Altes Schloß*

Östlich am Schloßplatz sieht man das 1741 – 1750 nach Plänen von Balthasar Neumann als neue Residenz der Konstanzer Bischöfe erbaute Neue
Schloß, das einer umfassenden, 1997 abgeschlossenen Sanierung unter-
zogen wurde. Heute ist hier das Dornier-Museum untergebracht. Vom Inneren sind das großartige Treppenhaus, die Deckengemälde von Joseph
Ignaz Appiani und die Stukkaturen von Carlo Pozzi hervorzuheben. Die
zweigeschossige Kapelle wurde von Joseph Anton Feuchtmayr und Gottfried Bernhard Goez ausgestattet.

*Neues Schloß

Am Schloßplatz befinden sich zudem noch das Zeppelinmuseum mit Zep-
pelinmodellen und das Zeitungsmuseum, das die Entwicklung des deutschen Pressewesens dokumentiert. Im Weinbaumuseum östlich vom
Schloßplatz ist u. a. das riesige sog. Türkenfaß zu sehen. Nördlich vom

*Weitere Sehens-
würdigkeiten*

Meersburg
(Fortsetzung)

Schloßplatz erreicht man den Marktplatz mit seinen schönen Fachwerkbauten und dem Obertor (1300 – 1330). Weiter nordwestwärts, bei der Stadtkirche, steht das ehemalige Dominikanerinnenkloster (15. Jh.), in dem die Bibelgalerie, die Stadtbücherei und das Stadtmuseum untergebracht sind. Unweit östlich vom Obertor liegt in den Weinbergen das Fürstenhäusle (oder Fuggerhäusle), das das reizvolle Droste-Museum enthält.

Unterstadt

In der direkt am Wasser gelegenen Unterstadt verläuft die Seepromenade. An deren Ostende steht das Gredhaus, ein ehemaliger Kornspeicher von 1505. Am Westende sieht man das Gasthaus "Zum Schiff", ursprünglich Kapitelhof des Domstifts Konstanz. Gegenüber erhebt sich das Seetor, Rest der Stadtbefestigung.

Viele hübsche Winkel kann man in Meersburg entdecken, wie hier den Marktplatz mit dem Obertor.

Friedrichshafen

Lage und
Bedeutung

Friedrichshafen (56 000 Einw.), die "Messe- und Zeppelinstadt", ist nach Konstanz der zweitgrößte Ort am Bodensee und Sitz einer vielseitigen Industrie (Motoren- und Getriebebau, Luftfahrt-, Elektro-, Textil- und Lederindustrie) sowie wichtiger Bodenseehafen.

*Zeppelin
Museum

Am belebten Hafen steht der 1933 fertiggestellte Hafenbahnhof, der das Zeppelin Museum beherbergt, die weltweit bedeutendste Sammlung zur Geschichte der Luftfahrt mit der Rekonstruktion des legendären Luftschiffs "Hindenburg".

Weitere Sehenswürdigkeiten

In dem nach Kriegszerstörung wiederaufgebauten Stadtzentrum findet man die spätgotische katholische Pfarrkirche St. Nikolaus (18. Jh.). Vom Schiffs- und Fährhafen gelangt man über die Seestraße, dann am Stadtgarten mit seinem Zeppelin-Denkmal über die Uferstraße nach Westen zum Jachthafen. Von dort hat man einen schönen Blick auf den See und die Alpen. Am Jachthafen wurde 1985 das Graf-Zeppelin-Haus, ein Kultur- und Kongreßzentrum, eröffnet. Wenige Schritte nördlich, an der Friedrichstraße, trifft man auf das Oberschwäbische Schulmuseum, u. a. mit original eingerichteten Klassenzimmern von 1850, 1900 und 1930. Westlich vom Graf-Zeppelin-Haus steht in einem Park das 1654 – 1701 erbaute Schloß (Innenbesichtigung nicht möglich), heute Wohnsitz des Herzogs Karl von Württemberg, mit der weithin sichtbaren barocken Schloßkirche (1695 – 1701).

Langenargen

12 km südöstlich liegt am Seeufer der Ort Langenargen (5400 Einw.) mit dem in maurischem Stil erbauten Schloß Montfort (Kultur- und Kongreßzentrum), Kunstmuseum und schöner barocker Pfarrkirche.

Noch 10 km weiter südöstlich befindet sich der auf einer Halbinsel im See gelegene Luftkurort Wasserburg, der eine stattliche barockisierte Kirche (17. Jh.) und ein Schloß (14. Jh.) bietet.

Bodensee
(Fortsetzung)
Wasserburg

Lindau

Lindau (24 000 Einw.), die größte Stadt am bayerischen Ufer des Bodensees, besteht aus der malerischen Inselstadt Lindau im Bodensee, die eigentliche Altstadt, mit dem Hafen und der durch die Seebrücke und einen Eisenbahndamm damit verbundenen, sich weitläufig zwischen Obstkulturen erstreckenden Gartenstadt mit Wohn- und Erholungsgebieten sowie Industrieanlagen auf dem Festland. Es ist ein vielbesuchtes Touristenziel und gewinnt auch als Tagungsort an Bedeutung.

*Lage und
Allgemeines

Lindau war ursprünglich eine Fischersiedlung, deren Name – 882 erstmals urkundlich erwähnt – sich von dem im frühen 9. Jh. gegründeten Damenstift Unserer lieben Frau unter den Linden herleitet. Bald mit Marktrechten ausgestattet, wurde Lindau 1220 Freie Reichsstadt und kam als "schwäbisches Venedig" durch Handel und Schiffahrt zu Reichtum. 1805 gelangte es in den Besitz von Bayern.

Geschichte

An der Südseite der Inselstadt liegt der Seehafen mit dem Alten Leuchtturm oder Mangturm (13. Jh.) zwischen Hafenplatz und Seepromenade. Auf den beiden Molen stehen die Lindauer Wahrzeichen: der 6 m hohe bayerische Löwe (1853 – 1856) und der 33 m hohe Neue Leuchtturm (1856), von dem sich eine herrlicher Aussicht auf Stadt und Alpen bietet.

Inselstadt
*Hafen

In der Altstadt findet man noch viele von Gotik, Renaissance und Barock geprägte Straßenbilder. Besonders stimmungsvoll ist die Maximilianstraße, die Hauptstraße der Stadt, mit schmucken Patrizierhäusern, Laubengängen ("Brodlauben"), Brunnen und Straßenlokalen.

*Altstadt

Das Alte Rathaus mit farbenprächtiger Fassade am Reichsplatz wurde 1422 – 1436 errichtet und 1578 im Renaissancestil umgebaut. Nordwestlich, am Schrannenplatz trifft man auf die um 1000 gegründete und 1928 zu einer Kriegergedenkstätte umgestaltete ehemalige Peterskirche mit den um 1480 entstandenen, einzigen erhaltenen Fresken von Hans Holbein d. Ä. Daneben erhebt sich der Diebsturm von 1380. Im Ostteil der Altstadt, an dem mit einem Neptunbrunnen geschmückten Marktplatz befindet sich das Haus zum Cavazzen mit dem Heimatmuseum (Wohnkultur, Waffen) und den Städtischen Kunstsammlungen. An der Ostseite des Marktplatzes stehen die evangelische Stadtpfarrkirche St. Stephan (1180, 1782 barokkisiert) und die katholische Stadtpfarrkirche St. Marien mit Rokoko-Ausstattung, die 1748 – 1752 erbaute ehemalige Kirche des 1802 aufgehobenen Damenstifts.

Weitere Sehenswürdigkeiten

Lohnend ist ein Spaziergang auf dem Uferweg rings um die Inselstadt, der von den ehemaligen Bastionen Gerberschanze und Sternschanze sowie beim Pulverturm und der Pulverschanze prächtige Ausblicke bietet.

*Uferweg

Bonn   D 5

Bundesland: Nordrhein-Westfalen
Höhe: 64 m ü. d. M.
Einwohnerzahl: 313 000

Die ehemalige Bundeshauptstadt beidseitig des Rheins hat sich zur Freude ihrer Einwohner nie zu einer lauten, mondänen Großstadt entwickelt, sondern ihren Charme als alte Residenzstadt bewahrt. Die kulturelle Aus-

Lage und
Allgemeines

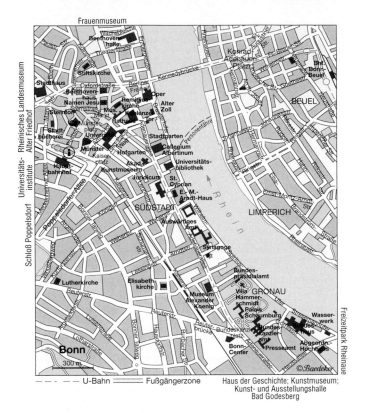

Frauenmuseum

— – — – — U-Bahn ════ Fußgängerzone

Haus der Geschichte; Kunstmuseum;
Kunst- und Ausstellungshalle
Bad Godesberg

© Baedeker

Lage und
Allgemeines
(Fortsetzung)

strahlung der altbekannten Universität, die gut erhaltene, alte Bausubstanz, das rege Geschäftsleben und das reizvolle Landschaftsbild geben
der Stadt bzw. dem Noch-Regierungssitz ihr besonderes Gepräge. Seit
der Eingemeindung von Beuel und Bad Godesberg hat Bonn auch ein re-
nommiertes Heilbad. Der Komponist Ludwig van Beethoven wurde 1770 in
Bonn geboren und verbrachte hier seine Jugend, bis er zweiundzwanzig-
jährig nach Wien ging.

Geschichte

Castra Bonnensia wurde das römische Heerlager bei dem Kastell genannt,
das 11 v. Chr. als eines der ersten am Rhein angelegt wurde. Nachdem die
um das Kastell gewachsene Siedlung im 12. Jh. erstmals mit einer Stadtmauer befestigt worden war, wählten die Kölner Erzbischöfe die Stadt zu
ihrer Residenz (1238–1794). Im 18. Jh. bauten die Kurfürsten Joseph Clemens und Clemens August Bonn zur Barockresidenz aus. Am 10. 5. 1949
wurde die Stadt zum Sitz der Bundesregierung gewählt. Im Jahre 1989
feierte Bonn sein zweitausendjähriges Bestehen; im Jahr darauf bestimmte
man im deutschen Einigungsvertrag Berlin zur Bundeshauptstadt. 1991
beschloß der Bundestag, seinen Sitz nach Berlin zu verlegen; das Berlin/
Bonn-Gesetz (1994) sieht dabei eine "faire Arbeitsteilung" vor: Sieben Ministerien bleiben in der Stadt am Rhein.

Stadtbild

Die 2000jährige Stadt am Rhein strahlt viel Beschaulichkeit aus – was ihr
zwischen 1949 und 1990 den Spitznamen "Bundeshauptdorf" einbrachte.

Neben der Altstadt mit einigen prächtigen Bauwerken wie dem Rathaus und dem Münster bestechen der Stadtteil Poppelsdorf mit seinem gründerzeitlichen Wohnviertel und der Villenvorort Bad Godesberg. Mit den kulturellen Höhepunkten entlang der Museumsmeile setzt die Stadt nach ihrer geschwundenen Bedeutung als Regierungssitz neue Akzente.

Stadtbild
(Fortsetzung)

Innenstadt

Mittelpunkt der Altstadt ist der Marktplatz mit dem 1737–1738 errichteten, prunkvollen Alten Rathaus im Rokokostil. In der nordöstlich angrenzenden Rathausgasse (Nr. 7) sind die Städtischen Kunstsammlungen mit deutscher Malerei und Plastik des 20. Jh.s untergebracht. Unweit nördlich erhebt sich die hochgotische dreischiffige Remigiuskirche (14. Jh.).

Marktplatz

In der Bonngasse 20 steht das als Museum eingerichtete Geburtshaus Ludwig van Beethovens (1770–1827). Es beherbergt zahlreiche Kostbarkeiten aus der Bonner und Wiener Zeit des großen Komponisten, u.a. seinen letzten Flügel. Nebenan entstand in einem Neubau ein Kammermusiksaal.

✳Beethovenhaus

Die Straße Am Hof, südwestlich vom Marktplatz, führt zunächst an der Universität vorbei, einer weitläufigen Gebäudegruppe, die 1697–1725 von Enrico Zuccali und Robert de Cotte als spätbarockes kurfürstliches Schloß errichtet wurde und seit 1818 als Universität genutzt wird. Der lange, parallel zur Franziskanerstraße verlaufende Ostflügel, in den das Koblenzer Tor eingefügt ist, reicht fast bis an den Rhein. Das im Stil eines Triumphbogens erbaute Tor sollte der Abschluß der Bauten am Residenzschloß werden.

Universität

Nach dem Stadtbummel oder dem Besuch eines der vielen renommierten Museen Bonns trifft man sich zum Kaffeetrinken auf dem Marktplatz vor dem Rathaus.

Bonn

Akademisches Kunstmuseum

Im östlich anschließenden Hofgarten befindet sich das Akademische Kunstmuseum der Universität Bonn (Am Hofgarten 21) mit der größten Sammlung originaler griechischer und römischer Antiken in Nordrhein-Westfalen.

*Münster

Am Ende der Straße Am Hof stößt man auf den Münsterplatz mit dem alt-ehrwürdigen Münster, einer der schönsten romanischen Kirchen am Rhein. Sie wurde im 11.–13. Jh. erbaut und bestimmt bis heute mit ihren vier Türmen und dem mächtigen Vierungsturm die Silhouette der Stadt. Ausgrabungen unter der langen, dreischiffigen Krypta (11. Jh.) haben eine der frühesten Kultstätten des Christentums im Rheinland zutage gefördert: eine "cella memoriae" zu Ehren der Märtyrer Cassius und Florentinus, die heute die Stadtpatrone von Bonn sind. Südlich schließt ein stimmungsvoller Kreuzgang aus dem 12. Jh. an, der einzige gut erhaltene romanische Kreuzgang nördlich der Alpen.

Rheinufer

Wendet man sich vom Marktplatz aus in nordöstliche Richtung, gelangt man zum Rheinufer. Vor der Kennedybrücke liegt die Oper Bonn (1963–1965), dahinter steht die Beethovenhalle (1957–1959). Bei den Schiffsanlegestellen südlich der Oper erreicht man den Stadtgarten und den Alten Zoll, die Bastei des ehemaligen Festungsgürtels der Stadt. Von der Bastei aus hat man eine wunderbare Aussicht auf die Stadt, den Rhein und das nahe Siebengebirge. Rheinaufwärts befindet sich das als Museum eingerichtete Ernst-Moritz-Arndt-Haus, das Wohnhaus des Schriftstellers und Politikers, der hier 1860 starb.

Frauenmuseum

Nördlich der Innenstadt befindet sich das erste Frauenmuseum Deutschlands (Im Krausfeld 10). Hier sind Dokumentationen aus Geschichte, Politik, "Dritter Welt" zusammengestellt, und es werden Einzelausstellungen berühmter Künstlerinnen gezeigt. Darüber hinaus behandeln große Themenprojekte wichtige Fragen unserer Zeit.

Landesmuseum

Im Südwesten der Innenstadt und westlich vom Bahnhof zeigt das Rheinische Landesmuseum (Colmantstraße 14–16) Zeugnisse rheinischer Geschichte, Kunst und Kultur von der Urgeschichte bis zur Gegenwart, darunter den Schädel des "Neandertalers".

Bundesviertel

Bundesbehörden

Parallel zum Rheinufer und zur Adenauerallee zieht sich südlich der Innenstadt das Bundesviertel mit zahlreichen Bundesbehörden hin. Die bekanntesten sind die 1860 erbaute Villa Hammerschmidt (Adenauerallee 135), der Bonner Amtssitz des Bundespräsidenten, und unweit davon das im Renaissance-Stil erbaute Palais Schaumburg (1860), das 1949 bis 1976 als Bundeskanzleramt diente. Sein Name erinnert an den ersten Besitzer, den Prinzen zu Schaumburg-Lippe. Östlich schließt das moderne Bundeskanzleramt mit Kanzlerflügel und drei Parallelbauten an, das 1974/1976 errichtet wurde. Davor steht seit 1981 das Adenauer-Denkmal, ein monumentaler Kopf des ersten deutschen Bundeskanzlers. Östlich von hier dehnt sich in Rheinnähe der mehrfach erweiterte und heute kaum noch überschaubare Komplex des "Bundeshauses" (Heussallee) aus, in dem Bundestag und Bundesrat ihren Sitz haben. 1992 wurde sowohl der neue Plenarsaal als auch der Bürotrakt für das Bundestagspräsidium eingeweiht. Unmittelbar benachbart liegt am Rhein das Wasserwerk, während der Bauzeit des neuen Plenarsaals provisorischer Sitz des Bundestags. Noch weiter östlich (Hermann-Ehlers-Straße) ragt der "Lange Eugen" auf, das 29stöckige Abgeordneten-Hochhaus, das Egon Eiermann entwarf (1965/1966) und vom Volksmund nach dem damaligen Parlamentspräsidenten Dr. Eugen Gerstenmaier benannt wurde. Östlich des höchsten Hauses in Bonn erstreckt sich der weitläufige Freizeitpark Rheinaue, das Gelände der Bundesgartenschau von 1979.

Museumsmeile

In direkter Nachbarschaft zum Regierungsviertel erstreckt sich die Bonner Museumsmeile mit ihren vier bedeutenden Museen an der Adenaueralle und an ihrer Verlängerung nach Süden, der Friedrich-Ebert-Allee.

Am weitesten in Norden liegt das Museum Alexander König (Adenauerallee 160), eines der bedeutendsten zoologischen Museen der Bundesrepublik mit 30000 ausgestopften Säugetieren, 80000 Vögeln und über eine Million Insekten, dazu Reptilien, Amphibien und Fische.

An der Adenaueralle 250 zeigt das 1994 eröffnete Haus der Geschichte der Bundesrepublik Deutschland auf fünf chronologisch gegliederten Ausstellungsebenen die Geschichte des geteilten und wiedervereinigten Deutschlands anhand von zahlreichen Originalobjekten, nachgebauten Kulissen, Filmen, Fotos und Dokumenten (Öffnungszeiten: Di. – So. 9.00 – 19.00)

Das Kunstmuseum Bonn in der Friedrich-Ebert-Allee 2 ist mit seinen Sammlungsschwerpunkten "August Macke und die Rheinischen Expressionisten" und "Deutsche Kunst seit 1945" ein Museum für die Kunst des 20. Jahrhunderts. Auch architektonisch ist das vor 40 Jahren von dem Berliner Architekten Axel Schultes entworfene Gebäude sehenswert – als besonderes Kennzeichen gilt die Tageslichtkonzeption im Obergeschoß. (Öffnungszeiten: Di. – So. 10.00 – 19.00 Uhr)

Gleich nebenan (Friedrich-Ebert-Allee 4) eröffnete 1992 mit der Kunst- und Ausstellungshalle der Bundesrepublik Deutschland (Architekt Gustav Peichl) ein Haus, das auf einer riesigen Fläche (5400 m²) bis zu fünf wechselnde Ausstellungen internationalen Ranges zur Bildenden Kunst, Architektur, Kulturgeschichte, Wissenschaft und Technik zeigt. Auf dem Dach des Gebäudes erwartet den Besucher ein 8000 m² großer Skulpturengarten.

Weiter südlich (Ahrstraße 45, Nähe Kennedyallee) ist im Wissenschaftszentrum Bonn das Deutsche Museum Bonn untergebracht, das dem Besucher auf zwei Ebenen die Bedeutung der Grundlagenforschung und mögliche Anwendungen näherbringt. Es beleuchtet zudem die wirtschaftlichen Aspekte von Wissenschaft und Forschung sowie die internationale Zusammenarbeit auf wissenschaftlichem Gebiet.

Poppelsdorf

Im Südwesten der Stadt steht am Ende der Poppelsdorfer Allee das prächtige, zwischen 1715 und 1730 erbaute Poppelsdorfer Schloß, in dem heute das Mineralogisch-Petrologische Museum der Universität Bonn untergebracht ist. Dahinter liegt der Botanische Garten mit zehn Gewächshäusern und einer Fülle seltener Bäume und Pflanzen.

Die Straßen der Südstadt – südlich von Hofgarten und Poppelsdorfer Allee – bilden das gründerzeitliche Wohnviertel mit wunderbaren, herrschaftlichen Bürgerhäusern aus der Zeit zwischen 1860 und 1914.

Südwestlich vom Poppelsdorfer Schloß (20 Min.) liegen auf dem Kreuzberg (125 m) ein ehemaliges Franziskanerkloster und eine weit sichtbare Barockkirche (1627 – 1637) mit einer östlich angebauten "Heiligen Stiege" von Balthasar Neumann (1746 – 1751).

Bad Godesberg

Im südlichen Stadtteil Bad Godesberg, einem reichen Villenvorort von Bonn und Sitz zahlreicher diplomatischer Vertretungen, lohnt die Besichti-

Bonn

Die Atmosphäre rund um das Popppelsdorfer Schloß läßt vergessen, daß man sich eigentlich mitten in einer Großstadt befindet.

Bad Godesberg (Fortsetzung)

gung der zentral gelegenen Redoute, die früher ein kurfürstliches Rokokoschloß war und heute der Schauplatz von Staatsempfängen ist. Südlich liegen das sog. Haus an der Redoute und das Rathaus mit einer klassizistischen Fassade. Östlich der Redoute dehnt sich der großzügige, im englischen Stil angelegte Stadtpark mit Kleinem Theater, Trinkpavillon und Stadthalle aus. Hinter dem Trinkpavillon beginnt auf der gegenüberliegenden Straßenseite das Areal des Redoutenparks. Im Norden Godesbergs erhebt sich die Burgruine Godesburg (1210 bis 1244), von deren 32 m hohem Bergfried man einen weiten Blick auf Bonn, das Rheintal und das Siebengebirge hat. Seit 1959 sind in die Ruine ein Hotel und ein Restaurant integriert.

Schwarzrheindorf

Im Stadtteil Schwarzrheindorf auf dem rechten Rheinufer liegt eine einzigartige romanische Doppelkirche aus dem 12. Jahrhundert.

Umgebung von Bonn

⁕Siebengebirge

Das Siebengebirge, der nordwestliche Abschluß des Westerwaldes und das älteste deutsche Naturschutzgebiet, erstreckt sich südlich von Bonn entlang des rechten Rheinufers. 100 km Wanderwege führen durch schattige Laubwälder und bieten immer wieder schöne Ausblicke ins Rheintal. Der bekannteste Berg ist der Drachenfels (321 m), auf dem die älteste Zahnradbahn Deutschlands im Einsatz ist. Auf dem Weg zum Gipfel passiert man das neugotische Schloß Drachenburg (1879 – 1884) inmitten von malerisch gruppierten Baum- und Parkanlagen. Die Räume des Schlosses stehen zur Besichtigung bereit. Von der 122 m langen Rheinterrasse hat man einen wunderbaren Blick ins Tal. Weiter bergan erhebt sich die 1147 erbaute und 1634 zerstörte Burgruine Drachenfels. Das hochgelegene ehemalige Petersberg-Hotel auf dem Petersberg (nördlich des Drachenfelses) wurde zu einem Gästehaus der Bundesregierung umgebaut.

Am Fuße des Drachenfelses und des Petersberges liegt Königswinter, wegen seiner schönen Uferlage eines der meistbesuchten Ausflugsziele in Bonns Umgebung. Hier findet man gemütliche Weinlokale und das Siebengebirgsmuseum (Kellerstraße 16).

Bonn, Umgebung (Fortsetzung) Königswinter

Gepflegte Uferpromenaden laden in Bad Honnef, das südlich von Königswinter am Rhein liegt, zum Flanieren ein. Der Ort war Wohnsitz von Konrad Adenauer (1876–1967), dem ersten Kanzler der Bundesrepublik Deutschland; sein einstiges Wohnhaus im Ortsteil Rhöndorf ist als Gedenkstätte eingerichtet. Auf dem Markt ist die Pfarrkirche St. Johann Baptist (12. und 16./17. Jh.) sehenswert.

Bad Honnef

Etwa 14 km südwestlich von Bonn gelangt man zur mittelalterlichen Stadt Rheinbach, wo sich ein Glasmuseum, ein Kutschenmuseum sowie ein Freizeitpark mit Wellenbad, Seen, Minigolf, Tennisplätzen usw. befinden.

Rheinbach

In der Kreisstadt Euskirchen 25 km südwestlich von Bonn ist neben der katholischen Martinskirche, einer dreischiffigen Basilika mit vorgesetztem Westturm, die Stadtbefestigung aus dem 14. Jh. mit dem Dicken Turm sehenswert, in dem das Stadtmuseum untergebracht ist.

Euskirchen

In der Gegend um Euskirchen begegnet man überall den steinernen Zeugen des ausgehenden Mittelalters: trutzigen Burgen und romantischen Schlössern, so z.B. der zweiteiligen Burganlage westlich von Euskirchen (bei Euskirchen-Wißkirchen), der Burg Satzvey (14. Jh.) mit dem gleichnamigen Dorf. Die stärkste Burganlage im Kreis Euskirchen ist die Wasserburg Veynau (1340) in Obergartzem, rund 5 km südwestlich von Euskirchen.

Burg Satzvey und Burg Veynau

10 km nordwestlich von Euskirchen liegt die Stadt Zülpich mit der Peterskirche, in der die Krypta aus dem 11. Jh. sehenswert ist. An der Südseite der Kirche kann man die ehemaligen römischen Badeanlagen (100 n. Chr.), die vom Heimatmuseum aus zugänglich sind, besichtigen. Beim Bau der Stadtbefestigung (13./14. Jh.) wurde auch die Landesburg errichtet; von den vier Stadttoren ist im ursprünglichen Zustand nur noch das große Weiertor an der Westseite erhalten.

Zülpich

Brandenburg   I 3

Bundesland: Brandenburg
Höhe: 31 m ü. d. M.
Einwohnerzahl: 90 000

Brandenburg, einst Bischofssitz und eine bedeutende Fernhandelsstadt, liegt rund 50 km südwestlich von → Berlin an der unteren Havel, umgeben von Beetzsee, Plauer See und Breitlingsee. Als Hauptstadt der Markgrafschaft Brandenburg zu wirtschaftlicher Blüte gelangt, verlor die Stadt im 15. Jh. ihre führende Stellung. Den besonderen Reiz der Stadt machen die Flußarme der Havel und die Kanäle aus, die Brandenburg durchziehen.

Lage und Allgemeines

Brandenburg war bis zur Mitte des 12. Jh.s Hauptfestung der slawischen Heveller. Unter König Heinrich I. wurde die Siedlung 928/929 mit Burg erstmalig erobert; zeitweilig war sie Sitz des 948 gegründeten Bistums. Bis 1157 blieb die Burg heftig umkämpft. Auf drei Inseln entstanden die drei Siedlungskerne: der Dom bzw. Bischofssitz, die altstädtische Siedlung und die neustädtische Kaufmannssiedlung. Der Ausbau der deutschen Landesherrschaft in der Mark Brandenburg führte dann zum Aufblühen der Stadt, die im 13./14. Jh. hauptstädtische Bedeutung erlangte. Unter der Herrschaft der Hohenzollern, die 1451 ihre Residenz nach Berlin verlegten, wurde Brandenburg zur vernachlässigten Landstadt. 1715 vereinigten sich Alt- und Neustadt.

Geschichte

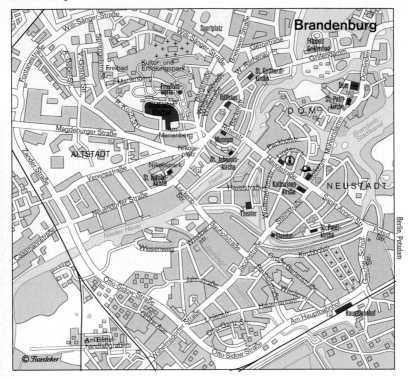

Dominsel

*Dom

Der Dom St. Peter und Paul (1165 begonnen; wird bis Sept. 1998 restauriert) auf der Dominsel ist eine dreischiffige romanische Basilika. In der großen zweischiffigen Krypta (1235) befindet sich seit 1953 eine Gedächtnisstätte für die im Zweiten Weltkrieg ermordeten Christen. Die "bunte Kapelle" besitzt eine spätromanische Ausmalung. Von der reichen Ausstattung des Domes sind die Glasmalereien (13. Jh.), das romanische Kruzifix, der Böhmische Altar (14. Jh.), der Lehniner Altar (1518 gestiftet) und der Marienaltar (um 1430) besonders sehenswert. In den teilweise erhaltenen Klausurgebäuden befinden sich der Kreuzgang und das Domarchiv mit wertvollen Handschriften, ferner das Dommuseum mit kostbaren mittelalterlichen Gewändern Geistlicher und dem Brandenburger Hungertuch (um 1290).

Petrikapelle

Am Burgweg liegt die gotische Petrikapelle, seit 1320 Pfarrkirche der Domgemeinde, die 1520 mit Zellengewölben versehen wurde.

Altstadt

*Altstädtisches Rathaus

Westlich der Dominsel liegt am Havelufer die Altstadt. Besonders sehenswert ist das Altstädtische Rathaus (1470), ein spätgotischer zweigeschossiger Backsteinbau mit Staffelgiebel, Turm und Portal mit reichem Backstein-Maßwerk; am Nordostgiebel sieht man ein großes Spitzbogenportal. Vor dem Rathaus steht seit 1946 eine über 5 m große Rolandsfigur (1474).

Nördlich vom Rathaus erhebt sich das älteste Bauwerk Brandenburgs: die Pfarrkirche St. Gotthardt (12. Jh.) mit einer spätgotischen Backsteinhalle aus dem 15. Jh. und einer barocken Turmhaube von 1767. Von der Ausstattung sind die romanische Bronzetaufe (13. Jh.), die spätgotische Triumphkreuzgruppe (15. Jh.), Gobelins (um 1463, Darstellung einer Einhornjagd), ein Renaissancealtar (1559) und Epitaphe (16. und 18. Jh.) bemerkenswert.

St. Gotthardt

Das Museum der Stadt im Freyhaus (Hauptstraße 96), einem Barockbau (1723) mit bemerkenswertem Treppenhaus, besitzt neben Darstellungen der Stadtgeschichte eine bedeutende Sammlung europäischer Graphik (16.–20. Jh.) mit dem fast vollständigen Werk D. Chodowieckis.

Stadtmuseum

Im Süden der Altstadt befindet sich die Ruine der Pfarrkirche St. Johannis, ein frühgotischer Backsteinbau aus dem 13. Jahrhundert.

St. Johannis

Von der mittelalterlichen Stadtbefestigung existieren noch Teile der Stadtmauer, der Rathenower Torturm mit Spitzbogenblenden, der Plauer Torturm mit durchbrochenem Zierkranz, der Mühltorturm und der Steintorturm, ferner die Wasserpromenade und die Annenpromenade.

Stadtbefestigung

Südwestlich der Altstadt steht die Nikolaikirche, eine zwischen 1170 und 1230 entstandene spätromanische Backsteinbasilika, deren drei Schiffe mit Apsiden abgeschlossen sind.

Nikolaikirche

Neustadt

Südlich der Dominsel liegt die Neustadt. Die im Zentrum gelegene Pfarrkirche St. Katharinen (1395–1401) gilt als hervorragendes Werk der Backsteingotik und Hauptwerk von Hinrich Brunsberg. Der Giebel der Fronleichnams- bzw. Marienkapelle an der Nordseite der dreischiffigen gewölbten Hallenkirche ist besonders hervorzuheben. Im Inneren sind ein spätgotischer Doppelflügelaltar (1474), der Hedwigsaltar (1457, Südkapelle), die Taufe (1440, Nordkapelle), die Kanzel (1668) und die Epitaphe sehenswert.

*St. Katharinen

Vom ehemaligen Dominikanerkloster (1286) ist seit 1945 nur noch die Klosterkirche St. Pauli als Ruine erhalten.

Klosterkirche

Interessante Bürgerbauten des 18. Jh.s finden sich in der Steinstraße 21, am Neustädtischer Markt 7 und 11, am Gorrenberg 14, in der Kleinen Münzstraße 6 und der Kurstraße 7. An der Hauptstraße errichtete man das Denkmal des Brandenburger Originals "Fritze Bollmann", dessen Anglermoritat noch heute bekannt ist.

Bürgerbauten

Auf dem 69 m hohen Marienberg liegt der Park Marienberg. Hier verehrten die germanischen Semnonen die Göttin Freya. Heute befindet sich in der Parkanlage eine Freilichtbühne, ein Schwimmbad, ein Aussichtsturm und ein Ehrenmal für die während des Zweiten Weltkrieges im ehemaligen Zuchthaus Brandenburg-Görden hingerichteten Widerstandskämpfer.

Marienberg

Auf dem Beetzsee nördlich der Dominsel befindet sich eine internationale Regattastrecke (1969).

Beetzsee

Im Ortsteil Plaue (10 km westlich) wurde im barocken Schloß (1711–1716), eine Schule untergebracht. Die spätromanische Backsteinkirche weist gotische Wandgemälde (15. Jh.) und eine schöne Renaissancekanzel auf.

Plaue

Umgebung von Brandenburg

Das berühmte Kloster Lehnin (20 km südöstlich von Brandenburg) war die erste Zisterzienserniederlassung in der Mark, als Hauskloster der Askanier von Markgraf Otto I. 1180 gegründet. Die Klosterkirche St. Marien, eine

*Kloster Lehnin

Brandenburg

Umgebung,
Kloster Lehnin
(Fortsetzung)

frühgotische Pfeilerbasilika, wurde 1190 begonnen (Weihe 1262) und ist eines der ältesten und bedeutendsten Beispiele norddeutscher Backsteinarchitektur. Vom Kloster erhalten sind die Klausur, das Königshaus, das Kornhaus, das Falkonierhaus und die Klostermauer mit dreipfortigem Tor.

Havelland

Als Havelland wird das Gebiet nordwestlich von Potsdam und Brandenburg bezeichnet, begrenzt wird es im Westen von der Elbe, im Norden reicht es etwa bis Neuruppin. Das Landschaftsbild ist bestimmt von ausgedehnten moorigen Niederungen, flachwelligen und überschwemmungsgefährdeten Dünengebieten mit vereinzelten Kiefern- und Mischwäldchen und einem dichten Netz von miteinander verbundenen Seen, vor allem in der Gegend um Brandenburg. Im Havelland wird zum einen Obst angebaut, Zentrum ist die Inselstadt Werder, zum anderen wird Ackerbau betrieben und in den Niederungen eine intensive Grünlandwirtschaft zur Futtergewinnung. Die mehr als 300 km lange, auf einer Strecke von mehr als 200 km schiffbare Havel ist eine vielbefahrene Wasserstraße; zahlreiche Kanäle mit Schleusen verkürzen den gewundenen natürlichen Flußlauf. Über das Kanalsystem ist die Havel nach Westen mit der Elbe und dem Mittellandkanal, nach Osten mit der Oder verbunden.

*Havelseen

Reizvoll ist vor allem der mittlere Abschnitt der Havel zwischen Potsdam und Brandenburg, wo sich der Fluß zu zahlreichen langgestreckten, gewundenen Seen erweitert: zu den bekanntesten und beliebtesten zählen der Schwielowsee südlich von Potsdam, der Trebelsee zwischen Potsdam und Brandenburg bei Ketzin, der Beetzsee bei Ketzür nördlich von Brandenburg und der Plauer See im Süden Brandenburgs. Alle bieten die Möglichkeit zum Baden, Wandern und für Wassersportler. Die Regattastrecke auf dem Beetzsee ist eine international bekannte Wassersportstätte.

*Ein dichtes Netz von Flüssen und Seen durchzieht
das reizvolle brandenburgische Havelland. Hier erhebt
sich der Dom von Havelberg über der Flußlandschaft.*

Die Städte Werder (→ Postdam, Umgebung), Ketzür, Rathenow und Ha-velberg sind neben Potsdam, Brandenburg und Neuruppin (→ Rheinsberg · Neuruppin) die interessantesten im Havelland.

In Ketzür, 10 km nordöstlich von Brandenburg am Beetzsee gelegen, steht eine frühgotische Dorfkirche aus dem 14.–18. Jh. mit beachtenswerter Ausmalung (17. Jh.) und Epitaph (1611–1613).

In Rathenow (32 km nordwestlich Brandenburgs) ist die romanische Stadt-kirche (bis 1517 erneuert) sehenswert; ihre kostbarsten Ausstattungsstücke sind ein spätgotischer Flügelaltar und ein Denkmal des Kurfürsten Fried-rich Wilhelm (1738), eine Standfigur in römischer Imperatorentracht. Im Hei-matmuseum (Rhinower Str. 12 b) ist u.a. die Geschichte der optischen In-dustrie in Rathenow dokumentiert.

Nahe der Einmündung der Havel in die Elbe liegt die hübsche Kreisstadt Havelberg. Bedeutend ist hier der Dom St. Marien, der 1170 geweiht und 1279–1330 gotisch umgebaut wurde. Im Innern der dreischiffigen Basilika beeindrucken die gotische Glasmalerei (14./15. Jh.) und bemerkenswerte Bauplastiken, besonders die Reliefplatten am Lettner und an den Chor-schranken, die drei Sandsteinleuchter (13. Jh.) und die gotische Triumph-kreuzgruppe (13. Jh.). Südlich des Doms liegen die Stiftsgebäude. Am Marktplatz von Havelberg steht ein spätklassizistisches Rathaus.

Braunschweig

Bundesland: Niedersachsen
Höhe: 72 m ü. d. M.
Einwohnerzahl: 255 000

Die alte Welfenstadt Braunschweig, die zweitgrößte Stadt des Landes Nie-dersachsen, liegt in einer fruchtbaren Ebene an der Oker im Norden des Harzvorlandes. Braunschweigs 1745 gegründete Technische Hochschule (heute Universität) ist die älteste Deutschlands. Die Stadt ist ferner Sitz einer Kunsthochschule sowie verschiedener Forschungs- und Bundesan-stalten (u. a. die Physikalisch-Technische Bundesanstalt). Nördlich der Stadt verläuft der Mittellandkanal.

Im 12. Jh. war Braunschweig Residenz und Lieblings-aufenthalt Heinrichs des Löwen (1129 bis 1195), der den Ort zur Stadt erhob. 1247 trat diese der Hanse bei und wurde durch ihre günstige Lage zu einem bedeu-tenden Binnenhandels-Umschlagplatz. 1753–1918 war Braunschweig die Residenz des gleichnamigen Herzog-tums. Im Zweiten Weltkrieg wurde der alte Stadtkern fast gänzlich zerstört – bis auf die "Traditionsinseln" trägt die Stadt deshalb ein modernes Gesicht.

Die Stadt ist geprägt vom Nebeneinander von neu und alt: moderne Stra-ßenzüge wechseln mit sog. "Traditionsinseln", das sind über die Stadt ver-teilte, hübsche Bezirke alten Baubestands. Hier stehen noch alte Fach-werkhäuser und sehenswerte Kirchen an kopfsteingepflasterten Straßen und idyllischen Plätzen.

Sehenswertes in Braunschweig

In der Stadtmitte erhebt sich am Burgplatz die Burg Dankwarderode, die einstige Residenz Heinrichs des Löwen. Der jetzige Bau wurde auf dem Grundriß des 1175 entstandenen Saalbaus des Herzogs ab 1887 rekonstru-

Braunschweig

A 391   A 2   Universität, Naturhist. Museum   A 2, Wolfsburg

Dom – Burgplatz (Fortsetzung)

iert. Die Burg enthält heute die mittelalterliche Abteilung des Herzog-Anton-Ulrich-Museums, in der vor allem religiöse Goldschmiedekunst zu sehen ist.

*Burglöwe

Im Mittelpunkt des Burgplatzes steht ein in Erz gegossener prachtvoller Löwe (Nachbildung, Original im Burgmuseum), den Heinrich der Löwe als Zeichen seiner Macht 1166 aufstellen ließ. An der Nordseite des Platzes steht das 1536 erbaute Huneborstelsche Haus, jetzt Gildehaus. Daneben liegt der letzte erhaltene Adelshof am Burgplatz: das Haus der Familie von Veltheim (1573), das heute Sitz der Handwerkskammer ist.

Landesmuseum

Das klassizistische Gebäude des Verlages Vieweg (1799 – 1804) beherbergt das Braunschweigische Landesmuseum, das mit insgesamt vier Häusern eines der größten Museen Deutschlands ist. Am Burgplatz wird in 14 chronologisch geordneten Stationen die Landesgeschichte vorgestellt.

**Dom

Der romanisch-gotische Dom St. Blasius, der erste große Gewölbebau Niedersachsens, wurde 1173–1195 unter Heinrich dem Löwen erbaut. Das im Mittelschiff aufgestellte Grabmal Heinrichs des Löwen und seiner Gemahlin Mathilde gilt als ein Hauptwerk der spätromanischen sächsischen Bildhauerschule (um 1250). Vor dem Chor ruhen unter einer Messingplatte von 1707 Kaiser Otto IV. († 1218) und seine Gemahlin Beatrix; im Hochchor, den ebenso wie das südliche Querschiff romanische Wandmalereien schmücken, ist ein 4,5 m hoher, von Heinrich dem Löwen gestifteter siebenarmiger Bronzeleuchter beachtenswert. Ältestes und kunstgeschichtlich bedeutendstes Stück der Ausstattung ist das vom ersten Dom übernommene romanische Imerward-Kruzifix (1150).

Östlich gegenüber liegt das neugotische Rathaus (1893–1900), 1971 wurde ein Erweiterungsbau angefügt.

Nördlich vom Burgplatz trifft man am großen Hagenmarkt auf das Brunnendenkmal Heinrichs des Löwen (1874) und die um 1200 als Pfeilerbasilika begonnene und im 13. Jh. in eine gotische Hallenkirche umgebaute Katharinenkirche, in deren Orgel 1980 Teile der Barockorgel von 1623 eingebaut wurden. Unweit westlich liegt das 1294 erstmals erwähnte, um 1780 klassizistisch umgestaltete Rathaus der Neustadt. Nordwestlich davon erhebt sich die im 12. Jh. erbaute, später gotisch veränderte Andreaskirche. 1740 erhielt ihr Südturm, mit 93 m der höchste Kirchturm der Stadt, eine barocke Haube. Die 1361 geweihte Brüdernkirche südlich der Andreaskirche ist die einzige Betteloordenskirche in Niedersachsen. Sie birgt in ihrem Inneren einen kostbaren Schnitzaltar aus dem 15. Jh. sowie ein prächtig geschnitztes Chorgestühl.

800 m nordöstlich des Hagenmarktes befindet sich die 1745 als "Collegium Carolinum" gegründete Technische Universität, an der vor allem naturwissenschaftliche Disziplinen gelehrt werden. Wenig weiter im Norden liegt das Staatliche Naturhistorische Museum (Pockelsstraße 10 a) mit einem großen Schauaquarium und Dioramen mit der heimischen Tierwelt.

Der südwestlich vom Burgplatz gelegene Altstadtmarkt ist das Herzstück der alten Handels- und Hansestadt. Er entstand aus einem Straßenmarkt des 11. und 12. Jahrhunderts. In seiner Mitte steht der Marienbrunnen, ein einzigartiges Zeugnis spätgotischen Kunsthandwerks (1408). Das gotische Altstadtrathaus an der Westseite des Platzes, ein Festsaalbau des 14. Jh.s mit vorgelagertem zweigeschossigem Laubengang, ist eines der schönsten mittelalterlichen Baudenkmäler. Gegenüber sieht man die Martinikir-

Um den Marienbrunnen auf dem Altstadtmarkt ist ein ganzes Ensemble schöner historischer Bauwerke versammelt: Hier sieht man die Martinikirche und das gotische Altstadtrathaus.

Braunschweig

che (12.–14. Jh.), die zunächst als gewölbte Pfeilerbasilika gebaut wurde, bevor man sie im 13./14. Jh. zu einer geräumigen Hallenkirche veränderte. An der Südseite des Platzes liegt das wiederhergestellte mittelalterliche Gewandhaus (1303 erstmals erwähnt), dessen Ostgiebel (1591) das Hauptwerk der Renaissance in Braunschweig ist. An seine Nordwestecke setzte man geschickt das Rüninger Zollhaus von 1643.

Eulenspiegel-
brunnen

Nördlich dieser Traditionsinsel erinnert der am Bäckerklint aufgestellte Eulenspiegelbrunnen an den berühmten Schalk, der laut Volksbuch hier in der Nähe in einer Bäckerei die Eulen und Meerkatzen gebacken haben soll, die auch heute noch in Braunschweig gern gekauft werden.

Traditionsinsel
Michaelis

Um die unweit südwestlich vom Altstadtmarkt gelegene Michaeliskirche liegen diverse weitere mittelalterliche Bauwerke, vor allem in der Echtern- und der Alten Knochenhauerstraße, die eine eigene Traditionsinsel bilden. Die kleine 1157 geweihte Michaeliskirche ist ein gotischer Hallenbau des 14. Jahrhunderts. In der Alten Knochenhauerstraße ist u.a. Braunschweigs älteste Fachwerkfassade (Nr. 11) von 1470 sehenswert; in der Güldenstr. 7 steht das stattliche Haus zur Hanse von 1567. Reste der im 12. Jh. angelegten und im 15. und 17. Jh. erhöhten Stadtmauer finden sich am Prinzenweg südwestlich der Kirche.

Traditionsinsel
Ägidien

Südlich vom Burgplatz ist um die gotische Kirche St. Ägidien mit einem Chor aus dem 13. und einem Langhaus aus dem 14. Jh. noch der hübsche Fachwerkwinkel Othilienteil erhalten. Neben der Kirche brachte man im einstigen Dominikanerkloster eine Außenstelle des Braunschweigischen Landesmuseums unter. In dem reizvollen Klosterhof befindet sich ein mittelalterlicher Brunnen von 1473.

*Traditionsinsel
Magni

Mitten in einem schönen Ensemble historisch wertvoller Fachwerkhäuser erhebt sich südöstlich vom Burgplatz die nach dem Zweiten Weltkrieg eindrucksvoll wiederhergestellte Magnikirche, die 1031 geweiht wurde. Sehenswerte alte Bausubstanz findet man vor allem auf dem Platz "Hinter der Magnikirche", wo sich außerdem Gasthaus an Gasthaus reiht, und in den Gassen östlich der Kirche (Herrendorftwete, Am Magnitor). Hier steht auch das Städtische Museum, das die braunschweigische Kunst- und Kulturgeschichte dokumentiert.

Herzog-Anton-
Ulrich-Museum

Unweit nördlich kann man am Museumspark das Herzog-Anton-Ulrich-Museum (Museumstr. 1), das älteste Museum Deutschlands mit einer bedeutenden Kunstsammlung, besichtigen. Es besitzt u.a. den Kaisermantel Ottos IV. und eine Sammlung niederländischer Meister (Rembrandt, van Dyck u.a.). Am anderen Ende des Museumsparks liegt das im Stil der florentinischen Renaissance erbaute Staatstheater.

Magnifriedhof

Auf dem Magnifriedhof (ca. 700 m südöstlich) befindet sich das Grab Gotthold Ephraim Lessings (1729–1781; vgl. Wolfenbüttel). An seiner Ostseite steht die 1965 erbaute Stadthalle.

Bürgerpark

Am südlichen Rand der Innenstadt erstreckt sich beim Umflutungsgraben der schöne Bürgerpark mit Stadtbad sowie Freizeit- und Bildungszentrum.

Schloß Richmond

Weit im Süden des Bürgerparks ließ der Herzog von Braunschweig/Wolfenbüttel 1768/1769 das anmutige Schloß Richmond für seine Gemahlin errichten. Das nach dem Krieg wiederhergestellte Schloß dient heute repräsentativen Zwecken. In einem der beiden "Kavaliershäuser" daneben ist eine Gedenkstätte für Friedrich Gerstäcker untergebracht.

Riddagshausen

Im östlichen Vorort Riddagshausen, jenseits vom Prinz-Albrecht-Park, steht die beachtenswerte Kirche eines ehemaligen Zisterzienserklosters (13. Jh.). Nördlich und südlich erstrecken sich das Naturschutzgebiet Riddagshausen und das Landschaftsschutzgebiet Buchhorst.

Umgebung von Braunschweig

Von Braunschweig bieten sich Abstecher zu den 10 bis 35 km entfernten Städten (→ Wolfenbüttel und Salzgitter (→ Wolfenbüttel, Umgebung) sowie nach → Wolfsburg und → Hildesheim an. — Ausflugsziele

Im 22 km östlich von Braunschweig gelegenen Ort Königslutter erhebt sich der Kaiserdom, die Stiftskirche Lothars von Süpplingenburg. Dieser – 1133 wurde er in Rom zum Kaiser gekrönt – ließ sich 1135 das mächtige Gebäude als Grabeskirche errichten. Vorbild für das Löwentor, die Träger im Kreuzgang u.a. waren wahrscheinlich italienische Bauwerke. — Königslutter

Die ehemalige Grenzstadt Helmstedt (28 000 Einwohner), 35 km östlich von Braunschweig am Südrand des Lappwalds gelegen, besitzt noch zahlreiche hübsche Fachwerkhäuser aus dem 16. Jh. und Reste der im 15. Jh. errichteten Stadtmauer. Im Jahre 1576 gründete Herzog Julius von Braunschweig hier eine protestantische Universität (Academia Julia), die zeitweilig die meistbesuchte in Deutschland war, aber 1810 aufgehoben wurde. In der Umgebung befinden sich bedeutende Braunkohlelager. — Helmstedt
Am Marktplatz stehen das stattliche neugotische Rathaus (1906) und der reichverzierte Fachwerkbau des "Herzoglichen Hoflagers" (1567), auch Rohr'sches Haus genannt. Östlich des Marktplatzes liegt am Ende der Straße Papenberg die Pfarrkirche St. Stephani (13. und 15. Jh.); im Inneren ist der Hochaltar von 1644 sowie die Moseskanzel (1590) und ein Messingtaufbecken (1580) beachtenswert. Am Ostrand der Stadt liegt das im 9. Jh. gegründete, 1803 aufgehobene Benediktinerkloster St. Ludgeri. Das wiedererrichtete Türkentor (1716) bildete früher den Eingang zum Kloster. Die um 1050 entstandene Doppelkapelle auf dem Klosterhof ist das älteste kirchliche Baudenkmal der Umgebung. Unter der ursprünglich romanischen Klosterkirche (1556 und 1890 verändert) befindet sich die romanische Felicitaskrypta (11. Jh.). An der südlich vom Marktplatz abgehenden Straße Am Südertor (Nr. 6) bietet das 1995 eingerichtete Zonengrenzmuseum eine authentische Darstellung der ehemaligen Grenzsituation der Stadt durch Originalobjekte, Fotografien, Modelle und lebensgroße Inszenierungen. Am Juliusplatz nordwestlich des Marktes liegt das 1592–1597 errichtete Juleum, das palastartige Hauptgebäude der ehemaligen Universität; im Inneren sind das Auditorium Maximum, der Bibliothekssaal (ca. 30 000 Titel) sowie im Keller das Kreisheimatmuseum beachtenswert. Im Westen der Innenstadt erhebt sich auf einer Anhöhe das 1176 gegründete Augustinerinnenstift Marienberg mit seiner spätromanischen Pfeilerbasilika. In der Schatzkammer im Kreuzgang werden mittelalterliche Wandbehänge und Paramente gezeigt.

Westlich vor den Toren der Stadt sind die "Lübbensteine" zu finden, zwei jungsteinzeitliche Großsteingräber aus dem 3. Jahrtausend v. Chr. — Lübbensteine

Im 23 km südöstlich von Braunschweig gelegenen Schöppenstedt soll um 1300 der berühmte Schelm Till Eulenspiegel geboren worden sein, von dessen Streichen eine Chronik aus dem 16. Jh. berichtet. Schöppenstedt hat dem Schalk ein kleines Museum gewidmet. — Schöppenstedt

Bremen   E 2

Hauptstadt des Bundeslandes Bremen
Höhe: 5 m ü. d. M.
Einwohnerzahl: 556 000

Die Freie Hansestadt Bremen an der Unterweser (57 km von Bremerhaven entfernt) und Hauptstadt des Bundeslandes Bremen ist einer der größten Seehäfen und Seehandelsplätze Deutschlands, ein wichtiger Umschlag- — Lage und Allgemeines

| Lage und Allgemeines (Fortsetzung) | platz für Getreide, Baumwolle und Tabak. Das Bundesland Bremen besteht aus den Städten Bremen und Bremerhaven, die durch niedersächsisches Gebiet voneinander getrennt sind. Seit 1970 ist Bremen Sitz einer Universität. Werften, Stahlhütte, Ölraffinerie, Elektroindustrie, Kraftfahrzeugbau, Textilfabriken, Kaffeeröstereien und Bierbrauerei prägen das Wirtschaftsbild der Stadt. |

| Geschichte | Die Stadt wurde 787 von Karl dem Großen zum Bischofssitz erhoben. Seit 845 Erzbistum, erlebte Bremen dann unter Erzbischof Adalbert (1043–1072) seine erste Blüte. 1358 trat die Stadt der Hanse bei, 1646 wurde sie Freie Reichsstadt. 1827 gründete der rührige Bürgermeister Smidt Bremerhaven. 1886–1895 wurde durch eine großzügige Korrektur der Fahrrinne die Schiffbarkeit der Weser für Seeschiffe bis Bremen gesichert. Der Wiederaufbau nach den schweren Zerstörungen des Zweiten Weltkriegs hat das Gesicht der Stadt vielerorts verändert. |

| Stadtbild | Zwischen Domhügel und Weser erstreckt sich mit Marktplatz, Böttcherstraße und Schnoor der älteste und hübscheste Teil Bremens. Richtungsweisend für die modernen Trabantenstädte war seinerzeit die Großsiedlung Neue Vahr (1957–1963) mit ca. 10000 Wohneinheiten im Stadtteil Vahr im Osten Bremens. |

Altstadt

| Wallanlagen | Die Altstadt wird östlich und nordöstlich vom Stadtgraben und den einstigen Wallanlagen, auf denen heute Grünflächen angelegt sind, umzogen. Nahe der Bürgermeister-Smidt-Straße steht eine Windmühle. |

| *Marktplatz | Um den weitläufigen Marktplatz, auf dem auch die zwei bedeutendsten Denkmäler Bremens stehen, sind die ältesten Gebäude der Stadt versammelt. Auffällig ist hier zunächst der mitten auf dem Platz vor dem Rathaus |

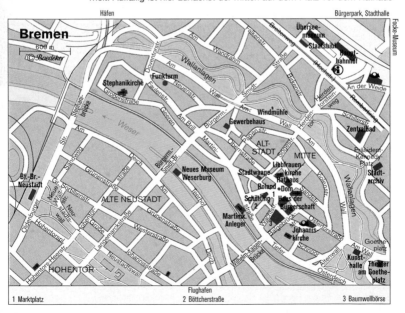

1 Marktplatz   2 Böttcherstraße   3 Baumwollbörse

Der berühmte Roland von Bremen.

emporragende berühmte riesige Roland (1404), der mit Baldachin fast 10 m hoch ist und als Sinnbild der Gerichtsbarkeit und der Stadtfreiheit gilt.

Das Rathaus auf dem Marktplatz ist ein 1405–1410 errichteter gotischer Backsteinbau, dem 1609–1612 eine prächtige Renaissancefassade vorgelegt wurde; an seiner Ostseite befindet sich das Neue Rathaus (1912). Die 40 m lange, 13 m breite und 8 m hohe Große Halle im Innern des Alten Rathauses gilt als einer der vornehmsten Festsäle Deutschlands. An seine frühere Funktion als Gerichtssaal erinnert das große Wandgemälde "Das Salomonische Urteil" von 1537. Hier wird alljährlich die Schaffermahlzeit, das traditionelle Essen der Reeder und Schiffer, eingenommen. Ein einst mit vergoldeten Ledertapeten geschmückter Ratssaal, die Güldenkammer, und eine reichgeschnitzte Wendeltreppe gelten als kostbarste Bestandteile des Saals. An der Nordwestseite des Alten Rathauses steht die berühmte Bronzeplastik "Die Bremer Stadtmusikanten" von Gerhard Marcks (1953).

Der Eingang zu dem wegen seines reichhaltigen Weinkellers (über 600 Sorten) berühmten Ratskeller befindet sich an der Westseite des Alten Rathauses; im Hauffsaal sind die Fresken (1927) von Max Slevogt zu Wilhelm Hauffs 1827 entstandenen "Phantasien im Bremer Ratskeller" zu sehen.

Der im 11. Jh. errichtete Dom (St. Petri) wurde im 13. und 16. Jh. äußerlich stark verändert; die Westfassade mit den 98 m hohen Türmen und der Vierungsturm wurden 1888–1898 erneuert. Die reichgeschmückte Barockkanzel (1638) ist ein Geschenk der Königin Christine von Schweden; besonders bemerkenswert sind auch die Orgeln des Doms. Bedeutsame Grabfunde, vor allem Grabteile aus den mittelalterlichen Bremer Bischofsgräbern, sind im Dom-Museum ausgestellt. Im "Bleikeller" in den Kellergewölben unter dem ehemaligen Kreuzgang können mehrere, aus ungeklärten Gründen lederartig eingetrocknete Mumien besichtigt werden.

Gegenüber dem Dom liegen das moderne Haus der Bürgerschaft (1966), der Sitz des Landtags und der Bremer Stadtbürgerschaft, und weiter westlich der Schütting (1537–1538), das alte Gildehaus der Kaufmannschaft, seit 1849 Sitz der Handelskammer.

Nordwestlich vom Markt steht die Liebfrauenkirche (13. Jh.), die ehemalige Ratskirche, mit mittelalterlichen Wandmalereien und Glasfenstern (1966–1973) nach Entwürfen von Alfred Manessier.

Hinter dem Schütting liegt der Eingang in die schmale Böttcherstraße, die 1926–1930 auf Kosten des Bremer Kaffeekaufmanns Ludwig Roselius aus

Böttcherstraße
(Fortsetzung)

einer alten Handwerkergasse zu einer architektonisch abwechslungsreichen Kulturstraße mit hohen Giebelhäusern und expressionistischen Bau- und Schmuckformen umgestaltet wurde. Hier finden sich nun Museen, Künstlerwerkstätten, Läden, Gastronomie und die Bremer Spielbank. Links sieht man das Paula-Becker-Modersohn-Haus (Nr.8) mit Gemälden, Zeichnungen und Graphiken der 1907 verstorbenen Worpsweder Malerin sowie Werken des Bildhauers Bernhard Hoetger, rechts das Hag-Haus, dann links das Roselius-Haus (Nr. 6) von 1588 mit Werken niederdeutscher Kunst (Möbel, Teppiche, Gemälde, Kunsthandwerk) von der Gotik bis zum Barock. Eine kleine Attraktion ist ferner das um 12.15 und um 18.00 Uhr erklingende Spiel vom Haus des Glockenspiels und das mit Tierkreiszeichen verzierte Atlantishaus. Von hier sieht man bereits die Hallenkirche St. Martini (13./14. Jh.).

Stadtwaage

Gewerbehaus

Links um die Ecke der Marktplatz-Westseite stößt man auf die Stadtwaage (Langenstraße 18), einen Bau aus dem 16. Jh. mit prächtiger Renaissancefassade. Im Nordwesten der Fußgängerzone liegt das Gewerbehaus, das ehemalige Zunfthaus der Tuchmacher (1618/1619), heute Sitz der Handwerkskammer, und eines der schönsten Beispiele Bremer Baukunst zwischen Renaissance und Barock.

*Schnoorviertel

Hinter der Baumwollbörse (Wachtstraße) beginnt das reizvolle Schnoorviertel, das älteste Wohn- und Künstlerviertel Bremens mit Bürgerhäusern aus dem 15.–18. Jh. und alten Schenken. Hier reihen sich Restaurants, Kunstgewerbeläden, Museen (Spielzeugmuseum: Schnoor 24) und Galerien aneinander. In diesem Viertel steht auch die Kirche St. Johannis im Stil der Backsteingotik aus dem 14. Jahrhundert.

*Kunsthalle

Südöstlich der von Wallanlagen und Stadtgraben umgebenen Altstadt am Ostertor liegt die Kunsthalle, die schwerpunktmäßig niederländische Malerei des 17. Jh.s, italienische Malerei des 18. Jh.s sowie deutsche und französische Meister vom 18. Jh. bis 20. Jh. und Werke der Worpsweder Malerkolonie und bedeutende Wechselausstellungen zeigt.

Sehenswertes außerhalb der Altstadt

*Überseemuseum

Im Norden der Altstadt, an der Westseite des Bahnhofsplatzes, präsentiert das sehenswerte Überseemuseum Sammlungen zur Natur-, Handels- und Völkerkunde aus der Südsee, aus Asien, Afrika und Amerika mittels Dioramen und Großobjekten (u.a. Häuser, Schiffe, Tempel und ein Südseefischerdorf). Zu den Themen gehören neben der Geschichte und Gegenwart der Länder und Kulturen auch Fragen zur Ökologie und Politik. Hinzu kommt die regionale Abteilung zu Handel und Wirtschaft Bremens.

Bürgerpark

Nordöstlich des Hauptbahnhofs erstreckt sich der 1866 im englischen Stil angelegte, 200 ha große Bürgerpark, an dem u.a. die Stadthalle, das Rundfunkmuseum (Findorffstraße 85) und das Kulturzentrum Schlachthof stehen.

Häfen

Im Nordwesten der Altstadt liegen die Häfen: es sind insgesamt 15 Becken, allen voran der Übersee-, der Europa- und der Neustädter Hafen mit Container-Terminal (Freihäfen). Hafenrundfahrten finden vom Martinianleger bei der Wilhelm-Kaisen-Brücke statt.

Neues Museum
Weserburg

In vier ehemaligen Speicherhäusern auf der Landzunge in der Weser ist eines der größten Museen für zeitgenössische Kunst in Deutschland beheimatet. Es werden vor allem Werke bekannter Amerikaner (u.a. Warhol, Kienholz, Morris Louis, Serra) und Europäer (z.B. Beuys, Richter, Rebecca Horn, Boltanski) gezeigt.

Der einladende Mittelpunkt Bremens ist der Marktplatz ▶
mit dem Dom und dem reichverzierten gotischen Rathaus.

Bremen

Stadtteil Bremen-
Schwachhausen:
*Focke-Museum

Nicht entgehen lassen sollte man sich den Besuch des Focke-Museums in der nordöstlichen Vorstadt Schwachhausen (Schwachhauser Heerstraße Nr. 240), das Bremische Landesmuseum für Kunst- und Kulturgeschichte, das in einem Haupthaus und vier historischen Gebäuden inmitten eines großen Parks seine bedeutenden Kunstschätze, archäologische Funde u.a. zeigt. Zu sehen sind bremische Altertümer, Sammlungen zur Wohnkultur und niederdeutschen Kulturgeschichte und eine Abteilung zu Seefahrt und Handel vom Mittelalter bis ins 20. Jahrhundert. Rechts von der Allee, die zum Focke-Museum führt, sind im Haus Riensberg, einem Museum in einem ehemaligen Gutshof, Spielzeug aus dem 19. Jh., Möbel vom 16. Jh. bis zum Jugendstil und Damenmode aus dem 19. Jh. ausgestellt. Östlich des Focke-Museums ist der weitläufige Rhododendronpark mit großen Gewächshäusern und dem Azaleen-Museum sowie dem Botanischen Garten ein Anziehungspunkt für über 300 000 Besucher jährlich.

Stadtteil
Vegesack:
Segelschulschiff

Rund 18 km nordwestlich vom Zentrum erreicht man den Bremer Stadtteil Vegesack, wo 1865 die Deutsche Gesellschaft zur Rettung Schiffbrüchiger (DGzRS) gegründet wurde. Hier befindet sich die Ökologiestation des Senats mit Naturlehrpfad. Auch der schönste Windjammer Deutschlands, das denkmalgeschützte Segelschulschiff Deutschland, liegt in Vegesack vor Anker. Es kann besichtigt werden. Im Schloß Schönebeck, einem stattlichen Fachwerkbau aus dem 17. Jh. inmitten eines Parks, befindet sich ein Heimatmuseum (Im Dorfe 3 – 5).

Umgebung von Bremen

Worpswede

Das Künstlerdorf Worpswede, etwa 28 km nordöstlich von Bremen, entstand Ende des 19. Jh.s aus einer kleinen Siedlung im Teufelsmoor. Die bekannte Malerkolonie, deren bedeutendste Einwohner Heinrich Vogeler und Paula Becker-Modersohn waren, zieht noch heute Künstler und Kunsthandwerker an, deren Galerien, Werkstätten und Ausstellungen teilweise zu besichtigen sind. Sehenswert sind vor allem der Barkenhoff, das ehemalige Wohnhaus Heinrich Vogelers, das Haus im Schluh, die Alte Molkerei, das vom Jugendstil inspirierte Café Worpswede, die Große Kunstschau und das Ludwig-Roselius-Museum für Frühgeschichte.

Delmenhorst

Delmenhorst (80 000 Einwohner) liegt etwa 16 km westlich von Bremen unweit des linken Weserufers. Die um eine Burg aus dem 13. Jh. entstandene Siedlung bekam 1371 die Stadtrechte verliehen. Im Zentrum der Stadt trifft man auf das Rathaus, einen stattlichen Jugendstilbau von 1914/1915; daneben ragt der 42 m hohe Wasserturm (Aussicht) aus derselben Zeit auf. Nordöstlich gelangt man zur Stadtkirche (17./18. Jh.) mit der Grablege der letzten Delmenhorster Grafen. Noch weiter nordöstlich beherbergt das im Jugendstil gebaute Haus Coburg die Städtische Galerie. Südlich der Stadtmitte stande die 1711 abgebrochene Burg, an welche noch die von zwei Gräften (Wassergräben) umzogene Burginsel mit dem ehemaligen gräflichen Gartenhaus erinnert. Nordöstlich hinter dem Bahndamm befindet sich das Nordwollegelände mit einem sehenswerten Industriedenkmal und dem Fabrikmuseum, das auch offizieller Außenstandort der Weltausstellung EXPO 2000 (→ Baedeker-Special S. 370/371) ist. Im Sommer verkehrt sonntags zwischen Delmenhorst und dem südlich gelegenen Harpstedt eine Nostalgiebahn.

Wildeshausen

→ Oldenburg, Umgebung

Fischerhude

Wie in Worpswede entwickelte sich auch Fischerhude, das man über Lilienthal 24 km östlich von Bremen erreicht, von 1904 an zur – allerdings ruhigeren – Künstlerkolonie. Das Dorf liegt auf einer langgestreckten Düne inmitten des Flußgebiets der Wümme. Sehenswert ist vor allem das Bauernhausmuseum im Haus Irmintraut und das Modersohn-Haus, in dem Werke von Otto Modersohn ausgestellt sind.

Bremerhaven   E 2

Bundesland: Bremen
Höhe: 3 m ü. d. M.
Einwohnerzahl: 130 000

Bremerhaven liegt 57 km nördlich von Bremen an der Mündung der Geeste in die Weser unmittelbar vor deren Mündung in die Nordsee. Von der Stadt Bremen, mit der es ein Bundesland bildet, ist Bremerhaven durch niedersächsisches Gebiet getrennt. Die betriebsame Stadt besitzt den größten Fischereihafen des europäischen Kontinents, große Überseehäfen und ist Sitz eines Instituts für Meeresforschung.
Lage und Allgemeines

Bremerhaven entstand im Jahre 1827, als der Bremer Bürgermeister Johann Smidt das Gebiet von Hannover für die Einrichtung eines Hafens erwarb. 1939 wurde Alt-Bremerhaven mit der preußischen Stadt Wesermünde vereinigt; 1947 erfolgte die Eingliederung in das Land Bremen.
Geschichte

Sehenswertes in Bremerhaven

Der südlichste Teil der ausgedehnten Hafenanlagen ist der Fischereihafen, in dem rund 50% der deutschen Fänge angelandet werden. Allmorgendlich finden ab 7.00 Uhr Fischauktionen in den Fischauktionshallen statt.
Fischereihafen

Zwischen der Doppelschleuse des Fischereihafens und dem Anleger der Weserfähre befindet sich das Nordsee-Museum, das Meerespflanzen und -tiere der Nordsee zeigt. Es gehört zum Alfred-Wegener-Institut für Polar- und Meeresforschung.
Nordsee-Museum

Im östlich anschließenden Stadtteil Geestemünde (Kaistr. 6) ist das kreativ und abwechslungsreich gestaltete Morgenstern-Museum sehenswert, das sich auf anschauliche Weise (Installationen, moderne Medien) mit der Stadtgeschichte und mit Volkskunde beschäftigt. Eine Außenstelle des Museums an der Deichpromenade veranschaulicht seit 1995 in einer Dauerausstellung die schwierige Situation der Auswanderer ("Aufbruch in die Fremde", geöffnet Mai bis Oktober).
Morgenstern-Museum

Nördlich jenseits der Geeste liegt in der Nähe des Radarturms unmittelbar am Weserdeich der Alte Hafen mit dem Deutschen Schiffahrtsmuseum. Es ist der letzte Großbau des Architekten Hans Scharoun. Dokumentiert wird die Geschichte der deutschen Kriegs- und Handelsmarine und ihrer Vorläufer seit der Antike. Attraktionen sind vor allem eine Bremer Hansekogge in Originalgröße von 1380, zahlreiche Segel- und Dampfschiffmodelle, die Schiffsbrücke eines Frachters, Instrumente aus der Seefahrt u.v.m.
**Deutsches Schiffahrtsmuseum

Im Hafen, der vom Deutschen Schiffahrtsmuseum aus zugänglich ist, liegen verschiedene Schiffe und ein U-Boot vor Anker; einige Schiffe sowie das U-Boot sind zu besichtigen. Auf dem Viermaster "Seute Deern" befindet sich ein Restaurant. Beim Hafenbecken ragt der Radarturm (112 m) mit einer Aussichtsplattform auf.
Technik- und Freilichtmuseum

Noch weiter nördlich, am Weserdeich, kann man im "Zoo am Meer" u.a. Robben, Eisbären, eine "Heulerstation" und ein Nordsee-Aquarium sehen.
Zoo am Meer

Nördlicher Abschluß des Hafenbereichs ist das Container-Terminal, das größte seiner Art in Europa; über das Hauptgebäude erreicht man die Aussichtsplattform.
Container-Terminal

Im nördlichen Stadtteil Speckenbüttel sind im gleichnamigen Freilichtmuseum niedersächsische Bauernhäuser aus dem 17. Jh. zu besichtigen.
Freilichtmuseum

205

Celle   G 3

Bundesland: Niedersachsen
Höhe: 40 m ü.d.M.
Einwohnerzahl: 74 000

Lage und Allgemeines

Weit über die Grenzen Niedersachsens hinaus bekannt ist Celle, die alte Herzogsstadt an der Aller, am Südrand der Lüneburger Heide, für ihren hübschen geschlossenen Altstadtkern. Pferdenarren schätzen die Heidemetropole als Sitz des Niedersächsischen Landgestüts, das der hannoverschen Warmblutzucht zur Weltgeltung verhalf. Das Wirtschaftsbild wird von Fernsehgerätebau, Farbenfabriken, Maschinen- und Textilindustrie bestimmt. Überdies besitzt die Stadt eine der größten Orchideenzuchtanlagen Europas.

*Stadtbild

Das Rechteck der malerischen Fachwerkstraßen der Altstadt ist auf das Schloß bezogen. Die Bausubstanz von manch kunstvoll restauriertem Fachwerkhaus (insgesamt knapp 500) reicht bis in das 16. Jh. zurück.

Geschichte

Um 990 taucht in einer Urkunde Ottos III. der Name "Kellu" auf, was "Siedlung am Fluß" bedeutet. Aus ihm wurde später "Zelle" (latinisiert Celle). Otto das Kind erhob den Ort 1248 zur Stadt. Um bessere Voraussetzungen für die Flußschiffahrt zu schaffen, gründete Herzog Otto der Strenge 1292 ca. 3 km flußabwärts eine neue Stadt mit einer Burg und siedelte die Bewohner der alten um. 1378 machte Herzog Albrecht Celle zur Residenz des Herzogtums Lüneburg. Mit dem Tode von Herzog Georg Wilhelm (1705), unter dem Celle nochmals eine hohe künstlerische Blüte erlebt hatte, starb die Lüneburger Welfenlinie aus. Im Jahre 1711 wurde die Stadt, quasi als Entschädigung für den Verlust der Residenz, Sitz des höchsten Gerichtes, des Oberappellationsgerichtes (später dann Oberlandesgericht).

Sehenswertes in Celle

*Schloß

Die ältesten Bauteile des Schlosses, das aus einer Burganlage von 1292 hervorgegangen ist, stammen noch aus dem Mittelalter. Sein heutiges Aussehen erhielt der Bau im 16. und 17. Jahrhundert. Eindrucksvoll präsentiert sich die Renaissancefassade mit ihren Giebeln und Erkern. Die Prunkräume, die Schloßkapelle (Renaissance-Ausstattung) und das barokke Theater (es hat ein eigenes Ensemble und wird bis heute bespielt) sind im Rahmen von Führungen zugänglich.

Bomann-Museum

Gegenüber dem Schloß befindet sich am Rande der Altstadt das Bomann-Museum (volkskundliche und historische Sammlungen). Besondere Attraktion ist ein komplett eingerichtetes Bauernhaus von 1571.

Stadtkirche

Die sogenannte Stechbahn, ehemals Turnierplatz, führt zur 1308 geweihten Stadtkirche mit barocker Innenausstattung und Fürstengruft. Im Sommer kann der Kirchturm bestiegen werden; der Turmbläser ist tgl. gegen 8.15 und 17.15 Uhr zu hören.

Rathaus

Das Rathaus wurde 1530 – 1581 im Stil der Spätrenaissance umgebaut. Im Ratskeller ist ein gotisches Kreuzbandgewölbe erhalten.

**Fachwerkbauten

Vor der Stadtkirche zweigt von der Stechbahn die verträumte Kalandgasse ab (ehem. Lateinschule von 1602). Weitere prächtige Fachwerkhäuser findet man in der Zöllnerstraße (Verlängerung der Stechbahn). Als schönstes Fachwerkgebäude gilt das Hoppener-Haus (1532; Poststr. 8).
Das Stechinelli-Haus einige Schritte weiter südlich (Großer Plan 14) ist ein klassizistischer Bau vom Ende des 18. Jahrhunderts.

Südlich begrenzt der im 18./19. Jh. angelegte Französische Garten die Altstadt. Hier hat das Niedersächsische Landesinstitut für Bienenforschung, dem ein Imkereimuseum angeschlossen ist, seinen Sitz.

Celle (Fts.) Französischer Garten

Das Niedersächsische Landgestüt am Südufer der Fuhse wurde 1735 gegründet. Jährlich werden hier etwa 10 000 Stuten gedeckt, das Vergnügen haben 200 hannoversche Warmbluthengste. Außer in dem Zeitraum zwischen 15. 2. und 15. 7. kann das Gestüt besichtigt werden. Weltbekannt sind die alljährlich zwischen Ende September und Anfang Oktober stattfindenden Hengstparaden.

*Niedersächsisches Landgestüt

Umgebung von Celle

Das Celler Land, den südlichen Teil der → Lüneburger Heide, kann man auch per Schiff auf der Aller (Anlegestelle nordwestlich des Celler Schlosses) oder mit dem Celler Land Express erkunden. Die historische Eisenbahn verkehrt zwischen Celle und Müden/Örtze bzw. Hankensbüttel.

Celler Land

Etwa 11 km westlich liegt Wietze, wo noch bis 1963 Erdöl gefördert wurde (Erdölmuseum). Im Ortsteil Wieckenberg ist die Stechinelli-Kapelle (1692) eine architektonische Besonderheit.

Wietze

Im Nachbarort Winsen an der Aller dokumentiert ein Museumshof die bäuerliche Kultur der Südheide vom 17. bis 19. Jahrhundert.

Winsen/Aller

Die 25 km nördlich von Celle gelegene Kleinstadt Bergen besitzt ein sehenswertes Heimatmuseum im Römstedthaus. Das ehemalige Konzentrationslager beim Stadtteil Bergen-Belsen (7 km südwestlich) ist heute Gedenkstätte (mit Dokumentensammlung). Unter den Zehntausenden, die hier ermordet und in Massengräbern beigesetzt wurden, befand sich die durch ihr Tagebuch weltberühmt gewordene Anne Frank.

Bergen

Das Kloster Wienhausen (10 km südöstlich), ein ehemaliges Zisterzienserinnenkloster (13.–14. Jh.; jetzt ev. Damenstift) gilt als eines der bedeutendsten mittelalterlichen Bauwerke in Norddeutschland. Berühmt ist es vor allem wegen seiner Wand- und Gewölbemalereien aus dem 14. Jh. und wegen der Wandteppiche aus dem 14. und 15. Jahrhundert, die nur einmal jährlich um Pfingsten ausgestellt werden.

**Kloster Wienhausen

Chemnitz I 5

Bundesland: Sachsen
Höhe: 309 m ü. d. M.
Einwohnerzahl: 280 000

Die sächsische Industriestadt Chemnitz, von 1953 bis 1990 Karl-Marx-Stadt, liegt im Erzgebirgischen Becken in einem weiten Talkessel der Chemnitz. Von einem bedeutenden Zentrum der Textilproduktion des Kurfürstentums Sachsen (16. Jh.) entwickelte sich Chemnitz im 19. Jh. zur Industriemetropole und machte sich als "Sächsisches Manchester" einen Namen. Nach den gewaltigen Zerstörungen im Zweiten Weltkrieg fehlen der Stadt die wirklich großen Sehenswürdigkeiten, und auch das neuaufgebaute Stadtzentrum kann man kaum als anziehend bezeichnen.

Lage und Allgemeines

Als Freie Reichsstadt entstand Chemnitz aus einer Kaufmannsniederlassung an der Kreuzung der Salz- und der Frankenstraße. Bereits 1136 hatte Kaiser Lothar hier ein Benediktinerkloster gestiftet, als Gründungsjahr der Siedlung gilt 1165. 1357 erhielt Chemnitz das Bleichprivileg, das die Stadt zu einem Mittelpunkt der Leinenweberei und des Leinenhandels werden

Geschichte

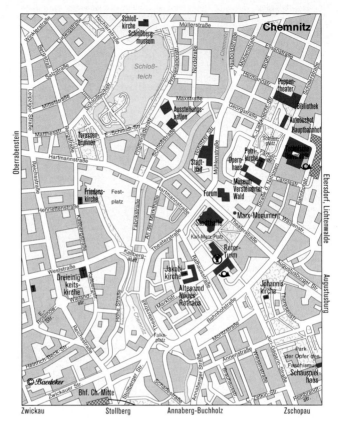

Geschichte (Fortsetzung)

ließ; im 16. Jh. wurde Baumwolle verarbeitet, und gegen Ende des 16. Jh.s war es das Zentrum der Textilproduktion in Sachsen. Schließlich wirkte sich auch der erzgebirgische Bergbau positiv aus. Schon im 15. Jh. arbeiteten hier ein Kupferhammer und eine Saigerhütte. Die seit 1728 entwickelte Strumpfwirkerei wurde nach und nach zu einem wichtigen Industriezweig der Stadt; um die Wende zum 19. Jh. vollzog sich in der Textilherstellung der Übergang zur industriellen Produktion. Nach 1800 stieg Chemnitz zum Hauptort des Maschinenbaus in Sachsen und zu einem Brennpunkt der deutschen Arbeiterbewegung auf – Grund genug für die DDR-Führung, die nach dem Zweiten Weltkrieg neuaufgebaute Stadt nach Karl Marx zu benennen, der selbst nie in Chemnitz war. 1990 stimmten die Chemnitzer für die Rückbenennung.

Innenstadt

Am Roten Turm

Den Mittelpunkt des in den sechziger Jahren erneuerten Stadtzentrums bildet der Platz Am Roten Turm. Mit der Stadthalle, dem Hotel Mercure und dem langgestreckten, neungeschossigen Gebäude an der Nordseite – ehemals Sitz der Bezirksverwaltung und der Bezirksleitung der SED – stellt er ein Beispiel für Architektur unter sozialistischen Vorzeichen dar. Vor letztgenanntem Gebäude steht der bekannte, monumentale Karl-Marx-Kopf von Lew Kerbel (insgesamt 11,40 m hoch), den die Chemnitzer "Nischel" nennen und offenbar auch nicht missen wollen. Als Relikt des mittelalterlichen Chemnitz ist der Rote Turm geblieben, ein auf das 12. Jh. zurückgehender Teil der Stadtbefestigung.

Am Roten Turm (Fortsetzung)
Karl-Marx-Monument

Südlich des neuen Zentrums und durch dieses an die Peripherie gedrängt liegt der Markt, das mittelalterliche Zentrum von Chemnitz, das im Zweiten Weltkrieg weitgehend zerstört und danach wiederaufgebaut wurde. Den Platz dominiert das 1496–1498 erbaute, im 16. und 17. Jh. umgestaltete Alte Rathaus. Ihm vorgebaut ist der 1486 entstandene Turm, in den beim Wiederaufbau das Renaissanceportal (1559) des zerstörten Hauses Markt Nr. 15 integriert wurde. Versetzt dahinter erhebt sich der auf das 12. Jh. zurückgehende Hohe Turm, Sitz des Stadtvogts und des Türmers. Mit dem Alten Rathaus verbunden ist das 1907–1911 erbaute Neue Rathaus mit seiner außergewöhnlichen Innenausstattung im Jugendstil. Das Siegertsche Haus (1731–1741) an der Südostseite des Platzes besitzt die einzige noch erhaltene Barockfassade der Stadt.

Markt

*Altes Rathaus

Von den Rathäusern mehr oder weniger umgeben ist die Stadtkirche St. Jakobi, 1350–1365 anstelle eines romanischen Vorgängerbaus errichtet und heute von den Umbauten im Jugendstil (1911/1912) geprägt. Die Innenausstattung – allen voran der Flügelaltar von Peter Breuer (1505) – ist Ersatz für die im Krieg verbrannten Kunstwerke.

Stadtkirche St. Jakobi

Architektonisch bedeutend ist das von Richard Möbius geplante Ensemble am Theaterplatz mit Opernhaus (1906–1909), neogotischer Kirche und dem König-Albert-Bau. Er wurde als Heimstatt für die Städtischen Sammlungen erbaut, die die Kunstsammlungen mit Werken des Impressionismus und des Expressionismus (auch vom im Vorort Rottluff geborenen Karl Schmidt-Rottluff), die Textil- und Gewerbesammlung und das Museum für Naturkunde umfassen. Dazu gehört auch der "Versteinerte Wald", etwa 250 Millionen Jahre alte verkieselte Baumstämme, von denen ein Teil vor dem Gebäude aufgestellt ist. Etwas abseits liegt das Stadtbad (1928–1935), ein sehr gelungenes Beispiel der Bauhausarchitektur und bei Eröffnung das größte und modernste Hallenbad in Europa.

Theaterplatz

Städtische Sammlungen

*Versteinerter Wald

Schloßberg

Auf dem Schloßberg nordwestlich der Innenstadt wurde 1136 das Benediktinerkloster gegründet. Die ehemalige Klosterkirche St. Maria zeigt sich heute als spätgotische dreischiffige Hallenkirche (1514–1526), ausgeschmückt mit spätgotischen Malereien. Berühmt sind das monumentale, 1505–1525 von Hans Witten und Franz Maidburg geschaffene Astwerkportal und die hölzerne Geißelsäule, ein weiteres Meisterwerk (1515) von Witten. Das Schloßbergmuseum zeigt u.a. sakrale Plastik und Grafik.

*Schloßkirche

Sehenswertes in den Außenbezirken

In die Geschichte des "Sächsischen Manchester" taucht man ein im Industriemuseum Chemnitz. Es ist auf dem Gelände der 1875 gegründeten

*Industriemuseum Chemnitz

Chemnitz

Industriemuseum Chemnitz (Fts.)

Gießerei C. A. Richter (Annaberger Str. 115) installiert und zeigt eine Vielzahl von Maschinen aus dem 19. und frühen 20. Jahrhundert.

Sächsisches Eisenbahnmuseum

Im Stadtteil Hilbersdorf ist am Rand eines der größten deutschen Rangierbahnhöfe das Sächsische Eisenbahnmuseum entstanden (Besichtigung nur nach Voranmeldung unter Tel. 03 71 / 493 11 97).

∗Stiftskirche Ebersdorf

Die Stiftskirche Unserer Lieben Frauen (15. Jh.) im nördlichen Ortsteil Ebersdorf besitzt eine der reichsten Kirchenausstattungen Sachsens, darunter als Glanzstücke einen spätgotischen Flügelaltar von Hans Hesse (1513) und vier Skulpturen von Hans Witten.

Oberrabenstein

Oberrabenstein am westlichen Stadtrand ist ein sehr beliebtes Naherholungsgebiet. Außer dem Rabensteiner Wald gibt es hier das Schaubergwerk Felsendome Rabenstein – ein ehemaliges Kalkbergwerk mit kuppelartigen Hohlräumen, prachtvollen Kalkkristallen und Teichen – sowie die Burg Rabenstein mit einer Waffenausstellung und den Chemnitzer Zoo.

Umgebung von Chemnitz

Lichtenwalde

Lichtenwalde, kurz jenseits der nordöstlichen Stadtgrenze, besitzt eines der stattlichsten Barockschlösser Sachsens (1722–1726), umgeben von einem üppig mit Pavillons, Skulpturen und Wasserkünsten ausgestatteten Schloßpark (1730–1737).

Hohenstein-Ernstthal

Jedem Karl-May-Leser ist Hohenstein-Ernstthal, 20 km westlich, ein Begriff, denn hier wurde der Abenteuerschriftsteller geboren. Sein winziges Elternhaus in der Karl-May-Str. 14 kann man besichtigen; die Stätten seiner Jugend verfolgt der Karl-May-Wanderweg. Außerdem sehenswert ist das Textil- und Heimatmuseum. Etwas außerhalb liegt die in den zwanziger und dreißiger Jahren berühmte Rennstrecke Sachsenring.

Stollberg

Das Städtchen Stollberg, 17 km südwestlich von Chemnitz, wird von Burg Hoheneck beherrscht, dem sächsischen Staatsgefängnis.

Zwönitz

Im 8 km südlich gelegenen Zwönitz bietet das Technische Museum Papiermühle ein einzigartiges technikgeschichtliches Schaustück: eine funktionsfähige Papiermühle aus der Zeit um die Jahrhundertwende.

Zschopau

Zschopau, 13 km südöstlich von Chemnitz, hat unter Motorradfahrern einen guten Namen: Von hier kamen vor dem Zweiten Weltkrieg die DKW-Motorräder. Zu DDR-Zeiten fertigte man die MZ, heute in bescheidenerem Umfang die MuZ. Sehenswert ist Burg Wildeck (12. / 16. Jh.), Jagdschloß von Kurfürst Moritz von Sachsen, mit dem mächtigen Rundturm "Dicker

Gelenau

Heinrich". Im 3 km südlich von Zschopau gelegenen Gelenau wurde 1992 das Deutsche Strumpfmuseum eröffnet.

Augustusburg

Das Städtchen Augustusburg liegt rund 13 km östlich von Chemnitz im mittleren Erzgebirge oberhalb des Zschopautales, überragt vom mächtigen und weithin sichtbaren kurfürstlichen Jagdschloß. Zu ihm gelangt man auf der steilen, von terrassenartigen Freitreppen (Heisten) gesäumten Hauptstraße und über den steilen Markt hinauf. Als Alternative bietet sich die Standseilbahn (1911) vom Bahnhof Erdmannsdorf im Zschopautal an (Höhenunterschied 168 m, Streckenlänge 1200 m, Fahrzeit 8 Min.).

∗Schloß

Das viertürmige, auf quadratischem Grundriß erbaute Renaissanceschloß (1567–1572) gilt als das mächtigste Schloß des Erzgebirges und wurde als Jagdschloß für Kurfürst August I. errichtet. Von der Stadt her kommend betritt man den Schloßhof durch das Nordtor. Rechts liegt das Sommerhaus mit Jugendherberge und Restaurant, gefolgt vom sog. Hasenhaus in der Südwestecke. Es verdankt seinen Namen dem Bilderzyklus "Krieg der Hasen gegen die Stadt der Jäger und Hunde" (1572) von Heinrich Göding und beherbergt heute das Museum für Jagdtier- und Vogelkunde des Erzgebirges. Die Südwestecke nimmt das Küchenhaus ein, in dem nun das Motorradmuseum mit über 170 Maschinen die große Vergangenheit von Chemnitz und Zschopau als Motorradfabrikationsstätte lebendig werden läßt. Im Lindenhaus in der Nordostecke werden die Baugeschichte des Schlosses dokumentiert und Waffen gezeigt. Die einschiffige Schloßkapelle (1572; Erhard van der Meer) besitzt einen Altar mit einem Gemälde von Lucas Cranach d. J., das Kurfürst August mit Familie darstellt. Durch das von einem prächtigen Wappen geschmückte Südportal betritt man den Wirtschaftshof. In den Gebäuden rechts ist eine Kutschensammlung zu sehen; in der Mitte steht das Brunnenhaus über dem 130 m tiefen Brunnen, dessen Wasser ein 1831 aufgestellter Nachbau des bereits 1575 konstruierten hölzernen Göpelwerks fördert.

Umgebung, Augustusburg (Fortsetzung) Motorradmuseum

Wirtschaftshof

Im rund 20 km nördlich von Chemnitz an der Zschopau gelegenen Mittweida besichtigt man die spätgotische dreischiffige Stadtkirche St. Marien mit ihrem reichen Schnitzaltar von 1661 und der Sandsteinkanzel (1667), die von einer Replik der Mosesfigur Michelangelos getragen wird. Die Altstadt bietet den Marktplatz, der von einigen Weberhäusern des 18. Jh.s gesäumt wird. Im heutigen Stadtarchiv (Rochlitzer Str. 1), dem ehemaligen Gefängnis, saß 1869 und 1870 Karl May ein.

Mittweida

Hainichen, 9 km östlich von Mittweida, ist bekannt als Geburtsort des aufklärerischen Fabelschriftstellers Christian Fürchtegott Gellert (1715–1769). Sein Geburtshaus stand am Markt (Nr. 9); das heute dort befindliche Haus ließ noch sein Vater erbauen; es beherbergt das Heimatmuseum. Leben und Werk des Dichters dokumentiert das Gellert-Museum im Stadtpark.

Hainichen

Von Mittweida nordwärts kommt man – vorbei an der Talsperre Kriebstein – zur "schönsten Ritterburg Sachsens", Burg Kriebstein. Majestätisch thront sie auf einem steilen Felssporn über der Zschopau, ein Raubritternest wie aus dem Bilderbuch. Ihre erste urkundliche Erwähnung datiert auf das Jahr 1382, zwischen 1384 und 1407 erfolgte der repräsentative Ausbau, dem bis ins 19. Jh. weitere folgten. Ihre Architektur – auf ovalem Grundriß Torhaus, Palas, Küchenhaus und Gesindehäuser – spiegelt die Idealvorstellungen einer Ritterburg wider.

*Burg Kriebstein

Rochlitzer Muldental

Das mittlere Tal der Zwickauer Mulde zwischen Penig im Süden und Rochlitz im Norden, rund 30 km nordwestlich von Chemnitz, gehört zu den romantischsten Tallandschaften Sachsens.

*Idyllische Tallandschaft

Über das Weber- und Töpferstädtchen Penig erreicht man nach 25 km nordwestlich von Chemnitz Ort und Burg Rochsburg. Die Rochsburg entstand um 1170 und erhielt bis 1596 in Grundzügen ihr heutiges Aussehen. Das Schloßmuseum zeigt u.a. Barock-, Rokoko- und Empirezimmer.

Rochsburg

Man darf sich wundern, aber in der Umgebung von Rochsburg gibt es ein Amerika. Man erreicht es auf einer Wanderung 3 km flußaufwärts durch das romantische Muldental. Die Siedlung entstand um 1835 für eine Baumwollspinnerei, die lange Zeit so abgelegen war, daß man den Marsch dorthin als "Fahrt nach Amerika" bezeichnete.

Amerika

Auf der Weiterfahrt die Mulde flußaufwärts passiert man den 381 m langen Göhrener Eisenbahnviadukt, 1869–1871 für die Muldentalbahn erbaut.

*Göhrener Eisenbahnviadukt

Bald darauf erreicht man Wechselburg, dessen 1160–1180 in der klassischen Gestalt einer dreischiffigen Pfeilerbasilika auf kreuzförmigem Grundriß erbaute Stiftskirche als das besterhaltene romanische Bauwerk in Sachsen gilt. Den hellen und festlichen Innenraum bestimmt das Wechselspiel von weißem Putz und warmem Rot des Rochlitzer Porphyrs. Heraus-

Wechselburg

**Stiftskirche

Eine Ritterburg wie aus dem Bilderbuch:
die Burg Kriebstein hoch über der Zschopau

Umgebung,
Wechselburg
(Fortsetzung)

ragende Ausstattungsgegenstände sind das Grabmal (13. Jh.) für das Stifterpaar Dedo von Groitzsch († 1190) und Ehefrau Mechthild († 1189) und vor allem der um 1230 entstandene romanische Kanzellettner, dessen einmaliges Bildprogramm in enger Beziehung zur Goldenen Pforte am Dom zu → Freiberg steht.

Rochlitz

Das 7 km nördlich von Wechselburg liegende Rochlitz ist bekannt für das in der Umgebung gewonnene Porphyrgestein, den "sächsischen Marmor". Die rein spätgotische Kunigundenkirche (1417 – 1476) am ansonsten klassizistisch gestalteten Markt birgt den Hochaltar (1513) mit Holzskulpturen von Philipp Koch, dem Meister der Freiberger Domapostel, sowie einen Flügelaltar von Lucas Cranach d. Ä. (1476). Über der Mulde thront das Schloß, das im wesentlichen im 16. Jh. entstand. Am Westende ragen die beiden 53 m hohen Türme auf (13. / 14. Jh.), in denen ein 14 m tiefes Verlies seit dem 16. Jh. als berüchtigtes Staatsgefängnis diente.

Colditz

Weitere 12 km flußaufwärts liegt Colditz, als Kriegsgefangenenlager für alliierte Offiziere des Zweiten Weltkriegs international bekannt geworden, vor allem in Großbritannien. Auf Schloß Colditz wurden Offiziere interniert, die schon anderweitig Fluchtversuche unternommen hatten – und dies hier über 300 mal weiter versuchten, wie eine Ausstellung im Wachhaus belegt.

Kohrener Land

Mischwälder und Wiesen, Teiche und Bäche, historische Hinterlassenschaften und eine traditionelle Töpferkunst stehen für den Reiz des Kohrener Landes ca. 40 km nordwestlich von Chemnitz. *Idylle in Mittelsachsen

Hauptort des Ländchens ist die Doppelgemeinde Kohren-Sahlis, Zentrum der im Umkreis betriebenen Töpferei. So ist ihr Wahrzeichen der 1928 aufgestellte bunte Töpferbrunnen. Von einst 14 Töpfereien stellen zwei bis heute die gelbbraune Kohrener Irdenware mit Löffel- und Latzmuster sowie blau-weiß dekorierte Keramik her. Die Geschichte der Kohrener Töpferei dokumentiert das Töpfermuseum. Kohren-Sahlis

Im Ortsteil Sahlis sollte man Gut Rüdigsdorf aufsuchen, um in der Orangerie Moritz von Schwinds neun Fresken zum Thema "Amor und Psyche" (1838) und im Saal des Herrenhauses eine einzigartige Grisailletapete des französischen Tapetenmalers Pere von 1824 zu bewundern. *Gut Rüdigsdorf

Die dritte der Burgen des Kohrener Lands überragt den Ort Gnandstein wenig westlich von Kohren-Sahlis und ist schon seit der Romantik ein beliebtes Ausflugsziel für den Leipziger und Chemnitzer Raum. Die älteste erhaltene romanische Burganlage östlich der Saale entstand Mitte des 12. Jh.s, wurde im Dreißigjährigen Krieg größtenteils zerstört und danach wiederaufgebaut. Im dritten Geschoß liegt der in seinem Erhaltungszustand für Sachsen einmalige Festsaal, auch Rittersaal genannt. Die zweigeschossige spätgotische Kapelle bewahrt einen Bartholomäus-, einen Annen- und einen Marienaltar des Zwickauer Riemenschneider-Schülers Peter Breuer aus den Jahren 1502 und 1503. Das Museum bietet Einblicke in die Burggeschichte und den Theodor-Körner-Gedenkraum. Burg Gnandstein

Auch das 6 km nördlich von Kohren-Sahlis gelegene Frohburg ist eine Töpferhochburg. Die Geschichte der hiesigen Töpferei zeigt das Museum im Schloß, eine schlichte Vierflügelanlage aus dem 16. Jahrhundert. Frohburg

Bäuerliches Leben um 1900 veranschaulicht das 5 km nordwestlich zu erreichende Volkskundemuseum von Neukirchen-Wyhra. Volkskundemuseum

Chiemsee I 8

Bundesland: Bayern

Der Chiemsee, südöstlich von München gelegen und mit 82 km^2 der größte bayerische See, ist ein beliebtes Revier von Wassersportlern und Seglern. Die Fraueninsel und die Herreninsel mit ihrem Schloß sind vielbesuchte Touristenattraktionen. Neben den unten genannten Orten säumen viele interessante Ortschaften die Ufer, darunter Gstadt und Seebruck-Seeon mit einem Römermuseum. Lage und Bedeutung

Reiseziele am Chiemsee

Der Hafen Prien, am westlichen Ufer des Chiemsees gelegen, bildet das Zentrum der Chiemseeschiffahrt. Im Ortsteil Stock befindet sich der Hafen. In Prien gibt es Kneippkuranlagen. Einen Besuch lohnt das Heimatmuseum – mit Trachtenstuben, Hinterglasbildern und Objekten der Chiemseefischerei. Prien

Am östlichen Ufer liegt Chieming, dessen 6 km langer Strand zum Baden einlädt. In der neuromanischen Pfarrkirche sind drei römische Altarsteine beachtenswert. Von Chieming führt ein Uferweg nach Süden. Dort erstreckt sich im Deltagebiet der Tiroler Ache, die hier in den Chiemsee mündet, ein ausgedehntes Naturschutzgebiet mit einer Vogelfreistätte. Chieming

Herrenchiemsee und Frauenchiemsee

*Herrenchiemsee

Drei Inseln liegen im Chiemsee: die Herreninsel, auch Herrenchiemsee, die Fraueninsel, auch Frauenchiemsee, und die kleine Krautinsel. Das um 1880 für König Ludwig II. erbaute, von einem Park umgebene Schloß Herrenchiemsee auf der gleichnamigen Insel blieb unvollendet. Zu den wichtigsten Räumen gehört die Spiegelgalerie mit Wandspiegeln und Lüstern. Im Erdgeschoß des südlichen Flügels ist das König-Ludwig II.-Museum eingerichtet.

*Frauenchiemsee

Auf der stimmungsvollen Fraueninsel steht ein Benediktinerkloster, im 8. Jh. von Herzog Tassilo III. gegründet, das zeitweise zu Salzburg gehörte. In der Klosterkirche sind besonders die Fresken aus romanischer Zeit sehenswert. Im Norden der Insel liegt ein kleines Fischerdorf.

Ausblick

Von der Seemitte bietet sich ein schöner Blick auf den gezackten Gebirgskamm der Chiemgauer Alpen mit der Kampenwand (1669 m) und dem Hochfelln (1670 m).

Chiemgau

Als Chiemgau bezeichnet man das Alpenvorland südlich des Sees. Wegen seiner Hügellandschaft vor der Kulisse der Chiemgauer Berge gilt das Gebiet als beliebte Erholungsregion. Die wichtigsten Fremdenverkehrsorte sind nachstehend von Westen nach Osten aufgeführt.

Aschau
Kampenwand

Bei Aschau, das am Fuß der Kampenwand (1669 m) im Priental liegt, ist besonders Schloß Hohenaschau mit einem mittelalterlichen Bergfried und Ringmauern sehenswert. In der Nähe befindet sich die Talstation der Kam-

König Ludwig II. wollte mit seinem Schloß Herrenchiemsee auf der gleichnamigen Insel ein Abbild des Schlosses von Versailles schaffen.

penwandseilbahn. Von der Bergstation (1460 m) sind schöne Wanderungen möglich, u.a. zur Hochplatte und nach Bernau.

Chiemsee
(Fortsetzung)

Im waldumrahmten Tal der Tiroler Ache liegt der hübsche Luftkurort Marquartstein. Die Umgebung von Marquartstein bietet vielfältige Wandermöglichkeiten: So gelangt man in einer Stunde nach Raiten (im Südwesten) – über einen Naturlehrpfad durch das Lanzinger und das Süssener Moor. Eine lohnende Fußtour führt auf den Hochfelln (1670 m).

Marquartstein

Reit im Winkl, nahe an der deutsch-österreichischen Grenze (Tirol), gilt als der schneereichste und schneesicherste Wintersportort der Bayerischen Alpen. Eine Sesselbahn führt auf den Walmberg (1060 m), der relativ leichte Skipisten bietet. Gute Skipisten gibt es auch im Bereich der Winklmoosalm (1160 m), Heimat der Olympiasiegerin Rosi Mittermaier.

Reit im Winkl

Am Fuß des Hochfelln liegt der Ort Bergen. Hier liegen etliche Einrichtungen für den Sport und gemütliche Gaststätten nebeneinander. Im Westen von Bergen erstreckt sich das landschaftlich reizvolle Bergener Moos, ein Naturschutzgebiet mit seltenen Blumen und Stauden.
Vom Hochfelln, auf dessen Gipfel eine Kabinenseilbahn fährt, hat man eine schöne Aussicht. In der Region um Bergen gibt es zahlreiche Wege für Wanderungen: So kann man von der Maximilianshütte in vier Stunden über das Bründlinghaus und den Hochfellnweg zur Hochfellnscharte aufsteigen.

Bergen

Die Kleinstadt Ruhpolding liegt in einem Talkessel der Weißen Traun. Seit Anfang der dreißiger Jahre hat es sich zum meistbesuchten Erholungsort der Chiemgauer Alpen entwickelt. Die Pfarrkirche St. Georg ist eine der schönsten Dorfkirchen Oberbayerns; beachten sollte man die "Ruhpoldinger Madonna" (um 1230) im rechten Seitenaltar. Einen Besuch lohnt das Heimatmuseum mit einer der vollständigsten und wertvollsten Sammlungen alpenländischer Volkskunst. Im Winter ist Ruhpolding ein günstiger Ausgangspunkt für alle Arten von Wintersport; das hochgelegene Skigebiet am Rauschberg (Alpenlehrpfad) ist nur eines von vielen.

Ruhpolding

Die schön auf einer Anhöhe über der Traun gelegene Stadt Traunstein, aus einer alten Siedlung am Übergang der Römerstraße von Augsburg nach Salzburg hervorgegangen, besitzt Sol-, Moor- und Kneippbäder. Gebäude im barockisierenden Stil prägen das Stadtbild. Im Stadtteil Au lag ursprünglich das Salinengebäude; ein beeindruckender Überrest ist die Salinenkapelle St. Rupertus und Maximilian. Mehrere Wanderwege führen südwärts zum Hochberg, dem Hausberg der Stadt, von dem sich eine schöne Aussicht bietet.

Traunstein

Coburg

G 5

Bundesland: Bayern
Höhe: 297 m ü.d.M.
Einwohnerzahl: 44 000

Die ehemalige Herzogsresidenz, an der dem Main zufließenden Itz und am Südabhang des Thüringer Waldes gelegen, wird von einer stattlichen Veste – eine der größten Festungsanlagen Deutschlands – überragt. Die historische Innenstadt besticht durch ihre stilvoll restaurierten fränkischen Fachwerkhäuser, die mittelalterlichen Gassen, den großzügigen Schloßplatz mit der Ehrenburg und durch gute Einkaufsmöglichkeiten.

Lage und
Allgemeines

Die Glanzlichter der hübschen Altstadt sind um zwei Plätze gruppiert, den Marktplatz mit Rathaus und Stadthaus und den Schloßplatz mit Schloß Ehrenburg. Die Fußgängerzonen in der Umgebung der beiden Plätze laden

Stadtbild

Coburg

zu einem Stadtbummel ein. Hoch über der Stadt thront majestätisch die gewaltige Veste Coburg.

Geschichte

Die 1056 erstmals erwähnte Stadt erhielt 1231 Stadtrecht. Die Markgrafen von Meißen bauten die Stadt nach 1347 zu einem ihrer Hauptorte aus; seit dem 16. Jh. war Coburg mehrfach Residenzstadt. Die gewaltige Festungsanlage oberhalb der Stadt, die seit 1074 bezeugt ist und in der 1530 Luther lebte, konnte im Dreißigjährigen Krieg nicht eingenommen werden. Im Laufe der Jahrhunderte war Coburg mit verschiedenen thüringischen Gebieten verbunden, kam aber 1920 durch Volksabstimmung an Bayern.

Sehenswertes in Coburg

*Marktplatz

An dem hübschen Markt, dem geschäftigen Mittelpunkt der Stadt, steht das 1579 erbaute Rathaus mit einem sehenswerten Renaissancesaal und dem kunsthistorisch bedeutenden sog. Coburger Erker an der Ecke zur Ketschengasse. Das Stadthaus, das ehemalige herzögliche Regierungsgebäude von 1597 mit einer prächtigen Spätrenaissancefassade, nimmt die gesamte Nordseite des Marktplatzes ein. Südöstlich vom Markt ragen die ungleichen Türme der Morizkirche auf (14. – 16. Jh.), deren Chorraum vom 13 m hohen Grabmal Johann Friedrichs des Mittleren von Sachsen beherrscht wird. Gegenüber der Morizkirche steht das 1605 von Herzog Johann Casimir gestiftete Gymnasium Casimirianum, der schönste profane Renaissancebau der Stadt.

Ehrenburg

Unweit östlich des Marktplatzes liegt der weite Schloßplatz mit der 1816 bis 1838 nach Plänen von Schinkel umgebauten Ehrenburg, dem ehemaligen Residenzschloß. Neben sehenswerten Sälen und Gemächern aus dem 17. bis 19. Jh. beherbergt die Ehrenburg auch die Coburger Landesbibliothek. In den Westflügel ist die barocke Hofkirche integriert.

Hofgarten

Hinter einer vom ehemaligen Ballhaus stammenden Arkadenreihe östlich vom Schloßplatz beginnt der schöne Hofgarten, der am Berghang zur Veste hinaufzieht; auf halber Höhe liegt das Natur-Museum, das neben einer umfassenden tierkundlichen Abteilung ferner über botanische, mineralogische, gesteinskundliche, erd-, ur-, frühgeschichtliche und völkerkundliche Abteilungen verfügt.

*Veste Coburg

Die ältesten Bestandteile der Veste Coburg (464 m) gehen auf das 11. Jh. zurück; ihr heutiges Aussehen erhielt sie allerdings im wesentlichen im 16. Jahrhundert. Die Veste ist eine der größten mittelalterlichen Burgen Deutschlands. Im Fürstenbau sind die ehemaligen Wohnräume der herzoglichen Familie zu besichtigen. Die Veste ist außerdem eine bedeutende Luther-Gedenkstätte, fand doch der Reformator in der sog. Lutherstube der Burg 1530 während des Augsburger Reichstags Unterschlupf. Eine bedeutende kunst- und kulturgeschichtliche Sammlung mit Kunstgewerbe des 16. bis 19. Jh.s, Glas und Kupferstichen ist ebenfalls in den Räumen der Burg untergebracht. Von den Zinnen der Burg bietet sich eine großartige Aussicht über weite Gebiete des Coburger Landes, des Thüringer Waldes und des Maintals.

Rosengarten

Im Süden der Altstadt liegt das Ketschentor, ein Bestandteil der äußeren Stadtmauer. Über die Ketschengasse kommt man zum Rosengarten mit dem Kongreßhaus im Norden und dem Palmenhaus im Süden.

Umgebung von Coburg

Ahorn

In der Gemeinde Ahorn, 4 km westlich von Coburg, befindet sich das Gerätemuseum des Coburger Landes "Alte Schäferei" mit Geräten aus dem bäuerlichen und handwerklichen Bereich sowie Zeugnissen der Wohnkultur des ehemaligen Herzogtums Sachsen, Coburg und Gotha.

Die mächtige Veste Coburg...   *... und ihr Innenhof*

8 Kilometer westlich von Coburg liegt der Ort Tambach, der durch seinen großen Wildpark mit ca. 200 Tieren bekannt ist. Fachkundige Falkner stellen einheimische Greifvögel in Flugvorführungen vor (Bayerischer Jagdfalkenhof). Im Schloß Tambach befindet sich ferner das Jagd- und Fischereimuseum.

Seßlach, 14 km westlich von Coburg, stellt einen touristischen Höhepunkt im Coburger Land dar. Der Altstadtkern ist unversehrt erhalten. Von Mauern und Türmen umgeben, erinnert er an das Mittelalter.

Rodach liegt 16 km nordwestlich von Coburg. Hier sprudelt eine heilkräftige Thermalquelle in einer großzügigen Badelandschaft. Sehenswert sind außerdem das stattliche Rathaus und die alten Fachwerkbauten.

In der Stadt Rödental, 10 km nordöstlich von Coburg gelegen, steht inmitten eines englischen Landschaftsparks das Schloß Rosenau, eine ursprünglich mittelalterliche Burg, die ab 1808 neugotisch umgebaut wurde. Hier wurde der bekannteste Sproß des Herzogshauses, Albert, Prinzgemahl der Queen Victoria, geboren. Die herzoglichen Räume sind zu besichtigen. In der ehemaligen Orangerie ist das Museum für Modernes Glas untergebracht.

In Neustadt bei Coburg (15 km nordöstlich) zeigt das Museum der deutschen Spielzeugindustrie mit Trachtenpuppensammlung die Entwicklungsgeschichte der heimischen Spielzeugindustrie. In der Grenzausstellung (Thüringisch-Fränkische Begegnungsstätte) wird die Entwicklung der Teilung Deutschlands dokumentiert. Im Märchenpark sind in einem großen Gartengelände Märchenszenen nachgestellt.

Über dem 32 km östlich von Coburg gelegenen Kronach erhebt sich die Festung Rosenberg aus dem 12. Jahrhundert. In der Burganlage sind das Frankenwaldmuseum und eine Zweiggalerie des Bayerischen Nationalmuseums untergebracht, die u.a. Werke des in 1472 in Kronach geborenen Lucas Cranach d. Ä. besitzt. In der Stadt sind die gotische Kirche und die teilweise erhaltene Stadtmauer sehenswert.

Umgebung, Tambach

*Seßlach

Rodach

Rödental mit Schloß Rosenau

Neustadt

Kronach

**Coburg,
Umgebung
(Fortsetzung)
Staffelstein**

Rund 25 km südlich von Coburg (Zufahrt über Lichtenfels) liegt im Maintal das alte Städtchen Staffelstein, Geburtsort des "Rechenmeisters" Adam Ries (1492 – 1559). Es wird überragt von dem aussichtsreichen Staffelberg (539 m). Im schönen Rathaus, einem Fachwerkbau von 1687, ist das Heimatmuseum untergebracht.

*Banz

Nördlich von Staffelstein lohnt am rechten Mainufer das hochgelegene ehemalige Benediktinerkloster Banz einen Besuch. 1695 begann Johann Leonhard Dientzenhofer mit dem schloßartigen Klosterbau, dessen großes Geviert von einem Torflügelbau Balthasar Neumanns gekrönt wird. Die prachtvolle zweitürmige Klosterkirche (1710 – 1719) enthält im Inneren reiche Stuckierungen und Deckenfresken, der Hochaltar stammt von Balthasar Esterbauer (1714). Im ehemaligen Kloster sind Abtskapelle und Kaisersaal sehenswert, ferner die ägyptische Sammlung und die Petrefaktensammlung mit Versteinerungen aus dem Juragestein der Umgebung (Saurier u.a.)

**Vierzehnheiligen

Von Banz erblickt man in südöstlicher Richtung die Türme von Vierzehnheiligen. Die hoch über dem linken Mainufer aufragende Wallfahrtskirche (387 m) ist der Glanzpunkt des barocken Kirchenbaus in Franken. Sie wurde 1743 – 1772 nach Plänen von Balthasar Neumann erbaut. Beachtenswert ist der Grundriß mit ineinandergreifenden Kreisen und Ovalen; phantasievoll ist auch der von Johann Michael Feichtmayr und Johann Georg Übelherr ausgestattete Innenraum. Die schönen Deckenfresken schuf Giuseppe Appiani. Über der Stelle, an der im Jahr 1445 einem Schäfer die vierzehn Nothelfer erschienen sein sollen, erhebt sich der prunkvolle Gnadenaltar. In den Seitenkapellen sieht man zahllose Votivtäfelchen.

Cottbus   L 4

Bundesland: Brandenburg
Höhe: 77 m ü.d.M.
Einwohnerzahl: 120 000

**Lage und
Allgemeines**

Cottbus (sorb. Chośebuz), die zweitgrößte Stadt Brandenburgs, liegt südlich des → Spreewalds an der Spree und ist das Wirtschafts-, Wissenschafts- und Messezentrum Südbrandenburgs und Hauptort der Niederlausitz. Den Charakter der Stadt prägt das Nebeneinander von Deutschen und Sorben. Trotz weitläufiger, nicht unbedingt attraktiver Neubaugebiete und endloser Braunkohlefelder in der Umgebung ist Cottbus dank seiner großzügigen Parks eine grüne Stadt. Die meisten kennen Cottbus durch den Zungenbrecher "Der Cottbuser Postkutscher putzt den Cottbuser Postkutschkasten".

Geschichte

Die im Jahre 1156 erstmals urkundlich erwähnte Siedlung entwickelte sich zu einem bedeutenden Ort der Textilherstellung: Tuchmacher und Leineweber erhielten als erste das Zunftrecht. Nach der Verwüstung der Stadt im Dreißigjährigen Krieg belebten die hier 1701 angesiedelten Pfälzer und Hugenotten Handwerk und Wirtschaft wieder. Den Aufschwung brachte insbesondere die Einführung der Seidenspinnerei, der Strumpfwirkerei und der Tabakverarbeitung. Mit der Mechanisierung setzte zu Beginn des 19. Jh.s eine sprunghafte Entwicklung der Textilindustrie ein. Vor allem nach dem Zweiten Weltkrieg wurde die Braunkohle des Umlands in großem Stil abgebaut.

Sehenswertes in Cottbus

Altmarkt

Der Altmarkt, auf dem bis 1945 das Rathaus stand, bietet mit seinen barocken Bürgerhäusern und schlichten Traufhäusern ein hübsches Ensemble. Hervorzuheben sind die Häuser Nr. 14 (1693), Nr. 16 (1675) und Nr. 24, die 1586 gegründete Löwenapotheke, nun Sitz des Niederlausitzer Apothekenmuseums mit seltenen historischen Apothekeneinrichtungen wie Giftkammer und Galenischem Labor.

Altmarkt (Fortsetzung)

Bei der Ostecke des Altmarkts erhebt sich die dreischiffige Oberkirche (14. Jh.), das größte Gotteshaus der Niederlausitz. Sie besitzt einen 11 m hohen Altar von 1664 des Torgauer Meisters Andreas Schultze.

Oberkirche

Nördlich vom Altmarkt liegt die Wendische Kirche (um 1300), die ehemalige Franziskaner-Klosterkirche, in der bis zur Jahrhundertwende auch in sorbischer Sprache gepredigt wurde. In der Kirche ist der Stadtgründer Fredehelmus von Cottbus begraben.

Wendische Kirche

In südlicher Richtung geht die Spremberger Straße vom Altmarkt ab. Auf ihr kommt man zunächst zu den Brandenburgischen Kunstsammlungen für zeitgenössische Kunst, Design und Fotografie, dann folgt die Mühlenstraße, an der das Wendische Museum zur Kultur der Niederlausitzer Sorben liegt. Weiter geht es zur 1714 – 1717 von Hugenotten errichteten barokken Schloßkirche und schließlich am Ende der Straße zum Spremberger Turm (13. Jh.), Rest der Befestigungsanlagen. Dieses Wahrzeichen der Stadt erhielt seine Zinnenkrone nach Plänen von Schinkel.

Spremberger Straße

Das Stadtmuseum in der Bahnhofstraße Nr. 52 beschäftigt sich mit der Geschichte von Cottbus, mit der Lausitzer Glas- und Teppichproduktion und mit dem in Cottbus geborenen Maler Carl Blechen (1798 – 1840).

Stadtmuseum

Südöstlich der Altstadt am Schillerplatz sollte man das Stadttheater (1908) nicht auslassen, Deutschlands einziges noch bespieltes, innen wie außen im reinen Jugendstil gehaltenes Theater.

*Stadttheater

Die innerstädtischen Parks und Grünanlagen entlang der Spree (Carl-Blechen-Park, Goethe-Park und Elias-Park) wurden durch die Schaffung des Spreeauenparks zur Bundesgartenausstellung 1995 mit dem Zoo und dem Branitzer Park im Südosten der Stadt verbunden. Im Elias-Park verkehrt eine dampfbetriebene Kleineisenbahn.

Ehemaliges Gelände der Bundesgartenschau

Ein Meisterwerk deutscher Gartenbaukunst ist der 1846 begonnene und erst 1888 vollendete Branitzer Park, der letzte große deutsche Landschaftsgarten des 19. Jahrhunderts. Sein Schöpfer ist Hermann Fürst von Pückler-Muskau (1785 – 1871), der hier wie zuvor in Bad Muskau (→ Lausitz) die vollkommene Harmonie zwischen gestalteter Landschaft, Architektur und Plastik verwirklichen wollte. Einmalig in Europa sind die aus dem Aushub aufgeschüttete Landpyramide und die "Tumulus" genannte Seepyramide, in der Pücklers Frau Lucie und sein Herz bestattet sind – sein Körper wurde seinem Wunsch entsprechend in Säure aufgelöst.

*Branitzer Park

Das 1772 erbaute Barockschloß schließt den Park nach Osten hin ab. Pückler bezog es 1845, nachdem er die Arbeiten in Bad Muskau wegen Geldmangels hatte einstellen müssen – und machte nun in Branitz unverdrossen weiter. Er ließ das Gebäude nach Anregungen von Gottfried Semper umgestalten. Heute spiegeln die Räume wie der Musiksaal, die auch in ihren Beständen rekonstruierte Bibliothek und Sonderausstellungen die Lebensweise des exzentrischen Adligen wider. Am südöstlichen Parkrand steht die von Friedrich August Stüler entworfene Schmiede.

*Fürst-Pückler-Museum im Schloß Branitz

Umgebung von Cottbus

Beliebtes Ausflugsziel am Großen Spreewehr nördlich der Stadt ist das technische Denkmal Spreewehrmühle mit seiner Ausstellung zum Müllerhandwerk, die einzige in Ostdeutschland erhaltene Wassermühle.

Spreewehrmühle

**Cottbus,
Umgebung
(Fortsetzung)
Peitz**

Nach Peitz, 10 km nördlich von Cottbus, fährt man, um Karpfen, Hecht und Aal zu genießen, denn das Peitzer Teichgebiet ist bekannt für seine Fischzuchten. Im Städtchen sind die ehemalige Festung, das klassizistische Rathaus (1804) und das Hüttenwerk mit dem Hüttenmuseum zum Thema Raseneisenerzgewinnung interessant.

Forst

Die Attraktion der 22 km östlich an der Grenze zu Polen liegenden Stadt Forst ist der Rosengarten auf der Wehrinsel mit seinen 30 000 Rosenstöcken. Außerdem gibt es noch das Brandenburgische Textilmuseum.

Weitere Ziele

→ Spreewald, → Lausitz (Guben, Senftenberg, Spremberg)

*In der Wasserpyramide im Branitzer Park von Cottbus ließ
Fürst Pückler neben seiner Gattin sein Herz bestatten.*

Cuxhaven   E 2

Bundesland: Niedersachsen
Höhe: 3 m ü.d.M.
Einwohnerzahl: 56 000

**Lage und
Allgemeines**

Die als Nordseeheilbad vielbesuchte Stadt Cuxhaven liegt am äußersten Westufer der hier 15 km breiten Elbmündung. Cuxhaven besitzt einen der wichtigsten Fischereihäfen Deutschlands. Die Strände der 1964 zum Seebad erhobenen Stadt liegen abseits des Hafens in den Stadtteilen Duhnen, Döse und Sahlenburg.

Geschichte

Eine Siedlung von Fischern und Lotsen entwickelte sich an dem 1570 erstmals bezeugten "Kooghafen" (Koog = Marschland) an der Mündung der Elbe. Von 1394 bis 1937 gehörte die Stadt zu Hamburg. 1872 wurde sie mit dem alten Amt Ritzebüttel vereinigt; zur Stadt wurde Cuxhaven aber erst

1907 erhoben. Fünf Jahre später begann man mit dem Bau des Amerika-
hafens; der Fischereihafen existiert bereits seit 1892.

Sehenswertes in Cuxhaven

In der im Süden der Stadt gelegenen Altstadt befindet sich das Schloß
Ritzebüttel, ein um 1300 erbauter und 1616 erweiterter Wehrturm, um den
sich einst das Kerngebiet der Stadt entwickelte und der jahrhundertelang
als hamburgischer Amtssitz diente. Im Inneren ist ein Teil der Sammlung
des Stadtmuseums untergebracht, das auch im Reyerschen Haus Ausstellungsräume besitzt. Dieses unweit vom Schloß in der Südersteinstr. 38
gelegene klassizistische Haus wurde um 1780 gebaut. Hier sind die Vor-
und Frühgeschichte der Stadt sowie die Schiffahrt dokumentiert.

Im Osten der Stadt liegen der Fischereihafen und der Großfischmarkt, auf
dem ab 7 Uhr früh Fischversteigerungen stattfinden; vom Fischversand-
bahnhof aus werden auch Führungen angeboten. Unweit östlich befindet
sich der heute wenig benutzte, 1892 – 1902 hauptsächlich für die HAPAG
erbaute Amerikahafen; die großen Passagierschiffe legen an der Außen-
mole "Steubenhöft" an.

Zwischen Fischereihafen und dem nördlich gelegenen Jacht- und Fährhafen liegt in der Nähe des Wasserturms der Gaffelschoner "Hermine", ein
restaurierter Elbsegler (Museumsschiff "Elbe 1"), der Einblicke in das Leben auf dem Feuerschiff gibt (Deichstraße / Zollkaje).

An der Nordspitze der Hafenbecken befindet sich die Alte Liebe genannte
Aussichtsplattform, die ehemals als Landungsbrücke diente. Bei der Alten
Liebe ragt der 34 m hohe Radarturm auf. An der nordwestlich anschließen-
den Seebäderbrücke legen u.a. die Schiffe nach → Helgoland ab. Der
Leuchtturm weiter nördlich wurde 1803 erbaut.

500 m südwestlich der Alten Liebe befindet sich in der Schillerstraße das
sog. Schillerzentrum, ein Einkaufszentrum mit Häusern aus dem 19. Jahrhundert.

An der äußersten nördlichen Landspitze, im Stadtteil Döse, liegt der Kurpark mit Seehundbecken und Vogelwiese. Östlich, am Ende eines 250 m
langen Damms, trifft man auf das Wahrzeichen Cuxhavens, die große hölzerne Kugelbake. Bis ins Zeitalter der modernen Radarlotsung diente sie
den Seeleuten als nautisches Seezeichen. Das vor 125 Jahren an der Kugelbake erbaute alte Fort wurde zur Verteidigung des Schiffahrtsweges
Elbe gebaut und ist heute nach Vereinbarung zu besichtigen.

Rund 5 km westlich vom Zentrum liegt hinter Döse das 1935 eingemeinde-
te Seebad Duhnen mit schönem Strand, Promenade, Kurmittelhaus und
Meerwasser-Brandungshallenbad. In Duhnen gibt es das "Lütt Schiffsmu-
seum" (Wehrbergsweg 7), das nautische Gerät, Schiffsmodelle, "Buddel-
schiffe", Marinemalerei u.a. zeigt. Das Puppenmuseum, das Theaterpup-
pen aus aller Welt ausstellt, liegt im Wehrbergsweg 28. Von Duhnen aus
werden Fahrten in hochräderigen Wattwagen, die von Pferden gezogen
werden, zur 10 km entfernt gelegenen Insel Neuwerk angeboten.

Im Stadtteil Stickenbüttel dokumentiert das Wrackmuseum in der Dorfstraße 80 die Schiffahrt aus dem Blickwinkel der Katastrophen und des Unter-
gangs. Mit Funden aus gesunkenen Schiffen u.a. werden das Schiff, seine
Reise, der Untergang, die menschlichen Schicksale und Rettungsversuche
anschaulich dargestellt.

Im südöstlichen Stadtteil Lüdingworth ist die als "Bauerndom" bekannte
romanische Feldsteinkirche aus dem 13. und 16. Jh. vor allem wegen ihrer
reichen Barockausstattung, der verzierten Holzbalkendecke und der Orgel
von A. Wilde und Arp Schnitger sehenswert.

Leise klatscht das Wasser an den Pferdewagen, der die Urlauber bei Ebbe durch das Wattenmeer zur Insel Neuwerk bringt.

Umgebung von Cuxhaven

Neuwerk und Scharhörn

Nordwestlich von Cuxhaven liegen in einer Entfernung von rund 12 bzw. 17 km die Inseln Neuwerk (3 km²; 36 Bewohner) und Scharhörn (2,8 km²) im Watt. Beide gehören verwaltungsmäßig zum Bundesland Freie und Hansestadt Hamburg, sind aber von Cuxhaven am bequemsten zu erreichen, nämlich per Schiff, bei Niedrigwasser auch mit dem Pferdewagen durch das Watt oder als Wattwanderung.

Neuwerk

Ungefähr ein Drittel von Neuwerk ist eingedeichtes Ackerland; der Rest dient großenteils als Viehweide. Wahrzeichen der Insel ist der 35 m hohe Leuchtturm, der 1814 aus einem Wehrturm des 13./14. Jh.s entstand. Von oben genießt man einen guten Rundblick. Unweit befindet sich der "Friedhof der Namenlosen" mit Gräbern unbekannter Seeleute.

Scharhörn

Rund 5 km weiter (Wattwanderung von Neuwerk, nur mit Führer!) liegt die einsame Sandinsel Scharhörn mit einer 28 m hohen Bake und einem Seevogelschutzgebiet.

Darmstadt   E 6

Bundesland: Hessen
Höhe: 146 m ü.d.M.
Einwohnerzahl: 138 000

Lage und Stadtbild

Die ehemalige Hauptstadt des Großherzogtums Hessen liegt am Rand der Oberrheinebene an den Ausläufern des Odenwaldes. Hier nimmt die Bergstraße ihren Ausgang. Die restaurierten Fassaden der vielen Gründerzeithäuser der Stadt, die Gebäudegruppe Schloß und Landesmuseum und die fußgängergerechte Innenstadt sind die Hauptattraktionen der kleinen Großstadt Darmstadt. Die Stadt galt um 1900 als eines der Zentren des Jugendstils, heute ist sie u.a. Sitz des Europäischen Operationszentrums für Weltraumforschung und einer Technischen Hochschule, aber auch der Deutschen Akademie für Sprache und Dichtung sowie des Deutschen PEN-Zentrums. Alljährlich wird in Darmstadt der wichtigste deutsche Literaturpreis, der Georg-Büchner-Preis, vergeben.

Lage und Stadtbild (Fortsetzung)

Im Mittelalter war Darmstadt die Residenz der Grafen von Katzenelnbogen, bis die Stadt 1479 an Hessen fiel. 1567 wurde Darmstadt Residenz und Verwaltungssitz der Landgrafschaft Hessen-Darmstadt. Unter Ludwig I. (1790–1830) erlebte die Stadt eine große kulturelle Blüte, und das Ende des 18. Jh.s entstandene Großherzogtum verzeichnete einen erheblichen Gebietszuwachs. 1899 gründete Großherzog Ernst Ludwig die Künstlerkolonie Mathildenhöhe. 1949 wurde Darmstadt Sitz der Deutschen Akademie für Sprache und Dichtung.

Geschichte

Sehenswertes in Darmstadt

Stadtmittelpunkt ist der Luisenplatz mit der 33 m hohen Ludwigssäule, gekrönt von einem Bronzestandbild des Großherzogs Ludwig I. An der Nordseite des Luisenplatzes steht das ehemalige Kollegiengebäude (1780), das heute als Regierungspräsidium dient; an der Südseite liegen das Neue Rathaus und die Congreßhalle.

Luisenplatz

Östlich vom Luisenplatz trifft man auf das Schloß, eine Gebäudegruppe am Marktplatz aus dem 16., 18. und 19. Jahrhundert. Im Innern ist außer der Landes- und Hochschulbibliothek das Schloßmuseum im Glockenbau untergebracht. Es zeigt Staatskarossen, verziertes Zaumwerk, Mobiliar, Jugendstilzimmer und Gemälde, darunter als Prunkstück die "Darmstädter Madonna" von Hans Holbein. Ein Glockenspiel mit 35 Glocken erklingt jede halbe Stunde.

Schloß

Südlich vom Schloß steht der Weiße Turm, ein Rest der mittelalterlichen Stadtbefestigung, und direkt am Marktplatz das wiederaufgebaute Alte Rathaus, ein Renaissancebau mit vorgesetztem Treppenturm. Unweit süd-

Marktplatz und Umgebung

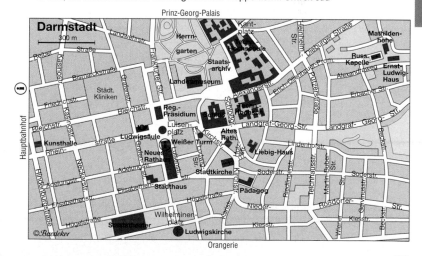

Prinz-Georg-Palais

Orangerie

Darmstadt

Marktplatz und Umgebung (Fortsetzung)

lich ragt das 1369 zur Stadtkirche erhobene Gotteshaus in die Höhe, unter dem sich die vermutlich 1587 angelegte Fürstengruft mit Grabmälern hessischer Landgrafen befindet. Südöstlich der Stadtkirche liegt Hessens älteste Lateinschule (Pädagogstraße), das sog. Pädagog, ein Renaissancebau von 1629, in dem heute verschiedene Bildungseinrichtungen untergebracht sind.

*Landesmuseum

Nördlich vom Schloß am Friedensplatz präsentiert das Hessische Landesmuseum seine kunst- und kulturgeschichtlichen Sammlungen: Archäologie, Malerei vom 13. bis 19. Jh., Kunst des 20. Jh.s, Zeichnungen, Druckgraphik, Kunsthandwerk mit einer reichhaltigen Jugendstilsammlung, Glasmalerei, zoologische Sammlungen sowie mineralogische, geologische und paläontologische Exponate.

Hochzeitsturm und Russische Kapelle auf der Mathildenhöhe

Herrngarten

Nördlich dahinter erstreckt sich der Herrngarten, die "gud Stubb" der Darmstädter. Der Park wurde bereits Mitte des 16. Jh.s angelegt.

Prinz-Georg-Palais

Am Ostrand des Herrngartens liegt die Technische Hochschule, am Nordrand das Prinz-Georg-Palais, auch Porzellanschlößchen genannt. Das um 1710 im Rokokostil errichtete Gebäude birgt eine wertvolle Porzellansammlung aus den berühmtesten Manufakturen der Welt. Umgeben ist das Palais von einem Rokokogarten.

Kunsthalle

Westlich des Stadtkerns präsentiert die Kunsthalle am Steubenplatz wechselnde Ausstellungen.

Ludwigskirche

Südlich des zentral gelegenen Luisenplatzes erhebt sich am Wilhelminenplatz die Anfang des 19. Jh.s erbaute klassizistische St.-Ludwigs-Kirche, eine Nachbildung des Pantheons in Rom; davor steht die obeliskförmige Denkmal für Prinzessin Alice, die Gemahlin des Großherzogs Ludwig IV. Über die Karlstraße noch weiter in südliche Richtung erreicht man die Orangerie (Bessunger Straße), die 1719 als Barockbau für Orangenbäume aus Sardinien errichtet wurde und heute ein Tagungsort ist.

Im Osten der Stadt gründete 1899 Großherzog Ernst Ludwig die "Künstlerkolonie" auf der Mathildenhöhe. Nach den Vorstellungen der anfänglich sieben hier arbeitenden Künstler entstanden mehrere Jugendstil-Wohnhäuser mit Ateliergebäuden. Im Zentrum der Kolonie steht der 48 m hohe Hochzeitsturm, der 1908 von Joseph Olbrich errichtet wurde, mit einem Aussichtszimmer (Aufzug). In der Eingangshalle sind die zwei Mosaiken von Kleukens sehenswert. Gleich nebenan wirkt die schöne, mit goldenen Kuppeln und vielen Verzierungen geschmückte Russische Kapelle ein wenig fremd zwischen den vielen Jugendstilgebäuden. Auf dem höchsten Punkt der Mathildenhöhe erbaute Olbrich das Ausstellungsgebäude mit weiträumigen Terrassen und gestaffelten Pergolen. Hier finden ständig wechselnde Ausstellungen statt. Im Ernst-Ludwig-Haus zeigt das Museum Künstlerkolonie Darmstadt einen Querschnitt durch das Schaffen der Darmstädter Künstlerkolonie von ihrer Gründung bis zu ihrer Auflösung im Jahr 1914.

*Darmstadt (Fortsetzung) *Mathildenhöhe*

Russische Kapelle

Museum Künstlerkolonie

Am östlichen Stadtrand zeigt Darmstadts Vivarium und Tiergarten in der Heinrichstraße Reptilien, Strauße, Riesenschildkröten, Affen, Kamele u.a.

Vivarium, Tiergarten

Umgebung von Darmstadt

Im Ende des 16. Jh.s erbauten Jagdschloß Kranichstein (5 km nordöstlich von Darmstadt), befindet sich heute ein Jagdmuseum. Die einstige Sommerresidenz der Landgrafen wurde als eindrucksvoller Renaissancebau angelegt. Auf dem Bahngelände befindet sich auch ein Eisenbahnmuseum (Steinstraße).

Kranichstein

Nordöstlich des Jagdschlosses liegt der Ort Messel, der durch die im nahen Ölschiefer gefundenen Fossilien bekannt geworden ist.

Messel

Dessau   I 4

Bundesland: Sachsen-Anhalt
Höhe: 61 m ü.d.M.
Einwohnerzahl: 90 000

Dessau, die ehemalige Hauptstadt des Freistaates Anhalt, liegt an der Mündung der Mulde in die Elbe, mitten im Dessau-Wörlitzer Gartenreich. Die vom anhaltischen Hof angeregten Aktivitäten ließen Dessau zu einem bedeutenden Kulturzentrum werden. Mit der Ansiedlung des Bauhauses in Dessau 1925 erlangte die Stadt weltweite Bedeutung. Im Dezember 1996 wurden die Bauhaus-Gebäude Dessaus in die Liste des Weltkulturerbes der UNESCO aufgenommen.

Lage und Bedeutung

Erstmals 1213 urkundlich als Siedlung und 1298 als Stadt erwähnt, war Dessau von 1471 bis 1918 Residenz askanischer Fürsten von Anhalt-Dessau, von 1918 bis 1945 Hauptstadt des Freistaates Anhalt. 1774 gründete der Hamburger Pädagoge Johann Bernhard Basedow (1724–1790) in Dessau das Philanthropinum als "Schule der Menschenfreunde". 1892 entstanden hier die Junkers-Werke, die zwischen den beiden Weltkriegen zu einem bedeutenden Unternehmen im Flugzeugbau wurden.

Geschichte

**Bauhausbauten

1925 /1926 wurde in Dessau das berühmte Bauhausgebäude nach Entwürfen von Walter Gropius errichtet. Das raumgreifende Ensemble aus Glas, Stahl und Beton, in das jeder Gegenstand ohne aufgesetzte Effekte integriert ist, entspricht der Idee seines Begründers: Die Form gehorcht der Funktion. In diesem Gebäude fand die aus Weimar vertriebene Hochschu-

Bauhaus

Dessau

Bauhaus
(Fortsetzung)

le für Gestaltung eine neue Wirkungsstätte, bis sie 1932 von den National-sozialisten geschlossen wurde. Ateliertrakt, Werkstätten, Berufsschule und Bühne verkörpern den Bauhausgedanken. Heute ist das Gebäude Sitz der Stiftung Bauhaus Dessau. Die Bühne wird als Spielstätte genutzt, Ausstellungen können besichtigt werden, Führungen im Bauhaus und zu den Bauhausbauten in Dessau werden angeboten. Bemerkenswert sind vor allem die 1400 m² große freihängende Glas-Vorhangfassade, die Bauhaus-Brük-ke und der Eingang. Originalgetreu restauriert (1976 – 1979) wurden auch die Aula mit Bühne, die Mensa, das Vestibül sowie der Ausstellungs- und Vortragsraum.

Als eines der bedeutendsten Architekturdenkmale des 20. Jh.s genießt das Bauhaus in Dessau internationalen Ruf.

Meisterhäuser

In der Ebertallee nordwestlich des Bauhauses entstanden zeitgleich mit dem Bauhausgebäude drei Meisterhäuser für die Bauhausmeister und ein Einzelhaus für den Direktor, das allerdings ebenso wie eine Doppelhaus-hälfte im Krieg zerstört wurde. Die andere Hälfte dieses sehenswerten, 1926 – 1928 von Walter Gropius gebauten Hauses wurde 1994 restauriert und beherbergt heute das Kurt-Weill-Zentrum.

Kornhaus

Fährt man die Ebertallee weiter Richtung Aken und biegt nach einigen hundert Metern nach rechts in die Elballee ein, stößt man an deren Ende auf das Kornhaus. Dieses 1996 renovierte Bauhausgebäude mit schöner Terrasse beherbergt neben einem Tanzsaal und einer Stehbierhalle auch ein Café. Seine wunderschöne Lage am Elbufer läd zu einem Spaziergang entlang des Flusses ein.

Arbeitsamt

Im südlichen Teil der Innenstadt steht mit dem von Walter Gropius 1928 erbauten Arbeitsamt, einem halbrunden Flachbau mit anschließendem zweigeschossigen Bürotrakt, eine optische Ausnahmeerscheinung unter den Bauhausbauten durch seinen Grundriß und das Stahlskelett mit Ziegelmauerwerk.

Die Bauhaus-Siedlung in Dessau-Törten südöstlich vom Stadtzentrum mit 316 Häusern sollte die Idee der Mechanisierung des Bauens verwirklichen: Das Stahlhaus (1926, Südstraße) von Georg Muche und Richard Paulick steht auf Stahlstützen und ist mit einer Stahlblech-Außenhaut umhüllt; die fünf Laubenganghäuser in der Peterholzstraße, 1930 von Hannes Meyer entworfen, sind dreigeschossig mit je 18 Wohnungen und besitzen Treppenhäuser, die über Laubengänge zu den Wohnungen führen.

Bauhaus-Siedlung Dessau-Törten

Innenstadt

Das Gebäude des Museums für Naturkunde und Vorgeschichte (1746 bis 1750) Ecke Askanische Str./Kavalierstr. wurde als Leopolddank-Stift errichtet. Sein 40 m hoher, kantiger Turm (1847) ist eine Nachbildung des Hospitals Santo Spirito in Rom. Ausgestellt sind Sammlungen der Geologie, Mineralogie, Botanik, Paläontologie und Zoologie. Die ur- und frühgeschichtlichen Funde stammen aus den Kreisen Dessau, Roßlau und Köthen.

Museum für Naturkunde

Die Kirche St. Georg wurde 1712 – 1717 in niederländischem Barock erbaut, um 1820 erfolgten Anbauten durch Carlo Ignazio Pozzi. Nachdem sie 1945 ausbrannte, wurde sie in den Sechzigern wiederhergestellt und 1991 umfassend restauriert. Eindrucksvoll sind der dreigeschossige Zwiebelturm und das Mansardendach auf elliptischem Grund.

St. Georg

Die Marienkirche, ein spätgotischer Hallenbau (1506 – 1554) von U. Schmiedeberger und L. Binder, wurde nach ihrer Zerstörung 1945 erst 1989 – 1994 wiederaufgebaut. Auch Turmbesteigungen sind nun wieder möglich.

Marienkirche

Die neugotische Kirche St. Peter und Paul (1854 – 1857) von Vincenz Statz ist ein roter Backsteinbau mit Kreuzgewölbe und schönen Altären.

St. Peter und Paul

Vom Residenzschloß der Fürsten von Anhalt ist nur noch der Johannbau erhalten. Seit 1989 wird er rekonstruiert. In unmittelbarer Nähe liegt das Lustgartentor, der mittlere Teil der Mauer, die im 18. Jh. als Begrenzung des Schloßparks zum Lustgarten errichtet wurde.

Johannbau

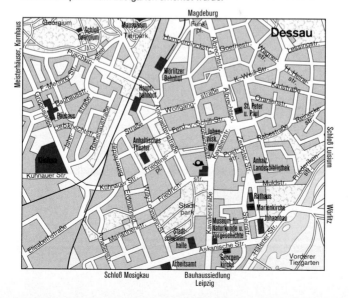

Dessau

Stadtbibliothek

In der Stadtbibliothek (1793 – 1795) befinden sich als Sondersammlungen vier wertvolle Bibliotheken (15. – 19. Jh.) mit über 30 000 Büchern, Schriften, Wiegen- und Frühdrucken, ferner Nachlässe von Dichtern, Komponisten und Philanthropen des 18. und 19. Jahrhunderts.

Stadtpark

Im Stadtpark, dem ehemaligen Palaisgarten, sind unter den Bauwerken und Plastiken vor allem das klassizistische Teehäuschen (um 1780), das ursprünglich eine Orangerie war, die Stadtmauer, ein Teil der Akzisemauer von 1712 mit einer Zentauren-Plastik aus Bronze (1881; von Reinhold Begas) und Denkmäler verschiedener berühmter Persönlichkeiten sehenswert, z.B. des Philosophen Moses Mendelssohn und des Verfassers des "Sachsenspiegels", Eike von Repgau.

Georgium

**Schloß mit
*Gemäldegalerie**

In der Anlage des Georgiums, eines englischen Gartens, der heute als Naherholungsgebiet gilt, lassen sich Antike und Klassizismus studieren (Tempel, künstliche Ruinen, Säulen, Statuen). Im klassizistischen Schloß Georgium (1782, Friedrich Wilhelm von Erdmannsdorff) befindet sich die Anhaltische Gemäldegalerie. Neben Bildern von A. Dürer, L. Cranach d.Ä. und A. Tischbein sind Werke holländischer, flämischer und deutscher Malerei des 15. – 20. Jh.s zu sehen.

Tierpark

Im angrenzenden Lehrpark für Tier- und Pflanzenkunde sind fast 500 Tiere 110 verschiedener Arten beheimatet. 125 beschriftete Gehölzarten bestimmen das Profil des großen Parkes, der im 19. Jh. von August Hooff angelegt wurde.

*Schloß Mosigkau

Ein Kleinod deutscher Architektur des 18. Jh.s (nach Plänen von Georg Wenzeslaus von Knobelsdorff) ist das spätbarocke Schloß Mosigkau (rund 9 km südwestlich vom Stadtzentrum Dessaus). In zum Teil original ausgestatteten Kabinetten sind Möbel, Spiegel, Porzellane und Fayencen zu sehen. Holländische, flämische und deutsche Gemälde des 17./18. Jh.s (u.a. von Rubens, Pesne, Jordaens und van Dyck) befinden sich in dem mit reicher Stuckzier geschmückten Galeriesaal. Im Mosigkauer Park (1755 bis 1757), der im französischen Stil mit japanischen Partien angelegt wurde, gibt es seltene (auch exotische) Gewächse und einen Irrgarten. In den Orangerien finden jährlich (Juli bis September) Sommerausstellungen statt. Das japanische Teehäuschen wurde 1775 gebaut.

***Landschaftspark
Luisium**

Der Landschaftspark Luisium im Ortsteil Waldersee, vier Kilometer östlich vom Dessauer Stadtkern, ist ein intimer englischer Garten von 1780. Das klassizistische Schloß (1774 – 1777) ist ein Meisterwerk von Friedrich Wilhelm von Erdmannsdorff. In dem stimmungsvollen Garten befinden sich Tempel, Statuen, Denkmäler, Grotten, eine chinesische Brücke und eine Orangerie.

Umgebung von Dessau

Das meistbesuchte Ausflugsziel in der näheren Umgebung Dessaus ist der berühmte weitläufige Park in Wörlitz. Darüberhinaus gibt es etliche kleinere Städte und Ortschaften im Umkreis von rund 30 Kilometern, die einen Besuch lohnen. 20 km westlich liegt Köthen (→ Bernburg, Umgebung).

Wörlitz und Wörlitzer Park

Stadt Wörlitz

Wörlitz (ca. 3000 Einwohner) liegt knapp 20 km östlich von Dessau und wird hauptsächlich wegen seines berühmten Parks besucht. Die aus einer 965 erwähnten Burganlage hervorgegangene Siedlung erhielt vermutlich um 1440 das Stadtrecht. Ende des 18. Jh.s gestaltete Fürst Leopold Friedrich Franz von Anhalt-Dessau ("Vater Franz"), das kleine Ländchen in ein Gartenreich um, das "alle halbe Pferdestunde eine Parkanlage" enthielt, von welchen die Wörlitzer mit 112 ha die größte und bedeutendste war.

Das weithin sichtbare Wahrzeichen der Stadt Wörlitz ist der 66 m hohe Turm der Kirche St. Petri. Sie wurde 1196 – 1201 im romanischem Stil erbaut und um 1805 – 1809 neugotisch umgestaltet. Das zweigeschossige Rathaus (1792 – 1795) wurde im Stil englischer Landhäuser errichtet.

Der Wörlitzer Park, zwischen 1765 und 1810 einer der ersten Landschaftsgärten auf dem europäischen Festland, besticht durch seine abwechslungsreiche und natürlich wirkende Anlage: Mit seinen Seen und Kanälen, den klassizistischen und neugotischen Bauwerken, unterschiedlichsten Brücken, Grotten und Statuen lädt er zu ausgedehnten Spaziergängen ein. Er besteht aus insgesamt fünf Gartenteilen (Schloßgarten, Neumarks Garten, Schochs Garten, Neue Anlage, Palmengarten), die durch Fähren und Brücken miteinander verbunden sind. In der Gestaltung des Parks und in seinen Bauwerken spiegelt sich die Rezeption der Antike ebenso wie die Entdeckung der Natur im Zeitalter der bürgerlichen Aufklärung.

Umgebung, Stadt Wörlitz

**Wörlitzer Park

Das Gotische Haus im Wörlitzer Park gilt als größtes neugotisches Bauwerk seiner Zeit und ist nur eines der vielen Highlights in dem großen, idyllischen Landschaftsgarten bei Dessau.

Nach dem Vorbild englischer Landsitze entstand 1769 – 1773 das Wörlitzer Schloß, das wie fast alle Bauwerke des Parks von Friedrich Wilhelm von Erdmannsdorff entworfen wurde. Der frühklassizistische Bau besitzt eine besonders schöne Innenausstattung aus der Erbauungszeit und eine wertvolle Kunstsammlung. Ein Stück weiter östlich werden in der Galerie am Grauen Haus (1789) Sonderausstellungen gezeigt. Die Synagoge (1789/ 1790, ehemaliger Vesta-Tempel) wurde in der "Reichskristallnacht" 1938 teilweise zerstört und 1948 restauriert. Im Westen des Schloßgartens beginnen die Gondelfahrten über den Wörlitzer See.

Schloßgarten mit *Schloß Wörlitz

Die beiden Pavillons auf dem Eisenhart in Neumarks Garten sind aus Raseneisenstein. Auf der mit Pappeln bepflanzten Rousseau-Insel steht ein Gedenkstein (1782) für den französischen Philosophen. Die um 1770 angelegte Roseninsel ist mit Wild- und Heckenrosen bepflanzt.

Neumarks Garten

Dessau

**Wörlitzer Park (Fortsetzung), Schochs Garten
*Gotisches Haus**

In Schochs Garten befindet sich das von Georg Christoph Hesekiel gebaute "Gotische Haus" (1773 – 1813), seinerzeit das größte neogotische Bauwerk in Deutschland, in dem heute u.a. Bilder von Lucas Cranach d. Ä. zu sehen sind. Das 1767/1768 entworfene Nymphäum wurde den Wassergöttinnen gewidmet. Der Blumengöttin geweiht ist der rechteckige Floratempel (1796 – 1798). Der runde Venustempel (1797) mit der "Venus von Medici" erinnert an den Ruinentempel der Sibylle in Tivoli bei Rom.

Neue Anlage

Nordwestlich vom See liegt das Pantheon, 1795/1796 erbaut, in dem eine Sammlung antiker Statuen und Büsten aufbewahrt wird. Die Eiserne Brükke (1791) hat ihr Vorbild in der Brücke über den Severn in Coalbrookdale (Großbritannien) und ist die erste Brücke dieser Bauart auf dem europäischen Festland. Die Villa Hamilton (1791 – 1794) entstand auf der künstlich geschaffenen Insel "Stein" (1788 – 1794), auf der auch der Vesuv sowie Grotten nachgebildet wurden.

Weitere Ziele in der Umgebung von Dessau

Roßlau

Das älteste Bauwerk von Roßlau, 6 km nördlich Dessaus an der Elbe, ist seine Burg aus dem Jahre 1215. Das ägyptisch-dorische Friedhofsportal (1822) und das Innungsbrauhaus (1826) schuf Gottfried Bandhauer. Die Stadtkirche am quadratischen Markt ist ein Bau im neugotischen Stil.

**Zerbst
*Stadtmauer**

Zerbst (20 km nordwestlich von Dessau) verfügt über eine fast vollständig erhaltene, 4 km lange Stadtmauer mit Wehrgang (Fachwerkdach) und drei Stadttoren (15. Jh.). Wertvolle Werke (Fayencen, Wiegendrucke, Handschriften, Cranach-Bibel von 1541) sind im Museum in der einstigen, frühgotischen Klosterkirche (1252) ausgestellt. Die Trinitatiskirche (1683 – 1696) von Cornelis Ryckwaert ist im Stil des holländischen Barock gehalten; im Innenraum befinden sich schöne Plastiken von Giovanni Simonetti.

Coswig

In Coswig (22 km nordöstlich) ist die romanisch-gotische Kirche St. Nikolai (1150; erneuert 1699 – 1708 und 1926) sehenswert, die im Inneren eine mit Holzschnitzereien verzierte Orgel (1713), ein Taufstein von Giovanni Simonetti, ein gotisches Chorgestühl, ein Abendmahlsbild von L. Cranach d.J., ein Epitaph von L. Cranach d. Ä. und Glasmalerei aus der Cranach-Schule (1350) birgt. Das Schloß (1560 und 1667 – 1677) ist eine unregelmäßige Vierflügelanlage, die im 19. Jh. stark verändert wurde.

**Serno
*Stabgeläut**

In Serno, 40 km nordöstlich Dessaus, befindet sich ein in Europa einmaliges technisch-musikalisches Wunderwerk, das Stabgeläut (um 1830) mit drei bis 36 Pfund schweren und im Winkel von 68° gebogenen Dreiband-Stahlstäben. Den kleinen Ort erreicht man von Dessau aus über Coswig, wo man nach Norden auf die B 107 Richtung Ziesar abbiegt.

Vockerode

In Vockerode (16 km östlich Dessaus) befindet sich eine doppeltürmige neugotische Backsteinkirche (um 1802); ferner eine Wallanlage mit Wallwachhäusern.

Oranienbaum

In Oranienbaum (13 km östlich von Dessau) liegen ein Schloß und ein Park im Stil des holländischen Barock (1683 und 1798); ferner gibt es einen Parkteil im chinesischen Stil (um 1800). Interessante Parkbauten sind das Chinesische Teehaus (1794 – 1797) und die fünfgeschossige Backsteinpagode. In dem linken Flügel des Schlosses hat ein Museum mit einer Dauerausstellung zur Geschichte von Schloß, Park und Stadt Oranienbaum seinen Sitz.

Gräfenhainichen

In Gräfenhainichen (23 km südöstlich von Dessau), der Geburtsstadt des bedeutendsten evangelischen Liederdichters Paul Gerhardt (1607 – 1676), lohnen die säulengeschmückte klassizistische Paul-Gerhardt-Kapelle (1844) und das Paul-Gerhardt-Haus (1907 – 1909) einen Besuch. Auffallend sind auch die sächsische Postmeilensäule (16. Jh.) und das Johann-Gottfried-Galle-Denkmal (1977), das an den Astronomen erinnert, der 1846 den Planeten Neptun entdeckte.

In Jessnitz, 20 km südlich von Dessau, steht das Geburtshaus des Dichters Hermann Conradi (1862 – 1890), der als Vorkämpfer des literarischen Naturalismus gilt. In Altjessnitz befindet sich ein großer Irrgarten, entstanden um 1750.

Jessnitz

Etwa 15 km westlich von Dessau ist in Aken das 1490 errichtete und 1609 vergrößerte Rathaus mit seinem Ziergiebel aus Backstein sehenswert. Dieser geht auf die Anfangszeit des Baus zurück. Die dreischiffige Nikolaikirche (Basilika) wurde im 12. Jh. erbaut.

Aken

Deutsche Weinstraße · Pfälzer Wald   D/E 6

Bundesland: Rheinland-Pfalz

Die Deutsche Weinstraße zieht am burgenreichen Ostabfall des Pfälzer Waldes (der Haardt) entlang durch eines der größten geschlossenen Weinbaugebiete Deutschlands. Sie beginnt bei Bockenheim, unweit westlich von Worms, und endet am Deutschen Weintor in Schweigen, nahe der deutsch-französischen Grenze. Schon die Römer bauten in dieser Region Reben an, und zur Zeit Karls des Großen war die Rheinpfalz ein bedeutender Lieferant der kaiserlichen Tafel- und Krönungsweine. Das milde Klima läßt neben Wein selbst Pfirsiche, Aprikosen, Feigen, Edelkastanien und Zitronen reifen.

Allgemeines

*Fahrt auf der Deutschen Weinstraße

Die Deutsche Weinstraße (Länge: 83 km) ist durch besondere Schilder markiert, die eine stilisierte Weintraube – im Teilgebiet Südliche Weinstraße einen Krug – zeigen. In ihrem Verlauf führt sie fast ununterbrochen durch Reb- und Obstfluren und durchquert dabei zahlreiche, oft sehr malerische Weinbauorte.

Beschilderung

In Bockenheim beginnt das geschlossene Weinbaugebiet und mit ihm die eigentliche Weinstraße. Nun geht es in südlicher Richtung am Rand des Naturparks Pfälzer Wald entlang, der sich nach Westen ausdehnt. Es folgen das Weinhandelsstädtchen Grünstadt sowie die Winzerorte Kirchheim und Kallstadt.

Bockenheim

Bad Dürkheim (17 000 Einwohner), die drittgrößte deutsche Weinbaugemeinde, wird auch wegen ihrer Natriumchloridquelle besucht. Dafür stehen ein Kurhaus mit Spielbank, ein Kurmittelhaus und ein Kurgarten sowie das Hallen- und Freibad "Salinarium" zur Verfügung. Alljährlich im September findet das große Weinfest "Wurstmarkt" statt. Zum Wahrzeichen geworden ist das als Gaststätte eingerichtete Dürkheimer Faß (1,7 Mio. l). In der Schloßkirche (um 1300) kann man das Renaissancegrabmal des Grafen Emich XI. von Leiningen und seiner Gemahlin besichtigen. Im Haus Catoir befindet sich das Heimatmuseum, in der ehemaligen Herzogmühle das Museum für Naturkunde.

Bad Dürkheim

Etwa 3 km westlich lohnt die großartige Ruine der ehemaligen Benediktinerabtei Limburg einen Besuch. Sie wurde 1025 von dem Salierkaiser Konrad II. gegründet.

*Klosterruine
Limburg

Das altertümliche Städtchen Wachenheim (4600 Einwohner) wird überragt von der Ruine Wachtenburg (12. Jh.). Südwestlich breitet sich der Kurpfalz-Park aus, eine bei Ausflüglern beliebte Kombination aus Hochwildschutz- und Erlebnispark.

Wachenheim

Gasthaus in Neustadt-Gimmeldingen und ...   *... Hambacher Schloß inmitten von Weinbergen*

Deidesheim	Auch Deidesheim (3700 Einwohner) ist ein bedeutender Winzerort. Er bietet ein schönes ehemaliges Rathaus (16. Jh.), in dem ein interessantes Weinmuseum untergebracht ist. Zudem gibt es im Zentrum noch ein sehenswertes Keramikmuseum.
Neustadt an der Weinstraße	Neustadt an der Weinstraße (52000 Einwohner) ist die größte Weinbaugemeinde Deutschlands. Am Marktplatz steht die zweitürmige gotische Stiftskirche (1368 – 1500) mit einer der größten Gußstahlglocken der Welt, gegenüber das hübsche Rathaus (1728/1739). Ferner findet man in der Stadt ein beachtenswertes Eisenbahnmuseum.
*Hambacher Schloß	Südwestlich überragt das Hambacher Schloß (Maxburg) – um 1000 erbaut, seit 1688 Ruine und seit dem 19. Jh. ausgebaut – den Stadtteil Hambach. Hier fand am 27. Mai 1832 die als "Hambacher Fest" bekannte Demonstration freiheitlich gesinnter Bürger statt; gefordert wurde unter den Farben Schwarz-Rot-Gold ein einiges und freies Deutschland als föderative Republik. Zu diesem Thema ist eine Ausstellung zu sehen.
Maikammer-Alsterweiler	In Maikammer-Alsterweiler steht die Mariä-Schmerzen-Kapelle, die über ein wertvolles spätgotisches Triptychon verfügt.
*St. Martin	Ein weiterer Abstecher lohnt sich westlich nach St. Martin, das wegen seines malerischen Ortsbildes mit vielen schönen Wohnhäusern und Torbögen ein sehr beliebtes Reiseziel ist.
Edenkoben	Auch Edenkoben (6000 Einwohner) zeigt ein hübsches Ortsbild. Rund 3 km westlich sieht man in schöner Aussichtslage das Schloß Ludwigshöhe, in den 1840er Jahren für König Ludwig I. von Bayern errichtet. Hier sind Werke des Malers Max Slevogt ausgestellt. Über dem Schloß erhebt sich die mit einer Sesselbahn erreichbare Ruine Rietburg, von wo man einen herrlichen Ausblick hat.

Östlich abseits der Deutschen Weinstraße liegt die Stadt Landau (40 000 Einwohner), das Einkaufszentrum der Region mit einer schönen Fußgängerzone. Sehenswerte Bauwerke sind die spätgotische Augustinerkirche (1405 – 1419) im Osten der Innenstadt und die frühgotische Stiftskirche (1300 – 1458) in der südlichen Marktstraße. Reste der 1687 von Vauban angelegten Befestigung ("Deutsches Tor") sind erhalten. Im Jugendstil entstand die Festhalle. Zudem bietet die Stadt schöne Parks, darunter der Goethe- und Schillerpark, und einen Zoo.

Deutsche Weinstraße (Fortsetzung) Landau

Fährt man von Landau über die Weinstraße westlich, gelangt man nach Annweiler am Trifels (7000 Einwohner) mit hübschen Fachwerkhäusern.
Über dem Ort erhebt sich die alte Reichsveste Trifels (11. Jh.), wo im 12. und 13. Jh. die Reichsinsignien aufbewahrt wurden. Von der Burg kann man eine schöne Rundsicht genießen.

Annweiler

*Trifels

Die Fortsetzung der Weinstraße berührt Leinsweiler (470 Einwohner). Oberhalb des Ortes liegt der Slevogthof, einst Sommersitz des Malers Max Slevogt (1868 – 1932), der die Innenräume ausgemalt hat.

*Leinsweiler

Das Thermal- und Kneippheilbad Bergzabern (7700 Einwohner) weist eine schöne mittelalterliche Altstadt auf. Von den historischen Gebäuden sind hervorzuheben das beeindruckende Schloß (1527) und das Gasthaus "Zum Engel", ein herrlicher Renaissancebau. Zudem bietet der Ort ein modernes Thermalhallen- und -freibad.

*Bad Bergzabern

Südlich von Bad Bergzabern lohnt sich ein Abstecher zu dem 2 km westlich gelegenen Ort Dörrenbach (1000 Einwohner). Sehenswert hier sind das Fachwerk-Rathaus (1590), ein schöner Renaissancebau, und die Wehrkirche mit -friedhof.

Dörrenbach

In Schweigen-Rechenbach (1360 Einwohner) markiert das 1936/1937 errichtete Weintor das Ende der Deutschen Weinstraße. Ferner ist ein instruktiver Weinlehrpfad vorhanden (Gehzeit 1 1/2 Std.).

Schweigen-Rechenbach

Pfälzer Wald

Der Pfälzer Wald ist ein aus Buntsandstein aufgebautes Mittelgebirge an der Westseite des Oberrheins, nördlich anschließend an die Vogesen. Mit rund 1350 km² ist er eines der größten deutschen Waldgebiete.

Lage und Allgemeines

Von dem westlich gelegenen Saarbecken steigt das Gebirge ganz allmählich an. Der steile Ostabfall zur Rheinebene, die Haardt, trägt die höchste Erhebung (Kalmit, 673 m), ist von Burgruinen gekrönt sowie am Fuß, an dem die Deutsche Weinstraße entlangzieht, mit Rebfluren bedeckt.
Das von dichten Mischwäldern bedeckte Bergland zeigt sich stark zertalt und weist viele bizarre Felsformationen auf. Landschaftlich besonders schön ist es in einem Bereich von 1800 km², der als Naturpark Pfälzer Wald ausgewiesen ist. Im Südosten des Pfälzer Waldes öffnet sich der Wasgau, der ins nördliche Elsaß überleitet.

Landschaftsbild

Dinkelsbühl   G 6

Bundesland: Bayern
Höhe: 440 m ü. d. M.
Einwohnerzahl: 11 000

Die alte fränkische Reichsstadt Dinkelsbühl in der Ebene der Wörnitz bietet mit ihrer vollständig erhaltenen Stadtmauer (14./15. Jh.) und ihren alten Giebelhäusern ein einheitliches mittelalterliches Gesamtbild.

Lage und *Stadtbild

Dinkelsbühl

Geschichte

Die Ursprünge von Dinkelsbühl reichen bis in das 8. Jh. zurück. Schon früh war die Stadt durch Wall und Graben gesichert; die Blütezeit begann, als Dinkelsbühl gegen Ende des 13. Jh.s die Reichsunmittelbarkeit erlangte ; seit 1806 gehört sie zu Bayern. An die Belagerung im Dreißigjährigen Krieg erinnert jeden Sommer das große Stadtfest "Kinderzeche".

Sehenswertes in Dinkelsbühl

*St. Georg

Am Marktplatz steht das 1448–1499 in spätgotischem Stil erbaute Münster St. Georg, eine der schönsten Hallenkirchen Deutschlands. Besonders sehenswert im Inneren ist eine Kreuzigungsgruppe am Hochaltar und das Sakramentshäuschen von 1480. Vom 65 m hohen Turm blickt man auf das Dächergewirr der Altstadt und bekommt beim Aufstieg einen Eindruck von der Arbeit der Steinmetze.

Marktplatz und Weinmarkt
*Deutsches Haus

Zu Füßen des Münsters liegen Marktplatz und Weinmarkt mit eindrucksvollen Bürgerhäusern und öffentlichen Gebäuden, die ihr heutiges Aussehen nahezu alle in der Renaissance erhielten. Herausragend ist am Weinmarkt die Fassade des Deutschen Hauses, eines der schönsten Fachwerkhäuser Frankens (16. Jh.). Rechts daneben liegt die Schranne, ein ehemaliger Kornspeicher, wo alljährlich das Festspiel "Die Kinderzeche" aufgeführt wird.
Südlich vom Marktplatz steht das Deutschordenshaus (1761–1764) mit einer sehenswerten Hauskapelle.
Die vom Markt nach Westen führende Segringer Straße ist in der Geschlossenheit ihrer alten Giebelfronten von besonderem Reiz.

Stadttore

Vier Stadttore öffnen sich in der Ummauerung der Stadt: das Segringer Tor im Westen, das Rothenburger Tor im Norden, das Wörnitztor im Osten und das Nördlinger Tor im Süden.

Museen

Ein Spaziergang durch die Parkanlagen rings um die Stadtmauer führt zur Stadtmühle am Nördlinger Tor. Sie ist heute die Heimat des "Museums Dritte Dimension", einer einzigartigen Sammlung von Holografien, Licht- und Lasertechnik, 3D-Projektionen und vielem mehr.
Im ehemaligen Spital an der Dr.-Martin-Luther-Straße dokumentiert das Historische Museum die Stadtgeschichte, das Handwerk und die bürgerliche Wohnkultur.

Umgebung von Dinkelsbühl

Romantische Straße

Dinkelsbühl liegt an der sog. Romantischen Straße, die von Würzburg über Augsburg nach Füssen führt. Ebenfalls an dieser Straße und im Norden Dinkelsbühls liegen → Rothenburg ob der Tauber und Feuchtwangen.

Feuchtwangen

Das einstige Reichsstädtchen Feuchtwangen, 11 km nördlich von Dinkelsbühl, besitzt einen hübschen Marktplatz und die beachtenswerte romanische Kirche des ehemaligen Kollegiatsstifts. Am Kreuzgang sind historische Handwerkerstuben untergebracht; im Sommer finden hier Kreuzgangspiele statt. Das Volkskunstmuseum zeigt eine schöne Sammlung von Fayencen. Im Fahrradmuseum Zumhaus ist eine umfangreiche Ausstellung zu besichtigen. Manche Fahrzeuge kann man sogar probefahren.

Crailsheim

Gut 20 km nordwestlich liegt im Jagsttal die baden-württembergische Stadt Crailsheim, wo die romanische und gotische Johanniskirche besonders beachtenswert ist. Sie besitzt einen Hochaltar aus dem 15. Jahrhundert. In der ehemaligen Spitalkapelle ist das Fränkisch-Hohenlohesche Heimatmuseum untergebracht.

Ellwangen

→ Aalen, Umgebung

Donautal

Bundesländer: Baden-Württemberg und Bayern

Die Donau, insgesamt annähernd 2900 km lang, ist Europas zweitgrößter Strom (nach der Wolga). Ab Regensburg ist die Donau schiffbar. Aber es ist nicht so sehr die wirtschaftliche Bedeutung als Wasserstraße, sondern der geschichtliche Hintergrund, der sie unter den Strömen Europas zu etwas Besonderem macht: Auf ihr zogen die Nibelungen, dem Untergang entgegen, zum Hof König Etzels. An ihren Ufern errichteten die Römer Kastelle und Siedlungen. Später entstanden hier, von geistlichen und weltlichen Herrschern begründet, Klöster und Fürstensitze. | Donau

Anrainerländer der Donau sind Deutschland, Österreich, die Slowakei, Ungarn, Kroatien, Jugoslawien, Bulgarien, Rumänien, Moldawien und die Ukraine. Im südlichen Schwarzwald entspringen die beiden Quellflüsse der Donau, Brigach und Breg, die sich in Donaueschingen vereinigen, wo die Donau im engeren Sinne ihren Anfang nimmt. Bei dem Hafenort Sulina mündet der Hauptarm der Donau, die sich oberhalb der rumänischen Stadt Tulcea verzweigt und ein großes, von Altwässern und Kanälen durchzogenes Delta bildet, ins Schwarze Meer.

Die folgende Darstellung betrifft lediglich den Teil des Donautals, der, geographisch gesehen, zu Deutschland gehört, also die Strecke von Donaueschingen nach Passau. Beschrieben werden einige kleinere und mittelgroße Orte, die das Ufer säumen, ferner Kirchen, Klöster und Landschaften, während die größeren Städte – Ulm, Ingolstadt, Regensburg, Straubing und Passau – in diesem Reiseführer gesondert vorgestellt werden. | Hinweis

Von Donaueschingen nach Passau

Bei Donaueschingen, dem Sitz der Fürsten zu Fürstenberg, vereinigen sich die aus dem Schwarzwald kommenden Flüßchen Brigach und Breg zur Donau ("Brigach und Breg bringen die Donau zuweg"). Im Schloßpark liegt die sogenannte Donauquelle, ein rundes, von einem Gitter eingefaßtes Becken mit allegorischen Figuren der Baar und der jungen Donau. Beachtenswert sind die Fürstlich Fürstenbergischen Sammlungen, zu deren Bestand Gemälde vor allem schwäbischer Meister sowie Exponate zu Natur- und Volkskunde gehören. In der Hofbibliothek wird die Handschrift C des Nibelungenliedes (13. Jh.) aufbewahrt. Jedes Jahr im Oktober finden in Donaueschingen die "Donaueschinger Musiktage" für zeitgenössische Musik statt. | Donaueschingen

Schon nach einer kurzen Wegstrecke versickert bei Immendingen ein Teil des Donauwassers im durchlässigen Kalkgestein; 12 km südlich tritt es dann als "Aachtopf", eine mächtige Karstquelle, wieder zutage. Dort entspringt die Radolfzeller Aach, die bei Radolfzell in den Bodensee mündet.

Landschaftlich sehr lohnend ist die Fahrt von Tuttlingen durch das obere Donautal nach Sigmaringen. Die Straße folgt dem nördlichen Flußufer, vorbei an Kloster Beuron, Burg Wildenstein, bizarren Felsformationen sowie den Burgruinen Falkenstein und Gutenstein. Im Wallfahrtsort Beuron wurde im 11. Jh. ein Kloster gegründet, das maßgeblichen Einfluß auf Liturgie und Gesang mittelalterlicher Mönchsorden hatte. Ein Kleinod ist die barocke Kirche St. Martin und Maria. In der Jägerhaushöhle bei Beuron wurde eine wichtige Schichtenfolge der Mittelsteinzeit ausgegraben, die namengebend für die Formengruppe "Beuronien" ist. Vom Knopfmacherfelsen genießt man einen herrlichen Blick auf das Kloster und die Donau. | *Kloster Beuron

Die Donau durchfließt den "Naturpark Obere Donau" und durchbricht bei Sigmaringen in zahlreichen Windungen die Schwäbische Alb. Auf einem steil über dem Strom aufragenden Felsen steht das stattliche Schloß der | Sigmaringen *Schloß

Donautal

Sigmaringen Schloß (Fortsetzung)

Fürsten von Sigmaringen-Hohenzollern. Die Grafen von Hohenzollern, denen die Stadt (heute 15 000 Einwohner) seit 1535 gehörte, bauten sie zur Residenz aus. Sein heutiges Aussehen verdankt das Schloß der Wiederherstellung in den Jahren 1895–1908 nach einem Brand (1893). Die prunkvoll ausgestatteten Räume können besichtigt werden (u.a. Glasmalereien, Plastiken, Waffen). Weiterhin finden sich im Schloß eine Sammlung altschwäbischer Gemälde und eine Karossensammlung im Marstall. Im Stadtteil Hedingen befindet sich seit 1844 die Fürstengruft in einer Rokoko-Kapelle, die im 18. Jh. an die barocke Hedinger Kirche (1680) angebaut wurde.

Mengen

Knapp 14 km östlich liegt im Donautal die kleine Stadt Mengen mit schönem Altstadtkern (Fachwerkhäuser) und barockisierter Pfarrkirche.

Heuneburg

Unweit nordöstlich von Mengen, bei Hundersingen, erhebt sich auf dem Steilufer der Donau die Heuneburg, einer der bedeutendsten hallstattzeitlichen Fürstensitze (6./5. Jh. v.Chr.).

Kloster Heiligkreuztal

Das nördlich der Heuneburg vor Riedlingen gelegene ehemalige Kloster Heiligkreuztal lohnt vor allem wegen der farbigen Glasfenster (14. Jh.) einen Besuch. In der Zehntscheuer des Klosters in Hundersingen sind Ausgrabungsfunde und Dioramen zu sehen; interessant ist auch der archäologische Rundwanderweg.

Riedlingen

Zwischen Riedlingen und Ehingen stößt man auf schöne Barockkirchen: Zwiefalten (→ Schwäbische Alb), eine Schöpfung Johann Michael Fischers, und Obermarchtal, von Michael Thumb erbaut, von Josef Schmuzer mit Stukkatur versehen.

Ehingen

Hauptsehenswürdigkeit von Ehingen, das auf eine alemannische Siedlung zurückgeht, ist die Herz-Jesu-Kirche (1719) des von Benediktinern aus Zwiefalten gegründeten Konvikts; neben den italienisch anmutenden Stukkaturen gibt besonders das Altarbild "Mariä Tod" von Johann Georg Bergmüller dem Innenraum sein Gepräge. Westlich des Ortes steht das imposante Schloß Mochental, eine Dreiflügelanlage, die einst Ruhesitz der Zwiefalter Äbte war. Im Schloß sind heute eine Kunstgalerie und ein Besenmuseum untergebracht.
Dann ist bald das Donautal bei → Ulm erreicht. Südwestlich von Ulm mündet die Iller, von Süden her kommend, in die Donau.

Donau-Auen

Wenige Kilometer östlich von Ulm beginnen die Donau-Auen mit einer Kette von Stauseen. Zu beiden Seiten der Donau hat sich Auwald erhalten, für den vielerlei Laubbäume und Büsche charakteristisch sind. Die Wälder profitieren von der nährstoffreichen Schwemmfracht der Flüsse, denn Auwälder wachsen nur in deren Hochwasserbereich.

Günzburg

An der Mündung der von Süden kommenden Günz in die Donau liegt Günzburg. Die Stadt war seit dem 15. Jh. Mittelpunkt der Markgrafschaft Burgau und von 1803 bis 1805 Sitz der österreichischen Verwaltung – daher besitzt sie seitdem ein Schloß im Renaissancestil (16. Jh.) und eine Hofkirche. Auf einer Anhöhe im Ort steht die von Dominikus Zimmermann um 1740 erbaute Frauenkirche, deren Turm eine Zwiebelhaube bekrönt. Das lichte Innere ist ausgeschmückt mit Freskomalerei. Muschelornamente (Rocaille) herrschen im Langhaus vor. Das Gemälde am Hochaltar schuf Paul Ignaz Viola.

Gundelfingen

Das Donaumoos, ein ausgedehntes Flachmoor, ist weitgehend trockengelegt worden, aber zwischen Günzburg und Gundelfingen hat sich ein kleiner Teil erhalten: das Naturschutzgebiet Gundelfinger Moos. Das Überleben dieser urwüchsigen Landschaft, in der noch Brachvögel nisten, hängt von einer Kiesgrube in unmittelbarer Nähe ab. Sie entzieht dem Moor über die Absenkung des Grundwassers das lebensnotwendige Naß. Das übrige Donaumoos wird größtenteils landwirtschaftlich genutzt.

Am nördlichen Rand des Donaurieds, einer moorigen Niederung beiderseits der Donau, liegt Dillingen. Zahlreiche Bauten, u.a. das Jesuitenkolleg
und die ehemalige Universität mit prunkvoll ausgestattetem "Goldenen
Saal", erinnern daran, daß Dillingen mehrere Jahrhunderte lang Sitz der
Bischöfe von Augsburg war. Von der alten Stadtbefestigung ist wenig erhalten. Das Mittlere Tor mit seiner barocken Bekrönung setzt einen städtebaulichen Akzent.

Dillingen

Die Stadt Donauwörth liegt auf einem Hügelrücken über der Einmündung
der von Norden kommenden Wörnitz in die Donau. Sie besitzt noch Stadtmauern. Hauptstraße der Stadt ist die breite Reichsstraße, mit ihren stattlichen Giebelhäusern eine der eindrucksvollsten Straßen in Bayerisch-
Schwaben. Am Westende der Straße steht das Fuggerhaus, ein Renaissancebau von 1539. Etwas nördlich von hier befindet sich in einem ehemaligen Kloster das Käthe-Kruse-Puppen-Museum. Dort werden über 150
Spiel- und Schaufensterpuppen von Käthe Kruse (1883–1968) gezeigt.

Donauwörth

Nachdem die Donau den Lech aufgenommen hat, erreicht sie die alte Residenzstadt Neuburg an der Donau, auf einem hohen Jurafelsen gelegen.
Ihre heutige Gestalt erhielt sie durch den Pfalzgraf Ottheinrich, der im
16. Jh. zu bauen begann. Eine Mauer, die sich im Oberen und Unteren Tor
gegen die Donau öffnet, umgibt die Stadt. Das beherrschende Bauwerk ist
das Schloß am Ostrand des Stadtbergs; sein Hof ist auf drei Seiten von
Laubengängen eingefaßt. Sehenswert sind ferner die Schloßkapelle mit
Fresken, die Hofkirche, das Rathaus und das Vorgeschichtsmuseum.

*Neuburg
an der Donau*

Wer südlich der Donau dem Weg von Neuburg nach Ingolstadt folgt,
kommt nach Schloß Grünau, dem Jagdschloß des Pfalzgrafen Ottheinrich
in der Donau-Niederung. Zwei Gebäude, das Alte Haus und das Neue
Haus, werden von einer Mauer und einem Graben umgürtet. Ein Jagdrelief
im Alten Haus zeigt, wie Ottheinrich in den umgebenden Auwäldern jagte.

Schloß Grünau

Das Gesicht von → Ingolstadt, der ehemals bayerische Herzogs- und
Universitätsstadt an der Donau, wird heute von der Industrie mitgeprägt.

Ingolstadt

Ein landschaftlicher Höhepunkt im Donautal ist der Donaudurchbruch bei
Weltenburg. Auf einer Länge von 5 km hat sich der Fluß zwischen Weltenburg und Kelheim einen Weg durch den harten Kalk des Fränkischen Jura
gebrochen und dadurch eine der eindrucksvollsten deutschen Flußland-
schaften entstehen lassen: Gleich hinter Kloster Weltenberg ragen an beiden Ufern senkrechte, fast 100 m hohe Felswände aus dem Wasser. Auf
den Klippen wachsen seltene wärmeliebende Pflanzen. Die Klosterkirche
Weltenburg wurde um 1720 von Cosmas Damian Asam, einem Meister des
süddeutschen Barock, erbaut. Bei → Regensburg erreicht die Donau den
nördlichsten Punkt ihres Laufs.

**Donau-
durchbruch
bei Weltenburg*

Die Walhalla bei Donaustauf ähnelt dem Parthenontempel der Athener
Akropolis. König Ludwig I. von Bayern ließ sie als "Ruhmestempel der
Deutschen" in den Jahren 1830–1842 aus Marmor erbauen. 121 Marmor-
büsten und 64 Namenstafeln ehren Künstler und Wissenschaftler.
In zahlreichen Windungen durchzieht der Fluß nun die Niederung am Südrand des Bayerischen Waldes. Nach einiger Zeit erreicht sie die niederbayerische Stadt → Straubing. Dort soll die Baderstochter Agnes Bernauer,
die wegen Zauberei angeklagt war, in der Donau ertränkt worden sein.

Walhalla

Am Fuß des Bayerischen Waldes, wo der Bogenbach in die Donau mündet, liegt der Ort Bogen. Von dort lohnt ein Abstecher zur Pfarrkirche St.
Peter, ehemals Klosterkirche, in Oberaltaich. Die Gründung des Benediktinerklosters geht auf das 12. Jh. zurück. Der Zugang zur Oberkirche vom
nördlichen Seitenschiff führt über eine breite Treppe, einst berühmt als
"hängende Stiege", da es sich um eine größtenteils freitragende Konstruktion handelt. Die Darstellung der Heiligen Heinrich und Kunigunde am
rechten Seitenaltar schuf Cosmas Damian Asam.

Bogen

Donautal
(Fortsetzung)
Deggendorf
Passau

Über die Stadt Deggendorf, die als "Tor zum → Bayerischen Wald" gilt, gelangt man nach → Passau. Hier münden Inn und Ilz in die Donau, die östlich der Stadt Deutschland verläßt und ihren Lauf auf österreichischem Boden fortsetzt.

Donau-Radweg

Von Donaueschingen bis Budapest führt ein 1268 km langer Radweg. Sein beliebtester Teil ist die Strecke von Passau nach Wien. Der "Radweg Deutsche Donau" gliedert sich in vier Abschnitte: der erste Streckenabschnitt führt von Donaueschingen bis Ulm, der zweite von Ulm nach Ingolstadt, der dritte Streckenabschnitt von Ingolstadt nach Regensburg und der vierte von Regensburg nach Passau. Die Gelände- und Straßenverhältnisse sind sehr unterschiedlich. Für den ersten Abschnitt braucht man vier bis fünf Tage, für den zweiten Abschnitt drei bis vier, für den dritten Abschnitt drei und für den vierten Abschnitt drei bis vier Tage.

Dortmund   D 4

Bundesland: Nordrhein-Westfalen
Höhe: 86 m ü.d.M.
Einwohnerzahl: ca. 600 000

Lage und
Bedeutung

Die Ruhrmetropole Dortmund liegt im östlichen Ruhrgebiet. Noch immer steht ihr Name für Kohle, Stahlkochen und "Maloche", auch wenn dem Handels- und Dienstleistungsbereich mittlerweile die größere wirtschaftliche Bedeutung zukommt. Dortmund hat auch unter Bierfreunden einen guten Ruf, denn immerhin sechs Brauereien versorgen die durstigen Kehlen. Mit der Westfalenhalle, dem Westfalenstadion u.a. gilt die Stadt als Hochburg des Sports, nicht zuletzt seit den Erfolgen der Dortmunder Borussia im Fußball.
Nach Norden schiebt sich das Stadtgebiet fast bis zur Lippe vor, im Süden reicht es bis zum schönen Hengsteysee am Fuß der Hohensyburg. Durch den Dortmund-Ems-Kanal ist der Dortmunder Binnenhafen mit der Ems, durch Emscher und Lippe-Seitenkanal mit dem Rhein verbunden.

Geschichte

Dortmund entstand aus einem karolingischen Königshof zum Schutz des Hellwegs. Um 1240 erhielt die Stadt einen starken Befestigungsring. Seit dem 19. Jh. entwickelte sich Dortmund zu einer Stadt des Bergbaus und der Schwerindustrie sowie zu einem Brauereizentrum. Im Zweiten Weltkrieg sind über 90 % der Innenstadt zerstört worden. Das Stadtgebiet wird heute etwa zur Hälfte von Parks und Gartenanlagen bedeckt.

Innenstadt

Alter Markt

Die Innenstadt ist im Verlauf des ehemaligen Befestigungsrings von Wallstraßen umgeben. Den Mittelpunkt der Innenstadt, durch die der Westen- und der Ostenhellweg (Fußgängerzone) verlaufen, bildet der Alte Markt. Nordöstlich vom Markt steht die evangelische Reinoldikirche, deren 104 m hoher Turm als Wahrzeichen von Dortmund gilt. In der Marienkirche sollte man den Marienaltar des Meisters Konrad von Soest beachten.
Eine weitere kunsthistorisch interessante Kirche ist St. Petri am Westenhellweg mit einem berühmten Antwerpener Schnitzaltar (um 1520).

Museum für Kunst-
und Kultur-
geschichte

An der Hansastraße 3 befindet sich das Museum für Kunst- und Kulturgeschichte. Gezeigt werden Exponate zur Stadtgeschichte, ferner Möbel, Goldmünzen, Gemälde aus verschiedenen Jahrhunderten und Gegenstände der Volkskunst.

*Museum am
Ostwall

Einen Besuch lohnt auch das Museum am Ostwall (Ostwall 7): hier sind Kunstwerke des 20. Jh.s – Bilder, Plastiken und Graphiken – ausgestellt, darunter fast 200 Werke des deutschen Expressionismus. Besondere Bedeutung hat das Museum auf dem Gebiet der Objektkunst erlangt, die durch Werke von Duchamps, Yves Klein, Christo, Spoerri und Beuys vertreten ist.

Nördlich der Innenstadt (Münsterstraße 271) liegt das Museum für Naturkunde mit zahlreichen Attraktionen, darunter zwei Dinosauriernachbildungen und das Skelett des 55 Millionen Jahre alten Messeler Urpferdchens. Ferner kann man ein Mineralienkabinett mit Bergkristallen, tropische Süßwasseraquarien mit Amazonasfischen, ein Anschauungsbergwerk und eine Edelsteinschleiferei bewundern.

Südliches und westliches Stadtgebiet

In einer Bierstadt wie Dortmund darf auch ein Brauereimuseum nicht fehlen. Man findet es südöstlich außerhalb des Innenstadtrings an der Märkischen Str. 85 in der Kronenbrauerei.

Im Süden von Dortmund erstreckt sich ein weitläufiges Gebiet mit der Westfalenhalle I und Nebenhallen, einem Messe- und einem Eissportzentrum, dem Westfalenstadion und dem Leichtathletikstadion "Rote Erde". Östlich an diese Einrichtungen grenzt der Westfalenpark an, in dem die

Seitenleiste:
Museum für
Naturkunde

Brauereimuseum

*Westfalenhalle I

Westfalenpark

Westfalenpark

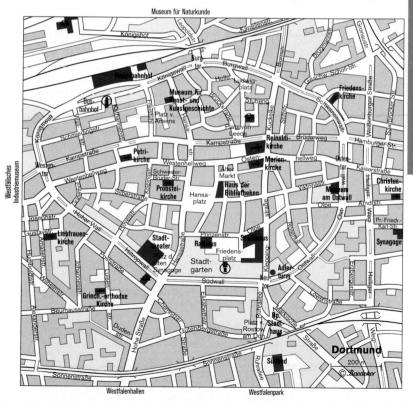

Blick auf die Ruhrmetropole Dortmund mit dem Stadttheater

Rombergpark

Bundesgartenschauen von 1959, von 1969 und von 1991 stattfanden. Hier steht der 212 m hohe Florianturm, ein Fernsehturm mit Drehrestaurant in 138 m Höhe. Im südlichen Teil des Parks gibt es ein originelles Museum, das Deutsche Kochbuch-Museum, dessen Ausstellung einen Einblick in die Rolle der Frau in der Familie von 1850 bis 1960 vermittelt und neben Kochbüchern viele Exponate aus Küche und Haushalt zeigt. In Dortmund lebte Henriette Davidis, deren Rezepte noch heute Grundbestandteil der deutschen Küche sind.

Tierpark

Weiter südwärts gelangt man dann zum Rombergpark, einem ursprünglich englischen Landschaftspark, zu dem ein Botanischer Garten gehört. Eine "Pflanzenschau unter Glas" bietet Einblick in die Welt der Tropenwälder und Wüsten. Im Aufbau befindet sich eine Rekonstruktion der Steinkohlewälder, die anhand von Baumfarnen und Riesen-Schachtelhalmen dargestellt werden. Im Großraum Dortmund gibt es noch andere Freizeitparks: den Revierpark Wischlingen im Westen von Dortmund sowie den Freizeitpark Fredenbaum im Norden der Stadt.

Ein beliebtes Ausflugsziel im Süden ist auch der Dortmunder Tierpark an der Mergelteicherstraße 80. In das 28 ha große Parkgelände sind die Tiergehege harmonisch integriert. Hier findet man so "exotische" Tiere wie den Tamandua Amazoniens und den brasilianischen Puma, aber auch einen Streichelzoo für Kinder mit einem Spielbereich.

Eine sehr ungewöhnliche Angelegenheit ist die Deutsche Arbeitsschutzausstellung im westlichen Stadtteil Dorstfeld (Friedrich-Henkel-Weg 1-25). Hier muß sich man auch aktiv mit dem Thema Arbeitsschutz befassen.

*Westfälisches Industriemuseum Zeche Zollern II/IV

Mit dem Thema Arbeit zu tun hat auch das Westfälische Industriemuseum im Stadtteil Bövinghausen. Es handelt sich im wesentlichen um die mit Jugendstilelementen erbaute stillgelegte Zeche Zollern II/IV, deren größte

Attraktion die Maschinenhalle mit allen für den damaligen Zechenbetrieb nötigen Maschinen im Originalzustand ist.

Umgebung von Dortmund

Rund 12 km südlich von Dortmund steht auf einer bewaldeten Anhöhe über dem Ruhrtal die Ruine der Hohensyburg, die im 13. Jh. zerstört wurde. Der Vincke-Turm, ein Aussichtsturm, wurde 1858 zu Ehren des ersten Oberpräsidenten der Provinz Westfalen, Freiherr von Vincke, erbaut und nach ihm benannt. Von dort bietet sich bei schönem Wetter ein herrlicher Blick über das Ruhrtal. Am Fuß des Berges liegt der Hengstey-See, ein ansprechendes Naherholungsgebiet.

Eingebettet in die Parklandschaft von Hohensyburg ist die Spielbank Hohensyburg, ein moderner Bau und Treffpunkt mit ansprechender Atmosphäre. Neben den Möglichkeiten zum Glücksspiel sorgt eine breitgefächerte Gastronomie für das Wohlbefinden der Gäste.

*Schloß
Cappenberg

Rund 18 km nördlich von Dortmund erreicht man den Ort Cappenberg mit dem gleichnamigen Schloß. Das Schloß, eine frühere Propstei, die 1708 als Dreiflügelanlage erbaut wurde, liegt auf einem bewaldeten Höhenrücken. Nach der Säkularisation 1803 fiel das Anwesen, ein ehemaliges Prämonstratenserkloster, an das Land Preußen. Der Reichsfreiherr vom und zum Stein tauschte das westfälische Gut 1816 gegen seine Besitztümer in Posen und machte Cappenberg zu seinem Alterssitz. Dem preußischen Verwaltungsreformer, der 1831 auf Schloß Cappenberg starb, ist die gründliche Restaurierung der Anlage zu verdanken. Einige Räume beherbergen heute ein Freiherr-vom-Stein-Archiv.

*Stiftskirche

Beachtung verdient auch die ehemalige Stiftskirche, ein ursprünglich romanisches, später im gotischen Stil gestaltetes Bauwerk. Besonders interessant von der Innenausstattung sind das Cappenberger Kruzifix, das um 1225 entstand, das Chorgestühl und das gotische Stifterdenkmal der Klostergründer Gottfried und Otto von Cappenberg. Im Kirchenschatz befindet sich eine bedeutende Arbeit der Goldschmiedekunst des 12. Jahrhunderts: ein Kopfreliquiar mit dem Bildnis Kaiser Friedrichs I. Barbarossa aus vergoldeter Bronze, ein Geschenk des Kaisers an seinen Taufpaten Otto von Cappenberg.

Hinweis

Dresden   K 4

Hauptstadt des Freistaats Sachsen
Höhe: 120 m ü.d.M.
Einwohnerzahl: 482 000

Die Beschreibung von Dresden im Rahmen dieses Reiseführers ist bewußt knapp gehalten, da es in der Reihe Baedeker Allianz Reiseführer bereits einen ausführlichen Stadtführer "Dresden" gibt.

**Elbflorenz

"Elbflorenz" und "Venedig des Ostens" sind die schmückenden Namen von Dresden. Die Stadt liegt in einem weiten Talkessel der oberen Elbe, der sich zwischen Pirna (→ Sächsische Schweiz) und → Meißen über 40 km ausdehnt. Die weltweite Berühmtheit Dresdens gründet sich auf die reichen Kunstsammlungen wie auch auf die eindrucksvollen Baudenkmäler. Dresden ist auch eine Stadt der international anerkannten Forschung und Wissenschaft, eine bedeutende Industriestadt, Zentrum des Ballungsgebietes "Oberes Elbtal" und eine Kulturstadt ersten Ranges mit weltberühmten Ensembles wie das der Sächsischen Staatsoper, wie die Staatskapelle oder der Kreuzchor. Ein wichtiger Faktor im Wirtschaftsleben ist auch der Tourismus: Dresden ist Reiseziel Nr. 1 in Sachsen.

**Elbflorenz

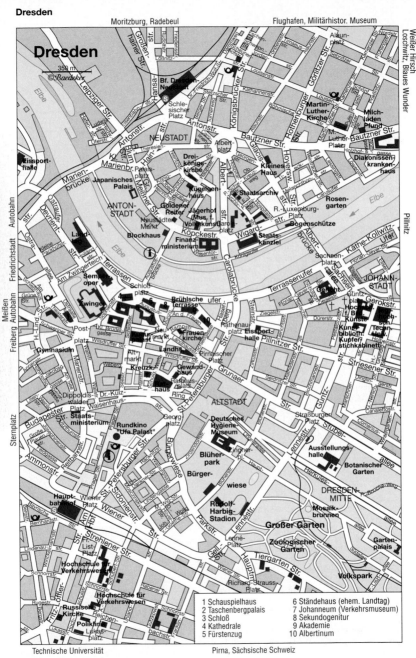

Moritzburg, Radebeul

Flughafen, Militärhistor. Museum

Weißer Hirsch
Loschwitz, Blaues Wunder

Dresden

350 m
©Baedeker

1 Schauspielhaus
2 Taschenbergpalais
3 Schloß
4 Kathedrale
5 Fürstenzug
6 Ständehaus (ehem. Landtag)
7 Johanneum (Verkehrsmuseum)
8 Sekundogenitur
9 Akademie
10 Albertinum

Technische Universität

Pirna, Sächsische Schweiz

Der Ursprung Dresdens liegt in der sorbischen Siedlung "Nisani", die im Schutze der um 1200 errichteten Burg auf dem Taschenberg zum 1206 urkundlich erwähnten "Drezdany" heranwuchs. Nach der Leipziger Teilung im Jahr 1485 wurde die Stadt zur Residenz der Albertiner, doch erst 1530 begann der Ausbau zu einer repräsentativen Residenz, vorangetrieben von Kurfürst Moritz, der Dresden 1547 zur Hauptstadt des Kurfürstentums machte. Unter August dem Starken und dessen Sohn Friedrich August II. durchlebte die Stadt dann zwischen 1694 und 1783 das "Augusteische Zeitalter", während dem sie zu einer der schönsten barocken deutschen Residenzstädte heranwuchs und eine ebenso glanzvolle wie verschwenderische Hofhaltung erlebte, die ihresgleichen in Europa suchte. Bürgerliches Geistesleben ließ Dresden dann um die Wende zum 19. Jh. zu einem Mittelpunkt der deutschen Romantik werden. Im Februar 1945 wurde die historische Altstadt in einer infernalischen Bombennacht nahezu völlig zerstört. 1951 begannen der Wiederaufbau der Innenstadt und die bis heute fortdauernden Restaurierungsarbeiten.

Geschichte

Altstadt

Es ist im wesentlichen die Altstadt am linken Elbufer, die Dresdens Ruf begründet hat. Hier sind nach langen Wiederaufbauarbeiten die berühmtesten Bauwerke und Sehenswürdigkeiten wie Zwinger, Grünes Gewölbe und Gemäldegalerie versammelt, ein geschlossenes Altstadtbild wird man jedoch nicht mehr finden. Innerhalb des Altstadtrings sind alle sehenswerten Plätze bequem zu Fuß zu erreichen.

**Zwinger mit seinen Museen und Sammlungen

Der Zwinger, ein in der Welt einzigartiges Meisterwerk höfischen Barocks und Dresdens berühmtestes Baudenkmal, ist das Werk der beiden genialen Künstler Matthäus Daniel Pöppelmann (1662–1736) als Architekt und Balthasar Permoser (1651–1732) als Bildhauer. Der Name "Zwinger" ergab sich aus der Lage an der Stadtbefestigung, wo 1709 ein Festplatz abgesperrt wurde. Ein Jahr später beauftragte August der Starke Pöppelmann mit dem Bau einer Orangerie, aus der bis 1732 der heutige Zwinger erwuchs; die Seite zum Theaterplatz hin war durch eine Mauer verschlossen, bis 1847 die Gemäldegalerie begonnen wurde. Pavillons und Galerien wurden nach schweren Kriegsschäden bis 1964 wiederhergestellt.

Weltberühmtes Bauwerk

Der Zwinger war nie als Residenz oder zu sonstigen Wohnzwecken gedacht. Er diente allein den repräsentativen Ansprüchen Augusts des Starken, die in ihrer vielfältigen Formenpracht zum Ausdruck kommen. Zuerst zu nennen ist die majestätische, 36 Achsen zählende Langgalerie an der Südseite, nur unterbrochen vom Kronentor, auf dem sich eine zwiebelförmige Kuppel mit vier vergoldeten, die Königskrone tragenden polnischen Adlern erhebt. In den Scheitel der gegen Westen auswärts schwingenden Bogengalerie setzte Pöppelmann den Wallpavillon, den wohl gelungensten Teil des Zwingers dank des phantastischen Skulpturenschmucks von Permoser, darunter seine Satyrhermen und den jugendlichen August als Paris mit der Königskrone statt des Apfels in der Hand. Versetzt hinter dem Wallpavillon liegt das herrlich verspielte Nymphenbad, ein in sich geschlossener, intimer Ort. Der an der Ostseite errichtete Glockenspielpavillon erhielt 1924 bis 1936 nachträglich ein Glockenspiel aus Meissener Porzellan.

Architektonische Formen

**Wallpavillon

In der Langgaleriehälfte rechts vom Kronentor (vom Zwingerhof aus) zeigt das Staatliche Museum für Tierkunde eine Auswahl seiner besten Stücke wie das Skelett der vor 300 Jahren ausgestorbenen Stellerschen Seekuh.

Tierkundemuseum

In der Galeriehälfte links vom Kronentor und dem anschließenden Eckpavillon kann man die 1717 von August dem Starken gegründete Porzellan-

**Porzellan-sammlung

Porzellan-
Sammlung
(Fortsetzung)

sammlung genießen, eine der größten ihrer Art. Gezeigt werden neben asiatischem Porzellan auch die reichhaltigste Sammlung von Böttger-Steinzeug und Böttger-Porzellan und Meissener Porzellane der Blütezeit. (Öffnungszeiten: tgl. außer Do. 10.00 – 18.00 Uhr)

*Mathematisch-
Physikalischer
Salon

Der Mathematisch-Physikalische Salon im westlichen Eckpavillon ist eine der ältesten Sammlungen wissenschaftlich-technischer Geräte sowie die größte deutsche Sammlung von Erd- und Himmelsgloben.

**Gemäldegalerie
Alte Meister

Den zur Elbe zeigenden Flügel des Zwingers belegt die Gemäldegalerie Alte Meister, 1847 – 1865 nach Entwürfen von Gottfried Semper errichtet. Die Sammlung ging aus der etwa 1560 von Kurfürst August gegründeten Kunstkammer hervor und wurde im 18. Jh. unter August III. erweitert. Im Zweiten Weltkrieg wurden große Teile der Sammlung ausgelagert; die Kunstwerke wurden in die Sowjetunion geschafft und kehrten erst 1955 nach Dresden zurück. Beim Bombenangriff vom Februar 1945 verbrannten zudem 154 Bilder. Die Gemäldegalerie Alte Meister ist eine der reichsten Sammlungen von Meisterwerken der europäischen Malerei des 15. bis 18. Jahrhunderts. Herausragende Einzelwerke sind "Bathseba am Springbrunnen" von Rubens sowie "Ganymed in den Fängen des Adlers" und "Selbstbildnis mit Saskia" von Rembrandt. Glanzpunkt der Kollektion aber ist die italienische Malerei des 15. – 18. Jh.s, allen voran Raffaels "Sixtinische Madonna"; dazu gesellt sich u. a. Tizians "Zinsgroschen". (Öffnungszeiten: Di. – So. 10.00 – 18.00)

**Sixtinische
Madonna

**Rüstkammer

Das Untergeschoß des Ostflügels der Sempergalerie belegt die Rüstkammer (Historisches Museum), eine der wertvollsten Prunkwaffensammlungen überhaupt, zu deren schönsten Stücken die Ornat Augusts des Starken zu seiner Königskrönung 1697 zählt.

*Theaterplatz und Umgebung

Jenseits des Portikus der Gemäldegalerie öffnet sich der von Sempergalerie, Oper, Taschenbergpalais, Schloß und Hofkirche eingerahmte Theaterplatz mit dem 1883 von Johannes Schilling geschaffenen Reiterstandbild König Johanns von Sachsen in der Mitte. Zur Elbe hin liegt die 1913 eröffnete Gaststätte und Café Italienisches Dörfchen, dessen herrliche Innengestaltung schon allein die Einkehr lohnt.

*Semperoper

Trotz der Nähe von Schloß und Hofkirche dominiert die 1878 eröffnete Semperoper den Platz. Sie ist das zweite von Semper projektierte Hoftheater, nachdem das erste 1869 abgebrannt war. Sowohl die äußere Form als auch die herrliche Innengestaltung stammen von ihm. Der zweigeschossige, bogenförmige Arkadenbau erhält durch die Exedra mit der bronzenen Quadriga von Johannes Schilling seine besondere Note.

Altstädter Wache

In der Südostecke des Platzes sieht man Karl Friedrich Schinkels einzigen Bau in Dresden, die 1830 / 1831 entstandene Altstädter Wache, nun Vorverkaufskasse für die Sächsische Staatsoper und die Staatskapelle.

*Taschenberg-
palais

Von der Altstädter Wache sind es nur wenige Schritte zum wiedererrichteten Taschenbergpalais. Das von Pöppelmann auf Geheiß Augusts des Starken für seine Mätresse, die Gräfin Cosel, errichtete Gebäude (1705 – 1708) sank 1945 in Schutt und Asche; erst 1995 wurde die Restaurierung als Luxushotel abgeschlossen.

*Hofkirche
(Kathedrale)

Einen weiteren architektonischen Akzent am Theaterplatz setzt die ehemalige Katholische Hofkirche, mit 4800 m² Fläche die größte Kirche Sachsens und letzte große Leistung des römischen Barock in Europa. Seit August

Der Wallpavillon gilt als architektonischer Glanzpunkt des Zwingers. ▶

Vom Turm des Schlosses blickt man auf die Semperoper und die Gemäldegalerie im Zwinger (links).

Hofkirche (Fortsetzung)

der Starke 1697 zum Katholizismus übergetreten war, konnten die Kurfürsten inmitten ihres protestantischen Landes nur unzureichend ihren Glauben praktizieren. Deshalb beschloß man den Bau einer repräsentativen neuen Hofkirche (1738–1755). Die Baumeister schufen eine dreischiffige Sandsteinbasilika mit einem filigranen, teilweise freistehenden Turm, der der Kirche zusammen mit den 78 Heiligenstatuen von Lorenzo Matielli ihr charakteristisches Aussehen verleiht. Die Besonderheit des Innenraums ist der doppelgeschossige Prozessionsumgang, auf dem die katholischen Prozessionen, die außerhalb des Gotteshauses verboten waren, stattfinden konnten. Prunkstücke der Innenausstattung sind das Hochaltargemälde "Die Himmelfahrt Christi" (1751) von Anton Raphael Mengs (1728–1779) und die üppig-verspielte Kanzel (1722) von Balthasar Permoser. Die Orgel ist eine der letzten von Gottfried Silbermann. Die nur mit Führung zugängliche Gruft war die Grablege der katholischen Wettiner. Ihre letzte Ruhe fanden hier u. a. Kurfürst Friedrich August II. († 1763) mit seiner Gemahlin Maria Josepha von Habsburg († 1757), darüber die Kapsel mit dem Herzen Augusts des Starken, dessen Körper im Krakauer Dom beigesetzt ist.

*Schloßplatz und Umgebung

*Schloß (Abb. s. S. 248)

*Georgenbau

Direkt an die Hofkirche schließt das ehemalige Residenzschloß an, einer der bedeutendsten Renaissancebauten Deutschlands. Das zwischen dem 13. und 16. Jh. entstandene Bauwerk wird nun nach seiner Zerstörung 1945 wieder vollständig aufgebaut. Zum Schloßplatz hin zeigt der Georgenbau, in seiner heutigen Gestalt (1898–1901) dem um 1530 entstandenen ersten Gebäude nachempfunden. Eine Ausstellung informiert über Geschichte und Wiederaufbau des Schlosses. Über den Georgenbau kann man auf den 101 m hohen Hausmannturm aufsteigen, von dessen Balustrade man einen herrlichen Blick über ganz Dresden genießt.

Der Lange Gang wurde zwischen 1586 und 1588 erbaut und verbindet den Georgenbau mit dem Johanneum. Er begrenzt den Stallhof, den Schauplatz der ritterlichen Spiele und Turniere, dessen Ringstechbahn heute die einzige gut erhaltene Turnieranlage in Europa ist. An der Außenseite des Langen Ganges wurde 1876 der berühmte, 101 m lange Fürstenzug angebracht, auf dem alle Herrscher des Geschlechts Wettin auf insgesamt 24 000 Meissener Porzellankacheln dargestellt sind. Er ist ein Werk von Wilhelm Walther.

*Langer Gang und *Stallhof*

**Fürstenzug*

Vom Schloßplatz überquert die Augustusbrücke, die älteste Brücke der Stadt, die Elbe hinüber zur Neustadt. Sie ist Nachfolgerin einer bereits 1275 erwähnten Steinbrücke.

Augustusbrücke

Ebenfalls am Schloßplatz erhebt sich das Ständehaus, der 1901 – 1903 nach Plänen von Paul Wallot, dem Architekten des Berliner Reichstags, erbaute Sitz des Sächsischen Landtags. Heute beherbergt es die Deutsche Fotothek und das Staatliche Museum für Mineralogie und Geologie.

Ständehaus

*Brühlsche Terrasse

Vom Schloßplatz führt die von der Skulpturengruppe "Die vier Tageszeiten" von Johannes Schilling gezierte Freitreppe auf die Brühlsche Terrasse, die sich über dem Elbufer auf den Resten der Dresdner Festungsanlagen erstreckt. Sie verdankt ihren Namen dem sächsischen Minister Graf Heinrich von Brühl (1700 – 1763), der das Gelände zum Geschenk erhielt und es in einen privaten Lustgarten umwandelte. Nachdem dieser 1814 öffentlich gemacht wurde, avancierte er bald zur beliebten Flaniermeile mit berühmten Cafés und erhielt den Namen "Balkon Europas".

Der Balkon Europas

Rechter Hand sieht man zunächst die Sekundogenitur (1897), benannt nach der Tradition, die königliche Graphiksammlung, die der Neubau aufnahm, dem zweitgeborenen Prinzen zu übertragen (Sekundogenitur – zweite Geburt). Im Zentrum der Brühlschen Terrasse stehen die Gebäude des Sächsischen Kunstvereins und der Sächsischen Kunstakademie, deren Glaskuppel man in Dresden "die Zitronenpresse" nennt.

Sekundogenitur

Von der Terrasse führt eine Treppe hinab zum Zugang zu den wieder freigelegten, im 16. Jh. entstandenen Kasematten.

Kasematten

Im Osten der Brühlschen Terrasse legte Graf Brühl auf der ehemaligen Venusbastion seinen Garten an. Aus dieser Zeit stammt der Delphinbrunnen (1747 – 1749) von Pierre Coudray. Die beiden Sphinxgruppen von Gottfried Knöffler (1715 – 1779) bezeichnen den einstigen Eingang zum Belvedere, in dessen Gewölben Johann Friedrich Böttger festgehalten wurde, um für August den Starken Gold herzustellen. Eine Sandsteinstele erinnert daran.

Brühlscher Garten

Sammlungen von Weltruf birgt das Albertinum (1884 – 1887) unterhalb des Brühlschen Gartens (Öffnungszeiten: tgl. außer Do. 10.00 – 18.00 Uhr): Die Gemäldegalerie Neue Meister im Obergeschoß besitzt Bilder der Romantik, des Biedermeier und des bürgerlichen Realismus, französische, polnische, rumänische, ungarische und belgische Malerei des 19. Jh.s, deutsche Impressionisten und Expressionisten und zeitgenössische Gegenwartskunst. Zu den wichtigsten ausgestellten Gemälden zählen Caspar David Friedrichs "Kreuz im Gebirge", Edgar Degas' "Zwei Tänzerinnen" und Otto Dix' Triptychon "Der Krieg".

Albertinum

***Gemäldegalerie Neue Meister*

Ein Publikumsmagnet allererster Ordnung ist das Grüne Gewölbe. Einmalige Stücke für diese Pretiosensammlung schufen vor allem die Augsburger Goldschmiede Gebrüder Dinglinger: das Goldene Kaffeeservice für August den Starken von 1701, die lustigen Figuren aus Perlen und Edelsteinen und vor allem den "Hofstaat von Delhi am Geburtstag des Großmoguls Aureng Zeb" (1701 – 1708) – ein unglaubliches Diorama von 137 goldenen,

***Grünes Gewölbe*

Albertinum (Fts.)
Skulpturen-
sammlung
Münzkabinett

emaillierten Figuren mit 3000 Diamanten, Rubinen, Smaragden und Perlen. Die Skulpturensammlung im Untergeschoß umfaßt altägyptische und vorderasiatische Kunst, griechische, römische und etruskische Skulpturen sowie eine Sammlung zeitgenössischer Plastiken. Das Münzkabinett besitzt über 200 000 Münzen.

Über dem Schloß und dem Georgentor ragt der Hausmannsturm auf.

Neumarkt und Altmarkt

Vom Albertinum ist es nicht weit zum Neumarkt, der bis zum Februar 1945 die wohl malerischste Platzanlage Dresdens war. Die Bomben haben nur noch Rudimente der Bauten rundum übriggelassen.

Baustelle
Frauenkirche

Den Neumarkt dominiert heute die Baustelle der Frauenkirche, einst Deutschlands bedeutendster protestantischer Kirchenbau. Mit ihrer berühmten Steinkuppel prägte sie die Stadtsilhouette. Die seit dem 11. Jh. nachgewiesene Kirche Unserer Lieben Frauen mußte 1726 abgebrochen werden, doch noch im gleichen Jahr wurde nach Plänen George Bährs mit dem Neubau begonnen. Der Zentralbau auf einem quadratischen Grundriß erreichte eine Höhe von 95 m und hatte einen Kuppeldurchmesser von 23,50 m. Nach dem Bombenangriff sank sie am 15. Februar 1945, als die Innenstadt schon in Trümmern lag, in sich zusammen. Die Ruine blieb jahrzehntelang als Mahnmal für die Opfer des Bombenkriegs stehen. Im Februar 1990 fand sich eine Bürgerinitiative für den Wiederaufbau zusammen, der am 4. Januar 1993 begann und bis 2006 abgeschlossen sein soll. Die Unterkirche ist bereits fertiggestellt und wird für Gottesdienste genutzt.

Johanneum
(Verkehrsmuseum)

Das Johanneum an der Westseite des Neumarkts wurde unter Kurfürst Christian I. 1586–1591 als Stallgebäude innerhalb des Schloßkomplexes errichtet. Es ist bislang das einzige Gebäude des völlig zerstörten Neumarkts, das wiederaufgebaut wurde. Seit 1956 beherbergt es das Verkehrsmuseum.Zu dessen Glanzstücken gehören die 1861 in Chemnitz gebaute Dampflok "Muldenthal", die drittälteste in Deutschland.

An der Westseite des Johanneums ist die um 1555 für die Schloßkapelle geschaffene "Schöne Pforte" angebracht, als edelste, schönste und vollkommenste Portalgestaltung der deutschen Renaissance eingeschätzt.

Johanneum (Fortsetzung)

*Schöne Pforte

Vom Neumarkt sind es wiederum nur wenige Schritte am Kulturpalast von 1969 vorbei zur Wilsdruffer Straße, in ihrer heutigen Breite 1954 bis 1957 als Ost-West-Achse angelegt. An ihrem Beginn am Pirnaischen Platz ist als eines der wenigen Altstadthäuser das ehemalige Landhaus (1770–1776) erhalten geblieben. Es beherbergt das Stadtmuseum Dresden.

Wilsdruffer Straße

*Landhaus (Stadtmuseum)

Der Altmarkt, erstmals 1370 erwähnt, ist das historische Zentrum der Stadt. Das einzige erhaltene historische Gebäude am Altmarkt ist die seit dem 13. Jh. nachgewiesene Kreuzkirche, benannt nach einem 1234 hierhergebrachten Splitter vom Kreuz Christi. Die jetzige Kirche ist bereits die vierte Nachfolgerin und entstand von 1764–1792 in barocken Formen. Der Innenraum ist nach 1945 sehr vereinfacht wiederhergestellt worden. So alt wie die Kirche ist der weltbekannte Kreuzchor, der jeden Samstag um 18.00 Uhr zu hören ist.

Altmarkt

*Kreuzkirche

Hinter der Kreuzkirche kommt man zum 1905–1910 erbauten Rathaus, dessen Treppenhaus in herrlichem Jugendstil gestaltet ist. Benachbart ist das wiederhergestellte barock-klassizistische Gewandhaus (1768–1770) mit dem barocken Dinglingerbrunnen an der Rückseite.

Rathaus

Südlich vom Altmarkt führt die ganz im Geiste des Sozialismus angelegte Prager Straße, vor ihrer Zerstörung die weitläufige Haupteinkaufs- und Geschäftsstraße Dresdens, zum 1898 eröffneten Hauptbahnhof.

Prager Straße

Großer Garten und Umgebung

Östlich der Altstadt erstreckt sich der Große Garten mit Zoo, Botanischem Garten, Freilichtbühne, Parktheater, Puppentheater und Parkeisenbahn. Er geht auf den ersten, 1676 von Kurfürst Johann Georg II. angelegten Garten zurück. Mittelpunkt des Großen Gartens ist das Gartenpalais mit dem Palaisteich und den Kavaliershäusern (1678–1683), der früheste Barockbau in Sachsen. Am bemerkenswertesten aber sind die der griechischen Sagenwelt entlehnten Skulpturen im Park, darunter vier von einst zwölf Herkulesgruppen aus der Permoser-Werkstatt.

*Großer Garten

Gegenüber vom Haupteingang des Großen Gartens kommt man zum Deutschen Hygiene-Museum, einem in Deutschland einzigartigen Museum. Die Dauerausstellungen beschäftigen sich mit der Biologie des Menschen, medizinischer Aufklärung und Erziehung zu gesunder Lebensweise; hinzu kommen teilweise sehr originelle Sonderausstellungen. Zu sehen ist auch der weltbekannte, 1930 erstmals gezeigte "Gläserne Mensch", ein lebensgroßes, höchst detailliertes Modell des menschlichen Körpers.

*Deutsches Hygiene-Museum

Das Kupferstichkabinett der Staatlichen Kunstsammlungen Dresden ist nördlich vom Großen Garten in der Güntzstraße Nr. 34 untergebracht.

*Kupferstich-kabinett

Friedrichstadt

Die 1670 zur Ansiedlung von Handwerkern gegründete Friedrichstadt westlich der Altstadt ist die älteste Dresdner Vorstadt. An ihrem Ostrand erhebt sich Dresdens ungewöhnlichstes Bauwerk, die in Gestalt einer Moschee mit Minarett (Glaskuppel mit Schornstein) in den Jahren 1907–1912 errichtete Zigarettenfabrik Yenidze, die heute ein Hotel-, Restaurant- und Ladenkomplex birgt.

*Tabakkontor Yenidze

Dresden

Marcolinipalais

Am mittleren Abschnitt der Friedrichstraße liegt der Eingang zum Marcolinipalais, das heute Teil des Krankenhauses Friedrichstadt ist.

Neptunbrunnen

Den Neptunbrunnen (1741 – 1744) von Lorenzo Mattielli an der hinteren Begrenzungsmauer, die großartigste barocke Brunnenanlage in Dresden, kann man nach Anfrage an der Krankenhauspforte besichtigen.

Neustadt

Allgemeines

Die Dresdner Neustadt, auf der rechten Elbseite der Altstadt gegenüber, ist aus dem 1403 gegründeten und 1549 mit Dresden vereinigten Altendresden hervorgegangen. Sie ist nach einem Großbrand im Jahr 1685 als einheitliche Barockanlage neu aufgebaut worden.

**Neustädter Markt
*Goldener Reiter**

Von der Altstadt über die Augustusbrücke kommend erreicht man den Neustädter Markt, den das Reiterstandbild Augusts des Starken als Caesar von Jean Joseph Vinache (1696 – 1754) beherrscht. Die südliche Begrenzung zur Elbe bildet das Blockhaus, 1732 – 1755 als Neustädter Wache nach Plänen von Zacharias Longuelune erbaut.

**Jägerhof
(Museum)**

Östlich vom Neustädter Markt liegt der Jägerhof, eines der wenigen Dresdner Gebäude aus vorbarocker Zeit (1582 – 1611). Heute beherbergt es das Museum für Volkskunst.

Hauptstraße

An der zum Albertplatz führenden Hauptstraße sieht man bald links drei klassizistische Häuser, von denen Nr. 13, Wohnung des Malers Gerhard von Kügelgen (1772 – 1820), als Treffpunkt von Persönlichkeiten der deutschen Romantik bekannt geworden ist, eine Tradition, die im hier nun eingerichteten Museum zur Dresdner Frühromantik weiterlebt.

Dreikönigskirche

Kurz darauf folgt ebenfalls links die Dreikönigskirche, ursprünglich 1404 geweiht, 1732 – 1739 neu erbaut, im Februar 1945 völlig ausgebrannt und erst 1994 endgültig wiederaufgebaut. Sehenswert sind der im Krieg schwer beschädigte barocke Altar von Benjamin Thomae (1738) und der "Dresdner Totentanz" (1534 – 1536) von Christoph Walther I.

***Königstraße**

Die Hauptstraße mündet in den Albertplatz, von dem die Königstraße wieder Richtung Elbe führt. Diese Straße hat sich zusammen mit der von ihr abzweigenden Rähnitzgasse zur schönsten Barockstraße Dresdens mit hübschen Läden und Cafés entwickelt.

**Japanisches
Palais**

Die Königstraße mündet gegenüber vom Japanischen Palais auf den Palaisplatz. Das Palais entstand als Erweiterung des 1715 erbauten Holländischen Palais, um die Porzellansammlung Augusts des Starken aufzunehmen. Zur Elbe hin erstrecken sich schöne Parkanlagen, von denen aus man den "Canaletto-Blick" genießen kann. Im Japanischen Palais sind heute zwei Museen untergekommen: das Landesmuseum für Vorgeschichte, das wechselnde Ausstellungen zur sächsischen und europäischen Archäologie zeigt, und das Staatliche Museum für Völkerkunde.

***Molkerei Pfund**

**Militärhistorisches
Museum
Buchmuseum**

Sehenswert in der äußeren Neustadt sind an der Bautzner Straße Nr. 79 das Molkereigeschäft Pfund mit seiner farbenprächtigen, originalen Ladenausstattung um 1892 und Café, das Militärhistorische Museum im Norden der Neustadt am Olbrichtplatz und das Buchmuseum der Sächsischen Landesbibliothek, dessen größter Schatz eine der drei überhaupt noch existierenden Maya-Handschriften ist.

***Gartenstadt
Hellerau**

Am nördlichen Stadtrand liegt das ab 1910 erbaute Hellerau, die erste deutsche Gartenstadt. Von Heinrich Tessenow stammt das Festspielhaus, in dem Emile Jaques-Delcroze und Mary Wigman in den zwanziger Jahren den modernen Ausdruckstanz entwickelten.

Dresdens östliche Vororte

Der linkselbisch östlich der Altstadt gelegene Stadtteil Blasewitz ist eine Oase großbürgerlicher Architektur der Jahrhundertwende. Die berühmteste Brücke Dresdens verbindet die Stadtteile Blasewitz und Loschwitz. Die mächtige Eisenkonstruktion mit einer Gesamtlänge von 226 m wurde 1891 bis 1893 als eine der ersten ihrer Art in Europa erbaut. Da sich der ursprünglich grüne Anstrich rasch zum Blau verfärbte, bürgerte sich bald die durchaus doppelsinnig zu verstehende Bezeichnung "Blaues Wunder" ein.

Über das "Blaue Wunder" geht man hinüber nach Loschwitz. Von der Brücke überblickt man die oberhalb des Elbknies herrlich am Loschwitzhang gelegenen sog. Elbschlösser: Schloß Eckberg, 1859–1861 im Tudorstil erbaut und heute ein Hotel, dann das 1850–1853 erbaute und 1906 vom Odolfabrikanten Karl August Lingner erworbene Lingner-Schloß, schließlich das für Prinz Albrecht von Preußen 1851–1854 errichtete Schloß Albrechtsberg. Als einziges kann man es besichtigen.

Blasewitz
*Blaues Wunder

*Loschwitz

*Elbschlösser

Ein phantastisches Panorama liegt dem zu Füßen, der mit der Schwebebahn zum Stadtteil Weißer Hirsch hochfährt. Die Brücke "Blaues Wunder" (links) verbindet die Dresdner Stadtteile Loschwitz und Blasewitz.

Unterhalb des Blauen Wunders steht in der Friedrich-Wieck-Straße das Wohnhaus (Nr. 10) des Musiklehrers Friedrich Wieck (1785–1873), Vater der Pianistin Clara Wieck, die mit Robert Schumann verheiratet war. Haus Nr. 6 am Körnerweg war die Sommerwohnung der Eltern des Dichters Theodor Körner. Mozart, Goethe, Kleist, E. M. Arndt, Novalis, die Brüder Humboldt, die Brüder Schlegel u. v. a. waren hier zu Gast. Im Gartenhaus des Weingutes der Körners (Schillerstraße Nr. 19) vollendete Friedrich Schiller in den Jahren 1785 bis 1787 den "Don Carlos".

Mit der Standseilbahn, eine der ältesten Bergbahnen Europas (1895), oder der Schwebebahn, Baujahre 1898 bis 1900 und somit die älteste ihrer Art

*Weißer Hirsch

Dresden

Vororte, Weißer Hirsch (Fts.)

in der Welt, erreicht man auf der Höhe den Stadtteil Weißer Hirsch, einst mondäner Kurort.

Hosterwitz

Der Elbe aufwärts folgend erreicht man den Stadtteil Hosterwitz. Sehenswert hier ist vor allem die hübsche Fischerkirche Maria am Wasser, um 1500 erbaut und 1774 barock umgestaltet. An den Komponisten Carl Maria von Weber erinnert das von ihm als Sommerhaus genutzte Gebäude Dresdner Straße Nr. 44, wo er u. a. Teile des "Freischütz" komponierte.

Pillnitz

Der letzte der Dresdner Vororte vor der östlichen Stadtgrenze ist das alte Weindorf Pillnitz. Daran erinnert auch die Weinbergkirche am Hang des Borsbergs, 1723–1725 von Pöppelmann errichtet.

**Schloß Pillnitz

Eine durch ihre Anmut wahrhaftig bezaubernde Anlage ist Schloß Pillnitz mit seinem Park, ein Geschenk Augusts des Starken an die Gräfin Cosel. Wasserpalais und Bergpalais enstanden 1720–1723 nach Plänen von Pöppelmann und Longuelune, 1818–1826 kam das Neue Palais hinzu. Was Pillnitz so besonders macht, ist der zu jener Zeit so beliebte Chinesische Stil. Berg- und Wasserpalais beherbergen das Kunstgewerbemuseum.

Kunstgewerbemuseum

Während im Wasserpalais überwiegend Möbel, Glas, Majolika, Leder, Gobelins und Kunstschmiedearbeiten des 17. und 18. Jh.s zu sehen sind, werden im Bergpalais die Zinnsammlung, Steinzeug, Fayencen, Kunsthandwerk und historische Musikinstrumente gezeigt.

**Schloßpark

Der zwischen Berg- und Wasserpalais gelegene Lustgarten wurde erst im 19. Jh. als Schmuckanlage gestaltet. An ihn schließt sich westlich der zu Gräfin Cosels Zeiten entstandene barocke Gartenteil mit den labyrinthischen Heckenquartieren an. Eine Attraktion ist die berühmte, 8,50 m hohe und in der Krone 12 m ausladende japanische Kamelie.

Umgebung von Dresden

*Stolpen

Mit dem Namen des 20 km östlich von Dresden eindrucksvoll auf einer Basaltkuppe liegenden Städtchens Stolpen ist das tragische Schicksal der Gräfin von Cosel (1680–1765), Mätresse Augusts des Starken, verbunden. Als er sie verstieß und sie sich widersetzte, ließ er sie 1716 auf Burg Stolpen festsetzen, wo sie 49 Jahre (die letzten 27 allerdings freiwillig) bis zu ihrem Tod verbrachte. Als hübsches Kleinod mit frisch renovierter Postmeilensäule zeigt sich der zur Burg hin ansteigende Marktplatz. Von ihm aus betritt man die 1211 angelegte Burg, auf der man die Wasserversorgung, die Folterkammer, eine Sammlung von Türschlössern, den sog. Coselturm, in dem die Gräfin lebte, die Reste der Burgkapelle und den Burgbrunnen, mit 82 m der tiefste Basaltbrunnen der Erde, besichtigen kann.

Tharandter Wald

Südwestlich von Dresden beginnt kurz hinter der Stadtgrenze der Tharandter Wald, einst Jagdrevier der Kurfürsten von Sachsen und seit dem 19. Jh. in der Obhut der 1811 von Johann Heinrich Cotta gegründeten Sächsischen Forstlehranstalt. Sie hat ihren Sitz in der Stadt Tharandt, wo sie im Forstbotanischen Garten ihre Arbeit präsentiert. Von Tharandt bietet sich eine Wanderung durch das Tal der Wilden Weißeritz an, durch die auch die Weißeritzbahn Freital–Kurort Kipsdorf schnauft. Das Jagdschloß Grillenburg genau in der Mitte des Forsts zeigt eine jagdkundliche Ausstellung.

Radebeul

Karl-May-Museum

Unmittelbar an Dresden grenzt die Stadt Radebeul, Wohn- und Sterbeort des geistigen Vaters von Winnetou und Old Shatterhand, Karl May (1842 bis 1912). Seine "Villa Shatterhand" in der Karl-May-Str. Nr. 5 bewahrt manch seltenes Erinnerungsstück; in der "Villa Bärenfett" ist eine sehr umfangreiche und wertvolle Sammlung indianischer Kulturgegenstände zu sehen. Wer mit Karl May nichts anfangen kann, wandere durch die Radebeuler Weinberge zum Schloß Hoflößnitz mit seinem Weinbaumuseum und zum Schloß Wackerbarths Ruh, Sitz des Sächsischen Staatsweinguts. Etwas weiter westlich davon kann man in Schloß Hohenhaus die Puppentheatersammlung der Staatlichen Kunstsammlungen Dresden besichtigen.

Inmitten des Landschaftsschutzgebiets der Moritzburger Teiche liegt 14 km nordwestlich von Dresden das Jagdschloß Moritzburg, das man von Radebeul aus auch mit der Museumsbahn "Lößnitzdackel" erreicht. In seiner heutigen Form entstand es unter August dem Starken in den Jahren 1723 – 1736 nach Plänen von Zacharias Longuelune, Matthäus Daniel Pöppelmann und Jean de Bodt. Die Räume im ersten Obergeschoß zeigen als Barockmuseum auserlesenes Kunsthandwerk des 16. – 18. Jh.s, Möbel, Öfen, Gemälde, und Tapeten. Die beiden eindrucksvollsten Säle sind der Monströsensaal, der seinen Namen den 39 dort aufgehängten, mißgeformten Geweihen verdankt (darunter der Moritzburger 66-Ender, der es tatsächlich nur auf 27 bringt) und der Speisesaal, in dem das angeblich stärkste Rothirschgeweih (Nr. 8) der Welt hängt.

Dresden, Umgebung (Fts.)
**Schloß Moritzburg

Barockmuseum

In den unteren Schloßräumen ist zu Ehren von Käthe Kollwitz (1867 – 1945), die die letzten Jahre ihres Lebens in Moritzburg verbrachte, eine Gedenkstätte eingerichtet; ihre Wohnung im Rüdenhof ist ebenfalls Gedenkstätte.

Käthe-Kollwitz-Gedenkstätten

An die Nordseite des Schlosses schließt sich der kleine Schloßpark an. Wesentlich ausgedehnter ist der Waldpark mit Wildgehege, durch den man in östlicher Richtung zum Fasanenschlößchen (1769 – 1782) gelangt, das eine Ausstellung über die heimische Vogelwelt beherbergt. Vom Schlößchen blickt man hinab zum kleinen Hafen am See. Leuchtturm und Mole ließ, wie das Schlößchen, Friedrich August II. zum Vergnügen der Hofgesellschaft anlegen.

*Waldpark

Fast alle Moritzburger Teiche wurden künstlich angelegt, um darin die Delikatesse auf des Fürsten Tafel – Karpfen – zu züchten. Der alljährlich Ende Oktober stattfindende Moritzburger Fischzug ist ein Ereignis, das man nicht versäumen sollte, weilt man gerade in Dresden.

*Moritzburger Teichgebiet

Im Jahr 1828 wurde in Moritzburg das Hengstdepot zur Zucht von Halb- und Kaltblütern gegründet; heute werden hauptsächlich Halbblüter für den Reitsport gezüchtet. Die im September veranstalteten Hengstparaden ziehen eine große Zahl von Besuchern an.

Hengstdepot

Duisburg   C 4

Bundesland: Nordrhein-Westfalen
Höhe: 33 m ü.d.M.
Einwohnerzahl: 535 000

Duisburg liegt am Westrand des Ruhrgebiets, an der Mündung der Ruhr in den Rhein. Wie mit Dortmund oder Bochum assoziiert man mit Duisburg Feuer und Eisen, Stahl- und Walzwerke. Die Stahlindustrie Duisburgs hat in den vergangenen Jahren allerdings einen erheblichen Aderlaß erleiden müssen, der vielen Stahlkochern den Arbeitsplatz gekostet hat. Die günstige Lage an Rhein und Ruhr ließ mit dem Duisburger Hafen einen der größten Binnenhäfen der Welt heranwachsen. In Duisburg lebte der Kartograph Gerhard Mercator (1512–1594), mittlerweile dürfte ihn allerdings Kommissar Schimanski auf der Popularitätsskala überholt haben.

Lage und Bedeutung

In fränkischer Zeit entstand am Anfang des Hellwegs ein Stapelplatz für die Rheinschiffahrt. Die Verlagerung des Rheins im 13. Jh. beendete eine Zeit hoher wirtschaftlicher Blüte. Erst 1831 erhielt Duisburg durch den Bau des Rheinkanals wieder Anschluß an den Rhein. Mit der Eingemeindung von Ruhrort im Jahr 1905 kam auch der Hafen zu Duisburg.

Geschichte

Sehenswertes in Duisburg

An der Königstraße, der Hauptstraße der Innenstadt, öffnet sich der König-Heinrich-Platz mit dem Stadttheater und der Mercator-Halle, einer Mehrzweckhalle für Konzerte, Bälle, Show-Veranstaltungen und Ausstellungen.

Mercator-Halle

Düsseldorf

Vom alten Duisburg ist nicht viel geblieben, allenfalls um den Alten Markt ist noch etwas zu erahnen, wo archäologische Grabungen Reste einer mittelalterlichen Markthalle zutage förderten. In der Salvatorkirche aus dem 15. Jh. findet man den Epitaph für Gerhard Mercator; etwas östlich steht mit dem Dreigiebelhaus von 1536 Duisburgs ältestes Wohnhaus.

*Wilhelm-Lehm-bruck-Museum
Südwärts steht an der Düsseldorfer Straße das Wilhelm-Lehmbruck-Museum (Eingang Friedrich-Wilhelm-Straße). Das dem Duisburger Bildhauer Wilhelm Lehmbruck (1881–1919) gewidmete Museum zeigt neben Skulpturen auch einige Gemälde und Zeichnungen des Künstlers.

Rhein-Ruhr-Hafen
Die Schwanentorbrücke, eine Hebebrücke, verbindet die Innenstadt mit dem durch die Stahlindustrie bekannten Stadtteil Ruhrort. Dort dehnen sich im Mündungsbereich von Rhein und Ruhr die 15 Becken des Binnenhafens aus, dessen jährlicher Güterumschlag sich auf ca. 50 Millionen Tonnen beläuft.

Museum der
Deutschen
Binnenschiffahrt
Das Museum der Deutschen Binnenschiffahrt, bislang im alten Ruhrorter Rathaus, soll 1998 in einem umgebauten Jugendstil-Hallenbad im nördlich an Ruhrort anschließenden Stadtteil Laar wiedereröffnet werden.

Nördliche
Stadtteile
Die Nord-Süd-Straße (Bundesautobahn A 59) verbindet mit der 1824 m langen Berliner Brücke die Duisburger Innenstadt über Ruhr und Rhein-Herne-Kanal hinweg mit den nördlichen Stadtteilen Meiderich, Hamborn und Walsum; die Rheinaue in Walsum wurde unter Naturschutz gestellt. Zwischen den Stadtteilen Hamborn und Meiderich entsteht auf einem ehemaligen Zechen- und Industriegelände ein Landschaftspark.

Umgebung von Duisburg

*Kamp-Lintfort
Ca. 15 km nordwestlich von Duisburg lohnt ein Abstecher nach Kamp-Lintfort mit seinem berühmten Kloster Kamp und dem schönen angrenzenden Barock-Terrassengarten. Das Kloster ist das erste Zisterzienserkloster in Deutschland. Es wurde 1122 von französischen Mönchen gegründet: Aus ihm gingen über 80 Zisterzienserklöster in Europa hervor. Auf dem Abteiplatz dokumentiert ein Ordensmuseum die Geschichte der Zisterzienser und der Abtei Kamp. In der Schatzkammer befindet sich das kostbarste Stück, das "Kamper Antependium", ein in Deutschland einzigartiges Altartuch aus dem 14. Jahrhundert.

Düsseldorf   C 4

Hauptstadt des Bundeslandes Nordrhein-Westfalen
Höhe: 38 m ü.d.M.
Einwohnerzahl: 572 000

Lage und
*Stadtbild
Düsseldorf, die Hauptstadt von Nordrhein-Westfalen, liegt am hier rund 310 m breiten Niederrhein. Die Stadt ist Sitz einer Universität, ferner Kunst-, Mode-, Kongreß- und Messestadt. Breite Straßen mit eleganten Geschäften sowie ein nahezu den gesamten Stadtkern umziehender Gürtel von Parks und Grünanlagen geben der Stadt ihr Gepräge. Die Altstadt mit ihren gemütlichen Lokalen und Bierstuben gilt als "längste Theke der Welt", an der das allen Kennern geläufige Altbier ausgeschenkt wird. Hier und beim Düsseldorfer Karneval äußert sich rheinische Lebensfreude pur. Daran nehmen auch sehr viele "japanische Düsseldorfer" teil, denn dank enger Wirtschaftsbeziehungen leben einige tausend Japaner in der Stadt, und daher gibt es hier auch ein japanisches Handelszentrum. Berühmtester Düsseldorfer ist Heinrich Heine (1797–1856), dessen Name – nach jahrelangen Querelen – der Universität verliehen wurde.

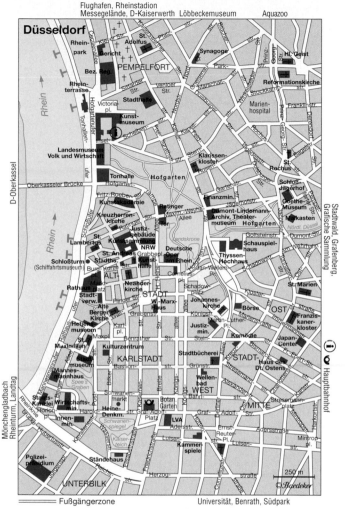

Flughafen, Rheinstadion
Messegelände, D-Kaiserwerth Löbbeckemuseum Aquazoo

= Fußgängerzone   Universität, Benrath, Südpark

Im Jahre 1288 verlieh Graf Adolf von Berg der Siedlung das Stadtrecht. **Geschichte**
Nach dem Aussterben der Herzöge von Berg (1609) wurde Düsseldorf
Residenz des prachtliebenden Kurfürsten Johann Wilhelm, genannt Jan
Wellem (1679–1716), der die Neustadt anlegte, Künstler an seinen Hof zog
und eine Gemäldegalerie gründete. Durch die Kunstakademie, die 1777
entstand, gewann die Stadt Bedeutung für das Kunstleben.

Innenstadt

Düsseldorfs mondäne Flanier- und Einkaufsstraße ist die Königsallee   *Königsallee
("Kö") – mit exklusiven Geschäften, Galerien, Gaststätten und Straßen-

255

Düsseldorf

Königsallee
(Fortsetzung)

cafés. Sie führt beiderseits des alten Stadtgrabens vom Graf-Adolf-Platz nordwärts zum Hofgarten. 1985 wurden die repräsentativen Passagen "Kö-Galerie" und "Kö-Karree" eröffnet. Das Nordende der Kö ziert die Tritonengruppe, ein Wahrzeichen der Stadt.

Uferpromenade

Eine weitere Flaniermeile entstand 1993 am Rhein: wie schon vor 100 Jahren kann man nun wieder über die breite Uferpromenade bei der Altstadt spazieren, da die Hauptverkehrsader der Stadt, die Bundesstraße 1, auf einer Länge von 2 km unter die Erde verlegt wurde.

Neben der "Kö" hat auch die neue Düsseldorfer Flaniermeile ihre Reize: man spaziert am Rheinufer entlang an Lambertikirche, Schloßturm und Pegeluhr vorbei, bevor man in eines der Straßencafés einkehrt.

*Altstadt

Zwischen Rhein und Heinrich-Heine-Allee erstreckt sich die Altstadt, was in erster Linie Kneipen zuhauf bedeutet. Andere Sehenswürdigkeiten sind das Rathaus am Marktplatz (1570–1573) mit dem 1711 von Gabriel Grupello gegossenen Reiterstandbild Jan Wellems davor, das Geburtshaus von Heinrich Heine in der Bolkerstraße und der Alte Schloßturm, Rest der Burg der Grafen von Berg, in dem das Schiffahrtmuseum 2000 Jahre Rheinschiffahrt anhand von Modellen und Bildern dokumentiert. Dahinter erhebt sich die Kirche St. Lambertus (13./14. Jh.) mit dem manieristischen Grabmal des Herzogs Wilhelm V. und einem um 1160 gefertigten Kopfreliquiar des heiligen Vitalis.

*Kunstsammlung
Nordrhein-
Westfalen

Am Ostrand der Altstadt am Grabbeplatz 5 stellt die Kunstsammlung Nordrhein-Westfalen Malerei des 20. Jh.s aus. Beachtung verdient besonders die Paul-Klee-Sammlung. In der Nähe befindet sich die Städtische Kunsthalle (Wechselausstellungen); am Treppenaufgang steht eine mehrteilige Bronzeplastik, der "Habakuk" von Max Ernst.

Hetjens-Museum

Südlich vom Markt lohnt das Hetjens-Museum (Deutsches Keramikmuseum) im Palais Nesselrode einen Besuch: Man kann dort Keramik aus

8000 Jahren bewundern, u.a. Objekte aus Thailand, China und Japan. Nicht weit davon findet man im Heinrich-Heine-Institut in der Bilker Straße eine Ausstellung über Leben und Werk des Dichters.

Am Rheinufer südlich davon erstreckt sich der großzügig angelegte Rheinpark Bilk. Hier steht der 234 m hohe Rheinturm mit einer Restaurant-Plattform in 172 m Höhe. In einem futuristisch anmutenden Gebäudekomplex am Mannesmann-Ufer tagt der Landtag von Nordrhein-Westfalen. In der Nähe überspannt die Rheinkniebrücke nach Oberkassel den Strom.

*Rheinpark Bilk
*Landtag

*Hofgarten

Die nördliche Innenstadt wird vom Hofgarten begrenzt, einer Grünanlage, die bereits um 1770 geschaffen wurde. In ihrem südlichen Bereich liegen die Kunstakademie, die Oper (Deutsche Oper am Rhein) und das Schauspielhaus; daneben das "Dreischeibenhaus" genannte Thyssen-Hochhaus. Von Westen nach Osten ziehen die Maximilian-Weyhe-Allee und die Jägerhofstraße durch den Hofgarten. Im Westen begrenzt das Ratinger Tor den Straßenzug. An der Jägerhofstraße befinden sich östlich das Dumont-Lindemann-Archiv, das Theatermuseum der Landeshauptstadt, sowie in Schloß Jägerhof das Goethe-Museum, das Dokumente zu Leben und Werk des Dichters zeigt.

Goethe-Museum

Nordwestlich – zum Rhein hin – grenzt der Ehrenhof an den Hofgarten, ein Ensemble von Veranstaltungs- und Ausstellungsbauten. Nahe der Oberkasseler Brücke befindet sich der expressionistische Rundbau der Tonhalle. Zu dem Komplex gehört ferner das Landesmuseum Volk und Wirtschaft, das sich – anhand von Schaubildern, Dioramen u.a. – der Darstellung wirtschaftlicher und sozialer Fragen widmet.

Ehrenhof
Tonhalle

Landesmuseum

Den Abschluß bildet das Kunstmuseum Düsseldorf, das europäische Kunst vom Mittelalter bis zur Gegenwart zeigt. Herausragend sind die niederländische Malerei und Werke der Düsseldorfer romantischen Schule sowie eine exquisite Glassammlung.

*Kunstmuseum

*Nordpark

Im Norden der Stadt wurde 1937 der Nordpark angelegt. An dessen Nordeingang lohnt das Löbbecke-Museum mit naturkundlichen Ausstellungen und Aqua-Zoo einen Besuch. Auf dem Parkgelände befindet sich ein Japanischer Garten, ein Geschenk der in Düsseldorf lebenden Japaner an die Stadt. Auf einer relativ kleinen Fläche bietet er eine Vielfalt von Landschaftsensembles.

*Löbbecke-
Museum

Südlicher Stadtbereich

Der Südpark wurde für die Bundesgartenschau 1987 erheblich erweitert. Durch die Teichlandschaft dieser ausgedehnten Grünfläche schlängelt sich ein kleiner Fluß, der der Stadt am Rhein den Namen gab: die Düssel.

Südpark

Eine Brücke verbindet den Südpark mit dem Gelände der Universität, zu der ein Botanischer Garten mit Gewächshaus und Alpinum gehört.

Universität

Umgebung von Düsseldorf

Rund 10 km südlich vom Zentrum steht im Stadtteil Benrath, der erst 1929 eingemeindet wurde, Schloß Benrath. Das ab 1756 im französischen Rokokostil erbaute, von einem Park umgebene Gebäude war einst Lustschloß

*Schloß Benrath

Düsseldorf

Umgebung, Schloß Benrath (Fortsetzung)

des Kurfürsten Theodor von der Pfalz. Das Schloß, das heute das Stadtmuseum Schloß Benrath und ein Naturkundemuseum beherbergt, besticht durch seine prachtvolle Innenausstattung.

Kaiserswerth

Auch Kaiserswerth, nördlich vom Zentrum gelegen, wurde erst im 20. Jh. nach Düsseldorf eingemeindet. In der ehemaligen Stiftskirche St. Suitbertus, heute Pfarrkirche, verdient der kunstvoll gearbeitete Schrein (13./14. Jh.) des hl. Suitbertus Beachtung. In der Nähe befindet sich die Ruine einer im ausgehenden 12. Jh. erbauten Pfalz Kaiser Friedrichs I. Barbarossa. Erhalten geblieben ist im wesentlichen die mächtige Palasmauer.

Mettmann

*Neandertal-Museum

Etwa 10 km östlich von Düsseldorf liegt das Neandertal, berühmt als Fundstätte des Neandertalerschädels. Unweit der ehemaligen Fundstätte ist 1996 in Mettmann (Talstraße 300) ein neues Museum eröffnet worden. Die Ausstellung widmet sich nicht nur dem Neandertaler, sondern erzählt mittels verschiedener audiovisueller Medien anschaulich und spannend auch die Geschichte der menschlichen Evolution.

Ratingen

Im ca. 10 km nördlich von Düsseldorf gelegenen Ratingen wurde Ende 1996 das Rheinischen Industriemuseum (Cromforter Allee 24) eröffnet. Mit nachgebauten Maschinen u.a. wird die Arbeitswelt in der Zeit von 1780 bis 1850 sowie die Geschichte der Unternehmerfamilie Brügelmann dokumentiert. Johann Gottfried Brügelmann gründete 1783 ein Textilunternehmen, das als erste Fabrik auf dem europäischen Kontinent gilt.

Neuss

*Quirinusdom

Jenseits des Rheins liegt der Düsseldorfer Stadtteil Oberkassel. Von dort oder über die Rheinbrücke Düsseldorf – Neuss (Südbrücke) gelangt man nach dem aus einem römischen Militärlager hervorgegangenen Neuss. Das beherrschende Bauwerk der Innenstadt ist das Münster St. Quirinus (Quirinusdom). Bereits im 11. Jh. stand an dieser Stelle ein Kloster; 1050 erhielt es die Reliquien des hl. Quirinus, die das Kloster am Niederrhein in der Folgezeit zu einem Anziehungspunkt machte. Die Kirche, in ihrer heutigen Gestalt aus dem 13. Jh., ist eine der großartigsten Schöpfungen der Spätromanik am Niederrhein. Die mächtige Kuppel wurde 1747 nach einem Brand erneuert. Hinter dem Hauptaltar befindet sich der prunkvolle Quirinusschrein (1900). In der Krypta darunter sind Reste eines rot-weißen Fußbodenbelags aus karolingischer Zeit zu sehen. Vom langgestreckten Markt führt die Oberstraße, die Hauptachse der Innenstadt, zum Obertor, neben dem das Clemens-Sels-Museum liegt. Sehenswert sind insbesondere Funde aus römischer Zeit. Im zweiten Stock befindet sich eine Sammlung naiver Malerei und Plastik, deren Exponate aus Frankreich, Deutschland und Osteuropa stammen.

Römerlager

Während sich im Kern des heutigen Neuss die römische Zivilsiedlung befand, lag die Garnison im jetzigen Stadtteil Gnadental außerhalb des Zentrums. Am Gepa-Platz, in einem Wohngebiet südwestlich des Römerlagers, wurde 1956 eine "Fossa sanguinis", eine Kultstätte der Kybele, freigelegt und durch einen Schutzbau gesichert. Es handelt sich um ein ausgemauertes Becken, in dem von den Priestern Tieropfer dargebracht wurden.

*Museum "Insel Hombroich"

Im Neusser Stadtteil Holzheim liegt in einer Auenlandschaft der Erft das Museum "Insel Hombroich". In zehn Pavillons wird dort eine vielseitige Kunstsammlung präsentiert. Neben Exponaten aus orientalischen, afrikanischen und ozeanischen Kulturen umfaßt sie Kunstwerke bekannter europäischer Künstler, u.a. von Cézanne, Klimt, Giacometti, Arp und Matisse. Im Dezember und Januar ist das Museum geschlossen.

Zons

Der Ort Zons, 15 km südöstlich von Neuss am linken Ufer des Rheins und heute zu Dormagen gehörend, verdient einen Besuch wegen seines malerischen Ortsbildes, der guterhaltenen Stadtmauer und der Freilichtbühne. In den Räumen der früheren Zollfeste befindet sich das Kreismuseum mit einer bemerkenswerten Sammlung von Zinngerät, darunter Stücke im Jugendstil.

Eberswalde-Finow   K 3

Bundesland: Brandenburg
Höhe: 30 m ü.d.M.
Einwohnerzahl: 50 000

Eberswalde-Finow liegt rund 50 km nordöstlich von Berlin am Finow-   Lage
Kanal, der in Windungen durch das Stadtgebiet zieht und dessen "grüne
Lunge" bildet. Eine Schönheit mag man die Stadt nicht nennen, sie ist
aber günstiger Ausgangspunkt für Ausflüge in die Umgebung.

Im Jahre 1254 erhielt Eberswalde das Stadtrecht. 1620 wurde der erste   Geschichte
Finowkanal eröffnet, nach den Zerstörungen im Dreißigjährigen Krieg baute
man den Wasserweg im 18. Jh. erneut aus. Heute engagiert sich der Förderverein "Historischer Finowkanal e.V." für den Erhalt der Anlage, die ein
Stück Industriegeschichte darstellt.

Sehenswertes in Eberswalde-Finow

Die Stadt besteht aus mehreren Ortsteilen, darunter Finow, Kupferhammer,   Ortsteile
Westend und Nordende. Das Zentrum bildet der Ortsteil Eberswalde.

Sehenswert sind dort der Marktplatz mit einem Springbrunnen, alte Bau-   Eberswalde
ten wie die Löwen- und die Adlerapotheke, ferner die gotische Stadtkirche
Maria Magdalena, ein Backsteinbau mit schönem Kreuzrippengewölbe
und einem Taufbecken aus Bronze (13. Jh.). Eine Gedenktafel erinnert an
den einstigen Standort der Synagoge.
Das Stadt- und Kreismuseum (Kirchstr. 8) bietet neben Ausstellungen zur
Stadtgeschichte mehrfach im Jahr thematisch konzipierte Sonderausstellungen. Direkt an das Museum schließen sich in der Goethestraße Überreste der ehemals 6 m hohen Stadtmauer an.
In der Nähe ist in einer Grünanlage die Barbaraglocke (1518), eines der
ältesten Kunstdenkmäler der Stadt, zu bewundern. An der 36 Zentner
schweren Glocke sind ein Relief und Münzabdrucke zu erkennen.
Über die Goethetreppe gelangt man anschließend zum "Drachenkopf", einer Anhöhe, von der aus sich ein weiter Blick auf die Stadt und das Ebers-
walder Urstromtal bietet.
Im Forstbotanischen Garten, 1831/32 südlich der Stadt angelegt, sind über
1000 in- und ausländische Gehölzarten zu sehen. An dem Garten führt eine
schöne Promenade mit einem Gesteinslehrpfad entlang.

Umgebung von Eberswalde-Finow

Außerordentlich schön liegt in einem Landschaftsschutzgebiet nahe dem   **Klosterruine
Parsteiner See der Ort Chorin, der vor allem wegen der Ruine von Kloster   Chorin
Chorin Berühmtheit erlangte. 1258 legten Zisterziensermönche auf einer
Insel im Parsteiner See ein Kloster an, das 1273 nach Chorin verlegt und
1542 aufgehoben wurde. Zu dem Kloster gehörten bereits 1334 eine kleine
Stadt, Niederfinow, mehrere Dörfer, Güter, Mühlen und Weinberge. Der
Dreißigjährige Krieg brachte für das Kloster große Zerstörungen. Nachdem
es im 17. Jh. als Steinbruch gedient hatte, wurden im 19. Jh. auf Betreiben
des Baumeisters Karl Friedrich Schinkel erste Konservierungsmaßnahmen
durchgeführt. Nach 1954 erfolgten umfassende Restaurierungsarbeiten.
Die Westfassade der Klosterkirche mit ihren Strebepfeilern und Giebeln
kommt seither wieder zur Geltung. Noch heute ist die Klosterruine das bedeutendste Beispiel norddeutscher Backsteingotik in der Mark Brandenburg. Jahr für Jahr ziehen die Konzerte bekannter Orchester und Chöre im
Rahmen der Veranstaltungsreihe "Choriner Musiksommer" im Kloster
Chorin viele Besucher an.

Eberswalde-Finow

Umgebung
***Schorfheide**

Nördlich von Eberswalde erstreckt sich die Schorfheide, seit Jahrhunderten ein beliebtes Jagdrevier, zuletzt für Erich Honecker und Genossen. Zusammen mit dem sich östlich anschließenden, von Buchen bestandenen Choriner Endmoränenbogen gilt sie als beliebtes Erholungsgebiet. Im Biosphärenreservat Schorfheide-Chorin, einer flachgewellten Landschaft aus Dünen und Kiefernwäldern, liegt neben anderen Seen der Werbellinsee. An seinem westlichen Ufer ließ König Friedrich Wilhelm IV. um 1850 das Schloß Hubertusstock erbauen. Später fand an diesem Jagdschloß Hermann Göring Gefallen, dann Honecker, der es zum Gästehaus der DDR-Regierung umfunktionierte. Der Zaun um das Anwesen, der die Außenwelt von den Privilegierten abschirmen sollte, hatte die positive Folge, daß Biber, Kraniche, Seeadler und andere Tiere auf dem Gelände heimisch wurden. Heute beherbergt das Schloß ein Hotel.

Bad Freienwalde

Das Moorbad Bad Freienwalde liegt am Rand des Oderbruchs 17 km östlich von Eberswalde. Seit 1684 werden die dortigen Mineralquellen, seit 1840 die Schwefel-Eisen-Moore für Heilzwecke genutzt. Die ehemaligen Bade- und Gästehäuser entwarfen so berühmte Berliner Baumeister wie Schlüter, Langhans und Schinkel. Von David Gilly stammt das Schloß, 1798/1799 für die Ehefrau Friedrich Wilhelms II. erbaut und 1909–1922 Wohnsitz von Walther Rathenau. Lenné gestaltete den umgebenden Landschaftspark. Sehenswerte Kirchen sind die Pfarrkirche St. Nikolaus wegen ihres spätgotischen Altars und die barocke St. Georg wegen ihres ungewöhnlichen Fachwerks. Das Oderlandmuseum führt in die Regionalgeschichte und in die Natur des Oderbruchs ein.

***Schiffshebewerk**
Niederfinow

Ebenfalls am Rande des Oderbruchs befindet sich bei Niederfinow das Schiffshebewerk des Oder-Havel-Kanals, der 1909–1914 erbaut wurde. Schon früh suchte man, den Höhenunterschied von 36 m zwischen Havel

Vom Aussichtsplateau hoch oben auf dem Schiffshebewerk, das mit dem Kanal die Verbindung zwischen Oder und Havel herstellt, hat man eine wunderbare Aussicht auf das Geschehen.

und Oder mittels Schleusen zu überwinden. Von 1927 bis 1934 wurde dann das Schiffshebewerk Niederfinow errichtet. Es ist durch eine 157 m lange Kanalbrücke mit dem Oder-Havel-Kanal verbunden.

Eberswalde-Finow, Umgebung (Fortsetzung)

Oderberg ist eine kleine Stadt nordöstlich von Eberswalde. Sie bildete sich um ein Kloster, das 1231 an der Alten Oder von Prämonstratensern gegründet wurde. Während der Blütezeit der Hanse entwickelte sich der Ort, begünstigt durch die Lage am Kreuzungspunkt von Land- und Wasserstraßen, zu einem wichtigen Umschlagplatz, verlor aber an Bedeutung, als die "via regia" (Königsstraße) auf Betreiben des Klosters Chorin nicht mehr über Oderberg geführt werden durfte. Im Dreißigjährigen Krieg völlig zerstört, sank Oderberg zu einem bedeutungslosen Ort herab. Inmitten von Wäldern und Seen gelegen, wird Oderberg heute als Ausflugsziel gern besucht. Von der alten Burg Bärenkasten sind einige Mauerreste erhalten. Im Heimatmuseum wird anschaulich dargestellt, in welcher Weise sich in früheren Jahrhunderten die Binnenschiffahrt im Odergebiet entwickelt hat.

Oderberg

Eichsfeld

G 4

Bundesländer: Thüringen und Niedersachsen

Die alte Kulturlandschaft Eichsfeld liegt mitten in Deutschland, im Süden des → Harzes. Hier entspringen Unstrut, Wipper und Leine. Die Täler der beiden letztgenannten trennen das Eichsfeld in ein Oberes und ein Unteres Eichsfeld. Hauptort des im Süden gelegenen Oberen Eichsfeld ist das thüringische Heiligenstadt; im Norden schließt sich das Untere Eichsfeld an mit dem bereits zu Niedersachsen gehörenden Duderstadt als Hauptort. Sanfte Hügel, einzelne, bis zu 520 m hohe Berge, enge Täler, waldreiche Hänge, kleine Seen und grüne Wiesen prägen das Bild des vor allem landwirtschaftlich genutzten Eichsfelds. Die Gegend um Duderstadt wird wegen ihrer Fruchtbarkeit sogar Goldene Aue genannt. Wegen seiner zentralen Lage, vielen kleineren und größeren Orten, darunter einige mit mittelalterlichem Ortsbild, Burgen, Schlössern, Kirchen und Klöstern, der vielerorts noch unberührten Natur und einem breiten Freizeitangebot ist das Eichsfeld eine lohnenswerte Urlaubsregion.

Lage und Landschaftsbild

Über Jahrhunderte gehörte das seit der Jungsteinzeit besiedelte Eichsfeld zum Erzbistum Mainz mit Heiligenstadt als Sitz des kurmainzischen Statthalters. Im Jahre 1803 kam es zu Preußen, 1807 zum Harz, einem Departement des französischen Königreichs Westfalen. Nach dem Wiener Kongreß (1815) wurde das Obere Eichsfeld preußisch, das Untere Eichsfeld hannoveranisch. Von 1945 bis zur Wiedervereinigung verlief hier die Grenze zwischen beiden deutschen Staaten. Seither ist das Eichsfeld wieder zu einem Wirtschafts- und Erholungsraum zusammengewachsen.

Geschichte

Duderstadt und Umgebung

Das über 1000jährige Duderstadt (23000 Einwohner), Hauptort des Unteren Eichsfelds, hat sich seinen mittelalterlichen Stadtkern mit rund 550 Fachwerkhäusern, reich ausgestatteten Kirchen und großen Teilen seiner einstigen Stadtbefestigung erhalten.
Mittelpunkt der Stadt ist der Obermarkt mit dem von drei Türmchen gekrönten Rathaus (13.–18. Jh.). Der stattliche Fachwerkbau gehört zu den schönsten Renaissance-Rathäusern Deutschlands und ist heute u. a. Kulturzentrum und Ausstellungsgebäude. Etwas östlich vom Rathaus steht die Probsteikirche St. Cyriakus (Baubeginn 1394). Wegen ihrer kostbaren Ausstattung wird sie auch Eichsfelder Dom genannt. Beachtenswert sind u. a. die Altäre aus dem 15. und 16. Jh., die barocken Pfeilerfiguren sowie die Gildeleuchter (17./18. Jh.). Das Heimatmuseum, in einem Barockbau

Duderstadt, **Stadtbild

*St. Cyriakus

Duderstadt
(Fortsetzung)

von 1767, hinter St. Cyriakus gelegen, vermittelt einen Überblick über die Entwicklung des Eichsfelds. Am Westende der Marktstraße erhebt sich St. Servatius (14.–16. Jh.), die nach einem Brand 1915 im Jugendstil ausgestattet wurde. Von hier fällt der Blick auf den Westertorturm (1424) mit seiner gedrehten Haube, Folge eines Konstruktionsfehlers, das einzige erhalten gebliebene Stadttor von Duderstadt. Außerhalb der Stadtmauer verläuft der im 16. Jh. angelegte und begehbare Ringwall.

Seeburger See

Nordwestlich von Duderstadt liegt der ca. 1 km^2 große Seeburger See, auch "Auge des Eichsfeld" genannt, ein beliebtes Ausflugs- und Naherholungsgebiet.

Westertor in Duderstadt

Rhumspringe

Rund 15 km nordöstlich befindet sich unweit von Rhumspringe der Rhumesprung, das 25 m breite Quellbecken der Rhume.

Heilbad Heiligenstadt und Umgebung

Heiligenstadt

Das ebenfalls über 1000jährige Heiligenstadt (16 000 Einwohner), Hauptort des Oberen Eichsfelds, liegt am Nordwestrand des Thüringer Beckens, zu Füßen von Iberg und Dün im Leinetal. Im Jahr 1460 wurde hier der Holzschnitzer Tilman Riemenschneider geboren; 1525 predigte Thomas Müntzer in der Stadt und 1825 ließ sich Heinrich Heine hier taufen; 1856 bis 1864 war Theodor Storm am hiesigen Gericht als Kreisrichter tätig. Aus dieser Zeit stammen einige Novellen, Märchen und zahleiche Gedichte. Seit 1950 führt die Stadt die Bezeichnung Heilbad.

*Stiftskirche
St. Martin

Ältestes Bauwerk und Ausgangspunkt für die Ortsgründung ist die ehemalige Stiftskirche St. Martin (1304–1487) im Westen des Stadtzentrums. Nebenan steht das Kurmainzer Schloß, ein Barockbau (1736–1738; C. Heinemann). Auf dem Weg in die Altstadt kommt man am Literaturmuseum im "Mainzer Haus", einem Fachwerkbau von 1436, vorbei (Kassler Tor). Es erinnert an Storms Heiligenstädter Zeit. Mitten in der Altstadt erhebt sich St. Marien – auch Altstädter- oder Liebfrauenkirche genannt –, die zwischen 1300 und 1700 entstand. im Innern sind eine schöne Madonna (1414) sowie an den Langhauswänden Fresken (1507) zu sehen. Ihr gegenüber steht die Friedhofskapelle St. Annen, ein frühgotischer Zentralbau (um 1300). In dem nahegelegenen ehemaligen Jesuitenkolleg (1739/1740) ist das Eichsfelder Heimatmuseum untergebracht.

*St. Marien

Darüber hinaus sind in der Neustadt die Pfarrkirche St. Ägidien (nach 1333) mit spätgotischen Wandmalereien sowie die benachbarte Maria-Hilf-Kapelle (1405) sehenswert.

Iberg

Ein gern besuchtes Ausflugsziel südlich der Stadt ist der Iberg, der wegen seines Eibenbestandes auch Eibenberg genannt wird (schöne Aussicht).

Dingelstädt (15 km südöstlich) ist Ausgangspunkt zum romantischen oberen Unstruttal. Im Ort selber stehen zahlreiche sehenswerte alte Fachwerkhäuser sowie am Ortsausgang die kleine Kirche "Maria im Busch" (1688). Die ehem. Klosterkirche auf dem Kerbschen Berg am Nordrand (1889/1890) ist alljährlich am 3. Julisonntag ein Wallfahrtsziel. Um den Berg führt ein 1752 geweihter Kreuzweg (Schnitzereien von C. Frankenberg).

Eichsfeld
(Fortsetzung)
Dingelstädt

19 km nordöstlich liegt Worbis mit zahlreichen restaurierten Fachwerk-Wohnhäusern (16.–18 Jh.) und der frühbarocken ehem. Klosterkirche St. Antonius (1667; A. Petrini) mit reicher Innenausstattung.

Worbis

Eifel

C / D 5 / 6

Bundesland: Rheinland-Pfalz

Die Eifel ist ein Teil des Rheinischen Schiefergebirges. Sie steigt über dem linken Ufer des Rheins an und wird im Süden von der Mosel, im Westen von Rur und Sauer begrenzt, wo sich der Gebirgsstrang in den Ardennen fortsetzt. Im Norden geht sie allmählich in die Kölner Tieflandsbucht über. Das wellige, waldreiche Mittelgebirge erreicht in der Hohen Acht (746 m) seinen höchsten Punkt. Einzelne Bergrücken wie die Schneifel oder Schnee-Eifel im Westen durchziehen die Region. Ihre südlichen und östlichen Randlandschaften werden durch die der Mosel bzw. dem Rhein zustrebenden Flußtäler charakterisiert: Die wichtigsten Flüsse zur Mosel sind Kyll, Lieser und Elz, zum Rhein Ahr, Brohlbach und Nette. Teile der Eifel sind durch den Vulkanismus geprägt. Die Lavakuppen erloschener Vulkane bestimmen noch heute das Landschaftsbild, besonders am Laacher See, um den Nürburgring sowie bei Daun und Manderscheid.

Lage und
Allgemeines

Vulkanischen Ursprungs sind auch die für die Eifel charakteristischen, stimmungsvollen Maare, meist mit kleinen Seen angefüllte Vulkankrater. Ein Musterbeispiel hierfür ist der Laacher See, der von mehr als 40 Lavadurchbruchsstellen umgeben ist. Ebenso schön sind die Dauner Maare, vor allem das Gemündener Maar und das Totenmaar.

*Maare

Im nordwestlichen Teil der Eifel wurden mehrere Talsperren angelegt, die zusammen mit der umgebenden Landschaft ein eindrucksvolles Bild bieten, vor allem die Urfttalsperre und der Rurstausee. Im Westen hat die Eifel Anteil am Deutsch-Belgischen Naturpark (Naturpark Nordeifel) und am Deutsch-Luxemburgischen Naturpark (Naturpark Südeifel). Flüsse und Seen sind schöne Urlaubsziele für Angler und Wassersportler; gebirgige Landschaften wie Hocheifel und Schnee-Eifel laden zum Wintersport ein.

*Urlaubsregion

Fahrt durch die nördliche Eifel

Den Ausgangspunkt für die nachstehend beschriebene Fahrt, die durch die nördliche Eifel führt, bildet die Stadt Andernach im → Rheintal.

Hinweis

Fährt man von Andernach in westlicher Richtung über Nickenich, so erreicht man den Ort Maria Laach mit der gleichnamigen Abtei. Am Rande des größten Vulkansees der Eifel, des Laacher Sees, gründete 1093 Pfalzgraf Heinrich von der Pfalz eine Abtei. Die zugehörige Kirche, 1156 geweiht, gilt als eines der herausragenden romanischen Bauwerke in Deutschland. Die Anlage wird von zwei zentralen Türmen beherrscht, die jeweils von zwei weiteren flankiert werden. Zum Schönsten der Abteikirche gehört das Bogenportal, an dem ein kleiner Teufel kauert. Einen Höhepunkt spätromanischer Steinmetzarbeit bildet die Vorhalle der Kirche mit dem berühmten "Laacher Paradies", das als symbolische Darstellung des "Garten Eden" zu verstehen ist. Im Inneren sind besonders der Baldachin-

**Maria Laach

Maria Laach
(Fortsetzung)

Hochaltar und das Stiftergrab beachtenswert. Das Grab für Pfalzgraf Heinrich befindet sich im westlichen Chor.

Der reizvolle, von Wald umrahmte Laacher See wird im Norden vom Veitskopf, im Westen vom Laacher Kopf, im Süden vom Thelenberg und im Osten vom Krufter Ofen umgeben, allesamt alte Vulkane.

Die gewaltige Abteikirche des Benediktinerklosters Maria Laach zählt zu den bedeutendsten Bauwerken der deutschen Romanik.

Mayen

Weiter führt die Strecke in südlicher Richtung über Mendig nach Mayen, einer Stadt im Nettetal, die bereits während der Römerzeit eine Station an der Straße von Trier zum Mittelrhein bildete. Mayen ist zum einen die größte Stadt der Eifel und zum anderen das Zentrum für die Gewinnung und Verarbeitung vulkanischer Gesteine wie Basalt. Über der Altstadt mit ihren Toren, Türmen und Resten der Stadtmauer erhebt sich die Genovevaburg (13. Jh.). Es heißt, Pfalzgraf Siegfried und seine Gemahlin Genoveva von Brabant seien im 8. Jh. die Erbauer der Burg gewesen. Genoveva, so erzählt die Sage, habe sich – des Ehebruchs bezichtigt – mit ihrem Sohn sechs Jahre im Wald verborgen, bis Siegfried die Schuldlose fand. Heute befindet sich in der Burg das Eifeler Landschaftsmuseum.

*Nürburgring

Von Mayen gelangt man in westlicher Richtung weiter zum Nürburgring. Er wurde in den zwanziger Jahren als Rennstrecke angelegt. Die klassische Nordschleife führt über 20,8 km rund um die Nürburg. Seit seiner Eröffnung gilt der Nürburgring als Herausforderung an Fahrer und Fahrzeug: Rudolf Caracciola, Hans Stuck, Alberto Ascari, Juan Manuel Fangio, Stirling Moss, Graf Berghe von Trips – Namen, die untrennbar mit der Nordschleife verbunden sind. Den Anforderungen des hochtechnisierten Rennsports war aber die alte Rennstrecke nicht mehr gewachsen, so daß ein völlig neuer Grand-Prix-Kurs gebaut und 1984 eingeweiht wurde. Diese 4,5 km lange Strecke zählt zu den modernsten und sichersten Anlagen der Welt und kann zudem mit der Nordschleife verbunden werden. Auf beiden Strecken sind (gegen Gebühr) Rundfahrten mit dem eigenen Pkw möglich.

Rennsportmuseum

Die große Zeit des Rings lebt im Rennsportmuseum wieder auf, wo vor allem zahlreiche Modelle berühmter Rennwagen ausgestellt sind.

*Adenau

Nahe der Nordschleife liegt die kleine Stadt Adenau, einer der meistbesuchten Fremdenverkehrsorte der Eifel. Beachtenswert sind die hübschen

Fachwerkhäuser am Markt und die Pfarrkirche aus dem 11. Jahrhundert. Am Kirchplatz lohnt das Eifeler Bauernhausmuseum einen Besuch.

Nordwestlich von Adenau erreicht man Blankenheim im grenzübergreifenden Deutsch-Belgischen Naturpark. Über dem Ort steht eine Burg der Grafen von Manderscheid-Blankenheim (12. Jh.). In der Nähe der Pfarrkirche kann man die Ahrquelle besichtigen: In einer von außen einsehbaren Brunnenstube im Keller eines Fachwerkhauses entspringt dort der Fluß. Die Umgebung der Ahrquelle ist die malerischste Ecke des Städtchens.

In Schleiden, einem Kneippkurort im Naturpark Nordeifel, sollte man das ehemalige Schloß der Grafen von Schleiden ansehen, ferner die katholische Pfarrkirche mit schönen Glasgemälden und einer stattlichen Orgel.

Im engen, von Schieferfelsen geprägten Rurtal nahe der deutsch-belgischen Grenze liegt die kleine Stadt Monschau, die sich zum wichtigsten Fremdenverkehrsort der Nordeifel entwickelt hat. Das verdankt sie nicht zuletzt dem malerischen Stadtbild, das beherrscht wird von bilderbuchreifen Fachwerkhäusern und engen Gassen. An die einstige Wolltuchfabrikation erinnert das Rote Haus, ein barockes Gebäude, das aus zwei zusammengebauten Häusern besteht, dem Haus zum Schwan und dem Haus zum Pelikan; gezeigt werden Musterbücher mit Proben früher in Monschau angefertigter Tuche. Eine kulinarische Spezialität des Orts, der bis 1919 Montjoie hieß, sind die "Montjoier Dütchen", Biskuithörnchen, die man in Bäckereien und Konditoreien kaufen kann.
Der Ort wird überragt von der Burg Monschau, die im 19. Jh. verfiel. Nachdem die Stadt die Burg 1899 erworben hatte, wurde sie nach und nach wiederhergestellt. Von oben bietet sich eine herrliche Aussicht.

Nördlich von Schleiden bzw. nordöstlich von Monschau wurde 1934–1938 der Rurstausee Schwammenauel angelegt, der sich zu einem vielbesuchten Naherholungsgebiet entwickelt hat. Südlich davon liegt in einem Sperrgebiet der Urftstausee.

Fährt man anschließend über Gemünd wieder nach Osten, kommt man auf der B 266 nach Mechernich. Im nahegelegenen Kommern lohnt das Rheinische Freilichtmuseum einen Besuch. Zu besichtigen sind bäuerliche Anwesen (mit diversen Einrichtungsgegenständen) aus dem Nordeifel, aber auch aus dem übrigen Rheinland.

Von Mechernich führt die Route weiter nach Bad Münstereifel an der oberen Erft. Beachtenswert sind die zahlreichen denkmalgeschützten Häuser, darunter das gotische Rathaus. Wer nach Bad Münstereifel kommt, den führt der Weg durch eines der vier mittelalterlichen Stadttore, denn die Stadt ist noch von einer Mauer mit Türmen und Toren umgeben.

Im mittleren Ahrtal liegt Altenahr mit einer romanischen Pfarrkirche und der Ruine von Burg Are, von der aus sich ein prächtiger Blick ins Ahrtal bietet.

Im unteren → Ahrtal folgt Bad Neuenahr–Ahrweiler. Von dort erreicht man bei Sinzig wieder das Rheintal und kehrt dann in südöstlicher Richtung nach Andernach zurück.

Fahrt durch die südliche Eifel

Der Ausgangspunkt für die nachstehend beschriebene Fahrt, die durch die südliche Eifel führt, ist die Stadt → Trier im Moseltal.

Wenn man von Trier nach Norden fährt, erreicht man die für ihr Bier bekannte Stadt Bitburg. Im Kommunikationszentrum der Bitburger Brauerei erfährt man, wie es hergestellt wird. Daran, daß Bitburg eine wichtige Sta-

Bitburg
(Fortsetzung)

tion an der Heerstraße von Trier nach Köln war, erinnert die römische Stadtmauer, die im Bereich des Rathauses auf einer Länge von etwa 40 m erhalten oder rekonstruiert ist. Kulturell Interessierte sollten Haus Beda und das Kreismuseum besuchen. In Haus Beda, einem Kulturzentrum von überregionaler Bedeutung, sind rund 80 Gemälde von Fritz von Wille (1860–1951), dem bedeutendsten Eifelmaler der Düsseldorfer Schule, ausgestellt. Das Kreismuseum zeigt eine Sammlung frühgeschichtlicher Funde, sakrale und weltliche Kunst, ferner gußeiserne Ofen- und Kaminplatten aus den Gießhütten der Umgebung.

Malerisch schmiegen sich die Monschauer Fachwerkhäuser an die Rur.

Otrang

Etwa 6 km nördlich von Bitburg liegt in Otrang eine der besonders interessanten Ausgrabungsstätten der Eifel. Die römische Anlage besteht aus einer ummauerten Fläche, die ein regelmäßiges Rechteck von 379 m Länge und 132 m Breite bildet. Durch Mauern und Geländeterrassierungen war das Herrenhaus im Ostteil abgetrennt. Besonders sehenswert ist das Fußbodenmosaik. Zum Gutsbezirk, der wahrscheinlich die ganze Talmulde bis hin zur Kyll und zur Römerstraße umfaßte, gehörten auch ein Tempelbezirk und ein Gräberfeld.

Kyllburg

Folgt man der Straße von Bitburg in nordöstlicher Richtung, so kommt man zu dem kleinen Kneipp- und Luftkurort Kyllburg. 1239 ließ der Trierer Erzbischof Theodorich von Wied eine große Burg als Schutz gegen die damals mächtigen Herren von Malberg erbauen. Von der Burg ist nur noch der als Aussichtsturm ausgebaute Bergfried erhalten. Die um 1350 erbaute Stiftskirche ist mit Kreuzgang und Kapitelhaus eines der kostbarsten Bauwerke der Gotik in dieser Region. Besonders hervorzuheben sind die Glasfenster, die um 1530 entstanden und auf denen Szenen aus dem Leben Jesu dargestellt sind.

Prüm

Am südlichen Rand der Schneifel liegt Prüm, das man von Bitburg direkt auf der B 51 oder über Kyllburg erreicht. Macht und Reichtum der ehemaligen Benediktinerabtei sind noch immer spürbar, wenn man vor dem im Barockstil errichteten ehemaligen Kloster und der Kirche St. Salvator, heute Pfarrkirche, steht. Der Klosterkomplex wurde nach Plänen des berühmten Baumeisters Balthasar Neumann errichtet. In der Kirche sind das Chorgestühl (18. Jh.) und das Grabmal Kaiser Lothars I. vor dem Hochaltar beachtenswert. Neben dem früheren Abteigebäude liegt das anheimelnde Restaurant "Zur alten Abtei".

Prüm
(Fortsetzung)

Nun geht die Fahrt in östlicher Richtung weiter nach Gerolstein in der Vulkaneifel, bekannt für seine Mineralquellen. In einem Gebäude aus dem 16. Jh. ist das Kreisheimatmuseum untergebracht, das Hausrat und Möbel aus der Eifel zeigt. Im alten Rathaus kann man eine Sammlung von Mineralien und Fossilien ansehen, an denen das Gerolsteiner Land reich ist. Auf dem Schloßberg erhebt sich die Ruine der im 13. Jh. erbauten und um 1690 größtenteils zerstörten Löwenburg. Das Stadtgebiet wird von dem Felsmassiv Munterley überragt. Im Rahmen einer vierstündigen Wanderung vom Rathaus über die Munterley zur Kasselburg und zurück werden im "Geopark" anhand von Informationstafeln insgesamt 17 geologisch interessante Fundstellen vorgestellt.

*Vulkaneifel

Gerolstein

Wegen der vielen erloschenen Vulkane wird die Gegend von Gerolstein, Daun und Ulmen als "Vulkaneifel" bezeichnet. Im zentralen Bereich der Vulkaneifel liegt die Kreisstadt Daun. Hier gibt es Mineralquellen, aus denen Sprudel gewonnen wird. Neben vielen Möglichkeiten zu Spaziergängen bietet der Kurpark einen offenen Brunnen, aus dem das Heilwasser der Dunarisquelle getrunken werden kann. Ein besonderer Anziehungspunkt im Kurpark ist ein mit Reliefs verzierter Basaltfelsen. In Daun wurde ein Vulkanmuseum eingerichtet, das mit seinen Exponaten auf die bewegte erdgeschichtliche Vergangenheit der Vulkaneifel hinweist. Südöstlich der Stadt liegen das Gemündener Maar und das Totenmaar. In einer poetischen Formulierung sind die Maare auch als "Tränen Gottes" bezeichnet worden.

Daun

Von Daun lohnt ein Abstecher nach Ulmen (15 km östlich) mit der Ruine der gleichnamigen Burg, die dem Ritter Heinrich von Ulmen gehörte. Dieser soll sich an der Plünderung der Hagia Sophia beteiligt und unermeßliche Schätze vom Bosporus mit in die Eifel gebracht haben. Von Daun setzt man die Fahrt dann in südlicher Richtung fort.

Ulmen

Man kommt zu dem Fremdenverkehrsort Manderscheid, 90 m über dem Tal der Lieser gelegen. Auf schroffen Schieferfelsen stehen zwei Burgruinen, die Oberburg mit dem romanischen Bergfried und die Niederburg; beide gehören heute zu den bekanntesten Wahrzeichen der Eifel. Westlich von Manderscheid liegt in einem weiten Kraterkessel das Meerfelder Maar, das ursprünglich den ganzen Krater ausfüllte. Das Maar ist heute Mittelpunkt einer Freizeitanlage mit breitgefächertem Wassersportangebot. In der Umgebung von Manderscheid wurden im Rahmen geowissenschaftlicher Forschungen mehrfach Grabungen durchgeführt. Der wohl spektakulärste Fund war 1991 ein versteinertes, vollkommen erhaltenes Urpferd. Entsprechend präpariert, diente es als Vorbild für die erste, originalgetreue Nachbildung eines solchen Tiers, das vor vielleicht 50 Mio. Jahren bei Manderscheid lebte.

Manderscheid

Am Übergang von der Vulkaneifel zum fruchtbaren Moselgebiet liegt die südlichste Stadt der Eifel, Wittlich, hervorgegangen aus einer keltischen Siedlung. Wittlich war häufig Residenzstadt der Trierer Erzbischöfe und Kurfürsten. Am Marktplatz steht das alte Rathaus, das, 1650 erbaut, heute eine Galerie beherbergt. Seine Fassade gehört zu den besonders schönen Beispielen deutscher Spätrenaissance. Neben dem Rathaus ist das Ensemble z.T. historischer Häuser beachtenswert, darunter vor allem die ehemalige Posthalterei. Ferner sollte man die wiederaufgebaute Synagoge ansehen, die heute für kulturelle Veranstaltungen und als Tagungsstätte genutzt wird. In Wittlich findet alljährlich im August die Säubrennerkirmes, das größte Volksfest der Eifel, statt. Dabei werden ganze Schweine auf

Wittlich

Eifel, Wittlich
(Fortsetzung)

dem Marktplatz am Spieß gebraten. In kleinen Weinlauben wird Wein ausgeschenkt. Über Wittlich erreicht man schließlich wieder das Moseltal und nach einiger Zeit den Ausgangspunkt Trier.

Eisenach   G 5

Bundesland: Thüringen
Höhe: 215 m ü.d.M.
Einwohnerzahl: 43 000

Lage und
Bedeutung

Die Stadt Eisenach, einst Residenz der thüringischen Landgrafen, liegt am Nordwestrand des Thüringer Waldes, unterhalb des Wartbergs und der ihn krönenden Wartburg. Glanzvolle Namen sind mit Stadt und Burg verbunden: Walther von der Vogelweide, Martin Luther, Johann Sebastian Bach, Fritz Reuter u.a. Besonders durch den Aufenthalt Martin Luthers auf der Wartburg gewann die Stadt kulturgeschichtliche Bedeutung.

Geschichte

Vermutlich im Zusammenhang mit dem Bau der Wartburg angelegt, wird Eisenach 1150 als "Isinacha" erstmals erwähnt. Im Schutz der Burg entwickelte sich der Ort bald zum politischen und geistigen Zentrum von Thüringen. Als sich 1525 ein großer Teil der Bürger am Bauernkrieg beteiligte, besetzten Truppen die Stadt. 1741 kam Eisenach zu Sachsen-Weimar. Die nahe Wartburg war 1817 Schauplatz des berühmten Burschenschaftlertreffens, das als wichtige Vorstufe zur deutschen Einheit gilt. Vom 7. bis 9. August 1869 fand in Eisenach der sogenannte Eisenacher Kongreß statt, der Gründungsparteitag der Sozialdemokratischen Arbeiterpartei Deutschlands. Die Versammelten beschlossen das von August Bebel und Wilhelm Liebknecht ausgearbeitete Eisenacher Programm.

Sehenswertes in Eisenach

Markt

Das Herzstück der Altstadt ist der Markt mit vielen beachtenswerten Bauten, darunter das spätgotische Rathaus. An der Nordseite liegt das barokke Stadtschloß (um 1750), das nach und nach restauriert wird und in dessen einem Flügel das Thü-

Das Geburtshaus J.S. Bachs ist heute Museum.

ringer Museum seinen Sitz hat: zu sehen sind dort ein Festsaal im Rokokostil, Thüringer Fayencen und Porzellan des 18./19. Jh.s sowie Erzeugnisse der Thüringer Glashütten.

Am Markt steht ferner die Pfarrkirche St. Georg, eine Hallenkirche, in der Martin Luther am 2. Mai 1521 predigte, obwohl er bereits unter der Reichsacht stand. Hinter der Kirche sieht man die Gestalten Henner und Frieder, zwei Eisenacher Originale, die beim Volksfest "Sommergewinn" eine große Rolle spielen. Vor dem Westportal der Kirche befindet sich ein alter Marktbrunnen mit St. Georg, dem Schutzpatron von Eisenach.

Viel Geschichtsträchtiges hat die mächtige Wartburg schon gesehen: in ihren Sälen wurde im Mittelalter der berühmte Wettstreit der Minnesänger ausgetragen; 300 Jahre später übersetzte Luther hier das Neue Testament.

Am Lutherplatz fällt das Lutherhaus ins Auge. Martin Luther (1483 – 1546) lebte von 1498 bis 1501 als Schüler der Lateinschule in Eisenach und wohnte hier. Heute ist in dem schönen Fachwerkhaus eine Gedenkstätte mit Lutherstube und zahlreiche Exponate eingerichtet, die an den Reformator erinnern.

*Lutherhaus

Ecke Georgenstraße und Schiffsplatz liegt der Hellgrafenhof, der wahrscheinlich das älteste Gebäude der Stadt ist. Der Sage nach wohnten die Zauberer Klingsor und der Minnesänger Heinrich von Ofterdingen darin, nachdem sie auf dem Mantel des Zauberers von Ungarn nach Eisenach geflogen waren.

Hellgrafenhof

Am Frauenplan Nr. 21 befindet sich das Bachhaus, in dem der Komponist Johann Sebastian Bach (1685–1750) geboren sein soll. Gezeigt wird eine Sammlung über Leben und Wirken der Familie Bach, besonders Johann Sebastian Bachs, ferner eine Ausstellung historischer Musikinstrumente.

*Bachhaus

In der Wartburgallee ist der Automobil-Pavillon ein Anziehungspunkt für technisch Interessierte. In Eisenach, wo schon seit dem 19. Jh. Automobile gebaut wurden, entstand zur Zeit der DDR der "Wartburg". Neben Oldtimern wird sein letztes Modell hier gezeigt.

*Automobil-museum

Südlich der Altstadt (Reuterweg 2) erreicht man das Fritz-Reuter- und Richard-Wagner-Museum, die Wohn- und Sterbestätte des niederdeutschen Dichters Fritz Reuter (1810–1874). Neben Räumen, die Fritz Reuter gewidmet sind, gibt es dort eine umfangreiche Richard-Wagner-Bibliothek.

Fritz-Reuter-und Richard-Wagner-Museum

Auf der Göpelskuppe steht das Burschenschaftsdenkmal, errichtet zur Erinnerung an das Wartburgfest von 1817, bei dem sich ca. 500 Abgesandte

Burschenschafts-denkmal

Burschenschafts-denkmal (Fortsetzung)

deutscher Universitäten versammelten. Die Burschenschaftler, geeint in ihrer Ablehnung von Restauration und Kleinstaaterei nach dem Ende der napoleonischen Ära, proklamierten ein Manifest für die zukünftige Einheit Deutschlands, das zunächst jedoch ungehört verhallte.

**Wartburg

Führungen
April–Okt.
tgl. 8.30–17.00;
Nov. – März
tgl. 9.00–15.00

Eine der historisch interessantesten deutschen Burganlagen ist die auf dem Wartberg gelegene Wartburg, die der Sage nach 1067 von Ludwig dem Springer gegründet wurde. Der Bedeutung der Landgrafschaft entsprechend spielte die Burg bald nicht nur als Wehrbau eine Rolle, sondern ihre Räume dienten auch Regierungs- und Repräsentationszwecken. Auf der Wartburg soll im Mittelalter (Anfang des 13. Jh.s) ein – historisch nicht nachweisbarer – Wettstreit zwischen Minnesängern ausgetragen sein worden, darunter Wolfram von Eschenbach, Heinrich von Ofterdingen, Heinrich von Veldecke und Walther von der Vogelweide. Ihr "Sängerkrieg" ist Thema von Richard Wagners Oper "Tannhäuser".

Im Jahre 1235 wurde die Landgräfin Elisabeth, eine ungarische Königstochter, die auf der Wartburg gelebt und sich der Armen angenommen hatte, heiliggesprochen. Martin Luther lebte 1521/22 als "Junker Jörg" unter kurfürstlichem Schutz auf der Burg, wo er das Neue Testament aus dem Urtext übersetzte und damit den entscheidenden Beitrag zur Herausbildung der neuhochdeutschen Schriftsprache leistete.

Anlage und Ausstattung

Die Gebäude der mehrfach restaurierten Burg gruppieren sich um zwei Höfe. Man betritt die Wartburg über den einzigen Zugang, die im Norden gelegene Zugbrücke. Im ersten Burghof sieht man Fachwerkbauten, darunter das Ritterhaus. Eine imposante Gebäudegruppe grenzt den ersten Hof vom zweiten ab. Der einst dicht bebaute zweite Burghof mit dem Süd-

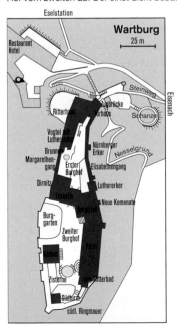

turm und dem Palas ist der älteste Teil der Anlage. Den Südturm kann man besteigen; die Mühe wird mit einer weiten Sicht auf Eisenach und den Thüringer Wald belohnt. Im Palas befinden sich der romanische Rittersaal und der Speisesaal. In der Elisabeth-Kemenate kann man ein Mosaik sehen, das Szenen aus dem Leben der hl. Elisabeth zeigt. Im ersten Obergeschoß liegen die Elisabeth-Galerie mit Fresken Moritz von Schwinds, der Sängersaal und das Landgrafenzimmer. Der Festsaal im zweiten Obergeschoß wurde im Geschmack des 19. Jh.s mit historisierender Dekoration ausgestattet. Im Anschluß an den romanischen Palas gelangt man in die Museumsräume der Neuen Kemenate und der Dirnitz. Zu besichtigen sind Kunstwerke aus den Sammlungen der Wartburg: gotische Wandteppiche, Gemälde von Lucas Cranach d.Ä., Skulpturen aus der Werkstatt Tilman Riemenschneiders und ein Schrank nach Entwürfen Albrecht Dürers. Über den westlichen Wehrgang gelangt man zur Lutherstube, deren Einrichtung fast unverändert geblieben ist. An der Wand hängen Gemälde von Lucas Cranach d. Ä., auf denen Luther als "Junker Jörg" zu sehen ist. Kurfürst Friedrich der Weise ließ Luther, um ihn vor Kirchenbann und Reichsacht zu schützen, am 4. Mai 1521 heimlich auf die Wartburg bringen, wo er als "Junker Jörg" verkleidet lebte. In der Lutherstube soll Luther ein Tintenfaß nach dem Teufel geworfen haben.

Wartburg
(Fortsetzung)
*Lutherstube

Umgebung von Eisenach

Östlich der Stadt liegen die weißen Kalksteinfelsen der Hörselberge, einer Region mit besonderem Pflanzenkleid. Der Große Hörselberg (484 m) ist einer der sagenumwobenen Berge Deutschlands: In ihm haben der Legende nach Wotan und Tannhäuser, Frau Holle und Frau Venus (als Doppelgestalt) ihr Domizil, und in sturmerfüllten Herbstnächten soll hier der getreue Eckehardt als Warner unterwegs sein, um den Wanderer vor dem "Wilden Heer" oder der "Wilden Jagd" zu warnen. Von der Anhöhe bietet sich eine schöne Aussicht. In der Nähe befinden sich auch die Venushöhle und die Tannhäuserhöhle sowie das Jesusbrünnlein.

Hörselberge

Sehenswert ist in Mihla, 13 km nordöstlich von Eisenach, das Rote Schloß, ein Renaissancebau mit zwei Fachwerkobergeschossen, reichem Portal sowie einem Rittersaal mit Stuckdekoration (1631). Das Graue Schloß, ein zweigeschossiger Renaissancebau, hat je drei Giebel und einen Turm an den Längsseiten. In der Dorfkirche, einem einschiffigen Barockbau, sind eine Schranknische und ein Flügelaltar aus dem 15. Jh. zu sehen.

Mihla

Bad Salzungen, südlich von Eisenach zwischen Thüringer Wald und Rhön im weiten Tal der Werra gelegen, hat sich aufgrund von Salzvorkommen zum Solbad entwickelt, in dem Atemwegserkrankungen behandelt werden. Im Mittelalter gab es hier elf Salzpfannen, später kamen die "Pfänner" des Ortes durch den Salzhandel zu Wohlstand. Als 1848 der ganzjährige Kurbetrieb eingeführt wurde, erhielt Salzungen als Kurort neue Bedeutung. In der DDR-Zeit dehnte sich die Stadt durch Neubaugebiete stark aus, der Altstadtbereich jedoch hat sein historisches Gepräge behalten. Wenige Schritte sind es vom Marktplatz mit dem barocken Rathaus und zahlreichen Geschäften zum Burgsee, um den ein Promenadenweg führt. Das Gradierwerk, das sich hinter den Bahngleisen befindet, dient der Freiluftinhalation zur Behandlung von Atmungserkrankungen. Man atmet salzhaltige Luft ein, die dadurch entsteht, daß salzhaltige Sole über ein Schwarzdorn-Reisiggeflecht rieselt und zerstäubt.

Bad Salzungen

Im Gradierwerk von Bad Salzungen

Emsland

Eisenach,
Umgebung
(Fortsetzung)
Bad Liebenstein

Das älteste Bad Thüringens ist Bad Liebenstein. Bereits im 17. Jh. seiner Heilquellen wegen aufgesucht, stieg es zu einem Modebad auf. Sehenswert ist das Kurzentrum mit Kurhaus, Klubhaus, Kurtheater und Brunnentempel. Vor dem Therapiegebäude steht die Plastik "Die Badende" von R. Graetz, in der Eingangshalle befindet sich die Wandkeramik "Kurleben". Sehr ansprechend wirkt der Elisabethpark mit dem Rosengarten. Von der Ruine Liebenstein, im 13. Jh. als Burg errichtet, bietet sich ein schöner Blick bis in das Werratal und zu den Bergen der Vorderrhön.

Luthergrund

In der Nähe des Ortes Steinbach steht im sogenannten Luthergrund ein Lutherdenkmal. Es erinnert an den fingierten Überfall kurfürstlich-sächsischer Soldaten auf den Reformator bei seiner Rückkehr vom Reichstag zu Worms. Von hier aus wurde Martin Luther auf die Wartburg gebracht.

Emsland D 2 / 3

Bundesland: Niedersachsen

Lage und
Allgemeines

Das weithin flache und von Mooren durchsetzte Emsland erstreckt sich zu beiden Seiten der mittleren Ems, die hier im wesentlichen parallel zur deutsch-niederländischen Grenze verläuft.
Der Fluß entspringt in der Senne, fließt durch das Münsterland und anschließend durch das Norddeutsche Tiefland. Dollart und Außenems bilden den Mündungsbereich. Die Ems ist als Teilstück des Dortmund-Ems-Kanals ab Meppen schiffbar.
Wegen der mageren Moor- und Heideböden wie auch wegen seiner Randlage gehörte das Emsland lange Zeit zu den am wenigsten entwickelten Gebieten Deutschlands. Nach ersten Kultivierungsversuchen im 18. und 19. Jahrhundert setzte nach dem Ersten Weltkrieg eine stärkere Besiedlung der Region ein. Die umfassende Erschließung des Emslandes nach dem Zweiten Weltkrieg führte auch zu verstärkter Nutzung der Erdöl- und Erdgaslager, die seit 1942 hier erbohrt wurden.

Nordhorn und Umgebung

Nordhorn

Nordhorn liegt nahe der deutsch-niederländischen Grenze an der Vechte. Die Stadt gehört zur deutsch-niederländischen Euregio, die ihren Sitz im niederländischen Enschede hat und über 80 Städte und Gemeinden umfaßt. Keimzelle von Nordhorn war die Burg der Grafen von Bentheim auf der künstlichen Vechte-Insel. Die wichtigsten historischen Gebäude von Nordhorn sind das stattliche Rathaus und die gotische Pfarrkirche St. Ludger, deren hoher Turm das Stadtbild beherrscht. Beachtung verdienen im Inneren die Orgel, die Kanzel aus Sandstein und eine Brotschüssel mit figürlichem Relief. In der Hauptstraße findet man noch einige alte Bürgerhäuser aus dem 18. Jahrhundert. Ferner gibt es ein Teemuseum, das erste seiner Art in Deutschland.

Frenswegen

Rund 3 km nordwestlich befindet sich in Frenswegen ein ehemaliges Augustinerkloster, das 1394 gegründet wurde. Die Klosterkirche ist im 19. Jh. vollständig ausgebrannt, doch ihre Südwand, die erhalten blieb, vermittelt noch immer eine Vorstellung von der ungewöhnlichen Höhe und Länge der zerstörten Kirche. Im Kreuzgang des Klosters und in der Klosterkirche stößt man auf Grabsteine des gräflich Bentheimischen Hauses.

Bad Bentheim

Die Stadt Bad Bentheim südlich von Nordhorn wird überragt vom fürstlich Bentheimschen Schloß. Im Burghof steht der "Herrgott von Bentheim", ein romanisches Steinkruzifix aus dem 11. Jahrhundert. Unterhalb des Schlosses dehnt sich ein großer Park mit Wasserbassins aus, der zu einem Spaziergang einlädt.

Nordöstlich von Nordhorn liegt am Dortmund-Ems-Kanal Lingen, ein wichtiger Industriestandort. Auffallend ist am Marktplatz das Rathaus mit einem Treppengiebel und einer hohen Freitreppe, die zum oberen Saal führt. Einen Besuch lohnt das Emslandmuseum Lingen mit Exponaten zur Stadtgeschichte und volkskundlichen Sammlungen. Ein Teil des Bestandes ist im Gesindehaus des ehemaligen Palais Danckelmann untergebracht. Lingen

Meppen und Umgebung

Die Kreisstadt Meppen liegt an der Mündung der Hase in die Ems und am Dortmund-Ems-Kanal. Beachtung verdienen das Rathaus mit offener Vorhalle und Treppengiebel sowie die Propsteikirche, zu deren Ausstattung ein überlebensgroßer Schmerzensmann aus Bamberger Sandstein gehört. Meppen

In Groß Hesepe, 15 km südwestlich von Meppen, lädt das interessante Moor-Museum zu einem Besuch ein. Es informiert über das Moor, seine Geschichte und seine Kultivierung durch den Menschen. Anschaulich vermitteln Geräte und Maschinen Wissenswertes über den Torfabbau bis hin zur industriellen Nutzung. Auf einem Lehrpfad kann man die Pflanzen des Hochmoors kennenlernen. Groß Hesepe

Westlich von Meppen erstreckt sich das Bourtanger Moor, ein 2000 km² großes überwiegend zu den Niederlanden gehörendes Hochmoor. Vielerorts sieht man die Anfang der fünfziger Jahre entstandenen Höfe, die damals auch für Flüchtlinge aus den ehemaligen deutschen Ostgebieten zur Heimat wurden. Um aus Moorboden Ackerland zu gewinnen, setzte man Tiefpflüge ein, die Torf- und Sandschichten miteinander vermischten. Bourtanger Moor

Bei Haselünne, 15 km östlich von Meppen, sollte man eine Wanderung durch den Haselünner Wacholderhain machen. Das große Naturschutzgebiet ist Teil der seit dem Mittelalter genutzten "Haselünner Kuhwiese". Die stellenweise über 6 m hohen Wacholdersträucher überraschen durch ihre Vielfalt, die von der Säulenform bis hin zu flachwüchsigen Sträuchern reicht. Den Wacholderhain bevölkern viele Wildkaninchen. Haselünne

Rund 15 km südöstlich von Haselünne steht das ehemalige Zisterzienserkloster Börstel mit einer spätgotischen Kirche. Im näheren Umkreis erstrecken sich das Hahlener Moor und das Hahnenmoor, Gebiete, in denen sich die verschiedenen Entwicklungsstufen der Hochmoor-Regeneration deutlich erkennen lassen. In das Hahlener Moor führt ein Moorlehrpfad. Kloster Börstel

Hahlener Moor

Papenburg und Umgebung

Im nördlichen Emsland liegt Papenburg, Mitte des 17. Jh.s als älteste deutsche Moorkolonie gegründet, heute eine Stadt mit vielseitiger Industrie und Erholungsort. Beachtenswert sind das barocke Rathaus und die Pfarrkirche St. Amandus im Stadtteil Aschendorf, ein dreischiffiger Ziegelbau mit Westturm. Die Kirche besitzt eine ungewöhnlich reiche Ausstattung, darunter ein kelchförmiges Taufbecken, Relieftafeln des Marienlebens, das Relief eines großen Passionsaltars und eine Figur der Anna-Selbdritt. Das Heimatmuseum ist den Themen Moorkultivierung und Schiffahrt gewidmet, ferner gibt es ein Freilichtmuseum der Binnenschiffahrt. Papenburg

Rund 33 km südlich befindet sich in Sögel das Jagdschloß Clemenswerth, das der Kurfürst Clemens August, der die Zurückgezogenheit suchte, im 18. Jh. erbauen ließ. Inmitten eines großen Parks gruppieren sich sieben Pavillons und eine Kapelle sternförmig um das zweistöckige Schloß, das der westfälische Baumeister Johann Conrad Schlaun nach dem Vorbild der Pagodenburg im Park von Schloß Nymphenburg schuf. Die Gebäude sind einheitlich als Ziegelbauten mit Mansardendächern ausgeführt. Der *Schloß Clemenswerth

Splittingkanal in Papenburg im Emsland

**Emsland
(Fortsetzung)**

runde Schloßplatz war ursprünglich gepflastert; die Herzöge von Arenberg-Meppen, denen das Schloß ab 1803 gehörte, ließen den Platz größtenteils mit Rasen überziehen und verstärkten so den märchenhaften Eindruck des Ganzen, der durch den hohen Buchenwald verstärkt wird. Heute

Emslandmuseum

beherbergt das Schloß das Emslandmuseum, das anhand von Möbeln, Meißner Porzellan, Straßburger Fayencen und anderen Gegenständen über das höfische Leben im Zeitalter des Barock informiert.

Erfurt G / H 4 / 5

Hauptstadt des Bundeslandes Thüringen
Höhe: 200 m ü.d.M.
Einwohnerzahl: 210 000

**Lage und
Bedeutung**

Erfurt, die Landeshauptstadt von Thüringen, liegt in einem weiten Talbogen der Gera im Süden des Thüringer Beckens. Für die Wirtschaft hat die Stadt heute vor allem als Dienstleistungsstandort Bedeutung. Darüber hinaus kann sie mit interessanten Museen und kulturellen Einrichtungen, darunter das Thüringer Satiretheater und Kabarett "Die Arche", aufwarten.

Geschichte

Der Ort wurde 742 von Bonifatius als Bistum gegründet. Die Furt an der Gera und die Lage an dem bedeutenden Handelsweg "via regia" (Königsstraße), der vom Rhein nach Rußland führte, begünstigten die Entwicklung des alten "Erphesfurt" zu einer deutschen Handelsmetropole. Im 14. und 15. Jh. hatte Erfurt seine Blütezeit. Damals ließ der Handel, vor allem mit dem pflanzlichen Färbemittel Waid (blau), den Ort zu einer mächtigen Stadt werden. Ausdruck des Wohlstands war die Eröffnung einer Universität 1392, die jedoch 1816 den Betrieb aufgeben mußte. An dieser Universität studierte Martin Luther von 1501 bis 1505, bevor er ins Augustinerkloster eintrat. Die Verlagerung des Welthandels und der Import des billigen Indigo unterminierten Erfurts Rolle als Handelsplatz. Im 18. Jh. führte der Feld- und Gartenbau erneut zu wirtschaftlichem Aufschwung. Im Zug der Gründung des Deutschen Reiches 1871 wurden Festungsmauern und Wälle geschleift.

Geschichte
(Fortsetzung)

✳Domplatz

Beherrschendes Wahrzeichen der Altstadt ist das Ensemble von Mariendom und Severikirche auf dem Domberg. Der Dom wurde 1154 als romanische Basilika errichtet, an die man im 14. Jh. den hochgotischen Chor anfügte. Ab 1455 erfolgte ein Neubau des Langhauses Richtung Westen. Seit 1964 wurden umfangreiche Rekonstruktionen vorgenommen, wobei die Hallenkirche wieder das alte Walmdach erhielt. Im mittleren der drei Türme, die einmal hohe Helme hatten, befindet sich die "Maria Gloriosa", eine der größten und klangvollsten Glocken der Welt, die 1497 durch Meister Gerhard Wou aus Kampen gegossen wurde. Überwältigend ist der Eindruck der farbigen Glasfenster im Chor, ein eindrucksvolles Zeugnis mittelalterlicher Glasmalerei. Im Dom gibt es eine Fülle von Kunstschätzen, u.a. den barocken Hochaltar, das Chorgestühl (14. Jh.), die Stuckmadonna und die Leuchterfigur des "Wolfram" (um 1160), die als älteste freistehende Bronzeplastik in Deutschland gilt.

✳Dom

Die Severikirche (1278–1340 erbaut), eine fünfschiffige gotische Hallenkirche, hat drei mit spitz zulaufenden Helmen versehene Türme. Von der Ausstattung sind besonders der große Barockaltar von 1670, der Sarkophag des hl. Severus (um 1360) und der 15 m hohe, filigrane Taufstein hervorzuheben, der als Meisterwerk spätgotischer Steinmetzarbeit gilt.

✳Severikirche

Gegenüber dem Domberg erhebt sich der Petersberg. Ursprünglich stand dort das Peterskloster, das 1813 bei der Beschießung der Zitadelle aus-

Petersberg

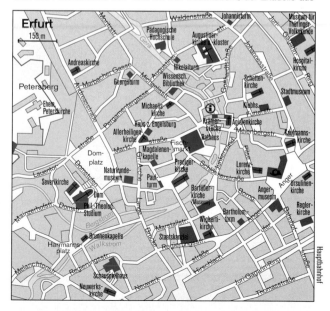

Erfurt

Petersberg
(Fortsetzung)

brannte. Erhalten sind Überreste der ehemaligen Klosterkirche St. Peter und Paul, einer dreischiffigen romanischen Pfeilerbasilika, und Teile der barocken Zitadelle, von der aus sich eine schöne Aussicht auf Erfurt bietet.

Naturkunde-
museum

Nur ein paar Schritte sind es vom Domplatz zum Naturkundemuseum (Große Arche 14), das in einem alten Waidspeicher untergebracht ist und den naturkundlich Interessierten viel zu bieten hat. Es informiert über die Thüringer Landschaft, ihre geologische Beschaffenheit, die heimischen Pflanzen und Tiere, Mineralien und Fossilien. Eine architektonische Attraktion des Hauses ist eine 14 m hohe Eiche, um die herum der Besucher zu den einzelnen Etagen aufsteigt.

Von den Treppen des Dombergs sieht man über den Domplatz mit seinen farbenprächtigen Häusern auf die Altstadt von Erfurt.

Innenstadt

*Fischmarkt

Vom Domplatz aus verläuft die Marktstraße zum Fischmarkt, von wo eine Brücke über den Breitstrom und anschließend die Schlösserstraße zum Anger führt. Auf dem Fischmarkt steht der im Volksmund "Roland" genannte hl. Martin im Gewand eines römischen Kriegers; sehenswert sind an der Westseite das Haus "Zum roten Ochsen" (1562), ein reichgeschmückter Renaissancebau, und an der Nordseite das Haus "Zum breiten Herd" (1584). Der eindrucksvollste Bau am Fischmarkt ist das neugotische Rathaus: Den Festsaal schmücken Historienbilder zur Erfurter Stadtgeschichte, das Treppenhaus Darstellungen zur Thüringer Sagenwelt.

Rathaus

Museum
Neue Mühle

Südlich vom Fischmarkt liegt am Ufer des Breitstroms die letzte noch funktionstüchtige Wassermühle Erfurts. Neben der Mühle mit Wasserantrieb gibt es Ausstellungsräume, in denen alte Geräte gezeigt werden. Die Neue Mühle gehört zu den zahlreichen Mühlen, die in den vergangenen Jahrhunderten den Wasserlauf der Gera säumten. Seit 1992 ist die Neue Mühle als Museum zugänglich; sie gehört zum Stadtmuseum.

Vom Rathaus ist es nicht weit zur berühmten Krämerbrücke, die 1325 an der Gerafurt als Bogenbrücke in Stein errichtet wurde. Beiderseits mit Häusern bebaut (heute sind es 33), ist sie die längste bebaute Brückenstraße Europas und einer der interessantesten Punkte der Stadt. Man findet hier Geschäfte für Kunsthandwerk und Antiquitäten.

*Krämerbrücke

In der Nähe der Krämerbrücke verläuft die Michaelisstraße, gesäumt von traditionsreichen Bürgerhäusern. Auf dem Grundstück Nr. 39 befindet sich die alte Erfurter Universität, in der seit 1392 bis zur Schließung 1816 studiert werden konnte. Im heutigen Haus Nr. 39 ist die Wissenschaftliche Bibliothek mit der weltberühmten Sammlung "Amploniana" untergebracht.

Michaelisstraße

Von der Bibliothek gelangt man zur Augustinerstraße mit dem bekannten Augustinerkloster und der Augustinerkirche (1290–1350). Hier verbrachte der junge Martin Luther entscheidende Jahre seines Lebens. Erhalten ist von den Klosterbauten noch der schöne Comthureihof (16. Jh.).

Augustinerkloster

Zu den zentralen Plätzen Erfurts gehört der Fischmarkt mit dem Denkmal des hl. Martin, dem reichverzierten Haus "Zum Breiten Herd" (links) und dem neugotischen Rathaus (rechts).

Die Augustinerstraße mündet in die Johannesstraße, in der noch zahlreiche alte Bürgerhäuser erhalten sind: u.a. das reichverzierte Haus "Zum Stockfisch", das 1607 im Stil der Spätrenaissance erbaut wurde und heute das Stadtmuseum beherbergt, das Fachwerkhaus "Zum Mohrenkopf" und das Giebelhaus "Zum grünen Sittich und gekrönten Hecht". Folgt man der Johannesstraße weiter südwärts, kommt man zur Kaufmannskirche. In dieser wurden die Eltern des Komponisten Johann Sebastian Bach getraut.

Bürgerhäuser

Einen Besuch lohnt das Museum für Thüringer Volkskunde, das etwas abseits der Johannesstraße am Juri-Gagarin-Ring liegt. Es dokumentiert die ländliche Kultur des 18. und 19. Jh.s in Thüringen. Interessant sind die detailgetreu aufgebauten Werkstätten traditioneller Thüringer Gewerbe.

Museum für Thüringer Volkskunde

Erfurt

*Anger

Die Johannesstraße mündet in die Anger genannte Straße, eine der ältesten Straßen der Stadt mit zahlreichen prachtvollen, alten Gebäuden: Heute ist sie ein Boulevard mit Geschäften und Restaurants. Ecke Anger/Trommsdorfstraße steht das Ursulinenkloster. Im Haus Nr. 6 wohnte 1808 Zar Alexander I. von Rußland. Das Haus "Zum Schwarzen Löwen" (Nr. 11) war während des Dreißigjährigen Krieges Residenz des schwedischen Statthalters.

Angermuseum

Ecke Anger und Bahnhofstraße steht der einstige kurmainzische Packhof, ein reichverzierter Barockbau von 1706. Heute befindet sich dort das Angermuseum, das Kunst und Kunsthandwerk vom Mittelalter bis zur Gegenwart zeigt, so z.B. kostbare Altaraufsätze des 14. und 15. Jh.s, Landschaftsmalerei des 18. und 19. Jh.s sowie reichhaltige Porzellan- und Fayencen-Sammlungen aus Thüringer Werkstätten.

Bartholomäusturm

Geht man am Anger weiter, so kommt man zum Bartholomäusturm, einem Überrest der Familienkirche der Thüringer Grafen von Gleichen, die hier ihre Stadtwohnung hatten. In dem Turm befindet sich seit 1979 ein großes Glockenspiel mit 60 Glocken, die aus der Gießerei in Apolda stammen.

**Barfüßerkirche
(Museum)**

Folgt man der Weilergasse vom Bartholomäusturm Richtung Breitstrom, steht man vor der Barfüßerkirche. Im rekonstruierten Chor der Kirche, die mit den ältesten Glasmalereien Erfurts und Meisterwerken der Grabplastik ausgestattet ist, ist heute das Museum für mittelalterliche Sakralkunst, eine Außenstelle des Angermuseums, untergebracht.

Haus Dacheröden

Auf der anderen Seite des Anger, gegenüber dem Bartholomäusturm, steht das Haus "Zum großen Schwantreiber und Paradies" (Anger Nr. 28/29). Ein paar Schritte weiter kommt man zum Haus Dacheröden (Nr. 37/38), dem Gebäude mit den schönsten Renaissanceportal der Stadt. Zur Goethezeit trafen sich hier Vertreter des geistigen Lebens, u.a. Goethe, Schiller und Wilhelm von Humboldt, der sich mit Carolina von Dacheröden verlobte.

**Thüringer
Staatskanzlei**

Am Monumentalbrunnen von 1889/1890 und der Wigbertikirche vorüber, der ehemaligen Hofkirche der Mainzer Statthalter, führt der Weg zur damaligen Statthalterei, dem monumentalsten profanen Gebäude der Altstadt. Es entstand in den Jahren 1711–1720 aus zwei älteren Patrizierhäusern und hat eine schöne Barockfassade. Im großen Festsaal fand 1808 die denkwürdige Begegnung Goethes mit Napoleon statt. Heute hat dort die Thüringer Staatskanzlei ihren Sitz.

Außerhalb der Innenstadt

***ega Cyriaksburg
Erfurt**

Einen Besuch lohnt das Gelände der Erfurter Garten- und Ausstellungs-GmbH im Bereich der Cyriaksburg, einer alten Befestigungsanlage im Süden Erfurts. Die Cyriaksburg war früher Stadtschloß und Festung. Erhalten sind von der Burg nur noch die beiden Türme, jetzt Sternwarte und Aussichtsturm, ferner eine Verteidigungsanlage von 1825, die das Gartenbaumuseum beherbergt. Seit 1961 wurden auf dem Gelände Internationale Gartenbauausstellungen (iga) der sozialistischen Länder veranstaltet. 1990 wurde die "iga Erfurt" durch das Land Thüringen übernommen, 1991 die Erfurter Garten- und Ausstellungs GmbH (ega) gegründet. Für das Gelände der ega liegt ein dreigliedriges Nutzungskonzept vor: für die Erfurter Garten- und Ausstellungs GmbH, das mdr-Landesfunkhaus und die Messe Erfurt AG.

**Thüringer Zoopark
Erfurt**

Im Norden Erfurts liegt der Rote Berg, der schon immer ein Naherholungsziel für die Städter bildete. Auf dem Roten Berg entwickelte sich in den fünfziger Jahren aus einem kleinen Zoo der "Thüringer Zoopark Erfurt" mit heute über 1100 Tieren.

Umgebung von Erfurt

Ein lohnendes Ausflugsziel bildet Schloß Molsdorf südwestlich von Erfurt, eine der schönsten Thüringer Rokokoanlagen (um 1740). In Molsdorf gibt es seit 1989 ebenfalls eine Sternwarte. Diese und die auf dem ega-Gelände sind dem Naturkundemuseum angeschlossen, wo man sich nach Terminen für Sonnen- und Himmelsbeobachtungen erkundigen kann.

*Schloß Molsdorf

Erzgebirge

H–K 5

Bundesland: Sachsen

Vom Auersberg nahe dem Vogtland bis zum Geisingberg erstreckt sich 130 km lang und 40 km breit das Erzgebirge (tschech. Krusné hory) von Südwesten nach Nordosten. Es steigt aus dem Mittelsächsischen Hügelland mit 350–450 m nach Südosten langsam auf 800–900 m an und fällt jenseits der auf seinem Kamm verlaufenden Staatsgrenze zu Tschechien steil zum Graben der Eger (tschech. Ohře) ab. Der höchste Berg des Erzgebirges, der Klínovec (Keilberg; 1244 m), liegt bereits auf tschechischem Gebiet; der ihm benachbarte Fichtelberg ist mit seinen 1214 m Höhe der höchste Gipfel im deutschen Teil, immerhin 1019 m erreicht der Auersberg bei Johanngeorgenstadt. In den Kammlagen des Erzgebirges treten wie an keinem anderen Ort in Europa die katastrophalen Ausmaße des Waldsterbens zutage, deren Hauptauslöser hier die ungefiltert herüberwehenden Abgase der tschechischen Schwerindustrie sind – in den vergangenen 30 Jahren sind ca. 8300 ha Wald verlorengegangen. Doch trotz saurem Regen und Abraumhalden gehört das Erzgebirge zu den schönsten deutschen Mittelgebirgslandschaften, wo sich romantische Ritterburgen mit

Lage und
**Landschaftsbild

*Das Erzgebirge, hier bei Johanngeorgenstadt,
zählt zu den schönsten deutschen Mittelgebirgslandschaften.*

Erzgebirge

Landschaftsbild
(Fortsetzung)

lieblichen Tälern und tiefen Wäldern abwechseln. Im Winter heißt es "Ski und Rodel gut", und wenn es weihnachtet, werden die Räuchermännchen und Pyramiden ausgepackt. Dann zeigt sich das Erzgebirge von seiner märchenhaftesten Seite, denn nirgends in Deutschland wird das Fest auf eine so anheimelnde Art begangen: Das Erzgebirge ist Weihnachtsland.

Vom Bergbau
zur Industrie

Das Erzgebirge verdankt seinen Namen den zahlreichen Edel- und Buntmetallerzen. Seit im Jahr 1168 beim heutigen Freiberg die ersten Silbervorkommen entdeckt wurden, erklang über Jahrhunderte immer wieder das "Berggeschrey" und kündete von neuentdeckten Erzgängen. Dieser Erzreichtum bildete die Grundlage für die wirtschaftliche Erschließung und Entwicklung des Erzgebirges. Bergleute wanderten ein, und es entstanden die meist planmäßig angelegten, bedeutenden Bergstädte wie → Freiberg, Schneeberg oder Annaberg. Die allmähliche Erschöpfung vieler Erzlagerstätten brachte Ersatzerwerbe wie das Klöppeln und später das Holzschnitzen hervor. Im 19. Jh. entwickelten sich bedeutende Industriestädte wie → Chemnitz und → Zwickau, letzteres vor dem Zweiten Weltkrieg eine der wichtigsten Automobilproduktionsstätten Deutschlands (DKW, Horch, Auto Union, Wanderer); eine Tradition, die in der DDR mit den Trabantwerken fortgesetzt wurde.

Reiseziele im westlichen Erzgebirge

Sächsische
Silberstraße

Die beste und schönste Art, das westliche Erzgebirge zu erkunden, ist die Sächsische Silberstraße, auf der man, den Spuren der Bergleute folgend, die stolzen Städte, die der Silberreichtum ermöglichte, ebenso kennenlernt wie die Bergwerke, in denen das Silber gefördert wurde. Die ausgeschilderte Strecke führt von → Zwickau über → Freiberg nach → Dresden.

Schneeberg und Umgebung

Schneeberg

Von Zwickau fährt man auf der B 93 nach Schneeberg, durch den Silbererzbergbau einst eine der Haupteinnahmequellen der sächsischen Herrscher, heute vor allem bekannt als Zentrum der erzgebirgischen Volkskunst und des Brauchtums, das durch den alljährlich im Juli stattfindenden Bergstreittag und das weihnachtliche Lichtelfest besonders auflebt.
Die Stadt entstand nach reichen Silberfunden um 1470/1471, doch waren die Silbervorkommen bereits um 1500 weitgehend abgebaut. Ersatz bot der Bergbau auf Kobalt, mit dessen Farbstoff man die Meißener Porzellanmanufaktur versorgte. Nach einem Stadtbrand 1719 wurden die Häuser der heutigen Altstadt größtenteils im Barock- und Rokokostil wiedererrichtet. Schneeberg steht zusammen mit der Nachbarstadt Aue auch für ein trauriges Kapitel: Hier wurde nach 1945 Uran für das sowjetische Atomwaffenprogramm ohne Rücksicht auf die Gesundheit der Bergleute abgebaut. An den Folgen leiden viele heute noch.

*Markt
Rathaus

Der imposant langgestreckte, zum Kirchberg ansteigende Markt wird beherrscht vom neugotischen Rathaus (1851/1852). Über dem Haupteingang stellt ein Sandsteinrelief die "Sage von der Fündigwerdung Schneebergs" dar. Unter den zahlreichen Barockbauten am Markt ragt besonders der prächtig restaurierte "Goldene Hirsch" an der oberen Platzhälfte heraus. Der Marktplatz geht über in den Frauenmarkt, wo das Erzgebirgische Volkskunsthaus zum Einkauf und dessen Café zur Pause unter gotischen Gewölben einladen. An der vom Frauenmarkt abgehenden Oberen Zobelgasse wird im Museum für bergmännische Volkskunst, untergebracht im Bortenreutherhaus um 1725, die Entwicklung der erzgebirgischen Schnitzkunst von ihren Anfängen bis zur Gegenwart gezeigt. Weiter bergan erreicht man die dreischiffige spätgotische St.-Wolfgang-Kirche (1515–1540), eine der größten Hallenkirchen Sachsens. Seit Beendigung der Restaurierungsarbeiten kann man wieder den 1539 von Lucas Cranach d.Ä. geschaffenen Flügelaltar bewundern, eines seiner reifsten Werke.

*Lucas-Cranach-
Altar

Eibenstock liegt 24 km südwestlich am Fuß des Auersbergs. Einst eine der größten Zinnwäschen des Erzgebirges, ist der Ort dank der nahen Talsperre heute ein beliebter Ausflugsort.

Carlsfeld, 11 km südlich von Eibenstock, besitzt mit der Dreifaltigkeitskirche (1684–1688) von Johann Georg Roth den ältesten barocken Zentralbau in Sachsen. Seine Besonderheit sind die dreigeschossigen Emporen und der reiche Kanzelaltar von 1688. In der Nähe liegen die Naturschutzgebiete Hochmoor Weitersglashütte (23,4 ha; typische Hochmoorflora) und Großer Kranichsee (292,8 ha; seltene Flora und Fauna).

Von Schneeberg fährt man weiter auf der B 169 nach Aue, dem ältesten Ort des Erzgebirges und lange bekannt für die Förderung von Kaolin, Wismut und Uran. Heute bietet die Stadt außer dem Bergbaumuseum kaum Sehenswertes, deshalb rasch weiter nach Schwarzenberg.

Schwarzenberg und Umgebung

Schwarzenberg, die "Perle des Erzgebirges" liegt malerisch am Zusammenfluß von Schwarzwasser und Mittweida in einem tiefen Talkessel des Westerzgebirges. In den Hochlagen um die Stadt bieten sich gute Wintersport- und Erholungsmöglichkeiten. Die Gründung der 1282 erstmals erwähnten Stadt geht auf Heinrich, Vogt von Gera, zurück. 1380 wurde hier der erste Eisenhammer des Erzgebirges in Betrieb genommen.
Vom Markt mit seinem stattlichen Rathaus spaziert man, vorbei an einem Glockenspiel aus Meißener Porzellan, bergan zur Pfarrkirche St. Georg (1690–1699), einem einschiffigen Barockbau mit einem herrlichen, emporenumlaufenen Innenraum. Kurz darauf folgt das spätgotische Schloß, das unter Einbeziehung von Resten des 12. Jh.s (Bergfried) von 1433 an entstand; 1555–1558 wurde es von Kurfürst August zum Jagdschloß umgebaut. Darüber und über die Geschichte der Stadt informiert das Schloßmuseum, dessen besondere Attraktion eine Nagelschmiede aus dem 19. Jh. ist. Auf dem ehemaligen Bahnbetriebsgelände zeigt das Schwarzenberger Eisenbahnmuseum Dampf- und Diesellokomotiven.

In Waschleithe (5 km nordöstlich) veranschaulicht das Schaubergwerk "Herkules-Frisch-Glück" die Entwicklung des erzgebirgischen Bergbaus. Ferner gibt es hier einen Heimattierpark und die sog. Heimatecke mit erzgebirgischen Gebäuden und Anlagen en miniature.

Über das 3 km östlich liegende Markersbach mit seiner spätgotischen Dorfkirche erreicht man Pöhla, wo das Besucherbergwerk einen eindrucksvollen Einblick in die Welt der Zinn- und Uranerzförderung bietet. Wenige Kilometer südlich sollten Eisenbahnfans das Schmalspurbahnmuseum in Rittersgrün nicht auslassen.

Auch Johanngeorgenstadt, 18 km südlich am Fuß des Auersbergs (1019 m) gelegen, besitzt ein Schaubergwerk: "Frisch Glück" (auch "Glökkel") ist eine der ältesten Silbergruben im Erzgebirge.

Annaberg-Buchholz und Umgebung

Die nächste Station an der Silberstraße ist Annaberg-Buchholz, das wirtschaftliche und kulturelle Zentrum des Oberen Erzgebirges. Hier feiert man die Kät, das größte Volksfest im Erzgebirge. Annaberg ist ein Kind des "Berggeschreys": 1492 wurden reiche Silbervorkommen gefunden, bereits 1497 erhielt der Ort die Stadtrechte und wurde Sitz der Bergbehörde (bis 1856), die 1509 die in ganz Deutschland gültige "Annaberger Bergordnung" herausgab. In seiner Glanzzeit im 16. Jh. war Annaberg größer und reicher als Leipzig. In dieser Zeit lebte und wirkte hier der "Rechenmeister

Annaberg-
Buchholz
(Fortsetzung)

des deutschen Volkes" Adam Ries (1492–1559). Nachdem die Silbererz-förderung ihren Höhepunkt überschritten hatte, gewannen in der zweiten Hälfte des 16. Jh.s die Bortenwirkerei und Spitzenklöppelei regionale Bedeutung, noch heute ein wichtiger Wirtschaftsfaktor für die Stadt. 1945 wurden Annaberg und der Nachbarort Buchholz vereint.

Zentrum der Stadt ist der Markt, an dem besonders das 1751 erneuerte Rathaus und die kleine Bergkirche (1502) in der Westecke auffallen. Von der von stattlichen Bürgerhäusern gesäumten Buchholzer Straße (wenig südlich vom Markt) zweigt rechts die Johannisgasse ab, in der das Haus des Rechenmeisters Ries (Nr. 13) steht, das zum Gedenkmuseum über sein Leben und Werk umgestaltet wurde. Die Große Kirchgasse steil hinauf geht es zunächst zum Erzgebirgsmuseum gegenüber der Annenkirche, das über Bergbau und Kunsthandwerk informiert. Zum Museum gehört

**St.-Annen

auch das Schaubergwerk Gößner. Die bedeutendste Sehenswürdigkeit Annabergs ist die spätgotische St.-Annen-Kirche, die größte Hallenkirche Sachsens, 1499–1525 aus erzgebirgischem Gneis erbaut. Von außen eher abweisend, offenbart ihr Inneres eine der schönsten Raumgestaltungen der deutschen Spätgotik. Dazu trägt vor allem das herrliche Schlingrippen- und Schleifensterngewölbe von Jakob Heilmann von Schweinfurt bei, hinzu kommen die 100 Reliefs mit biblischen Szenen und Lebensalterallegorien von Franz Maidburg (1520 bis 1522), die Schöne Pforte (1512) und der Taufstein (1515) von Hans Witten, der Bergaltar mit Darstellungen der Bergleute im erzgebirgischen Silberbergbau von Hans Hesse (1521) und der Altar der Münzknappschaft (1522) von Christoph Walter I.

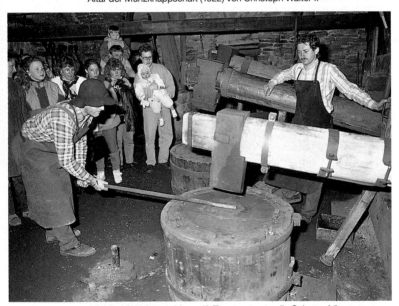

Mit einer Wucht von bis zu 12 Tonnen sausen die Schwanzhämmer des Frohnauer Hammers auf das Metall herab. Bei der Vorführung kommt aber nur der kleinste Hammer zum Einsatz.

*Frohnauer
Hammer

Frohnau, unmittelbar nördlich von Buchholz, besitzt mit dem "Frohnauer Hammer" ein einzigartiges technisches Denkmal. Dieser Eisenhammer ist seit dem 14. Jh. nachgewiesen und existiert in seiner heutigen Form seit 1657. Daß er immer noch funktioniert, beweisen die Vorführungen.

Über das 8 km nördlich gelegene Ehrenfriedersdorf, dessen Nikolaikirche einen Altar von Hans Witten besitzt, erreicht man die als Kletterrevier bekannte Gruppe der Greifensteine. Diese Restfelsen eines ehemals mächtigen Granitmassivs ragen bis zu einer Höhe von 731 m auf. Im Naturtheater Greifenstein werden vor allem Stücke nach Karl May und über Karl Stülpner, den "Robin Hood des Erzgebirges", aufgeführt.

Umgebung von
Annaberg-
Buchholz (Fts.)
Greifensteine

Den Ausflug nach Oberwiesenthal, dem Wintersportzentrum des Erzgebirges am Fuß des 1214 m hohen Fichtelbergs, kann man zwar auch mit dem Auto unternehmen, viel vergnüglicher aber ist die Anreise mit der Erzgebirgsbahn ab Cranzahl. Die 1897 eröffnete Bahn ist eine der letzten dampfgetriebenen Schmalspurbahnen im regelmäßigen Verkehr der DB. In Oberwiesenthal, 24 km südlich von Annaberg-Buchholz, kann man die farbenfrohe Postmeilensäule am Marktplatz bewundern und die Große Fichtelbergschanze besichtigen; vor allem aber sollte man mit der Schwebebahn auf den Fichtelberg hinauffahren und den Blick weit über das Erzgebirge und tief ins nahe Böhmen hinein genießen. Dorthin kann man auch wandern, etwa nach Boži Dar (Gottesgab) oder zum Klínovec (Keilberg), mit 1244 m höchster Berg des Erzgebirges.

*Oberwiesenthal

Nach Annaberg-Buchholz teilt sich die Silberstraße. Die interessantere Route führt auf der B 101 durch Wolkenstein, das älteste Heilbad Sachsens, überragt von einer stattlichen Burg. Von hier aus bietet sich ein kurzer Abstecher durch das wildromantische Zschopautal nach Scharfenstein an, dem Geburtsort von Karl Stülpner. In der Burg ist das erzgebirgische Spielzeug- und Weihnachtsmuseum untergebracht. Die Silberstraße setzt sich in Wolkenstein auf der B 171 fort.

Wolkenstein

Zschopautal

Marienberg und Umgebung

Das auf einer Hochfläche nahe der Grenze zur Tschechischen Republik liegende Marienberg wurde 1521 von Herzog Heinrich dem Frommen als weitere Silberbergbaustadt gegründet. 1660 allerdings war es mit dem Segen schon wieder vorbei, und es dauerte bis ins 19. Jh., bis die Holzwarenproduktion wieder für ausreichend Arbeit sorgte.

Marienberg

Die Besonderheit Marienbergs ist seine von Ulrich Rülein von Calw erstellte planmäßige Anlage. Sie kommt besonders im 100 × 100 m messenden Markt zum Ausdruck, den ein Standbild des Stadtgründers ziert. Die Stadtkirche St. Marien ist die letzte der großen sächsischen Hallenkirchen der Gotik, 1564 vollendet. Von der originalen Ausstattung allerdings ist kaum mehr etwas erhalten geblieben.

*Markt

In der näheren Umgebung kann man noch mehrere schöne Wehrgangkirchen aus dem 15. Jh. aufsuchen, so in Mauersberg, Großrückerswalde, Lauterbach und Dörnthal.

Wehrkirchen

Im Schaubergwerk "Zum Tiefen Molchner Stolln" im nahen Pobershau wird der Zinnbergbau erläutert.

Pobershau

Das Dorf Lengefeld, 10 km nördlich, bietet mit seinem Kalkwerk aus dem 19. Jh. ein seltenes technisches Denkmal und mit Schloß Rabenstein eine Raubritterburg wie aus dem Märchen.

Lengefeld

Nach Marienberg bleibt man auf der B 171 und fährt weiter nach Olbernhau im Tal der Flöha. Die dortige Saigerhütte ist seit 1537 als Verarbeitungsstätte für Kupfererz belegt; die heute 22 Gebäude, darunter drei mächtige wasserbetriebene Hämmer, sind ein einzigartiges Denkmal der Technikgeschichte. Daß Olbernhau auch als "Tor zum Spielzeugland" bekannt ist, belegt auf anschauliche Weise das Museum "Haus der Heimat", ein ehemaliges Rittergut, mit seiner Ausstellung über die erzgebirgische Holzkunst- und Spielzeugindustrie.

Olbernhau

Reiseziele im östlichen Erzgebirge

Die hier vorgeschlagene Route verläßt nun die Silberstraße, die sich in Olbernhau nach Norden Richtung → Freiberg wendet, und führt hinein in das östliche Erzgebirge.

Seiffen und Umgebung

Seiffen

Von Olbernhau sind es noch 10 Kilometer bis Seiffen. Das "Spielzeugdorf" liegt im "Seiffener Winkel" südlich des Schwartenberges (788 m) und ist das Zentrum der sächsischen Spielwarenindustrie. Neben dem Spielzeug sind die gedrechselten Leuchterfiguren (Bergmann und Engel), Nußknacker, Räuchermännchen, Weihnachtspyramiden, die Hängeleuchter, Spanbäume und Holzblumen sowie die in Reifen (Ringen) gedrehten und davon abgespaltenen Tierfiguren weltberühmt. Zahlreiche Kleinbetriebe in dem vom Verkaufstourismus geprägten Ort bieten daher auch ihre Ware feil: authentischer kann man erzgebirgisches Spielzeug nicht erwerben. Der Name des 1324 erstmals erwähnten Ortes wird abgeleitet vom früheren Auswaschen ("Seifen") der Zinnkörner aus dem Verwitterungsschutt der Täler. Nach dem Erlöschen des Bergbaus 1849 bot sich die Holzbearbeitung als weitere Erwerbsmöglichkeit an; bereits 1699 wurde "Seiffener Ware" zur Leipziger Messe gebracht, seit 1760 beschickte man auch die Messe in Nürnberg.

*Erzgebirgisches
Spielzeugmuseum
*Dorfkirche

Das Erzgebirgische Spielzeugmuseum zeigt die Entwicklung des Seiffener Bergmanns zum Spielzeugmacher und des Seiffener Spielzeugs zur weltbekannten Handelsware. Ein anmutiges Bild bietet die kleine barocke Dorfkirche (1779), ein achteckiger Zentralbau mit umlaufenden Emporen und bemerkenswerter Innenausstattung, beliebtes Motiv auch der Seiffener

Geschnitztes und gedrehtes Spielzeug und andere Produkte aus Holz, die heute weltberühmt sind, dienten in früherer Zeit als Ausgleich für die Arbeit in den dunklen Bergstollen.

Spielzeugmacher. Unterhalb der Kirche tut sich die 35 m tiefe Binge auf, Zeugnis des Bergbaus. In der Schauwerkstatt der "Seiffener Volkskunst" (Bahnhofstraße 12) kann man Reifendrehern, Schnitzern und Malern bei der Arbeit zusehen.

Seiffen
(Fortsetzung)

Am östlichen Ortsausgang zeigt das Erzgebirgische Freilichtmuseum in historischen Gebäuden die Arbeits- und Lebensbedingungen der Spielzeugmacher und anderer für das Erzgebirge typischer Berufsgruppen. Hauptattraktion ist das Wasserkraftdrehwerk von 1760, in dem das Reifendrehen demonstriert wird.

*Erzgebirgisches
Freilichtmuseum

Im kleinen Neuhausen, 3 km nördlich von Seiffen, sind gleich zwei Museen zu Hause: das einzige Nußknackermuseum Europas und das Glashüttenmuseum. Danach passiert man die Talsperre Rauschenbach und erreicht bald wieder die B 171, auf der man nach Frauenstein fährt.

Neuhausen

Im Renaissanceschloß von Frauenstein ist das Museum für den genialen Orgelbaumeister Gottfried Silbermann einen Besuch wert. In Frauenstein wendet man sich dann nach Südosten und fährt weiter nach Altenberg.

Frauenstein

Altenberg und Umgebung

Die Bergbaustadt Altenberg liegt am Geisingberg im Osterzgebirge sowie an der E 55 von Dresden über Zinnwald nach Prag, nur 5 km von der Grenze zur Tschechischen Republik entfernt. Die Umgebung der Stadt ist als schneesicheres Wintersportgebiet bekannt. Seit etwa 1400 wurde in der Gegend von Altenberg Zinn im Seifenbetrieb gewonnen. Im Jahre 1451 erhielt der Ort die Stadtrechte. Der Bergbau kam im zweiten Drittel des 19. Jh.s fast völlig zum Erliegen. Erst zu Beginn dieses Jahrhunderts bewirkten der Tourismus und die Entwicklung des Wintersports eine wirtschaftliche Belebung. Nach dem Zweiten Weltkrieg wurde der Zinnerzbergbau wieder stark aktiviert.

Altenberg

Ein spektakuläres bergbauhistorisches Schaustück ist die Pinge, ein Trichter, der 1620 nach vorangegangenen kleineren Brüchen durch den gleichzeitigen Einsturz vieler einzelner Gruben entstand. Das ursprünglich nur 1,25 Hektar große Bruchgebiet umfaßt heute 22 Hektar; der Erzbergbau ist heute eingestellt. Das Altenberger Bergbaumuseum in einer über 400 Jahre alten Pochwäsche erläutert die Technik der Zinnerzaufbereitung in früherer Zeit. Anschließend kann man in den "Neubeschert-Glück-Stollen" einfahren. – Von den Wintersportanlagen in der Umgebung ist die Bob- und Rodelbahn im nahen Kohlgrund, der u. a. Austragungsort der Rennrodelweltmeisterschaft 1996 war, am sehenswertesten. Die Basaltkuppe des Geisingbergs (823 m) ist neben der Pinge das zweite Wahrzeichen der Stadt. Hier gedeihen noch seltene Blumen wie der Himmelsschlüssel und der Fingerhut.

*Pinge

Zinnwald-Georgenfeld, 5 km südlich direkt an der Grenze zur Tschechischen Republik, gilt als der schneesicherste Ort des Osterzgebirges. Zu besichtigen gibt es ein Besucherbergwerk sowie das Huthaus des Bergverwalters mit einem Skimuseum. Naturfreunde durchqueren auf einem Knüppeldamm das Georgenfelder Hochmoor, ein 11 ha großes, etwa 18 000 Jahre altes Moor, und halten dabei Ausschau nach Sonnentau, Trunkelsbeere, Moosbeere oder Pfeifengras.

Zinnwald-
Georgenfeld

Georgenfelder
Hochmoor

Auch an den 2000 Gebirgspflanzen im Botanischen Garten von Schellerhau, 4 km nordwestlich von Altenberg, kann man sich erfreuen.

Schellerhau

Der Kurort Kipsdorf, 7 km nordwestlich im Tal der Roten Weißeritz, ist Endpunkt der 1882 eröffneten, von Freital – Hainsberg kommenden Dampfschmalspurbahn mit dem Namen "Rabenauer Bügeleisen". Diese Bahn verkehrt ebenfalls nach dem regulären DB-Fahrplan.

Kurort Kipsdorf

Essen

Erzgebirge
(Fortsetzung)
Schmiedeberg

Im 5 km weiter liegenden Schmiedeberg befindet sich eine der schönsten sächsischen Kirchen, ein Zentralbau von George Bähr (1666–1738), dem Baumeister der Dresdener Frauenkirche.

Dippoldiswalde

In der Kreisstadt Dippoldiswalde, weitere 5 km entfernt, dem wirtschaftlichen Zentrum des Osterzgebirges, sind die Renaissancegebäude am Markt, das Rathaus, das Schloß, die Stadtkirche und vor allem die Lohgerberei aus dem Jahr 1750 einen Aufenthalt wert.

Müglitztal

*Sachsens
schönstes Tal
Lauenstein

Nur wenige Kilometer nordöstlich von Altenberg tritt man in Lauenstein in das Müglitztal ein, vom sächsischen König Johann als "Sachsens schönstes Tal" bezeichnet. In der einst als Grenzfestung errichteten Burg Lauenstein befindet sich heute das Heimatmuseum. Die Stadtkirche enthält mit dem Hauptaltar und dem Grabmal derer von Bünau bedeutende Werke des Manierismus, geschaffen von Michael Schwenke (1563–1610).

Glashütte

Durch Bärenstein hindurch – auch hier gibt es eine Burg –, kommt man nach Glashütte, wo F. A. Lange 1845 die erste deutsche Uhrenfabrik gründete. Die Firma Lange & Söhne steht auch heute wieder für hochwertige Chronometer; wie sie gemacht werden, erfährt man im Firmenmuseum.

*Schloß
Kuckuckstein

Anschließend sollte man einen Abstecher nach Liebstadt machen, der ehemals kleinsten Stadt Sachsens. Über ihr thront das zauberhafte Schloß Kuckuckstein (15.–19. Jh.), in dem man u.a. den Versammlungsraum einer Freimaurerloge besichtigen kann.

*Schloß
Weesenstein

Letzte Station im Müglitztal ist Schloß Weesenstein (13.–16. Jh.), Lieblingsaufenthalt von König Johann von Sachsen (reg. 1854–1873). Die Schloßkapelle schuf George Bähr, die große Besonderheit aber sind die vielfältigen Tapeten, darunter eine Pariser Ledertapete von 1750 im Festsaal und eine chinesische Bambustapete von 1725.

Weitere
Reiseziele
im Erzgebirge

→ Chemnitz
→ Freiberg
→ Zwickau

Essen   D 4

Bundesland: Nordrhein-Westfalen
Höhe: 116 m ü.d.M.
Einwohnerzahl: 617 000

Lage und
Bedeutung

Essen, zwischen Emscher und Ruhr gelegen, hat in den letzten Jahren einen Wandel vom Kohle- und Stahlproduzenten zum Dienstleistungs- und Verwaltungsstandort vollzogen. Elf der hundert umsatzstärksten Konzerne Deutschlands werden von Essen aus geleitet, darunter die Energie- und Technologie-Unternehmen RWE, Krupp, Ruhrkohle und Ruhrgas. Vor den Toren des Grugaparks fungiert die Messe Essen mit Fach- und Verbraucherausstellungen als internationale Wirtschaftsdrehscheibe. Die Stadt ist zudem Sitz des Ruhrbischofs.

Geschichte

Keimzelle der Stadt ist das um 846 gegründete Damenstift St. Maria, Cosmas und Damian. Die um 1000 in Verbindung mit dem Stift entstandene Kaufmannssiedlung erhielt 1041 das Marktprivileg und wurde um 1240 mit einer Mauer umgeben. Im 19. Jh. entwickelte sich Essen dann zu einem der bedeutendsten Industriestandorte Deutschlands. Steele und Werden wurden 1929 eingemeindet. 1996 öffnete das "Colosseum", ein Veranstal-

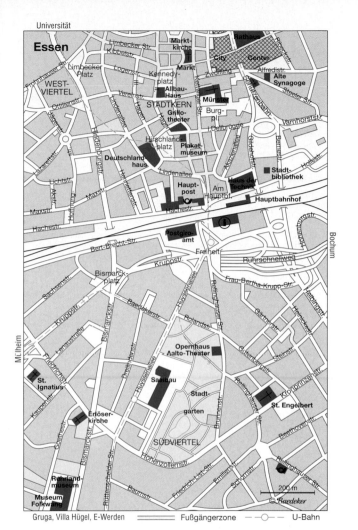

Universität

Essen

Gruga, Villa Hügel, E-Werden ═══════ Fußgängerzone — —○— — U-Bahn

tungsgebäude für Musicals, in Essen seine Pforten. Es residiert in einer früheren Werkstatt zur Produktion von Kurbelwellen und Turbinengebäuden und gilt als gelungenes Beispiel für den Strukturwandel im Ruhrgebiet.

Geschichte (Fortsetzung)

Sehenswertes in Essen

Hauptgeschäftsstraßen der Stadt (Fußgängerzone) sind die Kettwiger Straße und die Limbecker Straße. Am Burgplatz steht das Münster, eine katholische, um 850 gegründete Kirche. Heute ist das Münster Kathedrale des 1958 gegründeten Ruhrbistums. Die Schatzkammer des Münsters birgt sakrale Kostbarkeiten, darunter ein siebenarmiger Bronzeleuchter (um

*Münster

Münster (Fortsetzung)	1000) und die Goldene Madonna (um 980), die vermutlich älteste vollplastische Marienfigur des Abendlandes, ferner Vortragekreuze, Evangeliare und Goldschmiedearbeiten.
Rathaus Alte Synagoge	Nördlich vom Münster steht am City Center (Einkaufszentrum) das mächtige Rathaus. In der Nähe befindet sich die 1913 geweihte Alte Synagoge, heute Gedenkstätte mit zwei Dauerausstellungen: "Verfolgung und Widerstand in Essen 1933–1945" und "Stationen jüdischen Lebens".
*Deutsches Plakatmuseum	Das Deutsche Plakatmuseum an der Rathenaustraße 2 ist als selbständige Sammlung mit rund 80 000 großflächigen Graphiken etwas Besonderes. Klassiker künstlerischer Plakatgestaltung, etwa Toulouse-Lautrec, Thorn-Prikker oder Behrens, sind hier ebenso zu finden wie Vertreter neuester Stilrichtungen. Es gibt keine Dauerpräsentation: Im Rhythmus von zwei Monaten wechseln die Ausstellungen.
Aalto-Theater	Südlich vom Hauptbahnhof führt die Huyssenallee zum Stadtgarten mit dem Städtischen Saalbau und dem 1988 eröffneten Opernhaus Aalto-Theater, das der finnische Architekt Alvar Aalto (1898–1976) entworfen hat.
*Museum Folkwang Ruhrlandmuseum	Südwestlich vom Stadtgarten liegt an der Bismarckstraße das Museumszentrum Essen, zu dem das Ruhrlandmuseum und das Museum Folkwang gehören. Das Museum Folkwang birgt wohl die bedeutendste Kunstsammlung im Ruhrgebiet. Es zeigt vor allem Malerei seit 1800, u.a. Bilder von Caspar David Friedrich, französische Impressionisten, deutsche Expressionisten, Vertreter des "Blauen Reiter", Kubisten und Bauhauskünstler, ferner zeitgenössische Kunst ab 1960. Ein Teil des Museums bleibt wegen Sanierungs- und Umbauarbeiten bis Herbst 1998 geschlossen. Das Ruhrlandmuseum umfaßt interessante Sammlungen zur Natur- und Kulturgeschichte des Ruhrgebiets, zu Geologie und Mineralogie, zu Vor- und Frühgeschichte sowie Sozialgeschichte. Anhand von Werkzeugen u.a. werden die früheren Lebensumstände von Arbeiterfamilien geschildert.
*Grugapark	Ein beliebtes Ausflugsziel ist der schöne Grugapark im Südwesten von Essen, der 1929 für die Große Ruhrländische Gartenbauausstellung angelegt und nach 1950 erweitert wurde. Seine jetzige Form und Größe (70 ha) erhielt das Parkareal anläßlich der Bundesgartenschau 1965. Auf dem Gelände des Grugaparks gibt es u.a. die Grugahalle, einen Aussichtsturm, einen Botanischen Garten, einen Vogelpark und Gaststätten. Der Park wird durch die Grugabahn erschlossen. Von Mai bis September besteht ein vielfältiges kulturelles Angebot für Kinder und Erwachsene.
Halbach-Hammer	Westlich vom Grugapark liegt im Nachtigallental der Halbach-Hammer, ein technisches Kulturdenkmal aus dem 16. Jahrhundert.

Umgebung von Essen

*Design Zentrum	Als letztes Essener Bergwerk wurde 1986 die Zeche Zollverein an der Gelsenkirchener Straße im Essener Norden geschlossen und unter Denkmalschutz gestellt. Im zugehörigen Kesselhaus, das ursprünglich im Bauhausstil errichtet und vom britischen Architekten Sir Norman Foster umgebaut wurde, hat seit 1997 das Design Zentrum Nordrhein-Westfalen seinen Sitz. Die ständige Internationale Designausstellung (IDA) präsentiert dort Produkte in zeitgenössischem Design.
Baldeneysee	Südlich vom Essener Stadtwald erstreckt sich der Baldeneysee, ein Stausee der Ruhr. Die ihn umgebenden Grünzonen sind ein beliebtes Naherholungsgebiet. Am Nordufer steht Schloß Baldeney (17. und 19. Jh.).
*Villa Hügel	Am nördlichen Ufer des Baldeneysees liegt in einem Park die Villa Hügel, die der Essener Industrielle Alfred Krupp um 1870 nach seinen eigenen Plänen errichten ließ. Das Haus war bis 1945 Wohnsitz der Familie Krupp.

Die Villa Hügel, jahrzehntelang der Wohnsitz der Familie Krupp, steht heute Kunst und Kultur zur Verfügung.

Seit 1953 ist die Villa Hügel mit ihren zahlreichen Kunstschätzen für die Öffentlichkeit zugänglich. Regelmäßig finden hier heute Kunstausstellungen, Konzerte und andere kulturelle Veranstaltungen statt. Zu der historischen Sammlung Krupp gehört eine Dokumentation der Familien- und Firmengeschichte. Ergänzend dazu "Krupp heute" – eine Gesamtschau der Krupperzeugnisse, die laufend auf den neuesten Stand gebracht wird.

Umgebung von Essen, Villa Hügel (Fortsetzung)

Der Essener Stadtteil Werden erstreckt sich am linken Ufer der Ruhr beim westlichen Ende des Baldeneysees. Der friesische Missionar Liudger (Ludgerus) gründete um 800 das Benediktinerkloster Werden. Die Abteikirche – Propsteikirche St. Ludgerus – ist heute der letzte einheitlich romanische Großbau des Rheinlands. Unter dem Chor liegt die Krypta, in der sich ein Schrein mit den Gebeinen des hl. Liudger befindet (gest. 809). Von der barocken Innenausstattung sind Kanzel, Altar und Chorgestühl hervorzuheben. In der Schatzkammer wird ein Kelch des hl. Liudger aufbewahrt. In der Werdener Abtei hat jetzt die Folkwang-Hochschule für Musik, Tanz und Theater ihr Zuhause.

*Abteikirche Werden

Esslingen am Neckar   F 7

Bundesland: Baden-Württemberg
Höhe: 240–498 m ü.d.M.
Einwohnerzahl: 92 000

Die ehemalige Freie Reichsstadt Esslingen (12 km südöstlich von Stuttgart) liegt im mittleren → Neckartal. Als einzige Stadt in der Region verfügt sie noch über einen intakten mittelalterlichen Stadtkern, der anläßlich ihrer 1200-Jahr-Feier (1977) sorgfältig restauriert wurde. Trotz seines rebenbestandenen Burgbergs, der mittelalterlichen Türme und Tore, der schönen Bürgerhäuser und der romantischen Gassen und Wasserläufe ist Esslingen eine moderne Stadt mit neuen Vorstädten und Industrieanlagen.

Lage und *Stadtbild

Urkundlich wird der an der Handelsstraße vom Rhein nach Italien gelegene Ort erstmals 777 genannt. Als Esslingen um 1219 die Stadtrechte bekam, wurde es staufischer Verwaltungsmittelpunkt. 1246 begann die jahrhundertelange Erbfeindschaft der mittlerweile Freien Reichstadt mit den Grafen von Wirtemberg, die mit Esslingens Niederlage im Jahr 1454 endete. Der Dreißigjährige Krieg, Einfälle französischer Truppen im späten 17. Jh. und ein großer Brand (1701) setzten der Stadt sehr zu. Nach dem Ende der

Geschichte

Esslingen am Neckar

Geschichte
(Fortsetzung)

reichsstädtischen Zeit (1803) wurde aus Esslingen die erste und größte Industriestadt im Königreich Württemberg. Noch heute sind bekannte Firmen wie Hirschmann, Hengstenberg, Sektkellerei Kessler, Festo u.a. hier ansässig.

Sehenswertes in Esslingen

*Marktplatz

Um den weiten Marktplatz gruppieren sich etliche der bedeutendsten Bauwerke der Stadt. Die zweitürmige Stadtkirche St. Dionys, im Übergangsstil des 13./14. Jh.s auf Grundmauern aus dem 8. Jh. errichtet, verfügt über einen hochgotischen Chor. Bei Ausgrabungen wurden Reste früherer Kirchen, einer Krypta sowie einer Hütte der Urnenfeldkultur (13. – 11. Jh. v. Chr.) freigelegt. Der ehemalige Speyrer Pfleghof, direkt hinter der Stadtkirche gelegen, ist heute Sitz der 1826 gegründeten Sektkellerei Kessler, der ältesten Schaumweinkellerei Deutschlands. Das frühgotische Münster St. Paul (1233–1268) gilt als die älteste erhaltene Bettelordenskirche auf deutschem Boden. Nördlich von St. Paul ragt jenseits des Altstadtrings die hochgotische Frauenkirche (1321 bis 1516) mit ihrem beeindruckenden, nach Plänen des Ulmer Münsterbaumeisters Ulrich von Ensingen errichteten Turm empor. Durch sein prachtvolles Fachwerk sticht das Kielmeyerhaus, die ehemalige Kelter des bis ins 19. Jh. wirkenden Katharinenspitals, ins Auge.

*Frauenkirche

Marktplatz von Esslingen mit Frauenkirche

*Burg

Über der Altstadt erhebt sich der rebenbestandene Burgberg, auf den ein überdachter Treppenaufgang und die Burgsteige führen. Die Burg stammt ursprünglich aus der Stauferzeit; vom Dicken Turm (Restaurant) und dem Wehrgang bietet sich eine schöne Aussicht auf die Stadt.

Neues Rathaus
*Altes Rathaus

Am Rathausplatz steht das barocke Neue Rathaus (ehem. Palmsches Palais, 1748–1751). Das gegenüberliegende Alte Rathaus, ein Fachwerkbau (um 1420), erhielt durch Heinrich Schickhardt 1586–1589 eine Renaissancefassade. Ein Kleinod ist die astronomische Uhr mit ihrem Glockenspiel.
Von der rückwärtigen Fassade aus führt eine wundervoll restaurierte Fachwerkhäuserzeile auf den Hafenmarkt.

Stadtmuseum

Dort fällt vor allem das Gelbe Haus, ein Ensemble aus zwei Barockhäusern und einem Wohnturm, auf. Das hier untergebrachte Stadtmuseum gibt ein eindrucksvolles Bild von der Entwicklung der Stadt.

Innere Brücke

In westlicher Richtung gelangt man auf die Innere Brücke mit kleinen Brückenhäuschen und einer Kapelle. Diese überspannt den malerischen Wehrneckar, die als Park angelegte kleine Insel Maille und den Roßneckar.

Fehmarn

Bundesland: Schleswig-Holstein

Die Insel Fehmarn, mit 185,3 km² die zweitgrößte Insel Deutschlands (nach der Insel Rügen), liegt am westlichen Ausgang der Ostsee. Von der Halbinsel Wagrien wird sie durch den Fehmarnsund, von der dänischen Insel Lolland durch den Fehmarnbelt getrennt. Seit dem Bau der Fehmarnbrücke (1963), die über den Fehmarnsund führt, hat die Insel vor allem für den Verkehr nach Skandinavien Bedeutung gewonnen. Zusammen mit der Fährverbindung von Puttgarden nach Rødbyhavn bildet die Brücke die sogenannte Vogelfluglinie, den südlichen Abschnitt der kürzesten Eisenbahn- und Straßenverbindung zwischen Mitteleuropa und der Skandinavischen Halbinsel.

Lage und Bedeutung

Sehenswertes auf Fehmarn

An der Westküste der Insel befindet sich das "Wasservogelreservat Wallnau", in dem ca. 80 Arten Brutvögel leben, darunter Graugänse, Säbelschnäbler und Teichrohrsänger. Im Frühling und Herbst gesellen sich große Mengen Zugvögel hinzu: Da Fehmarn an der Schwelle zwischen Skandinavien und Mitteleuropa liegt, stellt die Insel für viele Vögel einen Knotenpunkt ihres Zugwegs dar. Durch das Reservat führt ein informativer Naturlehrpfad.

Wasservogelreservat

Die Hauptstadt der Insel ist Burg auf Fehmarn, ein ansprechender Ort im östlichen Teil. Die mit Kopfstein gepflasterten Straßen werden von typisch norddeutschen Backsteinhäusern und Fachwerkbauten gesäumt. Einblick in die Geschichte vermitteln die St.-Nikolai-Kirche und das Heimatmuseum. Am Südstrand liegt das Kur- und Ferienzentrum sowie Cafés, Restaurants und Sportanlagen.

Burg

Den wichtigsten Punkt an der Nordküste der Insel bildet der Fährhafen Puttgarden, ursprünglich ein Dorf und heute Ortsteil der Gemeinde Bannesdorf, auch "Tor zum Norden" genannt. Für den Fährverkehr zwischen Puttgarden und Rødbyhavn auf Lolland zeichnet von deutscher Seite die DFO-Vogelfluglinie verantwortlich, von dänischer Seite die DS (Danske Statsbaner). Während der Hochsaison fahren große Fährschiffe von Puttgarden aus im Einstundentakt nach Rødby, die Eisenbahnzüge, Autos und Menschen transportieren.

Puttgarden

Zwischen der Hohwachter Bucht und dem Anfang der Fehmarnsundbrücke liegt das Ostseebad Heiligenhafen – mit den vorgelagerten Landzungen Steinwarder und Graswarder. Zu empfehlen ist ein Besuch im Naturschutzgebiet Graswarder, in dem der deutsche Naturschutzbund im Sommer Führungen anbietet. Heute gibt es hier eine der größten Kolonien brütender Sturmmöwen in Deutschland. Heiligenhafen bietet dem Besucher einen Ferienpark mit Appartements und ein Meerwasser-Hallenbad.

Heiligenhafen

Fichtelgebirge

Bundesland: Bayern

Das größtenteils von Fichten und Kiefern bedeckte Fichtelgebirge erhebt sich in der Nordostecke Bayerns als Gebirgsknoten zwischen dem → Erzgebirge und dem → Frankenwald sowie dem Oberpfälzer Wald bzw. Böhmerwald. Neben der Landwirtschaft spielen die Holz-, Textil- und Keramikindustrie eine bedeutende Rolle.

Lage und Allgemeines

Fichtelgebirge

Landschaftsbild

Das Mittelgebirge ist das Quellgebiet des Mains, der Saale, der Eger und der Naab. Es setzt sich aus drei Gebirgszügen zusammen: dem Waldsteingebirge (878 m) im Nordwesten, den höchsten Erhebungen Ochsenkopf (1024 m) und Schneeberg (1053 m) im Südwesten sowie dem Höhenzug der Kösseine (940 m) und des Steinwalds (966 m) im Südosten. Den Reiz des Fichtelgebirges machen die schönen Wälder sowie die auf den Bergrücken durch Verwitterung entstandenen Felslabyrinthe und Felsenmeere aus, deren großartigstes die Luisenburg bei Bad Alexandersbad ist. Dazu kommen einige tief eingeschnittene Täler, vor allem die des Weißen Mains, der Ölschnitz, der Steinach und der Eger. Das Fichtelgebirge weist einige heilkräftige Mineralquellen auf.

Fichtelgebirgsstraße

Route

Die nachfolgend beschriebene Route folgt der Fichtelgebirgsstraße, der bekanntesten und auch touristisch wichtigsten West-Ost-Verbindung von Bad Berneck nach Marktredwitz (ca. 40 km).

Bad Berneck

Das freundliche Städtchen Bad Berneck, ein Kneippheilbad, liegt im engen Tal der Ölschnitz. Oberhalb des hübschen Marktplatzes findet sich die Kolonnade. Von hier kann man aufsteigen zur Burg Wallenrode, wo sich ein hübscher Blick bietet, und zur Ruine Hohenberneck (14. Jh.).

Bischofsgrün

Bischofsgrün (12 km östlich) im Zentrum des Fichtelgebirges wird als günstiger Tourenstützpunkt und zum Wintersport besucht. Im 15. – 18. Jh. war der Ort ein Zentrum der Glasmalerei.

Ochsenkopf

Südlich über Bischofsgrün erhebt sich der 1024 m hohe Ochsenkopf (Sendestation; schöner Rundblick), auf den eine Seilbahn führt. Eine Panoramastraße umzieht seine West- und Südseite und mündet in die Glasstraße.

Warmensteinach

Westlich der genannten Einmündung liegt der Luftkur- und Wintersportort Warmensteinach, überragt von der Pfarrkirche (1705).

Fichtelberg

Fichtelberg (6 km östlich) verdankt seine Entstehung dem Abbau von Eisenglimmer (bis 1862). Nicht versäumen sollte man den Besuch des nahegelegenen 500 Jahre alten Silberbergwerks Gleißinger Fels. Nördlich von Fichtelberg liegt der schöne waldumgebene Fichtelsee. Unweit östlich erreicht die Glasstraße die Fichtelgebirgsstraße, der man weiter folgt.

Wunsiedel

In Wunsiedel, dem Hauptort des Fichtelgebirges, wurde der Dichter Jean Paul (1763 – 1825; Geburtshaus) geboren. Sehenswert ist das Fichtelgebirgsmuseum (Spitalhof), eines der bedeutendsten Heimatmuseen Bayerns, das eine Mineralien- und Steinsammlung und eine kleine Dokumentation zu dem Dichter zeigt. Besichtigen sollte man auch das einstige Silbereisenbergwerk.

*Luisenburg

3 km südlich liegt die Luisenburg, ein großartiges Felslabyrinth, das nach der preußischen Königin Luise benannt ist. Auf der ältesten Naturbühne Deutschlands finden alljährlich im Sommer die Luisenburg-Festspiele statt.

Kosseine

Unmittelbar südlich erhebt sich der Doppelgipfel der Kleinen Kosseine (922 m) und der Großen Kosseine (945 m), von wo sich einer der schönsten Ausblicke des Fichtelgebirges bietet.

Bad Alexandersbad

Bad Alexandersbad (Mineral- und Moorheilbad) liegt hübsch am Ostabhang der Luisenburg. Das Schloß wurde 1783 als Badhaus erbaut.

Marktredwitz

Die Fichtelgebirgsstraße endet in Marktredwitz. Die altertümliche Stadt besitzt einen Schloßturm aus dem 14. Jh., und im Rathaus befindet sich ein Goethezimmer. Die Theresienkirche wurde 1776 von Kaiserin Maria Theresia für egerländische Soldaten gestiftet.

Von Marktredwitz führt ein Abstecher ins 22 km östlich liegende Waldsassen nahe der Grenze zu Tschechien. Die prunkvolle Stiftsbasilika (1682 – 1704) des 1131 gegründeten Zisterzienserinnenklosters wurde im 17. Jh. zur reich verzierten Barockkirche umgestaltet und mit einem mächtigen Marmorhochaltar (1696) von Giovanni Battista Carlone ausgestattet. Die Klosterbibliothek wurde 1726 im Übergangsstil vom Hochbarock zum Rokoko vollendet. Kostbare Schnitzarbeiten und farbenprächtige Deckengemälde machen die Bibliothek der Zisterzienserinnen zu einem Kleinod. Die Dreifaltigkeitskirche "Kappel", einer der bedeutendsten Rundbauten des Barock, wurde 1682 – 1689 von Georg Dientzenhofer errichtet.

Fichtelgebirge
(Fortsetzung)
*Waldsassen

Fischland – Darß – Zingst (Halbinselkette)   I 1

Bundesland: Mecklenburg-Vorpommern

Die Halbinselkette nordöstlich von Rostock gehört mit ihren endlosen Sandstränden, den ehemaligen Fischerdörfern und ihrem abwechslungsreichen Landschaftsbild zu den meistbesuchten Erholungsgebieten an der Ostseeküste. Fischland, Darß und Zingst waren ursprünglich drei Inseln, die im Verlauf der Jahrhunderte allmählich zusammenwuchsen und schließlich im 19. Jh. durch Deiche verbunden wurden. Das Fischland ist der westlichste Teil der Halbinselkette, eine schmale Landzunge, der das Meer seit Jahrhunderten Land wegnimmt – besonders zwischen Wustrow und Ahrenshoop am 18 m hohen Kliff, genannt Hohes Ufer (schöner Wanderweg). Dieses Kliff verliert jährlich etwa einen halben Meter Land, das im Norden des Darß, am bis zu 7 m hohen Steilufer oder als Dünenlandschaft an der Landspitze von Darßer Ort wieder angelandet wird.

Lage und
**Landschaftsbild

Reiseziele auf Fischland, Darß und Zingst

Darß und Zingst gehören zum Nationalpark Vorpommersche Boddenlandschaft, der 1990 eingerichtet wurde. Charakteristisch für den Darß ist sein urwüchsiges, ca. 6000 ha großes Waldgebiet ("Darßer Urwald"; Wanderwege) und der kilometerlange Sandstrand "Darßer Weststrand". Der für Natur- und Badefreunde gleichermaßen interessante Küstenabschnitt ist besonders stark den Naturgewalten ausgesetzt, wie beispielsweise an den vom Wind gebeugten Bäumen zu erkennen. Für die Erkundung der Boddenlandschaft empfiehlt sich eine Dampferrundfahrt (ab Prerow und Zingst).

Nationalpark
Vorpommersche
Boddenlandschaft

Das auf die slawische Besiedlung zurückgehende Seebad, der älteste Ort auf Fischland, war bis in die jüngste Vergangenheit von der Seefahrt geprägt (ab 1846 Navigationsschule, später Hochschule für Seefahrt; 1992 geschlossen). Vom Kirchturm bietet sich ein herrlicher Blick über die Halbinsel. Im Hafen von Wustrow liegen noch die sog. Zeesen, Segelboote, mit denen im Bodden gefischt wurde (im Sommer Regatten).

Wustrow

Ahrenshoop verdankt seine Entwicklung zum Badeort einer Malerkolonie aus der Zeit der Jahrhundertwende, die im sog. Kunstkaten (Strandweg 1) ihre Werke ausstellte. Auch heute ist ein vielseitiges kulturelles Leben für den charmanten Badeort kennzeichnend. Im Naturschutzgebiet Ahrenshooper Holz gedeihen Stechpalmen bis zu einer Höhe von 4 m. Am Bodden liegen die alten Fischerdörfer Born und Wieck.

*Ahrenshoop

Der Hauptort auf dem Darß ist das hübsche, am sog. Prerowstrom gelegene Ostseebad Prerow. Sehenswert sind hier das Darß-Museum (Waldstraße 48), die alte Seemannskirche (1726) mit ihren Schiffsmodellen und zahlreiche Seemannshäuser mit geschnitzten und bemalten Türen. Von Prerow aus fährt eine Darßbahn zum sog. Darßer Ort, der nördlichen Landspitze des Darß, an der sich die Neulandbildung besonders gut beobachten läßt.

*Prerow,
Wieck

Hinter dem schönen Darßer Weststrand dehnt sich ein dichter, weitgehend noch naturbelassener Wald aus (auch "Darßer Urwald" genannt).

Fischland-Darß (Fortsetzung)

Südlich von Prerow, am Bodstedter Bodden, schmiegt sich das Seefahrerdorf Wieck in die Boddenlandschaft. Der Ort besitzt noch viele reetgedeckte Fachwerkhäuser.

Zingst

Über den Meiningenstrom gelangt man nach Zingst (13 km nördlich), seit den 80er Jahren des 19. Jh.s ein Badeort. Zwischen dem langgestreckten, von Ferienhauskolonien geprägten Ort und den Dünen mit 12 km langem, feinsandigem Strand verläuft der Deich, der sich zum Fahrradfahren und Flanieren anbietet. Sehenswert sind das Heimatmuseum (Strandstraße 19) und die neogotische Dorfkirche von Friedrich August Stüler (1862). Ausflugtip: Pramort, Beobachtungspunkt für Kranichnistplätze.

Fläming   I / K 3 / 4

Bundesländer: Brandenburg, Sachsen-Anhalt

Lage und Gebiet

Der Fläming, benannt nach flämischen Kolonisten, die hier im 12. Jh. angesiedelt wurden, bildet den mittleren Teil des Südlichen Landrückens, der von der Altmark im Nordwesten bis zum Lausitzer Höhenzug im Südosten reicht. Im Norden wird der über 100 km lange und 30 bis 50 km breite Fläming durch das Baruther Urstromtal begrenzt, im Westen und Süden durch die Täler der Elbe und Schwarzen Elster, im Osten durch das Tal der Dahme.

Landschaftsbild

Der westliche Teil des Fläming, der Hohe Fläming, erreicht im Hagelberg 201 m, der östliche Teil, der Niedere Fläming, hat im Golmberg mit 178 m seine höchste Erhebung. Im Fläming wechseln hügelige Endmoränenlandschaften mit welligen Grundmoränengebieten und ebenen Sanderflächen.

Weithin ist der Fläming mit Kiefernwäldern bestanden, Buchenmischwald bedeckt nur die zentralen Teile. Zahlreich sind die sog. Rummeln (Trockentäler), die unter anderen klimatischen Bedingungen entstanden sind und nur selten Wasser führen. Nördlich von Niemegk ist der landschaftliche Gegensatz zwischen dem von ausgedehnten Wiesenflächen eingenommenen Baruther Urstromtal und dem schnell auf 200 m ansteigenden bewaldeten Hohen Fläming besonders eindrucksvoll.

Fläming,
Landschaftsbild
(Fortsetzung)

Reiseziele im Fläming

Sehenswerte Reiseziele im Hohen Fläming sind neben dem Hagelberg mit einem Denkmal zur Erinnerung an ein Gefecht 1813 gegen Napoleon die Städte Belzig und Wiesenburg. In Belzig, dessen Zentrum von Bauten des 17. und 18. Jh.s geprägt wird, erhebt sich die aus dem 13. Jh. stammende Burg Eisenhardt. Wiesenburg bietet ein Schloß aus dem 12. Jh., das im 17.Jh. zerstört und im 19. Jh. verändert wurde; es besitzt einen sehenswerten Schloßpark. In der Nähe liegt auch die Burg Rabenstein (13. Jh.), die als Jugendherberge genutzt wird.

Hoher Fläming:
Hagelberg,
Belzig,
Wiesenburg,
Burg Rabenstein

Im Niederen Fläming empfiehlt sich als Reiseziel zunächst Jüterbog, wo vor allem die Kirche St. Nikolai (13. Jh.) mit ihren mittelalterlichen Ausstattungsstücken von Bedeutung ist. Einen touristischen Anziehungspunkt stellt das frühere Zisterzienserkloster Zinna in der Nähe von Jüterbog dar. Die in diesem 1170 gestifteten Kloster bei Restaurierungsarbeiten freigelegten Fresken werden zu den schönsten gotischen Wandgemälden in Deutschland gerechnet.

Niederer Fläming:
Jüterbog,
*Kloster Zinna

Flensburg   F 1

Bundesland: Schleswig-Holstein
Höhe: 20 m ü.d.M.
Einwohnerzahl: 87 000

Flensburg, die nördlichste deutsche Hafenstadt und bedeutendste Stadt des Landesteils Schleswig, liegt reizvoll zwischen bewaldeten Hügelketten im innersten Winkel der fjordartig ins Land eingreifenden Flensburger Förde, deren Nordufer zu Dänemark gehört. Flensburg ist Sitz des Kraftfahrzeugbundesamtes mit dem bekannten Verkehrs-Zentralregister, der "Verkehrssünderkartei". Spezialitäten sind der hier seit dem 18. Jh. hergestellte Flensburger Rum und Spickaale.

Lage und
Allgemeines

Flensburg erhielt 1284 Stadtrecht und 1345 eine Stadtmauer. 1460 wählten die Schleswig-Holsteinischen Räte den König von Dänemark zum Herzog von Schleswig, der damit auch Regent über Flensburg wurde. Unter der dänischen Krone erlebte die Stadt in der zweiten Hälfte des 16. Jh.s eine erste Blüte als aufstrebender Handelsplatz. Mit 5 000 Einwohnern und 200 Schiffen wurde sie die größte Handelsstadt innerhalb des dänischen Herrschaftsbereichs, zu dieser Zeit war sie größer als Kopenhagen und Hamburg. Im 17. und 18. Jh. erfuhr der Handel einen erneuten Aufschwung.

Geschichte

Sehenswertes in Flensburg

Hauptgeschäftsstraße der Altstadt ist der von Süden nach Norden verlaufende Straßenzug Holm – Große Straße – Norderstraße, an dem etliche gut restaurierte Patrizierhäuser und Handelshöfe des 18. und 19. Jh.s stehen. An seinem südlichen Ende liegt der schöne, von Giebelhäusern gesäumte Südermarkt mit der großen Stadtkirche St. Nikolai (14. und 16. Jh.). Das größte Kunstwerk der Kirche ist die berühmte Renaissance-Orgel, beach-

Hauptstraßen

*Südermarkt

Flensburg

**Südermarkt
(Fortsetzung)**

tenswert ist auch der Rokoko-Hochaltar. In der Roten Straße am südwestlichen Ende des Südermarkts werden in den liebevoll hergerichteten Höfen Handwerkserzeugnisse, Kunst, Kulinarisches u.a. angeboten.

Naturwissenschaftliches Museum

Östlich der Nikolaikirche, am Süderhofenden (Nr. 40–42), gibt das Naturwissenschaftliche Heimatmuseum Einblicke in die einheimische Pflanzen- und Tierwelt sowie in die Erdgeschichte Schleswig-Holsteins. Noch weiter östlich, nahe der Angelburger Straße, steht St. Johannis, die älteste Kirche der Stadt aus dem 12. Jh. mit schönen Wandmalereien.

Stadtansicht von Flensburg

*Städtisches Museum

Vom Südermarkt gelangt man durch die Fußgängerzone des Holms zur Rathausstraße, durch die man westwärts den Aussichtspunkt Museumsberg und das Städtische Museum (Lutherstraße 1) erreicht. Dieses präsentiert seine reiche Sammlung zur Kunst- und Kulturgeschichte Schleswigs (Emil-Nolde-Sammlung, Möbel, Bauernstuben des 17. und 18. Jh.s, Kunsthandwerk u.a.).

Große Straße

An der Großen Straße, der Verlängerung des Holms, liegen rechter Hand der Westindienspeicher (1789) und schräg gegenüber die kleine gotische Heiliggeistkirche von 1386; seit 1588 dient sie als dänisches Gotteshaus.

Nordermarkt

Am Übergang der Großen Straße in die Norderstraße öffnet sich der Nordermarkt, der alte Marktplatz der Stadt. Hier trifft man auf den Neptunbrunnen (1758) und die Schrangen (1595), einen Arkadengang, in dem einst die Bäcker und Schlachter ihre Verkaufsstände hatten. Nördlich vom Nordermarkt erhebt sich die kleine Backsteinkirche St. Marien (13./15. Jh.), die einen schönen Renaissance-Altar besitzt. Nordöstlich des Platzes steht am Hafen das Kompagnietor (1602).

Norderstraße

In der Norderstraße sind vor allem das Haus Nr. 8, das Alt-Flensburger Haus von 1780, in dem der Luftschiffführer Hugo Eckener (1868–1954) seine Jugend verbrachte, und das Flensborg Hus, ein ehemaliges Waisenhaus von 1723, sehenswert. Etwa in der Mitte der Norderstraße führt die Marientreppe hinauf zur Aussichtsplattform Duburg auf dem Wall des im 18. Jh. abgerissenen Schlosses.

Flensburg, Norderstraße (Fortsetzung)

An der Schiffbrücke liegen im Museumshafen regelmäßig bis zu 30 Traditionssegler am Bohlwerk. Hier befindet sich auch das sehenswerte Schiffahrtsmuseum, das Schiffsbilder und -modelle, nautisches Gerät und Ausrüstung u.a. ausstellt. Im ehemaligen unterirdischen Zollager des Gebäudes ist seit 1993 Deutschlands einziges Rum-Museum untergebracht.

Schiffahrts-museum

Am Ende der Norderstraße begrenzt das wuchtige Nordertor (1595) die Altstadt. An der Norderstraße kurz vor dem Tor liegt linker Hand die "Phänomenata", ein Erlebnis-Ausstellungshaus, das physikalische und andere Phänomene spielerisch erfahrbar und erklärbar machen will.

*Nordertor

Sehenswertes in der Umgebung

In Glücksburg, 9 km nordöstlich von Flensburg, steht das 1582–1587 erbaute gleichnamige Wasserschloß. Im Schloßmuseum sind Gemälde, Ledertapeten und Gobelins ausgestellt, besonders schön ist der sog. Rote Saal, ein großer Festsaal im ersten Stock der äußerlich schlichten Anlage im Stil der nordischen Renaissance.

Glücksburg *Schloß

Nicht nur von außen ist die Glücksburg ein Schmuckstück – auch im Museum im Innern sind Kostbarkeiten zu entdecken.

Frankenwald   H 5

Bundesland: Bayern

Der Frankenwald, die südöstliche Fortsetzung des → Thüringer Waldes bis hin zum → Fichtelgebirge, ist ein Mittelgebirge, dessen wellige, auf durchschnittlich 600 m aufsteigende Hochfläche nur wenige herausragende Einzelgipfel hat, von denen der Döbraberg bei Schwarzenbach am Wald der höchste ist. Die Ortschaften liegen meist auf der zum größten Teil gerodeten Hochfläche. Seine Reize spielt der wegen seiner relativen Unberührtheit geschätzte Frankenwald besonders in den tief eingeschnittenen Flußtälern aus.

Lage und Allgemeines

Fahrt auf der Frankenwaldstraße

Hof

Ein Fahrt durch den Naturpark Frankenwald beginnt man am besten in Hof an der Saale am Ostrand des Gebiets. Die 1214 erstmals erwähnte Stadt ist nach einem Großbrand im Jahre 1823 in einheitlichem Biedermeierstil wiederaufgebaut worden. Zu den sehenswerten Bauten der für ihre Filmtage bekannten Stadt gehören die Lorenzkirche (13. Jh.) mit dem spätgotischen "Hertnid-Altar" von 1480, am Unteren Tor die Hospitalkirche, ein gotischer Bau mit barocker Kassettendecke (1688/1689) und Schnitzaltar von 1511, nicht zuletzt auch der Bahnhof von 1848. An Museen empfehlen sich das Museum Bayerisches Vogtland (Regionalgeschichte, Handwerk und Wohnkultur, Naturkunde) und das Museum der Brauerei Bürgerbräu. Im Nordosten der Stadt erstreckt sich der Stadtpark Theresienstein mit Botanischem, Zoologischem und Geologischem Garten und vor allem einer herrlichen Jugendstilvilla, die heute als Ausflugsgaststätte dient.

Bad Steben

*Höllental

Auf der B 173, der Frankenwaldstraße, gelangt man in westlicher Richtung nach Naila. Nördlich davon liegt das bayerische Staatsbad Steben mit schon im Jahre 1444 urkundlich erwähnten radiumhaltigem Quellen und heilkräftigem Moor. Wandern sollte man im wildromantischen, von bis zu 130 m hohen Felsen umstandenen Höllental.

Döbraberg

Nun geht es von Naila weiter auf der B 173 zum höchsten Gipfel des Frankenwalds, dem Döbraberg (795 m), von dessen Aussichtsturm man weit über Frankenwald, Fichtelgebirge und → Thüringer Wald blicken kann.

Tal der
Wilden Rodach

Bald danach folgt die Straße dem malerischen Tal der Wilden Rodach, dann biegt man nach Süden auf die B 303 ab. Bei Zeyern sieht man sehr schön die "Fränkische Linie", an der mit dem Bruchschollenland des Obermaingebiets und den Höhen des Frankenwalds zwei Erdzeitalter aufeinandertreffen.

*Steinachklamm

Es geht weiter nach Stadtsteinach, wo in der großartigen Steinachklamm, die der Sage nach Thor mit seinem Hammer geschaffen haben soll, noch manch seltene Pflanze wächst.

Peterleinstein

Bei Untersteinach nimmt man die B 289, die am Peterleinstein vorbeiführt. Diese Höhe ist aus Serpentingestein aufgebaut, eine Seltenheit außerhalb des Alpenraums, weshalb auch die Pflanzenwelt hier viele Raritäten bietet.

Wojaleite

Über Münchberg und unter der A 9 hindurch geht es schließlich nach Schwarzenbach an der Saale und nach Oberkotzau, bereits im Bayerischen Vogtland. Auch diese letzte Station vor der Rückkehr nach Hof ist etwas für Botaniker: Das Naturschutzgebiet Wojaleite ist bekannt als Standort von Grasnelke, Pfingstnelke und Kreuzblume.

Frankfurt am Main   E 5

Bundesland: Hessen
Höhe: 212 m ü.d.M.
Einwohnerzahl: 660 000

Hinweis

Im Rahmen dieses Reiseführers ist die Beschreibung von Frankfurt bewußt knapp gehalten; sie beschränkt sich auf die Hauptsehenswürdigkeiten. Ausführlichere Informationen liefert der Baedeker Allianz Reiseführer "Frankfurt am Main".

Lage und
Allgemeines

Die alte Reichsstadt Frankfurt am Main, etwa in der Mitte der fruchtbaren Landschaft zwischen Spessart und Taunus gelegen, ist eines der bedeutendsten Handels- und Wirtschaftszentren in Deutschland. Die Bundesbank, die wichtigste deutsche Börse sowie viele Großbanken haben hier ihren Sitz. In der Stadt finden zudem zahlreiche internationale Messen statt. Für das kulturelle Leben stehen Universität, Theater und zahlreiche Museen. Frankfurt war die Krönungsstadt der meisten deutschen Könige und vieler Kaiser, die Geburtsstadt Goethes und der Tagungsort der Ersten Deutschen Nationalversammlung (1848).

Lage und Allgmeines (Fortsetzung)

Frankfurt am Main ist für viele gleichbedeutend mit den Begriffen Messe und Hochhäuser. Und wirklich haben viele Messen hier Weltgeltung, und die Stadt verdankt den hochaufragenden, modernen Hochhäusern die Spitznamen "Mainhattan" und "Chicago am Main"; das neue Gebäude der Commerzbank, 1993 von Sir Norman Foster entworfen, ist mit 258 m das höchste Bauwerk in Europa (→ *Baedeker-Special* S. 306/307). Doch Frankfurt hat auch ganz andere Seiten: den liebevoll restaurierten Altstadtkern mit Fachwerkhäusern, gemütlichen Cafés und dem geschichtsträchtigen alten Rathaus "Römer" und auf der anderen Mainseite das Museumsufer mit einem halben Dutzend renommierter Museen und dem Ebbelwei-Viertel Alt-Sachsenhausen, wo der bekannte Apfelwein in Bembeln ausgeschenkt und mit "Handkäs' mit Musik" serviert wird.

Stadtbild

Frankfurt wurde zuerst 794 als königliche Pfalz erwähnt und 876 Hauptstadt des ostfränkischen Reichs. Seit den von Karl IV. in der Goldenen Bulle (1356) verankerten Bestimmungen wurden in Frankfurt die deutschen Könige gewählt, zwischen 1562 und 1806 wählte und krönte man hier auch die Kaiser. Durch die aufblühenden Messen seit dem 13. Jh. entwickelte sich die Stadt zu einem der Hauptmärkte Mitteleuropas. 1848 – 1849 tagte in der Frankfurter Paulskirche die Erste Deutsche Nationalversammlung. Nach dem Zweiten Weltkrieg hat die Innenstadt von Frankfurt ein verändertes Aussehen erhalten: die Stadtsilhouette wird heute von einer Vielzahl von Hochhäusern beherrscht.

Geschichte

Im Kaisersaal des Rathauses "Römer" verhandelten die Fürsten vor der Kaiserwahl, danach fanden hier die Krönungsbankette statt.

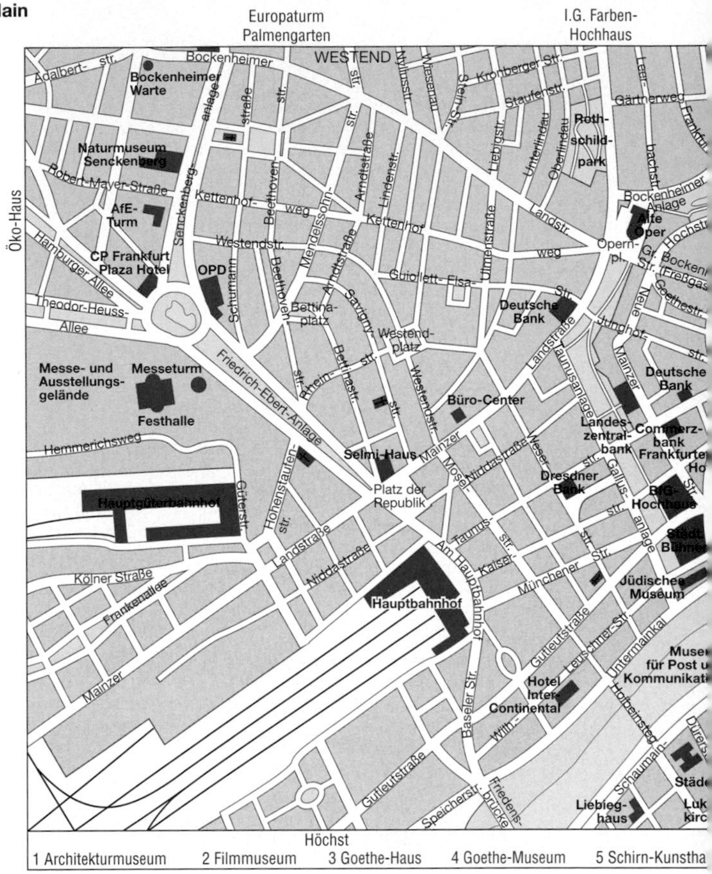

Map labels: Europaturm / Palmengarten · I.G. Farben-Hochhaus · Bockenheimer Str. · WESTEND · Kronberger Str. · Adalbert-str. · Bockenheimer Warte · Gärtnerweg · Staufenstr. · Roth-schild-park · Naturmuseum Senckenberg · Robert-Mayer-Straße · Kettenhof-weg · Bockenheimer Anlage · Alte Oper · Höchst · AfE-Turm · Westendstr. · Kettenhof · Opern-pl. · Gr. Bockenh. · Freigas · Goethestr. · CP Frankfurt Plaza Hotel · OPD · Guiollett-Str. · Theodor-Heuss-Allee · Beethovenstr. · Bettina-platz · Westend-platz · Deutsche Bank · Öko-Haus · Hamburger Allee · Senckenberg · Schumann · Mendelssohn · Westend · Taunusanlage · Deutsche Bank · Messe- und Ausstellungs-gelände · Messeturm · Friedrich-Ebert-Anlage · Büro-Center · Landes-zentral-bank · Commerz-bank Frankfurt · Hemmerichsweg · Festhalle · Selmi-Haus · Mainzer · Dresdner Bank · BfG-Hochhaus · Hauptgüterbahnhof · Gutleutstr. · Hohenstaufen · Niddastraße · Landstraße · Platz der Republik · Am Hauptbahnhof · Kaiser · Münchener · Städt. Bühnen · Jüdisches Museum · Kölner Straße · Frankenallee · Hauptbahnhof · Taunusstraße · Mainz · Museum für Post u. Kommunikation · Hotel Inter-Continental · Gutleutstraße · Wilh. · Hohenstr. · Gutleutstraße · Speicherstr. · Friedens · Schaumain · Durer · Städel · Liebieg-haus · Lukas-kirche

1 Architekturmuseum   2 Filmmuseum   3 Goethe-Haus   4 Goethe-Museum   5 Schirn-Kunsthalle

Römerberg und Umgebung

Römerberg

Das hübsche Zentrum der Altstadt bildet der sog. Römerberg, ein kopf-
steingepflasterter Platz in Mainnähe, um den sich ein Viertel mit Gassen,
Plätzen und zahlreichen sehenswerten Gebäuden und Museen gruppiert:
in unmittelbarer Nähe sind hier u.a. das Rathaus "Römer", die Schirn
Kunsthalle, die Alte Nikolaikirche, der Dom, das Museum für Moderne
Kunst und die Paulskirche versammelt. In der Mitte des Römerbergs befindet sich der Gerechtigkeitsbrunnen.

*Römer

Der Römer, das schöne alte Rathaus an der Westseite des Platzes, ist ein
Komplex aus elf ehemals getrennt stehenden Häusern (15. – 18. Jh.), dar-
unter das sog. Haus Römer, dessen zu besichtigender Kaisersaal einst
Schauplatz glanzvoller Krönungsbankette war.

**Nikolaikirche
Historisches
Museum**

An der Südseite des Römerberges erhebt sich die Alte Nikolaikirche; südlich anstoßend erstreckt sich bis zum Mainkai das 1972 vollendete Historische Museum, das die Stadtgeschichte dokumentiert. Integriert ist ein
"Kindermuseum" im ersten Stock. Das Museumsgebäude, der sog. Saal-

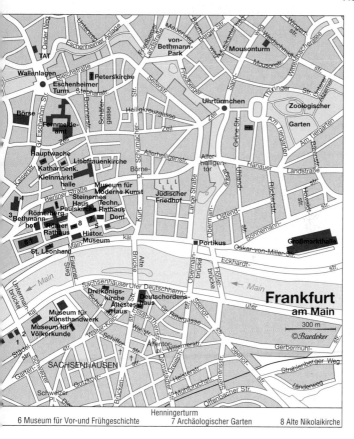

6 Museum für Vor-und Frühgeschichte 7 Archäologischer Garten 8 Alte Nikolaikirche

hof (12. Jh.), diente ursprünglich als königlicher Wohnsitz (Königspfalz). Westlich davon liegt am Main die gotische Kirche St. Leonhard aus dem 14. Jahrhundert.

Nikolaikirche (Fortsetzung)

Besonders sehenswert ist die sog. Ostzeile gegenüber dem Rathaus Römer mit sechs zu Beginn der achtziger Jahre nach historischen Vorlagen errichteten Bauten. Geht man links an der Ostzeile vorbei auf den Markt, trifft man linker Hand auf das 1957–1960 wiederhergestellte "Steinerne Haus", das mit seinen Zinnen und dem Wehrgang eher an eine Burg erinnert. Das ehemalige Kaufmannshaus ist heute der Sitz des Kunstvereins. Dahinter schließt das Technische Rathaus an, schräg gegenüber dehnt sich der langgestreckte Neubau der Schirn Kunsthalle aus. Sie gilt als eines der wichtigsten Ausstellungshäuser Deutschlands, in dem Wechselausstellungen zur Kunst der Renaissance, des Barock, des 19. Jh.s und der klassischen Moderne gezeigt werden. Als "Schirn" bezeichnete man ursprünglich Läden mit zur Straße geöffneten Warenauslagen. Das Gelände zwischen Technischem Rathaus und Schirn wird von dem Archäologischen Garten eingenommen, ein Ausgrabungsgelände, in dem Reste aus römischer und karolingischer Zeit freigelegt wurden.

*Ostzeile

**Schirn Kunsthalle

*Dom

Der gotische Dom, von dessen 95 m hohem Turm man einen schönen Blick über die Stadt hat, wurde im 13. – 15. Jh. aus rotem Sandstein erbaut. Im Inneren fanden seit 1562 die Kaiserkrönungen statt; die Wahlkapelle schließt an die Südseite des Chors an. In der Turmhalle ist eine hervorragende Kreuzigungsgruppe (1509) von Hans Backoffen zu sehen, in der Marienkapelle der Maria-Schlaf-Altar (1434), ferner mehrere Schnitzaltäre aus dem 15. – 16. Jahrhundert. Im ehemaligen Kreuzgang zeigt das Dommuseum Kirchenschätze vom 15. Jh. bis heute.

**Museum für Moderne Kunst

Nordöstlich des Doms liegt das 1991 eröffnete Museum für Moderne Kunst (Domstraße 10), das wegen seiner dreieckigen Form den Spitznamen "Tortenstück" erhielt. Sammlungsschwerpunkte sind die Kunst der 60er Jahre und der Gegenwart, wobei weniger die Malerei als Fotografie, Objektkunst und Rauminstallationen vorherrschen.

*Paulskirche

Nördlich des Römers, auf dem Paulsplatz, liegt die 1790 – 1833 erbaute und 1948 wiederhergestellte Paulskirche. In dem schlichten klassizistischen Zentralbau tagte 1848 – 1849 die Erste Deutsche Nationalversammlung. Heute gilt die Paulskirche als Symbol für Freiheit und Demokratie. Hier werden nun z.B. der Goethepreis der Stadt Frankfurt und der Friedenspreis des Deutschen Buchhandels verliehen.

Museum für Vor- und Frühgeschichte

Südwestlich des Römerbergs ist in der gotischen Kirche des Karmeliterklosters und einem angeschlossenen Neubau das Museum für Vor- und Frühgeschichte (Karmelitergasse 1) untergebracht, das neben regionalen Funden auch eine vorderasiatische und eine klassische Abteilung besitzt. 200 m westlich liegen die Städtischen Bühnen am Theaterplatz, nördlich gegenüber steht das BfG-Hochhaus.

*Jüdisches Museum

Südlich des Theaterkomplexes gibt das interessant gestaltete Jüdische Museum (Untermainkai 14 – 15) Aufschluß über die Geschichte der Juden in Deutschland zwischen 1100 und 1950 am Beispiel der Frankfurter Jüdischen Gemeinde.

Innenstadt

Hauptwache

Die Innenstadt nimmt den Bereich nördlich des Römerbergs ein. Von diesem erreicht man das Zentrum der Innenstadt, den Platz An der Hauptwache mit der barocken Hauptwache in der Platzmitte, wenn man an der Paulskirche vorbei ca. 400 m nach Norden geht. In den Platz münden die Hauptgeschäftsstraßen der Stadt: die nach Osten führende Zeil (Fußgängerbereich) sowie die Kaiserstraße, die südwestlich über Roßmarkt und Kaiserplatz zu dem 1883 – 1888 erbauten und später renovierten Hauptbahnhof (einem der größten Bahnhöfe Europas) zieht. An der Südseite des Platzes An der Hauptwache steht die um 1950 wiederaufgebaute Katharinenkirche (14. Jh.). Am Beginn der Zeil lohnt ein Blick in die Zeilgalerie "Les Facettes", einer aufwendig gestalteten achtstöckigen Einkaufspassage.

Börse

Nordwestlich der Hauptwache befindet sich die 1879 erbaute und 1957 wiedererrichtete Börse. Nach dem Geschäftsvolumen hält die Frankfurter Wertpapierbörse den ersten Platz in Deutschland. Nach Voranmeldung kann man dem Börsenspektakel als Besucher beiwohnen.

Eschenheimer Turm

Der Eschenheimer Turm (1400 – 1428), unweit nördlich der Börse, ist der schönste Rest der alten Befestigungen, an deren Stelle heute Grünanlagen die Innenstadt umziehen.

*Goethehaus und Goethemuseum

Südwestlich der Hauptwache, am Großen Hirschgraben 23, steht das nach alten Plänen in der Zeit von 1946 bis 1951 neu erbaute Goethehaus, in dem der berühmte Dichter am 28. August 1749 geboren wurde und seine Jugendjahre bis 1765 verlebte. Die als Museum gestalteten Räume sind dem früheren Zustand entsprechend wiederhergestellt. Daneben liegt das 1997 nach einem vierjährigen Umbau wiedereröffnete Frankfurter Goethe-Museum, das Gemälde und Dokumente aus den Jahren 1750 bis 1830 zeigt, d.h. aus der Epoche, in der Johann Wolfgang von Goethe lebte.

Goethehaus und
Goethemuseum
(Fortsetzung)

Etwa 600 m westlich der Hauptwache steht am ehemaligen Bockenheimer Tor die Alte Oper. Auf dem Weg kommt man auch durch die sog. Freßgass' (eigentlich Große Bockenheimer Straße), eine traditionsreiche Einkaufsstraße. Die spätklassizistische Alte Oper (ursprüngl. 1880), ein prachtvoller Repräsentationsbau der Gründerzeit, wurde nach Kriegsende als Kongreß- und Konzerthaus wiederaufgebaut und 1981 eingeweiht.

*Alte Oper

Die spätklassizistische Alte Oper zählt zu den Wahrzeichen Frankfurts.

**Museumsufer und Sachsenhausen

Am Schaumainkai im Stadtteil Sachsenhausen, am linken Mainufer, hat sich in den letzten Jahren eine beispiellose Konzentration von Museen entwickelt, von denen viele Weltgeltung besitzen.

Schaumainkai

Das Zentrum des Museumsufers bildet das Städelsche Kunstinstitut mit der Städtischen Galerie (Schaumainkai 63), eine exzellente Sammlung der Malerei vom 14. Jh. bis zur Gegenwart (Rembrandt, Cranach, Dürer, Goya; italienische, niederländische und flämische Meister u.v.m.).
(Öffungszeiten: Di. – So. 10.00 – 17.00, Mi. 10.00 – 20.00 Uhr)

**Städelsches
Kunstinstitut

Das in der klassizistischen Villa Metzler und einem beeindruckenden Neubau von 1985 untergebrachte Museum für Kunsthandwerk (Schaumainkai 15 – 17) umfaßt ca. 30 000 Exponate des europäischen und asiatischen Kunsthandwerks, Möbel, Gobelins, Glas, Keramik, Buch-, Schriftkunst u.a.

*Museum für
Kunsthandwerk

Völkerkunde-
museum

Das Museum für Völkerkunde am Schaumainkai 29 beschäftigt sich mit fremden Kulturen und Religionen. Es berührt auch brisante aktuelle Themen, die zur Auseinandersetzung mit der eigenen Lebenswelt auffordern.

Postmuseum

Das Museum für Post und Kommunikation (Schaumainkai 53) wurde 1990 in einem aufwendig gestalteten Glas- und Stahlbau neueröffnet: Gezeigt werden Exponate zur Post- und Kommunikationsgeschichte – von Postkutschen und alten Telegrafengeräten bis zur Nachrichtenübermittlung per Lasertechnik und Satelliten.

*Liebieghaus

Im Liebieghaus befindet sich das Museum alter Plastik mit Werken asiatischer und ägyptischer Herkunft, der griechischen und römischen Antike sowie des Mittelalters, der Renaissance und des Barock.

*Architektur-
museum

Das Deutsche Architekturmuseum will die Verflechtung der sozialen und ökologischen Aufgaben des Bauens mit den Möglichkeiten der Bautechnik und den gestalterischen Absichten der Baukunst sichtbar machen.

*Filmmuseum

Das Filmmuseum zeigt eine Dauerausstellung zu zwei großen Themenblöcken: zur Vorgeschichte des Kinos von der Camera obscura bis zu den Gebrüdern Lumière und zur Filmgeschichte von der Entwicklung der Ton- und Bildtechnik bis hin zu Filmtricks und nachgebildeten Kulissen.

"Ebbelwei-Viertel"
Alt-Sachsen-
hausen

Alt-Sachsenhausen, das Viertel südlich des Mains zwischen Eisernem Steg und Obermainbrücke, bildet mit seinen schiefergedeckten Fachwerkhäusern und mehr als 120 Kneipen in der kopfsteingepflasterten Fußgängerzone ein Anziehungspunkt für viele Touristen und Nachtschwärmer. Hier liegen die beliebten Apfelweinstuben (in der Großen und Kleinen Rittergasse, Rauscher-, Textor- und Klappergasse). Zum "Ebbelwei", an dessen herb-säuerlichen Geschmack und alkoholische Wirkung sich der Unkundige erst gewöhnen muß, ißt man Rippchen mit Kraut oder Handkäs bzw. Schwartenmagen "mit Musik" (mit Essig, Öl und Zwiebeln).

Henninger-Turm

Etwa 1 km südöstlich erhebt sich der 120 m hohe Henninger Turm, ein ehemaliges Gerstesilo der gleichnamigen Brauerei. Vom Drehrestaurant und dem kleinen Brauerei-Museum darüber hat man einen wunderbaren Stadtrundblick.

Außerhalb der Wallanlagen

Wallanlagen

Die Innnenstadt Frankfurts ist von einer 3,5 km langen Parkanlage umgeben, die anstelle der ehemaligen Stadtmauern angelegt wurde. Die schönsten Parkabschnitte sind die Bockenheimer Anlage um einen Fischweiher im Nordwesten und der Bethmann-Park mit dem anschließenden Chinesischen Garten im Nordwesten des Wallrings.

Messegelände

Westlich der Innenstadt in der Nähe des Hauptbahnhofs befindet sich das Messegelände mit der 1907 – 1909 erbauten und 1986 renovierten Festhalle. Auf dem 400 000 m^2 großen Areal mit 10 Hallen und dem modernen Torhaus (1985) finden u.a. die Internationale Buchmesse, die Internationale Frankfurter Messe, die Internationale Automobilausstellung, die Frankfurter Kunstmesse, die Musikmesse und die Internationale Computermesse statt. Der von Helmut Jahn entworfene 256 m hohe Messeturm wurde 1990 bezogen.

**Senckenberg-
Museum

An der an der Messe beginnenden breiten Senckenberg-Anlage befindet sich wenig weiter nördlich der umfangreiche Gebäudekomplex der 1914 eröffneten Johann-Wolfgang-Goethe-Universität und das Naturmuseum Senckenberg, eines der renommiertesten naturkundlichen und -historischen Museen Europas. In eindrucksvollen Ausstellungen werden Fossilien, Mineralien, Dinosaurier, die Entwicklung des Menschen, ausgestopfte Säugetiere u.v.m. gezeigt.

Eines der Gewächshäuser des Palmengartens

Die Bockenheimer Land-straße führt von der Innen-stadt zum 1,5 km nord-westlich gelegenen Pal-mengarten, der mit ver-schiedenen Gärten, Ro-senschauen, tropischen und anderen Gewächs-häusern, einem Palmen-haus, Weihern und Liege-wiesen zu einem beliebten Erholungspark geworden ist. An der Südseite des Palmengartens liegt die Deutsche Bibliothek, in der alle deutschsprachi-gen Veröffentlichungen des In- und Auslands gesam-melt werden.

Nordöstlich vom Palmen-garten dehnt sich der zweitgrößte Park Frank-furts, der Grüneburgpark mit dem klassizistischen Schönhof-Pavillon aus. Östlich des Grüneburg-parks steht das ehemalige Verwaltungsgebäude der IG-Farbenindustrie AG, das als vorbildliches Bei-spiel für die Architektur des Funktionalismus gilt und in den Jahren 1928 bis 1930 nach einem preisgekrönten Entwurf von H. Poelzig gebaut wurde.

Grüneburgpark

IG-Farben-Haus

Am nordwestlichen Stadtrand Frankfurts liegt beim Stadtteil Hausen der Volkspark Niddatal mit Waldflächen, Wiesen und Feuchtbiotopen – ein be-liebter Naherholungsraum, in dem 1989 die Bundesgartenschau stattfand.

Volkspark
Niddatal

Etwa 1 km nördlich vom Palmengarten ragt der Fernmeldeturm (1977), der Europaturm, mit Aussichtsplattform und Drehrestaurant auf.

Fernmeldeturm

Östlich außerhalb der Wallanlagen erstreckt sich der Zoo mit seinem über-aus artenreichen Tierbestand. Neben den Freigehegen kann man im Exo-tarium die Reptilien- und Krokodilhalle, den Klimalandschaftensaal, die Aquarien und das Insektarium besichtigen; außerdem sind das Nachttier-haus und die Vogelhalle sehenswert.

*Zoo

Umgebung von Frankfurt am Main

Der Rhein-Main-Flughafen, der größte Flughafen Deutschlands, liegt rund 10 km südwestlich der Innenstadt beim Frankfurter Autobahnkreuz. Ge-messen an der Flugdichte wird er in Europa nur von London-Heathrow übertroffen; im Jahr werden mehr als 38 Mio. Fluggäste befördert. Im Süd-teil steht an der Autobahn ein Pendant des Luftbrückendenkmals ("Hun-gerharke") von Berlin.

Rhein-Main-
Flughafen

Ein Ausflug zum 10 km westlich der Innenstadt am Main gelegenen Frank-furter Stadtteil Höchst lohnt, um durch die hübsche Altstadt mit ihren ver-winkelten Gassen und Fachwerkhäusern zu schlendern und das Höchster Schloß mit kleinem Museum zu besuchen sowie den gotischen Zollturm, die Kirchen und den monumentalen Bolongaro-Palast zu besichtigen.

Höchst

Hoch, höher, am höchsten

Die Zeiten sind schnellebig in der Frankfurter City – das mußte auch der Messeturm der Mainmetropole erfahren. Bis vor kurzem war der hohe schlanke Turm das höchste Bürogebäude Europas, doch damit ist es vorbei, seit der Neubau der Commerzbank ihn um 2,20 m übertrumpft und mit einer Gesamthöhe von 258,7 m auf Platz zwei verwiesen hat. Eine kurze Ruhmesphase also für das 1991 eingeweihte Wahrzeichen, wenn man bedenkt, daß der Frankfurter Dom mit seinem 95 m hohen Turm rund fünf Jahrhunderte lang konkurrenzlos das Panorama der Stadt dominierte. Doch ähnlich wie dem spätgotischen Kirchturm des altehrwürdigen Gotteshauses, der sich im Kreise seiner modernen "Kollegen" wie ein Mittelgebirgszug vor dem Hintergrund mächtiger Alpengipfel ausnimmt, geht es inzwischen auch den angegrauten Vertretern der ersten und zweiten Hochhaus-Generation in der Metropole am Main.

Das erste Hochhaus in Frankfurt (1956), ein Neubau des Fernmeldeamtes, brachte es gerade auf 11 Stockwerke und 64 m Höhe. Mehr als doppelt so hoch wagten sich die Architekten in den siebziger Jahren, als die steigenden Grundstückspreise auch die Geschoßzahlen in die Höhe trieben. Ein typischer Vertreter dieser Generation ist das 1976 fertiggestellte Cityhaus am Platz der Republik: Zwei parallele, leicht gegeneinander versetzte Scheiben, durch einen gemeinsamen Versorgungsschacht verbunden, bilden den schmalen Büroturm, der durch einen maximal siebenstöckigen Erweiterungstrakt in die Blockbebauung seiner Umgebung eingebunden wurde. Mit seiner strengen Fassadengliederung durch dunkle Fensterbänder und seiner reduzierten Form verkörpert er den Typus eines Turmhochhauses, wie es seit den fünfziger Jahren in aller Welt anzutreffen

ist. Die Grundlagen für dieses Hochhaus-Konzept hatte in den zwanziger Jahren Ludwig Mies van der Rohe entwickelt, der 1938 in die Vereinigten Staaten emigrierte und dort mit seinen Ideen und Entwürfen schulbildend wirkte. Während sich damals die klassischen amerikanischen Wolkenkratzer allerdings noch stark an die traditionelle Formensprache anlehnten, zeigte sich das von Mies van der Rohe konzipierte, "moderne" Hochhaus hingegen auch nach außen hin als Produkt einer industrialisierten und rationellen Bauweise und fand so zu einer völlig neuen, eigenen Ästhetik.

Die allmähliche Emanzipation von diesem Prototyp zeigt sich in Frankfurt unter anderem am Neubau der Hessischen Landesbank und Girozentrale in der Neuen Mainzer Straße aus dem Jahr 1976. Dieses 23stöckige Hochhaus besteht aus vier unterschiedlich hohen, im Grundriß achteckigen Türmen, von denen zwei als gläserne Kuben und zwei als geschlossene Versorgungsschächte ausgebildet sind. Den Gesamteindruck bestimmen aber nicht so sehr der Höhenzug und die Ästhetik einer seriellen Fassade, sondern das Zusammenwirken qualitativ verschiedener Baukörper.

Zwei sehr markante Hochhausbauten bereichern seit den achtziger Jahren das Stadtbild von Frankfurt: zum einen das Messe-Torhaus von Oswald Matthias Ungers, 1984 fertiggestellt, und zum anderen die Doppelturmanlage der Deutschen Bank von Hanig, Scheid und Schmidt, ebenfalls aus dem Jahr 1984. Besonders deutlich ist der architektonische Gesinnungswandel bei Ungers' Torhaus zu spüren, an dem die klare, über einem quadratischen Grundmaß entwickelte Rasterung nicht mehr Ausdruck der Konstruktion ist, sondern symbolhaften Charakter hat – ebenso wie die Verwendung von Stein für das sockelartige Torhaus und Glas für das innere Bürohochhaus.

Den Eindruck monumentaler Größe erwecken durch ihre schlanke, prismatische Form und die durchgängig verglaste Außenhaut auch die beiden Zwillingstürme der Deutschen Bank, die dem Beginn der Mainzer Landstraße unübersehbar städtebauliches Gewicht verleihen.

dung: Aus dem quadratischen Steinsokkel schält sich in lichter Höhe der runde, gläserne Schaft heraus, der schließlich in einen dreieckigen Spitzkegel übergeht.

Während Jahns Messeturm vor allem formal brilliert, eröffnet der von seinem britischen Kollegen Sir Norman Foster entworfene, 1993 begonnene Neubau der

Die Skyline von "Mainhattan" wird seit 1996 vom Hochhaus der Commerzbank bestimmt.

Trotz der ständig wachsenden Zahl der Banken- und Bürohochhäuser gab es in der Mainmetropole keine echten Wolkenkratzer – bis der deutsch-amerikanische Stararchitekt Helmut Jahn für Frankfurt den Messeturm entwarf. Der schlanke Campanile setzte mit einer Höhe von 256,5 m neue Maßstäbe für den europäischen Hochhausbau und brachte architektonisch das amerikanische Erbe wieder stärker ins Spiel. Wie bei den Punkthochhäusern des Art Déco verjüngt er sich nach oben und verändert dabei auch seine Grundrißform und seine Verklei-

Commerzbank der Bauaufgabe neue Dimensionen. Das Novum an Fosters Konzept: Durch Gärten, die in die Stahlkonstruktion eingehängt sind, und ein zentrales Atrium werden die 45 Büroetagen mit Tageslicht und Frischluft versorgt – sozusagen eine natürliche Klimaanlage. Im Osten sind die Gärten asiatisch, im Süden mediterran und im Westen nordamerikanisch bepflanzt. Ob der Öko-Wolkenkratzer hält, was sich Architekten und Auftraggeber von ihm versprechen, und ob sich die Banker darin wohlfühlen, wird man sehen.

Frankfurt am Main

Umgebung
(Fortsetzung)
Offenbach
am Main

Offenbach, die am linken Ufer des Mains südwestlich von Frankfurt gelegene Industriestadt (110 000 Einwohner), ist bekannt als Zentrum der deutschen Lederwarenherstellung.

Am Main erhebt sich das 1564 – 1578 im Stil der Frührenaissance erbaute ehemalige Isenburgische Schloß. Durch die Kirchgasse kommt man zum Büsing-Park mit dem gleichnamigen Barockpalais und dem Parkbad. In

*Klingspor-
Museum

einem um 1900 angefügten Seitenflügel wurde 1953 das Klingspor-Museum eingerichtet, eine sehr instruktive Sammlung zur internationalen Buch- und Schriftkunst seit 1890. Etwas weiter südlich steht das Rathaus

*Deutsches
Ledermuseum

(1970) mit einem 72 m hohen Hochhaustrakt. An der vom Zentrum nach Westen führenden Frankfurter Straße (Nr. 86) zeigt das Deutsche Ledermuseum und das ihm angegliederte Deutsche Schuhmuseum als einziges Spezialmuseum seiner Art auf der Welt die Entwicklung der Herstellung und modischen Gestaltung sowie die diversen Verwendungsmöglichkeiten von Leder seit der Vorgeschichte bis heute in aller Welt. Im Schuhmuseum ist die Kulturgeschichte des Schuhs von den alten Ägyptern bis heute dokumentiert. Weit im Westen der City befindet sich das Stadtmuseum (Stadtgeschichte; Porzellan und Fayencen, Puppenstuben; Spezialabteilung für Alois Senefelder, den Erfinder des Steindrucks).

Heusenstamm

Rund 4,5 km südwestlich von Offenbach liegt Heusenstamm mit dem Schönbornschen Schloß aus dem 17. Jh. und der Pfarrkirche St. Cäcilia und Barbara, die 1739 – 1744 von Balthasar Neumann errichtet wurde.

Seligenstadt

Ungefähr 8 km südöstlich von Offenbach liegt Seligenstadt, benannt nach der 825 von Einhard, dem Biographen Karls des Großen, gestifteten ehemaligen Benediktinerabtei, deren frühromanische Kirche ("Einhards-Basilika") im 13. Jh. umgebaut wurde. In einem Barock-Sarkophag sind die Gebeine Einhards und seiner Gemahlin bestattet. Zu sehen sind außerdem Reste einer staufischen Kaiserpfalz und der Stadtmauer.

Hanau am Main

Die Stadt Hanau, 30 km östlich Frankfurts in einer fruchtbaren Ebene an der Mündung der Kinzig in den Main gelegen, ist ein wichtiger Straßen- und Eisenbahnknotenpunkt sowie Sitz einer bedeutenden Industrie.

Am Marktplatz steht das Neustädter Rathaus, das 1725 – 1733 erbaut und 1962 – 1965 wiedererrichtet wurde, und ein Glockenspiel besitzt. Davor setzte man Jacob und Wilhelm Grimm, den in Hanau geborenen Begründern der deutschen Sprachwissenschaft, ein Denkmal. Nördlich vom Marktplatz befindet sich das 1958 wiederaufgebaute, ehemalige Altstädter Rathaus, heute das Deutsche Goldschmiedehaus, in dem neben Wechselausstellungen auch eine historische Goldschmiedewerkstatt untergebracht ist und wo die Leistungsschau der Hanauer Schmuckfabrikation stattfindet. Davor steht der Gerechtigkeitsbrunnen (1611). Im Norden der Altstadt liegt der Schloßgarten. Das Stadtschloß wurde 1945 völlig zerstört; an seiner Stelle befinden sich heute das Städtische Kulturhaus und die Stadthalle.

Stadtteil
Wilhelmsbad

Rund 3 km nordwestlich der Altstadt liegt der Stadtteil Wilhelmsbad, einst landgräfliche Sommerresidenz und bis zum Versiegen der Heilquelle ein eleganter Kurort. Die historischen Kuranlagen mit Teichen, Zierruinen und Einsiedlerklause wurden in den sechziger Jahren renoviert und bilden heute ein schönes Naherholungsziel. An der Parkpromenade (Nr. 4) lohnt das Hessische Puppenmuseum, das Puppen von der Antike bis zur Gegenwart, Puppenstuben u.a. zeigt, einen Besuch.

Schloß
Philippsruhe

Südlich von Wilhelmsbad bzw. westlich der Altstadt steht am Main das barocke Schloß Philippsruhe, das 1875 – 1880 weitgehend umgestaltet wurde, mit dem Historischen Museum Hanau. Darin sind Keramik, Silberschmiedearbeiten, Gemälde, eine Gebrüder-Grimm-Sammlung u.a. ausgestellt. Ein Teil des Schloßgartens wurde mit zeitgenössischen Plastiken zu einem Skulpturengarten gestaltet. Hier finden im Sommer die Brüder-Grimm-Märchenfestspiele statt.

Stadtteil Steinheim

Südwestlich, am linken Mainufer, liegt der altertümliche Stadtteil Steinheim mit einem Schloß (13. und 16. Jh.), das von einem mächtigen Wehrturm

überragt wird. In ihm ist ein Museum, das sich mit der regionalen Vor- und Frühgeschichte und der Ortsgeschichte beschäftigt, zu finden.
An Steinheim schließt südöstlich Kleinauheim an. Der dortige Wildpark geht auf eine im 18. Jh. angelegte Fasanerie zurück (Wisente, Rotwild, Wölfe, Kleinraubtiere). Kleinauheim ist durch eine Mainbrücke mit Großauheim verbunden. Hier ist im Gebäude des ehemaligen Elektrizitätswerks das Museum Großauheim untergebracht, das die Regional- und Ortsgeschichte, das Handwerk und die Landwirtschaft sowie die Industrie- und Technikgeschichte dokumentiert.

Umgebung, Hanau-Sinsheim (Fortsetzung) Kleinauheim und Großauheim

Die 1123 erstmals erwähnte Siedlung Gelnhausen, etwa 20 km nordöstlich von Hanau, wurde von Kaiser Barbarossa 1170 zur freien Reichsstadt ernannt. Heute steht hier noch eine der besterhaltenen staufischen Pfalzen: einzigartige Bauornamentik zeichnet die 1180 im wesentlichen vollendete Burg aus, die im Süden der Stadt auf einer Insel in der Kinzig steht und von einer großen Ringmauer umgeben ist. Von kunsthistorischer Bedeutung ist auch die im 12./13. Jh. entstandene Marienkirche. In der hübschen Altstadt, die ebenfalls von einer noch fast vollständig erhaltenen Mauer umschlossen ist, fällt unter den zahlreichen Fachwerkhäusern vor allem das in der Kuhgasse auf, das als eines der ältesten Deutschlands gilt.

Gelnhausen

Rund 30 km nordöstlich von Hanau liegt am Südrand des Vogelsberges das Städtchen Büdingen (18 000 Einwohner). Im Norden und Westen sind noch weite Teile der mit Rundtürmen bewehrten Stadtmauer aus dem 15. und 16. Jh. erhalten. Am Marktplatz steht das spätgotische Alte Rathaus, in dem das Heuson-Museum, das Exponate zur Geschichte und Volkskunde der Region ausstellt, beheimatet ist. In der Nähe sind zahlreiche alte Fachwerkbauten zu finden. Unweit südöstlich erhebt sich die Marienkirche (15. Jh.). Das wehrhafte Schloß der Fürsten zu Isenburg und Büdingen, ursprünglich aus dem 13. Jh., wurde im 15. – 17. Jh. mehrmals verändert. Im Inneren sind die Schauräume und das Fürstliche Schloßmuseum zu besichtigen. An der gotischen Schloßkapelle ist ein romanischer Portalgiebel sehenswert.
Im nahen Ort Großendorf steht die Remigiuskirche, die in Teilen auf ottonische und salische Zeit zurückgeht und damit zu den ältesten deutschen Kirchenbauten zählt.

Büdingen

Großendorf

Das in der Wetterau am Ostabhang des → Taunus gelegene, von der Usa durchflossene hessische Staatsbad Nauheim (28 000 Einwohner) mit seinen regelmäßigen Straßenzügen, guterhaltenen Jugendstilbauten und hübschen Parkanlagen wird wegen seiner kohlensäurereichen Thermalsolequellen besonders bei Herz- und Gefäßkrankheiten, Rheuma, Schuppenflechte und Nervenleiden besucht. Im Sprudelhof, der von den im Jugendstil entstandenen Badehäusern umgeben ist, befinden sich der Friedrich-Wilhelm-Sprudel (34° C), der Große Sprudel (30° C) und der Ernst-Ludwig-Sprudel (32° C). Inmitten des westlich anschließenden und in die Taunuswälder übergehenden Kurparks liegt das Kurhaus und das Thermalsole-Hallenbad. Nordöstlich von hier kann man auf dem Großen Teich Kahnfahrten unternehmen; an seinem Westufer ist im Teichhaus-Schlößchen das Salzmuseum untergebracht. Am Südrand des Kurparks verläuft die Parkstraße, die Hauptgeschäftsstraße der Stadt. Weiter südlich stößt man auf die Trinkkuranlage mit zahlreichen Trinkquellen. Am südöstlichen Stadtrand befinden sich im Neuen Kurpark ausgedehnte Gradierwerke, Rieselwerke zur Salzgewinnung. Westlich erhebt sich der Johannisberg (269 m) mit einer Volkssternwarte; von oben hat man guten Blick auf das Steinfurter Rosenzuchtgebiet. Dieser edlen Blume ist auch ein kleines, aber feines Museum in Bad Nauheim-Steinfurth gewidmet: das Rosenmuseum in der Alten Schulstraße 1. Es zeigt Exponate zu den vielfältigen Zusammenhängen, in denen die Rose steht – ihre Bedeutung als Heilmittel (Rosenwaser) wird ebenso beleuchtet wie ihre Verwendung in religiösen (Rosenkranz) und erotischen Zusammenhängen bis zum Gebrauch als Dekomuster auf Porzellan und Duschvorhängen.

Bad Nauheim

Frankfurt a.M.,
Umgebung
(Fortsetzung)
Friedberg

Unweit südlich liegt die einstige Freie Reichsstadt Friedberg mit einer Burg aus dem 14./15. Jh. und einem von einem hübschen Schloßgarten umgebenen Barockschloß sowie dem Wetterau-Museum, das die Regionalgeschichte seit der Römerzeit dokumentiert.

Frankfurt (Oder) L 3

Bundesland: Brandenburg
Höhe: 22 m ü. d. M.
Einwohnerzahl: 87 000

Lage und
Allgemeines

Frankfurt (Oder), der wichtigste Grenzübergang nach Polen, ist die viertgrößte Stadt in Brandenburg. Neben den wenigen erhaltenen Zeugnissen der alten Messe- und Universitätsstadt sind die neu errichteten Bauten der im Zweiten Weltkrieg stark beschädigten Stadt sehenswert.

Geschichte

An der Stelle sich kreuzender wichtiger Fernhandelsstraßen entstand um 1226 eine Kaufmannssiedlung. 1253 erhielt "Vrankenforde" das Stadtrecht. Mit zahlreichen Privilegien versehen, wurde Frankfurt schnell reich, angesehen und mächtig. Aus Jahrmärkten entwickelten sich seit dem 14. Jh. internationale Messen. Von 1430 bis 1515 war Frankfurt Mitglied der Hanse. Seit 1502 wurden hier Bücher gedruckt, wobei der Druck in Hebräisch besondere Bedeutung gewann (1697 – 1699 erster Talmud in Deutschland). 1506 öffnete in Frankfurt die erste brandenburgische Universität ihre Pforten; bedeutende Lehrer und Studenten waren u. a. Ulrich von Hutten, Thomas Müntzer und Heinrich von Kleist. Der Dreißigjährige Krieg brachte die Stadt dem Untergang nahe; sie erholte sich nur langsam. Nach Verle-

Die beiden bedeutendsten Bauwerke Frankfurts (Oder) sind hier vereint: die im Stil der Backsteingotik errichtete Marienkirche und das Rathaus mit seinem Prunkgiebel. Im Hintergrund sieht man die Oder.

gung der Universität nach Breslau erhielt Frankfurt 1815 die Regierung der Neumark. Bis Ende dieses Jahrhunderts verfiel das Messegeschäft. Das 20. Jh. sah Frankfurt als Beamten- und Garnisonsstadt.

Sehenswertes in Frankfurt (Oder)

Das Rathaus am Marktplatz im Stil der norddeutschen Backsteingotik mit seinem imposanten Prunkgiebel (14. Jh.) zählt zu den ältesten und größten erhaltenen mittelalterlichen Rathäusern Deutschlands. Es wurde nach 1253 erbaut und 1606 – 1608 im Renaissancestil umgestaltet.

*Rathaus

In der unteren Rathaushalle präsentiert das Museum Junge Kunst seine umfangreiche Sammlung von Malerei, Grafik und Plastik aus dem Osten Deutschlands.

Museum Junge Kunst

Im Kleist-Museum südöstlich (Faberstraße), das in der ehemaligen Garnison-Schule untergebracht ist, gibt eine Ausstellung einen Überblick über Leben, Werk und Rezepzion des in Frankfurt geborenen Dichters Heinrich von Kleist (1777 – 1811), zu dessen bekanntesten Werken "Der zerbrochene Krug", "Michael Kohlhaas" und "Käthchen von Heilbronn" gehören.

*Kleist-Museum

Die St. Marienkirche (1253 – 1524) südlich des Rathauses ist die größte Hallenkirche der norddeutschen Backsteingotik in Deutschland. Bedeutend sind die Kaiserpforte (um 1375) zu Ehren Karls IV. aus der Schule Peter Parlers und die Deckenmalerei von 1522 in der Sakristei.

St. Marienkirche (in Restauration)

Mit ihrer hervorragenden Akustik ist die Konzerthalle "Carl Philipp Emanuel Bach", die ehemalige Franziskanerklosterkirche, eine beliebte Musikstätte. Der Innenraum der frühgotischen Hallenkirche hat Netz- und Sterngewölbe. Zur Ausstattung gehört auch die älteste spielbare Orgel der Frankfurter Firma Sauer. Zudem wird eine Ausstellung über Leben und Werk von C. P. E. Bach, der 1734 – 1738 Student in Frankfurt war, gezeigt.

*Konzerthalle

Im sich anschließenden spätbarocken Collegienhaus befindet sich das Stadtarchiv mit der ältesten vorhandenen Urkunde von 1287.

Collegienhaus

Reizvoll ist ein Spaziergang durch die Grün- und Parkanlagen der Stadt, die sich als grüner Gürtel vom nördlichen Linaupark (Freilichtbühne) über den Lenné-Park auf den ehemaligen Wallanlagen bis zur Parkanlage an der Oderallee (Gertraudenplatz, Anger) erstrecken.

Parkanlagen

Anstelle einer älteren Kirche wurde 1876 – 1878 St. Gertraud (südlich des Rathauses) als neugotische dreischiffige Backsteinkirche errichtet. In ihr sind wertvolle Ausstattungsstücke aus der Marienkirche zu sehen. Auf dem ehemaligen Friedhof der Gertraudenkirche befinden sich wertvolle Grabdenkmäler, u. a. für Ewald von Kleist, gest. 1759 in Frankfurt (Oder). Gegenüber erinnert ein Bronzedenkmal an den großen Sohn der Stadt, den Dichter Heinrich von Kleist.

St. Gertraud

Im heutigen Ortsteil Lossow, im Süden Frankfurts, sind die Steile Wand am Frankfurter Oderpaß und der Lossower Burgwall sehenswert.

Lossow

Umgebung von Frankfurt (Oder)

Die interessante Umgebung von Frankfurt kann man auf entspannende Weise bei einer Schiffsfahrt auf der Oder (ab Oderpromenade bzw. Friedensglocke) kennenlernen.

Schiffsfahrten

Südwestlich bildet das Gebiet Helene-See ein beliebtes Freizeitziel. Hier wurde ein ehemaliger Braunkohletagebau zu einem Freizeitpark mit Tauchschule sowie Boots- und Fahrradverleih umgestaltet.

Helene-See

Frankfurt (Oder), Umgebung (Fortsetzung) Eisenhüttenstadt	Eisenhüttenstadt liegt rund 20 km südlich von Frankfurt (Oder), an der Einmündung des Oder-Spree-Kanals in die Oder. Es ist Standort eines 1951 in Betrieb genommenen Eisenhüttenkombinates. Auf dem hohen Oderufer steht im Stadtteil Fürstenberg eine gotische Hallenkirche (um 1400), deren Äußeres nach Kriegszerstörungen wiederhergestellt worden ist. In der Nähe der Kirche liegt das Städtische Museum (Löwenstr. 4). Man erhält dort einen Überblick über die Geschichte der Stadt, das Handwerk, die Entwicklung der Eisenmetallurgie sowie das künstlerische Schaffen in der Gegenwart. In der Heinrich-Pritzsche-Str. 26 westlich befindet sich das Feuerwehrmuseum mit historischen Feuerwehrfahrzeugen und -geräten.
Diehloer Höhen	Im Südwesten von Eisenhüttenstadt erblickt man von den Diehloer Höhen das Panorama der Stadt. Hier wurde ein Naherholungsgebiet mit Rosengarten, Freilichtbühne, Sprungschanze und Skilift geschaffen.
Insel	Von Bedeutung ist ebenso das zentrale Sport- und Erholungsgebiet Insel, zwischen altem und neuem Oder-Spree-Kanal bei Eisenhüttenstadt gelegen, das als schön gestalteter Park mit Schwimmbad, Heimattiergarten und Minigolfanlage sowie mit einer ständigen Ausstellung von Werken zeitgenössischer bildender Kunst Erholung und Entspannung bietet.
Neuzelle *Barockkirche	In Neuzelle, 9 km südlich von Eisenhüttenstadt, stehen die barocke Klosterkirche des ehemaligen Zisterzienserklosters mit reicher Ausstattung und zahlreiche Klostergebäude, darunter die Klosterbrauerei.
Schlaube- und Ölsetal	Beliebte Ausflugsziele sind auch das Schlaubetal mit einigen Wassermühlen und das Ölsetal, 10 km westlich von Eisenhüttenstadt gelegen.
Beeskow	In Beeskow, 30 km westlich von Eisenhüttenstadt, sollte man sich die Altstadt mit Stadtmauer und die spätgotische Backsteinburg (1519–1529) mit dem Biologischen Heimatmuseum ansehen.

Fränkische Schweiz · Veldensteiner Forst   H 6

Bundesland: Bayern

Lage und Allgemeines *Landschaftsbild	Die Fränkische Schweiz erstreckt sich zwischen → Bayreuth, → Bamberg und → Nürnberg. Dieser nördlichste Teil des Karstgebirges der Fränkischen Alb gehört zu den schönsten deutschen Landschaften und ist als Naturpark Fränkische Schweiz / Veldensteiner Forst eines der beliebtesten Urlaubsziele in Bayern. Wer hierherkommt, den erwarten wiesengrüne, tiefeingeschnittene Talsohlen, weite, kornbestandene Hochflächen, auf Felsen sitzende Burgen, eigentümlich-eindrucksvolle Dolomitfelsen, an denen eifrig geklettert wird, märchenhafte Tropfsteinhöhlen und viele freundliche Ortschaften mit noch freundlicheren Wirtshäusern. Die wichtigen Verbindungsstraßen folgen dem Lauf von Wiesent, Leinleiter, Püttlach und Trubach. Hier reihen sich die größeren Ortschaften aneinander, hier spielt sich der Fremdenverkehr ab – auf den Höhen dagegen ist es ruhig-ländlich, und man wird staunen, welchen Unterschied einige Höhenmeter im Preisniveau der Gasthöfe ausmachen können.

Wiesenttal

Forchheim	Die Wiesent, beliebt als Paddelrevier, ist der größte der kleinen Flüsse und durchzieht die Fränkische Schweiz in Ost-West-Richtung. Bei Forchheim mündet sie in die Regnitz. Diese Stadt war einst karolingische Kaiserpfalz, später die wichtigste Festung des Bistums Bamberg und besitzt in ihrer Altstadt noch schmucke Fachwerkbauten wie das Alte Rathaus (14. bis 16. Jh.) und die gotische Pfarrkirche St. Martin (14./15. Jh.). In der Kaiserpfalz, 1353–1383 als fürstbischöfliche Residenz errichtet, werden die vor- und frühgeschichtlichen Funde des Pfalz-Heimatmuseums ausgestellt.

Von Forchheim fährt man auf der B 470 Richtung Ebermannstadt und sieht dabei rechts das 523 m hohe Walberla, die höchste Erhebung der Fränkischen Schweiz, Wahrzeichen Frankens und Wallfahrtsort. In Ebermannstadt mündet die Leinleiter in die Wiesent. An ihr entlang kann man einen Abstecher nach Heiligenstadt unternehmen, um die Waffen- und Jagdsammlung auf Schloß Greifenstein zu bewundern.

Walberla

Leinleitertal

Auf der B 470 fährt man weiter über Streitberg mit der Binghöhle ins Herz der Fränkischen Schweiz. Das Tal wird nun enger und die Felswände höher, und bald erreicht man die Abzweigung zum hochgelegenen Gößweinstein, das sich dank seiner stattlichen, mit einem prächtigen Innenleben ausgestatteten Wallfahrtskirche (1730–1739) von Balthasar Neumann und der malerischen Burg zum Hauptfremdenverkehrsort der Fränkischen Schweiz entwickelt hat.

Gößweinstein
*Wallfahrtskirche

Behringersmühle im Tal unterhalb von Gößweinstein ist nicht unbedingt attraktiv, als Verkehrsmittelpunkt dennoch wichtig: Hier münden Ailsbach und Püttlach in die von Norden kommende Wiesent, und hier treffen sich die die Flüsse begleitenden Straßen.

Behringersmühle

Das enge Ailsbachtal mit der weitläufigen Sophienhöhle und das anschließende weite Ahorntal gehören noch zu den ursprünglichsten, weil vom Tourismus am wenigsten berührten Teilen der Fränkischen Schweiz.

*Ailsbachtal
*Ahorntal

Folgt man von Behringersmühle weiter der Wiesent, kommt man an der mächtigen Einsturzhöhle Riesenburg vorbei und erreicht bei Doos die Einmündung des Aufseßtals. Wer dessen Stille und Unberührtheit kennenlernen will, muß die Wanderstiefel auspacken, denn eine Straße gibt es nicht. Eine längere Wanderung führt bis Aufseß mit seinem romantischen Schloß Unteraufseß. Östlich oberhalb liegt der Heckenhof mit der Brauerei Kathi-Bräu, zwar etwas überlaufene aber dennoch Institution für fränkische und andere Biertrinker.

*Aufseßtal

Püttlachtal

Bleibt man in Behringersmühle auf der B 470 und folgt der Püttlach, erreicht man bald das Felsendorf Tüchersfeld, einzigartig gelegen und einzigartig in die steil aufragenden Felsen hineingebaut. Alles über seinen Urlaubsort erfährt man hier im Museum der Fränkischen Schweiz.

*Tüchersfeld

In der Burg des wenige Kilometer weiter gelegenen Pottenstein lebte 1227 die hl. Elisabeth von Thüringen. Die Hauptattraktion des Orts aber ist die Teufelshöhle östlich außerhalb, mit 1250 m Länge die größte und schönste Tropfsteinhöhle der Fränkischen Schweiz.

Pottenstein
*Teufelshöhle

Trubachtal

Auf halber Strecke zwischen Forchheim und Ebermannstadt mündet die Trubach in die Wiesent. Ihr Tal, bekannt für ihre vielen Mühlen, ist im Vergleich zum Wiesenttal nicht nur weiter, sondern auch sehr viel ruhiger, auch wenn seine Felsformationen ein sehr beliebtes Kletterrevier sind.

*Kletterrevier

Der bedeutendste Ort im Tal ist Egloffstein, der überragt wird von der 1181 erstmals erwähnten, im Bauernkrieg zerstörten und dann wiederaufgebauten Burg derer von Egloffstein. Besonders von Südosten hat man einen herrlichen Blick auf Burg und Ort.

Egloffstein

Vom nächsten größeren Ort Obertrubach kann man Ausflüge auf die umliegenden Höhen unternehmen: nach Betzenstein im Osten und nach Hiltpoltstein im Süden, beides sind stimmungsvolle kleine Städtchen mit trutzigen Burgen.

Betzenstein
Hiltpoltstein

Veldensteiner Forst

Maximiliansgrotte

Fränkisches
Wunderland

Östlich jenseits der Autobahn A 9 beginnt der Staatswald Veldensteiner Forst. Zahlreiche Wanderwege durchziehen ihn; nahe Plech sollte man die Maximiliansgrotte mit einem der größten Tropfsteine Deutschlands besuchen. Wer mit Kindern unterwegs ist, wird nicht um den Vergnügungspark "Fränkisches Wunderland" herumkommen: Achterbahn, Märchenhain und vor allem eine Westernstadt – Wildwest im Frankenland.

Malerisch liegen Wassertor und Pflasterzollhaus
von Hersbruck am Ufer der Pegnitz.

*Hersbrucker
Schweiz

Südlich des Veldensteiner Forsts beginnt die Hersbrucker Schweiz, das weniger bekannte Pendant zur Fränkischen Schweiz. Auch hier bieten sich vielfache Wandermöglichkeiten an; außerdem sollte man sich in Hersbruck, 19 km nordöstlich von Nürnberg, das einmalige Deutsche Hirtenmuseum nicht entgehen lassen. Das altertümliche Städtchen besitzt zudem ein Schloß aus dem 16./17. Jahrhundert.

Freiberg K 5

Bundesland: Sachsen
Höhe: 416 m ü.d.M.
Einwohnerzahl: 50 000

Lage und
Allgemeines

Freiberg, die erste freie Bergstadt Deutschlands, liegt rund 30 km östlich von → Chemnitz am Fuß des Osterzgebirges auf einer Hochfläche oberhalb der Freiberger Mulde. Die einst bevölkerungsreichste Stadt der Markgrafschaft Meißen war durch den Silberbergbau Quelle des Reichtums der sächsischen Herrscher. Auch die Stadt hat davon profitiert, und viele Spuren des erarbeiteten Reichtums sind im Stadtbild wiederzufinden. Obwohl der Bergbau 1969 endgültig eingestellt wurde, ist Freiberg als Standort der ältesten bergbautechnischen Hochschule der Welt noch heute ein Zentrum montanwissenschaftlicher Lehre und Forschung. `*Stadtbild`

Nach Silberfunden beim Waldhufendorf Christiansdorf im Jahr 1168 begann der Aufstieg des Erzgebirges zum Bergbaugebiet. Harzer Bergleute wurden geholt, die aus Christiansdorf "Sächsstadt" machten. Drei weitere Siedlungen wurden später mit ihr zusammengeschlossen. Die so entstandene Stadt erhielt den Namen Freiberg und entwickelte sich schnell zum wirtschaftlichen Mittelpunkt, zur bedeutenden Münzstätte, zum wichtigen Fernhandelsplatz und war von 1542 an Sitz der obersten Bergbehörde. Bedeutende Bauten und Kunstwerke entstanden. Die 1765 gegründete Bergakademie zählte u.a. Alexander von Humboldt, Novalis und Theodor Körner zu ihren Schülern. Nach einem letzten Höhepunkt der Silberproduktion im 19. Jh. wurde 1913 der Silberbergbau aufgegeben. Geschichte

Sehenswertes in Freiberg

Der weitläufige Obermarkt, den vom 1897 aufgestellten Brunnen der Stadtgründer Markgraf Otto überblickt, ist das alte kaufmännische Zentrum von Freiberg. Am auffälligsten ist das weißleuchtende spätgotische Rathaus (1420–1474) mit der als Betstube für die Ratsherren bestimmten Lorentzkapelle im Turm. Zu den schönsten Gebäuden rundum zählen das Schönlebehaus (Obermarkt 1), ein großes, dreigeschossiges Patrizierhaus vom Anfang des 16. Jh.s, der Renaissancebau des ehemaligen Kaufhauses (Obermarkt 16; 1545/1546) und Haus Obermarkt 17 von 1530, das das künstlerisch bedeutendste Portal der Frührenaissance in Freiberg besitzt. `*Obermarkt`

Nördlich vom Obermarkt ragen die Türme der Petrikirche (1404–1440) auf, einer dreischiffigen spätgotischen Hallenkirche, die eine Orgel von Silbermann besitzt. Schräg gegenüber befindet sich das Naturkundemuseum. St. Petri

Baukünstlerisch interessant, aber in einem desolaten Zustand zeigt sich das nördlich vom Obermarkt nahe dem Kreuzteich gelegene Schloß Freudenstein, ein Renaissancebau aus dem 16. Jahrhundert. Schloß Freudenstein

Freibergs bedeutendste Sehenswürdigkeit ist der Dom St. Marien, 1484 bis 1501 als spätgotische Hallenkirche erbaut. Seine Innenausstattung wurde von den besten Künstlern Sachsens gefertigt. Zuallererst zu nennen ist die phantastische Tulpenkanzel (1508–1510) von Hans Witten (um 1475–1522), ein Höhepunkt spätgotischer Bildhauerarbeit, neben der die Bergmannskanzel (1638) etwas verblaßt. Weiterhin besitzt der Dom die älteste und größte noch erhaltene sächsische Silbermannorgel (1711–1714), eine um 1230 geschaffene romanische Kreuzigungsgruppe und mit der Grablege der sächsischen Kurfürsten von Giovanni Maria Nosseni (1544–1620) das bedeutendste Denkmal des italienischen Manierismus nördlich der Alpen, in der sich mit dem Moritzmonument das erste Freigrab der deutschen Renaissance befindet. Zudem gilt die um 1230 für den Vorgängerbau entstandene Goldene Pforte mit ihrem reichen Skulpturenschmuck als ältestes und schönstes Beispiel eines Figurenportals in Deutschland. `**Dom St. Marien`

Hinter dem Dom öffnet sich der Untermarkt mit dem Domherrenhof (1484), einem Patrizierhaus der Spätgotik, einst Türmerwohnung, jetzt Stadt- und Bergbaumuseum. In der nahen Brennhausgasse zeigt in Haus Nr. 14 die Bergakademie ihre Mineraliensammlung. Untermarkt

In die Wiege des sächsischen Bergbaus führt ein Besuch des Städtischen Lehr- und Besucherbergwerks "Himmelfahrt-Fundgrube", bestehend aus den Schächten "Reiche Zeche" (Bergbautechnik vom 14. Jh. bis heute) sowie "Alte Elisabeth" (u.a. Dampfförderanlage aus dem Jahr 1848). `*Besucherbergwerk`

Umgebung von Freiberg

Zuger
Bergbaugebiet

Unmittelbar südlich von Freiberg beginnt das Zuger Bergbaugebiet, wo man die Schächte "Alte Mordgrube", "Beschert Glück hinter den drei Kreuzen" oder den "Dreibrüderschacht" mit seinem 1913 gebauten Kavernenkraftwerk besuchen kann. In Brand-Erbisdorf (7 km südlich) ist das Huthaus zum Reußen (1837) sehenswert.

Oederan

Im Stadtpark von Oederan, 14 km südwestlich, sind 100 der schönsten Gebäude des Erzgebirges im Maßstab 1:25 aufgebaut.

Nossen

Das 19 km nördlich von Freiberg liegende Nossen wird überragt von seinem Renaissanceschloß. Etwas außerhalb liegt das 1162 gestiftete und 1540 säkularisierte Kloster Altzella, heute eine weitläufige Park- und Gutshofanlage mit vielen Resten der Klostergebäude.

Freiburg im Breisgau   D 7 / 8

Bundesland: Baden-Württemberg
Höhe: 278 m ü. d. M.
Einwohnerzahl: 197 000

Lage und
Allgemeines

Freiburg im Breisgau, zwischen Kaiserstuhl und Schwarzwald gelegen, ist das kulturelle Zentrum des Breisgaus und das Tor zum südlichen Schwarzwald. Zum allgemeinen Ruhm der südlichsten Großstadt Deutschlands trägt sicherlich bei, daß sie in einem klimatisch außerordentlich begünstigten Gebiet liegt. Zweiter Vorteil Freiburgs: Das besondere Flair, die Freiburger scheinen einen speziellen Lebensstil zwischen Beschaulichkeit und Genuß entwickelt zu haben. Das Leben in Freiburg wird stark durch die Universität mit ihren derzeit 24 000 Studenten bestimmt.

Geschichte

Ende des 11. Jh.s gründeten die Herzöge von Zähringen Freiburg, 1218 übernahmen die Grafen von Urach die Herrschaft. Von den Grafen kann der Ort sich 1368 loskaufen, um sich dann freiwillig den Habsburgern zu unterstellen. In der Folge des Dreißigjährigen Kriegs wurde er als Hauptfestung des vorderösterreichischen Gebiets voll in den Machtkampf mit Frankreich einbezogen. Auf Betreiben Napoleons kam der Breisgau 1805 an das neugeschaffene Großherzogtum Baden. Während des Zweiten Weltkriegs wurde fast die gesamte Innenstadt von Freiburg zerstört.

✳✳Stadtbild

Keine Frage – Freiburg ist eine der schönsten Städte Deutschlands. Dazu tragen nicht nur die prächtigen buntleuchtenden Häuser der Altstadt und das großartige Münster bei, sondern auch einige noble Passagen und schicke Einkaufsviertel. Der Gehwegbelag in der größtenteils autofreien Altstadt besteht vielerorts aus halbierten Rheinkieselsteinen, die zu geometrischen Mustern, Zunftemblemen o.a. zusammengelegt wurden. Und dann sind da noch die Freiburger "Bächle", die von einem Nebenarm der Dreisam gespeist werden und die Altstadt in vielen Armen durchziehen. Im Mittelalter dienten sie der Brandbekämpfung und als Viehtränke. Aber Vorsicht! Wer unbeabsichtigt hineintritt, kommt nie mehr von Freiburg los, so sagt man.

Sehenswertes in Freiburg

✳Münsterplatz

Ein Rundgang durch Freiburg könnte am Münsterplatz, dem Herzen der Stadt, seinen Ausgang nehmen. Er dient seit ca. 1800 als Marktplatz und liefert in den Vormittagsstunden mit seinen Obst-, Gemüse und Blumenständen ein farbenfrohes Bild. Den Platz säumen mehrere schöne alte Gebäude: allen voran an der Südseite das 1532 vollendete rote Kaufhaus mit

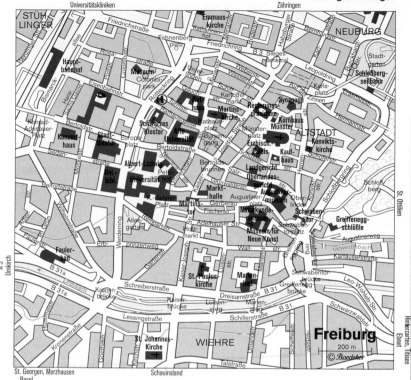

Münsterplatz
(Fortsetzung)

Laubengang und Staffelgiebeln, flankiert von Erkern mit spitzen Helmen, und das Wenzingerhaus (Nr. 30; 1761) mit dem Museum für Stadtgeschichte; an der Nordseite steht das 1969 – 1971 wiederaufgebaute Kornhaus (15. Jh.).

**Münster

Blickfang ist aber natürlich das aus rotem Sandstein erbaute Münster. Es ist eines der größten Meisterwerke der gotischen Baukunst in Deutschland. Um 1200 begann man an der Stelle eines Vorgängerbaus mit der Errichtung des Münsters, 1513 war der Bau im wesentlichen vollendet. Im schönen Inneren sind zahlreiche Kunstwerke beachtenswert: in den Chorkapellen Glasgemälde aus dem 16. Jh.; im Chor das berühmte Hochaltarbild (1512 – 1516) von Hans Baldung Grien, das bedeutendste Werk dieses Meisters; in der Universitätskapelle ein Altarbild (um 1521) von Hans Holbein dem Jüngeren. Vom 116 m hohen, feingliedrigen Turm (um 1320/1330 vollendet) hat man eine großartige Aussicht.

Augustinermuseum

In den 1278 gegründeten, im 14. und 18. Jh. erneuerten und 1784 aufgegebenen Klosterkomplex der Augustiner an der Salzstraße zog 1923 das Augustinermuseum ein. Es gibt in reizvoller Raumanordnung einen guten Einblick in die Kunst des oberrheinisch-alemannischen Kulturgebietes (u.a. Werke von Matthias Grünewald und Hans Baldung Grien).

Schwabentor

Am Ende der Salzstraße steht das Schwabentor (13. Jh.) mit der Zinnfigurenklause, die über Dioramen zu historischen Ereignissen verfügt.

Vom Münster hat man einen phantastischen Blick über die hübsche Stadt Freiburg im Breisgau mit dem Schwabentor

Naturkunde-
museum,
Völkerkunde-
museum

Im ehemaligen Adelshauser Kloster westlich vom Schwabentor sind zwei Museen untergebracht: das Museum für Naturkunde mit den Abteilungen Mineralien, Botanik und Zoologie sowie das Museum für Völkerkunde (Ostasien, Ägypten, Schwarzafrika, Indianerkulturen, Australien, Südsee).

Museum für
Neue Kunst

Gleich südlich, in der Marienstraße 10 a, wurde in einem ehemaligen Schulgebäude das Museum für Neue Kunst eingerichtet. Hier sind Werke des 20. Jahrhunderts ausgestellt, u.a. Gemälde von Otto Dix, August Macke und Julius Bissier.

Martinstor

Durch das malerische Viertel rund um Fischerau und Gerberau gelangt man von hier zum Martinstor auf der Kaiser-Joseph-Straße, der Hauptgeschäftsstraße der Stadt. Die unteren Bauteile des 63 m hohen Martinstores stammen noch aus dem 13. Jahrhundert.

Universität

Westlich hiervon liegen die Gebäude der Universität. Die sogenannte Alte Universität an der Bertoldstraße ist zusammen mit der anschließenden Kirche zwischen 1683 und 1720 als Kollegium für den Jesuitenorden erbaut worden.

Rathausplatz

Die Universitätsstraße führt zum Rathausplatz mit dem Standbild des Franziskaners Bertold Schwarz, der 1359 das Schießpulver erfunden haben soll. An der Westseite des Platzes stehen das um 1900 erbaute Neue Rathaus (12.03 Uhr Glockenspiel) und das spätgotische Alte Rathaus (16. Jh.). An der Nordseite sieht man die gotische St.-Martins-Kirche mit erneuertem Kirchenraum und Kreuzgangflügel.

Haus zum
Walfisch

Eines der schönsten Häuser der Altstadt ist das nur wenige Schritte entfernte, 1516 erbaute Haus zum Walfisch.

Westlich vom Rathausplatz liegt in einem Park das Colombi-Schlößchen (1859) mit dem Museum für Ur- und Frühgeschichte.

Einen wunderschönen Blick auf Freiburg hat man vom Schloßberg (452 m), den man vom Zentrum aus zu Fuß in etwa 15 Minuten erreicht, auf den aber auch eine Seilbahn hinaufführt. Diese Waldkuppe trug im frühen Mittelalter das Schloß der Herren von Freiburg, von dem jedoch fast nichts mehr erhalten ist.

Umgebung von Freiburg

Freiburgs "Hausberg", der 1284 m hohe Schauinsland, erhebt sich 21 km südlich. Die Gipfelregion ist von der Talstation Horben mit einer Großkabinenbahn zu erreichen. Dort bietet sich ein hervorragender Blick über die Rheinebene bis zu den Vogesen.

Nordwestlich von Freiburg erhebt sich unvermittelt aus der Rheinebene der Kaiserstuhl, ein kleines Gebirge vulkanischen Ursprungs (bis 557 m). Er ist eine der wärmsten Gegenden Deutschlands. Ein Besuch lohnt wegen der Eigenart der Landschaft, der reichen Pflanzen- und Tierwelt sowie nicht zuletzt wegen der berühmten Weine (Achkarren, Bickensohl, Ihringen, Oberrotweil).

Südwestlich vom Kaiserstuhl liegt auf steilem Felsen das Städtchen Breisach. Im Münster St. Stephan (Baubeginn um 1200) befinden sich ein gewaltiger Hochaltar (1523 –1526) und großartiges Wandgemälde von dem 1491 in Breisach gestorbenen Maler Martin Schongauer.

Bad Krozingen südlich von Freiburg wird wegen seiner kohlesäurereichen und schwefelhaltigen, 40° warmen Thermalquellen geschätzt. Das Kurgebiet mit Park, Kurhaus und Mineral-Thermalbad erstreckt sich nördlich des nicht sonderlich malerischen Ortskerns.

Fulda   F 4

Bundesland: Hessen
Höhe: 332 m ü. d. M.
Einwohnerzahl: 60000

Die alte Bischofsstadt Fulda ist reizvoll in ein Talbecken des gleichnamigen Flusses zwischen den Vorbergen der Rhön und des Vogelsberges eingebettet. Ihre Fürstbischöfe gaben ihr im 18. Jh. ein barockes Gepräge. Heute ist die Stadt ein bedeutendes Wirtschaftszentrum.

Im Jahre 744 gründete Sturmius, ein Schüler von Bonifatius, die Benediktinerabtei, dessen Abt 1220 zum Fürstabt avancierte. 1019 erhielt Fulda Markt- und Münzrecht, um 1114 Stadtrecht, und bis ins 14. Jh. war Fulda Schauplatz zahlreicher Hof- und Fürstentage. 1734 wurde die Universität (heute Theologisch-Philosophische Hochschule) gegründet. Nach der Beseitigung der Herrschaft der Fürstäbte kam Fulda 1802 an Oranien-Nassau, 1816 an Kurhessen und 1866 an Preußen.

Sehenswertes in Fulda

Das Stadtschloß, die ehemalige Residenz der Reichs- und Fürstäbte, wurde nach Plänen Johann Dientzenhofers 1721 vollendet und ist heute Sitz der Stadtverwaltung. Die historischen Räume – Fürstensaal, Kaisersaal, Spiegelsäle – mit ihrer prachtvollen Stukkatur können besichtigt werden. In

Orangerie des Stadtschlosses ...

... und sein Spiegelkabinett

den Spiegelsälen ist auch die Sammlung der Fuldaer Porzellanmanufaktur untergebracht. An der Nordseite des Schloßgartens (mit Irrgarten, Theater, Hallenbad und Sporteinrichtungen) befindet sich die Orangerie, eine nach Entwurf des Baumeisters Maximilian von Welsch errichtete Barockanlage, die heute als Tagungs- und Kongreßzentrum fungiert. Vor der Orangerie steht die große "Floravase", eine barocke Gartenplastik von 1728.

Dom und *Dommuseum
Am Domplatz, westlich vom Schloß, erhebt sich der 1704 – 1712 von Johann Dientzenhofer erbaute barocke Dom mit dem Grab des hl. Bonifatius († 754) unter dem Hochaltar. Im angeschlossenen Dommuseum werden Reliquiare des heiligen Bonifatius, sakrale Gewänder und liturgisches Gerät gezeigt.

*Michaelskirche
Nördlich vom Dom steht die Michaelskirche, eine der ältesten Kirchen Deutschlands, deren Rotunde und Krypta von 822 stammen. Auffällig ist ihr mächtiger viereckiger Turm. Dahinter befindet sich das Bischofspalais.

Frauenberg	Vom nördlich des Schloßgartens gelegenen Kloster Frauenberg, das um 800 gegründet wurde und dessen heutiger Bau von 1780 stammt, bietet sich ein schöner Blick auf die Stadt und die Rhön.
Landesbibliothek	In der Landesbibliothek, zwischen Schloß und Bahnhof (Heinrich-von-Bibra-Platz), werden wertvolle Codices und Evangeliare der alten Fuldaer Klosterschule sowie eine 42zeilige Gutenberg-Bibel verwahrt.
Altes Rathaus	In der Altstadt, südlich vom Schloß, trifft man auf das im Kern frühgotische Alte Rathaus aus dem 12. Jahrhundert, das später mehrmals restauriert wurde.
Vonderau Museum	Das Vonderau Museum nahebei am Jesuitenplatz verfügt über drei Abteilungen: Stadtgeschichte, Naturkunde sowie Malerei und Skulptur. Bestandteil des Museums ist ein Kleinplanetarium.
Kinder-Akademie	Die Kinder-Akademie südöstlich des Stadtzentrums ist ein Erlebnismuseum für Kinder zum Anfassen und Experimentieren mit zahlreichen künstlerischen, technischen und naturwissenschaftlichen Objekten.
Feuerwehrmuseum	In der Fulda-Aue, im Stadtteil Neuenberg (St.-Laurentius-Straße) befindet sich das Deutsche Feuerwehrmuseum mit Feuerwehrgeräten von 1624 bis heute und einer Dokumentensammlung.
St. Peter	Im nordöstlichen Stadtteil Petersberg steht erhöht die Propsteikirche Sankt Peter, die Grabeskirche der hl. Lioba († um 780). In der Oberkirche sind Reliefplatten aus dem 12. Jh. und in der Krypta die vermutlich ältesten Wandmalereien Deutschlands (836 – 847) zu sehen.

Das 1730 – 1756 erbaute Barockschloß Fasanerie in Eichenzell (6 km südlich), einst Sommerresidenz der Fuldaer Reichs- und Fürstäbte, enthält ein Schloßmuseum (Gobelins, Möbel, Porzellan, Glas, antike Skulpturen).

Fulda
(Fortsetzung)
Fasanerie

Füssen   G 8

Bundesland: Bayern
Höhe: 803 m ü.d.M.
Einwohnerzahl: 16 000

Die alte Stadt Füssen liegt zwischen Ammergauer und Allgäuer Alpen am Lech, der hier spektakulär aus dem Hochgebirge ins Alpenvorland austritt. Füssen ist nicht nur ein beliebter Luftkurort und Wintersportplatz, sondern auch Endpunkt der Romantischen Straße und idealer Ausgangspunkt für den Besuch der berühmten bayerischen Königsschlösser. Der Ortsteil Bad Faulenbach macht Füssen auch zum Heilbad (Schwefelquellen, Heilbäder).

Lage und Bedeutung

Die Stadt geht auf eine Klostergründung des hl. Magnus (volkstümlich St. Mang) zurück, der im frühen Mittelalter das Allgäu missionierte. Gegen Ende des 12. Jh.s erhielt die Siedlung das Stadtrecht, unterstand seit 1313 dem Bischof von Augsburg und kam nach 1802 an Bayern.

Geschichte

Sehenswertes in Füssen

Einen Rundgang durch die malerische Altstadt von Füssen beginnt man am besten in der von hübschen Giebelhäusern flankierten Reichsstraße.
Auf steilem Fels thront das Hohe Schloß, die 1291 erbaute einstige Sommerresidenz der Augsburger Fürstbischöfe, die heute ein Museum mit Werken süddeutscher Malerei des 15. bis 18. Jh.s beherbergt.

*Reichsstraße

Hohes Schloß

Am Fuß des Schloßfelsens steht die ehem. Benediktinerabtei St. Mang. Die im 18. Jh. umgebauten Klostergebäude sind heute Sitz der Stadtverwaltung und des Füssener Heimatmuseums. Über der Grabstätte des hl. Magnus erhebt sich die ehem. Stiftskirche St. Mang. Das barocke Gotteshaus entstand 1701–1717 nach Plänen des einheimischen Baumeisters Johann Jakob Herkomer. Älteste Bauteile sind der Turm und die Krypta (10./11. Jh.). In der St.-Anna-Kapelle östlich des Chors befindet sich ein interessanter "Totentanz" (1602; Jakob Hiebeler).

Ehem. Kloster und *Pfarrkirche St. Mang

Ein typisches Beispiel für die sog. Lüftlmalerei bietet die Fassade der Mitte des 18. Jh.s erbauten Spitalkirche bei der Lechbrücke. Weiter östlich erreicht man die prachtvoll ausgestattete Saalkirche der Franziskaner (1767). Die Sebastianskirche beim alten Friedhof birgt Fresken und Stuckarbeiten von Johann Schmuzer und Johann Jakob Herkomer. An der Sebastianstraße liegt der hübsche Füssener Kurpark mit Kurhaus.

Weitere Sehenswürdigkeiten

Weiter südlich tosen die blaugrünen Wassermassen des Lech durch eine enge Klamm, die vom Maxsteg überspannt wird.

*Lechfall

Umgebung von Füssen

Der Forggensee, ein riesiger, 12 km langer Stausee nördlich der Stadt, ist ein beliebtes Ausflugsziel - ideal zum Baden, Segeln und Surfen.

*Forggensee

Knapp 5 km nordöstlich von Füssen liegt der Ferienort Schwangau. Am Ortsrand lädt die Wallfahrtskirche St. Koloman (1685; Stukkaturen von Johann Schmuzer) zu einer Besichtigung ein. Südöstlich des Ortes erhebt sich der 1720 m hohe Tegelberg, dessen Gipfelplateau man mit der Seil-

*Schwangau
*Tegelberg

Füssen,
Umgebung (Fts.)

bahn erreichen kann. Von oben bietet sich ein überwältigender Ausblick. Nordöstlich von Schwangau lädt der Bannwaldsee zum Baden ein.

*Schloß
Hohenschwangau

Südlich oberhalb von Schwangau erhebt sich über den Grundmauern einer ehemaligen Stauferburg Schloß Hohenschwangau, 1832–1836 im neogotischen Stil für den bayerischen Kronprinzen und späteren König Maximilian (II.) erbaut. Das Innere schmücken Fresken nach Entwürfen von Moritz von Schwind und Wilhelm Lindenschmitt, die Motive aus germanischen Sagen zum Thema haben.

**Schloß
Neuschwanstein

Führungen:
April–Sept.
tgl. 8.30–17.30,
Okt.–März
tgl. 10.00–16.00

Rund 5 km südlich von Füssen, auf einem bewaldeten Bergrücken, thront das weltberühmte Schloß König Ludwigs II., eines der meistbesuchten Bauwerke in Deutschland überhaupt. Der wegen seiner vielen Türme und Zinnen wie ein "Märchenschloß" erscheinende Prachtbau entstand 1869 bis 1886 nach Entwürfen des Theatermalers Christian Jank und unter der Bauleitung von Georg Dollmann und Julius Hoffmann. Vorbildcharakter hatten für den exzentrischen Bauherrn die Bühnenbilder der Wagner-Opern "Lohengrin" und "Tannhäuser". Am 12. Juni 1886 trat Ludwig II. von hier aus seine letzte Fahrt nach Schloß Berg am → Starnberger See an, wo er wenig später den Tod fand. Das Schloß kann nur im Rahmen von Führungen besichtigt werden. Der Rundgang führt u.a. durch die Repräsentationsräume, den mit Carrara-Marmor ausgestatteten Thronsaal und den Sängersaal mit Darstellungen aus der Parzival-Dichtung.

Aussicht

Vom Aussichtspunkt "Jugend" bietet sich ein schöner Blick auf den nahen Alpsee, das Schloß Hohenschwangau und die Hochgebirgswelt des Tannheimer Tales. Den schönsten Blick auf das Schloß genießt man von der Marienbrücke, die in 90 m Höhe die Pöllatschlucht überspannt.

**Marienbrücke

Hopfensee,
Weißensee

Zwei beliebte Ausflugsziele nordwestlich bzw. westlich von Füssen sind der Hopfensee und der Weißensee (Strandbäder)

**Wieskirche

Rund 20 km nordöstlich von Füssen, in Steingaden, steht vor der Kulisse der Ammergauer Berge die "Wallfahrtskirche in der Wies", das 1746–1754 erbaute Hauptwerk des Barockbaumeisters Dominikus Zimmermann. Durch eine Vorhalle betritt man den ovalen, flachgewölbten Hauptraum. Aus dem Zusammenspiel von Architektur, Stuck und Freskomalerei – die beiden letzteren von Johann Baptist Zimmermann, dem Bruder des Baumeisters, – ergibt sich die einzigartige, von spielerischer Leichtigkeit und Eleganz geprägte Raumwirkung dieser Kirche.

Pfaffenwinkel

Als Pfaffenwinkel wurde ursprünglich die historische Landschaft im Alpenvorland zwischen Lech und Ammer bezeichnet; heute versteht man darunter ein Gebiet, das in etwa im Norden bis Starnberg, im Süden bis Füssen, im Westen bis Schongau und im Osten bis Kloster Benediktbeuern reicht. Neben der Wieskirche gibt es in dieser Region zahlreiche Wallfahrtskirchen und Klöster, so z. B. in Rottenbuch und Wessobrunn. Der Pfaffenwinkel ist auch die Heimat vieler Stukkateure der sog. Wessobrunner Schule, als deren Begründer Johann Schmuzer (1642–1701) gilt.

Garmisch-Partenkirchen   H 8

Bundesland: Bayern
Höhe: 720 m ü.d.M.
Einwohnerzahl: 27 000

Lage und
Bedeutung

Garmisch-Partenkirchen im Tal der Loisach ist der meistbesuchte Fremdenverkehrsort der → Bayerischen Alpen, ein bekannter heilklimatischer

Wie ein Märchenschloß – so thront Schloß Neuschwanstein mit ▶
seinen unzähligen Zinnen und Türmchen hoch über der Landschaft.

Lage und
Bedeutung
(Fortsetzung)

Kurort und führender deutscher Wintersportort. Hier fanden 1936 die Olympischen Winterspiele und 1978 die alpinen Skiweltmeisterschaften statt. Den weiten Talgrund der Loisach umschließen mächtige Gebirgsstöcke: im Norden Kramer und Wank, im Süden die alles beherrschende Wettersteingruppe mit dem Kreuzeck, der scharfgratigen Alpspitze und der Dreitorspitze sowie – hinter dem Großen Waxenstein aufragend – der Zugspitze, dem mit 2964 m höchsten Berg Deutschlands.

Geschichte

Die 1361 zum Markt erhobene Siedlung Partenkirchen, das "Parthanum" der Römer, war einst ein wichtiger Rastort an der Handelsstraße von Augsburg über Mittenwald nach Italien. Garmisch nahm an dem wirtschaftlichen Aufschwung teil. Beide Orte kamen 1803 an Bayern. Zu Beginn des 20. Jh.s wurde der Doppelort zum Mittelpunkt des Fremdenverkehrs.

Sehenswertes in Garmisch-Partenkirchen

Garmisch

Der Ortsteil Garmisch mit seinen malerischen alten Bauernhäusern liegt westlich der Eisenbahn an der Loisach. Am Richard-Strauss-Platz steht das Kongreßhaus; daneben erstreckt sich der Kurpark. Die um 1730 erbaute Neue Pfarrkirche St. Martin, ein Rokokobau, ist mit Wessobrunner Stuckarbeiten und Deckenfresken ausgestattet. In der Alten Pfarrkirche Sankt Martin finden sich Reste gotischer Wandmalereien. Beim Zugspitzbahnhof liegt das Olympia-Eissportzentrum mit dem Alpspitz-Wellenbad. An der Zöppritzstraße (Nr. 42) befindet sich die Richard-Strauss-Villa, in welcher der 1949 in Garmisch verstorbene Komponist wohnte.

Partenkirchen

Im Ortsteil Partenkirchen, zwischen der Partnach und dem Wank, befinden sich das Rathaus und – im Wackerle-Haus – das Werdenfelser Heimatmuseum (Ludwigstr. 47) mit interessanten Masken. Vom Floriansplatz bietet sich ein reizvoller Blick auf das Zugspitzmassiv im Süden. Südlich von Partenkirchen, am Fuß des Gudibergs, liegt das Olympia-Skistadion mit Großer und Kleiner Olympiaschanze sowie dem Olympia-Stützpunkt Ski Alpin. Alljährlich findet hier das Neujahrsspringen statt.

Umgebung von Garmisch-Partenkirchen

**Zugspitze

Die Zugspitze, der höchste Berg Deutschlands (2964 m), liegt südwestlich von Garmisch-Partenkirchen, wo sie – an der österreichischen Grenze (Tirol) – den Nordteil eines großen Gipfelkranzes bildet. Dieser umrahmt das sog. Zugspitzplatt, eine weite Felsmulde, die das höchstgelegene und schneesicherste Skigebiet Deutschlands ist. Der Zugspitzkamm auf Tiroler Seite ist ebenfalls ein beliebtes Ausflugsziel und ein ideales Wintersportgebiet. Auf dem Ostgipfel steht ein vergoldetes Kreuz.

Bergbahnen

Auf die Zugspitze führen mehrere Bergbahnen: Von Garmisch-Partenkirchen aus verkehrt die Bayerische Zugspitzbahn, eine elektrische Zahnradbahn, zum Zugspitzplatt unterhalb des Gipfels. Von dort kommt man mit einer Kabinenbahn zum Zugspitzgipfel (Ostgipfel). Die Turmplattform auf diesem Gipfel bildet mit 2964 m den höchsten Punkt Deutschlands. Auf dem nahen Westgipfel steht das 1897 erbaute Münchner Haus und eine Wetterwarte. Alternativ zur ersten Möglichkeit kann man auch die Seilbahn benutzen, die vom Eibsee direkt zum Gipfel führt. Die Tiroler Zugspitzbahn verbindet das österreichische Ehrwald-Obermoos mit dem Zugspitzgipfel.

Grainau
Eibsee

Südwestlich von Garmisch-Partenkirchen liegt das "Zugspitzdorf" Grainau am Fuß der gewaltig aufragenden Waxensteine, vom Loisachtal durch den "Höhenrain" getrennt. Von dort geht es bergauf zum malerischen Eibsee, von dem sich ein schöner Blick auf die umgebenden Berge bietet.

*Höllentalklamm

Im Süden von Garmisch-Partenkirchen zieht sich die wildromantische Höllentalklamm in Richtung Zugspitze. Eine Wanderung beginnt man am be-

Mit 2963 Metern liegt der Westgipfel der Zugspitze mit dem Münchener Haus nur einen Meter unter dem höchsten Punkt des Berges. Ein phantastisches Skigebiet erstreckt sich hier.

sten im Grainauer Ortsteil Hammersbach und geht bergan zur Höllental-klammhütte (1045 m). Nach Entrichtung eines Eintrittsgeldes kann man den 1 km langen Weg mit Tunneln, Galerien und Brücken zum Klammende (Höllentalangerhütte) erwandern.

Umgebung,
Höllentalklamm
(Fortsetzung)

Südöstlich von Garmisch-Partenkirchen befindet sich die Partnachklamm, eine bizarre Felsschlucht mit Tunneln und Galerien, die ein beeindruckendes Wandererlebnis (ab Skistadion von Partenkirchen ca. 1,5 Std.) bietet.

*Partnachklamm

Ettal, ca. 15 km nördlich von Garmisch-Partenkirchen in Richtung Oberammergau am Fuß des 1634 m hohen Ettaler Manndls gelegen, wird wegen seiner 1330 gegründeten Benediktinerabtei viel besucht. Die großartige Klosterkirche, ein ursprünglich gotischer Zentralbau, wurde um 1720 durch Enrico Zuccali zu einem barocken Kuppelbau umgestaltet und später nach einem Brand wiederhergestellt. Herausragend sind das Kuppelfresko von Johann Jakob Zeiller (1746) und das berühmte Ettaler Gnadenbild aus Carrara-Marmor (14. Jh.).

*Ettal

In grandioser Berglandschaft steht 10 km westlich von Ettal Schloß Linderhof, das Georg Dollmann 1874–1878 im Rokokostil für König Ludwig II. erbaute. Seine besonderen Attraktionen sind das Speisezimmer mit versenkbarem Tisch und der Park mit seinen Wasserspielen, dem Maurischen Kiosk und der Venusgrotte nach Motiven aus Wagners Opern.

*Linderhof

Oberammergau, in einer Talweitung der Ammer (ca. 20 km nördlich von Garmisch-Partenkirchen) gelegen und von den Vorbergen der Ammergauer Alpen umgeben, ist ein beliebter Luftkur- und Wintersportort sowie ein bekanntes Zentrum der Holzschnitzerei. Besonders in den Vereinigten Staaten von Amerika zählt der Ort wegen der Passionsspiele zu den Top-

Oberammergau

Umgebung,
Oberammergau
(Fortsetzung)

sehenswürdigkeiten Deutschlands. Der Ort bestand bereits in römischer Zeit. Bis zur Mitte des 16. Jh.s war Oberammergau ein wichtiger Umschlagplatz an der Handelsstraße von Augsburg über Mittenwald nach Venedig. Die seit dem 16. Jh. nachweisbare Bildschnitzerei erlangte europäischen Ruf.

Die Passionsspiele fanden 1634 zum ersten Mal statt: Anlaß war ein im Pestjahr 1633 gegebenes Gelöbnis, daß alle zehn Jahre die Spiele aufgeführt werden sollen – das nächste Mal im Jahr 2000.

*Lüftlmalerei

Das malerische Straßenbild des Ortes prägen die Darstellungen an den Häuserfassaden, die "Lüftlmalerei". Der berühmteste Lüftlmaler, Franz Seraph Zwinck (1748–1792), stammte aus Oberammergau. Sein Meisterwerk ist das Pilatushaus in der Ludwig-Thoma-Straße.

In der Dorfstraße 20 wurde 1867 der Schriftsteller Ludwig Thoma geboren, der in lebensechtem oberbayerischen Dialekt schrieb.

*Passions-
spielhaus

Am Nordrand des Ortes steht das Passionsspielhaus mit offenem, die Landschaft einbeziehenden Bühnenhaus. Die Passionsspiele finden jeweils von Mitte Mai bis Ende September statt und sind das Oberammergauer Ereignis schlechthin. Die Darsteller sind ausschließlich Laienspieler, die entweder in Oberammergau geboren sind oder seit mindestens zwanzig Jahren dort wohnen. Für die über 100 Aufführungen einer Spielzeit werden über 2000 Darsteller – von der Hauptrolle des Christus bis zum kleinen Komparsen – benötigt. Eine Vorstellung dauert sechs Stunden. Der älteste Text des Oberammergauer Spiels beruht auf zwei Augsburger Passionsspielen; der heutige Text des Passionsspiels wurde um 1850 von dem Geistlichen Rat Alois Daisenberger gestaltet.

Vom Wessobrunner Meister Joseph Schmuzer wurde die Pfarrkirche St. Peter und Paul um 1740 erbaut. Besonders bemerkenswert sind die Gewölbe- und Kuppelfresken von M. Günther, der als Virtuose illusionistischer Architekturmalerei gilt.

In der Dorfstraße 8 lohnt das Heimatmuseum einen Besuch. Breiter Raum wird der Schnitzerei gewidmet, besonders mit der Krippensammlung im Erdgeschoß, deren Glanzpunkt die Krippe aus der Oberammergauer Pfarrkirche mit ca. 120 Figuren ist (18. Jh.). Ferner sind zahlreiche Hinterglasbilder zu sehen.

Am östlichen Ortsrand, nahe der Talstation der Laber-Bergbahn, liegt das große Alpenbad "WellenBerg" mit Hallen-, Frei- und Wellenbad sowie Riesenrutschen.

*Mittenwald

Der Luftkurort und Wintersportplatz Mittenwald liegt im Isartal unmittelbar unter der schroffen Karwendelkette, etwa 25 km östlich von Garmisch-Partenkirchen. Mittenwald ist vor allem bekannt wegen des traditionell hier angesiedelten Geigenbauhandwerks, im 17. Jh. von Matthias Klotz eingeführt, der in Cremona den Geigenbau erlernt hatte. Das Ortsbild, eines der reizvollsten in den Bayerischen Alpen, wird von alten Häusern mit schönen Fresken ("Lüftlmalerei") bestimmt, die vor allem am Unter- und Obermarkt stehen. Im Geigenbau- und Heimatmuseum wird die Geschichte des Geigenbaus dokumentiert. Im Westen und Südwesten des Ortes erstrecken sich die Kuranlagen, am Burgberg liegt der Kurpark.

*Westliche
Karwendelspitze

Vom östlichen Ortsrand Mittenwalds führt eine Kabinenbahn zur Hohen Karwendelgrube unterhalb der 2385 m hohen Westlichen Karwendelspitze, von wo sich herrliche Wandermöglichkeiten bieten.

Hoher Kranzberg,
Lautersee

Der westlich aufragende Hohe Kranzberg (1391 m) gilt als "Hausberg" von Mittenwald. 22 km lang ist der wunderbare Rundweg von Klais im Norden Mittenwalds über Elmau zum waldumschlossenen Lautersee (Badegelegenheit), in dem sich Karwendel und Wetterstein spiegeln, nach Mittenwald und zurück über den Bockweg im Norden Mittenwalds in Richtung Krün nach Klais.

Leutaschklamm

Westlich von Mittenwald liegt auch die 250 m weite Leutaschklamm, in die man bis zu einem hohen Wasserfall hineinlaufen kann.

Bundesland: Thüringen
Höhe: 204 m ü.d.M.
Einwohnerzahl: 123 000

Die thüringische Stadt Gera liegt rund 50 km südlich von Leipzig am Mittellauf der Weißen Elster. Sie ist die Geburtsstadt des Malers und Graphikers Otto Dix (1891 – 1969). — Lage und Allgemeines

Bereits 995 urkundlich erwähnt, erhielt der Ort erst im 13. Jh. Stadtrecht. Zwischen 1564 und 1918 residierte hier die Linie der jüngeren Reuß als Reichsgrafen bzw. als Fürsten. Von 1918 bis 1920 war Gera Hauptstadt des Freistaates Reuß, der dann zu Thüringen kam. Gerberei, Bierbrauerei und besonders die Tuchmacherei waren traditionelle Wirtschaftszweige, deren Blüte im 18. Jh. die heute noch erhaltenen Bürgerhäuser jener Zeit bezeugen; sie entstanden überwiegend nach dem großen Stadtbrand von 1780. Das Bier wurde in einem etwa 8 km langen System von unterirdischen Gängen und Kellern unter der Altstadt und dem Nikolaiberg gelagert. Diese "Höhler" sind heute zu besichtigen. — Geschichte

Sehenswertes in Gera

Der Markt von Gera gehört durch die Geschlossenheit der Bebauung zu den schönsten Marktplätzen Thüringens. Sehr bemerkenswert ist das Rathaus aus dem 15. Jh., das 1573 – 1576 nach seiner Zerstörung wiedererrichtet wurde. Es zeichnet sich vor allem durch sein reich verziertes Hauptportal am achtgeschossigen Turm und die drei Nebenportale aus. Weiterhin beachtenswert ist am Markt die Stadtapotheke (16. Jh.) mit einem runden reichgeschmückten Renaissanceerker. Auf dem Markt steht der Simsonbrunnen (1685/1686) von Caspar Junghans. Vom Rathaus sind es nur wenige Schritte zum ehemaligen Regierungsgebäude, einem über drei Stockwerke reichenden barocken Stadtpalais (1720 – 1722), das nach dem Brand von 1780 wiederhergestellt wurde. — *Markt *Rathaus

Hauptportal des Rathauses

Unweit nordwestlich vom Markt steht das ehemalige Zucht- und Waisenhaus (Heinrichstraße 2), ein dreigeschossiger Barockbau von 1732 – 1738, in dem heute das Stadtmuseum für Geschichte untergebracht ist. Das Museum vermittelt einen Überblick über die Früh- und Stadtgeschichte. — Stadtmuseum

In der Nähe des Rathauses steht am Nikolaiberg die im Barockstil erbaute, — Salvatorkirche

Gera

Salvatorkirche (Fortsetzung)

dreischiffige Salvatorkirche (1717 – 1720). Das Innere wurde abgesehen von der im 18. Jh. bemalten Flachdecke im Jugendstil ausgestattet.

Museum für Naturkunde

Neben der Kirche steht das Schreibersche Haus (1687/88) mit einem reichen Barocksaal; es beherbergt heute das Museum für Naturkunde mit Sammlungen über Leben und Werk der fünf ostthüringischen Ornithologen Brehm (Vater und Sohn), Liebe, Hennicke und Engelmann. Angeschlossen ist ein Botanischer Garten.

Geraer Höhler

Hinter dem Museum befindet sich etwas versteckt im Höhler Nr. 188 (Geithes Passage) ein Museum, das eine Ausstellung über Minerale und Bergbau in Ostthüringen beherbergt. Hier werden auch geführte Rundgänge durch die Geraer Höhler, die 3 m bis 11 m unter der Erde liegenden, zum Teil nur 80 cm breiten ehemaligen Bierlagerkeller der Stadt, angeboten.

Bürgerhäuser und Kunstmuseum

Zu den schönsten Bürgerhäusern der Stadt gehört das Ferbersche Haus in der Greizer Str. 37/39 südlich der Salvatorkirche. Darin ist das Museum für Angewandte Kunst untergebracht, in dem vor allem Keramik, Porzellan, Glas und Zinn aus Thüringen zu sehen sind. Sehenswert ist auch das barocke Bürgerhaus im Steinweg 15 in der Nähe des Museums für Naturkunde.

Trinitatiskirche

Zu den Baudenkmälern der Gotik gehört außerdem die Trinitatiskirche, ein einschiffiger Bau (14. Jh.) mit einem dreigeschossigen geschlossenen Chor und ausgemalter Flachdecke im Südwesten der Innenstadt.

Orangerie

Einen weiteren Anziehungspunkt bildet die nordwestlich vom Zentrum und westlich vom Hauptbahnhof gelegene Orangerie, eine halbkreisförmige barocke Anlage (1729 – 1732). Sie beherbergt heute die Kunstsammlung Gera mit Malerei und Plastik vom 16. Jh. bis zur Gegenwart und den Gemäldekabinett aus den Beständen der Reußischen Kunstsammlungen.

Theater

Östlich davon befindet sich das im Jugendstil errichtete Theater (1902), in dem heute die Bühnen der Stadt Gera untergebracht sind.

St. Marien
*Otto-Dix-Haus

Überquert man weiter westlich die Weiße Elster, sieht man die Pfarrkirche St. Marien, einen einschiffigen spätgotischen Bau (um 1400). Unmittelbar daneben werden im Geburtshaus von Otto Dix (1891 – 1969) eine Dokumentation zu seinem Leben und Wirken sowie die Werke der Geraer Dix-Sammlung gezeigt.

Umgebung von Gera

Eisenberg

Die Kreisstadt Eisenberg (12 000 Einwohner) liegt 16 km nordwestlich von Gera zwischen Saale und Weißer Elster. Sie ist ein attraktiver Erholungsort am nördlichen Rand des Holzlandes; insbesondere das Mühltal wird viel besucht. Ein reizvolles Ensemble bildet der alte Stadtkern mit dem Rathaus (1579, im Jahre 1593 erweitert), einem dreigeschossigen Renaissancebau mit zwei Türmen und zwei reichverzierten Rundbogenportalen. Um den rechteckigen Marktplatz gruppieren sich weiterhin die einschiffige spätgotische Stadtkirche St. Peter (1494; 1880 umgebaut), die Superintendentur (1580), ein dreigeschossiger Renaissancebau, ferner der Mohrenbrunnen (1727) und Bürgerhäuser des 16. – 18. Jahrhunderts. Besondere Anziehungspunkte sind das Schloß Christianenburg, das heutige Landratsamt, eine dreigeschossige barocke Anlage (1678 – 1692) mit einem großen Portal am Hauptbau, und die Schloßkirche (1680 – 1692). Diese besitzt an drei Seiten umlaufende Emporen, reiche Stuckdekorationen sowie Wand- und Deckengemälde italienischer Künstler; heute wird sie als Konzerthalle genutzt. Sehenswert ist auch der Schloßgarten (1683) mit Rosengarten.

Mühltal

Wanderwege führen von Eisenberg im Tal der Rauda aufwärts, das wegen seiner früher zahlreichen Sägemühlen den Namen Mühltal erhielt. Der Waldreichtum dieser Region, des sogenannten Holzlandes, begünstigte die Entwicklung holzverarbeitender Betriebe.

Bad Klosterlausnitz, 20 km westlich von Gera gelegen, ist ein Erholungsort mit Kuranlagen. Im Ort steht die Kirche des ehemaligen Augustiner-chorfrauenstiftes (1132 gegründet). Sie wurde 1863 – 1890 unter Verwendung originaler Teile in romanischen Formen auf altem Grundriß neu errichtet.

Gera, Umgebung (Fortsetzung)
Bad Klosterlausnitz

Die alte Bischofsstadt Zeitz liegt 23 km nördlich von Gera an der Stelle, wo die Weiße Elster in die Leipziger Tieflandsbucht eintritt. Schloß Moritzburg, eine barocke Anlage, die auf den Ruinen des Bischofsschlosses entstand, dient heute als Museum. Gezeigt werden Werke der bildenden Kunst, altes Glas, Zinn und schönes Porzellan. In der Schloßkirche befinden sich in einer Krypta (10. Jh.) die Särge der Herzöge von Sachsen-Zeitz und die Grabstätte des Naturforschers Georgius Agricola (1494–1555). Von den eindrucksvollen Bürgerhäusern sei vor allem auf das Seckendorffsche Palais (Am Brühl 11) hingewiesen. Von der ehemaligen Stadtbefestigung sind noch sechs Wehrtürme und Teile der Stadtmauer erhalten.

Zeitz

In Weida, 13 km südlich von Gera, lohnt das im Kern romanische Schloß Osterburg mit seinem mächtigen Bergfried, Schloßwache und Heimatmuseum einen Besuch.

Weida

Gießen · Wetzlar   E 5

Bundesland: Hessen
Höhe: 157 m ü. d. M.
Einwohnerzahl: 79 000 (Gießen) 54 000 (Wetzlar)

Die hessischen Nachbarstädte Gießen und Wetzlar wurden 1977 zusammen mit weiteren 14 Gemeinden zur Stadt Lahn zusammengelegt. Von Anfang an stieß diese Kommunalehe auf den Widerstand der Bevölkerung, so daß sie bereits 1979 wieder geschieden und die beiden Städte wieder selbständig wurden.

Zwei Jahre Doppelstadt

Gießen

Die alte Universitätsstadt Gießen an der Lahn ist die größte Stadt Mittelhessens und Sitz bedeutender Industriebetriebe. Hier lehrte und wirkte 1824 – 1852 der große Chemiker Justus von Liebig (1803 – 1873), der Erfinder der Stickstoffdüngung. Im Zweiten Weltkrieg wurde die Stadt stark zerstört; einige der alten Bauten sind restauriert worden.

Lage und Allgemeines

Im Jahre 1197 wurde eine von den Grafen von Gleiberg angelegte Burg urkundlich erwähnt, 1248 war Gießen bereits Stadt. 1265 fiel es durch Kauf an die Landgrafen von Hessen, die es zu einer starken Festung ausbauten. In das Jahr 1607 fiel die Gründung der Universität. 1944 wurde die Stadt zu mehr als drei Vierteln zerstört.

Geschichte

Am Brandplatz erhebt sich das auf das 14. Jh. zurückgehende Alte Schloß, das 1944 zerstört und 1980 neu errichtet wurde. Es beherbergt die Abteilungen Gemäldegalerie und Kunsthandwerk des Oberhessischen Museums, in denen Skulpturen, Keramik und Gemälde von der Gotik bis zum 20. Jh. ausgestellt sind. Weitere Abteilungen sind im Burgmannenhaus und im Wallenfels'schen Haus untergebracht (beide s. u.).

Altes Schloß

An das Alte Schloß grenzt der Botanische Garten (1609), einer der ältesten seiner Art in Deutschland.

Botanischer Garten

Nordöstlich stehen das Neue Schloß (16. Jh.), ein schöner Fachwerkbau, und daneben das 1590 erbaute und 1958 – 1962 erneuerte Zeughaus.

Neues Schloß

Der Botanische Garten von Gießen wurde schon vor vier Jahrhunderten angelegt.

Burgmannenhaus, Wallenfels'sches Haus

Am westlichen Rand der Innenstadt (Georg-Schlosser-Straße) sind zwei weitere Teile des Oberhessischen Museums zu finden: im Burgmannen- haus (Leib'sches Haus, 1350) die Abteilung Stadtgeschichte und Volkskun- de mit Kunsthandwerk, Trachten und Möbel sowie im benachbarten Wal- lenfels'schen Haus die Abteilung Vor- und Frühgeschichte und Völkerkun- de zu den Themen Stein- und Bronzezeit, römische Kolonisation, Völker- wanderung sowie Ferner Osten, Afrika, Amerika, Australien und Ozeanien.

Universität

Im Süden der Stadt liegt die 1880 erbaute Neue Universität (Justus-Liebig- Universität) mit der Universitätsbibliothek. Hier ist der Gießener Kunstweg mit Skulpturen namhafter zeitgenössischer Künstler angelegt.

Liebig-Museum

Weiter südlich (Liebigstr. 12) findet man im ehemaligen Chemischen Institut das Liebig-Museum mit den originalen Laboratorien des großen Chemi- kers sowie einer Briefsammlung Justus von Liebigs.

Wetzlar

Lage und Allgemeines

Die alte Freie Reichsstadt Wetzlar liegt malerisch an der Lahn, oberhalb der Einmündung der Dill. Sie wird überragt von der Burgruine Kalsmunt (12. Jh.). Die als "Wiflaria" erstmals erwähnte Stadt erlangte durch Eisen- verarbeitung und -handel eine große wirtschaftliche Blüte. 1693 – 1806 war sie Sitz des Reichskammergerichts, der höchsten juristischen Instanz des Reiches.

Dom

Die am linken Ufer der Lahn ansteigende Altstadt mit engen Gassen und zahlreichen alten Bürgerhäusern wird beherrscht von dem hochragenden Dom, der ehemaligen Stiftskirche St. Marien, einem reichgegliederten Bau aus dem 12. – 16. Jahrhundert.

Am Fischmarkt, südwestlich vom Domplatz, bezeichnet ein Doppeladler das erste Gebäude des Reichskammergerichts; hier arbeitete Goethe 1772 als Rechtspraktikant. Im Avemannschen Haus (Hofstatt 19) ist das Reichskammergerichtsmuseum untergebracht, in dem Originalzeugnisse aus drei Jahrhunderten deutscher Rechtsgeschichte ausgestellt sind.

Wetzlar (Fortsetzung) Reichskammergericht

Östlich vom Domplatz findet man das Lottehaus (Lottestr. 8), den ehemaligen Deutschordenshof, einst Wohnsitz von Charlotte Buff, die Goethe damals liebte. Der Gebäudekomplex beherbergt eine Sammlung über Goethe und Charlotte, ferner das Stadt- und Industriemuseum. Eine Gedenkstätte für Goethes "Die Leiden des jungen Werthers" ist das Jerusalemhaus (Schillerplatz 5), denn den Selbstmord von Karl Wilhelm Jerusalem hat der Dichter in diesem Werk verarbeitet.

Lottehaus, Stadt- und Industriemuseum, Jerusalemhaus

In dem westlich von Wetzlar gelegenen Solms, im Ortsteil Oberbiel, kann man den als Besucherbergwerk eingerichteten Stollen "Fortuna" besichtigen, in dem noch bis 1983 Eisenerz abgebaut wurde.

Solms

Görlitz

L 4

Bundesland: Sachsen
Höhe: 221 m ü.d.M.
Einwohnerzahl: 67 700

Görlitz (sorbisch Zhorjelc) ist die östlichste Stadt Deutschlands und liegt genau auf 15° östlicher Länge an der Lausitzer Neiße, die hier die Grenze zu Polen bildet. Die Stadt verdankt ihre heutige Bedeutung dem stark frequentierten Straßengrenzübergang, eine der wichtigsten Ost-West-Verbindungen in Europa. Wenn sich manch Oberlausitzer Städtchen die "Perle der Oberlausitz" nennt, dann ist Görlitz das Kronjuwel, denn es hat den Zweiten Weltkrieg beinahe unbeschadet überstanden. Auch wenn die Bauten aus Mittelalter und Renaissance inzwischen reichlich Patina angesetzt haben, verleihen sie der Stadt doch ein einmaliges architektonisches Gepräge, das man gesehen haben muß.

Lage und Allgemeines

*Stadtbild

Am Kreuzungspunkt wichtiger Handelsstraßen gelegen, entwickelte sich das 1071 erstmals urkundlich genannte Dorf Gorelic rasch zu einer bedeutenden Siedlung, der im 13. Jh. eine planmäßige Erweiterung mit regelmäßigem Grundriß folgte. Nach starker Befestigung und der Verleihung zahlreicher Rechte spielte die Stadt ab 1346 eine führende Rolle im Oberlausitzer Sechsstädtebund. Trotz wechselnder Herrschaften verdankte Görlitz seinen Reichtum, der sich in großartigen Bauten der Gotik und Renaissance spiegelt, der langen Zugehörigkeit der Lausitz zum Königreich Böhmen. Zu wirtschaftlicher Macht gelangt, war es eine Pflegestätte des Humanismus. Der Görlitzer Jacob Böhme (1575 – 1624, Schuhmacher, Naturphilosoph und Mystiker) gilt als einer der frühen geistigen Wegbereiter der klassischen deutschen Philosophie. Von historischer Bedeutung war die Unterzeichnung des Staatsvertrages zwischen der DDR und Polen über die Anerkennung der Oder-Neiße-Grenze, dem sog. Görlitzer Abkommen vom 6. Juli 1950, in der heute polnischen Nachbarstadt Zgorzelec, einem ehemaligen Ostteil der Stadt.

Geschichte

Sehenswertes in Görlitz

Die Straßenzüge und Bauten um den Postplatz im heutigen Stadt- und Geschäftszentrum stammen vorwiegend aus dem späten 19. Jahrhundert. Nur die Frauenkirche am Marienplatz ist eine Schöpfung der Spätgotik (1459 – 1486). Gleich neben der Kirche steht das jetzige Kaufhaus Karstadt, 1913 erbaut und somit das einzige in Deutschland erhaltene Kaufhaus aus

Vom Postplatz zum Demianiplatz

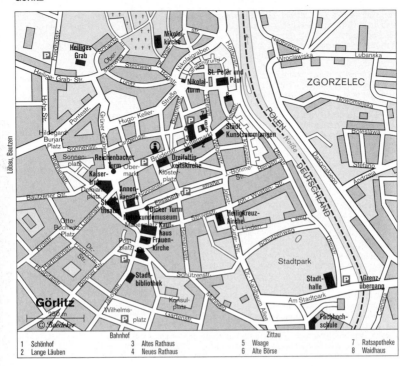

Görlitz

© Baedeker 250 m

1	Schönhof	3	Altes Rathaus	5	Waage	7	Ratsapotheke
2	Lange Läuben	4	Neues Rathaus	6	Alte Börse	8	Waidhaus

Vom Postplatz zum Demianiplatz (Fortsetzung)

*Kaisertrutz

der Zeit vor dem Ersten Weltkrieg. Von hier blickt man zum Dicken Turm (vor 1305) mit dem 1477 in Sandstein gehauenen Stadtwappen. Links vom Turm kommt man zum Görlitzer Naturkundemuseum, dahinter steht die von einem spätgotischen Statuenzyklus gezierte Annenkapelle (1508–1512).

Vom Marienplatz geht man zum Demianiplatz, den das massige Rondell des 1490 in die Stadtbefestigung eingefügten Kaisertrutzes fast erschlägt. Er beherbergt die Galerie der Städtischen Kunstsammlungen. Zum Obermarkt hin erhebt sich der vor 1376 errichtete Reichenbacher Turm, der 1485 seinen Oberbau und 1782 die Barockhaube erhielt. Er trägt die Wappen des Lausitzer Sechsstädtebundes sowie der Görlitz besitzenden Herrschaften. Im Turm wird eine Waffensammlung gezeigt.

*Obermarkt

Hinter dem Reichenbacher Turm öffnet sich weit der vom Barock geprägte Obermarkt. Das bemerkenswerteste der Bürgerhäuser ist Nr. 29 (1718) an der Nordseite dank seiner üppigen figürlich-plastischen Stuckverzierung. Es wird "Napoleonhaus" genannt, denn von seinem Balkon nahm Napoleon, auf dem Rückzug aus Rußland, im Jahr 1813 eine Truppenparade ab. An der Platzseite gegenüber steht die gotische Dreifaltigkeitskirche aus dem 14./15. Jahrhundert. Unter den Ausstattungsstücken ragen das Mönchsgestühl (1484), die Grablegungsgruppe (1492), der "Christus in der Rast" (um 1500), der Wandaltar der "Goldenen Maria" (um 1511) und der hochbarocke Altaraufsatz (1713) heraus.

Den östlichen Ausgang des Obermarktes, die Brüderstraße, flankieren in eindrucksvoller Geschlossenheit Renaissance- und Barockbauten. Rechter Hand ragt der Schönhof (Nr. 8) etwas in die Straße hinein. Mit seiner reichen Pilastergliederung am Eckerker gilt er als eines der schönsten und

*Schönhof

ist auf jeden Fall das älteste erhaltene deutsche Renaissance-Bürgerhaus, erbaut von Wendel Roskopf d. Ä. im Jahr 1526.

Schönhof
(Fortsetzung)

Spätgotische, Renaissance- und Barockhäuser geben auch dem Untermarkt, den man nun betritt, seine Atmosphäre. Hier schlug das Herz des mittelalterlichen Görlitz. Mit etwas Phantasie kann man es noch hören.

**Untermarkt

Gleich links steht das in mehreren Bauetappen gewachsene Rathaus, dessen letzte Ergänzung das Neue Rathaus von 1902/1903 ist. Kunsthistorisch am bedeutendsten ist aber der vor 1378 errichtete älteste Baukörper, vor dem man hier unmittelbar steht. Man blickt auf Wendel Roskopfs berühmte Rathaustreppe von 1537 mit einer Justitiasäule von Hans Walther III. (1591). Den Rathausturm zieren zwei 1584 angebrachte Kunstuhren. Mehrere der Anwesen dokumentieren noch die originale Innenarchitektur eines Großkaufmannshauses aus der wirtschaftlichen Blütezeit der Stadt zwischen 1480 und 1547, vor allem die einstigen Tuchhallen, die sog. Langen Läuben (Nr. 2–5). Die "Zeile" genannten Häuser in der Platzmitte teilen diesen in zwei Hälften. Bemerkenswert sind die um 1600 errichtete Waage, und die dahinter anschließende barocke Alte Börse.

*Rathaus

Gegenüber erhebt sich die Ratsapotheke von 1550 mit zwei, jeweils verschiedene Zeiten anzeigenden Sonnenuhren; das Nachbarhaus Nr. 22 wird des akustischen Effekts seines spätgotischen Portals wegen auch "Flüsterbogen" genannt.

*Ratsapotheke

Von der Südostecke – hier steht der Gasthof Brauner Hirsch, im 17. Jh. geistiger Mittelpunkt der Stadt – geht die Neißestraße hinab zur Neiße. Bemerkenswerte Bauten sind hier die Nr. 30 mit prächtigem Barockportal (1726–1729), Standort des Museums der Oberlausitz, sowie das "Biblische Haus" (Nr. 29) von 1570 mit Reliefszenen aus der Bibel, eines der bedeutendsten Gebäude der deutschen Renaissance.

Neißestraße

Auf der Peterstraße verläßt man den Obermarkt und geht – vorbei am interessantesten der Görlitzer Häuser der Frührenaissance, dem 1528 von Wendel Roskopf d. Ä. erbauten Haus Peterstraße Nr. 8 – zur Pfarrkirche Sankt Peter und Paul (1423–1497), der spätgotischen Nachfahrin einer um 1230 geweihten spätromanischen Basilika. Die Renaissance fügte dieser gewaltigsten mittelalterlichen Bauleistung in Görlitz u. a. die seitlichen Portalvorhallen hinzu, die Neugotik 1889–1891 die beiden Türme. Die Hallenkrypta St. Georg gilt als schönster spätgotischer Raum der Oberlausitz.

St. Peter und Paul

Rechts der Kirche steht über dem Steilabfall zur Neiße das wehrhafte Waidhaus oder Renthaus, der älteste Profanbau der Stadt.

Waidhaus

Von St. Peter und Paul geht es vorbei am Nikolaiturm (vor 1348) und über den Nikolaigraben zur Nikolaivorstadt auf ältestem städtischen Siedlungsterrain. Hier erhebt sich die Nikolaikirche (jetziger Bau 1452–1520), deren Friedhof zahlreiche barocke Grabdenkmäler aufweist, darunter das Grab des Philosophen Jacob Böhme.

Nikolaivorstadt

Im Westen der Nikolaivorstadt liegt das kunsthistorisch bedeutende Heilige Grab (1481–1504). Die Architektur, Plastik und gestaltete Landschaft vereinende Anlage ist eine Kopie des Heiligen Grabes von Jerusalem und symbolisiert die Stätten der Passion Christi. Sie gilt als erster Versuch von Landschaftsgestaltung in Europa.

*Heiliges Grab

Umgebung von Görlitz

Beliebtes Ausflugsziel im Südwesten der Stadt ist die Landeskrone (420 m) mit Aussichtsturm, Berggaststätte und Theodor-Körner-Denkmal.

*Landeskrone

Als weiteres Ausflugsziel bieten sich die Königshainer Berge westlich von Görlitz an. Hier wandert man zum Teufelsstein und zum Hohenstein.

Königshainer
Berge

In Markersdorf, 6 km westlich an der B 6, lohnt der Besuch des Schlesisch-Oberlausitzer Dorfmuseums.

Markersdorf

Görlitz, Umgebung
(Fortsetzung)
* Kloster
Marienthal

Kloster Marienthal liegt 14 km südlich von Görlitz äußerst idyllisch im Tal der Neiße. Mit der natürlichen Schönheit konkurriert der farbenprächtige Barock der weitläufigen Anlage, die 1234 als erstes Zisterzienserinnenkloster in Sachsen gegründet wurde und im 17. und 18. Jahrhundert ihr heutiges Aussehen erhielt. Kapelle, Klosterkirche und Bibliothek können im Rahmen einer Führung besichtigt werden. Eine Einkehr in der heimeligen Klosterschänke rundet den Besuch ab.

Goslar   G 4

Bundesland: Niedersachsen
Höhe: 280–320 m ü.d.M.
Einwohnerzahl: 46 000

Lage und
Allgemeines

** Stadtbild

Die einstige Kaiser-, Reichs- und Hansestadt Goslar liegt am Nordwestrand des → Harzes im breiten Tal der Gose. Wegen ihrer vielen Sehenswürdigkeiten, dazu zählen die historische Altstadt mit ihrer beeindruckenden Anzahl schöner Fachwerk- und Steinhäuser, die fast intakte mittelalterliche Stadtbefestigung, zahlreiche Kirchen und Spitäler sowie die Kaiserpfalz, wird sie auch das "nordische Rom" oder die "Schatzkammer der Deutschen Kaiser" genannt. Seit 1992 stehen die Altstadt und das nahegelegene, erst 1988 stillgelegte Silberbergwerk Rammelsberg (heute Bergbaumuseum) auf der UNESCO-Liste des Weltkulturerbes.

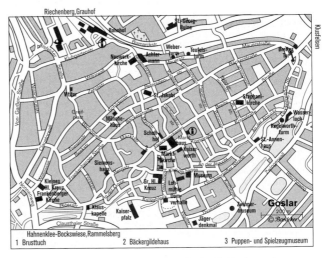

1 Brusttuch   2 Bäckergildehaus   3 Puppen- und Spielzeugmuseum

Geschichte

Goslar verdankt seine Entstehung im 10. Jh. der Entdeckung einer ungewöhnlich reichen Silberader am nahegelegenen Rammelsberg, die bereits zur Römerzeit ausgebeutet wurde. Aufgrund der wachsenden Bedeutung des Bergbaus verlegte Heinrich II. Anfang des 11. Jh.s seine Pfalz von Werla hierher, Goslar wurde einer der wichtigsten Städte des Reiches und im 13. Jh. Mitglied der Hanse. Die Blütezeit und den Höhepunkt der Macht erreichte die Stadt im 16. Jh., was sich auch in einer regen Bautätigkeit niederschlug. Als Goslar jedoch 1552 die Nutzungsrechte am Rammelsberg an Braunschweig verlor, setzte ein langandauernder Niedergang ein, dem erst durch die Entwicklung von Industrie und Fremdenverkehr ab dem 19. Jh. ein erneuter Aufschwung folgte.

Sehenswertes in Goslar

Mittelpunkt der Altstadt ist der schöne Marktplatz mit dem Marktbrunnen (13. Jh.), dessen vergoldeter Reichsadler die Freie Reichsstadt symbolisiert. Das Rathaus, ein einfacher gotischer Steinbau, der ab 1450 in mehreren Phasen entstand, öffnet sich zur Marktseite in fünf Arkaden. Eine Freitreppe führt ins Obergeschoß, wo sich der mit farbenprächtigen Malereien (Anfang 16. Jh.) ausgestattete ehem. Sitzungssaal, auch Huldigungssaal genannt, befindet. Im Giebel des gegenüber gelegenen ehem. Kämmereigebäudes befindet sich ein Glocken- und Figurenspiel. Die Kaiserworth (1494) an der Südseite des Marktplatzes war Gildehaus der Gewandschneider (heute Hotel). Hölzerne Kaiserfiguren schmücken die Front; auf einer Giebelkante illustriert das Dukatenmännchen den Reichtum der Gilde. Hinter dem Rathaus erhebt sich die Marktkirche (1170; 13. und 16. Jh. erweitert). Gegenüber ihrem Westportal steht im spitzen Winkel das mit phantasievollen Schnitzereien verzierte Brusttuch (1521–1526; heute Hotel), eines der schönsten Parizierhäuser der Stadt.

Altstadt
Marktplatz

Bei einem Spaziergang durch die umliegenden engen, kopfsteingepflasterten Gassen offenbart sich der Reichtum Goslars mit seinen an die 1000 Fachwerk- und Steinhäusern, darunter Gilde- und Bürgerhäuser. Hervorragende Beispiele findet man u. a. im sog. Schuhhof (nordwestlich des Rathauses) und in der Münzstraße.

Fachwerkhäuser

Goslars Engagement für zeitgenössische Kunst – seit 1974 verleiht die Stadt alljährlich den Kaiserring und überall in der Stadt trifft man auf moderne Skulpturen – spiegelt sich in der Sammlung des in einem alten Fachwerkhaus (1528) untergebrachten Mönchehaus Museum wider.

*Mönchehaus Museum für moderne Kunst

Die ältesten Teile der Jakobikirche, unweit nordöstlich, stammen aus dem 11. Jh.; im Innern befindet sich eine sehenswerte hölzerne Pietà (1515).

Jakobikirche
*Pietà

Die ehem. Klosterkirche Neuwerk (12./13. Jh.) steht nördlich der Jakobikirche. Im Innern befinden sich beeindruckende spätromanische Wandmalereien. Dargestellt sind u.a. die thronende Gottesmutter mit Petrus, dem knienden Erzengel Gabriel, Paulus und Stephanus sowie Szenen aus dem alten Testament.

*Neuwerkkirche

Der gegenübergelegene sog. Achtermann gehört zur einstigen Stadtbefestigung (urspr. 12. Jh., im 15. und 16. Jh. verstärkt).

Achtermann

Das im Süden der Stadt gelegene Goslarer Museum stellt die Stadtgeschichte dar; zu den Schätzen gehört der sog. Krodoaltar, ein bronzener Reliquienaltar aus dem 11. Jahrhundert.

Goslarer Museum

Am rechten Ufer der Gose liegt außerdem das Große Heilige Kreuz, ein ehem. Spital, 1254 vom kaiserlichen Vogt gestiftet. Heute sind hier Kunsthandwerker mit ihren Werkstätten und Verkaufsräumen untergebracht.

*Großes Heiliges Kreuz

Am Ende des Hohen Wegs steht man vor der Domvorhalle, dem einzigen Überbleibsel des 1050 geweihten, 1819–1822 abgerissenen Doms. Im Giebelfeld sieht man Heinrich III., die Kirchenpatrone sowie Maria zwischen zwei Leuchtern und Engeln als farbige Relieffiguren. Im Innern sind einige Ausstattungsstücke aus dem Dom aufbewahrt, darunter der romanische Kaiserstuhl.

Domvorhalle

Die mächtige Kaiserpfalz entstand vermutlich 1005–1015 unter Kaiser Heinrich II. Der heutige Bau ist jedoch eine Rekonstruktion aus dem 19. Jh.; die Historienbilder im Kaisersaal schildern bedeutende Ereignisse aus der deutschen Geschichte; der kleine Zyklus enthält Darstellungen aus dem Dornröschen-Märchen. Beide Zyklen schuf H. Wislicenus 1879–1897. In der St.-Ulrichs-Kapelle (11./12. Jh.) befindet sich das Grabmal mit dem Herz Heinrichs III.; der Kaiser selber ist im Dom zu Speyer begraben.

*Kaiserpfalz

Die mächtige Kaiserpfalz von Goslar, die mittelalterliche Residenz der Monarchen, ist der größte romanische Palastbau Deutschlands.

Siemenshaus

Das 1693 erbaute Stammhaus des Firmengründers Siemens gehört zu den besterhaltenen Bürgerhäusern Goslars.

Kirche St. Peter und Paul

Die im 12. Jh. erbaute, später mehrfach veränderte Pfarrkirche St. Peter und Paul steht im einstmals von Bergleuten bewohnten Frankenbergviertel im Westen Goslars. Im Innern sind die Nonnenempore auf der Westseite sowie die Wandmalereien über den Arkaden im Mittelschiff (um 1230) beachtenswert.

Umgebung von Goslar

Rammelsberg
*Bergbaumuseum

An dem südlich die Stadt überragenden, 636 m hohen Rammelsberg wurde seit dem 3. Jh. n. Chr. Erz abgebaut. Seit seiner Stillegung 1988 werden in den ältesten Bergwerk der Welt zehn Jahrhunderte Bergbaugeschichte dokumentiert (tägliche Führungen im Besucherbergwerk und Bergbaumuseum).

Riechenberg

*Krypta

3 km nordwestlich von Goslar liegen die Reste des 1117 gegründeten und 1803 aufgehobenen Augustinerklosters Riechenberg mit seiner sehenswerten Krypta.

*Klosterkirche Grauhof

Die Klosterkirche des Augustiner Chorherrenstiftes (1711–1717; Francesco Mitta), 4 km nördlich von Goslar im Stadtteil Jürgenohl, ist eine der prächtigsten Barockkirchen Norddeutschlands mit reicher Ausstattung.

Hahnenklee-Bockswiese

Der 15 km südwestlich, im Oberharz gelegene Goslarer Stadtteil Hahnenklee-Bockswiese ist ein heilklimatischer Kur- und Wintersportort. Hier steht Deutschlands einzige Stabkirche (1908); auf dem Waldfriedhof befindet sich das Grab des Operettenkomponisten Paul Lincke (1866 – 1946).

In südöstlicher Richtung (6 km) erreicht man das Okertal, ein wildromantisches Flußtal mit prachtvollen Felsszenerien, dessen schönster Teil zwischen dem Romkerhaller Wasserfall und der Stadt Oker liegt. Reger Segel-, Surf- und Bootsverkehr herrscht im Sommer auf der Okertalsperre, für deren Fertigstellung 1956 das Örtchen Schulenberg überflutet wurde.

Seesen liegt südwestlich von Goslar am Rand des Harzes. Alljährlich ist die Sehusa-Burg (der heutige Bau geht im Kern auf ein 1592 erbautes Renaissance-Schloß zurück) am ersten Septemberwochenende Schauplatz des historischen Stadtfestes. Die über tausendjährige Stadtgeschichte wird auch im Heimatmuseum lebendig, das im ehem. Jagdschloß, einem Fachwerkbau aus dem frühen 18. Jh., untergebracht ist. Ein Raum erinnert an Heinrich Engelhard Steinweg, der 1839 in Seesen sein erstes Klavier baute und nach seiner Auswanderung 1851 in New York die weltberühmte Klavierfirma Steinway & Sons gründete.

In Mechtshausen (5 km nordwestlich von Seesen) erinnert eine Gedenkstätte an den Maler, Dichter und Zeichner Wilhelm Busch, der hier neun Jahre bis zu seinem Tod 1908 lebte.

Goslar, Umgebung
(Fortsetzung)
*Okertal

Seesen

Mechtshausen

Gotha

G 5

Bundesland: Thüringen
Höhe: 311 m ü.d.M.
Einwohnerzahl: 53 000

Die einstige Residenzstadt Gotha liegt im nördlichen Vorland des Thüringer Waldes zwischen Eisenach und Erfurt. Eine der ältesten Siedlungen Thüringens und im Mittelalter durch den Handel mit Waid und Getreide zu Wohlstand gelangt, wurde die Stadt Wirkungsstätte hervorragender Humanisten und Pädagogen sowie des "Vaters der deutschen Schauspielkunst" Conrad Ekhof (1720 – 1778).

Lage und
Allgemeines

Gotha wird schon 775 urkundlich erwähnt, spielt als Stadt aber erst unter den Thüringer Landgrafen im 13. Jh. eine Rolle. Seit 1640 war Gotha Residenzstadt des Herzogtums Sachsen-Gotha. Justus Perthes' "Geographische Anstalt" leistete Entscheidendes für die Entwicklung der europäischen Kartographie; die großen Atlanten erlangten bald Weltruhm. Der Unternehmer Ernst Wilhelm Arnoldi gründete 1818 in Gotha die ersten deutschen Feuer- und Lebensversicherungsanstalten.

Geschichte

Sehenswertes in Gotha

Das Stadtbild wird beherrscht von dem imposanten Schloß Friedenstein (Frühbarock, 1643 – 1654), einer weiträumigen Dreiflügelanlage mit einer wertvollen Barock-, Rokoko- und klassizistischen Ausstattung. Das in den letzten Jahren aufwendig restaurierte Schloß entstand an Stelle der im 16. Jh. geschleiften Festung Grimmenstein und wurde richtungsweisend für spätere Schloßbauten nicht nur des Thüringer Raumes. Das Schloß wird von einem Landschaftspark von 1770 umgeben, in dessen Nordosten die Orangerie liegt. Die Schloßanlage beherbergt neben mehreren Museen auch die Schloßkirche mit einer Gruft, in der die Prunksärge Gothaer Herrscher aufgestellt sind, und das 1681 – 1687 erbaute Schloßtheater (Ekhof-Theater), eines der ältesten erhaltenen deutschen Barocktheater.

*Schloß
Friedenstein

Das Schloßmuseum besitzt eine umfangreiche Gemäldesammlung, darunter das "Gothaer Liebespaar" (um 1480), das weltbekannte "klassische Liebespaar der altdeutschen Kunst", außerdem Gemälde aus Mittelalter und Renaissance, niederländische Meister des 16. und 17. Jh.s, ein Kupferstichkabinett, ein Münzkabinett sowie völkerkundliche, ägyptische und ostasiatische Sammlungen und Kunsthandwerk.

Schloßmuseum

Gotha

Bibliothek

Im Ostflügel des Schlosses befindet sich seit 1687 die Forschungs- und Landesbibliothek Gotha mit 540 000 Bänden aus zwölf Jahrhunderten, darunter 10 000 Handschriften, 1 000 Inkunabeln (15. Jh.) sowie Literatur aus der Reformationszeit, der französischen Aufklärung und zur thüringischen Landeskunde.

Regional-
geschichts-
museum

Ferner beherbergt Schloß Friedenstein im Westturm das Museum für Regionalgeschichte und Volkskunst, das die Ur- und Frühgeschichte, die Gothaer Stadt- und Theatergeschichte u.a. dokumentiert.

*Kartographisches
Museum

Im ehemaligen Pagenhaus entstand das bislang einzige Kartographische Museum in Europa, das die Kartographie von Ptolemäus bis heute und die Entwicklungsgeschichte Thüringer kartographischer Verlage nachvollzieht.

Museum
der Natur

Südlich des Schlosses liegt das Museum der Natur, das im Stil der französischen Neurenaissance erbaut wurde. Es ist das größte naturwissenschaftliche Museum in Thüringen und besitzt umfangreiche geologisch-mineralogische, paläontologische und zoologische Sammlungen.

Vom Schloßberg blickt man über die Ende des 19. Jh.s angelegte Wasserkunst auf die Gothaer Altstadt mit dem freistehenden Rathaus.

Wasserkunst

1895 wurde am Schloßberg beim oberen Hauptmarkt (nördlich des Schlosses) von Hugo Mairich die Wasserkunst gebaut, die von den Kaskaden der Kasseler Wilhelmsburg inspiriert ist. Geneigte Fußwege und schmiedeeiserne Gitter umfassen das Ensemble aus vielen kleinen Brunnen, Wasserstrudeln und -fällen. Gespeist wird die Wasserkunst vom Wasser des Leinakanals, der bereits im 14. Jh. gebaut wurde. In den Kellerräumen des Cranach-Hauses (Hauptmarkt Nr. 17) steht heute mit dem Pumpwerk von 1895 ein kleines technisches Meisterwerk, das das Wasser vom Kanal etwa neun Meter zu dem Wasserspiel hochpumpt.

Cranach-Haus

Hauptmarkt
*Rathaus

Steht man am Nordportal des Schlosses Friedenstein, bietet sich ein herrlicher Blick auf die historische Altstadt. Herzstück ist das freistehende Rathaus von 1574, das im Renaissancestil erbaut wurde. Ursprünglich diente es als Kaufhaus und danach als Residenz. Seit 1665 ist es Sitz des Stadtrats. Restaurierte Geschäfts- und Bürgerhäuser, viele aus dem 16. und 17. Jh., säumen den Marktplatz und die ihn berührenden Gassen. Neben dem Cranach-Haus steht am Hauptmarkt auch das Geburtshaus Arnoldis.

Hauptmarkt
(Fortsetzung)

Die Margarethenkirche, eine dreischiffige, spätgotische Hallenkirche am nordwestlich des Hauptmarktes gelegenen Neumarkt, ist die älteste Pfarrkirche Gothas. Im 17. und 18. Jh. wurde sie barock umgebaut. Nahebei wurde das sog. Löfflerhaus, ursprünglich eine im Jahr 1800 eingerichtete Freischule für arme Kinder, in einen öffentlich zugänglichen Handwerkerhof mit Schauwerkstätten umgestaltet (Margarethenstraße 2 – 4).

Margarethenkirche

Am nahen Brühl, der hinter dem Rathaus beginnt, steht das bekannte Hospital Maria Magdalenae, das im 18. Jh. an Stelle eines früheren, wohl von der hl. Elisabeth von Thüringen errichteten Hospitals erbaut wurde. Auffallend ist vor alllem das figurengekrönte barocke Portal.

Hospital Maria
Magdalenae

Am Klosterplatz südwestlich des Hauptmarktes liegt die Augustinerkirche, eine im 13. Jh. im gotischen Stil errichtete ehemalige Klosterkirche, die im 14. und 17. Jh. verändert wurde. Die Innenausstattung mit Barockkanzel, Fürstenloge und dem spätgotischen Abendmahlrelief aus dem 15. Jh. ist bemerkenswert. Im Hof befindet sich ein maierischer Kreuzgang aus dem 14. Jahrhundert. Martin Luther predigte hier 1521 und 1529.

Augustinerkirche

Umgebung von Gotha

Lohnend sind Ausflüge zum Großen Inselsberg (916 m) im Naturschutzgebiet des → Thüringer Walds, von wo aus man herrliche Ausblicke hat.

*Großer
Inselsberg

In Waltershausen (14 km südwestlich Gothas), der alten thüringischen Puppenstadt, ist Schloß Tenneberg sehenswert, eine Vierflügelanlage aus dem 16. Jh. mit Heimatmuseum (u.a. zur Geschichte der Puppenherstellung).

Waltershausen

In Friedrichroda, 17 km südwestlich von Gotha gelegen, befindet sich Schloß Reinhardsbrunn, in dem heute ein Hotel untergebracht ist, mit großem Landschaftspark sowie einem neugotischen Hauptgebäude (1835) und einer prunkvollen neuromanischen Schloßkirche (1857 – 1874).
Unweit Friedrichrodas liegt die Marienglashöhle, die als eine der schönsten und größten Höhlen in Europa gilt. Durch das Schaubergwerk mit Kristallgrotte und Höhlensee werden Führungen angeboten.

Friedrichroda

*Marienglashöhle

In Ohrdruf (15 km südlich Gothas), wo 723 der "Apostel der Deutschen" Bonifatius seine Mission in Thüringen begann, steht Schloß Ehrenstein (1550 – 1590), ein Renaissancebau mit einem reichgeschmückten Portal, einem mächtigen Turm und einem sehenswerten Rokokosaal.
Eine Attraktion ist das technische Denkmal Tobiashammer, eine Hammerschmiede mit einer der größten Dampfmaschinen Europas. In den Anlagen sind u.a. mehrere funktionstüchtige Fallhämmer, ein Walzwerk, ein Schleifwerk, Glühöfen u.a. zu besichtigen.

Ohrdruf

Tobiashammer

Im 17 km südlich Gothas gelegenen Georgenthal kann man die Reste eines ehemaligen Zisterzienserklosters besichtigen, das nach 1186 errichtet wurde. Nordwestlich der Klosteranlage steht ein Renaissanceschloß.

Georgenthal

Bad Langensalza (18 km nördlich Gothas) hat eine sehenswerte Altstadt mit restaurierten Bürgerhäusern, die z.T. schöne Fassadenschmuck und geschnitzte Portale aufweisen. Das Klopstockhaus in der Schloßstraße erinnert an den Aufenthalt des Dichters des berühmten biblischen Epos "Messias" (1748 – 1773). Am Markt stehen das barocke Rathaus (1742 – 1752) und der Marktbrunnen (1582). Beachtung verdienen auch die spätgotische Kirche St. Bonifatius (14./15. Jh.) sowie die spätgotische Bergkirche

Bad Langensalza

Gotha, Umgebung
Bad Langensalza
(Fortsetzung)

St. Stephan, die 1394 gegründet wurde und eine reiche Ausstattung besitzt. Das mehrfach umgebaute Schloß Dryburg stammt aus dem 12. Jahrhundert. Das barocke Friederikenschlößchen (1749/1750) dient heute als Klubhaus. Von der alten Stadtbefestigung (12. – 14. Jh.) sind 17 Türme und das "Klagetor" erhalten.

Göttingen   F 4

Bundesland: Niedersachsen
Höhe: 150 m ü.d.M.
Einwohnerzahl: 134 000

Lage und
Allgemeines

Göttingen im Tal der Leine gehört zusammen mit Heidelberg, Freiburg, Tübingen und Marburg zu den traditionsreichsten deutschen Universitätsstädten. Mehr als 40 Nobelpreisträger studierten oder lehrten hier. Von 1948 bis 1991 war die Stadt zudem Sitz der Max-Planck-Gesellschaft zur Förderung der Wissenschaften, und auch heute arbeiten hier noch u. a. vier Max-Planck-Institute, die Deutsche Forschungsanstalt für Luft- und Raumfahrt, das Institut für den Wissenschaftlichen Film und das Deutsche Primatenzentrum. In den Außenbezirken hat sich eine bedeutende feinmechanische, optische und metallverarbeitende Industrie angesiedelt.

Stadtbild

Wallanlagen umgeben die an Fachwerkbauten reiche Altstadt mit ihrer lebendigen Fußgängerzone.

Geschichte

Das als Gutingi 953 erstmals erwähnte Göttingen erhielt um 1200 die Stadtrechte. Von 1351 bis 1572 erlebte die Stadt als Mitglied der Hanse ihre Blütezeit, die der Dreißigjährige Krieg abrupt beendete. Einen erneuten

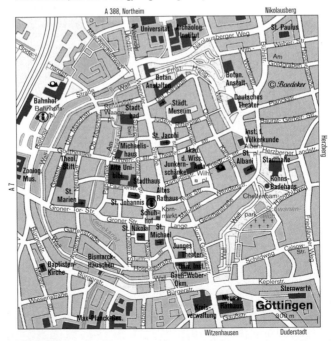

Aufschwung erlebte Göttingen, nachdem der Kurfürst Georg August von Hannover, in Personalunion Georg II. von England, 1734 die nach ihm benannte Universität Georgia Augusta gründete. Sie entwickelte sich zu einer Reformuniversität, die das Ideal von freier Forschung und Lehre anstrebte. So gehören die "Göttinger Sieben", sieben 1837 mit "Berufsverbot" und Landesverweis überzogene Professoren der Göttinger Universität, zu den Begründern des deutschen Liberalismus. Bis heute bestimmt die Universität mit über 500 Professoren, 13 000 Mitarbeitern und rund 30 000 Studenten weitgehend das Leben der Stadt.

Geschichte (Fortsetzung)

Sehenswertes in Göttingen

Im Mittelpunkt der Altstadt steht am Markt das Alte Rathaus (1369–1443), heute Sitz des Fremdenverkehrsamtes und Kulturzentrum; die Halle im Innern ist mit Gemälden von H. Schaper ausgeschmückt (1853–1911).

Altes Rathaus

Der zierliche Gänseliesel-Brunnen vor dem Gebäude (1901) ist das Wahrzeichen der Stadt, die Bronzefigur vermutlich das "meistgeküßte Mädchen in Deutschland": Nach der Tradition muß jeder frischgebackene Doktor der Brunnenfigur einen Kuß auf den Mund drücken.

Gänseliesel-Brunnen

Westlich vom Alten Rathaus erhebt sich die Johanniskirche (1300–1344) mit einem romanischen Nordportal. Ihre Doppeltürme tragen verschiedenartige Helme. In der Türmerwohnung leben heute Studenten. Von hier hat man einen schönen Rundblick über die Altstadt.

St. Johannis

Kern der Alten Staats- und Universitätsbibliothek mit dem Denkmal des Physikers und Philosophen Georg Christoph Lichtenberg ist die Paulinerkirche des 1294 gegründeten Dominikanerklosters. Die 1992 eingeweihte SUB, die Staats- und Universitätsbibliothek am Platz der Göttinger Sieben (im Norden Göttingens), gehört mit 3,9 Mio. Medieneinheiten zu den modernsten Bibliotheken der Welt.

Alte Universitätsbibliothek

Südwestlich der Alten Bibliothek steht die Marienkirche (1290–1440), die ehemalige Kirche des Deutschritterordens (Altar von 1524 von B. Kastrop).

St. Marien

Im Ostteil der Altstadt finden sich einige sehenswerte Fachwerkhäuser, u. a. in der Barfüßerstraße die alte Ratsapotheke, ein schöner Fachwerkbau von 1480, an der Ecke Barfüßer-/Judenstraße die 1541 als gotisches Fachwerkhaus errichtete, im Renaissancestil umgebaute Junkernschänke (Nr. 5) mit ihren reichhaltigen Schnitzereien und das Bornemannsche Haus von 1536 (Nr. 12) im Stil der Frührenaissance mit gotischen Elementen.

Barfüßerstraße

1835–1876 wurde die Universität um die klassizistische Aula erweitert. Die Skulpturen in ihrem Giebelfeld sind von Ernst von Bandel (1800–1876), von ihm stammt auch das Hermannsdenkmal (→ Teutoburger Wald). Im Innern kann der 1933 geschlossene Karzer besichtigt werden. Wände und Dekken sind mit "Kunstwerken" von Studenten überzogen, die hier ihre Vergehen absitzen mußten, die von verbotenem Glücksspiel, Beleidigungen, öffentlicher Trunkenheit, ständiger Faulheit bis zum schnellen Reiten in der Stadt reichten. Einer der berühmtesten Insassen war Otto von Bismarck, der wegen verbotener Duelle insgesamt 18 Tage hier verbrachte.

Aula

Unweit östlich steht die Albanikirche (1467); von dem ehem. Hochaltar Hans von Geismars (1499) sind die bemalten Flügel zu sehen.

St. Albani

In dem nach der Partnerstadt Cheltenham benannten Park wurde das erste öffentliche Badehaus rekonstruiert, das nach seiner Eröffnung 1820 zunächst allerdings nur für Männer zugänglich war.

Rohns-Badehaus

An der das Zentrum von Norden nach Süden durchziehenden Weender Straße, der Hauptgeschäftsstraße (z.T. Fußgängerzone), erhebt sich die

St. Jacobi

Im Mittelpunkt des Göttinger Marktplatzes steht der Brunnen mit der berühmten Gänseliesel, die jeder frischgebackene Doktorand küssen muß. Dahinter erheben sich das Alte Rathaus und die Johanniskirche.

St. Jacob (Fortsetzung)	Jacobikirche (1361–1459) mit ihrem 72 m hohen Turm und einem prächtigen Doppelflügel-Altar im Innern (unbekannter Meister).
Städtisches Museum	Der Hardenberger Hof, einziger Renaissance-Adelspalais der Stadt (1592), und die Alte Post (1740–1780) beherbergen das Städtische Museum. Neben einer Sammlung kirchlicher Kunst lohnen auch die stadt- und regionalgeschichtlichen Ausstellungen einen Besuch.
Theaterplatz	Etwas östlich von hier erstreckt sich der Theaterplatz, hier liegen das Deutsche Theater (1890) und die sehenswerte Völkerkundliche Sammlung der Universität.
Auditorium Maximum	Am Nordrand der Innenstadt steht das Auditorium Maximum (1862–1865) mit der Kunstsammlung der Universität, das niederländische Kunst des 17. Jahrhundets zeigt.
Wallanlagen	Im Süden der Innenstadt ist an der Turmstraße noch ein Stück der Stadtmauer aus dem 13. Jh. erhalten. Im sog. Bismarck-Häuschen, dem letzten erhaltenen Turm des äußeren Befestigungsrings, wohnte Otto von Bismarck 1832–1833 als Student.

Umgebung von Göttingen

Ebergötzen	Rund 17 km östlich liegt Ebergötzen, wo der Maler, Dichter und Zeichner Wilhelm Busch (1832–1908) einen Teil seiner Kindheit verbrachte und mit seinem Freund Erich Bachmann die Streiche aushecke, die später zur Grundlage seiner Bildergeschichte "Max und Moritz" wurden. In der Wilhelm-Busch-Mühle sind einige Erinnerungsstücke ausgestellt.

Friedland, 15 km südlich von Göttingen gelegen, ist als ehemaliger Standort des Grenzdurchgangslagers für Kriegsgefangene, Vertriebene und Aussiedler bekannt, an das heute ein Mahnmal erinnert.

Die Geschichte des Brotes von der Pharaonenzeit bis zur Gegenwart wird im Europäischen Brotmuseum, in Friedland-Mollenfelde, dargestellt.

Greifswald   K 1

Bundesland: Mecklenburg-Vorpommern
Höhe: 6 m ü.d.M.
Einwohnerzahl: 68 000

Greifswald liegt etwa 5 km von der Ostseeküste entfernt zwischen → Stralsund und → Usedom am gleichnamigen Bodden. Erst prägte der Seehandel – Greifswald war im Mittelalter Mitglied der Hanse – , dann vor allem die Universität (nach Rostock die zweitälteste Norddeutschlands) das Leben in der Stadt. Den Zweiten Weltkrieg überstand Greifswald so gut wie unbeschadet; die heutigen Lücken im überwiegend historischen Stadtbild sind das Erbe der DDR-Vergangenheit.

Lage und Bedeutung

Greifswald entstand im 13. Jh. als Handwerker- und Kaufmannssiedlung des benachbarten Klosters Eldena. Der 1248 als "oppidum gripheswald" urkundlich erwähnte Ort kam 1249 in den Besitz der Herzöge von Pommern, die ihm 1250 das Lübische Stadtrecht verliehen. Die ab 1255 um die Jakobikirche herangewachsene Neustadt wurde 1264 mit der Altstadt vereinigt. Seit 1278 war Greifswald Mitglied der Hanse, knapp 200 Jahre später, 1456, gründete Bürgermeister Heinrich Rubenow die Universität, die mit berühmten Namen wie Ernst Moritz Arndt und Ulrich von Hutten, Theodor Billroth oder Ferdinand Sauerbruch glänzt.

Geschichte

Sehenswertes in Greifswald

Mittelpunkt der ehemaligen Hansestadt ist der denkmalgeschützte Markt mit dem Rathaus an der Westseite des Platzes. Der gotische Backsteinbau (14. Jh.) wurde 1738–1750 wiederaufgebaut und später mehrmals verändert. Den Platz zieren schöne Bürgerhäuser aus verschiedenen Jahrhunderten. Bedeutende Beispiele für die Profanarchitektur der norddeutschen Backsteingotik sind die Bürgerhäuser Nr. 11 und Nr. 13 (um 1430 und 1450) an der östlichen Platzseite, die an ihren prächtigen Giebelfassaden mit Blendarchitektur aus glasierten Ziegeln zu erkennen sind.

**Markt
Rathaus*

In der Theodor-Pyl-Straße blieb vom Franziskanerkloster das Wohnhaus des Vorstehers erhalten, seit 1929 Sitz des städtischen Museums. Zu sehen sind Exponate zur Stadtgeschichte, Gemälde und Grafiken sowie Werke des in Greifswald geborenen romantischen Malers Caspar David Friedrich (u. a. "Ruine Eldena im Riesengebirge").

Museum

Folgt man der Brüggestraße über die Fußgängerzone (Schuhhagen) hinaus in nördliche Richtung, so kommt man nach wenigen Metern zur Marienkirche aus dem 14. Jh., dem ältesten der drei mittelalterlichen Gotteshäuser in Greifswald. Beeindruckend an der dreischiffigen, kreuzrippengewölbten Hallenkirche, der im 15. Jh. die Annenkapelle angefügt wurde, ist die gewaltige Raumwirkung und die prächtige, intarsienverzierte Renaissancekanzel (1587). Unter den zahlreichen Grabsteinen aus dem 14. bis 18. Jh. in der Kirche befindet sich auch der des 1462 ermordeten Bürgermeisters Heinrich Rubenow.

*Marienkirche

Das Viertel nördlich der Marienkirche ist ein interessantes Beispiel für die Altstadtsanierung der 50er und 60er Jahre in der damaligen DDR.

"Rekonstruktionsviertel"

Greifswald

*Dom St. Nikolai

Östlich von Rathaus und Marktplatz erhebt sich der imposante Dom St. Nikolai (13. Jh.; im 15. Jh. nach Osten erweitert und zur Basilika umgebaut), eine der interessantesten gotischen Backsteinkirchen Mecklenburgs, der mit seiner geschweiften Barockhaube die Silhouette der Stadt beherrscht (Turmbesteigung möglich!). Das Innere wurde 1824–1833 im neogotischen Stil umgestaltet. Erhalten blieben auch spätgotische Gemälde und Wandmalereien (1420–1450) sowie Grabmäler.

Universität

An der Kreuzung von Dom- und Rubenowstraße liegt das 1747–1750 errichtete Universitätsgebäude der Ernst-Moritz-Arndt-Universität. Auf dem kleinen Platz davor wurde dem Gründer Heinrich Rubenow 1856 anläßlich der 400-Jahr-Feier der Universität ein Denkmal gesetzt.

Jakobikirche

Die Jakobikirche, nur wenige Meter weiter westlich, entstand im 13. Jh. als Backsteinhalle und wurde im 14. Jh. um ein drittes Kirchenschiff erweitert.

Für Boote und Schiffe öffnet sich die sehenswerte hölzerne Klappbrücke beim Fischerdorf Wieck (nahe Greifswald).

Greifswald-Eldena *Klosterruine

Im östlichen Stadtteil Eldena, an der Ausfallstraße nach Wolgast, steht die imposante Ruine der 1199 gegründeten Zisterzienserabtei. Die säkularisierte Klosteranlage wurde 1637 von schwedischen Truppen geplündert und verfiel in der Folgezeit. Erst im Zuge der Romantik erwachte das Interesse an den Ruinen erneut: 1827 wurden erste Sicherungsmaßnahmen unternommen und das Klostergelände nach Plänen des Gartenarchitekten Peter Joseph Lenné bepflanzt. Berühmtheit erlangte die malerische Ruine schließlich durch die Gemälde Caspar David Friedrichs.

Wieck, *Klappbrücke

Das ehemalige Fischerdorf an der Nordseite der Ryckmündung in das Dänische Wiek ist mit seinen reetgedeckten Fischerkaten und Kapitänshäusern ein beliebtes Ausflugsziel. Holländisches Flair erhält der Ort durch die hölzerne Klappbrücke (1887). Von Wieck starten Boote zu Rundfahrten durch den Greifswalder Bodden.

Umgebung von Greifswald

Knapp 20 km nordöstlich der Stadt, am Greifswalder Bodden, liegt das Ostseebad Lubmin mit einem ca. 5 km langen Sandstrand. Hier und in den Dörfern der Umgebung werden Teppiche geknüpft.

Lubmin

Auf halber Strecke zwischen Greifswald und Anklam (s. u.) kommt man durch Karlsburg (1500 Einw.). Das dortige Schloß (1732 begonnen) ist einer der größten Barockbauten Vorpommerns.

Karlsburg

Die alte Hafen- und Hansestadt Anklam (17 000 Einw.) liegt am Südufer der Peene unweit ihrer Einmündung in den Peenestrom, der nordwärts zur Ostsee verläuft. In Anklam wurde der Ingenieur und Luftfahrtpionier Otto Lilienthal (1848–1896) geboren. Die im Jahre 1243 erstmals urkundlich erwähnte Stadt wurde 1283 Mitglied der Hanse und entwickelte sich schnell zu einem Handelszentrum. Mit zwei Eisengießereien und einer Zuckerfabrik entwickelte sich Anklam im 19. Jh. zu einem Industriestandort.
Nur wenige Gebäude überstanden die schweren Zerstörungen des Zweiten Weltkriegs, darunter auch die Marienkirche (13. Jh.) mit schönen gotischen Wandmalereien. Von der mittelalterlichen Stadtbefestigung blieb nur das Steintor in der Schulstraße (14. Jh.) und der Pulverturm (südlich vom Markt) erhalten. An der Südseite des Marktes wurde 1982 das Lilienthal-Denkmal aufgestellt. In der Ellbogenstraße (Nähe Bahnhof) befindet sich das interessante Otto-Lilienthal-Museum mit Nachbauten und Modellen, die der Flugpionier entwickelte und erprobte.

Anklam

Große Abschnitte des Peenetals im Nordwesten und Nordosten Anklams gehören zum Naturschutzgebiet Peenetalmoor, das mit rund 1480 ha zu den größten des Landes Mecklenburg-Vorpommern gehört. Das Gebiet ist Lebensraum vieler vom Aussterben bedrohter Arten, darunter auch der Biber. Zahlreiche Knüppelburgen entlang der Peene weisen auf die scheuen Fischräuber hin.

Peenetal

In Spantekow, etwa 15 km südwestlich von Anklam, baute sich Ulrich von Schwerin 1558–1567 eine Festung als Stammsitz. Das Herrenhaus blieb erhalten, ist aber durch spätere Umbauten ziemlich entstellt. Sehenswert ist das Renaissancerelief über dem Eingangstor mit den ganzfigurigen Porträts des Schloßherrn und seiner Frau.

Spantekow

In Stolpe, einem Ort an der Peene, knapp 10 km westlich von Anklam, gibt es noch ein Fährhaus und eine Schmiede aus der Zeit um 1800 sowie den Turmunterbau des 1153 gegründeten, ersten Benediktinerklosters in Vorpommern. 10 km hinter Stolpe, in Neetzow, liegt inmitten eines Landschaftsparks das große, 1850 im Neorenaissancestil erbaute Schloß.

Stolpe, Neetzow

Mit dem Boot kann man auf der Peene zur Binnendüne Menzlin fahren. Dort sind Bootsgräber der Wikinger zu sehen. 3 km hinter Menzlin, in Quilow, steht ein Wasserschloß aus dem 16. Jahrhundert.

Menzlin, Quilow

Auf der Fahrt nach Grimmen kommt man durch den kleinen Griebenow (10 km westlich von Greifswald). Graf Keffenbrinck-Rehnschild ließ sich dort 1709 ein Schloß (keine Besichtigung) mit Landschaftspark anlegen. Die zum Schloß gehörende ungewöhnliche Kirche, ein Fachwerkbau mit Zeltdach, stammt aus dem Jahr 1616.

Griebenow

Knapp 30 km westlich von Greifswald liegt Grimmen. Das gitterförmige Straßennetz ist typisch für eine Stadt, die im Zuge der frühen Ostkolonisation gegründet wurde (1267 erstmals erwähnt). Sehenswerte Baudenkmäler sind das um 1400 erbaute Rathaus und die gotische Stadtkirche St. Marien (um 1280) mit einem Rats- und Zunftgestühl aus dem späten 16. Jh. und einer geschnitzten Kanzel aus dem Jahr 1707. Drei Stadttore sind die Reste der Stadtbefestigung aus dem 15. Jahrhundert.

Grimmen

Greifswald,
Umgebung (Fts.)
Kirch Baggendorf

Eine besonders schöne Dorfkirche besitzt Kirch Baggendorf, 10 km südwestlich von Grimmen. Der Feldsteinbau (1250) ist vor allem wegen seiner gotischen Ausmalung (um 1400) sehenswert.

Güstrow   I 2

Bundesland: Mecklenburg-Vorpommern
Höhe: 8 m ü. d. M.
Einwohnerzahl: 36 000

Allgemeines
und Geschichte

Güstrow liegt rund 40 km südlich von Rostock im Tal der Nebel. Mit Dom, Schloß und Ernst-Barlach-Gedenkstätte sowie zahlreichen Baudenkmälern bietet die Stadt Sehenswürdigkeiten von hohem Rang. Die planvoll angelegte, 1228 erstmals als Stadt erwähnte Siedlung kam im 14./15. Jh. durch Tuchproduktion, Wollhandel und Brauereien zu Wohlstand. Ab 1556 war Güstrow Sitz der Herzöge von Mecklenburg-Güstrow, und 1628–1630 residierte hier Albrecht von Wallenstein. Im Jahre 1910 machte der später von den Nationalsozialisten verfemte Bildhauer, Graphiker und Dichter Ernst Barlach Güstrow zu seiner Wahlheimat.

Sehenswertes in Güstrow

**Schloß

Das Schloß von Güstrow ist das größte Renaissancebauwerk in Mecklenburg-Vorpommern. Der imposante, mit Türmen, Giebeln und Erkern abwechslungsreich gestaltete Dreiflügelbau wurde 1558–1566 unter Franz Parr begonnen, der Nordflügel entstand 1587–1589 unter Philipp Brandin, der Ostflügel war 1598 fertiggestellt. Heute ist das Schloß u. a. Sitz eines

Auch die Innenräume des Güstrower Schlosses, des größten Bauwerks der Renaissance in Mecklenburg-Vorpommern, sind einen Besuch wert.

Museums (Waffen, Kunst des 16. und 17. Jh.s, Möbel aus der Erbauungs- zeit, antike Keramik). Unbedingt besichtigen sollte man den Festsaal mit Stuck und Deckenmalereien aus dem 16./17. Jahrhundert.

Schloß
(Fortsetzung)

Das klassizistische Ernst-Barlach-Theater am Franz-Parr-Platz ist das älte- ste Theater Mecklenburgs (1828/1829). Im Haus Nr. 7, einem Barockbau aus dem 17. Jh., ist das Stadtmuseum untergebracht.

Theater,
Stadtmuseum

Westlich des Franz-Parr-Platzes erhebt sich der gotische Dom St. Maria, St. Johannes Evangelista und St. Cäcilia (1226–1335, spätere Zusätze). Die Aussattung glänzt mit bedeutenden Stücken wie den Apostelfiguren des Lübecker Bildschnitzers Claus Berg (um 1530), dem spätgotischen Flügelaltar im Chor (um 1500) sowie dem monumentalen Marmorgrab für Herzog Ulrich III. und seine beiden Gemahlinnen (1585–1599, Philipp Brandin). In der Nordhalle hängt Barlachs Bronzeskulptur "Der Schweben- de" (1926/1927; 1944 eingeschmolzen; Neuguß 1952). Am Domplatz stehen einige beachtliche Renaissance-Wohnhäuser (Nr. 14, 15/16, 18) aus dem 16./17. Jahrhundert.

*Dom

Die Domstraße führt zum Markt, der mit dem klassizistischen Umbau des Rathauses (1797/1798) einen markanten Mittelpunkt erhielt. Rücken an Rücken mit dem Rathaus steht die vierschiffige Hallenkirche St. Marien (1503–1522; im 19. Jh. umgestaltet). Beachtenswert sind ihr spätgotischer Flügelaltar (1522) und die monumentale Triumphkreuzgruppe (1516).

Rathaus,
Marienkirche

An zwei Orten in Güstrow kann man dem Werk von Ernst Barlach nach- spüren: In der spätgotischen Gertrudenkapelle (um 1430) nordwestlich der Altstadt werden bedeutende Werke des Bildhauers gezeigt. Barlachs 1931 bezogenes Atelierhaus (Heidberg 15; südwestlich der Innenstadt) mit dem größten Teil seines künstlerischen Nachlasses (Plastiken, Zeichnungen, Druckgraphiken, Bücher) ist ebenfalls zu besichtigen.

*Ernst-Barlach-
Gedenkstätte

Umgebung von Güstrow

In Bützow, rund 20 km nordwestlich von Güstrow, sind die frühgotische Backsteinkirche (mit spätgotischem Flügelaltar und Renaissancekanzel, 1617) und das neugotische Rathaus (1846–1848) sehenswert. In vielen klei- nen Ortschaften in der Umgebung von Bützow sieht man noch gut erhalte- ne Dorfkirchen und typische alte Bauernhäuser (u. a. Neukirchen, Rühn und Schwaan).

Bützow

Die Kleinstadt Sternberg (4800 Einw.; 27 km südwestlich von Güstrow) liegt am Südwestufer des gleichnamigen Sees. Zeitweilig diente sie den mecklenburgischen Fürsten als Residenz. Vor allem um den Marktplatz besitzt die Stadt noch viele Fachwerkhäuser aus dem 18. und 19. Jahrhun- dert. Besichtigungen lohnen auch die Stadtkirche (13./14. Jh.) und das Hei- matmuseum (Mühlenstraße 6).

Sternberg

Eine Attraktion für die ganze Familie ist das 4 km nordöstlich, in Groß Ra- den, auf einer Halbinsel aufgebaute Archäologische Freilichtlichtmuseum. Nachgebaut wurden Wohnhäuser, Tempel, Werkstätten und Wehranlagen einer slawischen Siedlung aus dem 9. und 10. Jahrhundert.

*Freilichtmuseum
Groß Raden

Wanderfreunde lockt es eher in das größte Durchbruchstal Mecklenburgs bei Groß Görnow (6 km nördlich von Sternberg), wo die Flüsse Mildenitz und Warnow zusammenfließen. Das wildromantische, bis zu 30 m tief ein- schneidende Tal ist ein Natur- und Vogelparadies.

*Durchbruchstal
der Warnow

Etwa auf halber Strecke zwischen Güstrow und Teterow liegt die gut erhal- tene barocke Schloßanlage (1792–1794; heute Hotel). Gleichzeitig mit dem Schloß wurde auch der Landschaftsgarten angelegt, der bis zum See reicht.

Vietgest

Halle an der Saale   H / I 4

Bundesland: Sachsen-Anhalt
Höhe: 76–136 m ü.d.M.
Einwohnerzahl: 280 000

Lage und
Allgemeines

Die Geburtsstadt des Komponisten Georg Friedrich Händel liegt an der
unteren Saale, am Westrand der fruchtbaren, braunkohlereichen Leipziger
Tieflandsbucht und bzw. Rand des Harzes. Halle war zu DDR-Zeiten ein
bedeutender Industriestandort und ist heute die größte Stadt Sachsen-Anhalts sowie kultureller Mittelpunkt im Süden des Bundeslandes. Vielbesucht sind die Händel-Festspiele, die jedes Jahr in Halle stattfinden.

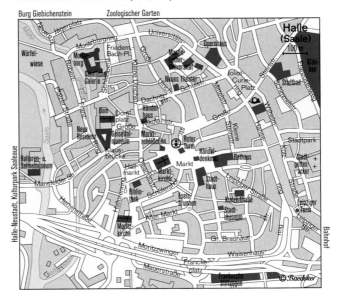

Geschichte

Die erstmals 806 genannte Siedlung wurde zur Erschließung der Salzquellen und an wichtigen Handelswegen an einem Saaleübergang errichtet; durch den Salzhandel gelangte sie bald zu Reichtum. Erst 1541
gelang es der Bürgerschaft der seit 968 zum Erzbistum Magdeburg gehörenden Stadt die Macht der Erzbischöfe abzuschütteln. Die 1694 gegründete Universität wurde im 17./18. Jh. zu einem Zentrum der Aufklärung
und des Pietismus. In der zweiten Hälfte des 19. Jh.s entwickelte sich
Halle zur Industriestadt; 1990 wurden Halle und Halle-Neustadt zusammengelegt.

Sehenswertes in Halle

Marktplatz,
*Roter Turm

Im Zentrum der Altstadt liegt der geräumige Marktpatz mit dem Händel-
denkmal. Den freistehenden, 84 m hohen Roten Turm aus Haustein hatte
1418–1506 die Bürgerschaft von Halle errichtet. In seiner modernen Um-
bauung aus Stahl und Glas (1976) hat die Stadtinformation ihren Sitz. An
dem Turm sieht man die steinerne Kopie (1719) eines hölzernen Rolands
von 1250. An der Ostseite des Marktes steht das Rathaus (1928–1930),

an der Südseite erhebt sich das 1891 bis 1894 erbaute Stadthaus, ein Neorenaissancebau. Etwas zurückversetzt liegt an der Westseite der Spätrenaissancebau des Marktschlößchens (Ausstellungen).

Marktplatz,
Roter Turm
(Fortsetzung)

Ebenfalls an der Westseite des Platzes erhebt sich die viertürmige Marktkirche St. Marien, eine dreischiffige spätgotische Hallenkirche ohne Chor, die ab 1529 an Stelle zweier romanischer Vorgängerkirchen errichtet wurde. In der Kirche predigte Martin Luther, auf der Orgel spielte Georg Friedrich Händel. Gegenüber der Marktkirche befindet sich die Marienbibliothek, die älteste und größte Kirchenbibliothek in Deutschland.

Marktkirche
St. Marien

Die ehemalige Ulrichskirche (1319–1341) südöstlich vom Markt ist seit 1976 Konzerthalle. Am Eingangsportal der Kirche befindet sich eine bemerkenswerte Darstellung des Marientodes (14. Jh.).

Ulrichskirche

Marktplatz mit Rotem Turm und St. Marien

Südlich vom Markt (Große Märkerstr. 10), im 1558 von Nickel Hofmann erbauten Wohnhaus des Philosophen Christian Wolff, wurde das Stadtmuseum von Halle eingerichtet. Weitere sehenswerte Renaissance- und Barockhäuser finden sich in dieser und den angrenzenden Straßen.

Stadtmuseum

Noch weiter im Süden erreicht man den einheitlichen Gebäudekomplex der Franckeschen Stiftungen, der durch die erhöhte Ringstraße von der Altstadt regelrecht abgeschnitten wurde. Begründer der Stiftungen war der Pädagoge und Pietist August Hermann Francke, der zunächst ein Waisenhaus mit Armenschule ins Leben rief. Sein Denkmal von Daniel Christian Rauch (1829) schmückt heute den zentralen Lindenhof der zwischen 1698 und 1745 entstandenen Anlage. Im Hauptgebäude befindet sich das Lansteinsche Bibelkabinett, das Francke-Kabinett und die Kunst- und Wunderkammer, einer der ältesten deutschen Museumsräume. In einem hinteren Gebäude liegt die barocke Kulissenbibliothek (1728).

*Franckesche
Stiftungen

Der wichtigste Handelsplatz war in den Anfängen der Stadt der Alte Markt, auf dem heute der sog. Eselsbrunnen (1906) steht. Die Brunnenskulptur zeigt den Müllerburschen, der einer Sage zufolge anstatt eines Kaisers mit seinem Esel die rosengeschmückte Stadt betrat.

Alter Markt,
Eselsbrunnen

Vom Alten Markt sind es nur wenige Schritte zur Moritzkirche (1388–1511), einer spätgotischen Hallenkirche. Berühmt sind ihre "Chorfassade" nach Prager Vorbild und die Skulpturen des Konrad von Einbeck.

*Moritzkirche

Auf dem Weg von der Moritzkirche zum Dom kommt man am Hallmarkt westlich des Marktplatzes vorbei. Der Platz wurde 1866–1890 an der Stelle ehemaliger Salzgewinnungsstätten angelegt. Von hier lohnt sich ein Abstecher zum Halloren- und Salinenmuseum auf der Salinenhalbinsel. Gezeigt werden die Salzgewinnung in einer Siedepfanne und das Brauchtum

Hallmarkt,
Halloren- und
Salinenmuseum

Halle an der Saale

Salinenmuseum (Fortsetzung)

der "Halloren" genannten Salinenarbeiter. An einem Sonntag in jedem Monat findet ein Schausieden statt, wobei auch ein Silberschatz gezeigt wird.

Geiseltalmuseum, Dom, Händelhaus

Im Nordflügel der ehemaligen Residenz (1531–1537) ist heute das Geiseltalmuseum beheimatet (Fossilien aus der Braunkohle des Geiseltals). Der benachbarte Dom, ursprünglich eine frühgotische Hallenkirche (1280 bis 1330) wurde mehrmals baulich verändert. Auch das wenige Schritte entfernte Geburtshaus des Komponisten Georg Friedrich Händel (1685–1759) in der Großen Nikolaistraße 5 ist als Museum zugänglich.

*Staatliche Galerie Moritzburg

Die Moritzburg wurde 1484–1503 als Zwingburg der Erzbischöfe von Magdeburg gegen die Hallenser Bürgerschaft an einem Saalearm errichtet und an den drei Landseiten von Gräben umgeben. Während des Dreißigjährigen Krieges (1637) brannte sie aus. Anfang des 20. Jh.s wurde die Burg als Museum neu errichtet – in Anlehnung an das ehemalige Talamtsgebäude der Halloren am Hallmarkt. Heute hat hier die Staatliche Galerie Moritzburg ihren Sitz, die besonders für ihre Sammlung deutscher Malerei des 19. und 20. Jh.s. bekannt ist.

Die Staatliche Galerie Moritzburg stellt Gemälde deutscher Künstler des 19. und 20. Jahrhunderts in ihren Räumen aus.

Botanischer Garten

Unweit nordwestlich der Moritzburg erstreckt sich der als Arzneigarten der Universität 1694 gegründete Botanische Garten, der heute mehr als 10 000 Pflanzenarten aufweist.

Landestheater, Universität

Geht man von der Moritzburg ostwärts, so erreicht man am Universitätsring das Landestheater Halle (1884–1886; Neuaufbau 1948–1951). Gegenüber dem Theater liegt der Universitätsplatz mit dem klassizistischen Hauptgebäude (1832–1834) der Martin-Luther-Universität.

*Stadtgottesacker

Östlich der Altstadt, in der Nähe des Leipziger Turms, liegt der vom Ratsbaumeister Nickel Hofmann errichtete Stadtgottesacker (1557–1594), eine

Begräbnisstätte vieler bedeutender Persönlichkeiten. In der Art italienischer Camposanti angelegt, ist dieser Renaissancefriedhof einmalig in Mitteleuropa.

Im westlichen Stadtbereich liegt das Erholungsgebiet Kulturpark Saaleaue; auf der Peißnitzinsel befinden sich Ausstellungshallen, eine Freilichtbühne, eine Kleineisenbahn, ein Raumflugplanetarium und Sportstätten.

Weiter saaleabwärts, im eingemeindeten Vorort Giebichenstein, erhebt sich die gleichnamige Burg, seit 968 Residenz der Erzbischöfe von Magdeburg. Teile der Oberburg, die im Dreißigjährigen Krieg zerstört wurde, sind als Ruine erhalten geblieben. Die Unterburg, deren Gebäude aus dem 15. Jh. zu besichtigen sind, ist Sitz der "Hochschule für Kunst und Design Burg Giebichenstein". Unterhalb der Burg Giebichenstein legen die Personenfahrgastschiffe auf der Saale an und ab.

Nördlich der Burg Giebichenstein liegt der Zoologische Garten (Eingang Reilstraße). Vom Aussichtsturm auf dem Reilsberg bietet sich ein weiter Blick auf Stadt und Umgebung.

Südöstlich der Burg lohnt das Landesmuseum für Vorgeschichte (Richard-Wagner-Straße; 1911/1912 von Wilhelm Kreis) einen Besuch.

Umgebungsziele im Norden von Halle

Nordwestlich vom Stadtgebiet liegt die auch als "Stadtforst Halle" bezeichnete Dölauer Heide, ein 765 ha großes Landschaftsschutzgebiet mit zwei Naturschutzgebieten, das mit seinen Landschaftsformen zum östlichen Harzvorland überleitet (vorherrschend Kiefernwald). Zu sehen sind jungsteinzeitliche Hügelgräber und Reste einer befestigten Steinzeitsiedlung. Auf dem Kolkberg steht ein Aussichtsturm. Die Kirche von Dölau besitzt einen spätgotischen Flügelaltar (um 1500).

Markantes Kennzeichen des 12 km nördlich gelegenen Ortes ist die Stiftskirche auf dem 250 m hohen Petersberg, der das flache Land weithin überragt. Das ab 1130 errichtete Gotteshaus gehörte zu einem Augustinerkloster, das bis 1538 bestand. Die dreischiffige Basilika brannte 1565 ab und wurde 1853 nahezu originalgetreu wieder aufgebaut. Auf dem Berg (Landschaftsschutzgebiet) befindet sich auch ein Tiergehege.

In Wettin (16 km nordwestlich von Halle; 3000 Einwohner) steht die 961 erstmals genannte Stammburg der Wettiner. Der Burgkomplex ist wegen seiner Lage und Größe (500 m lang) noch heute beeindruckend, wenngleich kaum mehr etwas von der alten Bausubstanz erhalten blieb (nicht zugänglich).

In Landsberg (20 km nordöstlich; 5000 Einwohner) erhebt sich auf einer Porphyrkuppe eine vollständig erhaltene Doppelkapelle (um 1170) als Rest der ehemaligen Burg der Markgrafen von Landsberg. Das dritte Geschoß der Doppelkapelle wurde im 15. Jh. zu Wohnzwecken ergänzt (1860/1861 und 1928–1930 restauriert).

Bad Lauchstädt

Bad Lauchstädt (4200 Einw.) liegt 15 km südwestlich von Halle an der Laucha. Die bereits im Hersfelder Zehntverzeichnis (9. Jh.) erwähnte Stadt erlebte ihre Glanzzeit im 18. Jh., als sie wegen ihrer Heilquellen zum vielbesuchten Modebad des sächsischen Adels avancierte. An der Wende vom 18. zum 19. Jh. war Bad Lauchstädt Treffpunkt der Literaten und Theaterfreunde.

Das interessanteste Gebäude der Stadt ist das unter Mitwirkung von Goethe geplante und 1802 eröffnete klassizistische Goethe-Theater mit einer voll funktionsfähigen, hölzernen spätbarocken Bühnenmaschinerie. Aus dem späten 18. Jh. stammen die Kuranlagen mit dem Quellpavillon und dem Bade- oder Duschpavillon (1776) im Zentrum. Ehemaliger Mühlteich, Herzogspavillon (1735), Kursaal (Ausmalung nach Entwürfen Karl Friedrich Schinkels 1823) und Kolonnaden (Wandelgang mit Architekturmalerei und eingebauten Krämerbuden; 1775–1787) gehören ebenfalls zu dem spätbarocken Ensemble. In der Nachbarschaft des ehemaligen Schlosses (schöner Frührenaissance-Erker) befinden sich die Stadtkirche (17. Jh.) und das ehemalige Amtshaus (17. Jh.). Das kleine Rathaus am Markt, ein schlichter Barockbau von 1678, zeigt über dem Portal das Stadtwappen.

Querfurt

Querfurt (10 000 Einw.) liegt 30 km südwestlich von Halle, im fruchtbaren Landwirtschaftsgebiet der Querfurter Platte. Wahrzeichen und Hauptattraktion der Kleinstadt ist die gleichnamige Burg, eine der größten und ältesten in Deutschland. Burg und Ort Querfurt wurden bereits im 9. Jh. erwähnt; 1198 besaß die Stadt Mauerrechte und eine städtische Verfassung.

Die Anlage ist fast siebenmal so groß wie die berühmte Wartburg (→ Eisenach). Zwei Ringmauern umgeben die Burg (innere Ringmauer um 1200, äußere um 1350). Vor der Außenmauer liegen die in den Felsen gehauenen Burggräben, in die drei mächtige Bastionen (1461–1479) hineingreifen. Ursprünglich waren den alten Toranlagen im Westen (Mauerstärke bis zu 10 m) und im Nordosten (Zugang von der Stadt) Zugbrücken vorgelagert. Im Zentrum des Burghofes liegt die Burgkirche (12. Jh.) mit kreuzförmigem Grundriß und drei Apsiden. Im 14. Jh. wurde ihr die Grabkapelle mit der von der Parler-Kunst beeinflußten Grabtumba Gebhards XIV. von Querfurt, der 1383 starb, angebaut. Von den drei romanischen Bergfrieden, die den Burghof flankieren, ist der Pariser Turm heute als Aussichtsturm begehbar. Unter dem runden Bergfried namens "Dicker Heinrich" wurden Reste eines Wohngebäudes (Burgus) aus der Karolingerzeit entdeckt. Es handelt sich dabei um den ältesten weltlichen Steinbau im Saale-Elbe-Gebiet.

In einem der beiden ehemaligen Palasgebäude, dem Korn- und Rüsthaus, befindet sich das Burg- und Kreismuseum. Dort werden ständige Ausstellungen zur Geschichte von Burg und Stadt Querfurt sowie wechselnde Sonderausstellungen gezeigt.

Das überwiegend barocke Stadtbild ist auf die Bautätigkeit nach den großen Bränden des 17. Jh.s zurückzuführen. Am Markt steht das Rathaus, ein Renaissancebau mit Barockturm (1699). Ferner gibt es in der Altstadt bemerkenswerte Bürgerhäuser, teilweise mit schönen Portalen. Auch Teile der ehemaligen Stadtbefestigung (innere und äußere Mauer) blieben erhalten. Die Pfarrkirche St. Lamperti wurde mehrfach umgestaltet.

Hamburg   F / G 2

Hauptstadt des Bundeslandes Hamburg
Höhe: 6 m ü. d. M.
Einwohnerzahl: 1,7 Mio.

Im Rahmen dieses Reiseführers ist die Beschreibung von Hamburg bewußt knapp gehalten. Ausführlichere Informationen liefert der in der Reihe Baedeker Allianz Reiseführer erschienene Band "Hamburg".

Die Freie und Hansestadt Hamburg, nach Berlin die größte Stadt Deutschlands, bildet ein Bundesland. Die günstige Lage tief im Mündungstrichter der Elbe macht die Stadt zu einem der ersten Hafen- und Handelsplätze Europas. Der Hafen ist die größte Sehenswürdigkeit von Hamburg, das sich mit dem Titel "Tor zur Welt" schmückt. Seit 1919 ist Hamburg Sitz einer Universität, seit 1979 auch einer Technischen Universität (im Stadtteil Harburg). Wichtige Einrichtungen sind auch die Hochschulen für Musik, für bildende Künste und für Wirtschaft und Politik. Der Norddeutsche Rundfunk hat in der Elbmetropole seinen Verwaltungssitz und seine Studios. Hamburgische Staatsoper, Deutsches Schauspielhaus und Musikhalle, Jazz-, Folk-, Rock- und Popmusikszene sowie Musicals prägen das kulturelle Zentrum Norddeutschlands. Auch als Verlagsstandort und Kongreßstadt ist Hamburg von Bedeutung. Zudem hat es den Ruf als weltbekanntes Vergnügungszentrum. Schließlich ist Hamburg eines der wichtigsten deutschen Industriezentren. Die weltoffene und betriebsame Stadt bietet dem Besucher ein großes kulturelles Angebot mit interessanten Museen und vielfältiger Musikszene. Das Stadtbild prägen die Gewässer der Binnen- und Außenalster mit einigen reizvollen Parkanlagen und das in aller Welt bekannte Amüsierviertel St. Pauli.

Lage und Allgemeines (Fortsetzung)

Im 9. Jh. als "Hammaburg" gegründet, entwickelte sich Hamburg im Mittelalter früh zur Handelsmetropole, im 18. Jh. auch zu einem geistigen Zentrum Norddeutschlands, wo u.a. Klopstock gewirkt hat. 1842 verheerte ein großer Brand die Stadt. Mit dem Aufkommen der Dampfschiffahrt nahmen die Stadt und der bereits im 12. Jh. angelegte Hafen einen gewaltigen Aufschwung. Die Bombenangriffe 1943 – 1945 zerstörten weite Teile der Stadt. Beim Wiederaufbau wurden historische Bauwerke wiederhergestellt, daneben entstanden moderne Geschäfts- und Wohnviertel. Im Februar 1962 wurde die Stadt von einer schweren Flutkatastrophe heimgesucht, bei der es 315 Todesopfer gab. Im Jahre 1989 beging Hamburg den 800. Hafengeburtstag, dessen historische Basis der Freibrief Kaiser Friedrich Barbarossas vom 7. Mai 1189 ist.

Geschichte

Vor den St.-Pauli-Landungsbrücken (unten) dehnt sich der Hamburger Hafen mit den Trockendocks aus.

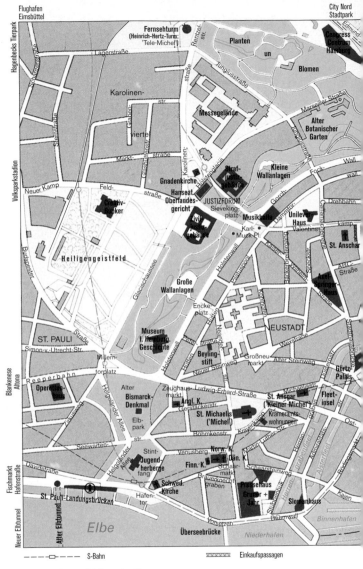

Altstadt und Neustadt

Alster

*Binnenalster

Das Stadtbild Hamburgs prägt ganz entscheidend die Alster, ein Nebenfluß der Elbe. Schmuckstück der Innenstadt ist das im 17. Jh. angelegte
Becken der Binnenalster, an deren Südwestseite Hamburgs beliebteste
Flaniermeile, der Jungfernstieg, verläuft. Vom "Alsterpavillon", seit 1799
eine Hamburger Institution, genießt man den besten Blick auf das Wasser.

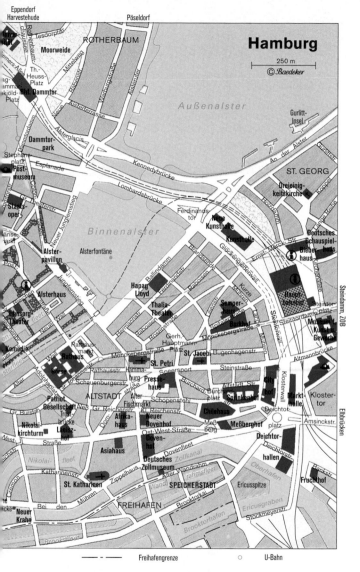

Hamburg

250 m
© *Baedeker*

Außenalster

Binnenalster

ST. GEORG

ALTSTADT

SPEICHERSTADT

FREIHAFEN

—— - —— Freihafengrenze   ○   U-Bahn

und die Spaziergänger. Kleine Alster und anschließend das von sechs Brücken überspannte Alsterfleet streben von der Südspitze der Binnenalster dem Binnenhafen zu. Die Kleine Alster wird gesäumt von den 1842/1843 entstandenen Alsterarkaden.

Binnenalster
(Fortsetzung)

Der einstige Stadtwall sowie Lombards- und Kennedy-Brücke trennen die Binnenalster von der nördlich gelegenen, als Segelrevier geschätzten

*Außenalster

Hamburg

Außenalster
(Fortsetzung)

Außenalster, die man auch mit dem Alsterschiff vom Jungfernstieg erreicht und an deren Westufer sich einige reizvolle Parkanlagen hinziehen. Von den Straßen Bellevue und Schöne Aussicht am Nordost- bzw. Ostufer hat man die besten Ausblicke auf die Innenstadt.

Passagen

Westlich und südwestlich der Binnenalster, zwischen den Colonnaden und dem Rathausmarkt, bietet ein im 19. Jh. begonnenes und bis in jüngste Zeit erweitertes Netz von Fußgängerzonen und überdachten Ladenpassagen vom Edelimbiß bis zur Nobelboutique alles, was der gut gefüllte Geldbeutel sich leisten mag. Hier findet man auch das in ganz Deutschland beliebte Ohnsorg-Theater (Große Bleichen 25).

Gänsemarkt

Staatsoper

In der Verlängerung des Jungfernstiegs kommt man zum Gänsemarkt, Mittelpunkt der Neustadt, geziert von einem Denkmal für Gotthold Ephraim Lessing (1881). Etwas nördlich an der Dammtorstraße steht die ursprünglich 1827 von Karl Friedrich Schinkel entworfene Hamburgische Staatsoper. 1678 war am Gänsemarkt die erste ständige Opernbühne Europas eröffnet worden.

*Rathaus

Mittelpunkt der Altstadt ist der Rathausmarkt mit dem 1886–1897 in prunkvollen Renaissanceformen errichteten Rathaus. Es ist das insgesamt sechste in der Geschichte der Stadt, nachdem das vierte beim großen Stadtbrand von 1842 gesprengt wurde und das fünfte nur ein Provisorium war. Die Innenräume (Führungen) spiegeln den Stolz und das Selbstbewußtsein der Hamburger Bürgerschaft wider, die besonders im Großen Festsaal zum Ausdruck kommen.

Börse

An der Rathausrückseite steht das Gebäude der 1558 gegründeten Hamburger Börse.

Mönckebergstraße

St. Petri

Vom Rathausmarkt zieht die breite, von großen Warenhäusern und zahlreichen Ladengeschäften gesäumte Mönckebergstraße nach Osten. An dieser Hauptgeschäftsstraße Hamburgs erhebt sich der 133 m hohe Turm der 1220 erstmals genannten und 1844–1849 neugotisch wiedererrichteten Hauptkirche St.-Petri. Ältestes Ausstattungsstück ist die gotische Kanzelbekrönung von 1396.

Hamburger Rathaus

Hammaburg

Südlich jenseits der Straße Speersort wurden an der Domstraße Reste von Hammaburg ausgegraben, der im 9. Jh. gegründeten Keimzelle der Stadt. Nicht weit entfernt fand man die Fundamente der Bischofsburg.

St. Jacobi

Weiter westlich kommt man zur 1255 erstmals erwähnten Hauptkirche St. Jacobi, die 1944 weitgehend zerstört wurde. Die Innenausstattung allerdings konnte größtenteils gerettet werden, vor allem die Arp-Schnitger-Orgel (1689–1693), die größte Barockorgel im nordeuropäischen Raum.

Auf der Mönckebergstraße erreicht man den Hauptbahnhof. Das Museum für Kunst und Gewerbe südöstlich gegenüber davon ist eines der führenden Museen dieser Art in Europa. Die umfangreiche Sammlung umfaßt deutsches, europäisches und asiatisches Kunstgewerbe, v. a. Keramik, Möbel, Skulpturen sowie historische Innenräume und eine Abteilung zur Geschichte der Fotografie.

*Museum für Kunst und Gewerbe

Das im Jahr 1900 nordöstlich gegenüber vom Hauptbahnhof eröffnete Deutsche Schauspielhaus ist vor allem durch die von 1955 bis 1963 während Intendanz von Gustaf Gründgens bekannt geworden.

Deutsches Schauspielhaus

Nördlich vom Hauptbahnhof, am Glockengießerwall, befindet sich die Kunsthalle mit Werken vom 14.–20. Jh., darunter von Philipp Otto Runge und Caspar David Friedrich. 1997 wurde die Neue Kunsthalle des Architekten Oswald Mathias Ungers mit zeitgenössischer Kunst eröffnet.

*Kunsthalle

Südlich vom Hauptbahnhof trifft man auf die 1911 / 1912 erbauten Deichtorhallen. Nachdem sie als Markthallen ausgedient hatten, sind sie 1989 als Ausstellungszentrum für zeitgenössische Kunst eröffnet worden.

Deichtorhallen

Vom Deichtorplatz geht es auf der Ost-West-Straße wieder zurück nach Westen. Am Burchardplatz erhebt sich das 1922–1924 von Fritz Höger in kühnen Formen erbaute zehnstöckige Chilehaus, das wohl bekannteste Gebäude im Kontorhausviertel.

Ost-West-Straße

*Chilehaus

Weiter östlich ragt der Nikolaikirchturm auf, Rest der im Zweiten Weltkrieg völlig zerstörten Nikolaikirche. Der 147 m hohe und damit dritthöchste Kirchturm Deutschlands ist ein Mahnmal für die Opfer des Krieges.

Nikolaikirchturm

Die unweit davon am Nikolaifleet entlangführende historische Deichstraße vermittelt noch einen romantischen Eindruck vom alten Hamburg.

Deichstraße

Über die Fleetinsel hinweg erreicht man auf der Ost-West-Straße in der Neustadt die barocke St.-Michaelis-Kirche, Hamburgs vom Hafen her weithin sichtbares Wahrzeichen. Die ursprünglich 1750–1762 von Ernst Georg Sonnin erbaute Kirche wurde nach einem Brand im Jahr 1906 wiedererrichtet. Am 132 m hohen, "Michel" genannten Turm prangt Deutschlands größte Kirchturmuhr; von der Plattform darüber bietet sich ein prächtiger Rundblick auf den Hafen und die Stadt.

*St. Michaelis

Östlich gegenüber der Kirche befinden sich die idyllisch-verwinkelten Krameramtswohnungen aus dem 17. Jh., einst Wohnungen für die Witwen verstorbener Mitglieder des Krameramts; im Haus C kann eine solche Wohnung besichtigt werden.

*Krameramtswohnungen

Südwestlich der St.-Michaelis-Kirche beginnt bei den St.-Pauli-Landungsbrücken der Freizeitbereich Planten und Blomen ("Pflanzen und Blumen"), der sich auf den alten Wallanlagen am Südwestrand der Neustadt dahinzieht. Zu ihm gehören von Süden nach Norden die Großen und die Kleinen Wallanlagen, der Alte Botanische Garten sowie die eigentliche Grünanlage Planten un Blomen, deren Attraktion ein kunstvoll angelegter japanischer Garten ist.

*Planten und Blomen

Ganz im Süden der Großen Wallanlagen findet man das Museum für Hamburgische Geschichte. Die reichen Sammlungen dokumentieren die Stadtgeschichte vom Mittelalter bis ins 20. Jh., wobei der Schwerpunkt auf Hafen und Schiffahrt liegt. Attraktion schlechthin aber ist eine große Modelleisenbahnanlage der Strecke zwischen dem Hauptbahnhof und dem Bahnhof Hamburg-Harburg.

Museum für Hamburgische Geschichte

Nahebei südlich, jenseits des Millerntordamms, breitet sich der Alte Elbpark mit dem monumentalen, 1906 errichteten Bismarck-Denkmal aus. Westlich der Kleinen Wallanlagen erstreckt sich das rund 60 000 m² große Messegelände mit zwölf Hallen; gegenüber vom Nordwesteingang des Parks erhebt sich der 1968 erbaute, 271 m hohe Heinrich-Hertz-Fernsehturm, "Tele-Michel" genannt.

Bismarck-Denkmal

Messegelände
Fernsehturm

Die Wasserfronten der Deichstraßenhäuser blicken auf das Nikolaifleet.

Peterstraße

Ein Stück Alt-Hamburg ist noch in der renovierten Peterstraße geblieben, wo in Haus Nr. 39 an den in diesem Stadtteil geborenen Komponisten Johannes Brahms erinnert wird.

**Hafen

Das "Tor zur Welt"

Der seit dem 12. Jh. bestehende Hafen, das "Tor zur Welt", zählt zur Spitzengruppe der europäischen Umschlagplätze für Seegüter. Er erstreckt sich – 104 km landeinwärts der Elbmündung in die Nordsee – zwischen Norder- und Süderelbe von den Elbbrücken bis zur ehemaligen Fischerinsel Finkenwerder über eine Fläche von rund 100 km². Durchschnittlich 12 000 Seeschiffe aus mehr als 90 Ländern machen in diesem Tidehafen, dessen Becken bei Ebbe und Flut zugänglich sind, pro Jahr fest. Der Freihafen ermöglicht zollfrei Umschlag und Lagerung von Importgütern.

**Hafenrundfahrt

Der Hafen ist nicht nur ein Wirtschaftsfaktor erster Ordnung, er ist auch Hamburgs größte Touristenattraktion. Am besten lernt man ihn bei einer Hafenrundfahrt kennen, die bei den St.-Pauli-Landungsbrücken beginnt. Man sollte eine der kleinen Barkassen nehmen, denn diese fahren auch in die schwerer zugänglichen Teile der Speicherstadt.

Hafenmeile

Weit im Osten der Stadt beginnt am Meßberg die Hafenmeile genannte Hafenrandpromenade, ein bis Övelgönne ausgebauter Fußweg, auf dem man den Hafen auch als Landratte erkunden kann. Im Hafenkernbereich westlich der Speicherstadt (s. u.) passiert man auf diesem Weg u. a. das 1952 erbaute Feuerschiff "LV 13" und das architektonisch auffällige Pressehaus Gruner + Jahr. An der Überseebrücke ist das Museumsschiff "Cap San Diego" vertäut. Man erreicht dann die St.-Pauli-Landungsbrücken, von denen der gesamte Hafen- und Unterelbeverkehr abgeht. Das 200 m lange Empfangsgebäude wurde 1909 vollendet; der Turm trägt eine Uhr

St.-Pauli-Landungsbrücken

und einen Wasserstandsanzeiger. An den Landungsbrücken liegt die 1896 in Bremerhaven gebaute Dreimaststahlbark "Rickmer Rickmers". Nahebei findet man den Zugang zum 448 m langen Alten Elbtunnel, der auf die Werftinsel Steinwerder führt. Von den Landungsbrücken sollte man auf jeden Fall noch bis zum stimmungsvollen Fischmarkt weitergehen. Auf ihm wird jeden Sonntag bis (!) 9.30 Uhr der urige Fischmarkt abgehalten und in der alten Fischauktionshalle ausgelassen gefeiert – also früh aufstehen oder nach einem St.-Pauli-Bummel erst gar nicht ins Bett und zum Katerfrühstück gleich hierher.

Hafenmeile (Fortsetzung)

*Fischmarkt

Im Osten des Hafens liegt die Speicherstadt, am besten zugänglich von der Ost-West-Straße. Gegen Ende des 19. Jh.s wurde hier auf der Brookinsel südlich des Zollkanals ein Freihafengebiet errichtet. An den Fleeten reihen sich noch heute die bis zu siebenstöckigen Ziegelbauten, die eine eindrucksvolle geschlossene Front bilden. Hier lagern vor allem wertvolle Handelsgüter wie Tabak, Kaffee, Rum, Trockenfrüchte und Gewürze, aber auch optische und elektronische Geräte sowie Orientteppiche. Auch zwei Museen gibt es: das Gewürzmuseum am Sandtorkai 32 und das Deutsche Zollmuseum an der Kornhausbrücke im ehemaligen Zollamt, das lebendige Zollgeschichte vom Altertum bis zur Gegenwart präsentiert.

*Speicherstadt

*Deutsches Zollmuseum

Der am südlichen Elbufer gelegene Hafenbereich wird von der 3,9 km langen und bis 54 m hohen Köhlbrandbrücke überspannt, die 1974 eröffnet wurde und zu einem neuen Wahrzeichen der Stadt geworden ist.

*Köhlbrandbrücke

St. Pauli

Das zum Bezirk Altona gehörende St. Pauli, Inbegriff des "sündigen" Amüsierviertels, verdankt seinen Namen ausgerechnet dem Sittenapostel St. Paulus, dem zu Ehren hier 1682 eine Kirche geweiht wurde. Seit dem 19. Jh. entwickelte es sich zum Seemannsviertel mit Kneipen, Herbergen und Freudenhäusern. St. Pauli bietet eine große Bandbreite wie auch immer gearteter Unterhaltung: vom Volkstheater, Musical, Varieté und Kabarett über Diskotheken, Rock-, Tanz- und Stimmungslokale, Sex-Shows, Kinos und Kneipen bis hin zu Pornographie und Prostitution.

Amüsierviertel

Die Achse von St. Pauli ist die weltbekannte Vergnügungsstraße Reeperbahn, an der einst die Seilmacher (Reeper) ihrem Handwerk nachgingen. Ecke Davidstraße hat die legendäre Polizeiwache "Davidwache" ihr Domizil, am nahen Spielbudenplatz wird in "Schmidt's Tivoli" höherer Blödsinn zelebriert, daneben gleich das St.-Pauli-Theater, Heimspielstatt für Freddy Quinn. Am Westende der Reeperbahn reihen sich an der Großen Freiheit die Sex-Show-Lokale, hier findet sich aber auch das Hans-Albers-Museum. Dieser "Ur-Hamburger-Jung", der die Reeperbahn meist nachts um halb eins unsicher machte, ist allerdings kein St.-Paulianer, sondern wurde im Stadtteil St. Georg geboren. Ein originelles Denkmal für ihn steht auf dem Hans-Albers-Platz.

Reeperbahn

Jenseits der Großen Wallanlagen und der Glacischaussee breitet sich in St. Pauli das Heiligengeistfeld aus, auf dem im März/April bzw. November/Dezember das Volksfest "Dom" stattfindet.

Heiligengeistfeld

Altona

Der Stadtbezirk Altona erstreckt sich ca. 4 km westlich vom Hamburger Zentrum über dem Elbufer. Er gehörte 1640–1867 zu Dänemark und war danach bis zur Eingemeindung 1937 selbständige preußische Gemeinde.

Lage

Altonas Prachtstraße ist die im 17. Jh. angelegte Palmaille, die der dänische Architekt Chr. F. Hansen und sein Neffe, M. Hansen, zwischen 1786

Palmaille

Hamburg

Altona,
Palmaille
(Fortsetzung)

und 1825 mit zahlreichen klassizistischen Villen bebauten. Am westlichen Ende der Palmaille liegt das Altonaer Rathaus; davor bietet sich von der Grünanlage Altonaer Balkon ein sehr schöner Blick auf Strom und Hafen.

Christianskirche

Wenig westlich vom Rathaus steht die 1735–1738 erbaute Christianskirche, auf deren Kirchhof Friedrich Gottlieb Klopstock begraben ist.

*Altonaer
Museum

An der rechtwinklig von der Palmaille nach Norden abgehenden Museumsstraße hat das Altonaer Museum / Norddeutsches Landesmuseum seinen Sitz, in dem Kulturgeschichte und Landeskunde des norddeutschen Küstengebiets dargestellt wird.

*Övelgönne

Im idyllischen Övelgönne, wo am Elbuferweg noch schmucke Lotsenhäuser stehen, kann man im Museumshafen schöne historische und vor allem noch fahrtüchtige Wassernutzfahrzeuge kleinerer Bauart besichtigen.

Jenischpark

Weiter westlich, im Stadtteil Klein Flottbek, steigt nördlich der Elbchaussee der Jenischpark an. Er umgibt das klassizistische Jenisch-Haus mit Schauräumen großbürgerlicher Wohnkultur von Louis XVI bis zum Jugendstil sowie das Ernst-Barlach-Haus, in dem Plastiken, Zeichnungen und Druckgraphik des Künstlers ausgestellt sind.

Volkspark

Nördlich von Övelgönne, im Stadtteil Bahrenfeld, wurde der Altonaer Volkspark (160 ha; Spiel- und Sportflächen, Kleingärten, Sommerbad) angelegt. Hier liegt auch das 1951–1953 mit Trümmerschutt ausgebaute Volksparkstadion, das Heimstadion des HSV, mit 60000 Plätzen.

*Hagenbecks
Tierpark

Im nordwestlichen Vorort Stellingen sollte man Hagenbecks Tierpark besuchen, der mit seinen Freigehegen das Vorbild der modernen Tiergärten darstellt und einen reichhaltigen, nach Erdteilen gegliederten Tierbestand besitzt. Das Troparium umfaßt zahlreiche Aquarien und Terrarien.

*Elbchaussee

Einen Eindruck von großbürgerlicher Hamburger Wohnkultur erhält man bei einer Fahrt auf der von stattlichen Villen gesäumten Elbchaussee. Die Freude wird jedoch getrübt durch den heftigen Verkehr; ruhigere Alternativen – allerdings zu Fuß – sind der Elbuferweg zwischen Chaussee und Elbufer oder der prächtige Aussichten bietende Elbhöhenweg.

Blankenese

Die Elbchaussee endet in Blankenese 14 km westlich vom Zentrum, einem einstigen Fischerdorf mit schönen Villenvierteln am 86 m hohen Süllberg, von dem man einen reizvollen Ausblick hat.

Sehenswertes in den übrigen Bezirken

Völkerkundemuseum

Nördlich von Planten und Blomen beginnt der Stadtteil Rotherbaum mit den weitläufigen Gebäudegruppen der Universität. Hier an der Rothenbaumchaussee findet man das Museum für Völkerkunde (Afrika, Amerika, Australien, Asien, Südsee), das auch über ein Hexenarchiv verfügt.

Pöseldorf

Nordwestlich erstreckt sich im vornehmen Stadtteil Harvestehude das schicke und teure Pöseldorf mit Galerien, Boutiquen und Lokalen.

*Hauptfriedhof
Ohlsdorf

Wegen seiner parkartigen Gestaltung und seiner Größe (402 ha) ist der Hamburger Hauptfriedhof Ohlsdorf im Bezirk Hamburg-Nord weithin bekannt. Hier sind zahlreiche berühmte Persönlichkeiten bestattet, darunter Hans Albers, Wolfgang Borchert, Gustaf Gründgens, Carl Hagenbeck, Heinrich Hertz, Alfred Kerr und Felix Graf Luckner.

Museumsdorf
Volksdorf

Im nordöstlichen Stadtteil Volksdorf in Hamburg-Wandsbek bietet das Museumsdorf einen Einblick in die bäuerliche Wohnkultur des hamburgischen und hosteinischen Geestlandes anhand verschiedener Häuser und Scheunen aus dem 17./18. Jahrhundert.

1997 wurde im südlichen Stadtteil Barmbek in einer ehemaligen Fabrik das außergewöhnliche Museum für Arbeit eröffnet. Es dokumentiert die Arbeit im Industriezeitalter, wobei sich eine Abteilung mit der Kulturgeschichte des Geschlechterverhältnisses befaßt.

Museum für Arbeit

Die von zwei Elbe-Altwässern durchzogenen Vierlande und Marschlande südöstlich vom Stadtgebiet im Bezirk Bergedorf sind eine fruchtbare Niederung zwischen Elbe und Geest. Am nordwestlichen Rand der Marschlande breiten sich das Naturschutzgebiet Boberger Dünen und das Vogelschutzgebiet Achtermoor aus.

*Vierlande und Marschlande

In Billwerder befinden sich am Billdeich die ursprünglich barocke Kirche St. Nikolai und im Glockenhaus (Nr. 72), um 1780 entstanden, das Deutsche Maler- und Lackierer-Museum.

Billwerder

Bergedorf wartet mit einem im 13. Jh. erbauten und im frühen 19. Jh. umgestalteten Schloß auf, in dem das Museum für Bergedorf und die Vierlande untergebracht ist. Im Südosten findet man die Hamburger Sternwarte.

Bergedorf

Südöstlich von Bergedorf, in Curslack, lohnt das Vierländer Freilichtmuseum Rieck-Haus (Bauernhausmuseum) einen Besuch.

Vierländer Freilichtmuseum

Abseits vom Deich wandelten die Nazis 1938 das Gefängnis von Neuengamme in ein Konzentrationslager um. Von den über 135 000 Häftlingen, die hier und in Außenlagern gefangen waren, ist etwa die Hälfte umgekommen. Das Konzentrationslager ist als Mahnmal erhalten.

Neuengamme

Die bis 1937 selbständige Stadt Harburg, erstmals um 1140 urkundlich erwähnt, liegt am Südufer der Süderelbe, an die hier die bewaldeten Harburger (Schwarzen) Berge dicht herantreten. Dieser Hamburger Bezirk ist von Industrieanlagen, v. a. von Ölraffinerien, geprägt und verfügt über einen bedeutenden Industriehafen. Seit 1528 findet hier alljährlich im Juni das bekannte Volksfest Harburger Vogelschießen statt. Nördlich vom Marktplatz "Sand" sind an der Lämmertwiete mehrere Fachwerkhäuser aus dem

Harburg

*In vergangene Zeiten zurückversetzt fühlt man sich im
Vierländer Freilichtmuseum Rieck-Haus mit seiner Windmühle.*

Hamburg

17. und 18. Jh. wiederhergestellt worden ("Milieu-Insel"). Unweit vom Rathausplatz befindet sich am Museumsplatz das besuchenswerte Helms-Museum bzw. Hamburger Museum für Archäologie und Geschichte Harburgs. Etwa 1 km südlich dehnt sich am idyllischen Außenmühlenteich der Stadtpark mit einem botanischen Schulgarten aus.

Sinstorf

Im ländlichen Sinstorf, dem südlichsten Vorort der Hansestadt, steht eine ursprünglich im 12. Jahrhundert erbaute Feldsteinkirche mit einem freistehenden Glockenturm, vermutlich der älteste Sakralbau auf Hamburger Stadtgebiet.

Umgebung von Hamburg

Glückstadt

Glückstadt, 47 km nördlich von Wedel, wurde 1617 von dem dänischen König Christian IV. gegründet und nach dem Vorbild einer italienischen Renaissancestadt erbaut. Am Marktplatz sind sehenswert die barocke Stadtkirche von 1621 und das Rathaus, das 1642 im Stil der niederländischen Renaissance entstand und 1872 stilähnlich neu errichtet wurde. Im Brockdorf-Palais (Am Fleth) von 1632 ist das Detlefsen-Museum untergebracht, das der Stadtgeschichte und der Kulturgeschichte der Elbmarschen gewidmet ist.

*Ahrensburg

Rund 25 km nordöstlich von Hamburg liegt der schleswig-holsteinische Ort Ahrensburg mit dem gleichnamigen Schloß, seit 1938 Museum der Wohnkultur des holsteinischen Landadels.

Itzehoe

In Itzehoe, 44 km nordwestlich von Hamburg, wurde im Kunsthaus in der Reichenstraße 21 das Wenzel-Hablik-Museum eingerichtet, das die Hinterlassenschaft des böhmischen Malers, Zeichners und Kunsthandwerkers (1881–1934) dokumentiert. Sehenswert ist in Itzehoe auch das schöne Theater, das der Kölner Architekt Gottfried Böhm entwarf.

Friedrichsruh

Im Sachsenwald, 30 km östlich von Hamburg steht das Jagdschloß Friedrichsruh, das seit 1871 im Besitz des Reichskanzlers Otto von Bismarck war. Hier kann man das Bismarck-Museum und -Mausoleum besichtigen. Eine besondere Attraktion ist der "Garten der Schmetterlinge" (einheimische und tropische Falter) in einem Glashaus der Schloßgärtnerei.

Kiekeberg

Bei Ehestorf, unweit südwestlich von Hamburg-Harburg lohnt das Freilichtmuseum Kiekeberg mit Bauernhäusern des 17. bis 19. Jh.s aus der Lüneburger Heide einen Besuch.

Willkommhöft

Von Hamburg 20 km elbabwärts erreicht man bei der holsteinischen Stadt Wedel die Schiffsbegrüßungsanlage Willkommhöft des beliebten Ausflugslokals "Schulauer Fährhaus". Hier werden größere Schiffe beim Ein- und Auslaufen mit der Nationalhymne des jeweiligen Staates und durch Hissen der Nationalflagge gegrüßt.

Altes Land

Lage und
*Landschaftsbild

Das Alte Land an der Unterelbe, zwischen der Süderelbe im Stadtgebiet von Hamburg und Stade, 2–7 km breit und 32 km lang sowie 157 km^2 groß, ist die reichste und schönste aller Elbmarschen. Es ist das größte geschlossene Obstanbaugebiet Deutschlands und von besonderem Zauber, wenn die Kirschblüte die Landschaft in ein Blütenmeer verwandelt. Dann empfiehlt sich eine Wanderung auf den hohen Deichen der dunklen Moorflüsse oder der Elbe mit Blick auf die tiefer liegenden Obstbaumplantagen. Beeindruckend sind auch die stattlichen, farbenprächtigen Altenländer Bauernhäuser mit hohem Reetdach und mit Ziegelmustern zwischen dem weißen Fachwerk. Durch die von Kanälen durchschnittene Ebene führt der schöne Obstmarschenweg parallel zum südlichen Elbufer.

Zentrum des Alten Landes ist Jork nahe der Mündung der Este in die Elbe. Der Ort, Mittelpunkt des Obstanbaugebiets, besitzt schöne alte Bauernhäuser – in einem davon ist das Museum Altes Land untergebracht – sowie eine Kirche von 1709.

Hamburg, Altes Land (Fts.) Jork

Buxtehude, wo "die Hunde mit dem Schwanz bellen", hat seinen festen Platz im deutschen Märchenschatz, denn hier lieferten sich Hase und Igel ihren berühmten Wettlauf. Die ehemalige Hansestadt, 30 km südwestllich vom Hamburger Zentrum am Rand des Alten Lands gelegen, bietet in den engen Straßen rund um die St.-Petri-Kirche (13. Jh.) noch einige an holländische Kolonisten erinnernde Giebel, Höfe und Dielen, insbesondere auch am Westfleet. Das Heimatmuseum beschäftigt sich mit der traditionell in Buxtehude betriebenen Herstellung von Bauernschmuck in Silberfiligrantechnik.

Buxtehude

Hameln   F 3

Bundesland: Niedersachsen
Höhe: 68 m ü.d.M.
Einwohnerzahl: 60 000

Hameln, reizvoll im Weserbergland beiderseits der Weser gelegen, ist als Rattenfängerstadt weitbekannt. Im Jahr 1284 soll nach der Sage der Rattenfänger 130 Kinder durch das Ostertor aus der Stadt entführt haben. Das Bild der historischen Altstadt bestimmen Fachwerkhäuser und prachtvolle Bauten der Weserrenaissance, die sich durch reiche Giebelverzierungen, Schmuckleisten mit Wappen und Inschriften und viele Erker auszeichnen.

Lage und Stadtbild

Im 9. Jh. gründeten Fuldaer Mönche neben dem Urdorf Hamala, einer Fischer- und Bauernsiedlung, an der Weser ein Kloster, das spätere Chorherrenstift St. Bonifatius. Gegen 1200 entwickelte sich die Stadt. Im Mittelalter war die aufblühende Handelsstadt Mitglied der Hanse und umgab sich mit starken Mauern. Höhepunkt der kulturellen und wirtschaftlichen Blüte war das 16. und beginnende 17. Jahrhundert. Anfang des 19. Jh.s verfügte Napoleon die Schleifung der im 17. Jh. ausgebauten Festungswerke und Wälle, deren Verlauf heute breite Straßen bezeichnen.

Geschichte

Sehenswertes in Hameln

Der lebendige Mittelpunkt der Stadt ist der Marktplatz, auf den die wichtigsten Einkaufsstraßen (Fußgängerzone) der Altstadt zulaufen und der von sehenswerten Gebäuden umgeben ist. Hier erhebt sich die 1957 – 1958 wiedererrichtete, frühgotische Marktkirche St. Nicolai, die einst das Gotteshaus der Schiffer war, worauf das goldene Schiff auf der Turmspitze hinweist. Gegenüber steht das schöne Dempterhaus, das 1607 im Stil der Weserrenaissance errichtet wurde.

Der Rattenfänger von Hameln (Brunnenfigur)

Markt

Neben der Kirche liegt in der Osterstraße das repräsentative Hochzeitshaus (Nr. 2), ursprünglich das Festhaus der Bürgerschaft. Es wurde 1610 bis 1617 im Stil der Weserrenaissance erbaut und besitzt ein Rattenfängerfiguren- und Glockenspiel (tgl. 13.05, 15.35 und 17.35 Uhr). Vor dem Haus wird jeden Sonntag im Sommer um 12.00 Uhr das Rattenfänger-Freilichtspiel aufgeführt (kostenlos).

Hochzeitshaus

Im Stiftsherrenhaus (Osterstraße Nr. 8) von 1558 mit schönen Schnitzereien und im Leisthaus von 1589

Osterstraße

Osterstraße
(Fortsetzung)

(Nr. 9) ist das Städtische Museum zu finden, das neben Vor- und Frühgeschichte, Wohnkultur, Gold- und Silberschmiedearbeiten und Keramik auch die Rattenfängersage zum Thema hat. Am Ende der Osterstraße stößt man auf die ehemalige Garnisonkirche (1712) und das Stift zum Heiligen Geist von 1713. Gegen-

*Rattenfängerhaus

über sieht man das Rattenfängerhaus (1603), einen prachtvollen Weserrenaissancebau (heute Restaurant). Eine Inschrift an der Seitenwand zur Bungelosenstraße erinnert an die Sage.

Bäckerstraße

In der südlich vom Markt wegführenden Bäckerstraße sind die Löwenapotheke (Nr. 12) mit einem gotischen Giebel von 1300 und der Rattenkrug (Nr. 16), der 1250 erbaut und 1568 mit einem schö-

Dempterhaus am Marktplatz

nen Volutengiebel umgestaltet wurde, besonders sehenswert. Wenige Schritte östlich liegt die Kurie Jerusalem, ein um 1500 errichteter ehemaliger Speicher.

Münster

Nahe der Münsterbrücke steht das wuchtige Münster St. Bonifatius (11. bis 14. Jh.), dessen romanischer Vierungsturm eine Barockhaube trägt. Unter dem Hochchor befindet sich eine sehenswerte Krypta; das Sakramentshaus stammt aus dem 13. Jahrhundert.

Wallstraße

Dem alten Befestigungsring folgt eine Wallstraße. An ihrem nördlichen Abschnitt stehen der Pulverturm und der Haspelmathsturm, die beiden letzten Überreste der Stadtbefestigung.

Außerhalb der
Wallstraßen

Nordöstlich außerhalb der einstigen Umwallung steht am Rathausplatz der Rattenfängerbrunnen (1975). Nahe beim Rathaus befindet sich das Theater Hameln, südlich davon dehnt sich der Bürgergarten aus. 2 km südwestlich der Altstadt erhebt sich der 258 m hohe Klüt mit Aussichtsturm.

Tündern

Rund 5 km südlich liegt der Stadtteil Tündern. Hier sind das Dorfmuseum (Vorgeschichte, Handwerk, Landwirtschaft) sowie auf dem Hof Zeddies die ständige Ausstellung "Bäuerliche Arbeitswelt" des Museums Hameln sehenswert. Hier steht auch eine Windmühle von 1883.

Umgebung von Hameln

Fischbeck
*Stiftskirche

In Fischbeck, auf das man in 7 km Entfernung von Hameln (im Nordwesten) trifft, lohnt die Stiftskirche einen Besuch, die zu einem seit 955 bezeugten Augustiner-Kanonissenstift gehört. Zu den kostbarsten Schätzen der Kirche aus dem 12. Jh. zählen das Triumphkreuz von 1250 und vor allem der Bildteppich (16. Jh.) mit der Gründungslegende des Stifts. Sehenswert ist auch die romanische Krypta.

Das 11 km südlich gelegene, von Wassergräben umgebene Schloß Hämelschenburg, ein 1588 begonnener prachtvoller Dreiflügelbau, ist ein Höhepunkt der Weserrenaissance. Das Brückentor mit dem hl. Georg stammt von 1608; mehrere Räume des Schlosses können besichtigt werden.

Gut 20 km südöstlich liegt weseraufwärts die "Münchhausenstadt" Bodenwerder. Sehenswert sind die Reste der alten Ummauerung und die schönen Fachwerkhäuser. Das Herrenhaus (Münchhausen-Platz) des durch seine phantastischen Erzählungen bekannten Freiherrn Karl Friedrich Hieronymus von Münchhausen (1720 – 1797) dient heute als Rathaus; vor diesem Geburtshaus des "Lügenbarons" steht ein origineller Brunnen, der auf eine der abenteuerlichen Geschichten Bezug nimmt. Von Mai bis Oktober wird im Kurpark das Münchhausen-Spiel aufgeführt.

Rund 20 km südwestlich von Hameln liegt das niedersächsische Staatsbad Pyrmont, das Eisen- und Kochsalzquellen besitzt. Mittelpunkt des Badelebens ist der Brunnenplatz mit der Wandelhalle und der Hauptquelle; westlich befindet sich die Helenenquelle. Vom Brunnenplatz erstreckt sich nach Süden die im 17. Jh. angelegte Hauptallee; daran grenzt der schöne Kurpark, einer der größten Kurparks Europas mit prachtvollen landschaftsgärtnerischen Anlagen und mehreren hunderte Jahre alten Alleen. Teil des Kurparks ist der Palmengarten mit seinen 330, bis zu 11 m hohen Palmen und mehr als 400 tropischen und subtropischen Gewächsen. Im Süden des Kurparks fällt das zu Beginn des 18. Jh.s neu erbaute Schloß der Fürsten von Waldeck ins Auge, in dem ein historisches Museum untergebracht wurde. Am Helvetius-Hügel in einem ehemaligen Steinbruch liegt die zu besichtigende Dunsthöhle – so genannt, da unterhalb der Höhle als vulkanische Nachwirkung Kohlendioxid ausströmt. Dieses Gas hatte Anfang des 18. Jh.s zunächst unerklärliche Ohnmachtsanfälle unter den Steinbrucharbeitern verursacht. CO_2-Quellgasbäder werden seit 1993 im "Königin-Luise-Bad" verabreicht.

Marginalien:
Hameln, Umgebung (Fts.)
*Hämelschenburg

Bodenwerder

Bad Pyrmont

Hannover   F 3

Hauptstadt des Bundeslandes Niedersachsen
Höhe: 55 m ü.d.M.
Einwohnerzahl: 526 000

Hannover an der Leine ist Hauptstadt des Bundeslandes Niedersachsen, ein bedeutender Industrie- und Handelsplatz, Sitz einer Universität sowie von Hochschulen für Medizin, Tiermedizin, Musik und Theater. Als Messestadt hat Hannover internationale Bedeutung. Die weltgrößten Messen "CeBIT" und "Hannover Messe Industrie" finden hier alljährlich im Frühjahr statt. Zum Treffpunkt für Völker und Kulturen aus aller Welt wird Hannover im Jahr 2000. Am 1. Juni 2000 wird die erste Weltausstellung in Deutschland, die "EXPO 2000", ihre Pforten öffnen (→ *Baedeker Special*, S. 370 f).

Lage und Allgemeines

Weiträumige Grünflächen wie der Stadtwald Eilenriede, der Maschpark mit dem Maschsee, der Lönspark, der erst kürzlich durch einen "Gorillaberg" und den "Dschungelpalast" erweiterte Zoo, der 1679 als höfisches Jagdareal angelegte Tiergarten sowie die Herrenhäuser Gärten kennzeichnen die "Großstadt im Grünen". Im Zweiten Weltkrieg wurde Hannovers Innenstadt zu 85% zerstört. Im zur Fußgängerzone erklärten Geschäftsviertel, rund um den Platz Kröpcke, dominieren heute moderne Zweckbauten, lediglich in der Altstadt (westlich vom Marktplatz) findet man noch schöne alte Bausubstanz.

Stadtbild

Ursprung Hannovers war eine alte Marktsiedlung, die erstmals 1150 als "vicus Honovere" erwähnt wurde. Der welfische Teilungsvertrag von 1495 brachte die Stadt unter die Herrschaft der Calenberger, die es 1636 zu ihrer

Geschichte

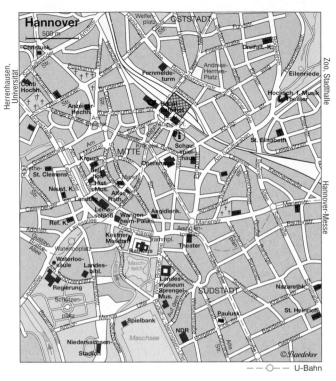

— — O — — U-Bahn

Geschichte
(Fortsetzung)

Residenz machten. Unter Kurfürst Ernst August (die Herzöge von Calenberg hatten 1692 die Kurwürde erhalten) erlebte die Stadt um 1700 eine
große kulturelle Blüte. Im Jahre 1714 bestieg Kurfürst Georg Ludwig von
Hannover als König Georg I. den englischen Thron. Das Kurfürstentum,
seit 1814 Königreich Hannover, blieb bis 1837 mit England in Personalunion
verbunden. Nach dem Einmarsch der Preußen 1866 war es mit dem hannoverschen Königtum vorbei, Hannover wurde zur preußischen Provinz-
hauptstadt degradiert. Seit 1946 ist Hannover Landeshauptstadt von Niedersachsen.

Innenstadt

"Roter Faden"

Der "Rote Faden" ist eine auf das Straßenpflaster gemalte, gut 4 km lange
rote Leitlinie, die zu 36 sehenswerten Punkten der Innenstadt führt. Aus-
gangs- und Endpunkt ist die Touristeninformation gegenüber dem Hauptbahnhof. Hier beginnt der nachfolgend beschriebene Stadtrundgang, der
sich weitgehend an der roten Leitlinie orientiert.

Hauptbahnhof

Auf dem Platz vor dem 1876 – 1879 erbauten Hauptbahnhof steht ein Reiterdenkmal König Ernst Augusts (1837 – 1851). Für Hannoveraner ist es ein
beliebter Treffpunkt, man trifft sich "unterm Schwanz".

*Opernhaus

Der "Rote Faden" führt durch die Luisenstraße, von der die noblen Ein-
kaufspassagen "Galerie Luise" und "Kröpcke" abgehen, zum Opernhaus.

Der klassizistische Bau entstand zwischen 1845 und 1852 nach Plänen von Georg Friedrich Laves.

Opernhaus
(Fortsetzung)

Man schlendert durch die Georgstraße, Hannovers Prachtboulevard, in südlicher Richtung bis zum Georgsplatz. Unweit westlich erhebt sich die Ruine der Aegidienkirche (14. Jh.). Als Mahnmal soll sie an die Opfer beider Weltkriege erinnern (Turm mit Glockenspiel).

Aegidienkirche

Südlich erhebt sich Hannovers Wahrzeichen, das 1901–1913 im Stil der wilhelminischen Zeit auf einem Fundament von 6026 Buchenpfählen erbaute Rathaus. In der Eingangshalle veranschaulichen Modelle die Stadtentwicklung. Mit einem Schrägaufzug (!) kann man zur fast 100 m hohen Kuppel hinauffahren (schöner Rundblick).

Rathaus

Ist ausreichend Zeit vorhanden, sollte man hier den "Roten Faden" verlassen und den Stadtrundgang ein wenig ausdehnen. Durch den sich vor der Südfassade des Rathauses erstreckenden Maschpark gelangt man zum Maschsee. Der 2,4 km lange und bis zu 530 m breite See wurde 1934 bis 1936 künstlich angelegt. Er ist Hannovers großes Sport- und Erholungsgebiet (Motorboot-Linienverkehr, Strandbad, Segelschule, Uferwege).

Maschsee

Als Königliches Hoftheater wurde Hannovers schönes Opernhaus im 19. Jh. errichtet.

Am Nordostufer des Maschsees hat das Sprengel-Museum seinen Sitz. Es zeigt internationale Kunst des 20. Jh.s mit Werken von Beckmann, Klee, Léger, Nolde, Picasso, Schwitters u.a.; das Stabile vor dem Museum stammt von Alexander Calder.

Sprengel-Museum

Das Niedersächsische Landesmuseum (östlich gegenüber dem Maschpark) umfaßt vier Abteilungen: vorgeschichtliche, natur- und völkerkundliche Sammlungen sowie die Niedersächsische Landesgalerie (europäische Kunst von der Romanik bis zur Gegenwart).

*Niedersächsisches Landesmuseum

*Einen weiten Blick über die Stadt hat man von
der Kuppel des Neuen Rathauses am Maschteich.*

*Kestner-Museum

Nächste Station des "Roten Fadens" ist das Kestner-Museum am Nordrand des Maschparks. Es beherbergt Kunstgegenstände aus fünf Jahrtausenden menschlicher Kulturgeschichte (u.a. beachtenswerte ägyptische Sammlung, Kunstgewerbe).

Laves-Haus
Wangenheim-
Palais

Gegenüber steht am Friedrichswall das Laves-Haus, das der Hofbaumeister Georg Ludwig Laves 1822 für sich selbst als Wohnhaus errichtete.
Das Wangenheim-Palais daneben ist ebenfalls ein Laves-Bau (von 1832).
Zehn Jahre lang war es die Residenz König Georgs V., dann diente es als Rathaus und ist heute Ministerium.

Leineschloß

Nächster beachtenswerter Bau ist das Leineschloß, im 17. Jh. als Residenz Herzog Georgs von Calenberg erbaut, 1817–1842 von Laves klassizistisch umgebaut und 1958–1962 als Sitz des Niedersächsischen Landtags wiedererrichtet.

Hohes Ufer

Der "Rote Faden" führt nun am Hohen Ufer der Leine entlang, dem die Stadt ihren Namen verdankt ("hon overe" = "hohes Ostufer"). Blickfang sind die "Nanas", pralle Skulpturen von Niki de St. Phalle, deren Aufstellung in den siebziger Jahren für viel Aufregung sorgte. Lebhaftes Treiben herrscht am Hohen Ufer immer samstags, dann findet hier ein großer Flohmarkt statt.

Historisches
Museum

Der Beginenturm (14. Jh.) am Hohen Ufer ist ein Rest der alten Stadtbefestigung. Der moderne Bau dahinter beherbergt das Historische Museum (stadt- und landesgeschichtliche sowie volkskundliche Sammlungen).

Ballhof

Der Ballhof wenige Schritte nördlich des Museums gilt als schönstes Fachwerkhaus der Stadt. Es wurde 1649–1665 für Federballspiel und Konzerte erbaut; jetzt ist es Schauspielhaus des Niedersächsischen Staatstheaters.

Das Haus des herzoglichen Bibliothekars und Philosophen Gottfried Wilhelm Leibniz stammt ursprünglich von 1652. Die Renaissancefassade wurde in den achtziger Jahren des 20. Jh.s originalgetreu wiederhergestellt.

Leibnizhaus

Durch die malerische Kramerstraße gelangt man zum Marktplatz, den die Marktkirche beherrscht (14. Jh.; Schnitzaltar und Bronzetaufbecken aus dem 15. Jh.; 97 m hoher Turm).

*Marktkirche

Ebenso wie die Marktkirche ist das Alte Rathaus, an dem fast das ganze 15. Jh. über gebaut wurde, ein schönes Beispiel für die norddeutsche Backsteingotik.

*Altes Rathaus

Durch die von modernen Geschäftsbauten beherrschte Grupenstraße gelangt man zum "Kröpcke", dem zentralen Platz der Innenstadt mit der alten Kröpcke-Uhr (1885). Von hier führen die Bahnhofstraße bzw. die unterirdisch verlaufende Ladenstraße "Passerelle" zurück zum Hauptbahnhof.

Kröpcke

Herrenhausen

In Herrenhausen, heute ein westlicher Stadtteil von Hannover, befand sich die Sommerresidenz des hannoverschen Herrscherhauses. Die Herzöge von Calenberg errichteten sich hier ab 1665 ein repräsentatives Schloß. Es wurde im Zweiten Weltkrieg vollständig zerstört. Erhalten sind bis heute die zugehörigen Parkanlagen, die sogenannten Herrenhäuser Gärten. Sie gliedern sich in drei verschiedene Parks.

Herrenhäuser Gärten

Den Georgengarten, einen schönen Landschaftspark englischen Stils, durchzieht die Herrenhäuser Allee, ehemals Zufahrtsweg zum Schloß. Im Süden des Parks liegt das Wilhelm-Busch-Museum (Deutsches Museum für Karikatur und kritische Grafik; Zeichnungen, Gemälde, Briefe und Manuskripte, Heinrich-Zille-Sammlung).

Georgengarten
Wilhelm-Busch-
Museum

An den Georgengarten schließt westlich der Große Garten an. Der 1666 bis 1714 geometrisch angelegte Park gilt mit seinen Wasserspielen, dem Gartentheater und dem Irrgarten als besterhaltenes Beispiel für die deutsche Gartenbaukunst des Frühbarocks. In den Sommermonaten (Juni bis August) bietet der Große Garten einen einzigartigen Rahmen für die Festspiele "Musik und Theater in Herrenhausen".
Von dem im Zweiten Weltkrieg zerstörten Schloß Herrenhausen blieben lediglich die ehemalige Orangerie und das Galeriegebäude (1694–1700) erhalten. Den gesamten Mittelteil des Baus nimmt ein zweigeschossiger, heute für Konzertaufführungen genutzter Festsaal ein. Ihn ziert ein Freskenzyklus (Aeneas-Sage) des Venezianers Tommaso Giusti.

*Großer Garten

Nördlich des Großen Gartens erstreckt sich jenseits der Herrenhäuser Straße der Berggarten, 1666 als Küchengarten angelegt, heute ein botanischer Garten mit Schauhäusern für Orchideen und Kakteen. Im nördlichen Teil der Anlage steht das 1842–1846 von Laves erbaute Mausoleum für König Ernst August (gest. 1851) und Königin Friederike (gest. 1841).

*Berggarten

Unmittelbar westlich vom Großen Garten ist im 1721 errichteten Fürstenhaus das Herrenhausen-Museum mit Einrichtungsgegenständen aus dem zerstörten Herrenhäuser Schloß untergebracht.

Herrenhausen-
Museum

Umgebung von Hannover

Bei Nordstemmen, 26 km südlich, steht das Schloß Marienburg, 1857 bis 1866 im neugotischen Stil für Georg V., den letzten König von Hannover, erbaut. Die Marienburg wird heute von der königlich hannoverschen Familie bewohnt; Schloßmuseum mit Gemäldegalerie.

Marienburg

EXPO 2000 –
Riesenmesse oder Weltereignis?

"Die Expo-Stadt Hannover grüßt ihre Besucher" verkündet eine Lautsprecherstimme am Hauptbahnhof. Nur wenige Schritte weiter gibt das Expo-Café am Kröpcke, untergebracht in einer 10 m hohen Dreieckskonstruktion, einen Vorgeschmack auf die internationale Expo-Atmosphäre. Und spätestens bei der Fahrt durch Hannover merkt man: Hier tut sich Gewaltiges! Die Besucher der EXPO 2000 sollen auf möglichst umweltschonende Art zum Ausstellungsgelände gelangen – dafür werden die bestehenden Verkehrsanbindungen ausgebaut. Das Stadtbahnnetz wird um eine weitere Linie ergänzt, eine neue Verbindung der S-Bahn wird die Gäste in nur 20 Minuten vom Flughafen über den Hauptbahnhof zum Ausstellungsgelände am anderen Stadtende befördern. Dort entsteht darüber hinaus ein zweiter ICE-Bahnhof, und da vielleicht doch manch einer mit dem eigenen Fahrzeug anreist, werden alle Autobahnen rund um Hannover von vier auf sechs Spuren verbreitert.

Als Deutschland im Juni 1990 den Zuschlag zur Weltausstellung 2000 am Standort Hannover erhielt, löste das innerhalb der Bevölkerung eine heftige Kontroverse um das Für und Wider einer solchen Großveranstaltung aus. Zwei Jahre lang tobte der Streit zwischen Expo-Befürwortern und -Gegnern. Im Juni 1992 entschied sich eine knappe Mehrheit der Hannoveraner in einer Volksabstimmung für die Ausrichtung der Expo. Und mittlerweile werden zumindest seitens der Wirtschaft damit weitreichende Erwartungen verknüpft. Hotel- und Restaurantbesitzer reiben sich genüßlich die Hände, wenn sie hören, daß während der Expo 100 000 Besucher täglich in der niedersächsischen Landeshauptstadt bzw. im Umland nächtigen werden. Aber auch skeptischere Hannoveraner nehmen es gern zur Kenntnis, daß die EXPO 2000

nach einer Studie der Uni Hannover 53 000 Menschen zumindest kurzfristig einen Arbeitsplatz bescheren wird.

Die Weltausstellung in Hannover knüpft an eine lange Tradition an. Die erste "Great Exhibition" fand 1851 im Londoner Kristallpalast statt. Bis heute wurden in unregelmäßiger Folge mehr als 60 Weltausstellungen in 13 verschiedenen Staaten ausgerichtet. Die letzte Expo wurde 1992 in Sevilla veranstaltet, 1998 ist Lissabon Gastgeber einer Fachexpo. Neben technischen Wunderwerken – ehemals waren das Telefone und Rolltreppen ebenso wie Kanonen und Raketen – wurden auf den meisten Weltausstellungen auch architektonische Glanzleistungen präsentiert. Am bekanntesten ist sicher der Pariser Eiffelturm, der die Gemüter auf der Weltausstellung 1889 heftig bewegte (die Pariser befürchteten, daß das damals höchste Bauwerk der Welt einstürzen würde).
Über die Einhaltung der Prinzipien und Standards der Weltausstellung wacht eine 1928 gegründete internationale Organisation mit Sitz in Paris. Dieses Gremium konnte jedoch nicht verhindern, daß nur wenige Weltausstellungen der Nachkriegszeit mehr waren als bloße Leistungsshows. Fachleute behaupten, daß lediglich die Expos 1958 in Brüssel, 1967 in Montreal und 1970 in Osaka zukunftsweisend waren.

Natürlich will man in Hannover an die "großen" Expos anknüpfen – und mehr als das: Die EXPO 2000 soll unter dem Motto "Mensch – Natur – Technik" gleich für das gesamte kommende Jahrtausend ein Zeichen setzen und zudem praktische Initiativen für eine bessere Zukunft aufzeigen. Während auf den bisherigen Weltausstellungen mehr oder weniger dem technischen Fortschritt gehuldigt wurde, geht es bei der "Expo neuen Typs" in

Hannover darum, Ökonomie und Ökologie in Einklang zu bringen. Dafür müssen zwangsläufig die Grenzen des Fortschritts markiert werden.

Am 1. Juni 2000 wird die Expo in Hannover ihre Pforten öffnen. Bis zum 31. Oktober soll sie 20 Mio. Gäste aus aller Welt anlocken. Erstmals wird bei einer Weltausstellung auf ein bereits vorhandenes Ausstellungsgelände zurückgegriffen. Das Messegelände im Süden der Stadt wurde lediglich von 100 ha auf 170 ha vergrößert. Es ist geplant, die dort neu entstehenden Hallen nach dem Jahr 2000 als Messeeinrichtungen zu nutzen. Hauptattraktion des Ausstellungsgeländes soll der Themenpark sein. In ihm werden "spektakuläre Vorführungen und atemberaubende Simulationen", so die Organisatoren der Expo, einen Ausblick in das 21. Jahrhundert geben. Themen sind beispielsweise das Leben in den Mega-Cities von morgen mit mehr als 40 Mio. Einwohnern, der menschliche Körper und die Seuchengefahren, die ihm drohen, sowie die Arbeitsplätze des 21. Jahrhunderts in einer globalisierten Weltwirtschaft. Rund um den Themenpark, der voraussichtlich in vier Ausstellungshallen untergebracht ist, gruppieren sich ein Erholungsgebiet, die Expo-Siedlung und die Länderpavillons – bisher haben 144 Länder bzw. internationale Organisationen ihre Teilnahme an der Expo zugesagt. Dieser neue Stadtteil wird derzeit unter ökologischen, ökonomischen, kulturellen und sozialen Gesichtspunkten errichtet und soll zunächst Helfer und Organisatoren der Expo beherbergen. Anders als alle bisherigen Weltausstellungen wird sich die EXPO 2000 jedoch nicht auf das Ausstellungsgelände beschränken. Sogenannte dezentrale Projekte in Hannover und Niedersachsen, in ganz Deutschland und in der Welt werden die EXPO 2000 begleiten und zeigen, wie es dem Menschen mit Hilfe der Technik bereits gelungen ist, ein neues Gleichgewicht mit der Natur zu finden. Es handelt sich um mehrere Dutzend realisierte Einzelmaßnahmen, die der Gesellschaft über das Jahr 2000 hinaus einen nachhaltigen Nutzen bringen sollen. So ist geplant, der Weltöffentlichkeit am Beispiel der Region Dessau-Bitterfeld-Wittenberg in Sachsen-Anhalt zu zeigen,

wie eine Industrieregion, an der jahrzehntelang Raubbau betrieben wurde, wieder zu einem ökologischen Gleichgewicht findet. Die aus unabhängigen Fachleuten gebildete Jury hat allerdings auch äußerst umstrittene Vorhaben zum "weltweiten Projekt" auserkoren: Die Magnetschwebebahn "Transrapid" im Emsland, die mit 400–500 km/h durch die Gegend rauschen könnte, gehört dazu. Unproblematischer ist die Auswahl des Projektes "EXPO at Zoo Hannover", das den Tieren ein artgerechteres Leben ermöglichen, dem Besucher dagegen ein aufregenderes Zooerlebnis bescheren will.

EXPO2000
HANNOVER

Die Weltausstellung

Noch ist nicht abzusehen, ob die EXPO 2000 in Hannover tatsächlich Antworten auf globale Zukunftsfragen geben wird. Kritiker bescheinigen den Expo-Machern – 1994 wurde eine private Expo-GmbH mit 75 Mitarbeitern ins Leben gerufen – bisher einen Mangel an innovativen Ideen und orakeln, daß die EXPO 2000 zu einer riesigen Hannover-Messe verkommen wird. Das jedoch sollen allein schon die 15 000 kulturellen Veranstaltungen verhindern, die das "Weltereignis" begleiten, allein in Hannover ist für jeden Abend des Sommers 2000 mindestens eine Großveranstaltung geplant. Und einen Erfolg haben die Expo-Organisatoren bereits errungen: Japan, wo im Jahr 2005 in Aichi die nächste große Weltausstellung stattfinden wird, setzt das Expo-Thema von Hannover "Mensch – Natur – Technik" fort.

Hannover, Umgebung (Fortsetzung) Deister

"Hausberg" der Hannoveraner ist der Deister. Der sich gut 20 km südwestlich der niedersächsischen Landeshauptstadt erstreckende Höhenzug ist ein beliebtes Wandergebiet. Idealer Ausgangspunkt für Touren ist der große Parkplatz am Nienstedter Paß (227 m); von hier erreicht man nach kurzer Wanderzeit den Nordmannsturm (379 m) oder den Annaturm (405 m).

*Steinhuder Meer

Das Steinhuder Meer, rund 30 km nordwestlich von Hannover gelegen, ist mit 30 km² der größte Binnensee Nordwestdeutschlands. Es gilt als norddeutsches Segelrevier Nr. 1, bietet aber auch Möglichkeiten für andere Wassersportarten. Im Linienverkehr fahren vom Ort Steinhude aus große Segelboote zu einer vorgelagerten Badeinsel, zu verschiedenen Zielen am Nord- bzw. Ostufer und zur Insel Wilhelmstein. Auf dem künstlich angelegten Inselchen wurde 1761–1765 die Festung Wilhelmstein errichtet (kleines Museum). Spezialität der Region ist der Steinhuder Rauchaal, einige der Aalräuchereien rund um den See kann man besichtigen.

Dinosaurier-Freilichtmuseum Münchehagen

Nahe dem Westufer des Steinhuder Meeres befindet sich bei Münchehagen das Dinosaurier-Freilichtmuseum. Hier sind Dinosaurierfährten erhalten, die die Riesenechsen vor ca. 130 Mio. Jahren im damals sandigen Schlick hinterließen. Bei Arbeiten in einem Steinbruch kamen die gigantischen Fußabdrücke 1980 zufällig zum Vorschein. Bei dem Naturdenkmal entstand ein Freizeitpark mit originalgroßen Saurier-Rekonstruktionen.

Harz   G / H 4

Bundesländer: Niedersachsen, Sachsen-Anhalt und Thüringen

Hinweis

Im Rahmen dieses Reiseführers ist die Beschreibung des Harzes bewußt knapp gehalten. Sie beschränkt sich auf die Hauptreiseziele. Ausführliche Informationen liefert der Baedeker Allianz Reiseführer "Harz".

Lage und Allgemeines

Der waldreiche Harz (von mittelhochdeutsch hart = Höhe, hart) liegt in der Mitte Deutschlands, zwischen dem Leinetal im Westen, dem Mittellandkanal im Norden, der Magdeburger Börde und dem Saaletal im Osten und dem → Eichsfeld und der Goldenen Aue im Süden. Er ist das nördlichste deutsche Mittelgebirge, höchste Erhebung ist der sagenumwobene Brokken (1142 m), als nächstes folgen der Wurmberg (971 m), der Bruchberg (928 m) und die Achtermannshöhe (926 m). Bis 1990 war das Gebirge von der deutsch-deutschen Grenze durchschnitten, die ungefähr der topographischen Trennungslinie zwischen dem Oberharz und dem Unterharz folgte. Heute leben im gesamten Harz einschließlich des Vorlandes rund 1,1 Millionen Menschen, davon rund 250000 im Westharzkern und rund 370000 im Ostharzkern.

**Ferienregion

Der Harz ist nur dreimal so groß wie Hamburg und eine beliebte Ferien- und Erholungsregion. Seinen Besuchern offenbart er sich mit tausend verschiedenen Gesichtern: Ein ganz besonderer Reiz liegt in seiner höchst abwechslungsreichen Landschaft mit einer Fülle an Naturschönheiten. Viele Spuren des über tausendjährigen Bergbaus, zahlreiche mittelalterliche Fachwerkstädte und andere mit einer Vielzahl kunsthistorischer Sehenswürdigkeiten, stolze Burgen und Schlösser sowie grandiose Sakralbauten machen einen Urlaub hier zu einer spannenden Reise durch die Geschichte. Überall stößt man auf Sagen, Mythen und Märchen sowie auf Harzer Brauchtum.
Darüber hinaus locken eine Fahrt mit der Harzquer-, der Selketal- oder der Brockenbahn, die schmalspurig und schnaufend den Harz durchfahren, tausende Kilometer gut ausgebauter Wander-, Radfahr- und Reiterwege, ferner Kneipp- und Moorheilbäder, Bergseen zum Schwimmen, Bootfahren oder Segeln sowie vieles mehr.

Der Harz ist ein ovaler, etwa 95 km langer und 35 km breiter, sehr alter *Landschaftsbild Gebirgsstock. Aufgrund seiner unterschiedlichen Höhe wird er in Ober- und Unterharz eingeteilt. Der Oberharz erhebt sich im Norden und Westen steil aus dem hügeligen Vorland und gipfelt in der kahlen Granitkuppe des berühmten, 1142 m hohen Brockens. Vor allem Fichtenwälder, in höheren Lagen durchsetzt von Hochmooren, bestimmen sein Landschaftsbild. Ein dichtes Netz kleinerer Flüsse, Seen und Teiche gliedert ihn in eine Abfolge von romantischen Tälern mit sanften bis schroff aufragenden Bergrücken. Enge, felsige Täler wie das Okertal und das Bodetal greifen besonders vom Nordrand her tief in das Gebirge ein. Der Unterharz fällt nach Südosten eher allmählich von 500 auf 350 m ab. Zahlreiche Bäche schlängeln sich durch Wiesentäler, die in eine sanfte Hügellandschaft eingebettet sind. Laub- und Mischwälder prägen sein Bild. Das östliche Harzvorland, vor allem die Magdeburger Börde, ist mit seiner Lößdecke sehr fruchtbar.

Anfang des 10. Jh.s setzte die Besiedlung des Harzes ein, der bis dahin Wirtschaft königliches Jagdgebiet war. 968 wurde im Rammelsberg bei → Goslar eine reiche Silberader entdeckt, dies war der Beginn des Harzer Bergbaus nach Silber-, Kupfer-, Blei-, Zink- und Eisenerz. Bis zum 16. Jh. entstanden mehr als 30 Orte im Oberharz, darunter die sieben freien Bergstädte Grund, Wildemann, Lautenthal, Clausthal, Zellerfeld, St. Andreasberg und Altenau. Der Dreißigjährige Krieg brachte einen Rückschlag, doch zu Beginn des 18. Jh.s erlebte der Bergbau einen neuen Aufschwung. 1775 wurde in Clausthal eine Bergakademie gegründet, die als Fakultät der Technischen Universität Clausthal noch heute besteht. Im 19. Jh. begann der Bergbau zu versiegen. An seine Stelle trat der Fremdenverkehr – der Harz wurde ein im Sommer und im Winter beliebtes Ferienziel.

"Hörst du Stimmen in der Höhe? / In der Ferne? in der Walpurgisnacht Nähe? / Ja, den ganzen Berg entlang / strömt ein wütender Zaubergesang" und "In der ersten Nacht des Maien / läßt's den Hexen keine Ruh / sich gesellig zu erfreuen / eilen sie dem Brocken zu." Schon Goethes Mephisto und Wilhelm Busch machten sich ihren Reim auf die Hexen- und Teufelsorgien. Und heute zieht es alljährlich Tausende in der Nacht vom 30. April zum 1. Mai an mittlerweile 23 Veranstaltungsorte im Harz, um am Hexentanz-Spektakel der Walpurgisnacht teilzunehmen. Bereits in frühchristlicher Zeit wurden in dieser Nacht die Winterdämonen mit Feuer, Schamanen und mit Hilfe zauberkundiger Frauen vertrieben und die Frühlingsgöttin begrüßt.

Im folgenden werden die Harzer Sehenswürdigkeiten nach ihrer Lage im Hinweis Ober- und Unterharz beschrieben und zwar im Rahmen einer möglichen Fahrt von Westen nach Osten. In einem dritten Abschnitt werden einige Reiseziele des Harzvorlandes zusammengefaßt.

Reiseziele im Oberharz

→ dort

Goslar

Der vielbesuchte Kur- und Wintersportort Clausthal-Zellerfeld, Sitz einer Clausthal-Zellerfeld Technischen Universität mit traditionsreicher Bergbau-Fakultät, liegt im Oberharz, umgeben von rund 70 Seen und Teichen.
Im Stadtteil Clausthal steht die Marktkirche zum Hl. Geist (1639–1642), die größte Holzkirche Deutschlands. In den Gebäuden der 1775 gegründeten *Mineralien-sammlung ehem. Bergakademie (heute Universität; nördlich der Kirche) ist eine der größten Mineraliensammlungen Europas untergebracht. Die Universitätsbibliothek beherbergt die Bibliothek von Caspar Calvör aus dem 17. und 18. Jahrhundert. Das Geburtshaus von Robert Koch, Begründer der mo-

Harz

Clausthal-
Zellerfeld
(Fortsetzung)

*Oberharzer
Bergwerks-
museum

dernen Bakteriologie (1843–1910), befindet sich in der Osteröder Straße 13. Das im Norden sich anschließende Zellerfeld wurde nach einem Brand 1672 auf schachbrettförmigem Grundriß neu aufgebaut. In der St.-Salvator-Kirche (1674–1684) befindet sich das Grabmal Calvörs sowie neuerdings ein Triptychon des Leibziger Malers Werner Tübke (geb. 1929). Im Oberharzer Bergwerksmuseum und im angeschlossenen Besucherstollen wird die Bergbaugeschichte lebendig und es werden unterschiedliche Abbauverfahren vorgeführt.

Wildemann
Innerste-Stausee

Etwa 6 km westlich erreicht man die Abzweigung (rechts) der Straße, die zum Kneipp- und Luftkurort Wildemann führt. Am südlichen Ortsende befindet sich der Zugang zum 19-Lachter-Stollen, wo die verschiedenen Arten des Stollenausbaus vorgeführt werden. Noch 10 km weiter beginnt der Innerste-Stausee.

Bad Grund

Bad Grund ist die älteste der sieben Oberharzer Bergstädte und seit über 100 Jahren ein Moorheilbad. In der Mitte des alten Ortskerns liegt der Markt mit hübschen Fachwerkhäusern (17. Jh.) und der 1640 erbauten St.-Antonius-Kirche. Mit der Schließung der letzten Grube 1992 endete der über tausend Jahre alte Bergbau im Harz. Auf dem Gelände des Knesebeck-Schachtes, oberhalb des Kurgartens, befindet sich ein Bergbaumuseum.

*Iberger
Tropfsteinhöhle

Nördlich vom Markt führt die Straße zur Iberger Tropfsteinhöhle, die vor 450 Jahren entdeckt wurde und heute zu den meistbesuchten Sehenswürdigkeiten im Harz gehört.

Osterode

Die mittelalterliche Stadt Osterode liegt beim Austritt der Söse aus dem Harz; der Fluß ist unweit östlich zu einem See aufgestaut. Mittelpunkt ist der von malerischen Fachwerkhäusern umgebene Kornmarkt mit dem Rinneschen Haus (auch Englischer Hof genannt; 1610) und der Marktkirche St. Ägidien (13. Jh.). Hinter der Kirche folgen das Rathaus (1552) und das 1719–1722 als Kornspeicher erbaute Harzkornmagazin. Die reichverzierte Ratswaage ist das älteste Fachwerkhaus der Stadt (1550). Im Ritterhaus (1640) ist heute das Heimatmuseum untergebracht.

Herzberg
*Schloß Herzberg

Der Ferienort Herzberg wird vom Schloßberg mit dem 1510 erbauten, gleichnamigen Schloß, der ehem. Residenz der Welfenherzöge, überragt. Hier kam 1629 Ernst August zur Welt, der erste Kurfürst von Hannover und Begründer des englisch-hannoverschen Königshauses. Heute beherbergt es ein Zinnfigurenmuseum und die Ausstellung "Der Harz – Land und Leute einst und jetzt".

Bad Lauterberg

Bad Lauterberg war bis zur Mitte des 19. Jh.s eine alte Bergbaustadt; seither hat sie sich dank ihrer Lage zu einem Kneippheilbad und Schrotkurort entwickelt. Die sehenswerte, 1736 erbaute Andreaskirche steht an der Hauptstraße.
Entspannung und verschiedene Wassersportmöglichkeiten bietet der 4 km nordöstlich gelegene Oderstausee.

Bad Sachsa

Der Kur- und Wintersportort Bad Sachsa liegt geschützt am Fuße des 660 m hohen Ravensberges.

*Kloster
Walkenried

Die Ruine des 1127 erbauten ehem. Zisterzienserklosters Walkenried (6 km östlich von Bad Sachsa) gehört zu den bedeutendsten gotischen Klosteranlagen Deutschlands. In dem gut erhaltenen Kreuzgang finden von Mai bis November die Walkenrieder Lichthof- und Kreuzgangkonzerte statt.

St. Andreasberg

Der Kur- und Wintersportort liegt 630 bis 900 m hoch und ist die höchstgelegene der Oberharzer Bergstädte.

*Grube Samson

Im besuchenswerten Silberbergwerk, das von 1521 bis 1910 in Betrieb war, ist die einzige noch funktionierende, europäische Fahrkunst zu besichtigen. Diese 1833 in Clausthal entwickelte Einrichtung erleichterte den Grubenarbeitern die Ein- und Ausfahrt: Zwei nebeneinander liegende Drahtseilpaare, an denen Trittbretter befestigt waren, wurden gegeneinander versetzt im Schacht aufgehängt und dauernd auf und ab gezogen. Der Bergarbeiter stellte sich auf das erste Trittbrett, fuhr 1,60 m tief und wechselte auf das 40 cm entfernte Trittbrett des zweiten Seils, um wiederum 1,60 m tiefer auf das nächste Trittbrett des ersten Seils zu treffen etc.

Grube Samson
(Fortsetzung)

Der beliebte Kur- und Wintersportort Braunlage liegt im Mittelpunkt des Harzes. Er wird vom 971 m hohen Wurmberg überragt, dem zweithöchsten Berg des Harzes (Kabinenseilbahn). An seinem Osthang sind Reste einer frühgeschichtlichen Kultstätte erhalten. Der Ortsteil Hohegeiß, ebenfalls ein beliebter Kur- und Wintersportort, liegt 6 km südlich, in 642 m Höhe.

Braunlage

Der kleine Luftkurort und Wintersportplatz Schierke liegt am Südfuß des Brocken. Er ist Ausgangsort zahlreicher schöner Wanderwege u. a. zu den 760 m hohen Feuersteinklippen, den 696 m hohen Schnarcherklippen oder zum 1142 m hohen Brocken, auf den auch die Brockenbahn fährt (Ausgangsbahnhof ist Drei Annen Hohne).

Schierke

Reiseziele im Unterharz

Die Fahrt mit einer der drei, Ende des 19. Jahrhunderts eingeweihten Harzer Schmalspurbahnen (HSB) gehört sicher zu den schönsten Erlebnissen eines Harzaufenthaltes. Mit einer Gesamtlänge von 141,5 km bilden sie Europas größtes zusammenhängendes Schmalspurnetz. Zu ihnen gehören die Harzquerbahn (60,5 km Streckenlänge; sie fährt mitten durch den Harz von Wernigerode bis nach Nordhausen), die Brockenbahn (19 km Streckenlänge; kurz hinter Drei Annen Hohne zweigt sie von der Harzquerbahn ab und fährt auf den Brockengipfel) und die Selketalbahn (62 km Streckenlänge; an der Eisfelder Talmühle, einer Station der Harzquerbahn, hat man Anschluß an die Selketalbahn, die mit Abstechern über Hasselfelde und Harzgerode bis nach Gernrode fährt).

*Harzer Schmalspurbahnen HSB

Die Besteigung des höchsten Berges des Harzes (1142 m) ist auf verschieden langen Wanderwegen möglich. Ausgangspunkte sind u. a. Torfhaus (östlich von Altenau gelegen; Goetheweg), Schierke (drei verschiedene Routen), Bad Harzburg oder Ilsenburg; sehr beliebt ist auch die Fahrt mit der Brockenbahn (Ausgangsstation ist Drei Annen Hohne; von hier hat man Anschluß an die Harzquerbahn s. oben). Auf dem kahlen Brockengipfel informiert das Brockenmuseum über die Geschichte des Berges und des Nationalparks. Die Chance, die vielgerühmte Fernsicht (bis 125 km im Umkreis) zu genießen, ist sehr gering, denn über 300 Tage im Jahr ist der Berg umwölkt bzw. umnebelt.

*Brocken

Seit 1990 bildet das zu Sachsen-Anhalt gehörende Gebiet rund um den Brocken den Nationalpark Hochharz; 1994 folgte auf niedersächsischer Seite der Nationalpark Harz. Insgesamt stehen 22 000 ha unter Naturschutz, rund 10 % des Harzes.

Naturschutz

→ dort

Wernigerode

Rübeland liegt im bis zu 80 m tiefen eingeschnittenen Tal der Bode. Die Baumannshöhle und die Hermannshöhle, 1536 und 1866 entdeckt, gehören zu den schönsten Tropfsteinhöhlen in Mitteleuropa (Achtung: in den Höhlen beträgt die Temperatur das ganze Jahr nur 8° C).

Rübeland *Tropfsteinhöhlen

Der Kur- und Erholungsort Blankenburg wird vom sog. Großen Schloß überragt, einem bedeutenden Barockbau, der 1705–1718 nach Plänen von H. Korb für Ludwig Rudolf von Braunschweig erbaut wurde. Auf halber Höhe zwischen Schloß und Altstadt lohnt die ehem. Zisterzienserklosterkirche, heute St. Bartholomäus (12.–14. Jh.) einen Besuch. Um den Marktplatz mit seinem Rathaus aus dem 16. Jh. gibt es einige Straßen mit Fachwerkhäusern. Das Kleine Schloß im etwas östlich gelegenen Schloßpark

Blankenburg

Blankenburg
(Fortsetzung)

wurde 1725 als fürstliches Gartenhaus erbaut und beherbergt heute ein kleines stadtgeschichtliches Museum.

*Burgruine
Regenstein

Die Burg Regenstein (3 km nördlich von Blankenburg) entstand im 12.–14. Jh. und ist die älteste deutsche Felsenburg. Nach 1671 wurde sie zu einer preußischen Festung ausgebaut und 1758 geschleift. Erhalten sind Teile eines runden Bergfrieds, verschiedene in den Felsen gehauene Räume sowie Reste von Kasematten. Alljährlich finden hier am ersten August-wochenende Ritterturniere statt.

Kloster
Michaelstein

4 km nordwestlich von Blankenburg liegt hinter dem Ortsteil Oesig das im 12. Jh. erbaute ehem. Zisterzienserkloster Michaelstein. Während des Bauernkrieges wurde die Klosterkirche zerstört, die Anlage wenig später in eine Klosterschule umgewandelt. Im 18. Jh. bauten die Blankenburger Herzöge den Westflügel zu einem Jagdschloß um. Seit 1968 hat hier das Telemann-Kammerorchester und das Institut für Aufführungspraxis der Musik des 18. Jh.s seinen Sitz; darüber hinaus ist in den Räumen ein Musikinstrumenten-Museum untergebracht mit Exponaten aus dem 17. und 18. Jahrhundert. Das Refektorium, der einstige Speisesaal, wird heute als Konzertsaal genutzt. Besuchenswert ist auch der nach alten Vorbildern angelegte Klostergarten mit über 200 Zauber- und Heilkräutern.

*Teufelsmauer

Auf der Südostseite von Blankenburg beginnt die sagenumwobene Teufelsmauer, ein schroff gezackter Sandsteinrücken, der sich bis Timmenrode erstreckt und nach einer 3 km langen Unterbrechung bei Thale und Neinstedt sowie zwischen Gernrode und Ballenstedt wieder auftaucht, wo er als sog. Gegensteine endet.

Thale

*Hexentanzplatz
*Roßtrappe

Die einstige Eisenhüttenstadt Thale liegt am Ausgang des engen Bodetals am nordöstlichen Harzrand, zwischen den steilen, sagenumwobenen Felsen Hexentanzplatz und Roßtrappe. Alljährlich wird in der Nacht vom 30. April zum 1. Mai auf dem Hexentanzplatz die Walpurgisnacht gefeiert. In der Unterstadt, dem historischen Kern von Thale, steht hinter der Andreaskirche (16. Jh.) ein 22 m hoher Wohnturm aus dem 9. Jahrhundert, der Wendhusenturm. Im Hüttenmuseum (Walther-Rathenau Str. 1) wird die Geschichte der Eisen- und Hüttenwerke gezeigt. Der Hexentanzplatz (451 m; Personenschwebebahn) und die Roßtrappe (403; Sessellift) waren vorgeschichtliche Kultplätze. Heute lädt das Bergtheater auf dem Hexentanzplatz ein, es gehört zu den schönsten Naturbühnen Deutschlands.

Teufelsmauer bei Thale

*Bodetal

Die Kalte und die Warme Bode entspringen in den Hochmooren des niederschlagsreichen Oberharzes, am Südwesthang des Brockens. In Wendefurth vereinen sich die beiden

Vom Hexentanzplatz, den man per Schwebebahn erreichen kann, hat man bei gutem Wetter eine Sicht bis zum Brocken. Hier oben existierte in vorchristlicher Zeit eine Kult- und Opferstätte.

Flüsse zur Bode, die hier zur Rappbodetalsperre gestaut wird. Anschließend fließt sie über Altenbrak und Treseburg, um bei Thale den Harz zu verlassen. Nach 169 km mündet sie bei Nienburg in die Saale und über die Elbe ins Meer. Ein landschaftlich besonders schöner und besuchenswerter Flußabschnitt liegt zwischen Thale und Treseburg (der Wanderweg ist rund 10 km lang); unterwegs besteht die Möglichkeit, zur Roßtrappe und zum Hexentanzplatz hinaufzusteigen.

Bodetal (Fortsetzung)
Rappbodetal-sperre

Die kleine, am Fuße des Stubenberges gelegene Kurstadt ist Ausgangspunkt der Selketalbahn (s. unten). Hauptanziehungspunkt ist die ehem. Stiftskirche St. Cyriakus, die zu den besterhaltenen romanischen Sakralbauten der ottonischen Zeit in Deutschland gehört. Im Innern sind reich geschmückte Kapitelle, eine Nachbildung des hl. Grabes (1050–1075) und der Gernroder Stützenwechsel (Pfeiler-Säule-Pfeiler) zu besichtigen.

Gernrode

*St. Cyriakus

Die Selke entspringt an der Südseite des 582 m hohen Rambergs, in der Nähe der alten Bergstadt Harzgerode. Bei Meisdorf verläßt sie den Harz, um nach rund 70 km bei Quedlinburg in die Bode zu münden. Vor allem im Abschnitt zwischen Alexisbad und Meisdorf gehört das Tal der Selke zu den reizvollsten Tälern des Harzes. Im Vergleich zum Bodetal (s. oben) ist es relativ breit und von schönen Wiesen ausgefüllt. Felsig ist es im Abschnitt zwischen Alexisbad, Mägdesprung und Scheerenstieg. Die 1887 eröffnete Selketalbahn verkehrt zwischen Gernrode und Eisfelder Talmühle; sie folgt zwischen Güntersberge und Mägdesprung dem Lauf der Selke.

*Selketal

Selketalbahn

Wenige Kilometer südwestlich von Meisdorf, wo die Selke aus dem Harz austritt, überragt die zwischen dem 12. und 16. Jh. erbaute, niemals eroberte Burg Falkenstein das Selketal (die letzten 1,3 km bis auf die 134 m hohe Bergkuppe müssen zu Fuß zurückgelegt werden). Hier lebte zeitwei-

*Burg Falkenstein

Von Heiligen und Hexen

Bis zum 12. Jh. bekämpfte die Kirche Dämonenglauben und Zauberei als heidnischen Aberglauben, und Übertretungen wurden im allgemeinen mit Kirchenbußen belegt. Mit dem Aufflammen der Ketzerbewegung setzte sich jedoch die Lehre des Kirchenvaters Augustinus von einem möglichen Pakt zwischen Mensch und Dämon durch, und die zauber- oder abergläubischen Handlungen wurden folgerichtig als Teufelsdienst und damit als Häresie verurteilt. Bereits der um 1225 verfaßte Sachsenspiegel sah die Feuerstrafe für Ketzerei und Zauberei vor.

In Deutschland wurde die systematische Hexenverfolgung besonders gefördert durch die Bulle Papst Innozenz' VIII. aus dem Jahr 1484: "Wir haben neulich nicht ohne große Betrübnis erfahren, daß es in einzelnen Teilen Oberdeutschlands... viele Personen von beiden Geschlechtern gäbe, welche, ihres eigenen Heiles uneingedenk, vom wahren Glauben abgefallen, mit dämonischen Inkuben und Sukkuben sich fleischlich vermischen, durch zauberische Mittel mit Hilfe des Teufels die Geburten der Weiber, die Jungen der Tiere, die Früchte der Erde... und andere Zeugnisse der Erde zugrunde richten, ersticken und vernichten, die Männer, Weiber und Tiere mit heftigen innern und äußern Schmerzen quälen und die Männer am Zeugen, die Weiber am Gebären, beide an der Verrichtung ehelicher Pflichten zu verhindern vermögen." Deshalb beauftragte der Papst die Inquisitoren für Süd- und Norddeutschland, Heinrich Institoris und Jakob Sprenger, Zauberer und Hexen auszuspähen, zu bestrafen und auszurotten.

Mit Erfolg: 1486 veröffentlichten die beiden ein Gesetzbuch in Hexensachen, den "Hexenhammer" ("Malleus Maleficarum"), wobei sie die Hexerei eindeutig auf das weibliche Geschlecht projizierten. Dieses Werk erlebte bis 1669 noch 30 Auflagen und gehörte damit zu den meistgedruckten Werken der Frühzeit des Buchdrucks. In seinem dritten Teil ist das Gerichtsverfahren festgelegt: Der Richter durfte auf bloßes Gerücht hin anfangen zu inquirieren, als Zeugen durften sogar Exkommunizierte auftreten, ja Ketzer wider Ketzer, Hexen wider Hexen, die Frau gegen den Mann und Kinder gegen Eltern aussagen. Hauptgebiete der Hexenverfolgung in Deutschland waren u. a. die sächsischen Herzogtümern. Über die Zahl der Opfer gibt es keine genauen Angaben, da oft keine Protokolle überliefert sind, Schätzungen schwanken zwischen 100 000, 500 000 und sehr viel höheren Zahlen; der Anteil der Frauen betrug über 80%.

Schon im 16. und 17. Jh. fehlte es nicht an Männern, die sich der Inquisition widersetzten. Mit Erfolg bekämpfte jedoch erst der Gelehrte Christian Thomasius aus Leipzig († 1718) den Hexenwahn. 1714 leitete dann Friedrich Wilhelm I. durch ein Edikt die Beendigung der Hexenprozesse in Deutschland ein. Letzte gesetzliche Hinrichtungen fanden 1610 in den Niederlanden, 1684 in England, 1745 in Frankreich, 1775 in Deutschland (Kempten) und 1782 in der Schweiz statt.

Der Begriff Hexe geht auf das althochdeutsche Wort "hagzissa" (Hag = Wald, Hecke) zurück, und bedeutete etwa "Zaunreiterin"; auch der norwegische Ausdruck "tysja", Elfe, könnte mit dem Namen zusammenhängen. In germanischer Zeit waren die Frauen hoch angesehen, sie waren auch Priesterinnen und Wahrsagerinnen. Über sie ist in Jakob Grimms "Deutscher Mythologie" (1835) zu lesen: "Frauen, nicht Männer, war das Auslesen und Kochen kräftiger Heilmittel angewiesen, wie die Bereitung der Speisen ihnen oblag. Linnen weben, Wunden verbinden, vermochte ihre linde weiche Hand am besten. Die Kunst, Buchstaben zu schreiben und zu lesen, wird in ältester Zeit hauptsächlich Frauen beigelegt. Von jeher wurde in ihnen eine innere heilige Kraft verehrt."

Mit der Verbreitung des Christentums wurden die Frauen jedoch als minderwertig angesehen. Die bei Grimm aufgeführten besonderen Fähigkeiten wurden ihnen nun zum Nachteil ausgelegt. Gerade den einst "weisen Frauen" unterstellte man am ehesten magisch-schädigende Kräfte im Umgang mit den (unsichtbaren) Mächten. Naturheilkunde, soweit sie nicht von Mönchen und Nonnen, wie von der berühmten Äbtissin Hildegard von Bingen, ausgeübt wurde, Hebammendienste, Empfängnisverhütung, sicher auch Abtrei-

ren...". Herzog Heinrich Julius von Braunschweig, 1566 – 1613 Bischof in Halberstadt und angeblich ein hochgebildeter Rechtsgelehrter, machte sich als Hexenverfolger einen ganz "hervorragenden" Namen. Unter ihm brannten die Scheiterhaufen in nie gesehener Zahl. 1573 wurde eine Anna Beringers aus Nordhausen wegen Zauberei verbrannt. In Quedlinburg wurden im Jahre 1574 wohl 40 Frauen und 1589 sogar 133 Personen als Hexen dem Flammentode überliefert. Auch der damalige Amtmann Peregrinus Hühnerkopf zu Westerburg legte einen großen Eifer bei der Verfolgung armer unglücklicher Weiber an den Tag. Die der Zauberei Beschul-

Ein erschröckliche geschicht / so zu Derneburg in der Graffschafft Reinsteyn am Hartz gelegen von dreyen Zauberin vnnd zwayen Mannen / Ji erstlichen tagen des Monats Octobris Im 1 5 5 5. Jare ergangen ist.

bungen, Drogengebrauch und Heilsbeschwörungen, wurden in den 'Jahren der Verzweiflung' und noch darüber hinaus Millionen von Frauen zum Verhängnis, vom Kindes- bis zum Greisenalter. Der Ablauf der berüchtigten Prozesse war immer der gleiche: kein Verhör ohne Folter, kein Urteil ohne Tod und Feuer.

Auch rund um den Harz gab es Hexenverfolgungen. Bereits um 1540 machte eine "Hexe" aus Elbingerode Angaben über die "rechten zauberschen", sie "pflegen in Walpurgen nacht auf den Brocken zu fah-

digten ließ Hühnerkopf auf der Westerburg im "Schweißstüblein" verwahren und dann, nachdem ihnen durch die Tortur und betäubende Tränke die tollsten Geständnisse abgequält waren und die hochweisen, erleuchteten juristischen Fakultäten und Schöppenstühle das Urteil gesprochen, auf einem Platz vor der Westerburg, im "Schäferteiche" lebendig verbrennen.

(Der Text basiert auf einer 1979 veröffentlichten Schrift von Dr. Walter Böckmann anläßlich einer Ausstellung "Der Harz in Sage, Märchen und Geschichte".)

Harz

Burg Falkenstein (Fortsetzung)

se Eike von Repgow (1180–1233), der in seinem "Sachsenspiegel" das mündlich überlieferte sächsische Gewohnheitsrecht aufzeichnete. Im Burginnern befindet sich ein Museum für Kultur- und Jagdgeschichte. Etwas weiter flußaufwärts erhebt sich ebenfalls über dem rechten Selkeufer die Burgruine Anhalt (11.–15. Jh.).

Ballenstedt

Die einstige kleine Residenz der Fürsten von Anhalt-Bernburg liegt am Nordrand des Unterharzes. Hauptanziehungspunkt ist der Schloßberg mit dem dreiflügeligen Barockschloß. Es steht an der Stelle eines ehem. Stiftes (11. Jh.) bzw. Klosters, das im 16. Jh. zu einem fürstlichen Jagdsitz ausgebaut wurde. 1766 wurde es Residenz und weiter verändert. Heute befinden sich in den Räumen eine Schloßgalerie, ein Restaurant und ein Teil des anhaltischen Museums. Die Gestaltung des sich nördlich anschließenden Schloßparks geht auf Peter Joseph Lenné zurück. Am Fuße des Schloßbergs liegt der Schloßplatz; am klassizistischen Theater (1788) traten u. a. Franz Liszt (1852) und Albert Lortzing (1846) auf. Über die 1710 angelegte Allee gelangt man in die Altstadt, deren Bild noch teilweise durch schlichte Fachwerkbauten aus dem 17./18 Jh. geprägt wird. Im Mittelpunkt des alten Stadtkerns steht die spätgotische Nikolaikirche (um 1500).

Roseburg

Die märchenhafte Roseburg, knapp 3 km nordwestlich der Stadt, wurde 1905–1925 an der Stelle einer Vorgängerburg im romantischen Stil von dem Berliner Baumeister B. Sehring erbaut. In dem schön angelegten Park befinden sich Wasserspiele, Brunnen, Brücken und Skulpturen.

*Stolberg

Die kleine einstige Bergbau-, Handels- und Residenzstadt Stolberg liegt im Südharz, eingebettet in vier enge Täler. Wegen ihres geschlossenen mittelalterlichen Stadtbildes wird sie auch Perle des Südharzes genannt. Hier wurde Thomas Müntzer (1489–1525) geboren, der Reformator, Bauernkriegsanführer und Gegenspieler Luthers. Auf einem Bergsporn thront das Renaissanceschloß, einst eine mittelalterliche Burg, die im 16. und 17. Jh.

Stolberg, die "Perle des Südharzes", besticht nicht nur durch ihre herrliche Lage, sondern vor allem durch ihr mittelalterliches Stadtbild.

ausgebaut wurde. Unterhalb des Schlosses erstreckt sich der schöne Marktplatz mit dem Rathaus (1452). Ursprünglich besaß es 52 Fenster mit 365 Scheiben. Kurioserweise besitzt es im Innern keine Treppe. Der Hauptzugang ins 2. Stockwerk erfolgt über die Treppe, die zur Martinikirche hinaufführt. Ihre ältesten Bauteile sind aus dem 12. Jh. und 13. Jh.; im April 1525 predigte hier Luther. Er verurteilte die Bauernerhebungen und Thomas Müntzer. Dem Rathaus gegenüber steht der Saigerturm, Teil der einstigen Stadtbefestigung (13. Jh.). Die ehem. Münze, ein prächtig geschmücktes Fachwerkhaus (1535; Thomas-Müntzer-Gasse 19), beherbergt das Heimatmuseum; zu sehen sind die alte Münzwerkstatt und eine kleine Thomas-Müntzer-Ausstellung. Dem Heimatmuseum ist das Alte Bürgerhaus angeschlossen (um 1450; Rittergasse 14). Sechs Räume sind im Stil der Zeit eingerichtet. Von der sog. Lutherbuche genießt man einen schönen Blick über die Stadt, das Schloß und die umgebende Landschaft.

Stolberg (Fortsetzung)

Lohnend ist ein Ausflug auf den 579 m hohen Auerberg (5 km östlich von Stolberg; vom beschilderten Parkplatz 20 Min. zu Fuß). Dort steht das 38 m hohe, eiserne Josephskreuz, 1896 nach einem Entwurf von F. Schinkel gefertigt. Von der Aussichtsplattform reicht der Blick bei guter Sicht vom Kyffhäuser im Süden bis zum Brocken im Norden.

*Josephskreuz auf dem Auerberg

Die 1357 erstmals erwähnte Heimkehle im Thyratal (10 km südlich von Stolberg, zwischen Rotleberode und Uftrungen) ist Deutschlands größte Gipssteinhöhle. 1944 wurde hier ein Rüstungsbetrieb eingebaut, in dem Häftlinge des Konzentrationslagers Dora Fahrzeugteile für die JU 88 herstellen mußten.

*Heimkehle

Reiseziele im Harzvorland

→ dort

Quedlinburg

Das im nördlichen Harzvorland gelegene Halberstadt (43 700 Einwohner) war bereits im 8. Jh. Bischofssitz und später Mitglied der I lanse. Bei Luftangriffen im April 1945 wurde die alte Fachwerkstadt zu 80 % zerstört. Ihr Besuch lohnt wegen der zahlreichen Baudenkmäler, die sich um den erhöht gelegenen Domplatz gruppieren, sowie wegen des Domschatzes.

Halberstadt

Wahrzeichen der Stadt und ein Meisterwerk der norddeutschen Gotik ist der Dom St. Stephanus (1240 – 1491). Zuerst entstand die zweitürmige Westfassade. Beachtenswert sind u. a. das Taufbecken am Haupteingang (1195), die Skulpturen auf den Pfeilerkonsolen (15. Jh.), der spätgotische Lettner und über diesem die Triumphkreuzgruppe von 1205. An der Südseite des Langhauses schließt sich der Kreuzgang aus dem 13. Jh. an. Er beherbergt den berühmten Domschatz, eine reiche Sammlung altchristlicher, byzantinischer und mittelalterlicher Kunstschätze, darunter drei romanische Bildteppiche. Der wichtigste Teil des Doms und der Domschatz sind nur mit Führung zu besichtigen: Nov.–Apr. Mo.–Sa. 10.00, 14.00, So. und Fei. 11.30 Uhr; Mai bis Okt. Mo.–Fr. 10.00, 11.30, 14.00 und 15.30, Sa. 10.00, 14.00, So. und Fei. 11.30 und 14.30 Uhr. Treffpunkt ist der Eingang zum Kreuzgang. An der Westseite des Domplatzes steht die viertürmige Liebfrauenkirche (12. Jh.), deren Chorschranken mit spätromanischen Stuckreliefs geschmückt sind. Das Städtische Museum befindet sich in der ehemaligen Spiegelschen Kurie (1782; an der Nordseite des Domplatzes). Es besitzt Sammlungen zur Ur- und Frühgeschichte und zur Stadtgeschichte. In einem Seitenflügel der Kurie befindet sich das Museum Heineanum mit einer umfangreichen Vogelsammlung. Im benachbarten Gleimhaus lebte der Dichter und Domsekretär Johann Wilhelm Ludwig Gleim (1719–1803) von 1747 bis zu seinem Tod. Heute ist hier eine von ihm angelegte Sammlung mit rund 135 Bildnissen berühmter Zeitgenossen zu sehen. Seine einstige Bibliothek sowie sein Schriftwechsel befindet sich im Neubau nebenan. Südöstlich vom Dom steht die Marktkirche St. Martini (13./14. Jh.) mit ihren unterschiedlich hohen Türmen. Der über 500 Jahre alte steinerne Roland, Symbol für die städtischen Freiheiten von 1433, stand ursprünglich vor dem 1945 zerstörten Rathaus.

**Dom St. Stephanus

*Liebfrauenkirche

*Gleimhaus

Harz

Halberstadt
(Fortsetzung)
Spiegelsberge

Am südlichen Stadtrand liegen die Spiegelsberge mit einem kleinen Jagd-schlösschen (1753–1785; heute Gaststätte). Im Park befinden sich das Mausoleum des Bauherrn und ein kleiner Tierpark.

Umgebung von
Halberstadt
*Huy

8 km nordwestlich von Halberstadt beginnt der Huy (= Höhe), ein 18 km langer bewaldeter Bergrücken. Anstelle der Huysburg wurde um 1084 ein Benediktinerkloster errichtet. Sehenswert ist die 1121 geweihte einstige Klosterkirche mit ihrer Ausstattung aus dem 18. Jahrhundert.

Schachdorf
Ströbeck

In Ströbeck, einem 10 km nordwestlich gelegenen Dörfchen, können an-geblich alle Einwohner Schach spielen, und sein Dorfplatz ist seit 300 Jah-ren ein Brettspiel. Der Legende nach saß 1011 hier im sog. Schachtum der Wendenfürst Guncelin gefangen, und aus Langeweile brachte er dem Wachpersonal das Schachspiel bei.

Osterwieck

Das etwa 27 km nordwestlich von Halberstadt entfernte, im 8. Jh. als "Seligenstadt" im Harzvorland gegründete Osterwieck hat sich sein mittel-alterliches Ortsbild mit zahlreichen Fachwerkbauten (16./17. Jh.) bewahrt.

Westerburg

16 km nordöstlich von Osterwieck, zwischen Dardesheim und Dedeleben, steht die älteste erhaltene Wasserburg Deutschlands (11. Jh.).

*Stiftskirche
Hamersleben

Die Stiftskirche St. Pankratius in Hamersleben (1. Hälfte 12. Jh.; 22 km nördlich von Halberstadt) ist vor allem wegen ihrer Bauskulptur von her-ausragender Bedeutung, u.a. Würfelkapitelle mit reichem figürlichem Schmuck, Chorschranken mit Stuckfiguren und eines der ältesten romani-schen Ziborien (Aufbewahrungsgefäß für Hostien) auf deutschem Boden.

Lutherstadt
Eisleben

Die im östlichen Harzvorland gelegene ehemalige Bergbaustadt Eisleben ist die Geburts- und Sterbestadt des Reformators Martin Luther (1483 bis 1546), daran erinnert u. a. das Lutherdenkmal am Marktplatz. Die Luther-Gedenkstätten gehören seit 1997 zum UNESCO-Weltkulturerbe. Hinter dem gotischen Rathaus steht die St. Andreaskirche (13. und 15. Jh.); von der sog. Lutherkanzel predigte der Reformator noch kurz vor seinem Tod. Zu besichtigen sind ferner sein Sterbehaus (Andreaskirchplatz 7) sowie sein Geburtshaus (Lutherstraße 16), in dem sich heute ein Luthermuseum befindet. In der etwas südlich gelegenen St.-Peter- und-Paul-Kirche wurde der Reformator 1483 getauft. Die erste evangelische Kirche des Mansfel-der Landes war die Bergmannskirche St. Annen, die auch wegen ihrer "Eisleber Steinbilderbibel" einen Besuch wert ist, 29 Sandstein-Relieftafeln (1585, H. T. Uttendrup).

Umgebung von
Eisleben

Der 10 km östlich gelegene Süße See entstand als Einbruchsee im Zech-steingebiet, er ist ein beliebtes Naherholungsgebiet. Die Seeburg, im gleichnamigen Ort am Ostufer des Sees, war die Stammburg eines Adels-geschlechts, bis sie im 15./16. Jh. im Auftrag der Mansfelder Grafen zu einem Renaissanceschloß erweitert wurde (im 19. Jh. stark verändert).

Süßer See

Oberwiederstedt

In Oberwiederstedt (15 km nördlich) befindet sich das Geburtshaus des Dichters Novalis (Freiherr G. Ph. Friedrich von Hardenberg, 1772–1801), heute Kulturzentrum und Novalis-Museum.

Mansfeld

Das Schloß in Mansfeld (15 km nordwestlich) war Stammsitz der Mansfel-der Grafen; heute ist es ein kirchliches Heim. In der sehenswerten Schloß-kirche (15. Jh.) befindet sich ein schöner Flügelaltar aus der Cranach-Werkstatt (1520). Im sog. Humboldtschlößchen (in Hettstedt, 7 km nördlich von Mansfeld) erzählt eine Ausstellung die Geschichte des Mansfelder Kupferschieferbergbaus vom 12. Jh. bis zu seiner Stillegung 1990.

Mansfeld-Museum

Sangerhausen

Die alte Berg- und Rosenstadt Sangerhausen, zwischen dem südlichen Harzvorland und dem Kyffhäuser (s. unten), lockt mit ihrem Rosarium. Rosenfreunde können hier über 6500 Rosenarten bewundern. Damit nicht genug: Um den Marktplatz stehen etliche schöne Patrizierhäuser (16.–18. Jh.), die gotische Pfarrkirche St. Jakobi (14./15. Jh.) mit ihrer sehenswerten Ausstattung, das im Kern spätgotische Rathaus (1431–1437) und das statt-liche Neue Schloß (16. Jh.; heute Amtsgericht). Das Alte Schloß (im Süd-osten der Stadt) wurde im 13. Jh. zusammen mit der Stadtbefestigung erbaut; heute wird es von der Musikschule genutzt. Freunde der Romanik zieht es in die Stadtmitte, in die 1116–1223 erbaute einstige Klosterkirche St. Ulrich. Einen Besuch lohnt auch das Spengler-Museum (Bahnhofstr. 33), wo außer Exponaten zur Stadtgeschichte u. a. das Skelett eines über 500 000jährigen Mammuts zu sehen ist.

Sangerhausen (Fortsetzung)

Im Bergbaumuseum Röhrigschacht in Wettelrode (6 km nördlich von Sangerhausen) geht es mit dem Förderkorb in den rund 300 m tief gelegenen Schacht, wo die Entwicklung des Kupferschieferabbaus von 1200 bis 1990 vorgeführt wird (geöffnet: Mi.–So. 9.30–17.00 Uhr; Seilfahrten um 10.00, 11.15, 12.30, 13.45 und 15.00 Uhr).

**Röhrigschacht Wettelrode

In der Kapelle des besuchenswerten Renaissance-Schlosses von Allstedt (12 km südlich von Sangerhausen) hielt Thomas Müntzer am 13. Juli 1524 seine berühmte "Fürstenpredigt". Heute beherbergt das Schloß ein Burg- und Schloßmuseum u. a. mit der Kunstgußsammlung Carl Horn. In der romanischen Pfarrkirche St. Wigperti war Müntzer 1523/1524 Prediger.

Allstedt

Das kleine Kyffhäusergebirge (13 km lang, 7 km breit) erhebt sich südlich des Harzes, zwischen den fruchtbaren Tälern von Helme und Unstrut, der Goldenen und der Diamantenen Aue. Höchster Punkt ist der 477 m hohe Kulpenberg, auf dem der 94 m hohe Fernsehturm mit einer Aussichtsplattform steht. Etwas östlich, wo der Sage nach Kaiser Barbarossa noch immer in seinem unterirdischen Schloß auf seine Rückkehr wartet, liegen die Reste der romanischen Burg Kyffhausen. Sie war unter Heinrich IV. (1056 bis1106) zum Schutz der nahegelegenen Kaiserpfalz Tilleda erbaut und später mehrfach erweitert worden. Mit insgesamt drei auf Terrassen übereinander gelagerten Burgen gehörte sie zu den größten Höhenburgen Europas. Ein kleines Museum informiert über ihre Geschichte. Das schon von weitem sichtbare Sandstein-Denkmal entstand 1896 (B. Schmitz) im Auftrag der deutschen Kriegsvereine, sein 81 m hoher Turm ist als Aussichtsturm zugänglich. Das Reiterstandbild erinnert an Wilhelm I., die Steinfigur im Felsenhof an Barbarossa (1152–1190). In Tilleda, 7 km östlich von Kelbra, liegen auf dem Pfingstberg die Überreste des um 972 erstmals erwähnten kaiserlichen Hofes von Tilleda. Bis 1189 hielten hier fast alle deutschen Könige und Kaiser Hof. Am Südwestrand des Kyffhäuser, zwischen Steinthaleben und Rottleben liegt die 1865 entdeckte Barbarossahöhle mit ihrer bizarren Karstlandschaft.

*Kyffhäuser

Reichsburg Kyffhausen

Kaiserpfalz Tilleda

*Barbarossahöhle

Am Fuße des Kyffhäusergebirges liegt die alte Salzstadt Bad Frankenhausen, heute Solbad. In dem 1533 erbauten Renaissanceschloß befindet sich ein Heimatmuseum; neben mehreren Kirchen und einigen Bürgerhäusern aus der Blütezeit des Salzhandels lohnt vor allem der Besuch des sog. Bauernkriegspanoramas. Es befindet sich in einem auffälligen Rundbau, im Volksmund auch Elefantenklo genannt, auf dem Schlachtberg (1 km nördlich). Hier fand 1525 die Entscheidungsschlacht im Bauernkrieg statt, in welcher das zahlenmäßig überlegene Bauernheer unter Führung Thomas Müntzers fast vollkommen niedergemacht wurde. Das 123 m lange, 14 m hohe Monumentalgemälde des Leipziger Malers Werner Tübke (geb. 1929) im Innern des Rundbaus erinnert an die Schlacht, darüber hinaus wird in 75 Schlüsselszenen die Menschheit an der Wende vom Mittelalter zur Neuzeit dargestellt.

Bad Frankenhausen

*Bauernkriegspanorama

Am Ortsrand von Heldrungen, 13 km südöstlich von Bad Frankenhausen, steht das besuchenswerte Schloß. Im Kern geht es auf eine mittelalterliche Burg zurück, die mehrfach erweitert und zuletzt 1664–1668 nach Plänen von Johann Moritz Richter im Stil der italienisch-französischen Festungsbaukunst neu errichtet wurde. Aus dieser Zeit stammen die gewaltigen Rundbastionen und Wehrmauern über den Wassergräben.

Schloß Heldrungen

Nordhausen, einst Freie Reichs- und Hansestadt, liegt am Südrand des Harzes an der Zorge. Das seit fast 500 Jahren hier ansässige Branntweingewerbe, man denke nur an den Nordhäuser Doppelkorn, sowie mittler-

Nordhausen

Harz, Nordhausen
(Fortsetzung)

weile stillgelegte Tabakfabriken haben den Stadtnamen weithin bekannt gemacht. Heute ist Nordhausen die Endstation der in → Quedlinburg startenden Harzquerbahn. Leider erinnert nur noch wenig an die über tausendjährige Stadt, die 1945 bei Bombenangriffen stark zerstört wurde. Bedeutendstes Baudenkmal ist der gotische Dom zum hl. Kreuz (12.–16. Jh.) mit seiner sehenswerten Ausstattung. Von der einstigen Bebauung am Marktplatz steht nur noch das stattliche Rathaus (1610). Der Roland auf seiner Westseite, Symbol für die Stadtfreiheit, wurde 1717 hier aufgestellt. Sehenswert sind weiterhin die spätgotische Kirche St. Blasii (15. Jh.) mit einer schönen Kanzel (1592), einige altstädtische Bürgerhäuser (südlich vom Dom sowie zwischen Dom und Blasiikirche) und Teile der nach 1180 erbauten und im 14./15. Jh. mehrfach erweiterten Stadtmauer. Das Meyenburg-Museum (Alexander-Puschkin-Str. 31) besitzt Sammlungen zur Ur- und Frühgeschichte der Gegend und zur Stadtgeschichte; der Tabakspeicher, eine Zweigstelle des Museums (Bäckerstr. 20), informiert über alte Gewerbe und Gewerke, u. a. über Branntwein- und Kautabak-Herstellung. In der Nordhäuser Traditionsbrennerei (Grimmelallee 11) erfährt man einiges über die Kunst des Kornbrennens.

Dom zum
hl. Kreuz

Gedenkstätte
Mittelbau Dora

Im Norden der Stadt, im Ortsteil Salza, befand sich das Konzentrationslager Mittelbau Dora, ein Außenlager des KZ Buchenwald. Unter dem 304 m hohen Kohnstein liegen rund 50 unterirdische Fabrikhallen, wo von 1943 bis 1945 der aus Peenemünde an der Ostsee hierher verlegte Rüstungsbetrieb untergebracht war.

*Burgruine
Hohnstein

14 km nördlich von Nordhausen, in der Nähe von Neustadt, lohnt der Besuch der Burgruine Hohnstein (12. Jh.), einst eine der größten Anlagen im Harz. 1413 erwarben die Grafen von Stolberg die Burg und ließen sie zu einem Renaissanceschloß umbauen, das im Dreißigjährigen Krieg ausbrannte. 1908 entstand im äußeren Burghof ein romantisches Jagdschloß. Von hier oben genießt man einen weiten Rundblick.

Heidelberg   E 6

Bundesland: Baden-Württemberg
Höhe: 110 m ü.d.M.
Einwohnerzahl: 139 000

Lage und
*Stadtbild
(Abb. s. S. 60/61)

Heidelberg, die vielbesungene Universitätsstadt und alte Hauptstadt von Kurpfalz, liegt am Austritt des Neckars aus dem Odenwald in die Rheinebene. Die Altstadt, zwischen Fluß und Berge geschmiegt, wird von der berühmten Schloßruine überragt. Das prächtige Gesamtbild überblickt man am besten von der Theodor-Heuss-Brücke und vom Philosophenweg. Die Stadt gilt als eine der Wiegen der deutschen Romantik, in der bedeutende Schriftsteller wie Arnim, Brentano, Eichendorff, Keller u.a. Anfang des 19. Jh.s zeitweise lebten und wirkten.

Geschichte

Im Jahre 1196 wurde der sich am Fuß einer Burg entwickelnde Ort erstmals urkundlich erwähnt. Die Pfalzgrafen machten ihn zu ihrer Residenz; 1386 gründete Pfalzgraf Ruprecht I. die Universität. Mit ihm begann auch die eigentliche Baugeschichte des Schlosses. 1689 und 1693 wurden im Pfälzischen Erbfolgekrieg Schloß und Stadt zerstört. Erst im 18. Jh. vollzog sich der Wiederaufbau der Stadt im Stil des Barock; das Schloß wurde nach einem Brand 1764 nicht mehr restauriert.

Sehenswertes in Heidelberg

**Schloß

Hoch über den engen Gassen und dem Dächergewirr der Altstadt erhebt sich majestätisch die Ruine des Heidelberger Schlosses, in dem fünf Jahrhunderte lang die Kurfürsten von der Pfalz (Wittelsbacher) regierten. Man

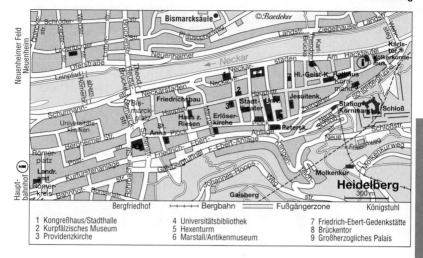

© Baedeker

Bergfriedhof ├┼┼┼┤ Bergbahn ═══ Fußgängerzone   Königstuhl

1 Kongreßhaus/Stadthalle
2 Kurpfälzisches Museum
3 Providenzkirche

4 Universitätsbibliothek
5 Hexenturm
6 Marstall/Antikenmuseum

7 Friedrich-Ebert-Gedenkstätte
8 Brückentor
9 Großherzogliches Palais

gelangt vom Kornmarkt aus entweder mit der Bergbahn oder über den Burgweg (Gehzeit 10–15 Min.) bzw. die kurvige Neue Schloßstraße zum terrassenartig gelegenen, aus rotem Neckarsandstein erbauten Schloß (195 m), einem der edelsten Beispiele deutscher Renaissance-Architektur. Die einst glanzvolle Residenz blieb seit der Zerstörung durch die Franzosen (1689 und 1693) eine Ruine – nach Umfang, Lage und Schönheit die großartigste in Deutschland. Von der Großen Terrasse hat man einen besonders lohnenden Blick.

Schloß (Fortsetzung)

An der Ostseite des schönen Schloßhofs, in dem im Sommer Festspiele stattfinden, steht der Ottheinrichsbau (1557 – 1566), die bedeutendste Leistung der deutschen Frührenaissance; im Untergeschoß befindet sich das sehenswerte Deutsche Apothekenmuseum mit Apothekeneinrichtungen, einem Labor und Arzneimitteln des 18. und 19. Jahrhunderts. An der Nordseite des Hofs sieht man den Gläsernen Saalbau (1544 – 1549), so genannt nach einem einstigen Spiegelsaal im ersten Stock, und den Friedrichsbau, eines der hervorragendsten Baudenkmäler der reifen deutschen Renaissance (1601 – 1607). An der Westseite steht der Frauenzimmerbau (um 1540) mit dem Königssaal. Etwas zurückliegend erkennt man den Bibliotheksbau (um 1520), anschließend den gotischen Ruprechtsbau (um 1400). Ein Gang führt unter dem Friedrichsbau hindurch auf den Altan, der eine prächtige Aussicht bietet.

Besichtigung

Durch die Schloßräume werden einstündige Führungen angeboten. Auch ohne Führung kann man sich das bekannte "Große Faß" ansehen: Links vom Friedrichsbau abwärts gelangt man in den Keller mit dem berühmten Symbol der kurfürstlichen Weinseligkeit: das 1751 aufgestellte Faß mit seinem Fassungsvermögen von mehr als 221000 Litern war über eine Leitung mit dem Königssaal verbunden. Gegenüber erinnert ein Holzbild (um 1728) an den überaus trinkfesten Hofnarren Perkeo. Im Kellervorraum beeindruckt schon das mächtige sog. Kleine Faß.

Großes Faß

Spaziert man über die Hauptstraße, die sich von West nach Ost, vom Bismarckplatz bis zum Karlstor größtenteils als Fußgängerzone mit Geschäften, Cafés und Restaurants quer durch die Altstadt zieht, passiert man die meisten Sehenswürdigkeiten innerhalb der Altstadt.

Hauptstraße

Am zentral gelegenen Marktplatz erhebt sich die Heiliggeistkirche (1400 bis 1441), die einst als Begräbnisstätte der pfälzischen Kurfürsten diente. Ge-

Marktplatz

*Friedrichsbau (links) und Ottheinrichsbau (rechts), vom Innenhof des
Heidelberger Schlosses aus gesehen, sind zwei der schönsten
Zeugnisse der Renaissance in Deutschland.*

**Marktplatz
(Fortsetzung)**

genüber der Südseite der Kirche steht das Haus Ritter, ein Renaissancebau von 1592. Am östlichen Ende des Marktplatzes entstand 1701 – 1703
das Rathaus. Vom südöstlich anschließenden Kornmarkt hat man einen
schönen Blick auf das Schloß. Südlich des Kornmarktes wird in der
Bremeneckgasse 2 eine ständige Ausstellung zum nationalsozialistischen
Völkermord an den Sinti und Roma gezeigt.

**Friedrich-Ebert-
Gedenkstätte**

Nordwestlich des Marktes kommt man zur Friedrich-Ebert-Gedenkstätte.
In seinem Geburtshaus (Pfaffengasse 18) sind Leben und Wirken des
Reichspräsidenten und die Ereignisse von der Jahrhundertwende bis zum
Beginn der Weimarer Republik dokumentiert.

**Östlich des
Marktplatzes**

Am Karlsplatz ist im barocken Großherzoglichen Palais die Akademie der
Wissenschaften untergebracht, deren Repräsentationsräume der "Bel
étage" wegen der erhaltenen historischen Möblierung zu den schönsten
Innenräumen Heidelbergs gehören. Im weiteren Verlauf der Hauptstraße
kommt man zum Völkerkundemuseum im ehemaligen Palais Weimar. Am
östlichen Ende der Hauptstraße liegt das frühklassizistische Karlstor
(1775). Die Kellerbauten dienten einst als Gefängnis.

***Karl-Theodor-
Brücke**

Von der auch als Alte Brücke bekannten Karl-Theodor-Brücke (1786 bis
1788) mit ihrem zweitürmigen Brückentor nördlich des Marktes hat man
eine schöne Aussicht über die Altstadt auf das Schloß.

Universität

Westlich des Marktplatzes liegt der Universitätsplatz mit der 1711 errichteten Alten Universität; im östlich angebauten Pedellenhaus an der Augusti-
nergasse kann man den von 1778 bis 1914 benutzten Studentenkarzer besichtigen. Die Neue Universität wurde 1928 – 1931 erbaut. Dahinter fällt im
Innenhof der Hexenturm auf, ein Teil der mittelalterlichen Stadtbefestigung
aus dem 13. Jahrhundert.

Gegenüber, an der Grabengasse, kann in der Buchausstellung der reichhaltigen Universitätsbibliothek u.a. die berühmte bebilderte Manessische Liederhandschrift aus dem 14. Jh. und der Sachsenspiegel (15. Jh.) betrachtet werden. Die kleine Peterskirche stammt aus dem 15. Jahrhundert. Das Hinterhaus in der Hauptstraße 22 birgt seit 1997 Europas einziges Verpackungsmuseum, das einen Einblick in die Geschichte von Dosen, Schachteln, Tüten und Flaschen bietet.

Universität (Fortsetzung)

An der Hauptstraße westlich des Universitätsplatzes wurde im barocken ehemaligen Palais Morass das Kurpfälzische Museum mit kultur- und kunstgeschichtlichen Sammlungen eingerichtet. Hier sind u.a. der Windsheimer Zwölf-Boten-Altar von Tilman Riemenschneider, eine Emil-Nolde-Sammlung und der Abguß vom Unterkiefer des "Homo Heidelbergensis", der vor ca. 600 000 Jahren lebte, ausgestellt. Im Erweiterungsbau im Garten des Museums hat der Heidelberger Kunstverein mit wechselnden Ausstellungen und Veranstaltungen zur Gegenwartskunst seinen Sitz.

*Kurpfälzisches Museum

Zwischen Hauptstraße und Neckar erstrecken sich die engen Altstadtgassen. An den Neckarstaden am linken Flußufer liegt das als Marstall (16. Jh.) bekannte Zeughaus. In die Neuen Kollegiengebäude am Marstallhof ist das Antikenmuseum eingezogen, Hauptattraktion ist die Abgußsammlung berühmter Kunstwerke vieler bedeutender Museen der Welt. Weiter flußabwärts am Ende der Bienenstraße liegt das Kongreßhaus Stadthalle Heidelberg (1901) unmittelbar bei der Anlegestelle der Neckar-Personenschiffe.

Neckarstaden

Antikenmuseum

Vom nördlichen Ende der Theodor-Heuss-Brücke zieht sich über dem rechten Neckarufer der Philosophenweg am 443 m hohen Heiligenberg entlang. Berühmt ist die Aussicht von dort auf Stadt und Schloß. An der Flanke des Berges befindet sich eine 1934 angelegte Thingstätte; oben erhebt sich die Ruine der aus dem 9. Jh. stammenden Michaelsbasilika.

Nördliche Neckarseite *Philosophenweg

Zu Füßen des Heidelberger Schlosses breitet sich die Altstadt Heidelbergs mit der Heiliggeistkirche im Zentrum aus.

Heidelberg

Auf der nördlichen Neckarseite liegen weiter westlich auch der Tiergarten (Tiergartenstraße), der Botanische Garten (Hofmeisterweg), die Universitätskliniken sowie Wissenschafts- und Forschungseinrichtungen.

Umgebung von Heidelberg

Weinheim

Die Stadt Weinheim an der Bergstraße liegt 17 km nördlich von Heidelberg. Von der mittelalterlichen Stadtbefestigung sind Teile erhalten; in der Altstadt sind das Alte Rathaus (1554) und historische Fachwerkbauten sehenswert. Oberhalb der Stadt liegt das ehemalige Berckheimsche Schloß mit einem schönen Park. Über die Stadt erhebt sich die Ruine der Burg Windeck (12./13. Jh.), von der aus man eine schöne Aussicht genießt; noch höher liegt die Wachenburg (1913).

*Schwetzingen

Etwa 12 km westlich von Heidelberg liegt in der Rheinebene die durch ihren Spargelanbau bekannte Stadt Schwetzingen. Sie war im 18. Jh. Sommerresidenz der pfälzischen Kurfürsten und besitzt ein berühmtes Schloß aus jener Zeit; etwa 40 Zimmer sind zu besichtigen. Im 73 ha großen Schloßgarten, einem einmaligen, im 18. Jh. geschaffenen Park in englischem und französischem Stil, stehen zahlreiche sehenswerte Bauten, darunter ein Rokokotheater (1746 – 1752) von Nicolas de Pigage, in dem in den Monaten Mai und Juni Festspiele stattfinden, außerdem kleine Tempel, ein Badehaus, ein römisches Wasserkastell u.a.

Hockenheim

Hockenheim, unweit südlich von Schwetzingen, ist durch seine Grand-Prix-Rennstrecke (Motodrom) bekannt; im Motor-Sport-Museum sind zahlreiche Motorräder, Rennwagen, eine Multi-Media-Schau und eine Dokumentensammlung zu sehen. Im Ortszentrum (Obere Hauptstr. 8) befindet sich außerdem ein Tabakmuseum.

Mauer

Südöstlich von Heidelberg, bei Mauer (Zufahrt über Neckargemünd), der Fundstätte des Heidelberger Menschen, befindet sich ein Urgeschichtliches Museum.

*Königstuhl

Rund 7 km östlich von Heidelberg erhebt sich der 568 m hohe Königstuhl, auf den man auch per Bergbahn ab Heidelberg oder Heidelberger Schloß fahren kann, mit einem 82 m hohen Fernsehturm. Von dort hat man eine weite Aussicht auf Rheinebene, Neckartal und Odenwald.

*Unteres
Neckartal

Der Neckar, der auf der Hochfläche der Baar bei Villingen-Schwenningen entspringt, strömt bei Heidelberg in die Rheinebene. Mittelalterliche Städtchen, die sich an die Flußufer schmiegen und von stolzen Burgen überragt werden, schroffe Sandsteinfelsen und Wälder prägen den rund 100 km langen Abschnitt des Neckartals zwischen Heidelberg und → Heilbronn, der auch Teil der Deutschen Burgenstraße ist.

Neckargemünd,
*Dilsberg,
Neckarsteinach

An der Einmündung des Flüßchens Elsenz liegt Neckargemünd. Rund 4 km östlich ist das auf einem waldigen Bergkegel errichtete und ausgesprochen malerische Burgdorf Dilsberg ein vielbesuchtes Ausflugsziel. Wenige Kilometer weiter erreicht man das hübsch gelegene Städtchen Neckarsteinach, das von vier Burgen der Ritter von Steinach überragt wird.

*Hirschhorn

Als "Perle des Neckartals" gilt das an einem der reizvollsten Punkte des unteren Neckartales gelegene Hirschhorn. Sehenswert ist nicht nur die auf das 13. Jh. zurückgehende Burg, die das ansprechende Städtchen beherrscht, sondern auch das spätgotische Karmeliterkloster und die Marktkirche aus dem 17. Jahrhundert.

Eberbach

Der liebevoll restaurierte Stadtkern von Eberbach um den Marktplatz wird noch von mittelalterlichen Befestigungsresten mit vier Türmen umfaßt. Viele Gäste schätzen auch die Eberbacher Heilquelle (Kurbetrieb).

Heilbronn

Bundesland: Baden-Württemberg
Höhe: 159 m ü.d.M.
Einwohnerzahl: 119 000

Die ehemalige Freie Reichsstadt Heilbronn, ein wichtiger Industrie- und Handelsplatz mit dem siebtgrößten Binnenhafen der Bundesrepublik, liegt zu beiden Seiten des Neckars. Die Altstadt auf dem rechten Flußufer wurde im Zweiten Weltkrieg fast völlig zerstört; es blieben nur wenige historische Bauten erhalten. Heilbronn ist Zentrum eines bedeutenden Weinbaugebiets. Heinrich von Kleist setzte der Stadt mit dem "Käthchen von Heilbronn" ein literarisches Denkmal.

Lage und Allgemeines

Heilbronn, das 741 erstmals urkundlich erwähnt wurde, verdankt seinen Namen einer heiligen Quelle an der Außenseite der Kilianskirche. Im 13. Jh. entwickelte sich Heilbronn zur Stadt, die aufgrund ihrer verkehrsgünstigen Lage zu einem regionalen Handelszentrum wurde. Seit 1970 zählt Heibronn zu den Großstädten.

Geschichte

Sehenswertes in Heilbronn

In der wiederaufgebauten Altstadt steht am Marktplatz das nach Renaissancevorbildern wiederhergestellte Rathaus mit einer prachtvollen astronomischen Kunstuhr von 1580. Das hohe Haus an der Südwestecke des Marktes wird Käthchenhaus genannt, obwohl Kleists Ritterspiel kein historisches Vorbild hat. Auf dem Platz erinnert das Robert-Mayer-Denkmal an den 1814 in Heilbronn geborenen Arzt und Physiker, der das Gesetz von der Erhaltung der Energie entdeckt hat.

Rathaus

Die astronomische Uhr am Renaissance-Rathaus stammt aus dem 16. Jh.

Heilbronn

＊Kilianskirche

Die nahe Kilianskirche stammt aus dem 13. und 15. Jh.; der 62 m hohe Turm wurde 1513 – 1529 errichtet. Im Inneren ist der geschnitzte Hochaltar (1498) von Hans Seyfer besonders beachtenswert. An der südlichen Außenseite der Kirche steht der Siebenröhrenbrunnen, der als alemannisches Quellheiligtum der Stadt ihren Namen gegeben hat.

Deutschhof

Südwestlich vom Markt kommt man zu dem wiederaufgebauten Deutschordensmünster St. Peter und Paul (ursprüngl. 13. und 18. Jh.) und dem 1950 wiedererrichteten Deutschhof. Darin sind die Städtischen Museen, die Städtische Galerie mit dem Schwerpunkt Bozzetti und das Stadtarchiv untergebracht.

Naturhistorisches Museum

Theaterschiff

Nahebei befindet sich das Fleisch- und Gerichtshaus, das ursprünglich 1598 errichtet wurde und heute das Naturhistorische Museum beherbergt. Auf dem kleinen Platz davor steht das Käthchendenkmal. Hier am Flußufer legen die Ausflugsschiffe an, die zwischen Ostern und Ende Oktober auf dem Neckar verkehren. Auf der anderen Seite des Flusses liegt im Wilhelmskanal das Theaterschiff Heilbronn, ein alter Frachtkahn, in dem ganzjährig ein attraktives Kleinkunstprogramm angeboten wird.

Götzenturm

Über die Obere Neckarstraße gelangt man am Ufer entlang zum südwestlich gelegenen Götzenturm (1392), in dem Goethe wider die historische Wahrheit seinen Götz von Berlichingen sterben läßt: tatsächlich starb der Ritter 1562 auf der Burg Hornberg am Neckar.

Festhalle

Östlich vom Markt liegt an der Kreuzung von Allee und Kaiserstraße der Stadtgarten und die Festhalle Harmonie (1958).

Nördliche Innenstadt

Am nördlichen Ende der Allee wurde 1982 das Theater fertiggestellt; wenige Schritte südwestlich erhebt sich die frühgotische Nikolaikirche. Die Turmstraße führt von der Nikolaikirche nach Westen zum Bollwerksturm, der zusammen mit dem Götzenturm der einzige erhaltene Rest der Stadtmauer aus dem 13. Jh. ist.

Schießhaus

Das Schießhaus, das den Zweiten Weltkrieg unbeschädigt überstanden hat, liegt westlich außerhalb des Stadtkerns in der Frankfurter Straße 65. In dem eleganten Rokokobau werden heute Konzerte veranstaltet.

Wartberg

Nordöstlich des Stadtgebiets erhebt sich der Wartberg (308 m), der mit Aussichtsturm und Café-Restaurant zu einem beliebten Ausflugsziel geworden ist. Eingebettet in die Reblandschaft verläuft hier der Wein-Panorama-Weg mit Weinbauausstellung und historischer Baumkelter.

Umgebung von Heilbronn

Neckarsulm

Am rechten Neckarufer liegt 6 km nördlich von Heilbronn die Stadt Neckarsulm (gesprochen Neckar-Sulm). Im ehemaligen Deutschordensschloß ist das Deutsche Zweiradmuseum (Fahr- und Motorräder) untergebracht.

Bad Friedrichshall

5 km neckarabwärts erreicht man Bad Friedrichshall, wo seit 1815 Salz gefördert wird. In den Stollenlabyrinthen von Heilbronn und Kochendorf wurden im Zweiten Weltkrieg Kulturschätze wie z. B. der Isenheimer Altar gelagert. Interessante Einblicke in den Salzabbau vermittelt das Besucherbergwerk in Friedrichshall-Kochendorf.

Bad Wimpfen

Wimpfen im Tal

Rund 15 km nördlich von Heilbronn kommt man zu dem alten Städtchen Bad Wimpfen (6300 Einwohner), das auch als Soleheilbad besucht wird. Der Stadtteil Wimpfen im Tal ist von einer niedrigen Mauer umschlossen. Beachtung verdient die prächtige Ritterstiftskirche St. Georg aus dem 13. bis 15. Jh. mit einem schönen Kreuzgang und einer Westfassade aus dem 10. Jh., eine frühe Schöpfung der deutschen Gotik. In den Stiftsherrenhäusern leben jetzt die Benediktinermönche der Abtei Grüssau (Schlesien). Über dem steilen Talrand liegt der Stadtteil Wimpfen am Berg mit vielen alten Fachwerkbauten. Er entstand in der Umgebung einer staufischen Kaiserpfalz (13. Jh.) und zeigt mit Toren und Türmen noch heute ein eindrucksvolles altertümliches Bild. Die Silhouette wird von dem massigen viereckigen Roten Turm (13. Jh.) und dem 55 m hohen Blauen Turm geprägt, von dem man eine schöne Aussicht hat. Im Westen der Oberstadt hat man vom Saalbau mit seinen schönen Zwergarkaden ebenfalls einen guten Blick ins Neckartal. Das stattliche Steinhaus diente einst als kaiserliches Wohngebäude, heute beherbergt es ein Museum. In der Pfalzkapelle ist eine kirchengeschichtliche Sammlung zu sehen. Am Markt liegt die Stadtkirche, deren Chor um 1300 und deren Langhaus 1468 – 1516 gebaut wurde. Die Kreuzigungsgruppe schuf Hans Backoffen im frühen 16. Jahrhundert. Die Dominikanerkirche mit spätgotischem Kreuzgang westlich vom Markt enstand im 13. und 18. Jahrhundert. Nahe beim Rathaus birgt der Wormser Hof ein Puppenmuseum (Puppen ab 1860). Im Kronengäßchen (Haus Nr. 2) präsentiert das originelle Glücksschwein-Museum ca. 2500 Exponate. Im Kurpark, nordwestlich von Wimpfen am Berg, stehen Kurmittelhaus mit Kursaal und Wandelhalle.

Nördlich von Wimpfen folgen am Neckar bzw. in unmittelbarer Umgebung eine Reihe von zum Teil gut erhaltenen Burgen, so die Stauferruine Ehrenberg, das oberhalb von Gundelsheim thronende Deutschordensschloß Horneck (Heimatmuseum), die besonders schöne, oberhalb des Ortes Neckarzimmern gelegene Burg Hornberg, in der Götz von Berlichingen seine Memoiren verfaßt hatte, sowie das im wesentlichen aus dem 15. Jh. stammende Schloß Zwingenberg bei der gleichnamigen Ortschaft. Nahezu vollständig erhalten und deshalb auch besonders interessant ist die mittelalterliche Burg Guttenberg (12.–18. Jh.), die etwas abseits bei Neckarmühlbach liegt. Eine weitere Attraktion dort ist die Deutsche Greifenwarte mit mehr als 100 Greifvögeln (tgl. Flugvorführungen).

→ Heidelberg, Umgebung

In Sinsheim, 36 km nordwestlich von Heilbronn, lohnt der Besuch des Auto- und Technikmuseums, das Europas größte permanente Formel-1-Ausstellung beherbergt und sich sowohl mit zivilen Gefährten, z.B. Traktoren, Lokomotiven, Motorrädern, über 300 Oldtimern und 60 Flugzeugen als auch mit militärischen Geräten (Panzer u.a.) befaßt. Auf dem Museumsgelände steht außerdem das erste IMAX-3D-Kino Deutschlands, in dem man – mit 3D-Brille ausgestattet – vor einer 22 x 27 m großen Leinwand sitzt.

Helgoland   D 1

Bundesland: Schleswig-Holstein
Inselfläche: 2,1 km²
Bewohnerzahl: 1900

Die Insel Helgoland liegt in der Nordsee bzw. der Deutschen Bucht, etwa 70 km von der Elbmündung entfernt und ca. 50 km westlich der Halbinsel Eiderstedt. Charakterisiert wird die Insel durch den Vers: "Grün ist das Land, rot ist die Kant, weiß ist der Sand, das sind die Farben von Helgoland". Er verweist auf die kräftige Tönung der Felsen aus rotem Buntsandstein, die Grünflächen der Insel und den weißen Sand der "Düne". Helgoland ist ein beliebtes Ausflugsziel, nicht zuletzt wegen der Möglichkeit des zollfreien Einkaufs. Die reine Seeluft und moderne Kureinrichtungen machen es darüber hinaus zu einem gesuchten Seeheilbad.

Schiffsverbindungen bestehen von Cuxhaven aus, während der Saison auch von Wilhelmshaven und Bremerhaven sowie zahlreichen Seebädern. Die Anreise von Bremerhaven dauert gut drei Stunden; bei Tagesausflügen

Helgoland

Ausflugsinsel
(Fortsetzung)

beträgt der Inselaufenthalt im allgemeinen sechs Stunden. Seit Juli 1997 verkehrt täglich – zunächst für drei Monate – ein Katamaran zwischen Hamburg und Helgoland, der die 70 km in 3,5 Std. zurücklegt.

Geschichte

Helgoland gehört erst seit 1890 zu Deutschland – vorher war es im Besitz Englands, das es mit Deutschland gegen die ostafrikanische Insel Sansibar tauschte. Die Insel wurde zu einem Marinestützpunkt ausgebaut und diente im Zweiten Weltkrieg militärischen Zwecken. 1945 wurde sie bei einem Luftangriff schwer getroffen. Nach der Sprengung des U-Boot-Bunkers war Helgoland Übungsziel der britischen Luftwaffe. Am 1. März 1952 wurde die Insel an Deutschland zurückgegeben.

Wie eine mächtige Naturfestung ragen die rötlichen Sandsteinfelsen der Insel Helgoland in der Nordsee auf.

Sehenswertes auf Helgoland

Hauptinsel

Die Hauptinsel besteht aus dem Unter-, dem Mittel- und dem Oberland; östlich liegt die kleine "Düne". An der Südostseite der Insel breitet sich das Unterland aus. Hier stehen das Kurhaus und das Rathaus, ferner Hotels und Pensionen. Weiter nördlich befindet sich die Meeresbiologische Anstalt mit einem Seewasseraquarium. Südwestlich vom Unterland erstreckt sich, etwas höher gelegen, das Mittelland. Das Oberland, mit dem Unterland durch einen Aufzug und eine Treppe (181 Stufen) verbunden, ist ein aus dem Meer aufragendes, 1500 m langes und bis 500 m breites Felsdreieck, größtenteils flach und grün bewachsen. An seiner Ostseite liegt die Ortschaft mit der St.-Nikolai-Kirche und der Vogelwarte. Der ehemalige Flakturm im Westen des Ortes wurde zum Leuchtturm umgebaut. An der Nordspitze (Nordhorn) befinden sich ein freistehender Felsen, auch "Lange Anna" genannt, und der von Lummen, einer arktischen Seevogelart, bewohnte Lummenfelsen. Zu empfehlen ist eine Rundwanderung auf dem Klippenwanderweg.

Etwa 1,5 km östlich vom Unterland liegt, von diesem durch einen Meeresarm (Fähre) getrennt, die Insel "Düne". Hier besteht am Südstrand und am Nordstrand Gelegenheit zum Baden. Im östlichen Teil liegt der Flugplatz für den regionalen Luftverkehr zwischen Hamburg und Helgoland.

Helgoland
(Fortsetzung)
Düneninsel

Hessisches Bergland   F 4 / 5

Bundesland: Hessen

Das Hessische Bergland ist ein sehr waldreiches, von breiten Tälern durchzogenes Berg- und Hügelland, durch das u.a. die Flüsse Fulda, Werra, Eder, Schwalm und Nidda fließen. Das Bergland zieht sich im Süden bis Frankfurt am Main und im Norden noch über Kassel bis Hofgeismar hinaus, im Westen wird es vom Rheinischen Schiefergebirge begenzt und im Osten vom Thüringer Becken und der Rhön.

Lage und
Landschaftsbild

Reiseziele im Hessischen Bergland von Nord nach Süd

Sowohl der Stadt → Kassel und Umgebung (u.a. Hofgeismar und Fritzlar) im Norden des Hessischen Berglandes als auch dem westlich an Kassel anschließenden → Waldecker Land mit dem Edersee, Bad Arolsen, Bad Wildungen, Korbach und Frankenberg sind eigene Kapitel gewidmet. Attraktive Reiseziele im Hessischen Bergland, die an anderer Stelle beschrieben werden, sind außerdem auch die Städte am Westrand des Berglandes → Marburg mit Umgebung und → Gießen sowie das im Süden gelegene → Frankfurt am Main mit Bad Homburg und Bad Nauheim.

An anderer Stelle
beschriebene
Reiseziele

27 km westlich von Kassel liegt an der Werra inmitten des Kaufunger Waldes die Stadt Witzenhausen. Im Tal blühen im Frühjahr an die 150000 Kirschbäume. Die im Mittelalter gegründete Stadt besticht durch ihre vielen alten Fachwerkhäuser. Zwei Türme sind von der alten Stadtmauer (15. Jh.) erhalten, sehenswert sind zudem das Renaissance-Rathaus und die Liebfrauenkirche mit Wandmalereien aus dem 16. Jahrhundert.

Witzenhausen

Folgt man dem Werratal weiter nach Süden, erreicht man nach ca. 10 km die Doppelstadt Bad Sooden-Allendorf: Der Ortsteil Allendorf besitzt ein wunderbares Fachwerk-Ensemble.

Bad Sooden-
Allendorf

Weitere 15 km südlich liegt Eschwege an der Werra. Unter den Fachwerkbauten am Marktplatz fällt besonders das hübsche Alte Rathaus von 1660 auf. Dort erhebt sich auch die Kirche St. Dionys, die eine wertvolle Barockausstattung besitzt.

Eschwege

Knapp 30 km südlich von Kassel kann man einen Besuch der malerischen Altstadt von Melsungen, das im 12. Jh. gegründet wurde, mit einer Besichtigung von Burg und Stadt Spangenberg verbinden. Über eine wuchtige mittelalterliche Bogenbrücke nähert man sich der Melsunger Altstadt, die besonders um das Rathaus und den Marktplatz ein geschlossenes Bild restaurierter Fachwerkhäuser bietet. Schloß und Schloßpark von Melsungen entstanden im 16. Jahrhundert.

Melsungen

Über der 8 km östlich von Melsungen gelegenen Stadt Spangenberg erhebt sich eine Burg aus dem 13./16. Jh., die 1945 wiederaufgebaut wurde. Heute beherbergt sie ein Jagdmuseum sowie ein Hotel und Restaurant.

Spangenberg

Fährt man von Kassel ca. 35 km Richtung Bad Hersfeld, passiert man Homberg an der Efze, das aufgrund seines hübschen Stadtbildes mit vielen Fachwerkhäusern aus dem 15. bis 19. Jh. (vor allem um den Markt) auffällt. Die Stadtkirche entstand im wesentlichen im 14. Jahrhundert.

Homberg an
der Efze

*Fachwerkhäuser prägen das Bild von Homberg an der Efze,
das sich malerisch in die Landschaft einfügt.*

**Rotenburg
a. d. Fulda**

An der Fulda, 21 km nördlich von Bad Hersfeld und ca. 34 km östlich von Homberg an der Efze, liegt Rotenburg. Die Stadt hat noch ihr historisches Stadtbild bewahrt, das von Stein- und Fachwerkhäusern und dem Rathaus mit Renaissanceportal und Rokoko-Freitreppe geprägt ist. Das Schloß beherbergt heute die Landesfinanzschule.

Bad Hersfeld

Die Festspielstadt Bad Hersfeld (31 000 Einwohner) liegt von Bergwald umgeben in einer Talweitung der unteren Fulda. In der Stadt, deren Ursprung eine von dem Mainzer Erzbischof Lullus 769 gegründete Benediktinerabtei war, wirkte Konrad Duden (1821 – 1911), der Begründer der einheitlichen deutschen Rechtschreibung. Das 852 erstmals im Oktober gefeierte Lullusfest ist das älteste Volksfest Deutschlands. Seit 1951 werden die Bad Hersfelder Festspiele veranstaltet.

Die teilweise noch ummauerte Altstadt besitzt viele mittelalterliche Fachwerkhäuser. Den großen Marktplatz umgeben sehenswerte alte Bürgerhäuser. Östlich am Marktplatz steht die Stadtkirche (14. Jh.) mit ihrem mächtigen Turm, in deren spätgotischem Innenraum eine Döring-Orgel von 1974 zu sehen ist. Südlich gegenüber erblickt man das Rathaus, das ursprünglich im 14. Jh. in gotischem Stil entstand und um 1600 eine Renaissancefassade erhielt. Südwestlich erhebt sich die imposante Ruine der

*Stiftsruine

1761 von den Franzosen zerstörten Stiftskirche (11./12. Jh.) mit einem freistehenden Glockenturm; sie dient als Festspielstätte. In dem südlich angrenzenden ehemaligen Dormitorium ist das Städtische Museum untergebracht. Im Süden der Stadt dehnt sich der Kurbezirk mit Kurhaus, Kurpark und drei Heilquellen aus.

*Alsfeld

Das 1069 erstmals erwähnte Alsfeld (18 000 Einwohner) ist eine reizvolle Stadt südwestlich von Bad Hersfeld, die aufgrund ihrer gut erhaltenen Fachwerk-Altstadt Europäische Modellstadt für Denkmalschutz wurde.

*Rathaus

Mittelpunkt der Altstadt ist der historische Marktplatz, dessen Ostseite das freistehende spätgotische Rathaus (1512–1516) mit seinen helmbekrönten Erkern schmückt, das zu den bedeutendsten Fachwerkbauten Deutschlands gehört; sehenswert sind im Innern der Ratssaal und die Gerichtsstube. An der Nordseite des Marktplatzes steht rechts das Weinhaus (1538), ein Steinbau mit Staffelgiebel, und links das Bückingsche Haus (Ende 16. Jh.) mit einem hübschen Erker. Westlich, gegenüber dem Rathaus, fällt das Stumpfhaus (1609) durch seine reiche Schnitzerei und Bemalung auf; in der Südecke des Marktes steht das Hochzeitshaus, ein stattlicher Renaissancebau (1564–1571; Weinkeller u.a.). An der westlichen Ecke des Marktplatzes beginnt die Rittergasse; hier ist in zwei restaurierten Häusern aus dem 17. Jh. das Regionalmuseum untergebracht. Hinter dem Rathaus, am Beginn der ebenfalls an Fachwerkhäusern reichen Fuldergasse, steht die Walpurgiskirche (13.–15. Jh.) mit spätgotischen Wandmalereien und schönen Grabmälern. Am Ende der Gasse steht der Leonhardsturm (1386). Am Roßmarkt befindet sich die im 14. Jh. erbaute Dreifaltigkeitskirche; daneben sind die Reste des Augustinerklosters zu sehen. Auf einem Hügel über der Schwalm, 2 km südlich des Stadtkerns, erhebt sich das Schloß Altenburg aus dem 18. Jahrhundert

Hessisches Bergland, Alsfeld (Fortsetzung)

17 km südöstlich von Alsfeld liegt am Nordrand des Vogelsbergs die Stadt Lauterbach, die am Marktplatz eine der schönsten Rokokokirchen Hessens besitzt. Beachtenswert in der 1763–1767 entstandenen Kirche sind vor allem die Kanzelwand und die Orgelempore. Das ehemalige Schloß Hohhaus mit seinen schönen Stukkaturen beherbergt das Heimatmuseum.

Lauterbach

Von den Burgen entlang der ehemaligen Stadtmauer, die die Stadt Schlitz (ca. 15 km östlich von Lauterbach) einst umgab, sind nur Teile erhalten, u.a. der Bergfried und das Burghaus der Hinterburg und der viereckige Turm der Vorderburg. Hübsche Fachwerkbauten beleben das Stadtbild. Das barocke Heimatmuseum war einst ein Schloß.

Schlitz

Zum Hessischen Bergland gehört der im Süden sich erhebende Vogelsberg, ein flacher Kegel, der ursprünglich ein viel höherer Vulkan war. Die strahlenförmige Anordnung der alten Lavaströme zeigen sich noch deutlich im Verlauf der Täler. Die Gipfelfläche besteht aus dem über 600 m hohen, unbesiedelten "Oberwald", in dem Buchen und Eichen vorherrschen, mit dem 772 m hohen Taufstein als höchster Erhebung. Zahlreiche Wanderwege bieten hier Gelegenheiten zur Erholung.

Vogelsberg

Das als Solbad bekannte Städtchen Bad Orb liegt an den südlichen Ausläufern des Vogelsberg auf der Strecke zwischen Fulda und Frankfurt am Main knapp 40 km nordöstlich von Hanau. Hübsche Fachwerkhäuser bestimmen das Ortsbild. Das Museum der Stadt, das u.a. eine Salinenausstellung zeigt, befindet sich im Palas der ehemaligen Burg.

Bad Orb

Hildesheim   F 3

Bundesland: Niedersachsen
Höhe: 91 m ü.d.M.
Einwohnerzahl: 110 000

Die alte Bischofsstadt Hildesheim liegt im nordwestlichen Vorland des Harzes, in der fruchtbaren Talweitung der Innerste. Durch die Kirchenbauten des Bischofs Bernward (993–1022) und seiner Nachfolger ist Hildesheim ein Hauptsitz frühromanischer Kunst in Deutschland. Als einzigartige Zeugen dieser Epoche wurden Dom und Michaeliskirche von der UNESCO zum Weltkulturerbe der Menschheit erklärt. Hildesheim ist Sitz einer Universität, mehrerer Fachhochschulen und Landesbehörden. Der Hildesheimer Hafen ist über einen 13 km langen Stichkanal mit dem Mittellandkanal verbunden.

Lage und Allgemeines

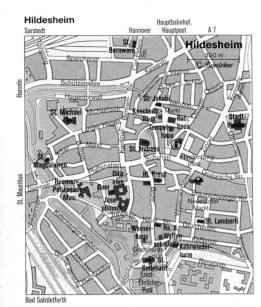

Hildesheim
300 m
© Baedeker

Stadtbild

Neben den Meisterwerken kirchlicher Baukunst gaben viele Fachwerkhäuser dem Stadtbild ein fast einzigartiges Gepräge. Nach einem Bombenangriff am 22. März 1945 lag die Altstadt in Schutt und Asche. So zeigt Hildesheim heute ein vorwiegend modernes Bild. Mit erheblichem finanziellen Aufwand wurden jedoch einzelne historische Straßenzüge rekonstruiert.

Geschichte

Hildesheim erwuchs aus einer Kaufmannssiedlung des 8. Jahrhunderts, bei der Kaiser Ludwig der Fromme um 815 den Dom errichten ließ. Im 11. Jahrhundert unter den Bischöfen Bernward, Godehard und Hezilo erlebte der Ort, der nun auch Marktrecht erhielt, eine große kulturelle Blüte. Um 1220 entstand die Neustadt. Nach einer ersten Union von 1583 wurden Altstadt und Neustadt 1803 endgültig vereinigt.

Sehenswertes in Hildesheim

Rosenroute

Die Rosenroute ist ein Rundweg, der zu 21 sehenswerten Punkten in der Innenstadt führt, die auch im folgenden beschrieben sind. Auf das Straßenpflaster gemalte Blüten weisen den Weg. Ausgangspunkt ist der Marktplatz.

**Marktplatz

Zwischen 1983 und 1990 wurde der Marktplatz in seiner historischen Form wiederhergestellt. Die Westseite beherrscht das ursprünglich 1529 erbaute Knochenhaueramtshaus, das angeblich schönste "Holzhaus der Welt" (in den oberen Geschossen hat die Stadtmuseum seinen Sitz). Das Bäckeramtshaus daneben präsentiert sich heute wieder so wie um 1800. Gegenüber prunkt das spätgotische Rathaus. Einen wunderschönen Renaissanceerker besitzt das Tempelhaus (14./15. Jh.; Erker von 1591) an der Südseite.

Kreuzkirche

Durch die zur Fußgängerzone erklärte Scheelenstraße führen die "Rosen" zur Kreuzkirche. Der romanische Bau wurde im 18. Jh. barock umgestaltet.

Godehardikirche, Lappenberg

Vorbei an der Godehardikirche, eine der besterhaltenen romanischen Kirchen, gelangt man zum Mahnmal am Lappenberg. Es erinnert an die Judenverfolgungen im Dritten Reich. Der nahe Kehrwiederturm (1465) ist der einzige erhaltene alte Befestigungsturm der Stadt.

**Dom

Die "Rosen" weisen von hier den Weg auf dem Kehrwieder- und Langelinienwall (die mit Lindenbäumen bepflanzten Wallanlagen umgeben noch heute weite Teile des Stadtkerns) zum Dom. Der auf den Resten einer Basilika aus dem 9. Jh. zwischen 1054 und 1079 errichtete Bau wurde nach großen Kriegsschäden 1960 neu geweiht. Zu den kostbarsten Kunstschätzen im Innern gehören die Bronzetüren Bischof Bernwards von 1015, eine Christussäule von 1020 und der große Radleuchter über dem Altar (11. Jh.). An der Außenwand des Ostchors rankt die sagenumwobene "Tausendjährige Rosenstock". Dom, Kreuzgang und Rosenstock können Mo.–Sa. 9.30–17.00 (im Winter 10.00–16.30) und So. 12.00–17.00 Uhr besichtigt werden. Das benachbarte Diözesanmuseum bewahrt den Domschatz.

Das Roemer-Pelizaeus-Museum westlich des Doms besitzt eine der bedeutendsten ägyptologischen Sammlungen in Europa. Sein nationales und internationales Renommee verdankt es zudem kulturgeschichtlichen Sonderausstellungen.

*Roemer-
Pelizaeus-Museum

Ebenso wie der Dom wurde die romanische Michaeliskirche, die sich unweit nördlich auf einer Anhöhe erhebt, von der UNESCO 1985 zum Weltkulturerbe der Menschheit erklärt. Im Inneren des ursprünglich zwischen 1010 und 1033 errichteten Baus sind die bemalte Holzdecke des Mittelschiffs (Stammbaum Christi, 12. Jh.) und der Engels-Chor sowie in der Krypta der Steinsarg des hl. Bernward besonders beachtenswert.

**Michaeliskirche

Auf dem Rückweg zum Markt passiert man die gotische Andreaskirche (14.–16. Jh.). Von ihrem 114 m hohen Turm, dem höchsten Kirchturm Niedersachsens, bietet sich eine prächtige Sicht über die Stadt.

Andreaskirche

*Die Michaeliskirche von Hildesheim wurde von der
UNESCO zum Weltkulturerbe erklärt.*

Umgebung von Hildesheim

Die Höhenzüge südwestlich von Hildesheim, darunter der Hildesheimer Wald (281 m) und die Sieben Berge (398 m), die Schauplatz des Märchens "Schneewittchen und die sieben Zwerge" sein sollen, gehören zum Leinebergland, das sich zwischen Weserbergland und Harz erstreckt.

Leinebergland

Das gut 20 km südwestlich von Hildesheim gelegene Alfeld (23 000 Einwohner) ist Mittelpunkt des Leineberglandes. Die teilweise noch mittelalterlich wirkende Altstadt wird beherrscht von den Zwillingstürmen der Pfarrkirche St. Nicolai, einer im 15. Jh. erbauten dreischiffigen gotischen Hallenkirche (im Inneren beachtenswert: Triumphkreuz, Taufstein und Sakramentshäuschen). Am Kirchhof steht die Alte Lateinschule (1610) mit

Alfeld an der Leine

Hildesheim,
Umgebung,
Alfeld an der Leine
(Fortsetzung)

reichem Figurenschmuck; heute ist hier das Stadtmuseum untergebracht. Gleich nebenan präsentiert das Tiermuseum eine Sammlung exotischer Tierpräparate. Das nur wenige Schritte entfernte Gildehaus der Schuhmacher, ist ein stattlicher Fachwerkbau von 1570. Das älteste Fachwerkhaus der Stadt (Seminarstraße 3) stammt aus dem Jahre 1490. Das Rathaus, nördlich der Kirche, mit seinem Treppenturm wurde 1584–1586 erbaut.

Einbeck

Von Alfeld dem Leinetal in südlicher Richtung folgend, erreicht man nach knapp 20 km die kleine einstige Hansestadt Einbeck mit Resten der alten Stadtbefestigung und vielen Fachwerkhäusern aus dem 16. Jahrhundert. Durch die 1378 hier gegründete Brauerei gelangte Einbeck zu großem Wohlstand; vom Einbecker Bier leitet sich die Bezeichnung "Bockbier" ab. Am Markt steht das Rathaus (1550–1556) mit Fachwerk-Obergeschoß und drei schiefergedeckten Türmen. Gegenüber ragen die Markt- oder Jakobikirche (13. Jh.; Westseite im Spätbarock verändert) und etwas weiter nördlich die Münsterkirche (14./15. Jh.) auf. Das um 1600 erbaute Eickesche Haus (Ecke Marktstraße/Knochenhauerstraße) ist einer der schönsten Fachwerkbauten der Stadt.

*Bad
Gandersheim

Bad Gandersheim (12 000 Einwohner) ist ein bekanntes Solheilbad im Leinebergland, etwa 15 km nordöstlich von Einbeck. Berühmt wurde der Ort durch Roswitha von Gandersheim (um 935–973), die hier als Stiftsdame lebte und als Deutschlands erste Dichterin gilt.
Das Stadtbild wird von der romanischen Stiftskirche (Dom; 11. Jh., reiche Innenausstattung) beherrscht, an die sich nach Osten das um 1600 errichtete Abteigebäude mit schönem Renaissancegiebel und Kaisersaal von 1736 anschließt. An dem von Fachwerkhäusern gesäumten nahen Markt steht das Rathaus, ein reizvoller Renaissancebau, der die Moritzkirche einbezieht. Im Inneren befindet sich das Heimatmuseum. Der sogenannte Bracken am Markt ist das älteste Bürgerhaus der Stadt (1473).

Hochrhein   D / E 8

Bundesland: Baden-Württemberg

Lage

Hinweis

Hochrhein bezeichnet die Strecke des Rheins vom Ausfluß aus dem Bodensee bis nach Basel. Er bildet auf weiten Strecken die Grenze zwischen der Bundesrepublik Deutschland und der Schweiz. Die Sehenswürdigkeiten am Hochrhein werden im Rahmen einer Route, die von Westen nach Osten rheinaufwärts führt, beschrieben.

Fahrt entlang des Hochrheins

Lörrach

Die Große Kreisstadt Lörrach (43 000 Einwohner), am Ausgang des Wiesentales zwischen den Ausläufern des Südschwarzwaldes gelegen, hat sich im Schatten der benachbarten schweizerischen Metropole Basel zum wirtschaftlichen und kulturellen Zentrum Oberbadens entwickelt. In der erstmals im 11. Jh. urkundlich erwähnten Stadt erlangte seit Mitte des 18. Jh.s die Textilindustrie eine herausragende Bedeutung. Damals wirkte hier auch der Dichter Johann Peter Hebel (1760 – 1826). Die südlich des Alten Marktplatzes gelegene klassizistische Stadtkirche wurde 1815 – 1817 nach Plänen von Wilhelm Frommel errichtet (Kirchturm von 1514). Das heimatkundlich orientierte Museum am Burghof gegenüber im ehemaligen Pädagogium beherbergt neben naturhistorischen sowie vor- und frühgeschichtlichen Funden eine hervorragende Sammlung von Skulpturen und Malerei des 14. – 19. Jh.s, ferner Erinnerungen an Johann Peter Hebel. Die Fridolinskirche im Stadtteil Stetten, die eines der herausragenden Beispiele klassizistischer Kirchenbaukunst im deutschen Südwesten ist, entstand 1821 – 1823 nach den Plänen von Christoph Arnold.

Etwa 4 km nördlich von Lörrach thront die imposante Burgruine Rötteln (422 m) auf einer bewaldeten Höhe. Von der 1259 erstmals urkundlich erwähnten größten Burg Oberbadens bietet sich ein ausgezeichneter Rundblick. Im Sommer finden hier Festspiele statt.

*Burgruine Rötteln

Wer sich für moderne Architektur und Design interessiert, sollte das Vitra Design Museum und den dazugehörigen Architekturpark in Weil am Rhein (5 km südwestlich) besuchen. Das Museum ist in einem bemerkenswerten, von Frank Gehry konzipierten, weiß leuchtenden Zweckbau untergebracht und zeigt eine Fülle von interessanten Stühlen und Sesseln aus mehreren Jahrzehnten.

Weil am Rhein
*Vitra Design Museum

Die Stadt Rheinfelden (30000 Einwohner), 14 km südöstlich von Lörrach, ist Standort mehrerer Industriebetriebe (u. a. Chemie, Metall). Sie entstand nach Fertigstellung der Badischen Hochrhein-Bahnlinie von Basel nach Säckingen gegenüber dem schweizerischen Rheinfelden. Das Rheinfeldener Laufwasserkraftwerk wurde 1898 als erstes seiner Art am Hochrhein in Betrieb genommen.

Rheinfelden

Etwa 3 km flußaufwärts gelangt man zu der Deutschordenskommende Beuggen, die bereits im 13. Jh. gegründet und bis ins 18. Jh. weiter ausgebaut worden ist.
Unweit nördlich liegt die Tschamberhöhle. Bemerkenswert sind die Quellgrotte und ein unterirdischer Wasserfall.

*Beuggen

Tschamberhöhle

In Schwörstadt, 9 km nordöstlich von Rheinfelden, gefällt ein klassizistisches Schlößchen, das hoch über dem Rhein thront. Und in Niederschwörstadt ist der monumentale Heidenstein, ein jungsteinzeitliches Megalithgrabmal, von Interesse.

Schwörstadt

Bad Säckingen liegt auf einer ehemaligen bereits in der Bronzezeit besiedelten Hochrheininsel, etwa 17 km östlich von Rheinfelden. Im Laufe der Zeit hat es sich zu einer wichtigen Schulstadt und später auch zum Industriestandort entwickelt. Große Bedeutung erlangten in den letzten Jahren die Thermalwasservorkommen. Berühmt geworden ist Säckingen durch das Versepos "Der Trompeter von Säckingen" von Joseph Victor von Scheffel (1826 – 1886). Die mittelalterliche Stadtanlage ist noch gut erhalten.
Weithin sichtbarer Blickpunkt im Stadtbild ist das doppeltürmige Fridolinsmünster, das im 13./14. Jh. errichtet und im 17./18. Jh. in üppigstem Barock ausgestattet wurde. Hervorzuheben sind die wunderschönen Dekkengemälde von Franz Joseph Spiegler und der wertvolle Kirchenschatz. An das Münster schließt das 1825 erbaute Palais Landenberg an, das als Rathaus fungiert. Die mit rund 200 m längste gedeckte Holzbrücke (1571) Europas südlich des Münsters überspannt den Rhein und führt hinüber ans Schweizer Ufer. Geht man von der Brücke die Rheinbrückenstraße stadteinwärts, kommt man an einigen historischen Bauten vorbei wie dem Deutschordensritterhaus, dem Rokokohaus und dem Haus "Zum Falken". Sehr hübsch angelegt ist der Schloßpark weiter südlich, in dem das 16. – 18. Jh. erbaute Schloß Schönau steht. Es beherbergt eine Erinnerungsstätte an Joseph Victor von Scheffel, ferner die umfangreichste Trompetensammlung Europas und eine Schwarzwälder Uhrensammlung. Einen Besuch lohnt auch das hier untergebrachte Hochrhein-Museum, das sehr seltene, wertvolle Funde aus vor- und frühgeschichtlicher Zeit zeigt. Nördlich des Zentrums dehnt sich das Kurgebiet aus mit einem neuzeitlichen Kurhaus, Thermal-Mineral-Bewegungsbädern und mehreren Kurkliniken.

Bad Säckingen

*Fridolinsmünster

*Gedeckte Holzbrücke

Das mittelalterliche Städtchen (Klein-) Laufenburg (4000 Einwohner), 9 km östlich von Bad Säckingen, bietet mit seinen engen Gäßchen, Stiegen, Brunnen, Türmen, Toren und seinen traufständigen Bürgerhäusern ein malerisches Ortsbild. Es ist durch eine im Jahre 1207 erstmals erwähnte Rheinbrücke mit dem schweizerischen (Groß-) Laufenburg verbunden.

Laufenburg
(Abb. s. S. 400)

Hochrhein

Waldshut-Tiengen

Die 26 km östlich von Bad Säckingen gelegene Doppelstadt Waldshut-Tiengen wurde durch die baden-württembergische Gemeindereform von 1975 gebildet. Sie ist nicht nur Verwaltungs-, Kultur- und Schulzentrum für ein weites Umland, sondern auch einer der wirtschaftlichen Brennpunkte am Hochrhein.

*Waldshut

Die alte Amtsstadt Waldshut liegt auf dem rechten Hochufer des Rhein. Die als Ensemble noch bestens erhaltene malerische Altstadt ist der Prototyp der von den Habsburgern konzipierten "Waldstadt". Sie wird von zwei mittelalterlichen Stadttoren geschützt. Die Straßen sind gesäumt von schmucken, teils wunderschöne Fassadenmalerei aufweisenden Bürgerhäusern des 16. – 18. Jahrhunderts. Hauptachse von Waldshut ist die Kaiserstraße, ein langgestreckter Straßentrakt zwischen dem Oberen und Unteren Stadttor. Hier stehen besonders repräsentative historische Bauten, so das nach 1726 neuerbaute Rathaus. Sehr hübsch ist auch das Greiffenegg-Schlößle, das im 15. Jh. entstand und bis ins 18. Jh. mehrfach umgestaltet wurde. Die Stadtpfarrkirche St. Maria in der Nordostecke der Altstadt wurde 1804 unter Einbeziehung gotischer Baureste errichtet. Die Innenausstattung ist dem Klassizismus zuzurechnen.

Tiengen

Das alte Städtchen Tiengen liegt in einem waldumrahmten Talkessel der Wutach. Es verfügt noch über einen recht gut erhaltenen mittelalterlichen Stadtkern mit einem Schloß, einer schönen Barockkirche und etlichen schmucken, bemalten Bürgerhäusern. Die Schloßkirche St. Maria im Zentrum mit stattlichem Turm ist 1751 nach den Plänen von Peter Thumb errichtet worden. Erhöht über der Altstadt steht das 1571–1619 erbaute Schloß der Fürsten von Schwarzenberg. Es beherbergt das sehenswerte Heimatmuseum.

Eisenbahnbrücke

Knapp 2 km südöstlich von Waldshut überspannt ein vielbewundertes technisches Meisterwerk den Rhein, die 132 m lange, von Robert Gerwig projektierte Eisenbahnbrücke nach Koblenz in der Schweiz.

Groß- und Klein-Laufenburg sind durch den Rhein voneinander getrennt – hüben liegt das badische, drüben das schweizerische Städtchen.

Etwa 8 km südöstlich von Tiengen erreicht man die auf dem waldigen, 629 m hohen Küssaberg thronende mächtige Ruine der 1634 zerstörten Küssaburg, von der sich ein überwältigender Rundblick bietet.

Hochrhein
(Fortsetzung)
*Küssaburg

Hohenlohe · Taubertal   F 6

Bundesland: Baden-Württemberg

Das Hohenloher Land, das auch als "Schwäbisches Burgenland" bezeichnet wird, erstreckt sich zwischen Würzburg und Heilbronn bzw. Schwäbisch Hall. Es bietet einen reizvollen Wechsel zwischen fruchtbarer Hochebene mit großen Waldungen und den tief eingekerbten, an Burgen, Schlössern und altertümlichen Städtchen reichen Tälern des Kochers, der Jagst und der Tauber.

Lage und
Landschaftbild

Reiseziele im Kochertal

Das Kochertal bietet von → Schwäbisch Hall über Künzelsau bis zu seiner Mündung in den Neckar bei Bad Friedrichshall eine Fülle von malerischen Ortsbildern. Unweit südlich liegen am Fuß der Waldenburger Berge die Städtchen Öhringen und Neuenstein.

Allgemeines

In Künzelsau sind u. a. das Rathaus von 1522 und der Comburger Pflegehof, ein Fachwerkbau von 1634 sehenswert. Im nordöstlich gelegenen, 1679 erbauten Schloß befindet sich heute ein Gymnasium. Einen überregionalen Ruf hat sich das Museum Würth (Maienweg 10) bei Kunstliebhabern erworben. Es umfaßt das Museum für zeitgenössische Kunst mit Zeichnungen, Druckgraphiken und Skulpturen des 20. Jh.s und das Museum für Schrauben und Gewinde.

Künzelsau

Das südlich des Kochertals gelegene Städtchen Öhringen mit alten Fachwerkhäusern wird überragt von der ev. Stadtkirche, der ehemaligen Stiftskirche St. Peter und Paul (1454 – 1501), die sehenswerte Grabdenkmäler des Hauses Hohenlohe enthält. Das Renaissance-Schloß gegenüber wurde 1610 – 1616 erbaut und bis 1782 mehrfach umgestaltet. Das kleine Motor-Museum zeigt eine Sammlung hochklassiger Sport- und Tourenwagen sowie Motorräder aus der Zeit zwischen 1945 und 1965.

Öhringen

Auch Neuenstein (4 km östlich) wartet mit einem Renaissance-Schloß auf, das aus einer Wasserburg des 12. Jahrhunderts entstand. Das Hohenlohe-Museum im Schloß gibt einen Überblick über Kunst und Geschichte der Region Hohenlohe-Franken; besonders beeindruckend ist die mittelalterliche Küche.

Neuenstein

Reiseziele im Jagsttal

Im Jagsttal lohnen vor allem einen Besuch das ehemalige Kloster Schöntal (12. Jh.) und die Schlösser von Jagsthausen als Heimat des Götz von Berlichingen – im Sommer finden hier die Burgfestspiele statt –, ferner die Gegend von Langenburg mit mehreren Schlössern.

Allgemeines

Das ummauerte Städtchen Langenburg liegt 18 km östlich von Künzelsau auf einem schmalen Bergrücken über der Jagst. Das hiesige Schloß geht auf das 13. Jh. zurück und wurde 1575 – 1627 zum Residenzschloß ausgebaut; besonders hervorzuheben ist der herrliche Renaissance-Innenhof (1610 – 1616). Im Marstall ist das Deutsche Auto-Museum untergebracht, das u.a. Personenwagen ab 1873 und Renn- sowie Sportfahrzeuge aus verschiedenen Ländern zeigt.

Langenburg

Reiseziele im Taubertal

Allgemeines

Im "lieblichen" Taubertal liegen das Weinhandelsstädtchen Tauberbischofsheim, der bekannte Kurort Bad Mergentheim und die weltberühmte alte Reichsstadt → Rothenburg.

Bad Mergentheim

Das an der Romantischen Straße, 28 km nördlich von Künzelsau gelegene Bad Mergentheim (25000 Einwohner) ist in ein von wald- und rebenbestandenen Höhen umrahmtes Talbecken der Tauber eingebettet. Drei kohlensäure- und kochsalzhaltige Bitterwasserquellen und eine Solequelle werden in Trink- und Badekuren gegen Gallen-, Leber-, Magen- und Darmleiden genutzt. Mergentheim, im Jahre 1058 erstmals urkundlich erwähnt, wurde 1229 Niederlassung des Deutschen Ordens und war 1525–1809 Residenz des Deutschordens-Hochmeisters. 1826 entdeckte ein Schäfer die Heilquellen, und 1929 baute man Bad Mergentheim zum Kurort aus.

An dem teils von hübschen Fachwerkhäusern gesäumten Marktplatz steht das 1564 erbaute Rathaus, unweit nördlich das spätgotische Münster St. Johannes (13. Jh.) mit Wandgemälden des 13. bis 16. Jh.s. Südlich vom Markt findet man die Marienkirche (14. Jh., neugotisch restauriert), in deren Innenraum das Bronzegrabmal (1539) des Hoch- und Deutschmeisters Walter von Cromberg zu sehen ist. Am östlichen Rand der Altstadt steht das große Deutschordensschloß (16. Jh.), die einstige Residenz des Hoch- und Deutschmeisters. Die barocke Schloßkirche wurde 1730–1735 nach Entwürfen von Balthasar Neumann und François Cuvilliés erbaut; die Deckengemälde (1734–1735) sind Werke von Nikolaus Stuber. Im Schloß ist das Deutschordensmuseum untergebracht, das die Geschichte der Stadt und des Deutschen Ordens dokumentiert sowie eine Altertums-Sammlung und eine bedeutende Sammlung historischer Puppenstuben umfaßt. Durch den Schloßpark gelangt man in das am anderen Tauberufer gelegene Kurviertel mit Kursaal, Trinkhalle, Haus des Kurgastes und Kurpark. Der Erholungs- und Freizeitpark Solymar östlich vom Kurpark verfügt über Wellen-, Mineral- und Sportbad sowie Sauna und Kinderparadies.

Südlich vom Stadtzentrum liegt der große Wildpark (Rot- und Damwild, Bären, Wölfe, Sikawild, Mufflons) mit dem Heimattier-Museum (Dioramen).

*Stuppacher Madonna

In der Kirche des 6 km südlich vom Zentrum gelegenen Stadtteils Stuppach befindet sich die berühmte Stuppacher Madonna, ein Tafelgemälde (1517–1519) von Matthias Grünewald. Im Stadtteil Hachtel, unweit südöstlich von Stuppach wurde Ottmar Mergenthaler (1854–1899) geboren, der nach Amerika auswanderte und 1884 die Linotype, die erste brauchbare Setzmaschine, erfand. Im Rathaus ist eine kleine Ottmar-Mergenthaler-Gedenkstätte eingerichtet, eine Lehrschau des grafischen Gewerbes und zur Geschichte der Setzmaschine.

Weikersheim

11 km östlich von Bad Mergentheim liegt das malerische Städtchen Weikersheim, das Musterbild einer kleinfürstlichen Residenz des 16. bis 18. Jh.s. Am barocken, durch seine Geschlossenheit beeindruckenden Markt findet man die spätgotische Stadtkirche und das Tauberländer Dorfmuseum, die größte Sammlung fränkischer Dorfkultur des Tauberlandes. Das Renaissanceschloß ist aus einer mittelalterlichen Wasserburg hervorgegangen, die Einrichtung vollständig erhalten. Es gibt mit seinen prachtvollen Möbeln, Gemälden und dem Porzellan ein lückenloses Bild fürstlicher Wohnkultur. Besonders sehenswert ist der herrliche Rittersaal. Hinter dem Schloß breitet sich der schöne barocke Schloßgarten (1708 – 1710) mit Figurenschmuck und Orangerie aus.

Creglingen
*Herrgottskirche

14 km östlich birgt die Herrgottskirche (14. Jh.) von Creglingen mit dem Marienaltar (um 1505–1510) eines der bedeutendsten Werke von Tilman Riemenschneider. Das originelle Fingerhutmuseum gegenüber zeigt Fingerhüte aus aller Welt von der Römerzeit bis zur Neuzeit.

Tauberbischofsheim

Ungefähr 16 km nördlich von Bad Mergentheim liegt im rebenreichen mittleren Taubertal das malerische Städtchen Tauberbischofsheim, eine Hoch-

*Nicht nur der hübsche Marktplatz mit dem Rathaus aus dem 16. Jh.
zieht viele Besucher nach Bad Mergentheim, sondern vor allem die
heilkräftigen Quellen des Ortes.*

burg des Fechtsports. Im Zentrum stehen hübsche Fachwerkhäuser aus dem 18. Jahrhundert. Das Tauberfränkische Landschaftsmuseum im ehemaligen kurmainzischen Schloß präsentiert sakrale Kunst, Möbel und eine Pfeifensammlung.

Hohenlohe · Taubertal, Tauberbischofsheim (Fortsetzung)

An der Mündung der Tauber in den Main, 30 km nördlich liegt das hübsche Städtchen Wertheim. Nahe des Marktplatzes, an dem schöne Fachwerkbauten stehen, findet man die schlichte gotische Pfarrkirche mit Grabmälern der Grafen von Wertheim (15.–18. Jh.). Im Glasmuseum (Mühlenstraße 24) sind Exponate von den Ägyptern bis zur Neuzeit zu sehen. Über der Stadt, auf einem Bergsporn erhebt sich die eindrucksvolle Ruine der großen Burg Wertheim (12. Jh.).

Wertheim

Holsteinische Schweiz

G 1

Bundesland: Schleswig-Holstein

Als Holsteinische Schweiz bezeichnet man das Gebiet des ostholsteinischen Hügellandes zwischen der Kieler Bucht im Norden und der Lübecker Bucht im Süden. Die Holsteinische Schweiz bildet das Zentrum der historischen Landschaft Wagrien. Der Namen kam im 19. Jh. auf, als man hier bereits Urlaub machte und Schweiz-Reisen groß in Mode waren.

Lage und Allgemeines

Die Holsteinische Schweiz ist ein mit schönen Buchenwäldern bestandenes Gebiet, das mit seinen sanften Hügeln und verträumten Seen zu den lieblichsten Landschaften Deutschlands gehört. Im Osten erhebt sich der Bungsberg, mit 164 m die höchste Erhebung in Schleswig-Holstein.

*Landschaftsbild

Reiseziele in der Holsteinischen Schweiz

Preetz

Der nordwestliche Außenposten der Holsteinischen Schweiz ist die alte Schuhmacherstadt Preetz mit ihrer gotischen turmlosen Backstein-Kirche (1340) des ehemaligen Benediktinerinnenklosters. Das private Circus-Museum in der Mühlenstraße Nr. 14 erzählt u. a. von weltberühmten Zirkusdynastien wie Krone, Sarrasani und Busch.

Plön,
Plöner See

Plön (13 km südöstlich) mit seinem im Stil der Spätrenaissance erbauten Schloß (1633–1636) ist dank der umliegenden schönen ausgedehnten Seenplatte ein Zentrum des Wassersports. Von der Schloßterrasse aus blickt man weit auf die Seen. Der 30 Quadratkilometer umfassende Große Plöner See ist der eindrucksvollste und größte der Holsteinischen Schweiz.

Bosau

Die alte Feldsteinkirche St. Petri aus dem 12. Jahrhundert ist das Kleinod von Bosau (rund 10 km südlich). Es erinnert an das Missionswerk des "Slawenapostels" Vicelin.

Malente-
Gremsmühlen

Mittelpunkt der Holsteinischen Schweiz ist der freundliche Luft- und Kneippkurort Malente-Gremsmühlen (16 km nordöstlich), der reizvoll auf einer bewaldeten Landenge zwischen Dieksee und Kellersee liegt. Der Ort bietet sich vor allem als Ausgangspunkt für gemütliche Schiffsausflüge über die Seen an.

Eutin

Das nahe Eutin machten Dichter und Maler zu einem "Weimar des Nordens"; der Komponist Carl Maria von Weber (1786–1826) wurde hier geboren. Sehenswert sind die gut erhaltene Altstadt, deren Backsteinhäuser zum großen Teil noch auch dem 17. Jh. stammen, und das von Wassergräben umgebene, wuchtige Schloß (17./18. Jh.), das eine prächtige Ausstattung bietet. In dem englischen Schloßpark finden die bekannten Eutiner Sommerspiele mit Opernaufführungen statt. Der ehemalige Marstall beherbergt das Ostholstein-Museum, in dem u. a. Werke des Malers Johann Friedrich August Tischbein und Originalpartituren von Carl Maria von Weber zu sehen sind.

Hunsrück · Nahetal   D 6

Bundesland: Rheinland-Pfalz

Lage und
Allgemeines

Der Hunsrück, der südlichste Teil des Rheinischen Schiefergebirges links des Rheins, erstreckt sich zwischen Rhein, Mosel, unterer Saar und Nahe. Mit 250 000 Einwohnern, die in dem Landstrich von 100 km Länge wohnen, hat er die niedrigste Bevölkerungsdichte Deutschlands; im 18. und 19. Jahrhundert wanderten Hunderttausende aus wirtschaftlicher Not aus. Die 116 km lange Nahe entspringt bei Selbach im südlichen Hunsrück: Wiesen und Wälder, Rebhänge, aber auch steile Felswände säumen den windungsreichen Fluß.

Landschaftsbild

Das 400 – 500 m hohe Bergland des Hunsrücks, teilweise von schluchtartigen Tälern durchzogen, wird von einem langgestreckten Quarzithöhenrücken überragt, der in dem 816 m hohen Erbeskopf, dem höchsten Berg des linksrheinischen Schiefergebirges, gipfelt. Während die flachwellige Hochfläche landwirtschaftlich genutzt und reich an kleinen Ortschaften ist, bildet der Höhenrücken eines der größten deutschen Waldgebiete. Geologisch interessant sind die Edelstein- und Schiefervorkommen in den Ausläufern des Idarwaldes. Entlang des mäandernden Flußufers der Nahe reihen sich malerische Orte aneinander: die Edelsteinstadt Idar-Oberstein, das von der Ruine Kyrburg überragte Kirn, der Kurort Bad Sobernheim mit seinem vielbesuchtem Freilichtmuseum und Bad Münster am Stein-Ebernburg am Fuß des Rheingrafensteins.

Reiseziele im Hunsrück

Die schönsten Strecken des Hunsrücks werden durch die Hunsrück-Höhenstraße erschlossen. An ihr liegen das auch als Luftkurort besuchte Städtchen Kastellaun, der Hauptort des Vorderen Hunsrücks, mit einer Burgruine, ferner die Luftkurorte Morbach, Thalfang und das unten beschriebene Hermeskeil.

Hunsrück-Höhenstraße

Hauptort des gesamten Hunsrücks ist das südlich der Hunsrück-Höhenstraße gelegene Simmern (6500 Einwohner). Dessen Wahrzeichen ist der Schinderhannesturm, der ehem. Pulverturm der Stadtbefestigung, in dem der Räuberhauptmann Johannes Bückler ("Schinderhannes", 1783–1803) 1799 gefangen gehalten wurde. Im Neuen Schloß ist das Hunsrückmuseum mit einer Bauernstube untergebracht. Sehenswert sind auch die Renaissance-Fürstengräber in der Stephanskirche (1486–1509).

Simmern

Hermeskeil (6000 Einwohner), der touristische Hauptort des Hochwaldes, besitzt mehrere bemerkenswerte Museen: am Neuen Markt das Hochwaldmuseum mit Bauernstube, Nagelschmiede und Webkammer, ein Dampflokmuseum am alten Bahnhof und eine Flugausstellung mit 40 Flugzeugen an der Hunsrück-Höhenstraße.

Hermeskeil

Reiseziele im Nahetal

Die Route folgt der Nahe von Südwesten nach Nordosten bzw. von Idar-Oberstein nach Bad Kreuznach. Einen Abstecher wert ist die Route entlang der Deutschen Edelsteinstraße nördlich von Idar-Oberstein.

Hinweis

Die reizvoll an der Einmündung der Idar in die Nahe gelegene Stadt Idar-Oberstein (36000 Einwohner), überragt von bis 125 m hohen Melaphyrwänden, ist einer der wichtigsten Plätze des Edelsteinhandels und der Schmuckwarenindustrie; sie besitzt bekannte Edelstein- und Achatschleifereien. Der Ruf von Idar-Oberstein gründete sich auf die einst reichen Achatvorkommen. Nachdem in der Mitte des 19. Jh.s reichere Vorkommen in überseeischen Ländern (vor allem in Brasilien) erschlossen wurden, werden heute nur noch importierte Rohsteine verarbeitet.

Idar-Oberstein

230 Treppenstufen führen zur Felsenkirche von Idar-Oberstein.

Im Stadtteil Oberstein befindet sich am alten Marktplatz das Museum Idar-Oberstein mit einer bedeutenden Mineralien- und einer stadthistorischen Sammlung. Über 230 Treppenstufen ist die in eine Grotte eingefügte Felsenkirche (1482–1484) zu erreichen. Hoch auf dem steilen Felsen erheben sich die Burgruinen

Oberstein

Oberstein (Fortsetzung)	Oberstein (erbaut 1320) und Bosselstein (erbaut 1196), von denen sich ein prächtiger Ausblick bis weit in den Hunsrück bietet.
Idar ** Deutsches Edelsteinmuseum	Im Idartal aufwärts erstreckt sich der Ortsteil Idar. Hauptsehenswürdigkeit ist das in einer Gründerzeitvilla untergebrachte Deutsche Edelsteinmuseum (geöffnet Mai – Okt. 9.00 – 18.00, Nov. – Apr. 9.00 – 17.00 Uhr), in dem sich dem Besucher in Tausenden von Exponaten die Welt der Edelsteine in ihrer ganzen Pracht und Fülle präsentiert. Am Rand von Idar (Tiefensteiner Str.) kann man die Weiherschleife, eine wasserradangetriebene Edelsteinschleiferei von 1634, besichtigen. Beim Stadtteil Algenrodt findet sich das einzige Edelsteinbergwerk Europas, das zur Besichtigung freigegeben ist. Nach Voranmeldung besteht auch die Möglichkeit, selbst Edelsteine zu schürfen.
Deutsche Edelsteinstraße	Die mit einem stilisierten Brillanten markierte Deutsche Edelsteinstraße zu den Fundstätten von Mineralien und Fossilien durchzieht den Hunsrück nördlich von Idar-Oberstein in einer Rundstrecke von 58 km Länge. Das Landschaftsbild ist erst in den letzten 1,2 Mio. Jahren durch geologische Prozesse entstanden. An der Route liegen mehr als ein Dutzend Orte mit Edelsteinbetrieben (z. T. Besichtigung).
Fischbach	Von Idar-Oberstein folgt man dem Nahetal nach Osten und erreicht Fischbach. Hier kann ein historisches Kupferbergwerk besichtigt werden.
Herrstein	Im malerischen mittelalterlichen Ort Herrstein (750 Einwohner) sind sehenswert: am Marktplatz das Amtshaus von 1742, die gotische Schloßkirche und der mittelalterliche Dicke Turm sowie in der Uhrturmgasse ein Uhrturm (15. Jh.). Im Schinderhannessturm saß der berüchtigte Räuberhauptmann Johannes Bückler (der "Schinderhannes") 1798 ein.
Allenbach	Allenbach bietet ein Schloß (16. Jh.) und eine barocke Kirche (1780/1781) mit einer Stumm-Orgel von 1832.
Kirschweiler	Kirschweiler ist ein Ort mit vielen Edelsteinbetrieben und Hobbyschleifereien. Bemerkenswert sind die Barockkirche, zwei "Edelsteinbrunnen" und die "Kirschweiler Festung", ursprünglich ein keltischer Ringwall. Am Steinkaulenberg vorbei kommt man über Mackenrodt zurück nach Idar-Oberstein.
Kirn	23 km nordöstlich von Idar-Oberstein erreicht man Kirn an der Nahe mit seiner Ruine Kyrburg. Unterhalb des Ortes beginnt der "Weingarten Gottes", in dem überwiegend Weißweine angebaut werden.
Bad Sobernheim	Folgt man der Nahe (bzw. der B41) von Idar-Oberstein über Kirn weiter nach Nordosten, kommt man nach Bad Sobernheim. Südlich des Ortes liegt ein Freilichtmuseum, südöstlich befindet sich die Klosterruine Disibodenberg, in dem die Mystikerin Hildegard von Bingen (1098 – 1179) wirkte.
Bad Münster am Stein – Ebernburg	Der Kurort Bad Münster am Stein-Ebernburg, an der Mündung der Alsenz in die Nahe gelegen, wird überragt von dem 135 m hohen Rheingrafenstein mit einer Burgruine (11. Jh.). Über dem rechten Naheufer steht die eindrucksvolle Ebernburg (1209 erwähnt, 15./16. Jh. ausgebaut), von wo sich ein Panoramablick bietet. Sie ist Geburtsstätte des Ritters Franz von Sikkingen (1481 – 1523).
* Rotenfels	Auf dem linken Naheufer erhebt sich die schroffe Porphyrwand des Rotenfels (327 m), die steilste Kletterwand nördlich der Alpen.
* Bad Kreuznach	An der Stelle des Römerkastells Cruciniacum und einer späteren karolingischen Pfalz liegt zu beiden Seiten der Nahe das Radon-Solbad Kreuznach (40 000 Einwohner). Am rechten Flußufer breitet sich die Altstadt aus, die durch die malerische, mit zwei Brückenhäusern versehene Alte Nahebrücke mit der Neustadt verbunden ist. In der Römerhalle (Hüffelsheimer Str. 11) sind großartige Mosaiken (um 300) ausgestellt. Von der frühgotischen St.-Nikolaus-Kirche sind vor allem Bildnisgrabsteine und ein prächtiges silbernes Kreuzreliqiar (1390 bzw. 500) hervorzuheben. Auf der Insel Badewörth liegt der hübsche Kurpark mit dem Kur- und dem Bäderhaus. Die um 1200 erbaute, 1689 zerstörte und 1972 neu gestaltete Kauzenburg wird heute mit ihrer Burggaststätte wieder gern besucht.

Husum

Bundesland: Schleswig-Holstein
Höhe: 7 m ü.d.M.
Einwohnerzahl: 21 000

Die an der Westküste von Schleswig-Holstein an der als Hafen dienenden Husumer Au gelegene Stadt ist der kulturelle und wirtschaftliche Mittelpunkt Nordfrieslands. Erst die Sturmflut des Jahres 1362 verschaffte Husum durch Landveränderungen den direkten Zugang zum Meer. Dadurch konnten sich Handel und Schiffsbau schnell entwickeln. Als Geburtsort des Dichters Theodor Storm (1817–1888) wurde die "graue Stadt am Meer" zum Schauplatz vieler seiner Erzählungen.
Lage und Allgemeines

Husum hat einen hübschen kleinen Stadtkern mit bunten Giebelhäusern und engen Gassen. Der Binnenhafen reicht bis ins Zentrum. Die hier dümpelnden Fisch- und Krabbenkutter tragen viel zum Flair der Kleinstadt bei.
Stadtbild

Sehenswertes in Husum

Den Marktplatz säumen Häuser aus dem 16. und 17. Jahrhundert. Das Rathaus wurde ursprünglich 1601 errichtet, später jedoch mehrmals umgestaltet. An der Ostseite erhebt sich die klassizistische Marienkirche (1829 bis 1833; Bronzetaufbecken von 1643). Das Gebäude Nr. 9 ist das Geburtshaus von Theodor Storm.
Marktplatz

Sein späteres Wohnhaus in der Wasserreihe Nr. 31 ist heute als Museum zugänglich. Storm lebte hier von 1866 bis 1880.
Storm-Haus

Das Ostenfelder Haus gilt als ältestes Freilichtmuseum Deutschlands. Das vor 1600 erbaute Bauernhaus aus Ostenfeld wurde bereits 1899 an seinen heutigen Standort versetzt.
Ostenfelder Haus

Am nördlichen Rand des historischen Zentrums liegt das 1577–1582 errichtete, später barockisierte Schloß, umgeben von einem weitläufigen Park mit altem Baumbestand. Es wird heute für Ausstellungen und kulturelle Veranstaltungen genutzt.
Schloß

Südlich vom Markt beherbergt das 1937–1939 aus Klinker erbaute Nissenhaus das Nordfriesische Museum (Natur- und Kulturgeschichte, Volkskunde). Besondere Attraktion ist ein Funktionsmodell des Eidersperrwerks.
Nissenhaus

Umgebung von Husum

Der Nordseeküste bei Husum sind Halligen vorgelagert, kleine Inseln zwischen Föhr, Amrum und der Halbinsel Eiderstedt. Einige der Halligen sind durch Dämme mit dem Festland verbunden, die Hamburger Hallig bereits seit mehr als hundert Jahren. Die Halligen sind Reste alter Festlandmarschen der in vorgeschichtlicher Zeit viel weiter westlich verlaufenden Küstenlinie. Bei Sturmflut werden sie mit Ausnahme der auf erhöhten "Warften" errichteten Wohn- und Wirtschaftsgebäude überflutet; die salzhaltigen Böden lassen keinen Ackerbau zu, dienen aber als Viehweiden.
Halligen

Größte der Halligen sind die durch Deiche geschützte Insel Langeneß (Verbindungsdamm zum Festland bei Dagebüll) und Hooge, das vom Hafen in Schlüttsiel (bei Dagebüll) regelmäßig angesteuert wird und ein beliebtes Ziel für Tagesausflügler ist. Auf neun Warften leben hier mehr als 100 Menschen. Besichtigen sollte man auf der großen Hanswarft das Hansensche Haus von 1766 mit dem "Königspesel", dem schönsten Beispiel altfriesischer Wohnkultur.
Langeneß Hooge

Husum

Nordstrand
Pellworm

Die Husum nächstgelegene "Insel" Nordstrand, die seit 1990 den Status eines Nordseeheilbades hat, ist mit dem Festland durch einen 2,5 km langen Straßendamm verbunden. Im Kurbezirk hat eines der mehr als 20 Informationszentren (mit Multivisionsshow und Aquarium) seinen Sitz, in dem Interessierte Einzelheiten über den Nationalpark Schleswig-Holsteinisches Wattenmeer erfahren können, der sich über eine Fläche von 2850 km² zwischen Elbemündung und dänischer Grenze erstreckt und für den Bestand vieler Wasservögel entscheidende Bedeutung hat. Von dem kleinen Nordstrander Hafen Strucklahnungshörn bestehen regelmäßige Fährverbindungen zur Insel Pellworm, einer eingedeichten fruchtbaren, noch recht abgeschiedenen Marschinsel.

Niebüll

Das 40 km nördlich von Husum gelegene Niebüll ist vor alllem bekannt als Autoverladestation nach Westerland (→ Sylt). Im ehemaligen Rathaus von 1928 lohnt das Richard-Haizmann-Museum einen Besuch (Werke des Bildhauers und Malers Haizmann; Sonderausstellungen Moderner Kunst).

＊Seebüll
(Nolde-Museum)

In Seebüll nahe der dänischen Grenze (ca. 20 km nördlich von Niebüll) ließ sich der Maler Emil Nolde (1867–1956), einer der bedeutendsten Vertreter des Expressionismus, zwischen 1927 und 1937 nach eigenen Entwürfen sein Wohnhaus und Atelier errichten. Mehr als 200 seiner Werke können hier besichtigt werden.

＊Friedrichstadt

In Friedrichstadt, 13 km südöstlich von Husum, meint man sich nach Holland versetzt, und das ist kein Zufall: Das Städtchen wurde 1621 von Herzog Friedrich III. von Schleswig-Gottorf für Glaubensflüchtlinge aus den Niederlanden gegründet. Der von Wasserkanälen durchzogene Ort (Grachtenrundfahrten) bietet mit seinen vielen Giebelhäusern aus dem 17. Jh. ein pittoreskes Bild.

Eiderstedter
Halbinsel

Südwestlich von Husum reicht die Halbinsel Eiderstedt weit in das Wattenmeer hinein. Verschiedentlich sieht man hier noch sogenannte Haubarge, das sind stattliche, breit hingelagerte Bauernhöfe. Besonders schön ist der Rote Haubarg, rund 10 km südwestlich von Husum, bei Witzwort (Restaurant und Ausstellung des Eiderstedter Heimatmuseums).

Tönning

An der Eider, welche die Halbinsel im Südosten begrenzt, liegt Tönning mit seinen reizvollen alten Giebelhäusern und der romanisch-gotischen Laurentiuskirche (um 1220; barocker Turm). Am Hafen steht das Packhaus (1783) mit einer stadtgeschichtlichen Ausstellung.

Garding

Weiter westlich erreicht man das auf einem Geestrücken gelegene Städtchen Garding. Am Markt sind die spätromanische Pfarrkirche sowie das Geburtshaus (Nr. 6) des Altertumsforschers Theodor Mommsen (1817 bis 1903; Dokumentensammlung im Gemeindezentrum) beachtenswert.

St. Peter-Ording

St. Peter-Ording, ganz im Westen der Eiderstedter Halbinsel, ist mit etwa 12 000 Gästebetten das größte Nordseebad der schleswig-holsteinischen Festlandsküste. Viel dazu beigetragen haben der etwa 12 km lange herrliche Sandstrand (Strandsegler ziehen hier ihre Bahnen), die angrenzende weitläufige Dünenlandschaft und der Kiefernwald. Im alten Ortskern (St. Peter-Dorf) lohnt das Eiderstedter Heimatmuseum einen Besuch.

Eidersperrwerk

Südöstlich von St. Peter-Ording wurde 1973 das Eidersperrwerk fertiggestellt. Fünf Schleusentore in dem 4,8 km langen und 8,5 m hohen Damm regulieren den Wasserfluß und verhindern, daß von den Sturmfluten der Nordsee das Hinterland betroffen wird.

Büsum

Nach der Überquerung des Eidersperrwerks erreicht man nach knapp 20 km Büsum, ebenfalls ein beliebtes Nordseeheilbad und wegen seines malerischen Fischerhafens (fangfrische Krabben) zudem ein attraktives Ausflugsziel.

Bootsfahrt auf den Kanälen in der holländisch anmutenden Friedrichstadt...

... und beschauliche Ruhe beim Leuchtturm auf der Halbinsel Eiderstedt.

Heide (20 000 Einwohner), 40 km südlich von Husum, ist ein bedeutendes Wirtschafts- und Einkaufszentrum der Region und nennt einen der größten Marktplätze Deutschlands sein eigen. An seiner Südwestseite steht die spätgotische Saalkirche St. Jürgen (16. Jh.). Im Museum für Dithmarscher Vorgeschichte kann man sich das Modell eines eisenzeitlichen Bauernhauses anschauen und selbst einmal versuchen, mit dem Feuerbohrer Glut zu erzeugen. Das Brahmshaus zeigt wechselnde Ausstellungen zu Leben und Werk des Komponisten; im Klaus-Groth-Museum wird an den niederdeutschen Dichter erinnert, der 1819 in Heide geboren wurde.

Husum (Fortsetzung)
Heide

Das 14 km südlich von Heide gelegene Meldorf war einst Hauptort der Bauernrepublik Dithmarschen. Von der bedeutsamen Vergangenheit kündet der sogenannte Dom (St.-Johannis-Kirche) aus dem 13. Jh., der eine wertvolle Innenausstattung birgt. Im Dithmarscher Landesmuseum sind eine Arztpraxis von 1900, ein Kolonialwarenladen, ein Klassenzimmer sowie der aufwendig ausgestattete Swinsche Pesel, ein Prunkraum von 1568, die besonderen Attraktionen. Interessant sind ferner ein Besuch im Landwirtschaftsmuseum sowie im nebenstehenden Dithmarscher Bauernhaus aus dem 17./18. Jahrhundert.

Meldorf

Ingolstadt   H 7

Bundesland: Bayern
Höhe: 363 m ü.d.M.
Einwohnerzahl: 97 000

Die einstige bayerische Herzogsresidenz und Landesfestung Ingolstadt liegt am Südrand der Fränkischen Alb in einer weiten Ebene an der Donau.

Lage und Bedeutung

Ingolstadt

Lage und Bedeutung (Fortsetzung)

Die Altstadt mit zahlreichen historischen Bauten ist großenteils noch von einer mittelalterlichen Befestigungsmauer umgeben. Ingolstadt hat heute dank des Kraftfahrzeugbaus als Industriestadt Bedeutung.

Geschichte

Ingolstadt wurde im Jahre 806 erstmals urkundlich erwähnt. Um 1260 ließ Herzog Ludwig der Strenge hier eine Burg erbauen. 1472 gründete Herzog Ludwig der Reiche eine Universität, die durch Johann Eck, den Gegner Luthers, zu einem Zentrum der Gegenreformation wurde. Die bayerische Landesuniversität in Ingolstadt bestand bis 1800, danach wurde sie nach Landshut und anschließend nach München verlegt.

Sehenswertes in Ingolstadt

Rathausplatz

Mittelpunkt der Altstadt ist der Rathausplatz mit dem malerischen Alten Rathaus (1882), dem Neuen Rathaus (1959) und der Spitalkirche aus dem 15. Jahrhundert. Das Alte Rathaus war Bestandteil des Pfarrhofs der Kirche St. Moritz. Diese war bis 1407 die einzige Pfarrkirche der Stadt, ihre Entstehung reicht bis in die karolingische Zeit zurück.

Ickstatthaus

Von den zahlreichen Bürgerhäusern verdient besonders das Ickstatthaus (Ludwigstraße 5) mit seiner schönen Rokokofassade Erwähnung. Johann Adam Ickstatt (1702–1776) war als Professor in Ingolstadt tätig. Auch in der Theresienstraße, die die Ludwigstraße nach Westen hin fortsetzt, findet man schöne Zeugnisse altbayerischen Städtebaus. Die Häuser, meist in Giebelstellung zur Gasse, stehen in geschlossenen Reihen.

Neues Schloß (Armeemuseum)

Über die Ludwigstraße erreicht man ostwärts das wuchtige Neue Schloß der bayerischen Herzöge (15. Jh.), dessen Innenräume zu den schönsten Profanräumen der Gotik in Deutschland gehören. Seit 1972 ist dort das Bayerische Armeemuseum untergebracht, das Helme, Waffen und Uniformen zeigt.

Spielzeugmuseum

*Museum für Konkrete Kunst

Zwischen Neuem Schloß und Neuem Rathaus liegt das auch Herzogskasten genannte Alte Schloß, in dem ein Spielzeugmuseum eingerichtet wurde. Schwerpunkt der Sammlung ist frühes Blechspielzeug. In der nahen Tränktorstraße befindet sich das Museum für Konkrete Kunst. Annähernd alle wichtigen Maler und Bildhauer dieser Stilrichtung – aus der Zeit von 1950 bis zur Gegenwart – sind vertreten. Dazu zählen Josef Albers, Rupprecht Geiger, Richard Paul Lohse und Marcello Morandini.

Liebfrauenmünster

Von der Stadtmitte führt westwärts die Theresienstraße zum Liebfrauenmünster (15./16. Jh.), der größten spätgotischen Hallenkirche Bayerns. Eindrucksvoll wirken die beiden über Eck gestellten Fassadentürme. Im Inneren sind beachtenswert der von Herzog Albrecht V. gestiftete Hochaltar und die Grabplatte von Johann Eck; hinter dem Hochaltar ein schönes Glasgemälde aus der Renaissance (1527).

*St. Maria Victoria

Nördlich vom Münster steht ein Hauptwerk des bayerischen Rokoko, die Kirche St. Maria Victoria mit prunkvoller Fassade. Sie wurde ursprünglich Anfang des 18. Jh.s als Betsaal der Marianischen Studentenkongregation gegründet. Den rechteckigen Saal hat Egid Quirin Asam kunstvoll stukkiert, die Fresken schuf sein Bruder Cosmas Damian. Auf dem Deckenfresko ist die Jungfrau Maria dargestellt. Beachtung verdient in der Sakristei die in Schiffsform gestaltete, silberne Monstranz, eine Arbeit des Augsburger Goldschmieds Johann Zeckl von 1708.

*Kreuztor

Westlich vom Liebfrauenmünster begrenzt das massige, siebentürmige Kreuztor von 1385 die Altstadt. Es ist eines der vier Haupttore der alten Stadtbefestigung und eine der schönsten deutschen Toranlagen des Mittelalters. Auch die Kavalier genannten Bauten gehörten zur Stadtbefestigung.

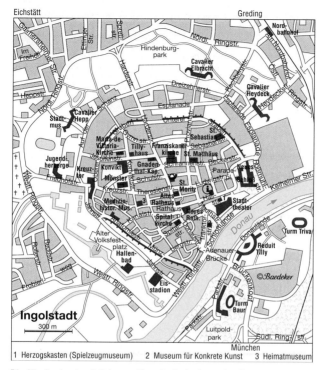

Eichstätt / Greding / München

Ingolstadt

300 m

1 Herzogskasten (Spielzeugmuseum)   2 Museum für Konkrete Kunst   3 Heimatmuseum

Die Alte Anatomie südlich vom Kreuztor beherbergt das Deutsche Medizin-historische Museum, das einzige Fachmuseum dieser Art in Deutschland. Die Schausammlungen zeigen Gegenstände aus der vorwissenschaftlichen Heilkunde und der Geschichte der Medizin, darunter Glasbehälter, anatomische Präparate, Mikroskope und chirurgische Instrumente.

Medizinhistorisches Museum

Nordwestlich außerhalb der Innenstadt sind im restaurierten Gebäude "Cavalier Hepp" (um 1840) das Stadtarchiv, die Bibliothek und das Stadtmuseum Ingolstadt untergebracht. Die stadtgeschichtliche Abteilung zeigt u.a. Stadtpläne und Dokumente zur Geschichte der Universität, ferner Trachten, Keramik, Steinmetz- und Schmiedearbeiten.

Stadtmuseum

Am südlichen Donau-Ufer stehen klassizistische Festungsanlagen, an deren Errichtung der Architekt Leo von Klenze mitgearbeitet hat. In der Reduit Tilly (franz. reduit = Raum) hätten die Mitglieder des bayerischen Königshauses in einer bedrohlichen Situation Zuflucht gefunden.

Reduit Tilly

Inntal

I 7/8

Bundesland: Bayern

Der Inn ist der bedeutendste aus den Ostalpen kommende Nebenfluß der oberen Donau. Nachdem er schweizerisches und österreichisches Gebiet durchflossen hat, gelangt er, zwischen Kufstein und Degerndorf die Nörd-

Verlauf des Inn

Verlauf des Inn
(Fortsetzung)

lichen Kalkalpen durchbrechend, auf deutsches Territorium. Der Unterlauf des Inn quert das bayerische Alpenvorland, und zwar zunächst das Rosenheimer Becken, dann zwischen Wasserburg am Inn und Gars ein hügeliges Gebiet. Bei Passau mündet der Inn in die Donau. In seinem unteren Abschnitt, nach der Mündung der Salzach, bildet er die Grenze zwischen Bayern und Oberösterreich.

Nachfolgend werden einige Orte vorgestellt, die als regionale Zentren gelten und für den Fremdenverkehr wichtig sind.

Reiseziele am Inn

Rosenheim

Rosenheim, an der Mündung der Mangfall in den Inn gelegen, war seit jeher ein bedeutender Handelsplatz an der Straße von Italien nach Norden. Die Altstadt zeigt den charakteristischen Baustil der Inn- und Salzachstädte mit Arkadengängen und Grabendächern.

*Max-Josefs-Platz

Mittelpunkt der Altstadt ist der Max-Josefs-Platz (Fußgängerzone). Unter den Bürgerhäusern ringsum sind das Fortnerhaus mit einer Rokokofassade und das Haus "Bergmeister" mit dreigeschossigem Erker hervorzuheben. Im Ellmaierhaus am Max-Josefs-Platz lohnt das Holztechnische Museum einen Besuch. Nach Osten wird der Max-Josefs-Platz durch das Mittertor abgeschlossen, das das einzig erhaltene Stadttor Rosenheims ist. Heute beherbergt es das Heimatmuseum. Neben den genannten Museen und einigen beachtenswerten Kirchen, darunter die gotische Pfarrkirche St. Nikolaus und die Spitalkirche St. Josef, sollte man vor allem das Innmuseum (Innstraße 74) an der Innstraßenbrücke besuchen. Dort sind Objekte zu besichtigen, die über das Leben auf dem Inn, Flößerei und Schiffahrt, Brückenbau und Geräte zur Sicherung der Ufer informieren. Ausstellungen lebender Künstler der Region und überregional bedeutende Sonderausstellungen zeigt die Städtische Galerie (Max-Bram-Platz 2). Ein nahegelegener alter Lokschuppen (Rathausstr. 24) wurde zu einem Ausstellungszentrum umgestaltet. Auf dem Gelände der einstigen Saline, in der die Reichenhaller Sole verarbeitet wurde, befindet sich heute, umgeben von einem Skulpturengarten, das moderne Rosenheimer Kultur- und Kongreßzentrum.

Bad Aibling

Westlich von Rosenheim liegt Bad Aibling, das als eines der ältesten bayerischen Moorheilbäder viel besucht wird. Mittelpunkt des Ortes, durch den die Glonn fließt, ist der Marienplatz mit der Sebastianskirche. Neben der Kirche steht das ehemalige Wohnhaus des Malers Wilhelm Leibl (1844 bis 1900). In der hochgelegenen Stadtpfarrkirche, die 1755 von Johann Michael Fischer barockisiert wurde, findet man eine beachtenswerte Kreuzigungsgruppe. An der Glonn erstreckt sich der Kurpark mit einem Heimatmuseum.

*Wasserburg am Inn

Wasserburg liegt überaus malerisch auf einer vom Inn fast abgeschnürten Halbinsel. Auch diesem Ort verleihen die Häuser im für die Salzach- und Innstädte charakteristischen Baustil ein reizvolles Bild. In der durch Handel einst reichen Stadt hat sich eine Reihe bedeutender Baudenkmäler erhalten: die Pfarrkirche St. Jakob, das Rathaus, die Frauenkirche, die Doppelkirche St. Michael und das Schloß aus spätgotischer Zeit.

Den Eingang in die Altstadt auf der Halbinsel bildet das massige Brucktor, durch das früher die Salzstraße führte. In der Nähe des Tors befindet sich in einem alten Gebäude das "Erste imaginäre Museum", in dem Nachbildungen berühmter Gemälde und Zeichnungen gezeigt werden. Im Heimathaus in der Herrengasse ist das sehenswerte Stadtmuseum untergebracht. Ausgestellt sind kunst- und kulturgeschichtliche Sammlungen der Stadt Wasserburg, u.a. Objekte zu Volkskunst, Handwerk und Zunftwesen, ferner ländliche Möbel und sakrale Plastik. Auch den Sportbegeisterten hat Wasserburg etwas zu bieten: Jenseits des Inn liegt im Süden der Stadt das Freizeitzentrum "Badria" mit Frei- und Hallenbad sowie einer Wasserrutschbahn.

Etwa 12 km südöstlich von Wasserburg liegt Amerang. In Schloß Amerang, einem malerischern Bau südlich der Ortschaft auf einer Anhöhe, sind die spätgotische Schloßkapelle St. Georg und der Rittersaal sehenswert. Im Bauernhausmuseum Amerang, einem Freilichtmuseum, findet man Bauernhöfe verschiedenster Bauart (u.a. Vierseithof, Zweifirsthof), die aus dem ostoberbayerischen Raum zwischen Inn und Salzach stammen. — *Amerang*

Die kleine Stadt Mühldorf liegt auf einer Halbinsel am Inn. Das Bild der Altstadt bestimmt der prächtige Stadtplatz. Im Sitzungssaal des Rathauses, das im Erdgeschoß schöne Laubengänge hat, sieht man Bildtafeln des hl. Georg und des hl. Florian, die der Meister von Mühldorf um 1515 schuf. In der Stadtpfarrkirche wurden vor einiger Zeit mittelalterliche Fresken freigelegt. Sehenswert ist auch der mehrgeschossige Nagelschmiedturm, dessen Untergeschoß aus romanischer Zeit stammt. Das Kreismuseum im Lodron-Haus (Tuchmacherstr. 7) zeigt u.a. ein Modell der ehemaligen Mühldorfer Innbrücke. — *Mühldorf am Inn*

Auf einer Anhöhe unweit vom rechten Ufer des Inn liegt flußabwärts Altötting, der älteste und berühmteste Wallfahrtsort Bayerns. Nachdem dort von mehreren Wundern berichtet worden war – so soll ein Junge, den ein Heuwagen überrollt hatte, und ein ertrunkenes Kind vor dem Gnadenbild der Schwarzen Madonna wieder zum Leben erweckt worden sein –, wurde Altötting seit 1489 Ziel vieler Wallfahrten. 1934 wurde der Kapuziner Bruder Konrad (von Parzham) heiliggesprochen, der über 40 Jahre lang in Altötting gelebt hatte und am Kapuzinerkloster Pförtner gewesen war. — *Altötting (Wallfahrtsort)*

Den Mittelpunkt der Stadt bildet der Kapellplatz mit der Gnadenkapelle, der Stiftspfarrkirche, Kapellen und weiteren Gebäuden, die der Wallfahrt dienen. Altöttings Gnadenbild machte den Ort zur bedeutendsten Marienwallfahrt Deutschlands. Mehr als eine Million Pilger kommen Jahr für Jahr nach Altötting. Hauptpilgerzeiten sind der Dienstag nach Christi Himmel- — *∗Kapellplatz*

Auf einer vom Inn umspülten Insel liegt die hübsche Altstadt von Wasserburg mit der im 16. Jh. erbauten Burg (Mitte).

Inntal

Altötting
(Fortsetzung)
**Gnadenkapelle

Stiftskirche
*Schatzkammer

fahrt und der Pfingstsamstag. Während der Sommermonate finden hier fast jeden Abend Lichterprozessionen statt.

Hauptsehenswürdigkeit ist die Gnadenkapelle im Ortszentrum, ein kleiner achtseitiger Zentralbau (um 750), an den später ein Langhaus angefügt wurde. Ursprünglich war die Kirche eine Taufkapelle. In der östlichen Muschelnische steht in einem silbernen Tabernakel (1645) das Gnadenbild "Unserer lieben Frau von Altötting", eine schwarze Madonna aus der Zeit um 1330, die in prunkvolle Gewänder gehüllt ist. Das Heiligenbild, das aus Lindenholz geschnitzt ist, wurde im Laufe der Zeit vom Ruß der vielen Kerzen geschwärzt. Ringsum werden in silbernen Urnen die Herzen von 21 bayerischen Fürsten (Wittelsbachern) sowie das des kaiserlichen Feldherrn Tilly aufbewahrt.

Neben der Gnadenkapelle diente auch die Stiftskirche als Wallfahrtskirche. An der Nordseite der Kirche, in der ehemaligen Sakristei, liegt die mit Kostbarkeiten gefüllte Schatzkammer. Ihr Hauptausstellungsstück ist das "Goldene Rößl" (1404), ein Meisterwerk spätgotischer französischer Goldschmiedekunst. Es ist ein Geschenk Isabellas von Bayern an ihren Gemahl König Karl VI. (1380–1422). Das 62 cm hohe Kunstwerk stellt die Anbetung Marias durch einen der Heiligen Drei Könige dar.

Das Wallfahrts- und Heimatmuseum am Kapellplatz zeigt Gemälde, Votivgaben und andere Gegenstände, die die Bedeutung der Volkskunst für Altötting und Bayern erkennen lassen. Ferner findet man ein historisches Modell der Stadt und Exponate aus römischer Zeit.

In der St.-Konrad-Kirche nahe der Kapuzinerstraße befindet sich die Grabstätte des hl. Bruder Konrad mit einem Reliquienschrein.

Im Neuen Haus des Marienwerks, ebenfalls am Kapellplatz gelegen, ist die "Altöttinger Schau" zu sehen. In 22 Dioramen mit Tausenden von plastischen Figuren wird die Geschichte des Wallfahrtsortes und die Bedeutung der Altötting-Wallfahrt anschaulich geschildert. Geschaffen wurde dieses Werk in den Jahren 1957–1959 von dem Bildhauer Reinhold Zellner.

Das Kreuzigung-Christi-Panorama befindet sich in einem Kuppelbau östlich vom Zentrum. Es ist ein monumentales Rundgemälde der Kreuzigung Christi; im Vordergrund sieht man plastische Figuren, die das Passionsgeschehen nachbilden. Das Panorama wurde im Jahre 1903 von Gebhard Fugel auf eine 1200 m² große Rundumleinwand gemalt.

Burghausen

**Burg

Wöhrsee

Südöstlich von Altötting liegt im Tal der Salzach die Altstadt von Burghausen. Die geologische Situation – ein von der Salzach und dem Wöhrsee umschlossener Kamm – reizte schon früh zur Anlage einer Burg. Im Jahre 1025 wurde Burghausen erstmals urkundlich erwähnt. Später war Burghausen zeitweise Regierungssitz der Wittelsbacher.

Ein steiler Aufstieg führt in wenigen Minuten zur Burg. Die Anlage hat eine Längsausdehnung von etwa 1,1 km und ist somit eine der größten ihrer Art in Deutschland. Sie erstreckt sich in Nord-Süd-Richtung. Ihre Bauten und Befestigungswerke bedecken einen auf drei Seiten steil abfallenden Bergrücken. Die Gebäude gruppieren sich um den inneren Burghof und fünf Vorhöfe (Führungen). Hervorzuheben ist die Hauptburg, auch "Inneres Schloß" genannt, die in ihrem Kern aus dem 13. Jh. stammt. Ein Graben trennt sie vom ersten Vorhof. Der Palas, die Innere Burgkapelle (um 1255) und der Dürnitzstock (mit einer zweischiffigen Vorratshalle) sind die repräsentativsten Gebäude der Hauptburg. In den Räumen des zweiten und dritten Obergeschosses ist eine Gemäldegalerie untergebracht, eine Zweigstelle der Bayerischen Staatsgemäldesammlung. Gezeigt werden vor allem Tafelbilder aus der Zeit der Spätgotik. Fünf Vorhöfe unterteilen die Abschnitte der Befestigung auf dem Höhenrücken – mit Wehrmauern, Toren und Türmen sowie früheren Wohnbauten. In der Altstadt lohnt zudem ein Blick auf das im 14. Jh. erbaute Rathaus und das zur selben Zeit entstandene Mautnerschloß, an dessen Eingang ein Fotomuseum untergebracht ist und das zudem ein Heimatmuseum beherbergt.

Das Landschaftsschutzgebiet Wöhrsee unterhalb der Burg ist ein stadtnahes Erholungsgebiet, wo ruhige Spaziergänge möglich sind. Ein schöner Weg führt rund um den Wöhrsee entlang des Wöhrbachs zur Salzach.

Bundesland: Thüringen
Höhe: 160 m ü.d.M.
Einwohnerzahl: 101 000

Die Universitäts- und Industriestadt Jena liegt in einem Talkessel der mittleren Saale. Die Universität, die im 17. und 18. Jh. zu den führenden im deutschsprachigen Raum gehörte, hat noch heute einen guten Ruf. Im 19. und 20. Jh. wurde Jena durch die feinmechanisch-optische Industrie und das feuerfeste "Jenaer Glas" weltbekannt.

Lage und
Bedeutung

Ein Großteil der historischen Bausubstanz der Stadt fiel dem Zweiten Weltkrieg zum Opfer; von der Stadtmauer blieben aber einzelne Tore und Türme erhalten, darunter der Pulverturm, das Johannistor und der Anatomieturm am Teichgraben, in dem Goethe anatomische Studien trieb. In der Altstadt stößt man auf gemütliche Kneipen und Gaststätten wie "Ratszeise", "Roter Hirsch" und "Zur Noll". Der schönsten Blick auf Jena und das Saaletal bietet sich vom Landgrafen, dem "Balkon von Jena".

*Stadtbild

Als Siedlung "Jani" wird Jena um 830–850 erstmals urkundlich erwähnt und 1230 zur Stadt erhoben. In den folgenden Jahrzehnten wurde die Stadt zu einem geistigen Zentrum: Goethe, Schiller, Feuerbach, die Gebrüder Schlegel, Tieck, Fichte, Schelling, Hegel und andere Persönlichkeiten von Rang trugen zu dieser Entwicklung bei. Im Jahre 1789 wurde Friedrich Schiller an die Universität berufen, um Geschichte und Philosophie zu lehren. Unter dem Eindruck der Freiheitskriege gründeten Studenten der Universität Jena am 12. Juni 1815 die "Jenaische Burschenschaft", deren Mit-

Geschichte

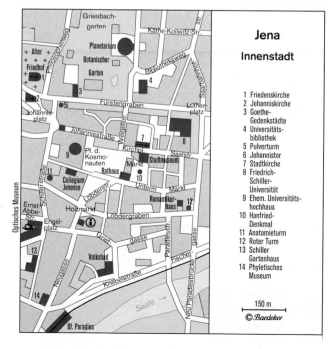

Jena

Innenstadt

1 Friedenskirche
2 Johanniskirche
3 Goethe-
   Gedenkstädte
4 Universitäts-
   bibliothek
5 Pulverturm
6 Johannistor
7 Stadtkirche
8 Friedrich-
   Schiller-
   Universität
9 Ehem. Universitäts-
   hochhaus
10 Hanfried-
   Denkmal
11 Anatomieturm
12 Roter Turm
13 Schiller
   Gartenhaus
14 Phyletisches
   Museum

150 m

© Baedeker

Jena

glieder 1817 auf der Wartburg bei → Eisenach die staatliche Einigung Deutschlands sowie Rede- und Pressefreiheit forderten. Der 1840 in Eisenach geborene Physiker und Mathematiker Ernst Abbe schuf hier die wissenschaftlichen Grundlagen für die feinmechanisch-optische Industrie. 1846 hatte der aus Weimar stammende Mechaniker Carl Zeiss eine "Mechanische Werkstatt" in Jena eingerichtet, in der Abbe seit 1866 neue Werkzeuge entwickelte. Zusammen mit dem Chemiker und Glastechniker Otto Schott schuf Zeiss die für die neuen Instrumente erforderlichen optischen Gläser. 1880 nahm die erste Jenaer Zeiss-Fabrik die Produktion auf. Nach dem Zweiten Weltkrieg wurde Oberkochen in Baden-Württemberg Sitz des Optikunternehmens Carl Zeiss, doch auch in Jena wurden weiterhin optische Geräte produziert. Aus diesem Werk ist die heutige Firma "Carl Zeiss Jena" hervorgegangen.

Sehenswertes in Jena

*Marktplatz

Zu Recht steht der Marktplatz als letztes nahezu erhalten gebliebenes städtebauliches Ensemble der Altstadt, die im Zweiten Weltkrieg durch Bomben größtenteils zerstört wurde, unter Denkmalschutz. Den Markt dominiert das spätgotische Rathaus, ein Gebäude mit zwei Walmdächern, zwischen denen ein Turm mit einer Kunstuhr emporragt. Auf dem Platz steht weithin sichtbar das Denkmal "Hanfried"; diese Bezeichnung leitet sich von den Vornamen des Kurfürsten Johann Friedrich der Großmütige (1503 – 1553) her, der die Jenaer Hochschule gründete, aus der die bekannte Universität hervorging.

Stadtmuseum

Am Marktplatz steht ferner die "Alte Göhre", ein Gebäude mit auffälliger Giebelstellung an der Nordseite. Das Stadtmuseum, das in dem Haus seinen Sitz hat, vermittelt einen Überblick über die Stadtgeschichte bis zur Jahrhundertwende. Zu sehen sind u.a. eine historische Münzwerkstatt sowie zahlreiche Dokumente zur Universitätsgründung und zum studentischen Leben.

St. Michael

Die Stadtkirche St. Michael, eine spätgotische Hallenkirche, wurde 1506 fertiggestellt (nach dem Zweiten Weltkrieg rekonstruiert). Bei der Gestaltung der Kirche orientierten sich die Baumeister an Stilelementen aus Böhmen, Oberschlesien und Süddeutschland. Bemerkenswert unter den Ausstattungsstücken sind das Standbild des hl. Michael, eines der ältesten Holzbildwerke Thüringens, und die Bronzeplatte, die ursprünglich für das Grab Martin Luthers in Wittenberg bestimmt war und sich seit 1571 in der Michaelskirche befindet.

*Collegium
Jenense

Vom Markt führt die Kollegiengasse zum ehemaligen Dominikanerkloster und späteren Collegium Jenense, rund drei Jahrhunderte lang die "Erste Universität" der Stadt. Interessant ist die alte Karzerzelle mit Inschriften von Studenten, die hier ihre Strafe verbüßen mußten. Am Collegium Jenense wirkten bedeutende Gelehrte wie Hegel, Fichte und Schelling.

Ehamaliges
Universitäts-
hochhaus

Weithin sichtbar ragt das runde, 120 m hohe, ehemalige Universitätshochhaus (1972) über die Stadt. Früher gab es ein Panoramacafé auf der 26. Etage, nun ist es geschlossen, denn das Hochhaus wird zur Zeit verkauft.

Bürgerhäuser

In Jena gibt es auch eine Reihe alter Bürgerhäuser, darunter das Haus "Zur Rosen" von 1683 (Johannisstraße 13) mit einem Ornament und einer Inschrift an der Fassade. Schöne Bürgerhäuser findet man zudem in der Saalstraße (Nr. 5: Trebitzsches Haus).

Universität

Das Hauptgebäude (1905 – 1908) der Friedrich-Schiller-Universität befindet sich am Fürstengraben 1, an der Stelle des ehemaligen herzoglichen Schlosses. In der Großen Aula der Universität ist ein Gemälde von Ferdinand Hodler zu sehen ("Auszug der Jenaer Studenten zum Freiheitskampf von 1813"). Vor dem Gebäude steht das Burschenschaftsdenkmal des Bildhauers Adolf von Donndorf. Entlang der "Via triumphalis" (Fürstengraben) stehen außerdem zahlreiche Denkmäler berühmter Persönlichkeiten.

Universität
(Fortsetzung)

Ein markantes Gebäude am Fürstengraben (Nr. 23) ist auch die "Zweite Universität", ein barockes Bauwerk, das bis 1908 das Hauptgebäude der Universität war. Am Fürstengraben Nr. 18 steht das Frommannsche Haus (18. Jh.), das Verlagshaus des Buchhändlers und Verlegers Frommann. Zur Goethezeit trafen sich dort bedeutende Persönlichkeiten.

Frommannsches
Haus

Auf dem Gelände des früheren fürstlichen Lustgartens liegt der Botanische Garten. Dort findet man Pflanzen aus allen Erdteilen, ferner ein Alpinum und ein Arboretum. Die im ehemaligen Inspektorhaus des Botanischen Gartens (Fürstengraben 26) eingerichtete Gedenkstätte erinnert an das langjährige Wirken Johann Wolfgang von Goethes als Dichter, Staatsmann und Naturforscher in Jena. Im Haus schräg gegenüber wohnte Novalis während seiner Jenenser Studienzeit 1790/1791 (Gedenktafel).

Botanischer
Garten

Von der Goethe-Gedenkstätte sind es nur wenige Schritte zum Zeiss-Planetarium, einem Kuppelbau von 1926, der unter Denkmalschutz steht. Das Planetarium bietet populärwissenschaftliche Vorführungen, Kinderprogramme sowie Laser- und Multivisionsshows an.

*Zeiss-
Planetarium

Am Carl-Zeiss-Platz im Südwesten der Innenstadt lohnt das Optische Museum einen Besuch. Es ist ein naturwissenschaftlich-technisches Museum, das kulturgeschichtliche und technische Entwicklungslinien optischer Instrumente aus fünf Jahrhunderten präsentiert. Außerdem besitzt es eine der größten Brillensammlungen Europas. Am Carl-Zeiss-Platz erinnert ein achteckiger Jugendstilbau von Henry van de Velde (1911) an den Physiker Ernst Abbe; die Abbe-Büste im Inneren schuf Max Klinger.

*Optisches
Museum

Aus der in das Saaletal geschmiegten Stadt ragt das Wahrzeichen Jenas heraus, das ehemalige Universitätshochhaus.

417

Jena

*Gedenkstätte der deutschen Frühromantik

An der Straße "Unterm Markt" 12 a steht das einstige Wohnhaus des Philosophen Johann Gottlieb Fichte, heute Gedenkstätte der deutschen Frühromantik. Zum Jenaer Romantikerkreis gehörten u.a. der junge Schelling, die Gebrüder Schlegel, Tieck und Novalis. Die oberen Etagen des Gebäudes beherbergen die Kunstsammlungen der Städtischen Museen.

Schillers Sommerhaus

Das ehemalige Sommerhaus Schillers "vor der Stadt an der Leutra" (Schillergäßchen 2) ist die einzige erhalten gebliebene Schiller-Gedenkstätte Jenas. Hier arbeitete der Dichter an den Dramen "Wallensteins Lager" und "Maria Stuart" und vollendete die "Jungfrau von Orléans".

Markttag auf dem denkmalgeschützten Jenaer Marktplatz mit Rathaus

E.-Haeckel-Haus

Das frühere Wohnhaus des Zoologen Ernst Haeckel in der Berggasse Nr. 7 ist heute Sitz des Instituts für Geschichte der Medizin, Naturwissenschaften und Technik der Friedrich-Schiller-Universität. Das Ernst-Haeckel-Museum gibt Auskunft über Leben und Wirken des Naturwissenschaftlers.

Schillerkirche

An der Schlippenstraße in Jena-Ost, jenseits der Saale, liegt die Schillerkirche, einst Dorfkirche von Wenigenjena. Am 22. Februar 1790 ließen sich dort der Dichter Friedrich Schiller und Charlotte von Lengefeld trauen.

Umgebung von Jena

**Kahla
*Leuchtenburg**

In Kahla, 16 km südlich, sind noch größere Abschnitte der Stadtmauer des 14. und 15. Jh.s erhalten. Oberhalb von Kahla steht, weithin sichtbar, die Leuchtenburg, einst eine der mächtigsten Burgen in Thüringen. Im Inneren ist ein Museum untergebracht; zur Einkehr lädt die Burgschänke.

Cospeda

Die Gedenkstätte in Cospeda, 4 km nordwestlich von Jena, erinnert an die Schlacht von Jena und Auerstedt, in deren Verlauf 1806 Napoleon I. und seine Verbündeten die preußischen Truppen besiegten. Zu sehen sind ein Diorama der Schlacht, Waffen und Uniformen.

*Dornburger Schlösser

Dornburg, 12 km nordöstlich von Jena am Steilufer der Saale gelegen, ist mit seinen Schlössern und den gepflegten Parkanlagen ein beliebtes Ausflugsziel. Die Schlösser – das Alte Schloß, das Renaissanceschloß und das Rokokoschloß – wurden vor allem durch Goethes Aufenthalte bekannt.

Apolda

Die kleine Stadt Apolda liegt am östlichen Rand des Thüringer Beckens, rund 15 km nordwestlich von Jena. Bedeutung erlangte der Ort durch seine Glockengießerei (1988 eingestellt) und die Herstellung von Strick- und Wirkwaren. Nach dem Zweiten Weltkrieg wurden hier die Glocken für die

Gedenkstätte Buchenwald auf dem Ettersberg bei → Weimar gegossen. Im Glockenmuseum (Bahnhofstraße 41) wird die Geschichte der Glocken über einen Zeitraum von etwa dreitausend Jahren dargestellt. Zu sehen sind sowohl orientalische, chinesische und europäische Arbeiten als auch Glocken aus Apolda. Im Haus gegenüber (Bahnhofstraße 42) wurde das Kunsthaus der Apoldaer Avantgarde eingerichtet.

Jena, Umgebung, Apolda (Fortsetzung)

Südwestlich von Apolda sollte man die stattliche Wasserburg in Kapellendorf ansehen. Die fünfeckige Anlage ist ein besonders schönes Beispiel für eine gotische Niederungsburg mit Wassergraben. Im Oktober 1806 war die Burg Hauptquartier der preußischen Armee unter dem Fürsten von Hohenlohe.

Kapellendorf

Am Ufer der Ilm steht in Oßmannstedt das barocke Gutshaus, in dem Christoph Martin Wieland (1733–1813), der Wegbereiter der deutschen Klassik, mehrere Jahre lebte und arbeitete. Heute kann man dort ein Wielandmuseum besichtigen. Um das Haus herum ist ein Park mit Brunnen und Rokokogarten angelegt, in dem sich die Grabstätten von Wieland und seiner Frau sowie von Sophie von Brentano befinden, die Wieland in Freundschaft verbunden war.

Oßmannstedt

→ Saaletal

Weitere Ziele

Kaiserslautern   D 6

Bundesland: Rheinland-Pfalz
Höhe: 233 m ü.d.M.
Einwohnerzahl: 102 000

Die alte "Barbarossastadt" Kaiserslautern, so genannt nach der Pfalz, die Friedrich I. Barbarossa hier errichten ließ, ist das kulturelle und wirtschaftliche Zentrum des Pfälzer Waldes.

Lage und Allgemeines

Eine früheste Siedlung entstand um einen Ende des 9. Jh.s erstmals erwähnten fränkischen Königshof. 1152 wurde die Pfalz Barbarossas gebaut, neben deren Mauerreste Pfalzgraf Johann Casimir im 16. Jh. ein Renaissanceschloß errichtete. Seit 1970 ist Kaiserslautern Sitz einer Universität.

Geschichte

Sehenswertes in Kaiserslautern

Im Mittelpunkt der Stadt erhebt sich am Stiftsplatz die dreitürmige Stiftskirche (13.–14. Jh.), die bedeutendste spätgotische Hallenkirche Südwestdeutschlands. Der sog. Schöne Brunnen vor der Kirche stammt von 1571.

Stiftsplatz

Unweit nordöstlich wurde im 14. Jh. am St. Martinsplatz, der das Tor zur Altstadt bildet, die gotische St.-Martins-Kirche im typischen Stil der mittelalterlichen Bettelordenskirchen errichtet. In nordwestliche Richtung führt von hier die Steinstraße mit ihren vielen Kneipen und Bistros zum Theodor-Zink-Museum, das seine volkskundlichen und stadtgeschichtlichen Sammlungen zeigt, und zum Kaiserbrunnen (1987) am Mainzer Tor.

St. Martinsplatz

Heimatmuseum

Westlich des St. Martinsplatzes ist die 1843–1846 nach dem Vorbild des Palazzo Medici in Florenz im Renaissancestil erbaute Fruchthalle sehenswert, die zunächst als Markthalle genutzt wurde, bevor dort 1849 die Pfälzische Revolutionsregierung tagte. Heute dient sie als Veranstaltungshalle.

Fruchthalle

Nördlich davon gruppieren sich um den Willy-Brandt-Platz das Theater, das 84 m hohe Rathaus und der Casimirbau, der in den Rathaus-Komplex eingegliedert ist. Die Ruinen dieses 1571 errichteten Renaissanceschlosses

Willy-Brandt-Platz

Kaiserslautern Willy-Brandt-Platz (Fortsetzung)	wurden ausgebaut und überdacht; in seinen Räumen ist der Casimirsaal untergebracht. Gegenüber unterrichten Schautafeln über die Baugeschichte der Kaiserpfalz, die Barbarossa 1152 hier errichten ließ. An den einst prächtigen Bau erinnern heute nur noch Mauerreste. In unmittelbarer Nachbarschaft liegt der Sandsteinbau des Neuen Pfalztheaters.
Pfalzgalerie	Am Museumsplatz, im Nordteil der Stadt, beherbergt die Pfalzgalerie in der Pfälzischen Landesgewerbeanstalt (Museumsplatz 1) mit Kunst des 19. und 20. Jh. die bedeutendste Gemäldesammlung der Pfalz.

Umgebung von Kaiserslautern

*Pfälzer Bergland	Schöne Ausflugsziele und Wandermöglichkeiten findet man südlich von Kaiserslautern im Pfälzer Wald (→ Deutsche Weinstraße · Pfälzer Wald) und im Norden im Pfälzer Bergland. Im nördlich von Kaiserslautern gelegenen Dannenfels beginnen beispielsweise schöne Wanderwege zum 687 m hohen Donnerberg. Auch der weiter westlich bei Wolfstein gelegene Königsberg (567 m) mit einem für die Öffentlichkeit zugänglichen ehemaligen Kalkbergwerk ist ein beliebtes Ziel.
Kusel	Beim ca. 35 km nordwestlich von Kaiserslautern gelegenen Ort Kusel hat man die mit einer Länge von 425 m größte pfälzische Burganlage, die Burg Lichtenberg, nach ihrer Zerstörung im 18. /19. Jh. teilweise restauriert und wiederaufgebaut. Sichtbar sind die um 1270 entstandene Oberburg mit dem Bergfried und mehreren Gebäuden und die später gebaute Unterburg (um 1450) mit den Resten eines Bergfrieds, einem Brunnen, einer Zisterne und Umfassungsmauern. Die gesamte Anlage ist von einer Ringmauer umgeben und steht seit 1895 unter Denkmalschutz. Zwei Museen sind in der Zehntscheuer im Ort untergebracht: das Musikantenland- und das Naturkundemuseum.

Karlsruhe   E 6/7

Bundesland: Baden-Württemberg
Höhe: 116 m ü.d.M.
Einwohnerzahl: 269 000

Lage und Allgemeines	Die ehemalige großherzoglich badische Residenzstadt Karlsruhe liegt nahe am Rhein an den nordwestlichen Ausläufern des → Schwarzwalds. Charakteristisch ist die zum Schloß hin orientierte fächerförmige Anlage der Innenstadt. Karlsruhe ist u.a. Sitz des Bundesgerichtshofs und des Bundesverfassungsgerichts, einer Universität, Kunstakademie und Musikhochschule sowie des Forschungszentrums Karlsruhe. Der westlich gelegene Rheinhafen förderte die Ansiedlung einer vielseitigen Industrie, u.a. große, an die Pipeline Marseille–Karlsruhe–Ingolstadt angeschlossene Ölraffinerien. Karlsruhe ist der Geburtsort von Karl Friedrich von Drais, dem Erfinder des Laufrades, und von Carl Benz, der unabhängig von Gottlieb Daimler (→ Stuttgart) einen Benzinmotor entwickelte und 1885 das erste mit diesem angetriebene Fahrzeug vorstellte.
Geschichte	Karlsruhe verdankt seine Entstehung dem Markgrafen Karl Wilhelm von Baden-Durlach, der hier 1715 seine neue Residenz inmitten seines bevorzugten Jagdreviers, des Hardtwaldes, gründete, nachdem seine Durlacher Residenz 1689 verwüstet worden war. Er legte fest, daß alle Straßen fächerförmig auf sein Schloß zulaufen sollten. Das klassizistische Gepräge erhielt die Stadt zu Beginn des 19. Jh.s durch die schlicht-eleganten Staats- und Privatbauten des Karlsruher Architekten Friedrich Weinbrenner. Er schuf u.a. die Bebauung am Marktplatz und legte die Kaiserstraße an, die in Ost-West-Richtung parallel zum Schloß verläuft.

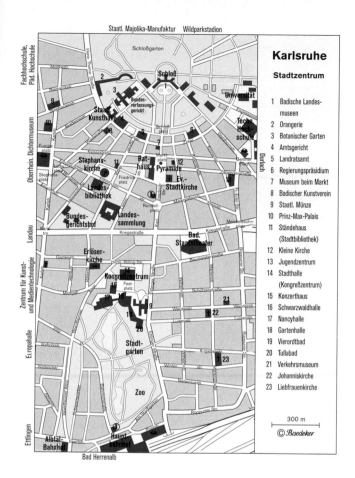

Karlsruhe

Stadtzentrum

1 Badische Landes-
museen
2 Orangerie
3 Botanischer Garten
4 Amtsgericht
5 Landratsamt
6 Regierungspräsidium
7 Museum beim Markt
8 Badischer Kunstverein
9 Staatl. Münze
10 Prinz-Max-Palais
11 Ständehaus
(Stadtbibliothek)
12 Kleine Kirche
13 Jugendzentrum
14 Stadthalle
(Kongreßzentrum)
15 Konzerthaus
16 Schwarzwaldhalle
17 Nancyhalle
18 Gartenhalle
19 Vierordtbad
20 Tullabad
21 Verkehrsmuseum
22 Johanniskirche
23 Liebfrauenkirche

300 m

© *Baedeker*

Sehenswertes in Karlsruhe

Das Herzstück der Stadt ist der weite Schloßplatz mit dem in seiner heutigen Form 1752–1775 unter dem Markgrafen Karl Friedrich, dem Enkel des
Stadtgründers, erbauten dreiflügeligen Schloß; vom ursprünglichen Schloß
ist nur noch der hohe Mittelturm erhalten. Im Inneren des Schlosses befindet sich das Badische Landesmuseum, das Sammlungen der Vor- und
Frühgeschichte des Landes, von antiken Kulturen des Mittelmeerraums
sowie Kunst-, Kultur- und Landesgeschichte vom Mittelalter bis zur Gegenwart ausstellt. Während der Öffnungszeiten des Museums kann der
Turm des Schlosses bestiegen werden, von dem aus man den besten Eindruck von der Stadtanlage erhält.

*Schloß/
Badisches
Landesmuseum

Hinter dem Schloß erstreckt sich der ausgedehnte Schloßgarten, ein im
englischen Stil angelegter Landschaftsgarten mit einem Teich, schönem
Baumbestand, Liege- und Spielwiesen, auf denen sich vor allem im Sommer die Karlsruher tummeln, picknicken und Federball spielen.

Schloßgarten

421

Karlsruhe

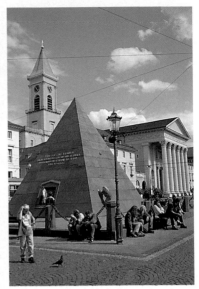

Botanischer Garten mit Orangerie und ...   *... die Pyramide am Marktplatz*

Majolika-
Manufaktur

Nördlich hinter dem Schloßgarten befindet sich die 1901 gegründete Staatliche Majolika-Manufaktur mit dem Majolika-Museum.

Botanischer
Garten

Mit schönen Blumenanlagen und prächtigem alten Baumbestand wartet der Botanische Garten westlich des Schlosses auf. Einige Gewächshäusern mit Kakteen und tropischen Pflanzen grenzen den Garten nach Norden hin gegen den Schloßgarten ab. Im Südosten schließt der Bau des Bundesverfassungsgerichts (1968) an.

*Staatliche
Kunsthalle und
Orangerie

Am Botanischen Garten liegen zudem die Orangerie und südlich die Staatliche Kunsthalle (Hans-Thoma-Str. 2–6). Ihre bedeutende Gemäldesammlung umfaßt sowohl altdeutsche Meister wie Grünewald, Dürer, Grien, Cranach, Holbein als auch niederländische und französische Malerei (u.a. Rubens, Rembrandt, Lorrain, Chardin) und Malerei des 19. Jh.s (C.D. Friedrich, Delacroix, Courbet, Degas, Monet). In der Orangerie, einem Teil der Staatlichen Kunsthalle, sind Werke von Cézanne und Gauguin über Kandinsky, Klee, Delaunay, Matisse, Kirchner bis zur zeitgenössischen Kunst (Palermo, Grausner, Rainer, Jorn) sowie das erste deutsche Kindermuseum zu sehen.

Museum beim
Markt

Eine Außenstelle des Badischen Landesmuseums ist auch das Museum beim Markt (Karl-Friedrich-Straße 6). Es zeigt Sammlungen vom Jugendstil bis zur angewandten Kunst der Gegenwart (u.a. Werke des Bauhauses, Design nach 1945, Keramik, Glas und Goldschmiedekunst).

Marktplatz

Südlich vom Schloß liegt der Marktplatz, dessen geschlossene klassizistische Platzanlage von Weinbrenner geplant wurde. Auffällig erhebt sich hier die 6,50 m hohe, aus rotem Sandstein erbaute Pyramide, das Wahrzeichen von Karlsruhe. Sie birgt die Gruft des Stadtgründers. Die Westseite des Platzes begrenzt das Rathaus mit seiner dreiteiligen Fassade, gegenüber steht die ebenfalls von Weinbrenner entworfene Evangelische Stadtkirche, die an einen griechischen Tempel erinnert.

Die 2 km lange, größtenteils zur Fußgängerzone erklärte Kaiserstraße ist die Ost-West-Achse der Fächerstadt und ihre Hauptgeschäftsstraße. In dem vom Marktplatz zum Durlacher Tor führenden östlichen Teil der Kaiserstraße befindet sich die schon 1825 gegründete Technische Universität, an der Heinrich Hertz 1885–1889 die elektromagnetischen Wellen erforschte. Westwärts zieht die Kaiserstraße an der stattlichen Hauptpost am Europaplatz vorbei zum Mühlburger Tor.

Kaiserstraße

Südwestlich vom Marktplatz liegt der Friedrichsplatz, dessen gesamte Südseite von einem 1865–1875 im Stil der Neorenaissance errichteten Monumentalbau eingenommen wird. Es beherbergt die Landessammlungen für Naturkunde mit Abteilungen für Geologie, Mineralogie, Botanik und Zoologie, letztere mit einem Vivarium. In Sichtweite liegen die Badische Landesbibliothek und die 1814 von Weinbrenner erbaute katholische Stephanskirche, das an die Formen des römischen Pantheons erinnert. Südwestlich beherbergt seit 1950 das ehemalige Großherzogliche Palais (1893–1897) den Bundesgerichtshof.

Friedrichsplatz mit Museum und Stephanskirche

Über die Erbprinzenstraße erreicht man den westlich gelegenen, kopfsteingepflasterten Ludwigsplatz, der vor allem im Sommer mit seinen Straßencafés und Restaurants einen beliebten Treffpunkt bildet.

Ludwigsplatz

Wenige Hundert Meter weiter liegt nördlich der Kaiserstraße das Prinz-Max-Palais (Karlstr. 10). In diesem Gründerzeitbau sind die stadtgeschichtlichen Sammlungen und die Städtische Galerie untergebracht. Ab Mitte 1998 zieht hier das Oberrheinische Dichtermuseum ein, das zur Zeit noch seinen Sitz in der Röntgenstr. 6 hat. Es zeigt Handschriften, Erstdrucke, Briefe u.a., die einen Überblick über Leben und Werk von mehr als 150 oberrheinischen Dichtern geben.

Prinz-Max-Palais

Vom Markt südwärts gelangt man durch die Karl-Friedrich-Straße über den Rondellplatz mit der Verfassungssäule und dem 1963 wiederhergestellten ehemaligen Markgräflichen Palais, einem der schönsten Bauten Weinbrenners, zur Straßenkreuzung am Ettlinger Tor. Überquert man dort die breite Kriegsstraße, sieht man schon das südöstlich liegende Badische Staatstheater (1970–1975), vor dem der originelle "Musengaul" steht.

Rondellplatz Theater

Die Ettlinger Straße führt weiter südlich zum Festplatz, dem Mittelpunkt des Kongreß- und Ausstellungszentrums mit der 1985 modernisierten Stadthalle, die zum 200jährigen Stadtjubiläum 1915 erbaut wurde, mit dem Konzerthaus, der Nancy-Halle sowie der Schwarzwald- und Gartenhalle. Östlich vom Vierordtbad (Werderstr. 63) liegt das Verkehrsmuseum mit Auto- und Motoradoldtimern sowie Eisenbahnmodellen.

Festplatz Kongreßzentrum

Südlich des Festplatzes erstreckt sich bis zum Hauptbahnhof der schöne Stadtgarten (u.a. Japan-, Rosengarten) sowie der Zoo mit ca. 1000 Tieren.

Stadtgarten

Westlich der Innenstadt befindet sich eine denkmalgeschützte ehemalige Fabrik, die IWKA an der Lorenzstraße, in die im Oktober 1997 das Zentrum für Kunst- und Medientechnologie (ZKM) eingezogen ist. Schon seit einigen Jahren zieht das ZKM Künstler und Wissenschaftler an, die ihr Ziel in der Verbindung der traditionellen Künste wie Malerei und Musik mit den digitalen Techniken sehen. Neben zwei Museen, dem ZKM Museum für Gegenwartskunst und dem ZKM Medienmuseum, öffnet dann dort auch die Städtische Galerie Karlsruhe (Lichthof 10 im Hallenbau A) ihre Pforten, die bisher im Prinz-Max-Palais untergebracht war.

*Zentrum für Kunst- und Medientechnologie

Südwestlich der Innenstadt, nahe dem Flüßchen Alb, liegt die Europahalle (Großsporthalle) am Rande der Günther-Klotz-Anlage. In diesem Park mit seinen Wiesen und Seen (u.a. ein kleiner Ruderbootsee) findet jedes Jahr an einem Wochenende im Sommer "das Fest" statt, ein kostenloses, dreitägiges Open-Air-Festival, das 1997 etwa 200000 Musikfans anzog.

Europahalle

*Auf das Schloß laufen alle Straßen der Karlsruher Innenstadt
fächerförmig zu. Mehrere Museen haben heute hier ihren Sitz.*

Karlsruhe-Durlach

Ein Besuch der einstigen Zähringer-Residenz Durlach, heute ein östlicher
Stadtteil von Karlsruhe, lohnt vor allem wegen seines hübschen Stadt-
kerns. Im sog. Prinzessinnenbau des Schlosses, der einstigen Residenz
der Markgrafen von Baden-Durlach, sind das Pfinzgau-Museum und das
Karpatendeutsche Heimatmuseum untergebracht. Bewahrt werden hier
Dokumente aus Durlachs Geschichte, u. a. Zeugnisse der Durlacher
Fayencenmanufaktur sowie Kulturgut der Deutschen aus der Slowakei. Ein
beliebtes Ausflugsziel ist der 225 m hohe Turmberg, auf den die älteste in
Betrieb befindliche Standseilbahn Deutschlands hinaufführt. Von seinem
zum Aussichtsturm umgebauten Bergfried (Durlacher Warte) hat man einen weiten Blick auf die Stadt und über die Oberrheinebene.

Umgebung von Karlsruhe

Ettlingen

Etwa 8 km südlich liegt die hübsche Stadt Ettlingen mit einem ehemaligen
markgräflichen Schloß (1728–1733), in dem im Sommer Festspiele stattfinden. In der als Konzertsaal genutzten Schloßkapelle beeindruckt ein 1732
von Cosmas Damian Asam geschaffenes Deckengemälde. Im Schloß sind
außerdem verschiedene Museumssammlungen untergebracht (u.a. Stadt-
und Regionalgeschichte, Ostasiatische Kunst). Die als Fußgängerzone gestaltete Altstadt mit ihren zahlreichen schmucken Bauten wird von dem
Flüßchen Alb in eine Nord- und Südhälfte geteilt. Sehenswert ist hier auch
das Rathaus am Marktplatz und die östlich gelegene Martinskirche, ein
barocker Saalbau von 1733.

Bruchsal

Die Stadt Bruchsal (40 000 Einwohner) in der Oberrheinebene und am
Rand des Kraichgaus liegt ca. 30 km nordöstlich von Karlsruhe. Bedeu-
tendste Sehenswürdigkeit der Stadt ist das im 18. Jh. als Residenz der
Fürstbischöfe von Speyer errichtete barocke Schloß. Der Bau wurde 1722

begonnen und z.T. unter Mitwirkung von Balthasar Neumann errichtet. Der vielgliedrige Komplex (insgesamt rund 50 Einzelgebäude) und der schöne Park wurden nach den Zerstörungen des Zweiten Weltkrieges wiederhergestellt. Das Innere ist eine Glanzleistung des deutschen Rokoko; besonders beachtenswert ist das von Balthasar Neumann gestaltete Treppenhaus mit einem großen Kuppelfresko. Die Schloßkirche wurde modern gestaltet. In den Museen des Schlosses ist neben einer der größten Sammlungen von Gobelins und kunsthandwerklichen Arbeiten aus der frühen Ausstattung des Schlosses das Museum für mechanische Musikinstrumente mit über 200 selbstspielenden Orgeln, Klavieren und Spieldosen besonders sehenswert. Von den Kirchen Bruchsals überstand als einzige die 1742–1749 von Balthasar Neumann erbaute Barockkirche St. Peter im Südosten der Stadt den Zweiten Weltkrieg.

Karlsruhe, Umgebung Bruchsal (Fortsetzung)

Bretten, 22 km östlich von Karlsruhe gelegen, ist der Geburtsort des Reformators und Theologen Philipp Melanchthon (1497–1560). An ihn erinnert heute das Melanchthonhaus mit Museum am Marktplatz. Die heutige Erscheinung des schon 767 erstmals erwähnten Städtchens ist nach einem großen Brand im wesentlichen das Werk des 18. Jahrhunderts. Die Stadtkirche St. Lorenz besitzt noch romanische und gotische Elemente. In dem 1585 errichteten Gerberhaus in der Brettener Altstadt ist ein Freilichtmuseum eingerichtet, das Exponate zur Handwerksgeschichte Brettens (Gerber, Schuster, Sattler) zeigt und über die Stadtverteidigungsgeschichte und das Wohnen im 18. Jh. informiert.

Bretten

Im Sommer besteht jeweils am letzten Wochenende des Monats Gelegenheit zur Fahrt mit einem historischen Dampfzug durch das Albtal nach Bad Herrenalb (→ Schwarzwald).

Bad Herrenalb

Kassel

F 4

Bundesland: Hessen
Höhe: 163 m ü.d.M.
Einwohnerzahl: 202 000

Kassel, in einem Talbecken der Fulda am Fuße des Habichtswaldes gelegen, ist das unumstrittene Kultur- und Wirtschaftszentrum Nordhessens. Zahlreiche Bildungsanstalten (darunter eine Gesamthochschule) und Behörden (Bundesarbeits- und Bundessozialgericht) haben hier ihren Sitz. Auf künstlerischem Gebiet bringt man den Namen der Stadt sofort mit der "documenta" in Verbindung, die alle fünf Jahre (zuletzt 1997) an Moderner Kunst Interessierte aus aller Welt anzieht. Als Wirtschaftsstandort und Tagungsstätte hat Kassel durch die Wiedervereinigung Deutschlands sehr gewonnen. Die einzige Großstadt Nordhessens liegt nun wieder im Zentrum Deutschlands, im Schnittpunkt wichtiger Autobahnverbindungen. Sie ist an das ICE-Netz der Deutschen Bahn angeschlossen.

Lage und Allgemeines

Kaum jemand wird die Innenstadt von Kassel als besonders schön empfinden. Wenig attraktive Zweckbauten dominieren in dem nach Kriegsende zügig wiederaufgebauten Stadtzentrum. Kassels großes "Plus" liegt auf einem anderen Gebiet: 63% der Stadtfläche sind öffentlich zugängliche, reizvolle Grünzonen. Schokoladenseite der Stadt ist die Wilhelmshöhe mit ihren repräsentativen Bauten und dem zu Spaziergängen einladenden Bergpark.

Stadtbild

Den Ursprung Kassels bildete ein fränkischer Königshof am Fuldaübergang. Stadt- und Befestigungsrecht hatte der Ort bereits im 12. Jh.; 1277 machte Landgraf Heinrich I. Kassel zu seiner Residenz. Von 1803 bis 1866 war Kassel, abgesehen von einem kurzen französischen Intermezzo, Hauptstadt des Kurfürstentums Hessen, dann wurde es preußisch.

Geschichte

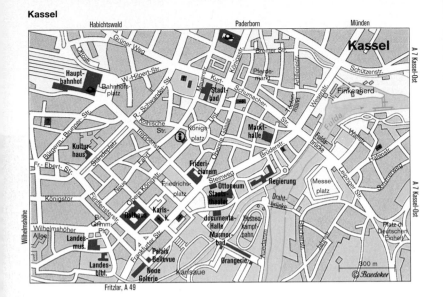

Habichtswald Paderborn Münden

Fritzlar, A 49

Innenstadt

Königsstraße

Hauptgeschäftsstraßen sind die zu Fußgängerzonen erklärte Obere Königsstraße, die sie kreuzende Wilhelmsstraße sowie die Treppenstraße, die
1953 als erste Fußgängerzone der Bundesrepublik Deutschland eingeweiht wurde. Ein Stadtrundgang könnte am südlichen Anfang der Königsstraße beim 1905–1909 erbauten Rathaus beginnen.

**Museum
Fridericianum**

Die Obere Königsstraße führt am weitläufigen Friedrichsplatz vorbei, der
im späten 18. Jh. nach englischen und französischen Vorbildern angelegt
wurde. Das Museum Fridericianum beherrscht seine Nordostseite. Der von
vornherein als Museum konzipierte Bau entstand 1769–1779 nach Plänen
von Simon Louis du Ry im klassizistischen Stil. Seit 1955 ist er Zentrum der
documenta und anderer internationaler Ausstellungen.

Ottoneum

Gegenüber befindet sich im ehemaligen Ottoneum, das 1604–1607 als
erster fester Theaterbau Deutschlands errichtet wurde, das Naturkundemuseum mit Exponaten zur Geologie, Botanik und Zoologie.

documenta-Halle

Rechtzeitig zur documenta 9 (1992) wurde die documenta-Halle am Rande
der Karlsaue fertiggestellt, die außerhalb der documenta für Kunstausstellungen und Kongresse genutzt wird.

**∗Karlsaue
Fuldaaue**

Zu ausgedehnten Spaziergängen laden die sich südlich der Innenstadt, in
den Flußniederungen der Fulda erstreckende Karls- und Fuldaaue ein. Die
Karlsaue, 1670–1730 unter Landgraf Karl angelegt, ist mit 125 ha eine der
größten barocken Parkanlagen Deutschlands. Die angrenzende Fuldaaue
entstand im Rahmen der Bundesgartenschau 1981. Ein beachtenswertes
Gebäude in der Karlsaue ist die Orangerie, ein Barockbau von 1710. Das
einstige Lustschloß der hessischen Landgrafen beherbergt heute das Museum für Astronomie und Technikgeschichte. Das Marmorbad daneben
(von 1720; es wird z.Z. renoviert) gilt als eines der schönsten Beispiele des
italienisch inspirierten Barocks. Ganz im Südwesten der Karlsaue fasziniert
die Blumeninsel Siebenbergen im Sommer durch ihre Blütenpracht.

Die Anlegestelle für Ausflugsfahrten mit dem Dampfschiff auf der Fulda (von April bis Oktober) befindet sich an der Fuldabrücke. — Karlsaue / Fuldaaue (Fts.)

Die Neue Galerie (1871–1877 erbaut) am Nordwestrand der Karlsaue zeigt Gemälde und Skulpturen von der Mitte des 18. Jh.s bis zur Gegenwart, darunter auch Werke berühmter documenta-Künstler (Beuys, Merz, Polke, Richter u.a.). — Neue Galerie

Im benachbarten Palais Bellevue hat das Brüder-Grimm-Museum seinen Sitz. Die Brüder Jacob und Wilhelm Grimm haben sich durch ihre Sammlung der Volks- und Hausmärchen sowie durch das "Deutsche Wörterbuch" um die deutsche Sprache und Literatur verdient gemacht. — Brüder-Grimm-Museum

Von hier gelangt man durch die Friedrichsstraße zum Brüder-Grimm-Platz. Vor der Torwache, in der die Brüder Grimm in den Jahren 1814 bis 1822 lebten, erinnert ein Denkmal an sie. Die Torwache gehört heute zum Hessischen Landesmuseum, das angewandte Kunst und Design von 1840 bis heute präsentiert. — Torwache

In dem Bau an der Südseite des Platzes sind zwei Museeen untergebracht: zum einen das Landesmuseum, das seine Sammlungen zur Vor- und Frühgeschichte, Kunsthandwerk sowie Plastiken vom Mittelalter bis zur Gegenwart zeigt, und zum anderen das originelle Deutsche Tapetenmuseum, das die Entwicklung der Tapeten vom 18.–20. Jh. dokumentiert. — Landesmuseum / Tapetenmuseum

Wilhelmshöhe

Vom Brüder-Grimm-Platz führt die 5 km lange, schnurgerade verlaufende Wilhelmshöher Allee zum Bergpark im Stadtteil Wilhelmshöhe, der nicht nur wegen seiner prächtigen Bauten und hübschen Parkanlagen, sondern auch als staatlich anerkanntes Kneipp-Heilbad Bedeutung hat.

Der Bergpark entstand ab 1701 zunächst als barocke Gartenanlage. Diese wurde in der zweiten Hälfte des 18. Jh.s in einen englischen Landschaftspark mit Pavillons und grandiosen Wasserspielen umgewandelt. — *Bergpark

Das klassizistische Schloß Wilhelmshöhe wurde 1786–1803 für Landgraf Wilhelm IX. (später Kurfürst Wilhelm I.) von Simon Louis du Ry und Heinrich Christoph Jussow erbaut. Es war 1807–1813 Residenz des "Königs von Westfalen", Jérôme (Bruder Napoleons I.), 1871 Aufenthaltsort des bei Sedan gefangengenommenen Kaisers Napoleon III., später Sommerresidenz Kaiser Wilhelms II. Das glänzend eingerichtete Innere enthält die Staatlichen Kunstsammlungen mit der exzellenten Gemäldegalerie Alter Meister, die auf eine von Landgraf Wilhelm VIII. angelegte Sammlung zurückgeht (zahlreiche Werke niederländischer Maler, u.a. 17 Rembrandt, 11 van Dyck; Italiener, Spanier; voraussichtlich bis 1999 wegen Renovierung nicht zugänglich; Hauptwerke in der Neuen Galerie und im Landesmuseum). Außerdem sind ein Kupferstichkabinett, eine Antikensammlung und vor- und frühgeschichtliche Exponate zu sehen. Das Schloßmuseum im Weißensteinflügel zeigt Mobiliar, Glas und Keramik. (Die Öffnungszeiten der Kunstsammlungen und des Schloßmuseums — **Schloß Wilhelmshöhe / Staatliche Kunstsammlungen

Ausgedehnte Parkanlagen schließen an Schloß Wilhelmshöhe mit seinen Staatlichen Kunstsammlungen an.

Kassel

**Schloß
Wilhelmshöhe
(Fortsetzung)**

sind: Di.–So. 10.00–17.00, Schloßmuseum im Winter nur bis 16.00 Uhr).
Im 1830 fertiggestellten Ballhaus neben dem Schloß finden von Mai bis
Oktober Wechselausstellungen statt.

*Herkules

Vom Schloß kann man in Serpentinen oder auf dem direkten Weg parallel
zur Kaskadentreppe zum Herkules, dem Wahrzeichen von Kassel, aufsteigen. Den 71 m hohen, 1701–1717 errichteten Basalttuffsteinbau krönt die
Figur des Herkules. Die Besteigung ist von Mitte März bis Mitte November
möglich und wird durch einen prächtigen Ausblick belohnt.

Löwenburg

Südwestlich oberhalb des Schlosses liegt die Löwenburg. Nach dem Vorbild einer schottischen Ritterburg wurde sie um 1800 errichtet. In dem kleinen Museum sind u.a. Ritterrüstungen ausgestellt.

Kurhessen-Therme

Die Kurhessen-Therme am östlichen Parkrand umfängt den Badegast mit
einer fernöstlichen Atmosphäre. Eine Solequelle speist die Außen- und In-
nenbecken des Gesundheitszentrums und des Erlebnisbades.

Umgebung von Kassel

**Schloß
Wilhelmsthal**

Gut 10 km nordwestlich erreicht man das Schloß Wilhelmsthal bei Calden.
Die 1753–1767 von François de Cuvilliés d. Ä. erbaute einstige kurfürstliche Sommerresidenz ist eines der reizvollsten Rokokoschlösser Deutschlands. Die prachtvolle Innenausstattung umfaßt u.a. eine Schönheitsgalerie
mit Gemälden von Johann Heinrich Tischbein.

Hofgeismar

Die Deutsche Märchenstraße führt 23 Kilometer nördlich von Kassel durch
die Stadt Hofgeismar (17 000 Einwohner), deren Altstadt mit ihren hübschen Fachwerkbauten von einer gut erhaltenen Stadtmauer umfaßt wird.

*Auf dem von Fachwerkhäusern eingerahmten Marktplatz von
Fritzlar bringt der Rolandsbrunnen im Sommer Abkühlung.*

In der romanisch-gotischen Altstädter Kirche beeindruckt ein schöner Passionsaltar (um 1335). Das Schlößchen Schönburg im nordwestlich gelegenen einstigen Kurbezirk ist ein frühes Beispiel des Klassizismus.

Kassel,
Umgebung
Hofgeismar (Fts.)

Im östlich von Hofgeismar sich erstreckenden Reinhardswald ist der Tierpark Sababurg, der sich der Arterhaltung und Rückzüchtung von Großtieren des Waldes verschrieben hat, ein beliebtes Ausflugsziel. Die auf einem Basaltkegel im späten 15. Jh. erbaute und seit 1826 verfallene Sababurg ist als Märchenstätte der Brüder Grimm bekannt.

Sababurg

In Oberkaufungen, 11 km östlich von Kassel, steht die Kirche eines ehemaligen Benediktinerinnenstifts, das 1017 von Kaiserin Kunigunde, Gemahlin Heinrichs II., gegründet worden war.

Oberkaufungen

Gut 25 km südwestlich von Kassel liegt am linken Ufer der Eder Fritzlar (15 000 Einwohner), dessen von einer noch fast vollständig erhaltenen Stadtmauer umgebener Kern mit rund 450 Fachwerkhäusern noch weitgehend mittelalterliches Gepräge zeigt. Eindrucksvoll ist der schöne Marktplatz mit dem Alten Kaufhaus aus dem 15. Jh. und dem Marktbrunnen. Auf dem höchsten Platz der Stadt ragt der zweitürmige St.-Petri-Dom (12.–14. Jh.) auf. Beachtenswert sind das gotische Sakramentshaus, das spätgotische Hochgrab des heiligen Wigbert in der Krypta, der Kreuzgang (14. Jh.) sowie der reiche Domschatz im Dommuseum.

Fritzlar

Kempten (Allgäu)   G 8

Bundesland: Bayern
Höhe: 650–920 m ü.d.M.
Einwohnerzahl: 62 000

Kempten liegt an der oberen Iller im Allgäuer Voralpenland und ist das wirtschaftliche und kulturelle Zentrum der Urlaubsregion → Allgäu. Die aus zwei unterschiedlichen Siedlungen – einer Bürgerstadt an der Iller und einer hochgelegenen Stiftsstadt – entstandene "Allgäumetropole" ist dank ihrer interessanten Sehenswürdigkeiten, der guten Einkaufsmöglichkeiten und der vielen Ausflugsziele in der Umgebung das ganze Jahr über vom Fremdenverkehr geprägt.

Lage und
Allgemeines

Kempten kann auf eine mehr als 2000jährige Geschichte zurückblicken – bereits der griechische Geograph Strabon erwähnte die keltische Siedlung Kambodounon. Das am rechten Hochufer der Iller gegründete römische Cambodunum gehörte bis zu seiner Zerstörung im 3. Jh. zusammen mit Augusta Vindelicorum (→ Augsburg) und Castra Regina (→ Regensburg) zu den bedeutendsten Städten der Provinz Raetien. Die im Mittelalter entstandene Bürgerstadt war seit 1289 Freie Reichsstadt. Das feindliche Verhältnis der Bürgerstadt zur Stiftsstadt wurde erst durch die Zusammenlegung der beiden Siedlungen unter bayrischer Herrschaft (1802/1803) beendet.

Geschichte

Stiftsstadt (Neustadt)

Am Nordwestrand des Stadtzentrums liegt die ehemalige Residenz der Fürstäbte, die 1651–1674 nach Plänen der Barockbaumeister Beer und Serro erbaut wurde. Die Rokoko-Prunkräume in der Residenz können im Rahmen von Führungen besichtigt werden.

*Ehem. Residenz
der Fürstäbte

An den Westflügel schließt die reich ausgestattete barocke St.-Lorenz-Basilika (ehem. Stiftskirche) mit ihrer eindrucksvollen Doppelturmfassade an. Sie wurde 1666 als erste große süddeutsche Kirche nach dem Dreißigjährigen Krieg fertiggestellt.

*St.-Lorenz-
Basilika

Kempten

Der prunkvolle Thronsaal der ehemaligen Residenz

Marstall

Im ehemaligen Marstall sind das Alpinmuseum (Thema: "Der Mensch und das Gebirge von der Geschichte bis zur Gegenwart") und die Alpenländische Galerie mit Sakralkunst der süddeutschen Spätgotik untergebracht.

Orangerie

Die 1780 erbaute Orangerie (heute Stadtbibliothek) schließt den schönen Hofgarten der fürstäbtlichen Residenz an seiner Nordseite ab.

Kornhaus
Zumsteinhaus

Westlich der Basilika steht das um 1700 errichtete Kornhaus mit seinem imposanten Volutengiebel. Im 1732 am Hildegardplatz südlich der St.-Lorenz-Basilika erbauten Landhaus kamen früher die Vertretungen der Untertanen des Stifts zusammen. Südwestlich dahinter liegt das klassizistische Zumsteinhaus (1802), das heute das Römische Museum und das Allgäuer Naturkundemuseum beherbergt. Es werden dort auch Funde aus dem Archäologischen Park Cambodunum (s. u.) gezeigt.

Altstadt

Straßenbild

Von der fürstäbtlichen Residenz gelangt man durch die Klostersteige hinunter in die Altstadt. Von der Freitreppe beim Schlößle (1593; hübsche Fassade) hat man einen schönen Blick auf den Rathausplatz. Eine belebte Einkaufsmeile ist die Fischerstraße, die an der Klostersteige beginnt. Hübsche Geschäfte gibt es auch in der nahen Fischersteige.

*Rathausplatz

Der alte Straßenmarkt wird von stattlichen Patrizierbauten umrahmt. Das Rathaus mit wappengeschmückter Fassade wurde im 14. Jh. als Fachwerkbau, 1474 dann als Steinbau errichtet. Der Londoner Hof aus dem Jahr 1764 (Nr. 2) besitzt eine besonders schöne Rokoko-Fassade. An den sog. König'schen Häusern in der benachbarten Kronenstraße (Nr. 29 und Nr. 31) blieb die einzige barocke Fassadenbemalung der Stadt erhalten.

Südöstlich vom Rathaus erhebt sich das dem hl. Magnus (volkstümlich St. Mang), dem Schutzpatron des Allgäus, geweihte Gotteshaus. Der spätgotische Bau mit seinem 66 m hohem Turm ist innen barockisiert.

Kempten (Fortsetzung), St.-Mang-Kirche

Südlich oberhalb des St.-Mang-Platzes erstreckt sich die Burghalde mit einer Freilichtbühne. Das aussichtsreiche Areal – bei gutem Wetter bietet sich von hier ein weiter Blick auf die Allgäuer Alpen – ist der älteste Siedlungskern der Stadt. Die Römer unterhielten hier ein Kastell. Die mittelalterliche Burg wurde 1705 abgetragen.

Burghalde

Am rechten (östlichen) Illerufer (nördlich oberhalb der St.-Mang-Brücke) erstreckt sich das Grabungsgelände der Römersiedlung Cambodunum, das zu einem archäologischen Park gestaltet wurde. Zu sehen sind der teilweise rekonstruierte gallorömische Tempelbezirk, die kleine Therme des Praetoriums und Teile des Forums. Einige Fundstücke werden im Römischen Museum im Zumsteinhaus (s. oben) gezeigt.

Außerhalb der Altstadt
*Archäologischer Park

Umgebung von Kempten

Knapp 10 km nordwestlich von Kempten liegt der ländliche Erholungsort Wiggensbach (4000 Einwohner). Sehenswert ist hier die katholische Pfarrkiche St. Pankratius, die 1770–1778 nach Plänen von Johann Georg Specht errichtet und von Johann Georg Wirth im Stil des Rokoko ausgestattet wurde. Um das Dorf führt der ca. 30 km lange sog. Allgäuer Käsweg, der mehr als ein Dutzend traditionsreiche Käsereien miteinander verbindet. Man erhält hier hervorragende Einblicke in den einst bedeutendsten Wirtschaftszweig dieser Gegend.

Wiggensbach
Allgäuer Käsweg

Ca. 8 km südlich von Kempten – nahe an der B 19 – liegt sehr idyllisch der Niedersonthofener See, der sich vor allem bei Wassersportlern größter Beliebtheit erfreut.

Niedersonthofener See

Kiel   G 1

Hauptstadt des Bundeslandes Schleswig-Holstein
Höhe: 5 m ü.d.M.
Einwohnerzahl: 245 000

Kiel, die Landeshauptstadt von Schleswig-Holstein, liegt am Südende der Kieler Förde, einem 17 km tief ins Land einschneidenden Meeresarm der Ostsee. Kiel ist eine bedeutende Hafenstadt und der größte Passagierhafen Deutschlands. Der Fährverkehr nach Skandinavien spielt eine entscheidende Rolle, worauf auch Bezeichnungen wie "Schwedenkai" und "Norwegenkai" hinweisen. Ferner befindet sich im Norden der Stadt der Tirpitzhafen, ein Marinestützpunkt, der auch als Ausbildungsstätte dient. Für Leben sorgt jeden Sommer die weit über die Stadtgrenzen hinaus bekannte "Kieler Woche", die größte Segelsportveranstaltung der Welt, mit der kulturelle Veranstaltungen und ein Volksfest auf den Straßen der Innenstadt einhergehen.

Lage und Bedeutung

Gegründet wurde Kiel im 13. Jh. durch den holsteinischen Grafen Adolf IV. von Schauenburg. 1242 erhielt der Ort das Stadtrecht, 1283 trat er der Hanse bei. 1665 gründete Herzog Christian Albrecht von Holstein-Gottorf die Universität. Mit der Verlegung der preußischen Flotte nach Kiel (1865) begann das rasche Wachstum der Stadt. 1895 wurde der Kaiser-Wilhelm-Kanal, heute Nord-Ostsee-Kanal, eröffnet. Mit der Meuterei der Matrosen der in Kiel vor Anker liegenden Hochseeflotte begann die Novemberrevolution von 1918. 1972 fanden auf der Kieler Förde die Segelwettbewerbe der Olympischen Sommerspiele statt.

Geschichte

Sehenswertes in Kiel

Alter Markt

In der Altstadt steht am Alten Markt die Nikolaikirche. Beachtung verdienen der Altar, das Taufbecken (1344) und die Kanzel. Vor der Kirche zieht die Plastik "Geistkämpfer" (1928) von Ernst Barlach den Blick auf sich. Südwestwärts verläuft die Holstenstraße (Fußgängerzone) zum Berliner Platz und zum Europaplatz.

Kleiner Kiel

Westlich vom Markt liegt der Kleine Kiel, Rest eines die Altstadt halbkreisförmig umschließenden Fördearms. Dort stehen das Opernhaus und das Rathaus. Die alte Fischhalle östlich vom Markt beherbergt heute das Schiffahrtsmuseum; im Museumshafen liegen historische Schiffe.

Alteres Schloß

Auf den Grundmauern des im Zweiten Weltkrieg zerstörten Schlosses am Förde-Ufer entstand ein Kulturzentrum mit Landesbibliothek, Konzertsaal, der Stiftung Pommern (Gemäldegalerie) und anderen Einrichtungen. Daran anschließend erstreckt sich der hübsche Schloßgarten. Westlich des Schloßareals lohnt der Warleberger Hof (17. Jh.) an der Dänischen Straße einen Abstecher; er beherbergt das Stadtmuseum. Interessante Ausstellungen finden auch in der Kieler Kunsthalle statt, die nördlich vom alten Schloß am Düsternbrooker Weg liegt, und im "Kulturviertel" Sophienhof in einem Gebäude am Bahnhof (Stadtgalerie).

*Hindenburgufer

Das Hindenburgufer zwischen dem innerstädtischen Olympia- und dem Tirpitzhafen eröffnet weite Ausblicke auf die Kieler Förde.

"Kiel-Hörn"

Gegenüber der Kieler Innenstadt liegen an der Ostseite der sogenannten Hörn, dem südlichsten Teil der Kieler Förde, große Flächen der ehemaligen Werftindurie brach. Seit 1989 arbeitet man an einem Sanierungskonzept, das eine Er-

Der Hafen von Kiel-Schilksee

weiterung der Innenstadt um das südliche Ende des Kieler Innenhafens vorsieht. Geplant sind der Ausbau des Norwegenkais südlich vom Schwedenkai (Fertigstellung 1997), der Bau einer Fußgänger- und Radfahrerbrükke über die Hörn in Höhe des Kieler Hauptbahnhofs, ferner ein Areal für über 2000 Arbeitsplätze und 400 bis 500 Wohnungen. Die Maßnahmen sollen zur Stärkung der Wirtschaftsregion Kiel beitragen.

Sanierungsgebiet "Kiel-Hörn" (Fortsetzung)

Nördlich der Anlegestelle Seegartenbrücke liegt das Institut für Meereskunde, zu dem ein sehenswertes Aquarium gehört; vor dem Gebäude befindet sich ein Robbenbecken. In der Nähe erstreckt sich der Alte Botanische Garten.

Institut für Meereskunde

Besonders schön ist der Stadtteil Düsternbrook, der das Düsternbrooker Gehölz umschließt. Am Förde-Ufer liegt das Landeshaus, Sitz des schleswig-holsteinischen Landtags und der Landesregierung. Das Blücherpier an der Blücherbrücke ist Liegeplatz des Segelschulschiffs "Gorch Fock".

Düsternbrook

Im Westen der Stadt befindet sich das Gelände der Christian-Albrechts-Universität. Beachtenswert ist das Mineralogisch-Petrographische Museum an der Olshausenstraße 40, wo u.a. Mineralien und Fossilien zu sehen sind. Der Botanische Garten der Universität liegt nordwestlich des Universitätsgeländes. Dort gibt es rund 9000 Pflanzenarten aus aller Welt.

Universität

Beim nördlichen Stadtteil Holtenau mündet der von Brunsbüttel kommende Nord-Ostsee-Kanal in die Innenförde. Die Holtenauer Schleusen regulieren den Wasserstand des Kanals. Sehenswert ist die Kanal-Ausstellung auf der Schleuseninsel Nord.

Holtenau

Weiter nördlich liegt an der Außenförde der Stadtteil Schilksee. Hier befindet sich das Olympiazentrum mit dem Olympiahafen, der 1972 Schauplatz der Segelwettbewerbe war. Heute gibt es dort ein Meerwasser-Hallenbad.

Schilksee Olympiahafen

Umgebung von Kiel

Gegenüber dem Kieler Stadtteil Friedrichsdorf liegt am Ostufer der Förde (20 km nördlich vom Kieler Zentrum) das Ostseebad Laboe. Das 72 m hohe Marine-Ehrenmal wurde 1927 bis 1936 in Form eines Schiffsstevens erbaut. Heute ist es eine Gedenkstätte, die an die gefallenen Marinesoldaten beider Weltkriege erinnert; zur Aussichtsplattform führt ein Aufzug. Vor dem Ehrenmal steht das begehbare Unterseeboot U 995.

In Molfsee, 6 km südlich von Kiel, befindet sich das Freilichtmuseum Schleswig-Holstein, eine Anlage mit alten landwirtschaftlichen Gebäuden, darunter Katen, Scheunen, Mühlen, Speicher, Backhäuser und Handwerkstätten. Sie stammen aus allen Landesteilen Schleswigs und Holsteins. In den Werkstätten werden alte Handwerke wie Korbflechten, Töpfern und Weben anschaulich vorgeführt.

Die Stadt Rendsburg liegt zwischen der hier seeartig erweiterten Eider und dem Nord-Ostsee-Kanal, dessen wichtigster Binnenhafen sie ist. Rendsburg entstand aus der im 12. Jh. zum Schutz des Eiderübergangs angelegten "Reinoldesburg". In der Altstadt, auf der Eiderinsel, steht am Altstädter Markt das Alte Rathaus, ein Fachwerkbau von 1566. In der Nähe befindet sich die gotische Marienkirche, ausgestattet mit einem Schnitzaltar von 1649 und Wandgemälden des 14. Jahrhunderts. Zum Kulturzentrum Arsenal am Paradeplatz gehören das Norddeutsche Druckmuseum, das Historische Museum Rendsburg mit Objekten zur Stadtgeschichte und ein Café. Im Gebäude der ehemaligen Synagoge wurde 1988 ein Jüdisches Museum eröffnet, in dem Werke verfolgter jüdischer Künstler, Judaika und Ausstellungen zu jüdischen Themen gezeigt werden. Der Stadtteil Neuwerk geht auf eine nach Vaubanschen Vorstellungen errichtete Festungsanlage zurück, wie der riesige Paradeplatz noch zeigt.

In Rendsburg-Büdelsdorf, nördlich der Eider gelegen, sind im Eisenkunstguß-Museum, einer Zweigstelle des Schleswig-Holsteinischen Landesmuseums (→ Schleswig; Schloß Gottorf), Feinguß- und Schmiedestücke der 1827 in Büdelsdorf gegründeten Carlshütte ausgestellt.

Im Südosten der Stadt zieht die Eisenbahnhochbrücke (mit Schwebefähre) den Blick auf sich: In 42 m Höhe überquert hier die von Süden kommende Eisenbahn den Nord-Ostsee-Kanal. Ferner verläuft eine Autobahnhochbrücke über den Kanal. Dem Autoverkehr dient auch ein vierspuriger Straßentunnel, der unter dem Nord-Ostsee-Kanal hindurchführt; daneben gibt es einen Fußgängertunnel.

Gut 25 km nordöstlich von Rendsburg liegt an der Eckernförder Bucht das Ostseebad Eckernförde. Da die Altstadt auf der Halbinsel nicht erweitert werden konnte, sind die älteren Häuser, vorwiegend Giebelhäuser, den wachsenden wirtschaftlichen Bedürfnissen zum Opfer gefallen. Nur in den Nebenstraßen sind noch einige Bürgerhäuser des 18. und frühen 19. Jh.s erhalten. Von den einst zahlreichen Stadthäusern des Landadels vermag allein noch die "Ritterburg" an der Kieler Straße eine Vorstellung zu geben.

Einen Besuch lohnt in Eckernförde die spätgotische Nikolaikirche, eine dreischiffige Hallenkirche aus dem ausgehenden Mittelalter. Mit ihrem Satteldach und dem spitzen Dachreiter darauf beherrscht sie das Bild der Altstadt. Sehr schön wirkt die Ausstattung mit zahlreichen Werken der Eckernförder Schnitzer des 16. und 17. Jahrhunderts: der prächtige Barockaltar, die Kanzel, die Bronzetaufe, das Rantzau-Gestühl, ferner Epitaphe von der Renaissance bis zur Zeit des "Knorpelbarock".

Am nördlichen Förde-Ufer steht im Stadtteil Borby eine Dorfkirche, ein spätromanischer Feldsteinbau südschleswigscher Art. Im Innern sind der Altar und die schöne gotländische Steintaufe (13. Jh.) beachtenswert.

Zum breiten Sport- und Freizeitangebot des Ostseebades gehört auch das knapp 20 km nordöstlich von Eckernförde gelegene "Aqua Tropicana", ein sog. Erlebnis- und Spaßbad, in dem man das ganze Jahr über unter Palmen baden kann.

Kleve   C 4

Bundesland: Nordrhein-Westfalen
Höhe: 17 m ü.d.M.
Einwohnerzahl: 48 500

Die Stadt Kleve im Niederrheingebiet nahe der holländischen Grenze war   Lage und
einst Hauptstadt des gleichnamigen Herzogtums.   Allgemeines

Auf einem steilen Kliff (Kleef) baute man um 900 erstmals eine Burg, um   Geschichte
die sich bald eine Siedlung bildete, die 1242 das Stadtrecht erhielt. Nach
den Zerstörungen des Dreißigjährigen Krieges erfolgte Mitte des 17. Jh.s
eine barocke Neugestaltung; Parks und das Amphitheater wurden angelegt und die Burg zu einem Barockschloß umgebaut. 1748 wurde eine eisenhaltige Quelle entdeckt; Kleve entwickelte sich zum Kurbad.

*Nahe der niederländischen Grenze liegt Kleve; hier blickt man
über die Schwanenburg auf die Stiftskirche und die Stadt.*

Sehenswertes in Kleve

In der Mitte der Stadt steht auf einer Anhöhe als weithin sichtbares Wahr-   *Schloß
zeichen das ehemalige Schloß der Herzöge von Kleve, die an die Lohen-
grin-Sage erinnernde Schwanenburg (15.–17. Jh.). Vom Turm aus, in dem
ein geologisches Museum sowie eine Kunstgalerie untergebracht sind,
bietet sich dem Besucher ein lohnender Blick über Stadt und Rheinebene
bis nach Holland.

Zeugnisse der mittelalterlichen Stadt Kleve sind die dreischiffige Stiftskir-   Stiftskirche
che Mariä Himmelfahrt (1341–1426), die die Grablege der Klever Herzöge
war, und die ehemalige Minoritenkirche (15. Jh.) im Norden der Innenstadt.

Kleve
(Fortsetzung)
Städtisches
Museum

In der Nähe der Minoritenkirche befindet sich in der Kavarinerstr. 33 das Städtische Museum Haus Koekkoek, benannt nach dem gleichnamigen niederländischen Maler, dessen Werke zusammen mit denen seiner Schüler einen besonderen Sammlungsschwerpunkt bilden. Darüber hinaus zeigt das Museum kunst- und kulturhistorische Zeugnisse der Region.

Tiergarten

Das Bild der heutigen Stadt ist geprägt durch die im 17. Jh. von dem preußischen Stadthalter Moritz von Nassau angelegten Alleen und weitläufigen Gartenanlagen, wie dem Tiergarten mit dem Amphitheater. Der 1653–1657 geschaffene Tiergarten mit Rot- und Schwarzwild, Rentieren, Wölfen, Bären u.a. erstreckt sich auf der Hügelreihe im Westen der Stadt. Die eindrucksvolle Klever Gartenbauarchitektur galt u.a. als Vorbild für die Versailler Schloßanlagen. Zeichen der Blütezeit der Stadt im 19. Jh. sind die repräsentativen Villen in der Tiergartenstraße und das zum Mataré-Museum umgebaute große Kurhaus. Im Norden schließt der Forstgarten an.

Umgebung von Kleve

*Museum Schloß
Moyland

Im Wasserschloß Moyland unweit südlich von Kleve (in Richtung Bedburg-Hau) ist seit Mai 1997 die 60 000 Werke umfassende Sammlung der Brüder van der Grinten untergebracht. Herzstück der international bedeutenden Sammlung ist der Komplex mit ca. 4 000 Werken von Josef Beuys. Das 1307 errichtete, kastellartige Schloß, das dieses herausragende Museum beherbergt, wurde 1854 neugotisch umgebaut und nach seiner Zerstörung im Zweiten Weltkrieg erst 1997 wiederhergestellt.

Emmerich

Jenseits des Rheins liegt 13 km nordöstlich die alte Reichs- und Hansestadt Emmerich (32 000 Einwohner). Das Wahrzeichen der Stadt ist die längste Hängebrücke der Bundesrepublik. Die Stadt besitzt mehrere interessante Museen, z.B. das Plakatmuseum mit 90 000 Exponaten aus aller Welt, das Museum für Kaffeetechnik und das Rheinmuseum (Martinikirchgang 2) mit Modellen alter Rheinschiffe, technischem Gerät u.a. In der nach dem Zweiten Weltkrieg auf dem ursprünglichen Grundriß wiedererstandenen Altstadt ist neben der gotischen Aldegundiskirche (15. Jh.) auch die weiter rheinabwärts gelegene Münsterkirche St. Martini (11.–15. und 17. Jh.) beachtenswert, die den Schrein des hl. Willibrod (10. Jh.), die früheste niederrheinische Goldschmiedearbeit, birgt.

Kalkar

Rund 16 km südöstlich von Kleve kommt man nach Kalkar (11 000 Einwohner). Noch heute dokumentieren die prächtigen Giebelhäuser, das mächtige Rathaus und die Stadtkirche St. Nikolai (1409–1455) das Selbstbewußtsein des mittelalterlichen Bürgertums der 1242 zur Stadt erhobenen Siedlung. In St. Nikolai sind kostbare Schnitzaltäre, Skulpturen und Gemälde erhalten. In der Nähe befindet sich das lang umstrittene Kernkraftwerk vom Typ Schneller Brüter, das nie ans Netz gegangen ist.

Straelen

Gut 40 km südlich von Kleve liegt nahe der Grenze die Blumenstadt Straelen (gesprochen: Straalen). Die Pfarrkirche (14./15. Jh.) besitzt schöne Schnitzaltäre. Eine in Europa einmalige Einrichtung ist das Europäische Übersetzerkollegium (Führungen n.V.) mit umfangreicher Bibliothek.

Koblenz   D 5

Bundesland: Rheinland-Pfalz
Höhe: 60 m ü.d.M.
Einwohnerzahl: 110 000

*Lage und
Allgemeines

Koblenz, die reizvoll an der Mündung der Mosel in den Rhein gelegene einstige Residenz der Trierer Kurfürsten, ist eine bedeutende Fremdenver-

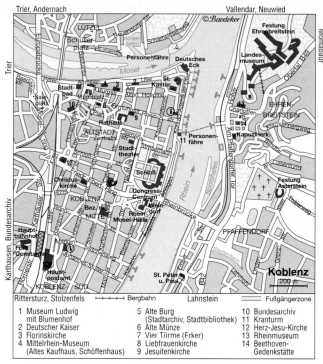

Trier, Andernach — Vallendar, Neuwied ©Baedeker

1	Museum Ludwig mit Blumenhof
2	Deutscher Kaiser
3	Florinskirche
4	Mittelrhein-Museum (Altes Kaufhaus, Schöffenhaus)
5	Alte Burg (Stadtarchiv, Stadtbibliothek)
6	Alte Münze
7	Vier Türme (Frker)
8	Liebfrauenkirche
9	Jesuitenkirche
10	Bundesarchiv
11	Kranturm
12	Herz-Jesu-Kirche
13	Rheinmuseum
14	Beethoven-Gedenkstätte

kehrs- und Kongreßstadt sowie das wichtigste Dienstleistungs- und Ver-
waltungszentrum der Region. Das Stadtbild wird von der über dem rechten
Rheinufer thronenden Feste Ehrenbreitstein beherrscht. Zu den berühmte-
sten Söhnen der Stadt gehört der österreichische Staatsmann Fürst von
Metternich (1773–1859). Ein alljährlich vielbesuchtes Spektakel ist das
Feuerwerk "Rhein in Flammen".

Lage und
Allgemeines
(Fortsetzung)

Im Jahre 9 v. Chr. gründeten die Römer zur Sicherung des Moselüber-
gangs das Kastell Castrum ad Confluentes (Lager an den Zusammenflie-
ßenden). 1018 kam Koblenz unter die Herrschaft der Erzbischöfe bzw. Kurfürsten von Trier, die hier vom 13. bis zum Anfang des 19. Jh.s häufig residierten. Ab 1798 erlebte Koblenz unter französischer Herrschaft eine neue
Blütezeit, die ihr den Namen "Klein-Paris" einbrachte. 1815 sprach man die
Stadt Preußen zu. Durch Eingemeindungen (Ehrenbreitstein u.a.) bekam
Koblenz 1937 Stadtteile auf der rechten Rheinseite. Im Zweiten Weltkrieg
erlitt die Stadt erhebliche Zerstörungen. Der Altstadtkern wurde später
weitgehend in historischer Form wiederaufgebaut, das übrige Stadtgebiet
trägt moderne Züge. Von 1827 bis 1872 war Koblenz Sitz der Verlagsbuch-
handlung von Karl Baedeker (1801–1859).

Geschichte

Sehenswertes in Koblenz

Von der Landspitze am Zusammenfluß von Rhein und Mosel hat man ei-
nen herrlichen Blick über die Stadt und auf die Festung Ehrenbreitstein.
Der Name Deutsches Eck für diese Landspitze erinnert an den Deutschen
Ritterorden, der hier nach 1216 seine Ordenshäuser gründete. Hier steht

*Deutsches Eck

Koblenz

Deutsches Eck (Fortsetzung)

auch das 1993 wiederhergestellte Kaiser-Wilhelm-Denkmal, dessen Sokkel von 1953 bis zur Wiedervereinigung 1990 als Mahnmal der Deutschen Einheit diente.

Ludwig-Museum

Im nahen Deutschherrenhaus, einem Rest des Schlosses des Deutschen Ritterordens, ist das Ludwig-Museum untergebracht. Darin ist zeitgenössische Kunst mit Schwerpunkt auf der französischen Kunst zu sehen. Im Blumenhof finden sommerliche Matineen und Serenaden statt.

*St. Castor

Südlich schließt die Basilika St. Castor an, die 836 außerhalb der damaligen Stadt gegründet wurde und in ihrer jetzigen Gestalt größtenteils im 12. Jh. entstand. Hier wurde 843 der Vertrag von Verdun vorbereitet, der zur Aufteilung des Karolingerreichs führte.

Deutscher Kaiser

Auf dem Weg in die Altstadt passiert man zunächst das wohnturmartige Gasthaus Deutscher Kaiser mit einem schönen spätgotischen Gewölbe. Das Haus wurde im 16. Jh. erbaut und überdauerte als einziges Gebäude der Altstadt die Kriegszerstörungen.

Mittelrhein-Museum

Westlich liegt am Florinsmarkt die romanisch-gotische Florinskirche (12.–14. Jh.), die erst im 15. Jh. ihren gotischen Chor erhielt. An diesem Platz liegt auch das Mittelrhein-Museum, das im alten Kauf- und Danzhaus untergebracht ist. Das Museum zeigt Gemälde und Skulpturen des 12. bis 20. Jh.s, vor allem Koblenzer Malerei, die Rheinromantiker sowie niederländische Kunst des 17. Jahrhunderts.

Liebfrauenkirche

An der höchsten Stelle der Altstadt erhebt sich die romanische Liebfrauenkirche (12.–15. Jh.) mit ihrem gotischen Chor und den Barocktürmen. Westlich des Mittelrhein-Museums liegt die Alte Burg aus dem 13. Jh., in der heute Stadtbibliothek und Stadtarchiv untergebracht sind.

Ein markanter Punkt in Koblenz ist das Deutsche Eck mit dem Kaiser-Wilhelm-Denkmal, wo die Mosel in den Rhein mündet.

Der Münzplatz erinnert an die kurfürstliche Münze, von der heute nur noch das Münzmeisterhaus von 1763 erhalten ist. Im Haus Metternich am selben Platz wurde 1773 Fürst Metternich geboren, der als Außenminister und Staatskanzler dem österreichischen Kaiserhaus diente und 1814/1815 den Wiener Kongreß leitete. Heute finden in dem Haus u.a. Kunstausstellungen statt. Die südlich des Münzplatzes stehenden vier Häuser, "Vier Türme" genannt, mit ihren kunstvollen Erkern wurden Ende des 17. Jahrhunderts erbaut.

Münzplatz

Östlich von hier befinden sich am Jesuitenplatz die 1959 wiedererrichtete Jesuitenkirche und das Rathaus (1695–1700), vor dem der Schängelbrunnen steht, das heimliche Wahrzeichen von Koblenz. Mit der Darstellung des Schängels, dem Koblenzer Lausbuben, setzte man gleichsam der Lebensfreude ein Denkmal.

Rathaus und Schängelbrunnen

Die schönen Rheinanlagen ziehen sich vom Deutschen Eck 4 km rheinaufwärts bis zur Rheininsel Oberwerth. Unweit vom Rheinufer erstreckt sich in der Nähe der Rheinbrücke das wiederaufgebaute klassizistische Schloß, das 1777–1786 von dem letzten Trierer Kurfürsten Clemens Wenzeslaus erbaut wurde. Als Behördensitz ist es nicht mehr zu besichtigen.

Schloß

Oberhalb der Rheinbrücke lohnt sich der Besuch des 1925 errichteten und 1951 neu aufgebauten Weindorfs, ein Ensemble, das aus einem Weinberg und Fachwerkhäusern aus den berühmtesten deutschen Weinanbaugebiete besteht.

Weindorf

Die Rheinbrücke führt zu dem rechtsrheinischen Stadtteil Ehrenbreitstein, der von der gleichnamigen ehemaligen Festung (118 m) überragt wird. Man erreicht sie nicht nur zu Fuß oder mit dem Auto, sondern auch per Sessellift. Um 1000 entstand hier eine kleine Burganlage, die im Laufe der Jahrhunderte von den Trierer Kurfürsten zu einer Festung ausgebaut wurde. Nach der Zerstörung durch die Franzosen (1799 – 1801) ließen die Preußen zwischen 1817 und 1832 auch Ehrenbreitstein wieder befestigen. Es entstand eine der stärksten nach 1815 in Europa errichteten Festungen, die heute noch fast vollständig erhalten ist. In der Festung ist u.a. das Landesmuseum mit Sammlungen technischer Kulturdenkmäler untergebracht. Vom Festungsplateau bietet sich ein schöner Ausblick auf die Stadt, den Rhein und die Moselmündung.

Festung Ehrenbreitstein

Am Fuße der Festung, im Ortsteil Ehrenbreitstein, befindet sich das Rhein-Museum (Charlottenstraße 53a), das Exponate zur Kulturlandschaft des Rheins, zur Entwicklung der Schiffahrt, zum Leben am Rhein, zum Fischfang usw. zeigt. Im Geburtshaus der Mutter Ludwig van Beethovens (Wambachstraße 204) ist die weltgrößte Beethovensammlung in Familienbesitz ausgestellt. Einige Exponate erinnern an die Dichterin Sophia La Roche und ihren hier geborenen Enkel Clemens Brentano.

Ortsteil Ehrenbreitstein mit Museen

Umgebung von Koblenz

Rund 4,5 km südlich der Stadt hat man vom Rittersturz (166 m), einem Aussichtspunkt auf einem steil über dem Rhein aufragenden Ausläufer des → Hunsrücks, eine schöne Aussicht über die Landschaft.

Rittersturz

Noch weiter südlich am Rhein liegt das Schloß Stolzenfels (154 m) über dem gleichnamigen Ortsteil. Die um 1250 erbaute ehemalige Zollburg wurde nach ihrer Zerstörung 1836–1842 nach Plänen von Schinkel in neugotischem Stil wiedererrichtet. Die mit kostbaren Möbeln ausgestatteten Räume sowie die Waffen- und Rüstungssammlung sind zu besichtigen.

Stolzenfels

Weitere Ausflugsziele in der Umgebung von Koblenz sind unter den Stichworten → Rheintal, → Moseltal und → Lahntal zu finden.

Weitere Ausflugsziele

Bundesland: Nordrhein-Westfalen
Höhe: 36 m ü.d.M.
Einwohnerzahl: 1005000

Hinweis

Im Rahmen dieses Reiseführers ist die Beschreibung von Köln bewußt knapp gehalten; ausführlichere Informationen liefert der in der gleichen Reihe erschienene Band "Köln".

Lage und Allgemeines

Die alte Domstadt Köln am Rhein, die im Stadtgebiet insgesamt acht Rheinbrücken besitzt, ist in erster Linie als Kunstmetropole und internationale Messestadt bekannt. Mit dem Dom, ihren zwölf romanischen Kirchen und Römerstätten ist die Stadt einer der Brennpunkte abendländischer Kultur. Darüber hinaus hat sich Köln u.a. durch seine Lage zu einem bedeutenden Verkehrsknotenpunkt und zu einem führenden Handels- und Industriezentrum entwickelt. Die Stadt ist Sitz eines Erzbischofs, einer Universität sowie mehrerer Hoch- bzw. Fachhochschulen und etlicher überregionaler Behörden, u.a. des Bundesamtes für Verfassungsschutz. Zahlreiche Funk- und Fernsehanstalten, darunter Deutsche Welle, Deutschlandfunk, WDR, RTL, Vox und VIVA, knapp 60 Verlage, über 200 Druckereien und fast 70 Zeitungs-und Zeitschriftenhäuser haben hier ihren Standort und begründen Kölns Ruf als Medienstadt. Der MediaPark nordwestlich der Innenstadt, der u. a. Zentren für Informations-, Kommunikations- und Medientechnik aufnimmt, ist zur Zeit noch im Aufbau. Köln ist außerdem eine Hochburg des Sports (Fußball-Bundesligaspiele; Union-Rennen und Großer Preis von Europa auf der Pferderennbahn Köln-Weidenpesch) und natürlich des rheinischen Karnevals. Zu den berühmtesten Söhnen der Stadt gehört Heinrich Böll, der 1972 den Nobelpreis für Literatur erhielt. Eine urkölnische Einrichtung sind die kölschen Brauhäuser, in denen der Köbes (Kellner) bedient und neben dem obligtorischen Glas ("Stange") Kölsch auch Gerichte wie "Himmel un Äd" (Kartoffel- und Apfel-Püree mit Blutwurst) serviert.

**Stadtbild

Dreh- und Angelpunkt der Stadt ist der Dom, an den südlich die Altstadt mit ihren Kneipen und Cafés anschließt, in dessen Nähe zudem einige der bedeutendsten Museen versammelt sind und bei dem außerdem die wichtigsten Einkaufsstraßen enden. Im größeren Umkreis, nämlich innerhalb des die Innenstadt halbkreisförmig umschließenden Rings, liegen neben weiteren Geschäftsstraßen die zwölf bedeutenden romanischen Kirchen der Stadt, die meisten weiteren Museen und Galerien sowie die Zeugnisse der römischen und mittelalterlichen Baukunst. Rechtsrheinisch sind vor allem die Messe und der angrenzende Rheinpark wichtige Anziehungspunkte.

Stadtentwicklung

Das historische Wachstum der Stadt läßt sich noch heute gut verfolgen. Die Ringstraßen verlaufen an der Stelle der mittelalterlichen Befestigungsmauern (Stauferzeit); der weiter außen liegende, 10 km lange Grüngürtel zeichnet den Verlauf der späteren preußischen Befestigungsanlagen nach.

Geschichte

Köln entstand aus der römischen Siedlung Colonia Claudia Ara Agrippinensium und erhielt im 1. Jh. n. Chr. seine erste Stadtmauer. Die Stadt gehörte seit dem Reich der Franken, wurde von Karl dem Großen zum Erzbistum erhoben und war schon im frühen Mittelalter eine der führenden Städte Deutschlands sowie zeitweilig neben Lübeck das wichtigste Mitglied der Hanse. Im 12./13. Jh. ersetzte man die römische Stadtmauer durch eine der damals größten und stärksten Befestigungsanlagen Europas. 1248 legte man den Grundstein zum Bau des Doms, der erst 1880 vollendet wurde. Bis ins 13. Jh. erbaute man in Köln zahlreiche Kirchen im römischen Stil, von denen heute noch zwölf die Stadt auszeichnen. Diese und der Dreikönigenschrein im Kölner Dom machten Köln zum "Heiligen Köln" des Mittelalters und damit zu einem Anziehungspunkt für zahlreiche Pilger. 1388 ist das Gründungsjahr der alten Universität, die 1798 von der französischen Besatzung aufgelöst und erst 1919 neu gegründet wurde. Ende des 14. Jh.s enthoben die zu Gaffeln zusammengeschlossenen Handwerkerzünfte den Stadtadel seiner Ämter im Stadtrat und erkämpften eine neue Verfassung, die bis zur französischen Besetzung 1794 in Kraft blieb. Nach 20 Jahren unter französischer Herrschaft wurde die Stadt im Jahre 1815 preußisch. Im Zweiten Weltkrieg wurde der größte Teil der Innenstadt zerstört; sie zeigt sich nach dem Wiederaufbau heute in modernem Gewand. 1985 feierte Köln das "Jahr der romanischen Kirchen". 1993 und 1995 wurde Köln von Jahrhunderthochwassern heimgesucht.

Dom und Altstadt

Als mächtiges Wahrzeichen von Köln erhebt sich unweit vom linken Rheinufer der Dom (St. Peter und Marien), ein Meisterwerk der Hochgotik und eine der größten Kathedralen Europas. Er wurde 1248 als großartigstes und umfangreichstes Bauprojekt des Mittelalters begonnen, nachdem die Stadt 1164 durch Kaiser Friedrich Barbarossa die Reliquien der Heiligen Drei Könige aus Mailand bekommen hatte, die für einen großen Pilgerstrom sorgten. Ab Anfang des 16. Jh.s ruhten jedoch die Arbeiten am Dom, und erst 1842–1880 wurde er vollendet. Das älteste Portal der Kirche ist das Petersportal (14. Jh.) in der Westfassade. Die vier Bronzetüren an der Südseite stammen von Ewald Mataré aus der Mitte unseres Jahrhunderts. Der eindrucksvolle Innenraum empfängt sein Licht aus einer Vielzahl von bunten Glasfenstern. Über hundert Pfeiler im gewaltigen Inneren tragen die Gewölbe, die im Mittelschiff eine Höhe von 43,35 m erreichen. Der wertvollste Schatz der Kirche ist der Dreikönigenschrein im Hochchor, ein Meisterwerk mittelalterlicher Goldschmiedekunst (12./13. Jh.), das

*Dom

*Dreikönigenschrein

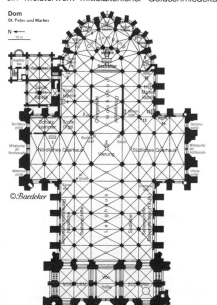

Dom
St. Peter und Marien

N ⟵
10 m

©Baedeker

Kathedralkirche
des Erzbistums Köln

1 Gnadenmadonna

2 Bronzealtar

3 Zugang zur Krypta

4 Judenprivileg

5 Gerokreuz

6 Hochgrab des Erzbischofs Konrad

7 Älteres Bibelfenster

8 Kreuzigungsaltar
   von B. Bruyn d.Ä.

9 Jüngeres Bibelfenster

10 'Dombild' von
    Stephan Lochner

11 Mailänder Madonna

12 Hochgrab des Erzbischofs Rainald
    von Dassel

13 St. Christophorus

14 Agilolphusaltar

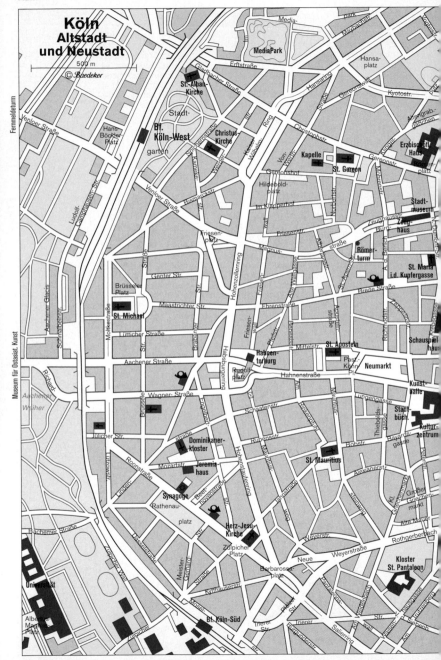

Köln

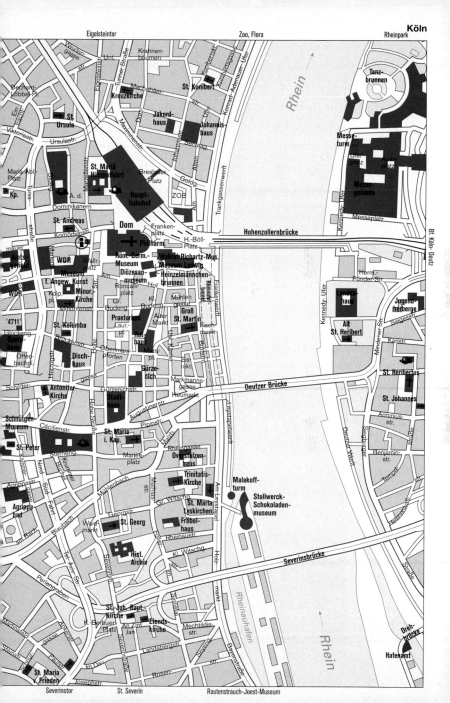

Köln

Dom
(Fortsetzung)

nach Entwürfen von Nikolaus von Verdun gefertigt wurde. Weitere bedeutende Kostbarkeiten sind das berühmte Bild "Anbetung der Könige" (um 1440) im Chorumgang, das fälschlich "Dombild" genannt wurde, außerdem das Gerokreuz mit einem überlebensgroßen Christus (um 980) in der Kreuzkapelle und die Schreine, Evangeliare und Monstranzen in der Schatzkammer. Bedeutende Kunstwerke sind auch die edlen frühgotischen Standbilder (14. Jh.) an den Chorpfeilern. Vom Südturm, den man über mehr als 500 Stufen besteigen kann, bietet sich eine weite Rundsicht über die Stadt.

**Römisch-Germanisches Museum

An der Südseite des Doms steht das sehenswerte Römisch-Germanische Museum. Besondere Beachtung verdienen das Dionysos-Mosaik (2. Jh. n. Chr.) und das 15 m hohe Grabmal des Poblicius (1. Jh. n. Chr.); beide wurden bei Ausschachtungsarbeiten im Kölner Stadtgebiet gefunden. Außerdem zeigt das Museum bedeutende Sammlungen mit weiteren Mosaiken, römischen Gläsern, darunter das Diatretglas aus der römischen Kaiserzeit, Gebrauchskeramik, Möbeln und Skulpturen sowie römischen und germanischen Goldschmuck.
(Öffnungszeiten: Di., Do., Fr. 10.00 – 16.00; Mi. 10.00 – 18.00; Sa., So. 11.00 bis 16.00 Uhr)

Diözesanmuseum

In der Nähe (Roncalliplatz 2) kontrastiert das Erzbischöfliche Diözesanmuseum sakrale Malerei, Plastik und Goldschmiedekunst des 11. bis 16. Jh.s mit zeitgenössischer Kunst des 20. Jahrhunderts. Vom Museum aus sieht man bereits den berühmten Heinzelmännchenbrunnen weiter südlich und eines der berühmtesten kölschen Brauhäuser der Stadt: das Früh am Dom.

** Wallraf-Richartz-Museum und Museum Ludwig

Östlich schließt an das Römisch-Germanische Museum ein Gebäudekomplex mit dem Wallraf-Richartz-Museum und dem Museum Ludwig an. Das Wallfraf-Richartz-Museum im ersten Obergeschoß des Gebäudes zeigt Malerei des Mittelalters, der Renaissance und des Barock sowie Malerei und Plastik des 19. Jh.s; einen bedeutenden Schwerpunkt bildet die mittelalterliche Malerei der Kölner Schule. Das Museum Ludwig, das sich über alle weiteren Ebenen des Gebäudes erstreckt, bietet einen erstklassigen Querschnitt durch die Kunst des 20. Jh.s, von der klassischen Moderne bis hin zur aktuellen Kunstszene mit Gemälden, Skulpturen, Zeichnungen, Druckgrafik und Fotografie. Schwerpunkte bilden u. a. die Werke des deutschen Expressionismus, der russischen Avantgarde, der amerikanischen Pop Art, des Surrealismus und Werke von Pablo Picasso. Im selben Gebäude ist auch das Agfa-Foto-Historama mit Fotografien und Fotoapparaten seit 1840 zu finden.
(Öffnungszeiten: Di. bis Fr. 10.00 bis 18.00; Sa., So. 11.00 bis 18.00 Uhr)

Häuser am Fischmarkt (Altstadt)

Vor dem Rathaus mit der Renaissancelaube ragt das Glasdach der Mikwe auf, des ehemaligen rituellen Bades der Juden.

Unter dem Platz befindet sich die Philharmonie. Die in konzentrischen Kreissegmenten ansteigenden Sitzreihen des Konzertsaals bieten rund 2000 Besuchern Platz und ein hervorragendes Klangerlebnis.

Philharmonie

Südlich des Doms beginnt das eigentliche Altstadtviertel mit seinen verwinkelten Gassen und kopfsteingepflasterten Plätzen. Empfehlenswert ist ein Spaziergang über die Rheinpromenade (Frankenwerft), wo sich kölsche Kneipen, kleine Läden und Restaurants aneinanderreihen. Sehenswert sind auch Heumarkt und Alter Markt.

*Altstadtgassen

Westlich schließt an den Alter Markt das nach dem Zweiten Weltkrieg wiederaufgebaute Rathaus an mit dem 61 m hohen, figurengeschmückten Rathausturm, der Renaissancelaube und dem Hansasaal mit den gotischen Figuren der acht Propheten und der neun "guten Helden". Die 124 Figuren am Rathausturm stellen Persönlichkeiten dar, die die 2000jährige Geschichte Kölns geprägt haben, darunter neben den Stadtheiligen auch Künstler, Politiker, Industrielle und Kleriker aus allen Jahrhunderten bis heute, u.a. Lochner, Peter Paul Rubens, Karl Marx, Jacques Offenbach, Konrad Adenauer, Heinrich Böll und Irmgard Keun.

*Rathaus

Unter der Glaspyramide auf dem Rathausplatz liegt der einzige erhaltene Rest der mittelalterlichen jüdischen Siedlung an dieser Stelle: eine Mikwe, ein rituelles jüdisches Tauchbad aus dem 12. Jahrhundert. Unter dem Rathausplatz befinden sich die Ruinen des Praetoriums, des einstigen Palastes des römischen Statthalters Niedergermaniens. Der Eingang zum Museum mit den bedeutenden Funden liegt im Spanischen Bau (Kleine Budengasse).

Rathausplatz mit Mikwe und Praetorium

Östlich vom Rathaus, nahe am Rhein, steht die 1172 geweihte Kirche Groß St. Martin mit ihrem mächtigen Vierungsturm und dem Kleeblattchor. Einzigartig ist die Auflösung der schweren Baumassen durch die reiche

*Groß St. Martin

Blick über den Rhein auf die Kölner Altstadt: vor dem Dom das Wallraf-Richartz-Museum und das Museum Ludwig, zur Linken Groß St. Martin, im Hintergrund der Fernsehturm "Colonius"

Köln

Groß St. Martin (Fortsetzung)

Wandgliederung mit mehreren Arkadenreihen und Zwerggalerien. Im Brigittengäßchen auf dem Kirchvorplatz stehen die lebensgroßen Bronzeplastiken der Kölner Urtypen und Hauptpersonen unzähliger Kölner Witze Tünnes (kölsch für Antonius) und Schäl (der Schieler).

Nördliche Innenstadt

Lage

Die Kölner Innenstadt erstreckt sich vom Rhein bzw. der Altstadt bis zu den halbkreisförmig verlaufenden Ringstraßen. Teilt man die Innenstadt in einen nördlichen und einen südlichen Bereich, verläuft die Trennlinie etwa zwischen dem Rudolfplatz im Westen und dem Heumarkt bei der Deutzer Brücke im Osten auf der Höhe von Hahnenstraße und Cäcilienstraße.

Hauptgeschäftsstraßen

Die vom Dom nach Süden ziehende Hohe Straße und die Schildergasse, die in West-Ost-Richtung von der Hohe Straße zum Neumarkt führt, sind die den Fußgängern vorbehaltenen Hauptgeschäftsstraßen der Stadt. Zu den wichtigsten Einkaufsstraßen gehören außerdem die an die Schildergasse anschließende Mittelstraße, die parallel dazu verlaufende Breite Straße sowie die Ehren- und die Pfeilstraße.

*Museum für Angewandte Kunst

Südwestlich vom Dom, im früheren Gebäude des Wallraf-Richartz-Museums, befindet sich seit 1989 das Museum für Angewandte Kunst (An der Rechtschule). Ausgestellt sind Werke aller wesentlichen Gattungen des Kunstgewerbes und Designs vom Mittelalter bis heute, darunter Möbel, Mode, Porzellan, Glas, Schmuck und Kleinplastik.

St. Andreas

Westlich vom Dom liegt an der Komödienstraße die romanische Kirche St. Andreas (15. Jh.) mit ihrem achtseitigen Vierungsturm. In der Krypta liegt in einem römischen Sarkophag der Universalgelehrte Albertus Magnus († 1280) bestattet.

Zeughaus/ Stadtmuseum

In der an die Komödienstraße anschließenden Zeughausstraße steht das wiederaufgebaute Zeughaus mit einem schönen Renaissanceportal. Im Innern ist das Kölnische Stadtmuseum untergebracht, das die Kölner Stadtgeschichte vom Mittelalter bis heute anschaulich dokumentiert.

Römerturm

Am Ende der Zeughausstraße steht der reichverzierte Römerturm aus dem 1. Jh. n.Chr., ein bedeutender Rest der römischen Stadtmauer.

*St. Gereon

Nordwestlich liegt St. Gereon, die ungewöhnlichste romanische Kirche der Stadt. Der langgestreckte Chor (11. Jh.) schließt an einen Ovalraum an, der bereits im 4. Jh. entstand. Im 13. Jh. wurde dieser Ovalraum in ein Zehneck umgebaut und eine riesige Kuppel aufgesetzt, die neben der Hagia Sophia und der des Florentiner Doms zu den gewaltigsten ihrer Art gehört.

Hahnentor

Am Rudolfplatz, an der westlichsten Stelle der Ringstraßen, steht das bedeutendste und schönste Tor der mittelalterlichen Stadtmauer: das Hahnentor. Durch dieses zogen einst die in Aachen gekrönten Könige in die Stadt ein, um die Reliquien der Heiligen Drei Könige zu verehren.

*St. Aposteln

Am zentral gelegenen Neumarkt erhebt sich die spätromanische Kirche St. Aposteln (11.–13. Jh.), die vor allem wegen ihres schönen Kleeblattchors berühmt ist.

Opernhaus

Östlich des Neumarkts liegen das moderne Opernhaus (1954–1956) und das Schauspielhaus (1959–1962). Auf der gegenüberliegenden Seite der Glockengasse fällt das verzierte, neugotische 4711-Haus auf, von dessen Obergeschoß stündlich ein Glockenspiel erklingt.

Gürzenich und Alt St. Alban

Über die Schildergasse und die Gürzenichstraße gelangt man zum Gürzenich, der 1441–1447 als Kauf- und Festhaus errichtet wurde und als bedeutendster frühneuzeitlicher Profanbau der Stadt gilt. In dem wiederher-gestellten Gebäude finden heute Veranstaltungen, Sitzungen und Konzerte statt. Eine Wand teilt der Gürzenich mit der kriegszerstörten Kirche Alt St. Alban, die als Gedenkstätte für die Toten der Weltkriege dient.

Gürzenich und Alt St. Alban (Fortsetzung)

Im nördlichen Innenstadtbereich sind noch drei weitere romanische Kir-chen sehenswert. Direkt beim Hauptbahnhof liegt die reich ausgestattete Kirche St. Mariä Himmelfahrt, die eines der bedeutendsten Beispiele für den jesuitischen Frühbarock darstellt. Nördlich davon liegt St. Ursula (12. – 17. Jh.) mit der "Goldenen Kammer" (17. Jh.). Deren Wände sind mit Tau-senden von Knochen, Skeletteilen und Reliquenbüsten geschmückt, die angeblich von den elftausend Jungfrauen der hl. Ursula stammen, einer englischen Prinzessin, die samt ihren Gefährtinnen im 3. Jh. bei Köln von einfallenden Hunnen niedergemetzelt worden sein soll. St. Kunibert nahe des Rheins ist die jüngste (13. Jh.) und stilistisch einheitlichste unter Kölns romanischen Kirchen. Sehenswert sind vor allem die Reste mittelalterlicher Wandmalereien im Innern und die Glasmalereien der Chorfenster.

Weitere romanische Kirchen

Südliche Innenstadt

Südöstlich vom Neumarkt ist in der ehemaligen St.-Cäcilien-Basilika das Schnütgen-Museum untergebracht. Es beherbergt eine der bedeutend-sten Sammlungen mittelalterlicher Kirchenkunst, schließt aber auch die christliche Kunst bis zum 19. Jh. und die byzantinische ein. Westlich schließt die Josef-Haubrich-Kunsthalle mit Wechselausstellungen an.

*Schnütgen-Museum

Hinter dem Museum liegt die Kirche St. Peter (12.–16. Jh.), die Kunst-freunde vor allem als Ausstellungsort für zeitgenössische Kunst kennen.

St. Peter

Weiter östlich steht auf dem Platz eines einstigen römischen Tempels die Kirche St. Maria im Kapitol (11.–13. Jh.), deren Kleeblattchor Vorbildfunk-tion für die rheinische Romanik hatte. An der Westwand des südlichen Sei-tenschiffs stehen zwei wertvolle geschnitzte Türflügel aus dem frühen Mit-telalter (1050–1065); unter dem Chor verbirgt sich eine gewaltige Krypta.

*St. Maria im Kapitol

Östlich von St. Maria im Kapitol liegt etwas versteckt an der Rheingasse das Overstolzenhaus, das als hervorragendstes Beispiel eines Bürgerhau-ses der Romanik in Deutschland gilt (13. Jh.).

Overstolzenhaus

Nahe am Rhein nimmt St. Maria Lyskirchen mit ihrer spätromanischen, far-benprächtigen Ausmalung der Gewölbe und Wände (13. Jh.) einen beson-deren Platz unter Kölns romanischen Kirchen ein.

St. Maria Lyskirchen

Östlich liegt am Rheinauhafen das Imhoff-Stollwerck-Museum, das erste Schokoladenmuseum der Welt, das den Besucher auf 2000 m² Ausstel-lungsfläche über den Anbau des Kakaos, die Herstellung von Pralinen mit-tels einer funktionierenden kleinen Produktionsanlage, über Porzellan, Schokoladenwerbung u.v.m. anschaulich und appetitanregend informiert.

*Schokoladen-museum

Weit im Südwesten der Innenstadt beansprucht die romanische Kirche St. Pantaleon (10.–17. Jh.) als eines der ältesten Gotteshäuser Kölns und mit ihrem kunsthistorisch bedeutsamen Westwerk einen Spitzenplatz unter den Kirchen der Stadt. Ein schöner spätgotischer Lettner schließt den Chor ab. In der Krypta liegen die Gebeine der Kaiserin Theophanu († 991), der Gemahlin Ottos II., und des Kölner Erzbischofs Bruno.

*St. Pantaleon

Nahe am Rhein, am südlichsten Teil der Ringstraßen (Ubierring 45), prä-sentiert das Rautenstrauch-Joest-Museum völkerkundliche Exponate (Ke-ramik, Textilien, Musikinstrumente, Kultgegenstände usw.); Schwerpunkte der Sammlung sind die präkolumbischen Kulturen Amerikas sowie Ozean-ien und Afrika.

Rautenstrauch-Joest-Museum

Kölle Alaaf!

Kölner **Karneval**, auf kölsch "Fastelovend" (= Fastnacht), ist für die meisten Kölner die fünfte Jahreszeit und eine wilde und ausgelassene Liebeserklärung der Kölner an ihre Stadt. Für den Fremden stellt sich der Karneval eher als eruptives Ereignis dar, das selbst das hinterste Zipfelchen der Stadt zum Beben bringt. Die Wurzeln dieses Ereignisses, bei dem alles drunter und drüber geht, die Innenstadt gesperrt ist und dem (mehr oder weniger ahnungslosen) Fremden Absonderliches passieren kann, reichen so weit zurück wie die Geschichte der Stadt selbst. So haben sich im Karneval Formen rauschhafter Feste der Römer, wie etwa im Zusammenhang des Kults des Bacchus (Gott des Rausches und der Ekstase) oder der Saturnalien (Saturn war der Gott des Ackerbaus und der Fruchtbarkeit) mit ihrer zeitweisen Aufhebung der Standesordnung erhalten. Außerdem spielten die Vertreibung böser Wintergeister und die Feier des herannahenden Frühlings eine Rolle. Das Wichtigste scheint jedoch schon damals eine gewisse Ventilfunktion solcher närrischer Tage gewesen zu sein.

Die heutigen Worte Fastnacht oder Karneval geben einen deutlichen Hinweis auf die christliche Umdeutung des Festes im Mittelalter: An diesem seit dem 12. Jh. belegten Fest der vorösterlichen Fastenzeit durfte man sich noch einmal richtig austoben, um dann gesittet die 40 Tage bis Ostern zu verbringen (Karneval kommt von "carne vale" = Fleisch, lebe wohl, denn in der Fastenzeit war der Fleischverzehr verboten). Es ist nicht verwunderlich, daß die Brisanz der losbrechenden Volksfreude der Obrigkeit nicht immer angenehm war; zahlreich waren die Verbote der karnevalistischen Umtriebe.

Die Form des heutigen organisierten Karnevals mit Umzügen und Sitzungen entstand erst im 19. Jh., wenn auch aus älteren Wurzeln. So pflegten schon im Mittelalter Zunftangehörige, Familien oder ganze Straßenzüge Banden zu bilden, die mit Musik und Masken durch die Straßen zogen. Den ersten Rosenmontagszug gab es 1823, als auch das heutige Dreigestirn entstand, das zu Karneval Köln regiert. An erster Stelle steht der Prinz als "Held Karneval", es folgt die Jungfrau – dargestellt von einem Mann verkörpert sie schon seit dem Mittelalter Colonia, die Stadt Köln –, schließlich steht der Bauer für das deftige, bisweilen etwas vulgäre Volkselement, das sich seiner tragenden Rolle in der Stadtgeschichte jedoch bewußt ist: der Kölner Bauer ist z.B. auch am Eigelsteintor dargestellt mit den Stadtschlüsseln in der Hand, die die Kölner 1288 bei Worringen dem Stadtherrn abnahmen. Aus den Saufgelagen früherer Zeiten und den "Generalversammlungen" der Karnevalsorganisatoren im 19. Jahrhundert entstanden die heutigen Sitzungen, Veranstaltungen mit Büttenreden, Liedern und Tänzen. Erwähnenswert in diesem Zusammenhang ist das Wolkenschieberballett der 1874 gegründeten Cäcilia Wolkenburg, in der Tradition alter Fastnachts-Theaterspiele stehende Divertissementchen.

Ein wichtiges Element des Kölner Karnevals, die Roten Funken, waren ursprünglich (seit 1880) die Kölner Stadtsoldaten, mit denen man seit der Romantik ironisch Bezug nahm auf Kölns große reichsstädtische Vergangenheit. Noch stärker ist der parodierende Bezug aufs Militär bei den Blauen Funken: ihre blaue Uniform ist die eines preußischen Dragonerregiments. Eine weitere Erinnerung an die Stadtgeschichte stellt das Reiterkorps Jan von Werth am Alter Markt dar.
Die Lust an der Parodierung und Verkehrung der normalen Gesellschaftsordnung macht sich ebenfalls bemerkbar im Werfen von Kamelle (Bonbons) und Strüüßcher

(Sträußchen) von den Wagen der Karnevalszüge: Ähnlich pflegten Fürsten und andere Obrigkeiten früher Geld und Lebensmittel unters Volk werfen zu lassen, um die Stimmung zu heben.

Wichtig ist noch zu wissen: Neben dem offiziellen Karneval gibt es noch den uralten, eruptiven und massiven Fastelovend in den alten Kölner Vierteln, der viel originaler ist als alles, was man im organisierten Karneval finden wird.

Die Chronologie der unverzichtbarsten Ereignisse des Karnevals beginnt am 11. 11. um 11.11 Uhr eines jeden Jahres: der Beginn der Karnevalssession wird auf dem Ostermann-Platz eingeläutet. Spätnachmittags im Rathaus ist die offizielle Eröffnung durch den Oberbürgermeister. Im Januar wird der jeweilige Prinz proklamiert; von jetzt an bis Aschermittwoch finden Bälle und Sitzungen statt.

Endlich dann, an "Wieverfastelovend" (Weiberfastnacht): der Losbruch des Karnevals. Morgens gerät Köln in die Hand der Jecken (mit Narren nur unzulänglich übersetzt), der Verkehr gerät aus den Fugen. Um 11.11 Uhr findet auf dem Alter Markt die Eröffnung des Straßenkarnevals statt. Die Frauen übernehmen die Herrschaft über die Stadt (Verkehrung der gesellschaftlichen Ordnung im Sinne der alten römischen Saturnalien). Nachmittags gegen 15.00 Uhr findet am Severinstor das Karnevalsspiel "Jan und Griet" statt. Die meisten Geschäfte und Behörden

schließen spätestens nachmittags! Abends finden – wie an allen folgenden Tagen – Kostümbälle und Sitzungen statt. Am Samstag um ca. 11.00 Uhr wird der Biwak der Roten Funken auf dem Neumarkt aufgeschlagen; in einigen Stadtteilen finden bereits Umzüge statt. Am Abend zieht der Geisterzug durch die Innenstadt, eine rebellische Alternative zum Rosenmontagszug.

Meist ab 12.00 oder 13.00 Uhr gehen sonntags die "Schull- un Veedelszöch" (= Schul- und Viertelszüge) durch die Innenstadt los. Diese Züge (erstmals 1933 abgehalten) gehen zurück auf die "Banden" der früheren Zeit.

Der Rosenmontag ist unbestritten der Höhepunkt des Karnevals. Mittags zieht der jedes Jahr unter einem Motto stehende Rosenmontagszug mit Tanz- und Musikgruppen, Wagen, Masken und dem Dreigestirn durch die Stadt. Es empfiehlt sich, sich möglichst frühzeitig einen Platz am Zugweg zu suchen; von morgens früh an sind bereits "Jecken" unterwegs, manche in ganzen Unterzügen.

Am Mittag des nächsten Tages finden Umzüge in den Vororten statt.

"Am Aschermittwoch ist alles vorbei ...". Um den strapazierten Magen zu erholen und sich auf die Fastenzeit einzustimmen, aber auch, damit nicht alles ganz so schnell vorbei ist, trifft man sich abends zum traditionellen Fischessen. Danach beginnt dann die schreckliche, die karnevalslose Zeit ...

Severinsviertel

Severinstor

Das Severinsviertel um die Severinstraße gilt mit seinen vielen Kneipen, Geschäften und der Mischung aus Urkölnern und Ausländern als eines der lebendigsten "Veedel" der Stadt. Am Chlodwigplatz am Ring erhebt sich die Severinstorburg, ein Rest der mittelalterlichen Stadtmauer. Das Tor bildet den Eingang zur Severinstraße. In der Nähe liegt die romanische Kirche St. Severin (13. – 15. Jh.) mit einer reichen Innenausstattung, einer dreischiffigen Krypta und einem sehenswerten römisch-fränkischen Gräberfeld unter der Kirche. An der wiederaufgebauten Kirche St. Johann Baptist und dem zu Ehren des Kölner Komponisten und Sängers aufgestellten Karl-Berbuer-Brunnen (K.-Berbuer-Platz) vorbei erreicht man am nördlichen Ende der Severinstraße die romanische Kirche St. Georg (11. Jh.) mit einem festungsartigen, quadratischen Westchor.

Außerhalb der Ringstraßen

Ringstraßen

Um die Altstadt ziehen sich die nach der Schleifung der ehemaligen Stadtmauer angelegten Ringstraßen mit einem Park- und Flanierbereich. Von den alten Torburgen sind – von Nord nach Süd – die Eigelsteintorburg, die Hahnentorburg und die Severinstorburg erhalten.

*Museum für Ostasiatische Kunst

Am westlichen Stadtrand (Universitätsstr. 100) liegt das Museum für Ostasiatische Kunst, das nach einem Entwurf des Japaners Kunio Maekawa erbaut wurde. Den Besucher erwartet nicht nur eine einzigartige Sammlung chinesischer, koreanischer und japanischer Kunst aller Gattungen (Sakralbronzen, Holzskulpturen, Malerei, Graphiken, Möbel, Keramik, Glas, Textilien), sondern auch ein Eindruck fernöstlicher Atmosphäre, der durch die Architektur und die Einbeziehung der Natur in die Architektur entsteht.

Fernmeldeturm

Nordwestlich des Zentrums erhebt sich der 243 m hohe Fernmeldeturm "Colonius", der fünftgrößte der Bundesrepublik, mit einem Aussichtsraum in 170 m Höhe und einem Drehrestaurant.

Müngersdorfer Stadion

Weit im Westen der Stadt (Zufahrt über die Aachener Straße) liegt das Müngersdorfer Stadion; der Neubau (1973 – 1975) faßt rund 60 000 Zuschauer und ist u.a. Austragungsort von Fußball-Bundesligaspielen; ringsum liegen verschiedene andere Sportanlagen (Freibad, Tennisplätze usw.).

*Botanischer Garten und Zoo

Nördlich von Theodor-Heuss-Ring und Zoobrücke liegen der Botanische Garten und die Flora, die 1864 von P. J. Lenné angelegt wurde, mit schönen Gärten, Beeten, Teichen und verschiedenen großen Gewächshäusern. Gleich nebenan kann man im Zoo mehr als 5000 Tiere etwa 600 verschiedener Arten betrachten, darunter auch Bären, Raubkatzen, Affen, Giraffen, Elefanten und Seelöwen. Im angeschlossenen Aquarium mit Terrarium und Insektarium wird eine große Anzahl Reptilien (z.B. Krokodile), Insekten und Fische gehalten.

Rechtsrheinische Sehenswürdigkeiten

Rheinbrücken Rheinseilbahn

Auf das rechte Rheinufer führen im Norden die Mühlheimer und die Zoobrücke, beim Dom die Hohenzollernbrücke, die Eisenbahnen und Fußgängern vorbehalten ist, im Innenstadtbereich die Deutzer und die Severinsbrücke sowie im Kölner Süden die Süd- und die Rodenkirchener Brücke. Die schönsten Aussichten auf das Stadtpanorama mit Dom und Altstadt hat man von der Deutzer und der Hohenzollernbrücke, aber auch aus luftiger Höhe von einer Gondel der Rheinseilbahn, die vom Zoo ausgehend über den Rhein führt.

Köln,
Rheinseilbahn
(Fortsetzung)

Im Stadtteil Deutz befindet sich das Messegelände, wo zahlreiche internationale Industrie-, Gewerbe- und Handelsmessen stattfinden, mit dem Messeturm, der ein Panoramarestaurant besitzt. Nördlich schließt der schöne, vielbesuchte Rheinpark mit Tanzbrunnen, Blumenbeeten, Gewächshäusern, Spielplätzen, einer kleinen Seilbahn und einem Mineral-Thermalbad an. Hier ist auch der Endpunkt der großen Rheinseilbahn.

Messe
Rheinpark

Umgebung von Köln

An die rechtsrheinischen Kölner Bezirke schließt in nördlicher Richtung die Stadt Leverkusen an, die durch ihre chemische und pharmazeutische Industrie bekannt ist. Östlich des Zentrums liegt beim Stadtteil Schlebusch das Schloß Morsbroich (1774), in dem das Städtische Museum Ausstellungen zur Malerei, Graphik und Skulptur des 20. Jhs. zeigt.

Leverkusen-
Morsbroich

Rund 15 km östlich von Köln liegt Bergisch Gladbach. Hier lohnt vor allem das Bergische Museum für Bergbau, Handwerk und Gewerbe einen Besuch. Es zeigt u.a. Formen ländlichen Bauens und Wohnens, einen nachgebauten Bergwerksstollen und traditionelle Handwerkstechniken.

Bergisch Gladbach

Der Altenberger Dom (13./14 Jh.), auch "Bergischer Dom" genannt, 15 km nordöstlich von Köln gelegen, ist eines der glänzendsten Beispiele rheinischer Frühgotik. Beachtung verdienen insbesondere die gotischen Glasfenster, allen voran das imposante achtteilige Westfenster, das größte Kirchenfenster Deutschlands, sowie die reiche Innenausstattung. In der Nähe befindet sich ein Märchenwald für Kinder. Durch die ausgedehnten Wälder und Wiesen der Umgebung führen viele Spazierwege.

*Altenberger Dom

Etwa 15 km südlich von Köln liegt Brühl mit den Schlössern Augustusburg und Falkenlust, die als Höhepunkte des Rokoko und als Vorbilder für etliche deutsche Fürstenhöfe gelten. Beide Schlösser sowie die sie umgebenden Gärten nahm die UNESCO 1984 in die Liste der Weltkulturdenkmäler auf. Schloß Augustusburg mit seiner prunkvollen Innenausstattung und dem prächtigen Treppenhaus von Balthasar Neumann ist nur dann zur Besichtigung geschlossen, wenn hier hohe politische Gäste von der Bundesregierung empfangen werden.

Brühl mit
*Schloß
Augustusburg

Nahe bei Brühl liegt das Phantasialand, Deutschlands größter und meistbesuchter Freizeitpark. In der Anlage gibt es zahlreiche Attraktionen von Gondel-, Wildwasser- und Achterbahnen über Wikingerbootsfahrten bis zu einer Hollywood-Tour, einer Dinosaurier-Welt, einem Space-Center, Flugsimulatoren und einem 3D-Kino, einer nachgebautes Stadtbild von Altberlin, eine Westernstadt mit Canyon-Bahn, Chinatown mit Pagoden und Geister-Rikscha und verschiedene Shows, z.B. eine Delphinshow und eine computergesteuerte "Reise um die Welt", deren Darsteller Puppen sind.

*Phantasialand

Konstanz   F 8

Bundesland: Baden-Württemberg
Höhe: 407 m ü.d.M.
Einwohnerzahl: 79000

Konstanz, reizvoll am Seerhein zwischen Obersee und Untersee dicht an der Schweizer Grenze gelegen, ist die größte Stadt am Bodensee, ein bedeutendes Kulturzentrum mit Universität und Fachhochschule, regem

Lage und
Allgemeines

Konstanz

Lage und
Allgemeines
(Fortsetzung)
Theater- und Musikleben und ein bevorzugter Tagungs- und Kongreßort. Das Wirtschaftsleben bestimmen neben Fremdenverkehr, Kommunikations- und Informationstechnologie, Chemie, Pharmazie, Biotechnologie, Maschinenbau, Druckereien und Textilfabriken.

*Stadtbild

Die malerische Altstadt mit ihren mittelalterlichen Bauten erstreckt sich zwischen dem Rhein und der Schweizer Grenze. Die weitläufig gebaute Neustadt schmiegt sich an die sanften Hänge des Bodanrücks.

Geschichte

Konstanz entwickelte sich aus einem Römerlager des 1. Jh.s n. Chr. Im Jahre 590 wurde das Bistum gegründet, damals das erste im deutschen Raum. Am Schnittpunkt wichtiger Handelswege nach Italien und Frankreich blühte die Stadt im Mittelalter auf, erhielt um 900 Marktrecht und war 1192–1548 Freie Reichsstadt. Auf dem bedeutenden Konstanzer Reformkonzil (1414–1418) wurden Martin V. zum Papst gewählt – die einzige Papstwahl auf deutschem Boden – und der böhmische Reformator Jan Hus zum Tod verurteilt. Ambrosius Blarer (1492–1564) führte in Konstanz die protestanische Reformation ein, worauf die Bischöfe 1526 ihre Residenz nach Meersburg verlegten. Infolge der Einverleibung nach Österreich 1548 wurde es allerdings wieder katholisch. In der zweiten Hälfte des 19. Jh.s wurde die Stadtbefestigung größtenteils niedergerissen. Während des Zweiten Weltkrieges blieb die Stadt von Luftangriffen verschont. 1968 wurde die Universität gegründet.

Altstadt

*Hafen

An der Südostseite der Altstadt erstreckt sich der 1839–1842 angelegte Hafen, der Haupthafen der DB-Bodenseeflotte. Neues Wahrzeichen von Konstanz ist die mächtige, an der Hafeneinfahrt installierte Statue der "Imperia" des Bildhauers Peter Lenk. An der Nordwestecke des Hafens steht das große, 1388 erbaute "Kaufhaus", das Lagerhaus für den Italienhandel, bekannt als Konzilgebäude, das Schauplatz der Papstwahl von 1417 war und heute als Fest- und Tagungsgebäude genutzt wird.

Dominikaner-
kloster

Nördlich auf einer Bodenseeinsel findet man das 1785 aufgehobene Dominikanerkloster mit schönem Kreuzgang, das heute als Inselhotel fungiert. Hier wurde 1838 Ferdinand Graf Zeppelin, der Erfinder des lenkbaren Starrluftschiffs, geboren.

*Münster

In der Altstadt erhebt sich an dem von stattlichen ehemaligen Domherrenhöfen umrahmten Münsterplatz das Münster (11., 15. und 17. Jh.) mit schönem Hauptportal, das mit kunstvoll geschnitzten Reliefs um 1470 geschmückt ist. Von dem sehenswerten Inneren sind hervorzuheben das Chorgestühl von 1460, die vier Konstanzer Goldscheiben (11.–13. Jh.), große vergoldete Kupferplatten, und in der Mauritiusrotunde ein Heiliges Grab (13. Jh.). Vom Turm (1850–1857) bietet sich eine schöne Aussicht.

Naturmuseum
Gemäldegalerie

Unweit westlich befindet sich das Bodensee-Naturmuseum mit Ausstellungsstücken zu Ur- und Frühgeschichte sowie zur Ökologie. Ebenfalls enthalten ist die Wessenberg-Gemäldegalerie, in der altdeutsche, niederländische und italienische Malerei des 15.–18. Jh.s präsentiert wird.

Obermarkt

Am südlich gelegenen Obermarkt steht das Haus zum Hohen Hafen, vor dem am 18. April 1417 Friedrich IV. von Zollern, Burggraf von Nürnberg, mit der Mark Brandenburg belehnt wurde. Das Renaissance-Rathaus nahebei entstand 1589–1594 durch Umbau des Zunfthauses der Leinweber und Krämer (14. Jh.). Die Außenfresken stammen aus dem Jahr 1864.

*Rosgarten-
Museum

Südöstlich vom Rathaus, in der Rosgartenstraße, findet man das mittelalterliche Zunfthaus der Metzger, das "Haus zum Rosgarten", in dem das Rosgarten-Museum untergebracht ist. Es handelt sich um eine regional-

Die schöne Lage am Bodensee macht den besonderen Reiz der malerischen Stadt Konstanz aus. Direkt am Hafen liegt das Konzilgebäude.

und heimatgeschichtliche Sammlung mit Exponaten zur Geologie, Paläontologie und Stadtgeschichte sowie zur Kunst- und Kulturgeschichte des gesamten Bodenseeraums. Besonders hervorzuheben sind die Exponate zur Pfahlbaukultur und die Gemäldesammlung.

Rosgarten-Museum (Fortsetzung)

Die gotische, kurz vor 1300 für den Augustinerorden erbaute Dreifaltigkeitskirche südlich des Rathauses weist bedeutende Fresken von 1407 auf. Westlich der Dreifaltigkeitskirche stehen das fälschlich als Wohnhaus des böhmischen Reformators angesehene "Hushaus" (15./16. Jh.), das als Gedenkstätte eingerichtet ist, und das Schnetztor (14. Jh.), ein Rest der mittelalterlichen Stadtbefestigung.

Weitere Sehenswürdigkeiten

Zwischen Münster und Rhein erstreckt sich die sogenannte Niederburg, das Gassengewirr des ursprünglich von Handwerkern und Fischern bewohnten ältesten Stadtteils, mit zahlreichen Bürgerhäusern des 13. bis 16. Jh.s. An bemerkenswerten Bauten sind zu nennen: an der Brückengasse das Haus zur Inful, auch Haus am Tümpfel genannt (15./16. Jh.; Spitalkellerei), das 1257 gegründete Kloster Zoffingen mit einer schlichten freskengeschmückten Kirche (um 1300) und zwischen Rheingasse und Konzilstraße das Regierungsgebäude, die ehemalige Dompropstei (1609).

Niederburg

Unweit nördlich erhebt sich der mächtige Rheintorturm (14./15. Jh.). Weiter westlich finden sich auf der Rheinufermauer die Standbilder (19. Jh.) der Bischöfe Konrad I. († 975) und Gebhard II. († 995) sowie der Herzöge Berthold von Zähringen († 1077) und Leopold von Baden († 1852). Dann folgt der Pulverturm (14. Jh.).

Rheintorturm
Pulverturm

Vom Rheintorturm führt die Rheinbrücke zum Stadtteil Petershausen, dem bedeutendsten Teil der Neustadt, mit ausgedehnten Wohnvierteln und den meisten Freizeiteinrichtungen. Gleich links der Brücke liegen die Gebäude

Petershausen

455

Konstanz, Petershausen (Fortsetzung)

der ehemaligen Benediktiner-Reichsabtei Petershausen, die 1814–1977 als Kaserne diente. In den vorbildlich restaurierten Gebäuden ist ein Kulturzentrum untergebracht. Im U-förmigen Konventbau am Benediktinerplatz befindet sich neben dem Stadtarchiv die 1992 eröffnete Zweigstelle des Archäologischen Landesmuseums Baden-Württemberg, in dem anhand von Modellen und Rekonstruktionen Methoden der Archäologie erläutert werden.

Seestraße

Von der Rheinbrücke zieht die Seestraße, von der man schöne Ausblicke auf die Altstadtsilhouette hat, am Casino vorbei zum Jachthafen. In der Villa Prym (1908), außen mit Jugendstilfresken geschmückt, sind das Haus des Gastes und eine Kunstschule untergebracht.

Universität

Etwa 4 km nördlich der Rheinbrücke erstreckt sich auf dem 440 m hohen, aussichtsreichen Gießberg das Areal der Universität Konstanz mit bemerkenswerten Baugruppen.

Umgebung von Konstanz

Wollmatinger Ried

Westlich von Konstanz dehnt sich das Wollmatinger Ried aus, ein 767 ha großes Naturschutzgebiet in einer schilfbewachsenen Sumpflandschaft, in dem zahlreiche gefährdete Pflanzen und Tiere leben.

Krefeld   C 4

Bundesland: Nordrhein-Westfalen
Höhe: 40 m ü.d.M.
Einwohnerzahl: 250 000

Lage und Bedeutung

Die gewerbereiche Stadt Krefeld liegt am linken Ufer des Niederrheins. Sie ist Hauptsitz der deutschen Samt- und Seidenindustrie, die hier seit dem 17. Jh. betrieben wird. Daneben sind Branchen wie Maschinenbau, Chemie und die Herstellung von Edelstahl bedeutend.

Stadtbild

Das Zentrum der Stadt bildet mit den regelmäßigen Stadterweiterungen des 18. und 19 Jh.s ein Rechteck, das von vier boulevardähnlich gestalteten Wällen umschlossen ist. Zahlreiche Parks und ehemalige Schlösser der "Seidenbarone" sind ins heutige Stadtbild integriert. Fünf Windmühlen weisen auf die Nähe der Niederlande hin.

Sehenswertes in Krefeld

Seidenweberhaus

Im Stadtzentrum stehen am Theaterplatz das Seidenweberhaus, das als Veranstaltungs- und Kongreßzentrum genutzt wird, und das traditionsreiche Stadttheater.

Rathaus

Weiter westlich befindet sich das Rathaus, in den Jahren 1791–1794 als Stadtschloß des "Seidenbarons" Konrad von der Leyen im klassizistischen Stil errichtet und geprägt durch den mächtigen Säulenportikus.

Kaiser-Wilhelm-Museum

Einen Besuch lohnt das Kaiser-Wilhelm-Museum am Westwall (Karlsplatz 35). Neben historischen Abteilungen zeigt das Haus eine bedeutende Sammlung mit Werken der internationalen Moderne.

Haus Lange Haus Esters (Museen)

Nordöstlich der Innenstadt stößt man an der Wilhelmshofallee (Nr. 91–97) auf zwei frühe Bauten des Architekten Ludwig Mies van der Rohe, errichtet als Wohngebäude für die Textilfabrikanten Lange und Esters, heute Museen für wechselnde Ausstellungen zeitgenössischer Kunst.

Zum mittelalterlichen Kern des Stadtteils Linn gehört die Burg Linn, eine der größten Wasserburgen am Niederrhein und ein beliebtes Ausflugsziel. Von der um 1200 errichteten Anlage sind nur noch Palas und Wohngebäude erhalten, nach Zerstörungen im 18. Jh. wurde 1740 das Jagdschloß in der Vorburg gebaut, das heute u.a. eine Sammlung historischer mechanischer Musikinstrumente beherbergt.

Krefeld (Fortsetzung) Burg Linn

In unmittelbarer Nähe befindet sich in der Rheinbabenstraße (Nr. 85) das Museum Burg Linn. Es präsentiert volkskundliche und stadtgeschichtliche, vor allem aber archäologische Sammlungen mit Exponaten aus römischer und fränkischer Zeit, die im benachbarten Stadtteil Gellep ausgegraben wurden, darunter das berühmte Grab des Fürsten Arpvar.

Museum Burg Linn

Von Museum Burg Linn sind es nur wenige Schritte zum Deutschen Textilmuseum (am Andreasmarkt) in einem ehemaligen Klostergebäude mit modernem Anbau. Es zeigt über 20 000 Textilien aus 2000 Jahren.

*Deutsches Textilmuseum

Jeden Sonntag verkehrt im Sommer die dampfgetriebene Museumseisenbahn "Schluff" vom Bahnhof am Hülser Berg im Osten Krefelds nach St. Tönis.

Museumseisenbahn "Schluff"

Kyritz   I 3

Bundesland: Brandenburg
Höhe: 34 m ü.d.M.
Einwohnerzahl: 11 000

Die Kreisstadt Kyritz liegt westlich der Kyritzer Seenkette und 95 km nordwestlich von Berlin an der Jäglitz. Eingebürgert hat sich allerdings die Bezeichnung "Kyritz an der Knatter", obwohl eine Knatter nie existiert hat. Als noch Postkutschen von Berlin nach Hamburg hier vorbeifuhren, wurden

Lage

Marktplatz von "Kyritz an der Knatter"

Kyritz

Lage (Fortsetzung) die beiden Kyritzer Mühlen von den vorbeifahrenden Reisenden spöttisch als "Knattermühlen" bezeichnet: So kam Kyritz zu seinem Beinamen.

Geschichte Der Ort erhielt 1237 das Stendaler Stadtrecht. 1417 wird Kyritz als Hansestadt erwähnt: "Exportschlager" waren seinerzeit Tuche und Kyritzer Bier mit dem vielsagenden Namen "Mord und Totschlag". Nach dem Dreißigjährigen Krieg ging die wirtschaftliche Bedeutung der Stadt zurück. Durch Anstauen dreier kleinerer Seen entstand hier 1979 ein 236 ha großes Speicherbecken, das dem Hochwasserschutz und der Erholung dient.

Sehenswertes in Kyritz

St. Marien Die im 18. Jh. barock umgestaltete Pfarrkirche St. Marien, die ursprünglich in der 2. Hälfte des 15. Jh.s errichtet wurde, ist ein Backsteinbau auf einem hohen Feldsteinsockel. Im Innern der dreischiffigen Hallenkirche sind u. a. ein Taufstein (16. Jh.) und eine Kanzel (1714) sehenswert.

Rathaus Am ehemaligen Markt steht das Rathaus (1879), ein kastellartiger, zinnenbekrönter Backsteinbau mit einem Uhrturm. Auf dem Platz steht die 1814 im Andenken an die Völkerschlacht von Leipzig gepflanzte Friedenseiche.

*Fachwerkhäuser Trotz zahlreicher Brände sind einige Fachwerkhäuser mit Balkeninschriften und Schnitzwerk aus dem 17. Jh. erhalten: in der Johann-Sebastian-Bach-Straße die Nr. 36 von 1682 und Ecke Bahnhofstraße die Nr. 44 von 1663, ferner mehrere Traufenhäuser aus dem 18. Jahrhundert.

Stadtmauerreste Von der mittelalterlichen Stadtmauer existieren noch Reste an der Ostseite der Stadt; in der Straße An der Mauer steht z. B. ein halbrundes Wiekhaus.

Umgebung von Kyritz

Kyritzer Seenkette Die über 20 km lange Seenkette 22 km östlich der Stadt ist nur für Wasserwanderer, Ruderer, Segler und Angler zugelassen. Die Insel im Untersee wird als beliebtes Ausflugsziel geschätzt.

Prignitz Die nordwestlich von Kyritz verlaufende Prignitz ist eine flachwellige, waldarme Landschaft mit vielen kleinen Seen und Dörfern. Die Prignitz wird hauptsächlich landwirtschaftlich genutzt.

Kampehl Südöstlich der Stadt liegt auf der Strecke nach Neustadt das Dorf Kampehl. In der Gruftkapelle der frühgotischen Kirche ruht der mumifizierte Leichnam des Ritters von Kahlbutz († 1703), um dessen Leben und Sterben sich viele Legenden ranken: Er soll nach einer blutigen Freveltat einen falschen Eid geschworen haben und nun im Grab keine Ruhe finden.

Wusterhausen In Wusterhausen, 8 km südöstlich von Kyritz, verdient die St.-Peter-und-Paul-Kirche mit ihren schönen Fresken und dem gotischen Torbogen zwischen den Pfarrhäusern Beachtung. Im Ort sind außerdem alte Fachwerkbauten mit geschnitztem Gebälk erhalten.

Neustadt In Neustadt an der Dosse, ca. 12 km südlich von Kyritz, sind die Pfarrkirche, ein barocker Zentralbau in Form eines griechischen Kreuzes (1673–1696), und die spätbarocken Verwaltungsbauten des Staatlichen Hengstdepots und des ehemaligen Gestüts sehenswert.

Wittstock 27 km nördlich von Kyritz liegt die alte Grenzfeste und Bischofsresidenz Wittstock. Wallanlagen und eine 2,5 km lange Stadtmauer mit Wiekhäusern, Gröpertor und den Resten einer Bischofsburg umschließen den historischen Stadtkern. Enge Gassen mit kleinen Fachwerkhäusern und Geschäftsstraßen mit Bauten der Jahrhundertwende prägen das Gesicht der

Stadt. Den Mittelpunkt bildet der Marktplatz mit Rathaus, dicht dabei die gotische St. Marienkirche (13. Jh.) mit einem prächtigen Backsteingiebel.

Nur wenige Kilometer westlich von Wittstock liegt eine guterhaltene Klosteranlage, das Klosterstift zum Heiligengrabe. Blutkapelle, Klosterkirche mit anschließendem Kreuzgang und Klausurgebäuden und die Fachwerkhäuser des Damenstifts sind in eine gepflegte Parkanlage eingebettet.

Heiligengrabe

Lahntal   D/E 5

Bundesländer: Nordrhein-Westfalen, Hessen, Rheinland-Pfalz

Die Lahn entspringt am Lahnkopf (610 m) im südlichen Rothaargebirge und mündet nach 245 km bei Lahnstein in den Rhein. In ihrem meist gewundenen Lauf berührt sie Orte, Burgruinen und Schlösser, welche die Geschichte dieses Raumes bezeugen. Die Region am Unterlauf des Flusses hat in den letzten Jahren touristische Bedeutung gewonnen.

Verlauf der Lahn

Reiseziele im Lahntal

Folgt man der Lahn von der Quelle bis zur Mündung, so ist Bad Laasphe der erste größere Ort an der Strecke. Auf einem steil abfallenden Berg im Nordwesten steht das Schloß der Fürsten zu Sayn-Wittgenstein (18. Jh.). Flußabwärts folgen die Städte → Marburg, → Gießen und Wetzlar.

Bad Laasphe

Südwestlich von Wetzlar liegt etwas abseits der Lahn der Ort Braunfels mit einem alten Stadtkern. Sehr eindrucksvoll wirkt die Silhouette von Schloß Braunfels. In den Räumen des Schlosses befindet sich ein Museum, das Waffen, sakrale Kunst sowie Gemälde und Plastiken (15. – 19. Jh.) zeigt.

*Braunfels

Auf einem von der Lahn umflossenen Felsrücken liegt die kleine Stadt Weilburg, einst Residenz der Fürsten von Nassau. Über der Altstadt erhebt sich das Renaissance-Schloß mit einem Uhrturm, einer schönen Schloßkirche und einem Schloßgarten. Im Bergbau- und Schloßmuseum erfährt der Besucher etwas über Geschichte, Kunst und Kultur des oberen Lahntals und über das nassauische Fürstenhaus.

*Weilburg

In Runkel gibt es bemerkenswerte alte Fachwerkbauten. Über dem Ort steht Burg Runkel, die Stammburg der Fürsten von Wied. Von der alten Brücke aus bietet sich ein herrlicher Blick auf die Burg, deren grobes Mauerwerk geradezu mit dem Felsen verwachsen zu sein scheint.

Runkel

In Dietkirchen zieht die prächtig über der Lahn gelegene romanische St.-Lubentius-Kirche (12. Jh.) den Blick auf sich. Unter dem Hochaltar befindet sich der Steinsarg des hl. Lubentius, der als Apostel des Lahntals gilt.

Dietkirchen

Im fruchtbaren Limburger Becken zwischen Taunus und Westerwald liegt Limburg an der Lahn. Keimzelle Limburgs waren Kirche und Burg. Von 1420 bis 1803 war Limburg kurtrierisch, dann nassauisch; 1866 fiel es an Preußen. Berühmt ist die vom Stadtschreiber Tileman Elhen von Wolfhagen für die Jahre 1336–1398 verfaßte Limburger Chronik.
Im Kern der Altstadt, insbesondere um den Fischmarkt, gibt es viele alte Fachwerkhäuser, darunter das ehemalige Rathaus. Im Haus der Kunst ist die städtische Kunstsammlung zu besichtigen. Oberhalb der Altstadt thront hoch über der Lahn der Dom (13. Jh.), der als eine der vollendetsten Schöpfungen der Spätromanik gilt. Beachtenswert sind im Inneren die Fresken aus dem 13. Jh.; dargestellt ist u.a. der thronende Christus zwischen dem hl. Georg und dem hl. Nikolaus. Im nördlichen Querhaus befindet sich das Grabdenkmal des Stifters Graf Konrad Kurzbold (gest. 948).

*Limburg

**Dom

Über der Lahn erheben sich Burg und Dom von Limburg.

Limburg (Fortsetzung)

Das Diözesanmuseum Limburg zeigt außer dem Domschatz in einer Dauerausstellung Werke der sakralen Kunst aus zwölf Jahrhunderten. Wertvollstes Ausstellungsstück ist die Dernbacher Beweinung, eine Figurengruppe aus der Zeit um 1420. Hinter dem Dom liegt das ehemalige Schloß der Lahngrafen. Von der Alten Lahnbrücke bietet sich ein schöner Blick auf den Dom.

Diez

In Diez verdienen die frühgotische Pfarrkirche und das ehemalige Schloß der Fürsten von Nassau-Oranien Beachtung. Rund 1,5 km nördlich steht an der Lahn das um 1700 erbaute Schloß Oranienstein; dort findet man Exponate, welche die Geschichte des Hauses Oranien dokumentieren. Weiter südlich liegen der Balduinstein, die Ruine einer Burg, die Graf Balduin von Luxemburg erbauen ließ, und Schloß Schaumburg, das sich mit seinen zinnengekrönten Türmen über dem Lahntal erhebt.

*Kloster Arnstein

Auf einem Bergkegel bei Obernhof liegt das ehemalige Prämonstratenserstift Arnstein. Das Innere der ursprünglich romanischen Klosterkirche wurde später barockisiert. Beachtenswert sind die Kanzel und der Taufstein sowie im nördlichen Querschiff ein großes Holzkruzifix (um 1520).

Nassau

Im unteren Lahntal erreicht man die alte Stadt Nassau, die Wiege der Grafen von Laurenburg, die im 12. Jh. den Namen "Nassau" annahmen. Sehenswert sind das schöne Fachwerk-Rathaus und das 1621 erbaute Schloß. In Nassau wurde der preußische Staatsmann und Reformer Karl Freiherr vom und zum Stein (1757–1831) geboren. Über dem linken Flußufer ragen die Ruinen von Burg Stein und Burg Nassau auf.

*Bad Ems

Flußabwärts folgt nun Bad Ems, ein traditionsreicher Badeort mit Thermalquellen. Bad Ems wird zur Behandlung von Atemwegserkrankungen und Kreislaufstörungen aufgesucht. Im 19. Jh. kamen Adelige aus ganz Europa dorthin, auch Kaiser Wilhelm II. hat sich hier mehrfach zur Kur aufgehalten.

Die Doppelstadt Lahnstein liegt zu beiden Seiten der Lahn, die hier in den Rhein mündet. Im Stadtteil Oberlahnstein (links der Lahnmündung) sind noch Reste der Stadtbefestigung und das reichgeschmückte spätgotische Alte Rathaus (15. Jh.) mit dem Marktbrunnen zu sehen. Im Hexenturm wurde das Stadtmuseum eingerichtet. In Niederlahnstein stehen noch einige der einst reichen Adelshöfe und auch das vielbesungene Wirtshaus an der Lahn (Lahnstr. 8), ein Fachwerkbau (1697) auf Fundamenten aus dem 14. Jahrhundert. Östlich erhebt sich der Allerheiligenberg mit einem Kloster und einer Wallfahrtskirche. Die Burg Lahneck, die – nach Zerstörungen im 17. Jh. – ab 1854 im Stil der englischen Neugotik wieder aufgebaut wurde, liegt ebenfalls oberhalb von Lahnstein und ist ein sehr reizvolles und vielbesuchtes Ausflugsziel.

Lahntal (Fortsetzung) Lahnstein

Landshut　　　　　　　　　　　　　　　　　　　　　　　　　　　I 7

Bundesland: Bayern
Höhe: 393 m ü.d.M.
Einwohnerzahl: 57 000

Die alte Herzogsstadt Landshut, heute Sitz der Regierung von Niederbayern, liegt an Isar, die sich hier in zwei Arme teilt. Der Innenstadt geben die platzartig erweiterten Straßenzüge "Altstadt" und "Neustadt" mit ihren alten Giebelhäusern das Gepräge. Im Norden des Stadtgebiets haben sich Industriebetriebe angesiedelt, darunter Werke der Elektrotechnik.

Lage und Bedeutung

Landshut, um 1150 erstmals urkundlich erwähnt, entwickelte sich aus einer Siedlung bei der Isarbrücke. 1255 wurde Landshut Hauptstadt des Herzogtums Niederbayern. 1475 fand dort die "Landshuter Fürstenhochzeit" statt, die Heirat des Landshuter Herzogs Georg mit der polnischen Königstochter Hedwig, eines der größten höfischen Feste des Mittelalters. Von 1800 bis 1826 war Landshut Sitz der bayerischen Landesuniversität.

Geschichte

Sehenswertes in Landshut

In der "Altstadt" genannten Hauptstraße steht das Rathaus (14./15. Jh.), ein dreigiebeliges Gebäude mit Renaissance-Erkern. Der Prunksaal diente bei der Landshuter Fürstenhochzeit als Festsaal. Bei der Teilerneuerung (1861) wurde der Saal neugotisch ausgestattet und mit großen Historiengemälden – Szenen der Fürstenhochzeit – geschmückt.

Rathaus

Gegenüber dem Rathaus befindet sich die ehemalige herzogliche Stadtresidenz mit dem "Deutschen Bau" und dem "Italienischen Bau" (um 1540), dem ersten Palast im Stil der italienischen Renaissance auf deutschem Boden. Bei einem Rundgang sieht man prächtige Repräsentations- und Wohnräume mit Stuckarbeiten und Freskomalerei; ferner beherbergt die Residenz die Staatliche Gemäldesammlung und das Stadtmuseum.

*Stadtresidenz Museen

Im südlichen Teil der "Altstadt" liegt die spätgotische Kirche St. Martin (14. – 15. Jh.), das Hauptwerk von Hans Stethaimer, dem bedeutendsten Baumeister der bayerischen Spätgotik. Besonders schön ist der um 1500 vollendete schlanke Turm, mit 133 m der höchste in Bayern. Das Innere birgt eine geschnitzte Muttergottes (um 1520) von Hans Leinberger; der Hochaltar (1494) stammt von Stethaimer.

*St. Martin

Über der Stadt thront auf einem steilen Hügel (464 m) Burg Trausnitz, die, um 1204 von Herzog Ludwig I. gegründet, bis 1503 Residenz des Wittelsbacher Teilherzogtums Niederbayern war. 1568 – 1578 erfolgte unter Erbprinz Wilhelm der Umbau zu einem Schloß italienischen Stils mit Prunkräumen und der freskengeschmückten "Narrentreppe".

*Burg Trausnitz

Hoch ragt der schlanke Turm von St. Martin über die Altstadt von Landshut.

Landshut
(Fortsetzung)
Seligenthal

In der Vorstadt St. Nikola links der Isar befindet sich die Abtei Seligenthal, ein Zisterzienserinnenkloster mit prachtvoller Rokokokirche, die zwischen 1732 und 1734 entstand; die Stukkaturen und Deckenfresken schuf Johann Baptist Zimmermann.

Lauenburgische Seen G 2

Bundesland: Schleswig-Holstein

Lage und
*Landschaftsbild

Östlich vom Elbe-Lübeck-Kanal, zwischen Groß-Grönau im Norden und Büchen im Süden, erstreckt sich der Naturpark Lauenburgische Seen, durch den die Alte Salzstraße verläuft. Mehr als 40 Seen, darunter der Ratzeburger See, machen die Region zu einem Paradies für Wassersportler. Auf dem Küchensee südlich von Ratzeburg, bekannt als Übungs- und Regattastrecke des Deutschland-Achters, finden Ruderwettbewerbe statt. Größter der Lauenburgischen Seen ist der verzweigte Schaalsee.

Naturpark
Schaalsee

Östlich schließt sich an den Naturpark Lauenburgische Seen der Naturpark Schaalsee an, der als Vogelparadies bekannt ist.

Reiseziele im Gebiet der Lauenburgischen Seen

Ratzeburg

Malerisch auf einer Insel im südlichen Teil des Ratzeburger Sees liegt das gleichnamige Städtchen (13 000 Einwohner), einst Sitz der Herzöge von Lauenburg. Im Norden der Altstadt, die durch drei Dämme mit dem Festland verbunden ist, steht erhöht der eindrucksvolle Dom (12./13. Jh.), ein romanischer Backsteinbau. Von der Innenausstattung sind das spätromanische Triumphkreuz, Reste des Chorgestühls (um 1200), die Kanzel aus

*Dom

der Zeit der Reformation und der Hochaltar, ein gutes Beispiel für den Ratzeburg, Dom (Fortsetzung) Knorpelbarock, hervorzuheben. Zahlreiche Grabplatten erinnern an die hier beigesetzten Bischöfe und Herzöge. Im Norden ist der Dom durch einen Kreuzgang mit den ehemaligen Klausurgebäuden verbunden. Am Domhof lohnt das Andreas-Paul-Weber-Haus einen Besuch – mit Lithographien des Zeichners Andreas Paul Weber (1893 – 1980), der zeitkritisch-satirische Blätter schuf. Ein weiteres sehenswertes Museum, das Ernst-Barlach-Museum, befindet sich am Barlachplatz. Der Bildhauer Ernst Barlach (1870 – 1938) verbrachte in Ratzeburg einen Teil seiner Jugend. Im Museum, dem ehemaligen Wohnhaus der Familie Barlach, sind Bronzeplastiken, Zeichnungen, Lithographien und Holzschnitte des Künstlers ausgestellt.

Etwa 12 km südöstlich von Ratzeburg liegt die "Eulenspiegel-Stadt" Mölln. Mölln An den Schelm Till Eulenspiegel, der hier 1350 an der Pest gestorben sein soll, erinnert eine Grabplatte an der Außenwand der St.-Nikolai-Kirche, die ihn in der Narrentracht – mit Eule und Spiegel – zeigt. Im Heimatmuseum, einem Fachwerkhaus am Markt, kann der Besucher außerdem Gegenstände sehen, die über den originellen Narren Auskunft geben.
Im Umkreis der Stadt liegen einige kleinere Seen, darunter Möllner See, Lankauer See, Schmalsee, Littauer See, Drüsensee und Krebssee.

Rund 30 km südlich von Mölln liegt das malerische Elbstädtchen Lauen- *Lauenburg burg an einem bewaldeten Steilufer. In der alten Unterstadt sind schöne Fachwerk-Schifferhäuser aus dem 16. und 17. Jahrhundert erhalten. Die Elbschiffahrt ist das Thema des Museums in der Elbstraße 59 (u.a. Demonstrationen an Schiffsmaschinen). Vom ehemaligen Schloß der Herzöge von Sachsen-Lauenburg in der Oberstadt blieb nur der runde Uhrturm erhalten. Von hier oben genießt man einen herrlichen Blick über die Elbe.

Rumpf'sches Haus in der Elbstraße in Lauenburg

463

Lausitz K/L 4/5

Bundesländer: Brandenburg und Sachsen

Lage und Gebiet

Der Name Lausitz, sorbisch "Lusica" (= Moor, Sumpfniederung), bezeichnet historische Territorien zwischen mittlerer Oder und mittlerer Elbe im Gebiet der oberen Spree und Neiße. Zunächst bezog er sich auf das von den slawischen Lusizern bewohnte Gebiet, die Niederlausitz um → Cottbus (sorb. Chosébuz), die im 12. Jh. an die wettinischen Markgrafen von Meißen ging. Später wurde der Name als Oberlausitz auch für das frühere Siedlungsgebiet der slawischen Milzener um → Bautzen (sorb. Budyšin) und → Görlitz (sorb. Zhorjelc) gebraucht, in dem sich im 14. Jh. der mächtige Lausitzer Sechsstädtebund (Görlitz, Bautzen, Löbau, Zittau, Kamenz und Lauban) gebildet hatte.

Sorben

In der Lausitz längs der Spree, zwischen dem Spreewald und dem Lausitzer Bergland, leben über 500 000 deutsche und annähernd 60 000 sorbische Bürger. Die Sorben zählen – neben den dänischen Südschleswigern und den Friesen – zu den anerkannten ethnischen Minderheiten in Deutschland (→ *Baedeker Special* S. 466 / 467).

Reiseziele in der Niederlausitz

Landschaftsbild

Das Landschaftsbild der Niederlausitz wird bestimmt vom Lausitzer Höhenzug (auch Lausitzer Grenzwall genannt) mit seinen ausgedehnten Altmoränen, von Sandflächen, die weithin Kiefernwälder tragen, und von Urstromtälern. Die höchsten Teile des Lausitzer Höhenzuges erreichen westlich von Senftenberg nahezu 180 m über dem Meer.
Die Niederlausitz ist heute ein Gebiet mit ausgedehntem Braunkohlebergbau, dem eine ganze Reihe von Dörfern zum Opfer fiel. Mit der Kohle werden hauptsächlich Großkraftwerke wie die Schwarze Pumpe befeuert. Zwar sind manche ausgekohlten Tagebaue zu Naherholungsgebieten umgewandelt worden, doch in einigen Regionen der Niederlausitz wähnt man sich in einer Mondlandschaft apokalyptischen Ausmaßes.

Senftenberg

Bis 1966 war Senftenberg an der Schwarzen Elster, 37 km südwestlich von Cottbus, für ausgedehnten Braunkohlentagebau bekannt. Als er in jenem Jahr eingestellt wurde, beschloß man die Rekultivierung der Gruben und ihre Umwandlung in ein Badeparadies. Das ist gelungen: 1300 ha Wasserfläche und 11 km Strände ziehen alljährlich Zehntausende Badelustige an

*Senftenberger See

den Senftenberger See. Wer nicht nur baden will, sollte sich das aus einer Wasserburg hervorgegangene Schloß mit dem Kreismuseum ansehen.

Spremberg

26 km östlich von Senftenberg liegt das Städtchen Spremberg. In seiner Kreuzkirche sind viele Gegenstände aus Dorfkirchen untergekommen, die dem Braunkohlenabbau weichen mußten. Im Niederlausitzer Heidemuseum lebt die ländliche Vergangenheit vor der Braunkohlenzeit weiter.

Reiseziele in der Oberlausitz

Landschaftsbild

Die Oberlausitz wird geprägt durch lößbedeckte Gefilde mit intensiver Landwirtschaft, durch Verebnungen und lange, in den höheren Lagen bewaldete Bergrücken auf dem Granit der Lausitzer Platte sowie durch flache Talweiten mit langgestreckten, stark industrialisierten Dörfern. Die höchste Erhebung im Lausitzer Bergland ist der Valtenberg mit 589 m; die wichtigsten Städte sind → Bautzen, → Görlitz und → Zittau.

Umgebindehäuser

In der Oberlausitz herrschte in der Vergangenheit eine in Heimarbeit betriebene Leinenweberei vor. Davon beeinflußt wurde das Siedlungsbild: die typischen Umgebindehäuser mit Ständerkonstruktion, in die kastenartig die Wohnstube im Erdgeschoß hineingebaut ist und die das Obergeschoß mit den Webstühlen trägt.

Löbau und Umgebung

Die Kreisstadt Löbau (sorb. Lubij) stand immer im Schatten der mächtigeren Nachbar- und Schwesterstädte im Lausitzer Sechsstädtebund, → Bautzen (19 km westlich) und → Görlitz (23 km östlich). Mit Sehenswürdigkeiten ist die Stadt nicht gerade gesegnet, einige Dörfer in der Umgebung aber sind geradezu musterhafte Idyllen sorbischer Lebensweise. Auf Löbaus Frühzeit geht das barocke Rathaus (1711) zurück; Turm und Kellergewölbe sind spätgotisch. Stattlichstes Bürgerhaus ist das links daneben stehende "Goldene Schiff". Östlich vom Rathaus steht die frühgotische Johanniskirche, einst Teil des Franziskanerklosters, in dessen Refektorium im 14. und 15. Jh. die Tagungen des Sechsstädtebundes stattfanden. Das Stadtmuseum (Johannisstraße 5) zeigt u.a. Exponate zur Stadtgeschichte, zur Kultur und zum Handwerk der Oberlausitz.

Im Osten der Stadt erhebt sich als Landmarke und weithin sichtbarer Orientierungspunkt der Löbauer Berg (447 m), gekrönt vom gußeisernen, 1854 eingeweihten Friedrich-August-Turm.

Das Dorf Cunewalde, 10 km westlich gelegen, kann sich rühmen, die größte barocke Dorfkirche der Oberlausitz zu besitzen. Der 1780–1793 errichtete Bau mit 3000 Sitzplätzen erhebt sich oberhalb des Ortskerns inmitten einer Ansammlung typischer Umgebindehäuser.

Das älteste Umgebindehaus der Oberlausitz ist das Reiterhaus von 1660 in Neusalza-Spremberg, 15 km südwestlich von Löbau. 5 km weiter liegt Taubenheim, dessen Bewohner ein Faible für Sonnenuhren haben: Kaum eine Hauswand, an der nicht eine prangt.

Das unbestritten schönste Dorf ist Obercunnersdorf, das 9 km südlich von Löbau liegt. Im einmalig geschlossenen Ortskern stehen 40 Umgebindehäuser, die zum Teil über 200 Jahre alt sind; weitere (insgesamt etwa 240) findet man im übrigen Ort.

Die kleine Stadt Herrnhut, etwa 10 km südlich von Löbau, ist Stammsitz der Herrnhuter Brüdergemeinde. Diese evangelisch-pietistische Kirche geht auf böhmisch-mährische Exulanten zurück, die 1722 Aufnahme bei Nikolaus Ludwig Graf von Zinzendorf fanden. Er veranlaßte den Bau der Musterstadt mit Gemeinhaus (Kirche), Chorhäusern und einem in "Quartiere" geteilten Friedhof. Interessant ist das Museum für Völkerkunde, dessen Bestände aus der Missionstätigkeit der Brüdergemeinde stammen; das Heimatmuseum dokumentiert deren Geschichte.

Kamenz und Umgebung

In Kamenz (sorb. Kamjénc), 25 km westlich von Bautzen an der Schwarzen Elster gelegen, wurde am 22. Januar 1729 Gotthold Ephraim Lessing, der große deutsche Dichter der Aufklärung, geboren. Im Landkreis ist das sorbische Element noch besonders lebendig, denn in etwa einem Drittel der Gemeinden überwiegt die sorbische Bevölkerung.

Am Markt leuchtet rostrot das burgartige Rathaus, nach dem verheerenden Stadtbrand von 1842 nach Plänen Schinkels im Stil der italienischen Renaissance wiederaufgebaut. Der Andreasbrunnen (1570) ist eine kunstvolle Sandsteinarbeit mit dem Standbild der Justitia. In nächster Nähe zum Markt findet man in der Zwingerstraße (Nr. 7) das von der Renaissance geprägte Malzhaus und am Ende der Straße den Basteiturm (16. Jh.), ein Rest der 1835 niedergelegten Stadtbefestigung. In der die Zwingerstraße

Rjana Lužica

Allerorten in der Lausitz künden zweisprachige Straßen- und Ortsschilder davon, daß man sich unter einer der anerkannten ethnischen Minderheiten

Reichenstraße
Bohata hasa

kannten ethnischen Minderheiten Deutschlands bewegt: den **Sorben**. Insgesamt bezeichnen sich heute an der mittleren und oberen Spree ca. 60 000 Menschen als Angehörige dieses slawischen Volksstamms, der eine eigene Sprache spricht und sich intensiv der Pflege seiner Bräuche widmet. In Sachsen leben die überwiegend katholischen Oberlausitzer Sorben (ca. 40 000), die das dem Tschechischen ähnelnde Obersorbisch sprechen, in Brandenburg die mehrheitlich protestantischen Niederlausitzer Sorben, die das dem Polnischen verwandte Niedersorbisch sprechen.

Die Sorben sind die Nachfahren der ehemaligen südlichen Elbslawen. Seit der Völkerwanderung im 6. Jh. n. Chr. besiedelten sie das Gebiet zwischen Saale und Oder. Zum ersten Mal finden die Sorben ("Surbi") im Jahre 631 in der Chronik des fränkischen Mönches Fredegar Erwähnung, in anderen Quellen wurden sie als "Vendi" bezeichnet, wovon sich der deutsche Name "Wenden" oder "Winden" ableitet. Seit dem 8. Jh. wurden die elbslawischen Stämme in die Kriege und Eroberungszüge ihrer westlichen Nachbarn, der Franken und Sachsen, hineingezogen, schließlich unterworfen und gewaltsam christianisiert.

Bereits seit dem 12. Jh. besiedelten deutsche Bauern, Handwerker, Kaufleute und Bergleute systematisch das eroberte Land. Herrschte anfangs wohl noch ein Mit- und Nebeneinander, sahen sich die Slawen bald sozial und ethnisch degradiert. So wurde mancherorts die sorbische Sprache oft unter Androhung der Todesstrafe verboten. Solche und andere Maßnahmen brachten schließlich eine siebenhundertjährige Periode kultureller Eigenständigkeit zwischen Elbe und Saale zum Erlöschen. In der Niederlausitz und in der Oberlausitz konnte die slawische Kultur allerdings überleben.

Ab dem 17. Jh. entwickelte sich eine sorbische Literatur, die in der Oberlausitz ihren ersten Höhepunkt mit der Bibelübersetzung und dem obersorbischen Gesangbuch (1696) von H. Swětlik (1650 – 1729) erlebte. Parallel dazu wuchs auch das politisch-kulturelle Selbstbewußtsein, das am Ende des 18. Jh.s mit der Deklarierung der blau-rot-weißen Fahne zum Symbol der sorbischen Volksgruppe und der sorbischen Hymne "**Rjana Lužica**" (= Schöne Lausitz) zum Ausdruck kam. Im Lauf des 19. Jh.s verschaffte sich eine sorbische Nationalbewegung immer deutlicher Gehör, die schließlich am 13. Oktober 1912 in Wojerecy (Hoyerswerda) in die Gründung einer Dachorganisation, der "Domowina" (= Heimatbewegung) mündete. Nach dem Ende des Ersten Weltkriegs wurde ein sorbischer Nationalausschuß gegründet, der das Problem der sorbischen Minderheit sogar an die Versailler Friedenskonferenz herantrug. Die Nazis machten dann kurzen Prozeß: 1937 verboten sie alle sorbischen Organisationen, unersetzliche Schätze der sorbischen Kultur wurden vernichtet.

In der DDR waren die Sorben plötzlich die geachtete und von den Oberen gern gezeigte Minderheit mit garantierten Rechten. Jedoch – verließ das Selbstbewußtsein den Boden des real existierenden Sozialismus, zeigten SED und Stasi rasch die Grenzen auf.

Heute sind für die kulturellen Belange der Sorben die Bundesländer Brandenburg und Sachsen zuständig. Derzeit bestehen insgesamt 161 sorbisch-deutsche Ge-

meinden, sechs Grund- und zwei Ober-
schulen, an denen Sorbisch für etwa
4000 Kinder und Jugendliche Unterrichts-
sprache ist; an 64 Schulen wird Sorbisch
als Fremdsprache angeboten. Für die Erhaltung des tradierten Kulturgutes sorgen
in Budyšin (Bautzen) die "Domowina"
(ca. 12 000 Mitglieder), die Zeitung Serbs-
ke Nowiny, eine sorbische Rundfunk-
redaktion, das Deutsch-Sorbische Theater und ein Folkloreensemble.

Die sorbische Kultur äußerte sich nicht
nur in Gestalt der eigenen Sprache, sondern auch in einer lebendigen Folklore.
Über die Grenzen der Lausitz hinaus bekannt geworden ist der Krabat. Dieser
Sagenkreis um eine Zaubergestalt aus
der Hoyerswerdaer Gegend entstand im
17. Jh. und hat einen kroatischen Reiter-
oberst im Dienste des sächsischen Kurfürsten zum Vorbild.

Greifbarer als diese Geschichten sind
allerdings die heute noch ausgeübten
Sitten und Bräuche. Zumindest an Feier-
tagen tragen vor allem Frauen noch
Tracht. So führt man in der Gegend um
Schleife bei Weißwasser farbenfrohe
Trachten mit typischen roten Kappen aus.
In etlichen Ortschaften um Hoyerswerda
trägt man leuchtende Farben und reiche
Stickereien. Zwischen Bautzen, Kamenz
und Hoyerswerda, also in den katholischen Kirchspielen, herrschen strengere
Trachten mit langer dunkler Kopfschleife
vor. Bemerkenswert ist auch, daß sich
bis heute archaische Züge in den weißen
Umhüllungen der Trauer- und Prozessi-
onstrachten erhalten haben.

Zu den bekanntesten Bräuchen gehört
die Vogelhochzeit am 25. Januar, an der
die Kinder traditionelle Hochzeitskleidung
tragen oder als Vögel verkleidet sind und
Teller auf das Fensterbrett stellen, die mit
Nüssen und Süßem gefüllt werden. In verschiedenen Orten fordert der "Hochzeits-
bitter"zum Tanz auf, anderswo erhalten die
Kinder Gebäck in Vogelgestalt als Dank
für ihre Fürsorge um die Tiere im Winter.
Der "Zapust" ist ein lustiger Fastnachts-
brauch in der Niederlausitz mit viel Musik
und Tanz. Unverheiratete Männer in dunklen Anzügen, mit Blumen und Schleifen
an den Hüten und mittlerweile auch

*Osterreiten im Kloster St. Marienstern
in Panschwitz-Kuckau bei Kamenz*

Frauen in farbenfrohen Trachten ziehen
durch die Dörfer und "heischen" Gaben.
Ostern ist ein ganz besonderes sorbisches Fest. Das Verzieren der Ostereier
ist vor allem im Großraum Cottbus
Brauch. Alljährlich wird sogar ein Wettbe-
werb um das schönste Osterei abgehalten. Höhepunkt des Fests in der Oberlausitz ist das Osterreiten am Ostersonntag,
ein Flurumritt auf geschmückten Pferden
auf acht Reiterstrecken zwischen den einzelnen katholischen Kirchspielen mit insgesamt etwa 1000 Reitern. Der wohl bekannteste Osterritt findet um das Zisterzienserinnenkloster St. Marienstern in
Panschwitz-Kuckau bei Kamenz statt.
Das "Bescherkind" (sorbisch = dźěćatko)
im Schleifer Trachtengebiet, das in der
Vorweihnachtszeit die Kinder aufsucht,
um kleine Gaben zu verteilen, trägt eine
Tracht mit bunten Bändern und Schleifen
und einen Schleier, der das Gesicht gänzlich verhüllt, so daß niemand das betref-
fende Mädchen, das nicht sprechen darf,
erkennen kann.

Lausitz

Kamenz
(Fortsetzung)

kreuzenden Pulsnitzer Straße ist im Ponickau-Haus (Nr. 16), einem alten Bürgerhaus mit 1745 vorgesetzter Barockfassade und romanischem Keller, das Museum der Westlausitz untergebracht. Auf einem Felsen südwestlich vom Markt ragt die Hauptkirche St. Marien empor (um 1400–1480). Bemerkenswert sind der Hauptaltar (15. Jh.), der Michaelisaltar (1498) und die Kreuzigungsgruppe (um 1500). Jenseits der Friedhofsmauer bezeichnet im Lessinggäßchen eine Gedenktafel die Stätte des 1842 abgebrannten Pfarrhauses, des Geburtshauses von Lessing. Dem großen Dichter der Aufklärung wird in einem Museum am entgegengesetzten Ende der Innenstadt gedacht (Lessingplatz 1–3). Die Ausstellung zeichnet sein Leben und Werk nach und verfügt zudem über eine 3500 Bände umfassende Bibliothek, darunter viele Erstausgaben. Gegenüber steht die dreischiffige spätgotische Kirche (1493–1499) des ehemaligen Franziskanerklosters St. Annen, die vier wertvolle, allesamt zwischen 1510 und 1520 gefertigte Holzaltäre bewahrt.

*Lessingmuseum

Panschwitz-
Kuckau
*Kloster
St. Marienstern

Das 8 km südlich gelegene Panschwitz-Kuckau ist ein Zentrum sorbischen Brauchtums. Der hier gepflegte Osterritt ist einer der meistbesuchten der Oberlausitz. Er beginnt jeweils am 1248 gegründeten Kloster St. Marienstern (14. Jh.), eines von zwei Zisterzienserinnenklöstern in Sachsen (→ Görlitz, Kloster Marienthal). Die Nonnen von Marienstern brauen ein dunkles Bier, zu probieren in der gemütlichen Klosterstube. Viele Wallfahrer ziehen von Marienstern weiter nach Rosenthal zur Verehrung einer Marienstatuette in der barocken Wallfahrtskirche von 1778.

Schloß
Rammenau

Am Ortsrand von Rammenau, 16 km südlich von Kamenz, steht mit Schloß Rammenau eines der schönsten Barockschlösser Sachsens, 1721–1735 von Johann Christoph Knöffel erbaut. Außer prächtig ausgestatteten Räumen präsentiert es auch eine Gedächtnisausstellung für den Philosophen Johann Gottlieb Fichte (1762–1814), der in Rammenau geboren wurde.

Hoyerswerda

Hoyerswerda (sorb. Wojerecy) liegt 27 km nördlich von Kamenz an der Schwarzen Elster. Zuvor eine unbedeutende Kleinstadt, begann 1949 der Braunkohlenabbau im großen Stil, der die Einwohnerzahl verzehnfachte. Um die Arbeiterfamilien unterzubringen, errichtete man in Hoyerswerda die Neustadt und dort erstmals den berühmt-berüchtigten Plattenbau. Am Markt ist das 1429 erbaute, 1680 erneuerte und 1945 zerstörte Rathaus wiederaufgebaut worden. Entlang der sehr schmalen Langen Straße sind mehrere Handwerkerhäuser aus dem 18. Jh. zu sehen. Das schon im 13. Jh. erwähnte Schloß beherbergt das Stadtmuseum. Aus dem Schloßpark ist der Zoo von Hoyerswerda geworden.

*Oberlausitzer
Heide- und
Teichgebiet

Südlich von Hoyerswerda erstreckt sich bis nach Kamenz und Bautzen das Biosphärenreservat Oberlausitzer Heide- und Teichgebiet, eine 26 000 ha große Wald-, Sumpf- und Seenlandschaft mit seltenen Pflanzen und Tieren, vor allem Wasservögeln wie Kormoran, Fischadler und Graureiher. Der Knappensee und der Silbersee am Nordrand des Gebiets bei Hoyerswerda sind aus der Rekultivierung von Braunkohlegruben entstandene, mittlerweile sehr beliebte Naherholungsgebiete.

Bad Muskau

Fürst Pücklers
Stadt

Das ganz im Nordosten der Oberlausitz an der Neiße liegende Bad Muskau (sorb. Muzakow), seit 1823 Kurbad, ist untrennbar mit dem Namen von Hermann Fürst von Pückler-Muskau verbunden, der sich mit den hiesigen Parkanlagen einen Platz im Olymp der Gartengestalter sicherte.

**Parkanlagen

Über einen großen Teil der Neißeaue sowohl auf deutschem wie auf polnischem Gebiet erstrecken sich die Parkanlagen, die von 1815 an nach den Plänen des Fürsten gestaltet wurden. Dem Exzentriker schwebte die Ver-

In Schloß und Park von Bad Muskau lebt Fürst Pücklers Geist weiter. ▶

Lausitz,
Bad Muskau
(Fortsetzung)

bindung seines Schlosses als "vergrößerter Wohnung" mit dem Park als "idealisierter Natur" vor. Als ihm 1845 das Geld ausging, mußte er Schloß und Park verkaufen, und vieles blieb unrealisiert; im Zweiten Weltkrieg wurden zudem große Teile zerstört. Dennoch wird man beim Spaziergang immer wieder das Genie des Fürsten im Wechsel von belebten und ruhigeren Parkabschnitten, von Grünzonen und Wasserflächen, Natur und Bauwerken erkennen.

Altes und
Neues Schloß

Das 1980 wiederaufgebaute Alte Schloß gründet auf einer Burg des Deutschritterordens (14. Jh.) und wird heute als Museum, Standesamt und Weinkeller genutzt. Das Neue Schloß (16. Jh.) ist nach seiner Zerstörung 1945 nur als Ruine erhalten. Weiterhin trifft man im Park auf das barocke Kavaliershaus (1772), die Orangerie von Gottfried Semper (1840) und das Tropenhaus in der ehemaligen Schloßgärtnerei.

Waldeisenbahn
Muskau

Waldpark Kromlau

Seit 1995 dampft die Waldeisenbahn wieder vom Landschaftspark Bad Muskau nach Weißwasser und von dort weiter nach Kromlau. Dorthin lohnt die Fahrt, um im 1840–1860 nach Pücklerschem Vorbild angelegten Waldpark spazieren zu gehen.

Leipzig · I 4

Bundesland: Sachsen
Höhe: 118 m ü.d.M.
Einwohnerzahl: 470 000

**Messe- und
Kulturstadt

Die berühmte Messestadt Leipzig liegt im Süden der Leipziger Tieflandbucht an den Mündungen der Parthe und Pleiße in die Weiße Elster. An wichtigen Handelsstraßen gelegen, entwickelte sich der Ort zu einer Messestadt von nationalem und internationalem Rang, vor allem seit dem 17. und 18. Jh. auch zum Umschlagplatz für Pelze und Rauchwaren. Noch heute geben 25 wichtige Fachmessen den Takt im Wirtschaftsleben Leipzigs an. Mittlerweile hat sich die Stadt zum zweitgrößten Bankenplatz in Deutschland nach Frankfurt am Main herausgemacht. Von jeher gilt Leipzig, Sitz der Deutschen Bücherei, auch als Stadt des Buches und der Musik. Zu diesem Ruf trugen Verleger wie Baedeker, Brockhaus und Reclam bei; hier wirkten u. a. Bach, Mendelssohn-Bartholdy, Schumann und Wagner. Diese Traditionen halten zahlreiche namhafte Verlage, der Thomanerchor und das Gewandhausorchester aufrecht. Auch in Kunst, Kultur und Wissenschaft nimmt Leipzig eine wichtige Stellung in Deutschland ein: die 1409 gegründete Universität Leipzig, die "Alma mater Lipsiensis", ist nach der Heidelberger die älteste in Deutschland.

Geschichte

Im Jahr 1015 entstand an der Kreuzung der Via Regia (Königsstraße) und der Via Imperii (Reichsstraße) eine Burg, in deren Schutz sich eine Siedlung bildete, die 1165 das Stadtrecht erhielt. Der Handelsschutzbrief von 1268 ebnete den Weg zur Messestadt, und Kaiser Maximilian I. erhob Leipzig 1497 in den Rang einer Reichsmessestadt. Bedingt durch die Erschließung der reichen Silbervorkommen im Erzgebirge kam Leipzig nun rasch zu Wohlstand. 1519 fand in der Pleißenburg zwischen Luther und Eck die Leipziger Disputation statt, in deren Verlauf der Reformator mit der katholischen Kirche öffentlich brach. Das 18. Jh. sah die Entfaltung von Buchhandel, Buchdruck, Theater, Universität und Musikleben, aber auch die Besetzung durch die Preußen im Siebenjährigen Krieg. Im Oktober 1813 erlebte die Stadt die Völkerschlacht der verbündeten europäischen Mächte gegen Napoleons Truppen. Im Zweiten Weltkrieg zerstörten alliierte Bomben große Teile der Leipziger Innenstadt. Spätestens im Frühjahr 1989 manifestierte sich dann mehr oder weniger deutliche Kritik an den politischen Verhältnissen in der DDR. Die traditionellen Montagsandachten in der Nikolaikirche wurden zum offenen Protest, der das gesamte Land erfaßte und schließlich zum Sturz des SED-Regimes führte.

Leipzig

1 Naschmarkt
2 Handelshof
3 Specks Hof
4 Hansahaus
5 Reichshof
6 Messehaus am Markt
  und Königshaus
7 Mädlerpassage mit
  Auerbachs Keller
8 Zentral-Messepalast
9 Petershof
10 Dresdner Hof
11 Stentzlers Hof
12 Selters Hof
13 Steibs Hof
14 Antikenmuseum
15 Zum Coffe Baum
16 Barthels Hof
17 Romanushaus
18 Fregehaus
19 Alte Waage
20 Kabarett "Pfeffermühle"
21 Hochschule für Graphik
   und Buchkunst
22 Universitätsbibliothek

200 m

© Baedeker

Altes Messegelände, Völkerschlachtdenkmal

Markt und Umgebung

Das Zentrum des alten Leipzig ist der großzügige Markt, unter dessen Pflaster 1925 das Untergrundmessehaus eröffnet wurde.   *Altes Rathaus (Museum)

Die gesamte Ostseite des Markts nimmt das Alte Rathaus ein, zwischen zwei Messen im Jahr 1556 vom Leipziger Bürger- und Baumeister Hieronymus Lotter erbaut. Vom Bläseraustritt über dem Verkündigungsbalkon lassen jedes Wochenende die Leipziger Stadtpfeifer ihre Instrumente ertönen. Im Alten Rathaus befindet sich heute das Stadtgeschichtliche Museum Leipzig mit einer ständigen Ausstellung sowie dem Mendelssohn-Zimmer mit Erinnerungen an den Komponisten Felix Mendelssohn-Bartholdy. Zum Museums gehört auch ein gewaltig großer Festsaal mit drei Renaissancekaminen.

In der Alten Waage an der Nordseite des Markts wurden vor jeder Messe die Waren geprüft, gewogen und verzollt.   Alte Waage

In der von der Nordostecke des Markt abzweigenden Hainstraße steht Leipzigs ältestes erhaltenes Messehaus, ein typisches Beispiel für einen   Barthels Hof

471

Weihnachtsmarkt auf dem Leipziger Marktplatz

Barthels Hof (Fortsetzung)

sog. Leipziger Durchhof, in den die großen Planwagen zum Be- und Entladen von einer Seite einfahren und auf der anderen Seite wieder hinausfahren konnten: Barthels Hof ist 1523 als Faktorei der Welser gegründet und 1749/1750 für den Kaufmann J. G. Barthel barock umgebaut worden.

Haus Coffe-Baum

Wenige Schritte entfernt findet man in der Kleinen Fleischergasse das Haus Coffe-Baum, das 1694 erstmals eine Lizenz für den Ausschank von Kaffee erhielt und somit eines der ältesten Kaffeehäuser Europas ist.

Museum in der Runden Ecke

Die Machenschaften der Stasi in Leipzig durchleuchtet das Museum in der Runden Ecke am Dittrichring wenige Minuten westlich vom Coffe-Baum.

＊Thomaskirche

Südwestlich des Markts liegt der in alter Schönheit restaurierte Thomaskirchhof mit der spätgotischen Thomaskirche als Mittelpunkt. Die Kirche ist in der Musikwelt ein Begriff als Heimat des Thomanerchors, der wiederum auf das engste mit Johann Sebastian Bach verbunden ist, der hier von 1723 bis 1750 als Organist und Kantor wirkte. Jeden Freitag um 18.00 Uhr und samstags um 15.00 Uhr singt der Chor in der Kirche.

Das einstige Gotteshaus des Augustiner-Chorherrenstifts entstand von 1212 – 1222 zunächst im romanischen Stil und wurde im 14. Jh. und 15. Jh. zur dreischiffigen Hallenkirche umgebaut. Der Turm erhielt seinen achteckigen Oberbau 1537 und die Barockhaube 1702. Im Kirchenraum mit den 1570 von Hieronymus Lotter eingebauten Renaissance-Emporen ist unter einer Bronzegrabplatte im Chor Johann Sebastian Bach (1685 – 1750) begraben. Der Sarkophag wurde 1950 aus der zerstörten Johanniskirche hierher überführt. Im einstigen Kreuzgang befindet sich das Grab des Minnesängers Heinrich von Morungen.

Bach-Museum

Das Denkmal für Bach am Thomaskirchhof stammt aus dem Jahr 1908. Das Haus Thomaskirchhof Nr. 16 ist heute Sitz des Bach-Archivs, dem seit 1985 auch das Bach-Museum angeschlossen ist. Es zeigt Möbel, Instrumente und Handschriften aus Bachs Leipziger Zeit.

Das seit 1558 bestehende und 1707 barock umgebaute Königshaus an der Südseite des Markts sah berühmte Gäste, darunter 1695 Zar Peter den Großen, 1705 Karl XII. von Schweden, 1760 Friedrich den Großen und 1813 nach der verlorenen Völkerschlacht auch Napoleon Bonaparte.

Königshaus

Naschmarkt und Umgebung

Im Jahr des Rathausbaus wurde an dessen Rückfront der Naschmarkt angelegt. Dessen Nordseite begrenzt die prächtige Alte Börse (1678 – 1687). Einst Versammlungsort der Kaufleute und später der Stadtverordneten, dient sie heute für Konzerte und literarische Veranstaltungen. Das Goethe-Denkmal (1903) davor zeigt den großen Dichter als Leipziger Studenten.

*Alte Börse

Als man 1895 die Mustermessen im Frühjahr und Herbst einführte, erwiesen sich die traditionellen Kaufmannshöfe als wenig geeignet. Sie wurden abgelöst durch Mustermessehäuser oder Messepaläste, in denen die Kunden einen Zwangsrundgang durch die angebotenen Waren absolvierten. Einige der wichtigsten erreicht man bequem vom Naschmarkt aus.

*Passagen und Messehäuser

An der Ostseite des Naschmarkts steht der 1908 und 1909 als zweites städtisches Messehaus erbaute große Handelshof. Er wird voraussichtlich 1998/1999 vorübergehend Teile des Museums für Bildende Künste aufnehmen, das aus dem ehemaligen Reichsgericht weichen mußte und auf einen Neubau wartet. Schwerpunkte der Sammlung sind altdeutsche Malerei, holländische Meister des 17. Jh.s, italienische Zeichenkunst des Barock und deutsche Malerei des 19. Jahrhunderts.

Handelshof (Museum der Bildenden Künste)

Hinter dem Handelshof liegt der Reichshof von 1896, der noch Kaufhaus und Mustermesse vereint. Dessen Nachbar ist Specks Hof, das älteste private Messehaus (1908 – 1929), in dem erstmals durch Ladenstraßen verbundene Lichthöfe eingeplant wurden. Durch das Hansahaus kommt man zum Riquethaus, 1909 im Jugendstil fertiggestellt und vormals eine der ersten Adressen für Schokolade und Pralinen.

Südlich vom Naschmarkt jenseits der Grimmaischen Straße steht an der Ecke Neumarkt der Zentral-Messepalast (1912 – 1914). Daneben liegt die Mädler-Passage, Leipzigs schönste Ladenpassage (1912 – 1914), für die der als Schänke und Kaufhof bekannte Auerbachs Hof weichen mußte.

*Mädler-Passage

Von ihm ist nur noch der durch Goethes "Faust" berühmte Auerbachs Keller erhalten, die nun älteste historische Gastwirtschaft der Stadt und wohl die berühmteste Deutschlands. In der Passage weisen Mephisto und Faust sowie die "Verzauberten Zecher" den Weg hinab in den Keller, den Faust 1525 tatsächlich besucht hatte. Sein legendärer Faßritt ist auf zwei 1625 entstandenen Wandgemälden verewigt, die gemeinsam mit manchem Schoppen Rotwein auch Goethe inspiriert haben.

*Auerbachs Keller

Ecke Neumarkt / Kupfergasse errichtete die Stadt 1893 – 1901 das Städtische Kaufhaus als erstes Mustermessehaus, in dem bereits 1895 die erste Mustermesse abgehalten wurde. Über der Einfahrt ehrt eine Skulptur Kaiser Maximilian, den Verleiher des Messeprivilegs.

Städtisches Kaufhaus

Sachsenplatz und Umgebung

Die Bomben des Zweiten Weltkriegs "schufen" den Sachsenplatz nördlich vom Naschmarkt, denn sie zerstörten ein altes und nach dem Krieg nicht wiederaufgebautes Stadtviertel. An der Westseite allerdings fällt das prächtige frühbarocke Romanushaus (1701 – 1704) auf, ein Höhepunkt des Leipziger Barock, vom Leipziger Bürgermeister Franz Conrad Romanus mit einer eigens dafür als "Ratsscheine" deklarierten – und natürlich wertlosen – Währung finanziert.

Sachsenplatz

Südöstlich vom Sachsenplatz findet man am Nikolaikirchhof die 1512 gegründete Alte Nikolaischule, wo u. a. Leibniz, Seume und Richard Wagner die Schulbank drückten. Sie ist nun Heimat des Antikenmuseums.

Alte Nikolaischule (Antikenmuseum)

Leipzig

*Nikolaikirche   Leipzigs größte Kirche, die Nikolaikirche, ist spätestens seit dem 9. Oktober 1989 weitbekannt geworden, als das seit 1982 abgehaltene montägliche Friedensgebet sich zur ersten Montagsdemonstrationen ausweitete. Was die im 12. Jh. begonnene und im 14. bis 16. Jh. umgebaute Nikolaikirche darüber hinaus so besonders macht, ist der herrliche Innenraum. Er wurde 1784–1797 von Johann Friedrich Carl Dauthe im Geiste des Klassizismus völlig neugestaltet und bietet seitdem einen überwältigenden Anblick in Rosé, Lindgrün und Weiß, insbesondere dank Dauthes Idee, die Pfeiler in kannelierte Säulen zu verwandeln und in Palmwedeln auslaufen zu lassen. Von der Kanzel (1521) soll schon Luther gepredigt haben.

Prächtige Barockhäuser zieren die Westseite des Sachsenplatzes in Leipzig.

Augustusplatz und Umgebung

Allgemeines   Im Osten der Innenstadt öffnet sich der Blick auf den 40 000 m² großen Augustusplatz, der im 19. Jh. angelegt wurde. Nach den Kriegszerstörungen, dem Abriß des Augusteums und der 1968 von Ulbricht angeordneten Sprengung der alten Universitätskirche prägen ihn die im Geiste sozialistischen Bauens entstandenen Gebäude (Oper, Neues Gewandhaus, Universität).

Universität   Zuallererst zu nennen sind die neuen Universitätsgebäude an der Südwestseite des Platzes, die von 1968–1975 nach Plänen von Hermann Henselmann und Horst Siegel erbaut wurden. Sie schufen mit dem 142 m und 34 Stockwerke hohen "Uniriesen" (auch "Weisheitszahn" genannt), der ein aufgeschlagenes Buch symbolisiert, ein neues Leipziger Wahrzeichen. Vom 26. Stockwerk in 110 m Höhe hat man eine großartige Aussicht auf die Stadt. Hinter dem Hochhaus an der Universitätsstraße ehrt ein 1883 geschaffenes Denkmal Gottfried Wilhelm Leibniz (1646–1716).

Des Unirieser Nachbar ist das Neue Gewandhaus, 1977–1981 von Rudolf Skoda als letzter Neubau des damaligen Karl-Marx-Platzes für das Gewandhausorchester erbaut. Die Beethovenplastik im Wandelgang (1902) stammt von Max Klinger; das Standbild von Felix Mendelssohn-Bartholdy vor dem Gebäude ist Ersatz für das 1936 von den Nazis zerstörte.

Wenig südlich vom Neuen Gewandhaus liegt die 1551–1553 aufgerichtete Moritzbastei, letzter Rest der unter Kurfürst Moritz von Sachsen angelegten Stadtbefestigung. Sie ist heute eine der ersten Adressen der Stadt, wenn es um Kleinkunst, Kabarett, Musik oder Kneipe geht.

Das Ägyptische Museum der Universität an der Schillerstraße bietet u. a. eine Sammlung nubischer Keramik und Kleinkunst aus dem 2. Jt. v. Chr.

Das Opernhaus am nördlichen Ende des Augustusplatzes ist von 1956–1960 am Standort des 1943 zerstörten Neuen Theaters errichtet worden. Seine Gestaltung zitiert den klassizistischen Stil des Vorgängerbaus. An die Bühnenseite schließt sich der Schwanenteich an.

Im Park hinter dem Schwanenteich erinnert ein Denkmal an die Eröffnung der Bahnlinie Leipzig–Dresden 1839. Jenseits davon sieht man den kolossalen Leipziger Hauptbahnhof. Mit einer Frontlänge von 298 m und jeweils 220 m langen Längsbahnsteigen ist er der größte Kopfbahnhof Europas. Kurios: Alle wichtigen Teile gibt es in doppelter Ausführung, denn zu Kaisers Zeiten gehörte eine Hälfte der nach Leipzig führenden Bahnlinien der Preußischen, die andere der Sächsischen Staatsbahn.

Östlich vom Augustusplatz erreicht man am Johannisplatz den großen Neubau des Neuen Grassimuseums. Das Museum präsentiert europäisches Kunsthandwerk vom Mittelalter bis zur Mitte des 20. Jh.s; Höhepunkte sind die europäische Ornamentblattsammlung und der Leipziger Ratsschatz. Hinzugekommen sind das Museum für Völkerkunde und das Musikinstrumentenmuseum.

Südwestliche und südliche Stadtteile

Ganz in der Südwestecke des Innenstadtrings glaubt man zunächst die Zinnen und Türme einer Burg zu erblicken, doch es handelt sich um das 1899–1905 erbaute Neue Rathaus. Es nimmt den Platz der im 13. Jh. unter Markgraf Dietrich errichteten Pleißenburg ein.

Nicht weit vom Burgplatz entfernt, erreicht man das ehemalige Reichsgericht (1888–1895), in dem u.a. 1933 der sog. "Reichstagsbrandprozeß" gegen Georgij Dimitroff stattfand, der mit einem Freispruch endete. Bis vor kurzem Heimat des Museums der Bildenden Künste, wird das Gebäude für das Bundesverwaltungsgericht umgebaut, das 2002 einziehen soll.

Südlich der Altstadt befinden sich das Alte Messegelände und das Völkerschlachtdenkmal. Auf dem Weg dorthin passiert man zunächst den 1844 eröffneten Bayerischen Bahnhof mit seinem vierbogigen Portikus sowie den Botanischen Garten im Friedenspark.

Am Südrand des Friedensparks strahlt golden die Zwiebelkuppel der Russischen Gedächtniskirche St. Alexi, 1912/1913 aus Anlaß der Hundertjahrfeier der Völkerschlacht zu Ehren der 22000 russischen Gefallenen errichtet. Vorbild war die Moskauer Himmelfahrtskirche von 1532. Die Unterkirche stellt das eigentliche Mahnmal dar, die Oberkirche wird beherrscht von einer 18 m hohen, von den Donkosaken gestifteten Ikonenwand.

Leipzig

Deutsche
Bücherei

Wenig entfernt kommt man am Deutschen Platz zur Deutschen Bücherei, seit 1913 Sammelplatz jeglicher Veröffentlichung in deutscher Sprache. Angegliedert ist das Deutsche Buch- und Schriftmuseum.

Altes
Messegelände

Am Deutschen Platz öffnet sich das Westtor des Alten Messegeländes, auf dem 1920 die erste Technische Messe eröffnet wurde. Deren Symbol ist das berühmte, vom Leipziger Graphiker Erich Gruner entworfene Doppel-M, das 27 m hoch drei Eingänge – Ost-, Nord- und Südtor – markiert. Eines der markantesten Gebäude ist der Sowjetische Pavillon. Nach Eröffnung der Neuen Messe (s. u.) sieht das Alte Messegelände einer neuen Nutzung entgegen.

*Völkerschlacht-
denkmal

Jenseits des Messegeländes beginnt das Gelände der Völkerschlacht mit dem monumentalfurchteinflößenden Völkerschlachtdenkmal. 1813 tobte vor den südlichen Toren Leipzigs die größte militärische Auseinandersetzung des 19. Jahrhunderts. Die verbündeten Armeen Rußlands, Österreichs, Preußens und Schwedens, insgesamt 225 000 Mann, schlugen die 160 000 Mann der Armee Napoleons und die auf seiner Seite kämpfende Rheinbundarmee, darunter auch die sächsische. Insgesamt 130 000 Tote blieben auf dem Schlachtfeld. 1913, hundert Jahre danach, wurde nach 15 Jahren Bauzeit das 91 m hohe Denkmal eingeweiht, dessen Bau außer 6 Millionen Goldmark noch 120 000 t Beton und 26 000 Granitquader verschlang. Initiator war der Deutsche Patriotenbund, der Architekt war Bruno Schmitz, der mit dem Kyffhäuser-Denkmal schon einschlägige Erfahrungen vorweisen konnte. Über der Krypta mit den 5,5 m hohen Masken sterbender Krieger erhebt sich eine 60 m hohe Ruhmeshalle mit 324 Reiterfiguren in der Kuppel; außen an der Kuppel halten zwölf weitere, über 12 m hohe Kriegerfiguren und der Erzengel Michael Wache. Die Vorgeschichte der Völkerschlacht und ihr Verlauf werden im Ausstellungspavillon an der Prager Straße 210 erläutert. Insgesamt 500 Stufen führen zur Plattform des Denkmals, von der sich ein prächtiger Ausblick über Leipzig und seine Umgebung bietet.

Sehenswürdigkeiten in den Außenbezirken

Gohlis

*Schillerhäuschen

Im westlichen Stadtteil Gohlis liegt in der Menckestraße Nr. 23 das Gohliser Schlößchen (1758), dessen Festsaal Goethes Zeichenlehrer A. F. Oeser 1789 mit dem Deckengemälde "Lebensweg der Psyche" verzierte. In unmittelbarer Nachbarschaft befindet sich das Schillerhäuschen (Menckestr. Nr. 42), in dem Schiller im Sommer 1785 wohnte und u. a. die erste Fassung der "Ode an die Freude" schrieb.

Leipziger
Auewald

Das Stadtgebiet durchzieht von Südosten nach Nordwesten der Leipziger Auewald, ein Landschaftsschutzgebiet entlang von Pleiße, Elster und Luppe, mit reichlich Platz für Erholungsgebiete wie den Auensee und das Rosental mit dem bereits 1878 gegründeten Zoologischen Garten.

Neue Messe

Ganz im Norden Leipzigs ist im Frühjahr 1996 die Neue Messe Leipzig eröffnet worden. Ihr Zentrum ist die 225 m lange, 75 m breite und 30 m hohe, lichtdurchflutete Halle.

Umgebung von Leipzig

Das ehemalige Schlachtfeld der Völkerschlacht zieht sich am Südrand der Stadt zwischen Liebertwolkwitz im Osten bis nach Markkleeberg im Westen hin. Darüber verstreut sind einige Denkmäler. Eines der bemerkenswertesten ist der 158 m hohe Monarchenhügel in Meusdorf, der daran erinnert, daß hier Kaiser Franz I. von Österreich, Alexander I. von Rußland und Preußenkönig Friedrich Wilhelm III. das Geschehen verfolgten. An der Elster erinnert ein Denkmal an den auf französischer Seite kämpfenden und noch auf dem Schlachtfeld zum Marschall ernannten polnischen Fürsten Poniatowski, der schwer verwundet im Fluß ertrank. Die sog. Apelsteine, gestiftet vom Schriftsteller Theodor Apel, markieren die Positionen der Truppenteile ("N" für die Franzosen, "V" für die Verbündeten).

Gelände der Völkerschlacht

Im 22 km nördlich von Leipzig liegenden Delitzsch wurde Hermann Schulze-Delitzsch (1808–1883) geboren, der Begründer des mittelständischen Genossenschaftswesens. Außer seinem Gedenkmuseum in der Kreuzgasse sind noch sehenswert die guterhaltene Stadtbefestigung, das Alte Rathaus von 1376 und die Stadtkirche St. Peter und Paul (15. Jh.) mit ihrer lebensgroßen Ölbaumgruppe von 1410.

Delitzsch

Eilenburg, 22 km nordöstlich, besitzt eine im 10. Jh. unter Heinrich I. an einem Muldeübergang gegründete Burg. Vom Sorbenturm (12. Jh.) bietet sich eine gute Aussicht auf Stadt und Muldetal. In der Stadtkirche St. Andreas und Nikolai ist Martin Rinckart begraben, der 1630 nach Abwehr der Schweden das Kirchenlied "Nun danket alle Gott" schrieb.

Eilenburg

In Machern, 20 km östlich von Leipzig, findet man eine der schönsten sächsischen Parkanlagen. Der Ende des 18. Jh.s vom Grafen Lindenau angelegte englische Garten besticht vor allem architektonisch: das gräfliche Mausoleum in Gestalt einer ägyptischen Pyramide, der Hygieiatempel, der Agnestempel und die künstliche Ruine einer Ritterburg.

*Landschaftspark Machern

Wurzen liegt 26 km östlich von Leipzig an der Mulde. Die erstmals 961 erwähnte Stadt war eine Zeitlang bischöfliche Residenz, wovon der Dombezirk mit dem Dom St. Marien (12. Jh) und das Schloß (15. Jh.) zeugen. Im Dom sieht man eine berühmte Kreuzigungsgruppe (1928–1932) von Georg Wrba. Sehenswert sind auch das Kulturgeschichtliche Museum im nach dem Erfinder des Mäusegifts benannten Hermann-Ilgen-Haus, das Posttor von 1734 am Crostigall mit dem kursächsischen und dem königlich-polnisch-litauischen Wappen und, nicht weit davon, das Geburtshaus von Hans Bötticher (1883–1934), besser bekannt als Joachim Ringelnatz.

Wurzen

Die 30 km südöstlich von Leipzig liegende Stadt Grimma besitzt einen hübschen Marktplatz mit einem bemerkenswerten Rathaus (1538–1585) und der ehemaligen Göschenschen Druckerei (Markt Nr. 11). Ansonsten kann man noch die frühgotische Frauenkirche (1230–1240), das um 1200 begonnene Schloß und die Muldenbrücke mit ihrem prächtigen Wappenstein mit dem Wappen Augusts des Starken besichtigen. Das Kloster Nimbschen im Süden der Stadt erreicht man auf einer schönen Wanderung entlang der Mulde. Ihm floh 1523 Katharina von Bora mit Hilfe ihres späteren Ehemanns Martin Luther. Im Vorort Hohnstädt besaß der Leipziger Verleger Göschen ein Sommerhaus, in dem die wichtigsten Vertreter der deutschen Klassik ein und aus gingen, wie das Erinnerungsmuseum zu berichten weiß. Seinem Lektor und Autor Johann Georg Seume ist eine eigene Ausstellung gewidmet. In Großbothen kann man Haus und Labor des Chemie-Nobelpreisträgers Wilhelm Ostwald (1853 bis 1932) besichtigen.

Grimma

Göschenhaus in Hohnstädt

Schloß Hubertusburg, das größte Landschloß Europas, wurde 1743–1751 bei Wermsdorf (18 km nordöstlich von Grimma) erbaut. Hier wurde 1763 der Hubertusburger Friede zur Beendigung des Siebenjährigen Kriegs geschlossen. Von der damaligen Einrichtung ist bis auf die Schloßkapelle

*Schloß Hubertusburg

Leipzig, Umgeb.,
Hubertusburg (Fts.)

nichts mehr erhalten. Für Besucher steht lediglich das Schloßmuseum offen, von dem man jedoch in die Kapelle blicken kann.

Pegau

Nach 25 km Fahrt durch das Braunkohlengebiet südwestlich von Leipzig erreicht man Pegau. In der romanischen Kapelle der Laurentiuskirche ist der Markgraf Wiprecht von Groitzsch († 1124) begraben. Seine Grabplatte (um 1230) gehört zu den bedeutendsten romanischen Grabkunstwerken.

Lützen

In Lützen, 12 km südwestlich von Leipzig gelegen, gibt es ein sehenswertes Schloß aus dem 13. Jh., in dem sich heute ein Museum befindet. Außerhalb des Ortes, an der Straße nach Markranstädt, lohnt die Gustav-Adolf-Gedenkstätte einen Besuch: Eine Kapelle mit einem Denkmal und ein Blockhaus (Museum) erinnern an den schwedischen König Gustav II. Adolf, der am 16. November 1632 in der Schlacht bei Lützen fiel.

Lübeck   G 2

Bundesland: Schleswig-Holstein
Höhe: 11 m ü.d.M.
Einwohnerzahl: 216 000

Lage und
**Stadtbild

Die "Königin der Hanse", wie man die einstige Freie Reichsstadt gerne nennt, gehört mit ihren vielen Kulturschätzen zu den schönsten und meistbesuchten Städten im norddeutschen Raum. Die gesamte, ringsum von Wasser umgebene Altstadt von Lübeck steht unter Denkmalschutz und ist Teil des UNESCO-Weltkulturerbes. Trotz ihrer großen Vergangenheit ist Lübeck heute auch eine moderne Hafen-, Industrie- und Handelsstadt mit dem größten Fährhafen Europas, von dem regelmäßige Fährverbindungen nach Schweden, Finnland, Rußland und Estland bestehen.

Geschichte

Lübeck wurde 1143 gegründet und erhielt bereits 1226 die Reichsfreiheit. Die Stadt entwickelte sich rasch zum bedeutenden Stapel- und Handelsplatz, doch als die Hanse im 16. und 17. Jh. an Macht und Einfluß verlor, war auch Lübecks Blütezeit vorbei. Erst mit der Eröffnung des Elbe-Lübeck-Kanals im Jahr 1900 und dem Beginn der Industrialisierung eröffneten sich für die Stadt neue Perspektiven. Im März 1942 wurde ein Großteil der Lübecker Altstadt durch Bombenangriffe schwer beschädigt.

Lübecker
Marzipan

Bereits seit dem 16. Jh. wird in Lübeck Marzipan hergestellt, das jedoch erst im 19. Jh. durch die besonders wohlschmeckende Rezeptur des Konditormeisters Niederegger Berühmtheit erlangte.

Sehenswertes in Lübeck

**Holstentor
Salzspeicher

Am Westeingang der Altstadt erhebt sich Lübecks Wahrzeichen, das wuchtige, doppeltürmige Holstentor. Es wurde 1478 vollendet und beherbergt heute ein stadtgeschichtliches Museum. Die südlich benachbarten hohen Backsteingiebelhäuser (16.–18. Jh.) dienten früher als Salzspeicher.

MS "Mississippi"

An der Holstenbrücke liegt das Museumsschiff "Mississippi". Hier erfährt man Interessantes aus der Geschichte der Überseeschiffahrt.

St. Petri

Geht man vom Holstentor weiter stadteinwärts, so sieht man rechts die fünfschiffige Petrikirche (13.–16. Jh.), von deren Turm man einen wunderschönen Blick über die Stadt genießen kann.

Museum für
Puppentheater

Westlich der Petrikirche, in der Kleinen Petersgrube, kann man das liebevoll zusammengestellte Puppentheatermuseum der Puppenspielerfamilie Fritz Fey besuchen.

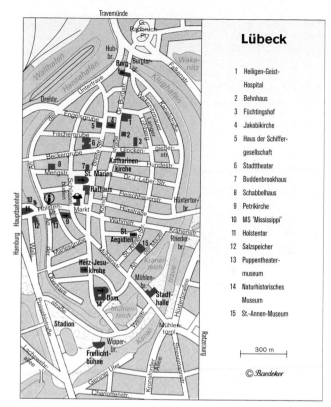

Lübeck

1 Heiligen-Geist-
   Hospital
2 Behnhaus
3 Füchtingshof
4 Jakobikirche
5 Haus der Schiffer-
   gesellschaft
6 Stadttheater
7 Buddenbrookhaus
8 Schabbelhaus
9 Petrikirche
10 MS 'Mississippi'
11 Holstentor
12 Salzspeicher
13 Puppentheater-
   museum
14 Naturhistorisches
   Museum
15 St.-Annen-Museum

300 m

© Baedeker

Wenige Schritte weiter nördlich von St. Petri erreicht man den Markt, der von der eindrucksvollen Fassade des Rathauses beherrscht wird. Das Charakteristikum des Mitte des 13. Jh.s begonnenen, L-förmigen Gebäudes sind die hohen Schildwände mit ihren spitzen Türmen. Den Nordflügel schmückt seit 1571 ein Renaissancevorbau mit Sandsteinfassade. — ****Rathaus**

Nördlich vom Markt steht die hochgotische Marienkirche (13.–14. Jh.). Der gewaltige Backsteinbau mit 80 m langem und knapp 40 m hohem Mittelschiff wird von zwei mit hohen und spitzen Hauben versehenen Türmen flankiert. Das riesige Gotteshaus diente vielen gotischen Backsteinkirchen im Ostseeraum (u. a. in Stralsund, Rostock) als Vorbild. Zu ihren bedeutendsten Ausstattungsstücken gehören der Marienaltar (1512) eines niederländischen Meisters sowie das Sakramentshäuschen (15. Jh.). — ***Marienkirche**

Archäologen entdeckten 1996 nahe der Marienkirche das bislang älteste Haus der Hansestadt. Im ehemaligen Kaufleuteviertel wurden Überreste u. a. von zwei Pfostenhäusern, einem Ständerbau und einem Brunnen gefunden, die aus dem Jahr der Stadtgründung (1173) stammen. — Ausgrabungen

Nordöstlich der Marienkirche steht das Buddenbrookhaus (Mengstr. 4), ein Patrizierhaus aus dem 16. Jh. mit Barockfassade (1758). Von 1841 bis 1891 gehörte das Gebäude der Familie des Schriftstellers Thomas Mann, der ihm in seinem weltberühmten Roman "Die Buddenbrooks" ein literarisches — ***Buddenbrookhaus**

*Das Wahrzeichen von Lübeck ist das mächtige Holstentor,
in dem heute das stadtgeschichtliche Museum untergebracht ist.
Rechts dahinter erhebt sich der Turm der gotischen Marienkirche.*

**Buddenbrookhaus
(Fortsetzung)**

Denkmal setzte. Heute ist hier ein Dokumentationszentrum zum Wirken von Heinrich und Thomas Mann eingerichtet.

Schabbelhaus

Einige Schritte weiter westlich, in der Mengstr. 48–50, erreicht man das Schabbelhaus aus dem 16. Jh., das eigentlich aus zwei im Renaissance- bzw. Rokokostil errichteten Häusern besteht. Es wurde nach seiner Zerstörung im Zweiten Weltkrieg wiederaufgebaut und beherbergt heute ein Feinschmeckerlokal.

**Schiffer-
gesellschaft
Jakobikirche**

Nordöstlich vom Buddenbrookhaus steht das Haus der Schiffergesellschaft (1535; heute historisches Lokal) an der Breiten Straße. Das spätgotische Kompaniehaus gilt als Musterbeispiel seiner Art. Gegenüber fällt die gotische Jakobikirche (14. Jh.) ins Auge. In der dreischiffigen Hallenkirche befindet sich ein barocker Hochaltar. Der Altar in der Südkapelle wurde im 15. Jh. von Bürgermeister Brömbse gestiftet.

**٭Heilig-Geist-
Hospital**

Nordöstlich der Jakobikirche liegt das 1280 von Lübecker Kaufleuten als Heimstatt für Arme und Kranke gestiftete Heilig-Geist-Hospital, das zu den besterhaltenen mittelalterlichen Baudenkmälern seiner Art in Deutschland gehört. In der Spitalkirche sind spätgotische Wandmalereien aus dem 13./14. Jh. zu sehen.

**Burgkloster
Burgtor**

Nördlich vom Hl.-Geist-Hospital kommt man zum Burgkloster, das im Laufe des 13. bis 15. Jh.s errichtet wurde, und schließlich zum hübschen Burgtor (13. u. 15. Jh.) an der Spitze des Altstadtovals.

**Museum für
Kunst**

Südlich des Hl.-Geist-Hospitals, an der Königstraße, laden das Behnhaus und das angrenzende Drägerhaus zum Besuch ein. Beide Häuser gehören heute zum Museum für Kunst und Kulturgeschichte Lübecks und vermitteln dank ihrer barocken bzw. klassizistischen Ausstattung Einblicke in die lübische Wohnkultur des 19. Jahrhunderts. Im Behnhaus befindet sich eine Sammlung von Gemälden von der Romantik bis zum Expressionismus.

Museum für Kunst (Fortsetzung)

Weiter südlich steht die hochgotische Katharinenkirche (14. Jh.), die heute als Museum für lübische Plastik genutzt wird. Sehenswert sind u. a. ein Figurenzyklus von Ernst Barlach und Gerhard Marcks, das Chorgestühl sowie das Tintoretto-Gemälde "Auferstehung des Lazarus" (1575).

St. Katharinen

In der Glockengießerstraße, unweit östlich der Katharinenkirche, liegt der 1636 von einem lübischen Ratsherrn als Wohnanlage für bedürftige Mitbürger gestiftete Füchtingshof, einer der größten seiner Art in Deutschland.

Füchtingshof

Am Südrand der Altstadt erhebt sich der nach schwerer Kriegsbeschädigung wiederaufgebaute Dom. Das von zwei Türmen überragte Gotteshaus wurde 1173 von Heinrich dem Löwen gegründet und im 13. bzw. 14. Jh. gotisch erweitert. Beachtenswert im Inneren sind die Triumphkreuzgruppe (1477) und die Lettnerverkleidung aus der Werkstatt des Lübecker Meisters Bernt Notke.

*Dom

Südlich an den Dom schließt sich das Museum für Natur und Naturgeschichte an, das anschaulich über Pflanzen, Tiere und Umweltbedingungen im holsteinischen Ostseeraum informiert.

Museum für Natur

Nordöstlich vom Dom, in einem ehemaligen Kloster aus dem 16. Jh., zeigt das Lübecker Museum für Kunst und Kulturgeschichte Kunstschätze aus der Hansestadt vom frühen Mittelalter bis zum 18. Jahrhundert. Glanzstück des Museums ist ein Passionsaltar, den Hans Memling Ende des 15. Jh.s geschaffen hat.

*St.-Annen-Museum

Nördlich vom Museum steht St. Aegidien, eine dreischiffige Hallenkirche aus dem 14. Jahrhundert. Die kunstvolle Innenausstattung stammt aus dem 15. und 16. Jahrhundert.

St. Aegidien

Umgebung von Lübeck

Knapp 20 km nördlich der Innenstadt liegt das mondäne Seebad Travemünde (11 000 Einwohner) an der Lübecker Bucht. Der alte Siedlungskern drängt sich um die Pfarrkirche St. Lorenz (16. Jh.). Weithin sichtbare Landmarke ist heute das 158 m hohe Hotel Maritim, von dessen Dachgarten man einen überwältigenden Ausblick genießt. Auf der Strandpromenade herrscht das ganze Jahr über reger Publikumsverkehr. Altehrwürdige Bauten wie das Alte Kurhaus, das Casino und das Hotel "Deutscher Kaiser" zeugen davon, daß Travemünde schon im vorigen Jahrhundert ein Weltbad war. An der Hafeneinfahrt steht der Alte Leuchtturm, der bereits im 16. Jh. errichtet wurde. Der Skandinavienkai ist in den letzten Jahren zum größten Fährhafen Europas ausgebaut worden.

*Seebad Travemünde

Östlich der Hafeneinfahrt erstreckt sich der Priwall mit seinem langen Badestrand. Am Traveufer liegt die "Passat", eine ansehnliche Viermastbark mit 56 m hohem Großmast, die 1911 in Hamburg gebaut wurde. Sie war einst Schulschiff der Handelsmarine.

Priwall "Passat"

Rund 1,5 km nördlich von Travemünde erreicht man das Brodtener Steilufer mit der aussichtsreichen Hermannshöhe, ein etwa 4 km langes und bis zu 30 m hohes Steilufer, das den vorspringenden Küstenbogen zwischen Travemünde und Niendorf einnimmt.

*Brodtener Steilufer

Westlich vom Steilufer liegt die hübsche Fischersiedlung Niendorf, die sich heute als familienfreundlicher Erholungsort darbietet (2000 Einwohner). Hübsche Ausflugsziele in Ortsnähe sind der Vogelpark und der Hemmelsdorfer See.

Niendorf

Umgebung,
Timmendorfer
Strand

Weiter westlich erstreckt sich das Ostsee-Heilbad Timmendorfer Strand (8000 Einwohner) mit diversen Kureinrichtungen, Parkanlagen, zwei See-brücken, Jachtclub und vielen noblen Feriendomizilen. Hier haben sich Kurgäste schon im vorigen Jahrhundert wohlgefühlt. Am nördlichen Orts-rand erreicht man das moderne Spaßbad Ostsee-Therme mit Sauna-Para-dies und Riesenrutschbahn.

Scharbeutz

Ca. 4 km nördlich von Timmendorf kommt man zum bekannten Seebad Scharbeutz (10 000 Einwohner) mit modernen Kureinrichtungen und einer belebten Strandallee.

Haffkrug

Weiter nördlich schließt sich Haffkrug an. Bereits zu Beginn des 19. Jh.s hatte sich das ehemalige Fischerdorf zu einem Seebad mit familiärer Atmosphäre entwickelt.

Abendstimmung am Strand von Haffkrug

Sierksdorf

Es folgt das alte Fischerdorf Sierksdorf, das heute ebenfalls als Seebad besucht wird. Die besondere Attraktion von Sierksdorf ist der Freizeit- und Vergnügungspark "Hansaland" mit Achterbahn und diversen Shows.

Neustadt
in Holstein

Ca. 3 km weiter nördlich liegt Neustadt in Holstein (16 000 Einwohner), eine bereits im 13. Jh. gegründete kleine Hafenstadt. Im beschaulichen Hafen drängen sich Fischerboote, Marineboote und Segeljachten. Außer dem malerischen Marktplatz besitzt Neustadt auch eine gotische Stadtkirche (13. Jh.), ein klassizistisches Rathaus sowie einen 1830 zwischen Binnen-wasser und Hafen errichteten Pagodenspeicher. Im mittelalterlichen Krem-per Tor ist das regionalhistorisch ausgerichtete Ostholstein-Museum unter-gebracht. In einem Nebengebäude wird an den Untergang der KZ-Häft-lingsflotte erinnert, der sich am 3. Mai 1945 in der Neustädter Bucht ereig-nete. Mehrere tausend Menschen verloren dabei ihr Leben.

Altenkrempe

Ca. 4 km landeinwärts liegt das im Mittelalter als geistliche Niederlassung gegründete Dorf Altenkrempe mit seiner im 13. Jh. erbauten, spätromani-schen Backsteinkirche. Nahebei liegt das Gut Hasselburg. Das schmucke Herrenhaus (18. Jh.) ist Kulisse für Veranstaltungen im Rahmen des Schleswig-Holstein Musikfestivals.

Etwa 5 km östlich von Neustadt liegt das kleine Seebad Pelzerhaken an der Lübecker Bucht. Es ist durch einen Badestrand mit dem Nachbarort Rettin verbunden. Landeinwärts kommt man zum Gut Brodau mit seinem noblen Herrenhaus.

Lübeck,
Umgebung (Fts.)
Pelzerhaken
Rettin

Etwa 10 km nordöstlich von Neustadt liegt das Seebad Grömitz (7000 Einwohner) mit vielbesuchtem Badestrand, an dem eine wunderschöne Kurpromenade entlangführt, und einer langen Seebrücke. Moderne Kureinrichtungen (u. a. ein Meerwasserhallenbad) und ein großzügiger Jachthafen mit mehreren hundert Liegeplätzen lassen heute fast vergessen, daß Grömitz zu den ältesten Kurorten an der Ostsee gehört. Vor allem für Familien mit Kindern interessant ist der am nördlichen Ortsrand liegende kleine Zoo namens "Arche Noah".

Grömitz

Ca. 5 km nördlich von Grömitz erreicht man das ehemalige Benediktinerkloster Cismar, das im 13. Jh. gegründet wurde und heute als Zweigmuseum des schleswig-holsteinischen Landesmuseums fungiert. Die Klosterkirche besitzt einen sehenswerten geschnitzten Flügelaltar.

*Kloster Cismar

Etwa 10 km nordöstlich von Grömitz liegt das familienfreundliche Ostseeheilbad Kellenhusen (1500 Einwohner) mit schönem Badestrand. Landeinwärts erstreckt sich der mit 572 ha größte Eichenwald an der schleswigholsteinischen Ostseeküste.

Kellenhusen

4 km weiter nördlich folgt das durch einen Damm geschützte Ostseeheilbad Dahme (1150 Einwohner), das mit einem feinsandigen Strand aufwartet.

Dahme

Knapp 10 km nördlich von Lübeck liegt der älteste Badeort Schleswig-Holsteins, denn die Jodsole-Quellen wurden bereits ab 1899 erschlossen.

Bad Schwartau

Seit 1952 verbindet man den Namen dieser 30 km nordwestlich von Lübeck gelegenen Stadt vor allem mit den Karl-May-Festspielen, die hier alljährlich vor einer eindrucksvollen Naturkulisse über die Bühne gehen. In der Nähe der Freilichtbühne gibt es eine Kalkberghöhle. Außerdem besitzt die Stadt auch ein Sol- und Moorbad.

Bad Segeberg

Ludwigsburg

F 7

Bundesland: Baden-Württemberg
Höhe: 196–328 m ü.d.M.
Einwohnerzahl: 80 000

Die Kreisstadt Ludwigsburg, Sitz einer traditionsreichen Porzellanmanufaktur, einer Orgelbauschule und der Filmakademie Baden-Württemberg, liegt 15 km nördlich von → Stuttgart über dem Neckar. Drei Barockschlösser nennt Ludwigsburg sein eigen, davon besitzt es mit dem Residenzschloß die größte erhaltene Barockanlage Deutschlands. Es gilt darüber hinaus als Musterbeispiel für eine planmäßig angelegte barocke Fürstenresidenz, was ihr den Namen "schwäbisches Versailles" eintrug. Die Ludwigsburger Schloßfestspiele (Opern und Konzerte) finden weit über die baden-württembergischen Landesgrenzen hinaus Beachtung.

Lage und
Allgemeines

Die Stadt verdankt ihren Namen Herzog Eberhard Ludwig von Württemberg, der hier ab 1704 ein Schloß erbauen ließ, neben dem sich der 1709 zur Stadt erhobene Ort entwickelte. 1717 wurde Ludwigsburg herzogliche Residenz, im Jahre 1758 gründete Herzog Karl Eugen die Porzellanmanufaktur. Die Rückverlegung der Residenz nach Stuttgart im Jahr 1775 ließ die Bedeutung Ludwigsburgs schwinden, das fortan nur noch als Garnison und Beamtenstadt eine Rolle spielte – aus dem "schwäbischen Versailles" wurde das "schwäbische Potsdam".

Geschichte

Sehenswertes in Ludwigsburg

*Marktplatz
und Umgebung

Mittelpunkt der barocken Innenstadt ist der großzügige, arkadengesäumte Marktplatz, den Theodor Heuss als "den stolzesten Platz Württembergs" bezeichnet hat. Ihn dominieren die zweitürmige evangelische Stadtkirche (1718–1726) und die schlichtere katholische Dreieinigkeitskirche (1721 bis 1727). Der Marktbrunnen trägt das Standbild des Stadtgründers. Am Markt und in dessen nächster Umgebung sind die vier bedeutendsten Söhne der Stadt geboren worden: die Dichter Justinus Kerner (1786 bis 1862; Marktplatz 8) und Eduard Mörike (1804–1875; Kirchstr. 2), der Ästhetiker Friedrich Theodor Vischer (1807–1887; Stadtkirchenplatz 1) und der Theologe David Friedrich Strauß (1808–1874; Marstallstr. 1).

Vom Marktbrunnen blickt man nach Norden zum Holzmarkt mit einem Obelisken zu Ehren dieser vier Männer. Nach Süden hin sieht man das Rathaus; dahinter liegt das Kulturzentrum mit dem Städtischen Museum.

Das Residenzschloß Ludwigsburg ist die größte noch erhaltene Barockanlage Deutschlands. Im Hintergrund sieht man das ehemalige Jagdschloß Favorite.

**Residenzschloß

Das 1704–1733 von verschiedenen Baumeistern nach dem Vorbild von Versailles errichtete Schloß war unter Herzog Karl Eugen (1728–1793) für einige Jahre Schauplatz der prächtigsten Hofhaltung Europas. Die schönsten der reich im Barock-, Rokoko- und Empirestil ausgestatteten Räume erlebt man auf einer Führung; im Neuen Corps de Logis zeigt die Dauerausstellung "Höfische Kunst des Barock" Porzellane und Einrichtungsgegenstände der Zeit. Die Verkaufsstelle der Ludwigsburger Porzellanmanufaktur befindet sich im Erdgeschoß der östlichen Ahnengalerie.

*Gartenschau
Blühendes
Barock

Die das Schloß umgebenden Gärten sind in ihrem Süd- und Nordteil als formaler Barockgarten, in den übrigen Teilen als englische Landschaftsgarten angelegt. Zahlreiche Attraktionen, vor allem der Märchengarten, machen dieses "Blühende Barock" zu einem Publikumsmagneten (kein

gemeinsamer Eintritt mit dem Schloß). An der Ostseite der Südgärten verläuft die barocke Häuserzeile der Mömpelgardstraße mit dem Haus von
Joseph Süß Oppenheimer, dem als "Jud Süß" bekanntgewordenen Gehei-
men Finanzrat des Herzogs Karl Alexander.

An der vor dem Haupteingang zur Gartenschau verlaufenden Schorndorfer
Straße liegen Baden-Württembergs einziges Strafvollzugsmuseum und
etwas weiter die einstigen Gebäude der Porzellanmanufaktur.

Nördlich vom Schloß erstreckt sich der als herzoglicher Jagdpark angelegte Favoritepark mit dem aparten Rokokoschlößchen Favorite (1718 bis
1723), dessen Räume besichtigt werden können.

Auf der den Favoritepark durchziehenden Allee gelangt man nach ca. einer
halben Stunde Fußweg zum Seeschloß Monrepos (1760 – 1764).

Das altbekannte Heilbad Hoheneck am Neckar lockt mit einem Sole-Be-
wegungsbad, einer Kurmittelabteilung und einem Mediterraneum. Auch
den hübschen Ortskern von Alt-Hoheneck sollte man gesehen haben.

Umgebung von Ludwigsburg

Rund 5 km westlich von Ludwigsburg sieht man den Hohenasperg über
dem Ort Asperg aufragen. Aus dem keltischen Fürstensitz wurde später
eine Festung und ein Gefängnis, in dem u. a. zehn Jahre lang der Dichter
Christian Daniel Schubart einsaß. Der Rundgang um die Festungsanlage
bietet eine großartige Aussicht in das württembergische Unterland.

Unweit westlich von Asperg kommt man in das Städtchen Markgröningen.
Im gut restaurierten Stadtkern sieht man viele Fachwerkhäuser aus dem
15. – 17. Jh. und vor allem das stattliche Rathaus. Die gotische Bartholo-
mäuskirche birgt das älteste Chorgestühl Süddeutschlands. Weltbekannt
ist der alljährlich im August stattfindende "Schäferlauf".

Im 7 km westlich von Markgröningen gelegenen Hochdorf wurde ein nicht
ausgeraubtes keltisches Fürstengrab entdeckt. Das didaktisch hervorragend gestaltete Keltenmuseum am Ortsrand dokumentiert die Lebensweise der Kelten und zeigt Repliken der einzigartigen Funde.

Bietigheim, 9 km nördlich von Ludwigsburg, besitzt eine vorbildlich restaurierte Altstadt aus dem 16. – 18. Jh., wobei das Rathaus und das Horn-
moldhaus (1535 / 1536) mit dem Stadtmuseum herausragen. Von Bietigheim ist es nicht mehr weit in das Weinbaugebiet von Stromberg und Heuchelberg mit seinen hübschen Weinorten wie Brackenheim, Geburtsort
des ersten Bundespräsidenten Theodor Heuss, Hohenhaslach, Diefen-
bach oder Bönnigheim sowie dem Vergnügungspark Tripsdrill.

Marbach, 8 km nordöstlich von Ludwigsburg hoch über dem rechten Ufer
des Neckars gelegen, ist Geburtsort von Friedrich Schiller (1759 – 1805).
Sein Geburtshaus (Nicklastorstr. 31), ein einfacher Fachwerkbau, ist heute
als Gedenkstätte eingerichtet.
Das Schiller-Nationalmuseum zeigt reiche Sammlungen mit Werken und
Erinnerungsstücken schwäbischer Dichter. Mit seinen außerordentlich um-
fangreichen Beständen an Autographen, Drucken und sonstigen Doku-
menten aus allen Phasen der deutschsprachigen Literatur seit dem 18. Jh.
gehört das angeschlossene Deutsche Literaturarchiv zu den wichtigsten
Stätten deutscher Sprach- und Literaturforschung.
Nach soviel Kultur empfiehlt sich ein Ausflug in das Bottwartal, eine der
Kernregionen des württembergischen Weinbaus. Einladend ist z.B. der Ort
Steinheim mit dem Urmenschmuseum, aber auch Großbottwar und die
Burg Lichtenberg sind lohnenswerte Ziele.

*Gartenschau Blühendes Barock (Fortsetzung)

Strafvollzugs-museum

*Schloß und Park Favorite

Schloß Monrepos

Hoheneck

Hohenasperg

Markgröningen

Hochdorf an der Enz
*Keltenmuseum

Bietigheim
Stromberg
Heuchelberg

Marbach
am Neckar
*Schiller-Geburtshaus

**Schiller-Nationalmuseum

Bottwartal

Lüneburg

Bundesland: Niedersachsen
Höhe: 17 m ü.d.M.
Einwohnerzahl: 66 000

Lage und Allgemeines

Die alte Salz- und Hansestadt Lüneburg liegt im Nordosten der → Lüneburger Heide, am Rand der Elbniederung sowie an der schiffbaren Ilmenau.
Zahlreiche Gebäude aus Spätgotik und Renaissance machen Lüneburg zu
einer Hauptstätte der norddeutschen Backsteinbaukunst. Auch als staatlich anerkanntes Sol- und Moorbad wird Lüneburg besucht. Seit 1976 ist
der Binnenhafen am Elbe-Seitenkanal in Betrieb, und seit 1980 kann Lüneburg sich rühmen, Standort einer Universität zu sein (hervorgegangen aus
einer Pädagogischen Hochschule).

＊Stadtbild

Lüneburgs wunderschöne Backsteinhäuser in der Altstadt vermitteln noch
heute einen Eindruck von Wohlstand und Selbstbewußtsein der hier ansässigen Patrizierfamilien und Kaufleute. Viele Häuser besitzen prächtige
Treppengiebel, hübsch verzierte Türen und romantische Innenhöfe. Den
Mittelpunkt der Stadt bildet der Marktplatz mit dem hübschen Rathaus,
von hier erreicht man alle Sehenswürdigkeiten der Innenstadt in wenigen
Gehminuten.

Geschichte

Lüneburg erreichte schon früh Bedeutung durch die um 951 vom Sachsenherzog Hermann Billung auf dem Kalkberg als Schutzfeste und Verwaltungsmittelpunkt erbaute Burg und die auch als Gerichtsort wichtige Ilme-
naubrücke sowie durch die ergiebigen Salzquellen. Doch erst nach der
Zerstörung der mächtigen Nachbarstadt Bardowick (1189 durch Heinrich
den Löwen) und dem Beitritt zur Hanse erreichte die Stadt (Stadtrechte
1247 bestätigt) die Selbständigkeit einer Freien Reichsstadt. Mit der Zerstörung der Burg auf dem Kalkberg im Lüneburger Erbfolgekrieg (1371)

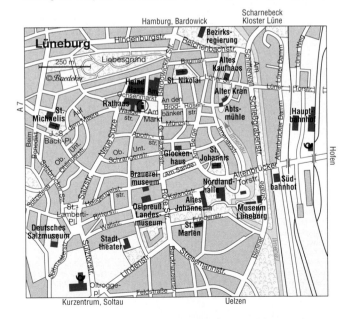

*Am Ilmenauhafen von Lüneburg wurde schon im Mittelalter
mit dem "Alten Kran" Salz auf Schiffe verladen.*

schüttelte die Stadt die Herrschaft der Herzöge von Braunschweig-Lüne-
burg weitgehend ab, deren Residenz sie bisher gewesen war. Im 16. Jh.
gehörte Lüneburg zu den reichsten Städten Norddeutschlands; dann sank
sein Wohlstand. Neue Impulse gaben der Ausbau des Sol- und Moor-
bades und die Ansiedlung von Industriebetrieben.

Geschichte
(Fortsetzung)

Sehenswertes in Lüneburg

Das Rathaus wendet dem Marktplatz seine figurengeschmückte barocke
Schauseite zu; andere Teile des Gebäudekomplexes sind jedoch schon
erheblich älter. Bereits um 1230 wurde mit dem Bau begonnen. Die im
Rahmen von Führungen zugänglichen Innenräume künden mit ihrer kostbaren Ausstattung aus unterschiedlichen Stilepochen von Lüneburgs stol-
zer Vergangenheit. In der mit farbigen Glasfenstern und einer bemalten
Holzdecke (um 1530) prächtig ausgestatteten Gerichtslaube versammelte
sich der Rat seit dem 14. Jahrhundert. Die Große Ratsstube sowie der
Fürstensaal erhielten ihr Aussehen im 15. Jahrhundert.

*Rathaus

Vom Markt schlendert man durch die Bardowicker Straße zur nahen Nikolaikirche, die 1409 geweiht wurde. Östlich davon steht vor dem 1745 erbauten Alten Kaufhaus, das eine schöne Barockfassade besitzt, der bereits
1332 erwähnte, in seiner heutigen Form aber erst Ende des 18. Jh.s errichtete Alte Kran. Mit dem Drehkran wurde das in Lüneburg gewonnene Salz
auf Schiffe verladen.

Nikolaikirche
Alter Kran

Entlang der Ilmenau gelangt man von hier, in südlicher Richtung gehend,
zum Museum für das Fürstentum Lüneburg. Es zeigt Exponate zur Archäologie, Regionalgeschichte, kirchlichen Kunst, zu Innungen und Zünften, ferner bäuerliches Mobiliar.

Museum für das
Fürstentum
Lüneburg

Lüneburg (Fortsetzung) *Am Sande	Im Süden der Innenstadt bildet der mittelalterliche Handelsplatz Am Sande mit seinen Backsteinbauten aus Gotik, Renaissance und Barock ein einzigartiges Architekturensemble. Das einstige Brauhaus (von 1548) an der Westseite ist heute Sitz der Industrie- und Handelskammer.
St. Johanniskirche	Die fünfschiffige Johanniskirche (13./14. Jh.) beherrscht mit ihrem 108 m hohen Turm den Platz. Im Innern sind der stattliche Hochaltar (1485), das schöne Chorgestühl (1589), verschiedene Grabmäler und die Orgel beachtenswert. Letztere stammt aus dem 16. Jh. (im 18. Jh. vergrößert) und ist damit eine der ältesten Deutschlands.
Brauereimuseum, Ostpreußisches Landesmuseum	Westlich vom Platz Am Sande vermittelt das Brauereimuseum einen Eindruck von der 500jährigen Geschichte der Lüneburger Braukunst. Südlich hat in der Ritterstr. 10 das Ostpreußische Landesmuseum seinen Sitz (Schausammlungen zur Landeskunde und Kultur Ostpreußens).
*Deutsches Salzmuseum	Von hier der Ritterstraße in westlicher Richtung folgend, gelangt man zum Deutschen Salzmuseum auf dem Gelände der ehemaligen Saline, die von 956 bis 1976 in Betrieb war. Das Salzmuseum informiert sehr anschaulich über die Bedingungen der Salzgewinnung in den verschiedenen Jahrhunderten. Man kann in einen nachgebauten mittelalterlichen Stollen hinabsteigen oder in Bleipfannen selbst Salz sieden.
Salztherme Lüneburg (SaLü)	Mit Salz kommt man auch im SaLü, Lüneburgs Salztherme im Kurzentrum, in Berührung. Den Mittelpunkt der Badelandschaft bildet das Sole-Wellenbad. Ein Sole-Bewegungsbad, Riesenrutschen, Solarien und eine große Saunalandschaft sind weitere Attraktionen.
Michaeliskirche Kalkberg	Am Westrand der Altstadt steht die Michaeliskirche (14.–15. Jh.). Am Fuß des Kalkbergs befindet sich das geologisch interessante Senkungsgebiet über dem Lüneburger Salzstock. Der 57 m hohe Kalkberg (Naturschutzgebiet) bietet eine schöne Aussicht.
*Kloster Lüne	Das Kloster Lüne im Norden von Lüneburg wurde 1172 gegründet. Die bis heute erhaltenen Bauten stammen aus dem 14./15. Jahrhundert. Seit der Reformation ist das Kloster ein evangelisches Damenstift. Neben Kreuzgang, Refektorium und Klosterkirche kann man eine Zelle besichtigen, die zeigt, wie die Nonnen um 1500 lebten. Seit 1995 ist dem Kloster ein Teppichmuseum angegliedert, in dem auch kostbare Stickereien gezeigt werden.

Umgebung von Lüneburg

Bardowick	In Bardowick, 6 km nördlich, steht der Bardowicker Dom (Stiftskirche St. Peter und Paul) mit spätromanischem Westbau und dreischiffiger gotischer Halle. Im Inneren beeindrucken ein zweiflügeliger Schnitzaltar von 1425 und ein prachtvolles spätgotisches Chorgestühl.
Scharnebeck	Rund 10 km nordöstlich von Lüneburg und 8 km östlich von Bardowick befindet sich am Elbe-Seitenkanal das Schiffshebewerk Scharnebeck, in dem die Schiffe in wassergefüllten Trögen von 100 m Länge, 12 m Breite und 3,50 m Tiefe wie in einem Fahrstuhl einen Höhenunterschied von 38 m überwinden. Es ist das größte Schiffshebewerk dieser Art in der Welt.

Lüneburger Heide   G 2

Bundesland: Niedersachsen

Lage und Allgemeines	Eines der beliebtesten Urlaubs- und Ausflugsziele in Norddeutschland ist die Lüneburger Heide, die sich zwischen Aller und der unteren Weser im

Südwesten und der Elbe im Nordosten erstreckt. Die Nord-Süd-Ausdehnung dieses größten Heidegebietes Deutschlands beträgt etwa 110 Kilometer, die Ost-West-Ausdehnung zwischen 70 und 130 Kilometer. Den Westrand der Heide markiert das Städtchen Verden an der Aller, östlicher Außenposten ist Uelzen. Hauptsaison in der Heide sind die Monate August und September, wenn das Heidekraut blüht, doch lohnt sich auch ein Besuch zu jeder anderen Jahreszeit. Die schönsten Gebiete der Lüneburger Heide, die im Wilseder Berg eine Höhe von 169 m erreicht, sind als Naturschutzpark Lüneburger Heide und als Naturpark Südheide unter Naturschutz gestellt.

Lage und Allgemeines (Fortsetzung)

Die Lüneburger Heide ist – zum Erstaunen vieler Besucher – nicht der Rest einer ursprünglichen Naturlandschaft. Noch bis ins Mittelalter hinein gab es hier ausgedehnte Buchen- und Eichenwälder. Um Ackerland zu schaffen und um den Holzbedarf für die Saline in → Lüneburg zu decken, wurden die Wälder abgeholzt. Heidekraut überzog allmählich die trockenen und wenig fruchtbaren Hochflächen, zwischen denen sich Moorflächen erstrecken. Seltsam geformte Wacholderbüsche, von Birken gesäumte Sandwege und unter Eichen versteckte ziegelrote und strohgedeckte Heidjerhöfe vervollständigen das eigentümliche Landschaftsbild. Hünengräber erinnern vielerorts an die vorgeschichtliche Besiedlung.
Die eigentliche Heide hat in den letzten Jahrzehnten an Fläche mehr und mehr verloren. Die früher sehr umfangreiche Imkerei sowie die Zucht des Heideschafes (Heidschnucke), das keinen Baumwuchs aufkommen ließ, sind stark zurückgegangen; an ihre Stelle traten zum Teil Forstwirtschaft, Ackerbau und Industrie (Kiesel-Gruben, Erdölquellen). Die Randgebiete der Heide, z. B. die Aller- und die Elbmarschen, sind bekannte Pferdezuchtgebiete.

*Landschaftsbild

Rundfahrt durch die Lüneburger Heide

Geeigneter Ausgangspunkt für die etwa 300 km lange Rundfahrt (ohne Abstecher) durch die schönsten Gebiete der Heide ist die alte Salz- und Hansestadt → Lüneburg, von deren einstigem Reichtum noch viele prächtige Giebelhäuser künden.

Lüneburg

Südwestlich von Lüneburg wurde 1921 rund um das typische Heidedorf Wilsede ein etwa 20 000 ha großes Gebiet zum ersten deutschen Naturschutzpark erklärt. Er ist für Autos weitgehend gesperrt. Per Pferdekutsche gelangt man von Parkplätzen (z. B. von Undeloh oder Egestorf) nach Wilsede; das Museum "Dat ole Huus" informiert hier über die Heidebauernwirtschaft. Reizvolle Spazierwege führen am 169 m hohen Wilseder Berg, der einen umfassenden Blick über die Heide bzw. in den Totengrund bietet. Durch dieses mit Heide und Wacholder bewachsene Trockental wurden Verstorbene von Wilsede nach Bispingen gebracht – daher der Name.

*Naturschutzpark Lüneburger Heide

Am Nordostrand des Naturschutzgebietes befindet sich bei Hanstedt-Nindorf der Wildpark Lüneburger Heide (über 1000 Tiere, darunter Bären, Elche, Vögel).

Wildpark Lüneburger Heide

Nächste Station der Heiderundfahrt ist Soltau, südlich des Naturschutzparks. Im Zentrum sind noch einige schöne alte Fachwerkhäuser erhalten.

Soltau

Die wichtigste Attraktion dieses Gebietes ist jedoch im Norden von Soltau das Freizeit- und Vergnügungszentrum Heide-Park mit Schwebe- und Westerneisenbahn, Wasserrutsche, Mississippi-Dampfer, großem Showprogramm und anderem.

Heide-Park

Südlich von Soltau liegt im Tal der Böhme das Kneippheilbad Fallingbostel. Etwa 2 km westlich umgibt prächtige Heidelandschaft (Naturschutzgebiet) das Grab und ein Denkmal des Heidedichters Hermann Löns (1866–1914).

Fallingbostel

Heidschnuckenherde im Naturschutzpark Lüneburger Heide

*Vogelpark
Walsrode

Walsrode, das westlich von Fallingbostel in 10 Kilometer Entfernung liegt, ist vor allem für seinen großen Vogelpark (22 ha) bekannt. Viele der über 5000 Vögel aus allen Kontinenten und Klimazonen sind in Freiflughallen zu bestaunen.

Verden an der Aller

Ein lohnender Abstecher führt von Walsrode in das knapp 30 km entfernte, am Westrand der Heide gelegene hübsche Städtchen Verden an der Aller (26 000 Einwohner). Als Reiterstadt ist die alte Bischofs- und einstige Freie Reichsstadt international bekannt.
Im Süden des Zentrums erhebt sich an dem "Lugenstein" genannten Platz der mächtige ehemalige Dom (1270–1490) mit romanischem Westturm und Kreuzgang. Nach Süden hin begrenzt den Lugenstein die vor 1220 erbaute kleine St. Andreaskirche. Im Innern findet man rechts vom Altar die gravierte Messinggrabplatte des Bischofs Yso (gest. 1231), die älteste ihrer Art in Deutschland. Vom Lugenstein führt die Große Straße (Fußgängerzone) nördlich zum Rathaus (1730) und zur Johanniskirche, einer ursprünglich romanischen, im 15. Jh. gotisierten Backsteinkirche (mittelalterliche Wand- und Deckengemälde, Stuckrelief des Jüngsten Gerichts). Interessant ist ferner ein Besuch im Pferdemuseum im Süden der Stadt; die Pferdeausbildungs- und Absatzzentrale (Rennbahn; Zusehen beim Training möglich) befindet sich im Osten von Verden.
Nördlich der Innenstadt liegt der Sachsenhain, wo 782 Karl d.Gr. angeblich 4500 der unterworfenen Sachsen hinrichten ließ. An dem 2 km langen Rundwanderweg wurden 1934/1935 zur Erinnerung an dieses Massaker 4500 Findlingsblöcke aufgestellt. Am Südrand des Hains kann die Niedersächsische Storch-Pflegestation besichtigt werden.

Safariland
Hodenhagen

Wer von Walsrode aus den Abstecher nach Verden nicht unternehmen möchte, verläßt den Ort in südlicher Richtung. Bei der ca. 10 km südlich gelegenen Ortschaft Hodenhagen lockt der Safaripark Besucher von nah und fern (mit Freizeitland).

Von hier aus folgt man dem Lauf der Aller bis nach → Celle mit seinem geschlossenen Altstadtkern.

Lüneb. Heide (Fts.)
Celle

Nördlich der Stadt Celle erstreckt sich der 50 000 ha große Naturpark Südheide. Weite Heideflächen und Mischwälder bestimmen das Landschaftsbild. Die wohl schönste Ortschaft in diesem Gebiet ist Müden am Nordrand des Naturparks. Von hier aus bieten sich zahlreiche Wandermöglichkeiten an (z. B. zum Löns-Denkmal oder ins Örtzetal).

Naturpark
Südheide

Die Hauptstrecke führt von Celle jedoch auf der B 191 nach Nordosten. Nach etwa 40 km zweigt links die Straße zum Museumsdorf Hösseringen ab (Landwirtschaftsmuseum Lüneburger Heide). Das Haufendorf besteht aus historischen Heidehäusern.

Museumsdorf
Hösseringen

Nach weiteren 10 km auf der B 191 (von der Abzweigung nach Hösseringen) wird Holdenstedt erreicht. Im Schloß lohnt die Gläsersammlung eine Besichtigung.

Holdenstedt

Bis Uelzen (37 000 Einwohner) sind von hier noch 6 km zurückzulegen. Die einstige Hansestadt besitzt im Zentrum einige mittelalterliche Stein- und Fachwerkbauten. In der Vorhalle der Marienkirche (1270) steht das "Goldene Schiff", das Wahrzeichen der Stadt.
15 km südöstlich lohnt die Besichtigung des Freilicht-Mühlenmuseums Sühlendorf, in dem 60 originalgetreue Wind- und Wassermühlen aus allen Ländern und Jahrhunderten zu bestaunen sind.

Uelzen

Mühlenmuseum

Für die Rückfahrt nach Lüneburg nimmt man am besten nicht die Bundesstraße B 4, sondern wählt die landschaftlich reizvollere Nebenroute über Ebstorf. Sehenswert ist hier ein Benediktinerinnenkloster, das um 1160 gegründet wurde, mit gotischer Kirche und Kreuzgang. Das Kloster bewahrt eine Kopie der 1943 verbrannten, um 1300 entstandenen Ebstorfer Weltkarte.

Ebstorf

Lutherstadt Wittenberg   I 4

Bundesland: Sachsen-Anhalt
Höhe: 65 – 104 m ü.d.M.
Einwohnerzahl: 54 000

An den südlichen Ausläufern des → Flämings liegt am nördlichen Elbufer Wittenberg, das seine Bedeutung in der Geschichte auch offiziell in seinem Namen "Lutherstadt Wittenberg" führt: Als Wiege der lutherischen Reformationsbewegung war die alte Universitätsstadt im 16. Jh. ein geistiges und kulturelles Zentrum von europäischer Bedeutung, das die gelehrtesten Köpfe dieser Zeit und Studenten aus aller Herren Länder anzog.

Lage und
Allgemeines

Das 1180 erstmals erwähnte Wittenberg erhielt 1293 das Stadtrecht. Seit 1422 Residenz der sächsischen Kurfürsten aus dem Hause Wettin, blühte es ab 1486 unter Kurfürst Friedrich dem Weisen auf, der mit der Gründung der ersten landesfürstlichen deutschen Universität im Jahr 1502 die Stadt zu einem geistigen Zentrum Deutschlands machte. Im Jahre 1508 kam Martin Luther (1483 – 1546) als Augustinermönch an die Universität, an der er ab 1512 Theologie lehrte. 1517 trat er mit seinen berühmten 95 Thesen gegen die Ablaßwirtschaft und bestehende kirchliche Verhältnisse auf. Durch ihn wurde Wittenberg zum Ausgangspunkt der Reformation, mitgetragen von bedeutenden Persönlichkeiten wie Philipp Melanchthon, Johann Bugenhagen, Justus Jonas und dem Maler Lucas Cranach d. Ä.. Mit der Verlegung der Residenz nach Dresden, dem Tod Luthers 1546 und dem Übergang an das albertinische Sachsen 1547 war der Höhepunkt der Stadtentwicklung überschritten. 1997 wurden die Luther- Gedenkstätten Wittenbergs zum UNESCO-Weltkulturerbe erklärt.

Geschichte

Sehenswertes in der Lutherstadt Wittenberg

Stadtspaziergang

Die wichtigsten und allesamt mit der Reformation in Verbindung stehenden Sehenswürdigkeiten der Stadt erwandert man sich auf einem Spaziergang, der im Südosten am Augusteum beginnt und über Collegienstraße und Schloßstraße geradewegs zur Schloßkirche am anderen Ende der Stadt führt. Östlich vom Augusteum lag einst das Elstertor, vor dem Luther 1520 die päpstliche Bannbulle verbrannte.

**Lutherhaus

Das Haus, in dem Martin Luther von 1508 bis 1546 wohnte, liegt am Beginn der Collegienstraße und ist heute Teil des 1564–1583 errichteten Augusteums. Luthers Haus entstand 1504 als Bettelordenshaus der Augustinereremiten und wurde 1566 umgebaut; zwischen 1844 und 1900 wurde es nach Plänen von Friedrich August Stüler und Franz Schwechten umgestaltet und als reformationsgeschichtliches Museum eingerichtet. Man betritt das Haus durch das Katharinenportal, das Luthers Frau Katharina ihm 1540 zum Geburtstag schenkte. Ausgestellt sind in der original erhaltenen Lutherstube, seiner Wohn- und Arbeitsstätte, Schriften, Drucke, Medaillen, Münzen, Luthers Universitätskatheder, ferner die Lutherkanzel aus der Stadtkirche St. Marien und wertvolle Gemälde (Öffnungszeiten: April bis Sept. Di.–So. 9.00–18.00, Okt.–März Di.–So. 10.00–17.00 Uhr).

*Melanchthonhaus

Wenige Schritte weiter kommt man zum Melanchthonhaus (1536), dem Wohn- und Sterbehaus des engsten Mitarbeiters Luthers, Philipp Melanchthon (eigtl. Schwarzerdt, 1497–1560). Heute ist das jüngst renovierte Haus Gedenkstätte für den "Praeceptor Germaniae" ("Lehrer Deutschlands"), der auf audiovisuelle Weise auch "selbst" in Erscheinung tritt; Teile des Hausgartens wie Röhrbrunnen, Steintisch, Gewürz- und Kräutergarten stammen noch aus dem 16. Jahrhundert.

*Die Räume, in denen Martin Luther zwischen 1508 und 1546
lebte und arbeitete, sind heute zum Museum umgestaltet.
Hier sieht man das Herz des Hauses: die sog. Lutherstube.*

Blick auf das Wittenberger Schloß und ...   *... auf den Marktplatz mit der Stadtkirche*

Vorbei an der Fridericianums-Kaserne, dem einstigen Hauptgebäude der Universität, geht man nun zum Markt, der in großen Teilen noch den Geist der Renaissance atmet. Den Platz zieren der Marktbrunnen von 1617 und die Bronzedenkmäler der Reformatoren Martin Luther (1821) von Gottfried Schadow und Philipp Melanchthon (1860) von Friedrich Drake unter eisernen Baldachinen von Karl Friedrich Schinkel bzw. Johann Heinrich Strack. Das markante Rathaus (1524–1540) zeichnet sich durch vier Renaissancegiebel, spätgotische Fenster, einen 1573 geschaffenen Altan und reichen figürlichen Schmuck aus. *Markt

*Rathaus

Die Ecke zur Schloßstraße nimmt das imposant große Cranachhaus ein, das Lucas Cranach d. Ä. (1472–1553; 1505–1547 in Wittenberg), Hofmaler Friedrichs des Weisen, Apotheker, späterer Bürgermeister von Wittenberg und ein Freund Martin Luthers, 1512 erworben hat und umbauen ließ – mit über 80 Zimmern für seine Malschule, einer Apotheke und einer Druckerei im Vorderhaus, in der alle wichtigen Schriften der Reformation gedruckt worden sind. Cranachhaus

Östlich hinter dem Markt ragen die Türme der dreischiffigen gotischen Stadtkirche St. Marien (13.–15. Jh.) auf, die als Predigtkirche Luthers gilt. Ihre beiden spitzen Turmhelme wurden abgetragen und 1558 im Renaissancestil als achteckige Turmhäuser neu gebaut, die Turmbrücke 1655/ 1656 hinzugefügt. Im Inneren befinden sich der dreiflügelige, von Lucas Cranach d. Ä. und seinem Sohn geschaffene Reformationsaltar (1547), auf dem die Hauptakteure der Reformation verewigt sind; weiterhin das kunstvolle Taufbecken aus Bronze (1457) von Hermann Vischer, Gemälde von Lucas Cranach d. J., Renaissance-Epitaphien und Grabmäler, darunter diejenigen des Reformators Johannes Bugenhagen († 1585), von Lucas Cranach d. J. († 1586), und für Paul Eber († 1559). *Stadtkirche St. Marien

Bei der Kirche steht die Kapelle zum Heiligen Leichnam (1377), die im Stil der Backsteingotik errichtet wurde; an der Ecke Jüdenstraße wohnte Johannes Bugenhagen. Kapelle zum Heiligen Leichnam

*Schloßkirche

Die Schloßstraße hinauf spaziert man zum Schloßplatz mit der spätgoti-schen Schloßkirche, deren markanter Turm mit seinem neogotischen, kro-nenähnlichen Aufsatz die Stadtsilhouette bestimmt. Die Kirche, um 1500 von Conrad Pflüger begonnen und im Siebenjährigen Krieg zerstört, ist um 1850 und dann 1883 – 1892 von Johann Heinrich Friedrich Adler als Ge-dächtniskirche der Reformation um- und neugebaut worden. Sie ist eng mit dem Beginn der Reformation verbunden, denn an ihre – 1760 ver-brannte – Holztür soll Martin Luther im Oktober 1517 seine 95 Thesen an-geschlagen haben. Diese kann man nun auf der 1858 eingesetzten bronze-nen Thesentür nachlesen.

In der Schloßkirche sind die Kurfürsten Friedrich der Weise in einem Epi-taph (1527) des Nürnberger Bronzegießers Peter Vischer d. J. und Johann der Beständige in einem ähnlichen Grabmal (1532) von Peters Bruder Hans begraben; die Alabasterstatuen der beiden Fürsten sind 1532 ent-standen. Schlichte Gedenktafeln bezeichnen die Gräber Martin Luthers und Philipp Melanchthons, die gemeinsam mit anderen Reformatoren als lebensgroße Figuren an den Kirchensäulen emporragen.

Schloß

Die Kirche ist verbunden mit dem einstigen kurfürstlichen Residenzschloß (1490 – 1525), das im Siebenjährigen Krieg beschädigt wurde und beim Umbau zur Festung sein spätgotisches Aussehen verlor. Erhalten sind noch zwei Treppenaufgänge, Altane mit Wappenfriesen und der wehrhafte Eckturm. Im Schloß befinden sich das Museum für Natur- und Völkerkunde "Julius Riemer" und das Stadtarchiv.

Umgebung von Lutherstadt Wittenberg

Kemberg

Das 13 km südlich gelegene Kemberg besitzt noch eine Stadtmauer aus dem 15. Jh. und manch prächtiges Bürgerhaus aus dem 17. und 18. Jahr-hundert. Das Rathaus (15. Jh.) am Markt zeichnet sich durch seine schöne Freitreppe und die Eingangslaube von 1609 aus. Die große, im 15. Jh. erbaute Pfarrkirche erhielt 1859 einen von Friedrich August Stüler entwor-fenen Turm und besitzt einen Flügelaltar von Lucas Cranach d. Jüngeren.

Pretzsch

Ein Abstecher zum 20 km südlich von Wittenberg liegenden Eisenmoorbad Pretzsch führt zum stattlichen Renaissanceschloß (1571 – 1574) mit dem unter Mitwirkung des Dresdner Zwingerbaumeisters Daniel Pöppelmann barock gestalteten Schloßpark, heute Kurpark. Weitere Sehenswürdigkei-ten sind das Rathaus (18. Jh.) und die spätgotische Stadtkirche, ein flach-gedeckter Saalbau mit reicher barocker Ausstattung und Hofloge.

*Bad Schmiedeberg

Das Moorbad Bad Schmiedeberg liegt 27 km südlich von Wittenberg in einer ausgedehnten Talsenke am Ostrand der waldreichen und hügeligen Dübener Heide. Das Stadtbild wird durch die Bebauung der gekrümmten Hauptstraße mit Wohnhäusern des 16. bis 18. Jh.s geprägt, darunter auch einige Renaissancegebäude mit Sitznischenportalen. Das Rathaus, ur-sprünglich ein Renaissancebau von 1570, wurde nach der Zerstörung im Dreißigjährigen Krieg im Barockstil 1661 – 1663 neu erbaut und weist zwei asymmetrisch angeordnete Portale mit Diamantquaderung auf. Die im 15. Jh. errichtete und im 18. Jh. barock umgestaltete Stadtkirche bewahrt u. a. eine Altarwand von 1680 und ein Pfarrgestühl aus der Leipziger Werk-statt. Das Kurhaus ist um 1900 im Stil der Neurenaissance erbaut worden und erhielt im Erdgeschoß Jugendstilkacheln mit Masken.

Wasserschloß Reinharz

Westlich außerhalb von Bad Schmiedeberg liegt das Wasserschloß Rein-harz (1696 – 1701), das vor allem durch seinen 68 m hohen Turm auffällt. Der frühere Besitzer Hans Löser fertigte astronomische Instrumente, die man heute im Zwinger → Dresden bewundern kann.

Dübener Heide

Südlich von Bad Schmiedeberg erstreckt sich bis nach Sachsen in die Ge-gend von → Torgau und Bad Düben hinein die Wald- und Seenlandschaft der Dübener Heide.

Magdeburg H 3

Hauptstadt des Bundeslandes Sachsen-Anhalt
Höhe: 50 m ü.d.M.
Einwohnerzahl: 257 800

Magdeburg, eine wichtige Hafenstadt am Wasserstraßenkreuz Mittellandkanal–Elbe-Havel-Kanal, liegt am Ostrand der fruchtbaren Magdeburger
Börde an der mittleren Elbe. Die Stadt wurde als Wirkungsstätte des bedeutenden Naturforschers und Diplomaten Otto von Guericke (1602–1686)
bekannt und als Geburtsort des Musikers Georg Philipp Telemann (1681
bis 1767). Das Stadtbild ist heute in großen Teilen von gewaltigen, block-
haften Bauten geprägt, die der sozialistischen Stadtplanung entsprachen.

Lage und Allgemeines

Der 805 erstmals erwähnte Handelsplatz wurde 968 Sitz eines Erzbischofs
und damit Zentrum der Slawenmission. Trotz ständiger Kontroversen mit
der klerikalen Obrigkeit gelang es den Bürgern, Freiheiten zu bewahren,
die als "Magdeburger Recht" Vorbild für viele Städteverfassungen wurden.
Während der Reformation wurde Magdeburg protestantisch. 1631, im Dreißigjährigen Krieg, erlebte die Hansestadt durch Beschuß und Plünderung
ihren Niedergang. Zu dieser Zeit war Otto von Guericke Ratsherr und ab
1646 Bürgermeister, der seine Stadt als Gesandter mit diplomatischem Ge-
schick auf dem Osnabrücker Friedenskongreß vertrat. Bekannt wurde
Guericke vor allem als Physiker durch seine Experimente mit Luftdruck
und Vakuum. Die Industrialisierung setzte im 19. Jh. mit der Entwicklung
von Schiffs- und später von Maschinenbaubetrieben ein. Die wenigen er-

Geschichte

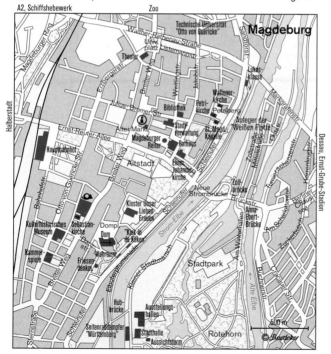

Magdeburg

haltenen alten Architekturdenkmale markieren die Zweiteilung der mittelalterlichen Stadt in die Domäne des Klerus und die des Bürgertums.

Domplatz

*Dom

Die Geistlichkeit hatte ihr Zentrum im Süden der Innenstadt um den Domplatz. Dessen Südseite beherrscht der 1209–1520 erbaute Dom St. Mauritius und St. Katharina, eine dreischiffige Basilika mit Chorumgangskapellen
und Kreuzganganlage. Sie ist die erste gotisch konzipierte Kathedrale auf
deutschem Boden. Im Chor befindet sich das Grab Kaiser Ottos I. Vom
ottonischen Vorgängerbau (955–1207) sind noch Reste der Krypta (vom
Kreuzgang aus zugänglich), Säulen und der südliche Kreuzgang vorhanden. Von der reichen Ausstattung sind besonders die Bronzegrabplatten
(12. Jh.), die spätromanischen Kapitellfriese im Chorumgang, die aus-
drucksstarken Sandsteinskulpturen des 13. Jh.s und das Chorgestühl mit
Miserikordien (1363) zu nennen. Kanzel und Epitaphien sind qualitätvolle
Renaissancewerke; das Kriegerdenkmal (1929) stammt von Ernst Barlach,
das Lebensbaumkruzifix von Jürgen Weber (1988). An der Paradiespforte
im Norden stellen die Skulpturen der klugen und der törichten Jungfrauen
(um 1245) ein schönes Beispiel für die gotische Bildhauerkunst dar.

Bebauung am
Domplatz

Am Domplatz sind Barockfassaden rekonstruiert worden, ebenso Magde-
burgs ältestes erhaltenes Wohnhaus, ein Fachwerkbau (um 1600) und Teile
der mittelalterlichen Stadtmauer.

*Kloster Unserer
Lieben Frauen

Nördlich schließt an den Domplatz der Komplex des Klosters Unserer Lieben Frauen an, das älteste erhaltene Bauwerk der Stadt. Die Klosterkirche
(um 1064–1230) dient heute als Konzerthalle. Im 1135–1150 angelegten
Klausurtrakt mit Kreuzgang, Brunnenhaus, Kapelle und Refektorium sind

*In einigen Gebäuden der Klosteranlage Unserer Lieben
Frauen finden heute Konzerte und Ausstellungen statt.*

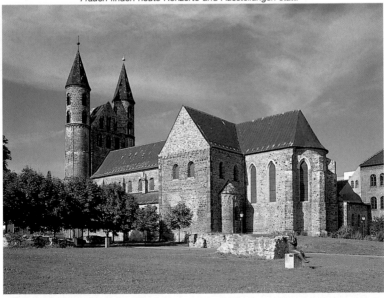

*Vor dem Rathaus am Alten Markt steht der Magdeburger Reiter,
ein bedeutendes kunsthistorisches Zeugnis aus dem 13. Jahrhundert.*

Ausstellungen zu sehen; im Refektorium eine Sammlung Kleinplastiken
und im mittleren Tonnengewölbe Holzplastiken aus früheren Epochen.

Licbfrauenkloster
(Fortsetzung)

Alter Markt

Der repräsentativste Bauzeuge im einstigen Bürgerbezirk ist das Rathaus
an der Ostseite des Alten Marktes, ein zweigeschossiger Bau, der zwischen 1691 und 1698 im Stil des Barock errichtet wurde. Im Nordteil des
Gebäudes, u.a. im Ratskeller, sind Gewölbe aus dem 12./13. Jahrhundert
erhalten.

Rathaus

Vor dem Rathaus steht der um 1240 geschaffene Magdeburger Reiter, die
kunsthistorisch bedeutendste Sehenswürdigkeit auf dem Alten Markt. Er
gilt als das älteste freistehende nachantike Reiterstandbild auf deutschem
Boden. Im Jahre 1966 wurde das Kunstwerk durch eine Kopie ersetzt; das
Original befindet sich heute im Kulturhistorischen Museum der Stadt (Otto-
von-Guericke-Str. 68–73).

*Magdeburger
Reiter

Romanischen Ursprungs sind auch die Räume des Weinkellers Buttergasse in der Nordwestecke des Marktes. Vermutlich gehörten sie zum Untergeschoß des alten Innungshauses der Gerber.

*Weinkeller
Buttergasse

Von den einst zahlreichen barocken Bürgerhäusern am und um den Markt
blieben nur zwei (Breiter Weg 178 und 179) unzerstört; beide entstanden
um 1728.

Bürgerhäuser

In der Nähe des Rathauses stehen das Doktor-Eisenbart-Denkmal und das
Otto-von-Guericke-Denkmal sowie ein Lutherdenkmal, ferner die Ruine
der spätgotischen Johanniskirche, in deren Turmhalle und Gruft Ausstel-

Denkmäler und
Johanniskirche

Johanniskirche (Fortsetzung)	lungen zur Stadtgeschichte gezeigt werden. Die Ruine ist ein Mahnmal des Bombeninfernos von 1945.

Weitere Sehenswürdigkeiten in Magdeburg

Elbuferpromenade	Entlang des linken Elbufers führt eine Promenade, die im Norden beim Lukasturm beginnt, der Mitte des 15. Jh.s als nordöstlicher Eckpfeiler der Stadtbefestigung errichtet wurde.
Petriberg	Im oberen Teil der Promenade erheben sich auf dem Petriberg drei interessante Bauten: die Wallonerkirche (14. Jh.), eine ehemalige Klosterkirche, die Petrikirche (um 1380 bis Ende 15. Jh.) mit einem romanischen Westturm und, gleich benachbart, die Magdalenenkapelle, die 1315 In vollendeter Hochgotik erbaut wurde.
*Stadtpark Rotehorn	Am östlichen Elbufer, eingerahmt von Stromelbe und Alter Elbe, bietet der ab 1871 angelegte Stadtpark Rotehorn mit seinen weitläufigen Grünanlagen und Freizeiteinrichtungen vielfältige Möglichkeiten zur Erholung. Um die architektonische Dominante der 1927 eingeweihten Stadthalle gruppieren sich das Pferdetor (Plastiken von M. Roßdeutscher) und der Aussichtsturm (mit Café). In der Nähe liegt auch der zum Museums- und Gaststättenschiff umgebaute Seitenradschleppdampfer "Württemberg".
Zoo	Der Zoologische Garten von Magdeburg, der etwa 300 Tierarten aufweist, liegt im Vogelgesangpark im Norden der Innenstadt.

Umgebung von Magdeburg

*Schiffshebewerk Rothensee	Das Schiffshebewerk Rothensee (14 km nördlich), ein vom internationalen Frachtschiffsverkehr stark frequentiertes technisches Meisterwerk (1938), liegt an der Nahtstelle zwischen Elbe und Mittellandkanal. Die Schiffe überwinden die insgesamt 16 m Niveauunterschied in einem 85 m langen und 12 m breiten Trog. Von hier sind es nur wenige Schritte zu dem Naherholungsgebiet Barleber See.
Magdeburger Börde	Westlich von Magdeburg, genauer gesagt westlich der Elbe zwischen der Ohre im Norden und der Bode im Süden, erstreckt sich das äußerst fruchtbare Land der Magdeburger Börde. Weit und breit sieht man daher Äcker, auf denen vor allem Weizen und Zuckerrüben angebaut werden – Waldinseln sind hier eher selten.
Schönebeck	Schönebeck, 18 km südöstlich von Magdeburg gelegen, präsentiert sich mit einer frühgotischen Basilika mit zwei Barocktürmen und barocken Wohnhäusern. Im Ortsteil Salzelmen findet man eine spätgotische Hallenkirche mit einer reichen Ausstattung und bemerkenswerte Bürgerhäuser aus Fachwerk. Im Kreismuseum werden Exponate zur Salzgewinnung in Schönebeck und zur Geschichte der Elbschiffahrt gezeigt. Vom ehemaligen ersten deutschen Solbad (1802) bestehen noch das Gradierwerk am Kurpark und der Solturm.
Leitzkau	In Leitzkau (28 km südlich) sind ein 1564 erbautes Renaissanceschloß, das als Sitz einer Linie derer von Münchhausen diente, und Überreste einer romanischen Klosterbasilika sehenswert.
Hadmersleben	Die Klosterkirche von Hadmersleben, 27 km südwestlich von Magdeburg, stammt überwiegend aus frühgotischer Zeit. Unter der Nonnenempore ist eine dreischiffige romanische Halle (11. Jh.) erhalten. Gedrungene Säulen mit bemerkenswerten Kapitellen tragen Kreuzgratgewölbe. Von den Klostergebäuden sind der Kapitelsaal (12. Jh.) und ein Teil des spätgotischen Kreuzganges unter barocken Obergeschossen noch vorhanden.

Bundesländer: Bayern und Hessen

In seinem Ober- und Mittellauf fließt der windungsreiche Main durch das Frankenland. Er hat zwei Quellflüsse: den Weißen Main, der im Fichtelgebirge entspringt, und den Roten Main, der aus der Fränkischen Alb kommt. Unterhalb von Kulmbach vereinigen sich die beiden Flußläufe. Bei Lichtenfels durchbricht der Main den Fränkischen Jura, auf der Strecke Bamberg – Haßfurt die Keuperhöhen zwischen dem Steigerwald und den Haßbergen. Anschließend strömt er in einer Schleife bei Kitzingen durch das Muschelkalkgebiet der Fränkischen Platte, fließt von Gemünden bis Aschaffenburg um das Buntsandsteinplateau des Spessarts und erreicht dann die Ebene des Mittelrheintals. Nun zieht der Fluß durch das Rhein-Main-Gebiet und mündet unterhalb von Rüsselsheim in den Rhein. | *Verlauf des Mains*

Im Frankenland hat der Weinbau seit jeher Bedeutung. Das Hauptweinbaugebiet liegt im Maindreieck um Würzburg, aber auch am Westhang des Steigerwalds und an der Frankenhöhe wird viel Weinbau betrieben. Die fränkischen Weißweine genießen traditionell einen guten Ruf. Besonders gute Weine gedeihen bei Würzburg, bei Randersacker, in Escherndorf, bei Iphofen ("Julius-Echter-Berg"), in Rödelsee und Volkach. Mit dem bauchigen "Bocksbeutel" haben sich die Winzer ein unverkennbares Markenzeichen geschaffen. Häufig werden Frankenweine als "Steinwein" bezeichnet. Tatsächlich aber ist "Stein" der Name einer der beiden berühmten Lagen Würzburgs, die andere heißt "Leiste". | *Weinbau

Von Frankfurt durch das Maintal nach Kulmbach

Von → Frankfurt am Main gelangt man auf der B 8 oder auf der Autobahn nach → Aschaffenburg, von wo man dem linken Flußufer aufwärts folgt. Bei Großwallstadt befindet sich eine Staustufe; am gegenüberliegenden Ufer des Mains steht in Kleinwallstadt eine eindrucksvolle Rokokokirche. | Von Frankfurt nach Kleinwallstadt

Die Stadt Obernburg, an der Stelle eines einstigen Römerkastells gelegen, hat alte Stadttore. Einen Besuch lohnt das Museum im "Römerhaus". | Obernburg

Gegenüber von Trennfurt liegt – von einer Burgruine überragt – das Städtchen Klingenburg am Main, bekannt wegen seines Rotweins. | Klingenberg

In Kleinheubach erhebt sich das ehemalige Schloß der Fürsten zu Löwenstein, eine barocke Anlage. Am anderen Ufer liegt Großheubach, wo das Kloster Engelberg mit seiner barocken Wallfahrtskirche beachtenswert ist. | Kleinheubach

Besonders an der "Mainschleife" genannten Strecke zwischen Miltenberg und Volkach findet man viele ansprechende Orte. Der erste in dieser Reihe ist die kleine unterfränkische Stadt Miltenberg mit ihren noch von Mauern mit Tortürmen umschlossenen Fachwerkgassen. Sie liegt reizvoll im Maintal zwischen Odenwald und Spessart. Nacheinander gehörte die Stadt zum Erzstift Mainz, zu Leiningen, Baden und Hessen und seit 1816 zu Bayern. Den stimmungsvollen, von hübschen Fachwerkbauten umrahmten Marktplatz schmückt der Marktbrunnen, der 1583 von dem Miltenberger Bildhauer Michael Junker aus rotem Sandstein geschaffen wurde. Ein weiterer interessanter Brunnen ist der Staffelbrunnen neben dem alten Rathaus, als einziger von den Brunnen, die bis ins 19. Jh. der Wasserversorgung dienten, noch sichtbar. In der ehemaligen Amtskellerei, einem schönen Fachwerkhaus am Markt, befindet sich das Städtische Museum. Durch das "Schnatterloch", den oberen Teil des Marktplatzes, und den Torturm führt der Weg zur Mildenburg. An der Hauptstraße steht das Gasthaus "Riesen", ein Fachwerkbau von 1590, in dem durch Jahrhunderte viele Fürsten Auf- | *Miltenberg

*Wertheim an der Mündung der Tauber in den Main besitzt eine
hübsche Altstadt, über der sich die große Burg Wertheim erhebt.*

Miltenberg
(Fortsetzung)

nahme fanden, so daß es zu Recht den Beinamen "Fürstenherberge" führt.
In der Nähe des Gasthofs erinnern der Judenfriedhof und die alte Synago-
ge an die jüdischen Bürger von Miltenberg. Das Ortsbild von Miltenberg
prägen nicht zuletzt die Stadttore. Am Ostende der Hauptstraße steht das
Würzburger Tor (1379) mit einem sechsgeschossigen Turm. Im Westen der
Stadt findet man das Mainzer Tor, auch "Spitzer Turm" genannt, das 1379
erstmals als äußerster westlicher Begrenzungspunkt erwähnt wird. Das
Schwertfeger Tor bildet den Abschluß der Westvorstadt.

Mildenburg

Über der Stadt liegt auf dem nördlichen Vorsprung des Greinbergs die Mildenburg (13.–16. Jh.). Der aus Buckelquadern erbaute Bergfried ist der
älteste Teil der Burganlage. Neben der außerordentlich schönen Aussicht
auf die Stadt bietet die Burg sehenswerte Steindenkmäler im Burghof.

Stadtprozelten

Der Weg verläuft weiter am linken südlichen Flußufer entlang. Von Monfeld
führt eine Fähre zum gegenüberliegenden Städtchen Stadtprozelten, das
von der mächtigen Ruine der Henneburg überragt wird.

*Wertheim

An der Mündung der Tauber in den Main liegt die kleine Stadt Wertheim.
Am Marktplatz stehen schöne Fachwerkbauten. Beachtung verdient die
gotische Pfarrkirche, in deren Chor sich Grabmäler der Grafen von Wertheim (15.–18. Jh.) befinden. Sehenswert ist ferner das Glasmuseum. Über
der Stadt erhebt sich auf einem Bergsporn die große Burg Wertheim. Die
Strecke durch das Maintal folgt weiterhin dem linken Flußufer.

Marktheidenfeld

Die Brücke von Marktheidenfeld verbindet das fränkische Weinland mit
dem → Spessart. Das Städtchen Marktheidenfeld hat einen ansprechenden Ortskern. Besonders eindrucksvoll wirkt ein 1745 erbautes Patrizierhaus, das mit Stukkaturen und schönen Deckengemälden geschmückt
wurde. In der Nähe der Stadt erstreckt sich der romantische Istelgrund,
neben der Welzbachschlucht ein beliebtes Wanderziel in dieser Gegend.

An Rothenfels (große Burg) vorbei erreicht man die durch Fachwerkbauten Lohr
geprägte Stadt Lohr. Bemerkenswert sind in St. Michael die Grabmäler,
der Kreuzaltar im nördlichen Seitenschiff und die Kanzel, eine Arbeit des
Karlstadter Bildhauers Georg Schäfer (1804). Am Marktplatz steht das große
Renaissance-Rathaus, nordwestlich das ehemals kurmainzische Schloß
(16. Jh.) mit dem Spessartmuseum. Dieses informiert über die Kulturgeschichte des Spessartraums und besitzt die größte Sammlung "Lohrer"
Prunkspiegel (18. Jh.), ferner Keramik und Gläser des 15. bis 19. Jahrhunderts.

An der Einmündung der Fränkischen Saale und des Sinn in den Main liegt Gemünden
Gemünden, das daher auch den Beinamen "Fränkische Dreiflüssestadt"
hat. Der Ort wird überragt von der Ruine Scherenburg, die sich auf einer
Bergzunge zwischen Main und Saale befindet. Im Huttenschlößchen ist
das Unterfränkische Verkehrsmuseum untergebracht.

Die kleine Stadt, noch von einer Mauer umgeben, ist Geburtsort des ent- *Karlstadt
schiedenen Reformators Andreas Rudolf Bodenstein (genannt Karlstadt;
1486 – 1541), der mit seiner Schrift "Vom Abtun der Bilder" den Bildersturm
(1521 / 1522) einleitete. Am Markt fällt das Rathaus, 1422 erbaut, mit seinem Staffelgiebel auf. Die Pfarrkirche St. Andreas (14. / 15. Jh.) birgt eine
Statue des hl. Nikolaus, geschaffen von Tilman Riemenschneider.

Über → Würzburg geht es weiter nach Ochsenfurt. Das Bild der kleinen Ochsenfurt
Stadt prägen das stattliche Rathaus aus dem Mittelalter mit seiner Freitreppe mit Maßwerkbalustraden und viele Fachwerkbauten. Beachtenswert sind in der gotischen Pfarrkirche das Bronze-Taufbecken und das
Sakramentshaus aus der Werkstatt von Adam Krafft. Im Stadtmuseum mit
dem Schwerpunkt Trachten (lebensgroße Puppen und Einzelstücke der
Ochsenfurter Gautracht) verdienen besonders eine 2200 Jahre alte Gold-
münze mit dem Kopf Philipps von Makedonien und ein kostbarer Meß-
eimer aus Bronze die Aufmerksamkeit des Besuchers.

Einst war die unterfränkische Stadt Marktbreit, die an der Mündung des Marktbreit
(Abb. s. S. 502)
Breitbachs in den Main liegt, durch die Schiffahrt auf dem Main und den
Kaffeehandel wohlhabend. Am Fluß sieht man den Mainkran von 1784.
Neben der spätgotischen Nikolauskirche, dem Rathaus und den barocken
Bürgerhäusern sollte man das ehemalige Schloß der Grafen von Seins-
heim, einen Renaissancebau (1580), ansehen. Auf dem Kapellenberg bei
Marktbreit wurde 1986 ein römisches Legionslager entdeckt.

Kitzingen, neben Würzburg ein Hauptsitz des fränkischen Weinhandels, *Kitzingen
liegt in einer fruchtbaren Weitung des Maintals. Wahrzeichen der Stadt ist
der von einem schiefen Dach bekrönte Falterturm (15./16. Jh.), in dem sich
das Deutsche Fastnachtmuseum befindet. Am Marktplatz stehen das
dreigeschossige Renaissance-Rathaus, der mächtige Marktturm (um 1360)
und die ev. Pfarrkirche. Kitzingen und Etwashausen jenseits des Stromes
sind durch eine steinerne Brücke verbunden. Der Plan für die Heiligkreuz-
kapelle in Etwashausen (1745) wurde von Balthasar Neumann geschaffen;
der Grundriß beschreibt ein Kreuz mit etwas längerem Südarm, in dessen
gerundete Front der in drei Stufen aufstrebende Turm einbezogen ist.

Von Kitzingen lohnt ein Abstecher zu dem Weinort Iphofen, der, am Steilab- Iphofen
fall des Steigerwalds gelegen, mit seiner mittelalterlichen Befestigung und
zahlreichen alten Bauten ein reizvolles Bild bietet. Hervorzuheben ist die
spätgotische Pfarrkirche St. Veit, zu deren Ausstattung Bildwerke der Rie-
menschneider-Werkstatt gehören. Darüber hinaus lohnt das Fränkische
Bauern- und Handwerkermuseum einen Besuch, in dem Winzerei, ländli-
ches Wohnen und verschiedene Handwerke dokumentiert werden.

Im Maintal folgt Dettelbach, ein altes Städtchen, das noch von einer Mauer *Dettelbach
aus dem 15. Jh. mit 36 Türmen und zwei Toren umschlossen ist. Das spätgotische Rathaus entstand in den Jahren 1492–1512. Am Ortsende befin-

Maintal

Dettelbach
(Fortsetzung)

det sich die Wallfahrtskirche Maria auf dem Sand (16./17. Jh.). Sie ist ein gutes Beispiel des nachgotischen Stils, den man in Franken als "Juliusstil" bezeichnet, da er von Bischof Julius begünstigt wurde. Während am Außenbau das prunkvolle Hauptportal mit Ornamenten auffällt, beherrscht der Gnadenaltar von 1779 mit spätgotischer Pietà den Innenraum.

*Volkach

An Münsterschwarzach vorbei kommt man zu dem wegen seines Weins bekannten Volkach. Das Ortsbild wird geprägt von Stadttoren, stattlichen Giebelhäusern, dem Renaissance-Rathaus und der spätgotischen Stadtpfarrkirche. Auf dem von Rebhängen bedeckten Kirchberg erhebt sich die gotische Wallfahrtskirche St. Maria im Weingarten mit der berühmten "Rosenkranzmadonna" (1521) von Tilman Riemenschneider.

Brückenrathaus und Altstadthäuser von Marktbreit

*Schweinfurt

Mainaufwärts gelangt man nach Schweinfurt. Die einstmals Freie Reichsstadt Schweinfurt, 1254 durch die Grafen von Henneberg gegründet, hat heute durch ihre Kugellagerwerke und Farbenfabriken Bedeutung.
Schweinfurts Altstadt hat viel Interessantes zu bieten. Eine Glanzleistung der deutschen Renaissance ist das von Meister Nikolaus Hofmann aus Halle an der Saale um 1570 am Markt erbaute Rathaus. An der Südostecke des Marktplatzes befindet sich das Geburtshaus des Dichters und Orientalisten Friedrich Rückert (1788–1866) mit einer Gedenktafel. Auf dem Marktplatz steht ein Rückert-Denkmal. Im nördlichen Stadtgebiet sind – auf drei Gebäude verteilt – die Städtischen Sammlungen untergebracht: Im Alten Gymnasium am Martin-Luther-Platz werden Dokumente zur Stadt- und Industriegeschichte gezeigt, das Museum im Gunnar-Wester-Haus beherbergt die Sammlung Graf Luxburg, eine kulturgeschichtliche Sammlung zur Entwicklung von Feuererzeugung und Beleuchtung, und in der Alten Reichsvogtei an der Oberen Straße 11 befindet sich die Galerie für zeitgenössische Kunst in Franken. In einigen Räumen werden Leihgaben der Sammlung Georg Schäfer gezeigt. Eine weitere Privatsammlung, die Ikonen-Sammlung Glöckle, bietet Einblick in die sakrale russi-

sche Kunst des 16. bis 18. Jahrhunderts. Südlich vom Markt sollte man den Schrotturm und das Harmonie-Gebäude mit der Naturkundlichen Sammlung ansehen. Der Schrotturm, 1611 als Treppenturm eines Renaissance-Hauses erbaut und im 19. Jh. um vier Geschosse erhöht, ist das Wahrzeichen der südlichen Altstadt. Im Harmonie-Gebäude nahe der Maxbrücke, die über den Main führt, ist seit 1988 die Vogelsammlung der Brüder Schuler zu besichtigen. Die Vögel sind in Diorama-Vitrinen ausgestellt.

Maintal,
Schweinfurt
(Fortsetzung)

Im oberen Maintal liegt Haßfurt, ebenfalls mit Resten einer alten Stadtmauer und Stadttoren. Am Markt stehen das gotische Rathaus und die Pfarrkirche, in deren Chor sich eine Holzskulptur Johannes des Täufers von Riemenschneider befindet. Beachtung verdient ferner im Osten der Stadt die spätgotische Ritterkapelle mit Adelswappen an den Netzgewölben.

Haßfurt

→ dort
→ dort

Bamberg
Kulmbach

Mainz

Hauptstadt des Bundeslandes Rheinland-Pfalz
Höhe: 88 m ü.d.M.
Einwohnerzahl: 190 000

Die rheinland-pfälzische Landeshauptstadt und Universitätsstadt Mainz, ein alter Kurfürsten- und Erzbischofssitz mit großer Vergangenheit, liegt am linken Rheinufer gegenüber der Mainmündung. Die Gutenbergstadt ist Zentrum des rheinischen Weinhandels (Sektkellereien), wichtiger Handels-, Verkehrs- und Industrieplatz, Sitz von Rundfunk- und Fernsehanstalten (ZDF, SAT 1, SWF) sowie eine Hochburg des Karnevals ("Määnzer Fassenacht"). Zu den berühmten Persönlichkeiten, die in Mainz geboren wurden bzw. lange Zeit hier lebten, gehören neben Johannes Gutenberg der Minnesänger Heinrich von Meißen (genannt Frauenlob), Carl Zuckmayer und Anna Seghers.

Lage und
Allgemeines

Im Jahr 38 v. Chr. legten die Römer bei einer Keltensiedlung ihr Feldlager Moguntiacum an, seit etwa 20 n.Chr. Hauptwaffenplatz und Sitz des militärischen Oberbefehlshabers für Obergermanien. Nachdem Bonifatius 742 das Erzbistum gegründet hatte, entwickelte sich Mainz zur Metropole des Christentums in Deutschland. Als Hauptort des 1254 gegründeten Rheinischen Städtebundes erlebte das "Goldene Mainz" (Aurea Moguntia) im 13. Jh. seine Blüte. Die Mainzer Erzbischöfe waren als Reichskanzler nicht nur Königsmacher, sondern auch Kurfürsten. Die Bürgerschaft begehrte zwar gegen eine solch geballte Macht auf, doch in der Mainzer Stiftsfehde (1462) verlor die Stadt alle ihre Freiheiten. 1476/1477 wurde die Mainzer Universität von Erzbischof Diether von Isenburg gegründet. Doch auch eine viel weitreichendere Neuheit ging im 15. Jh. von Mainz aus: Johannes Gensfleisch zu Laden, genannt Gutenberg, erfand hier den Druck mit beweglichen Lettern. Die Stadt erhielt ihr barockes Gepräge im 17. und 18. Jh. zur Blütezeit des kurfürstlichen Mainz. Die Mainzer Republik, die sich an den Ideen der Französischen Revolution orientierte, entstand im Jahre 1792; von der verheerenden Beschießung der Stadt im selben Jahr berichtet Goethe als Augenzeuge. Im Zweiten Weltkrieg wurden 80% der Altstadt zerstört. Seit 1950 ist Mainz Hauptstadt von Rheinland-Pfalz.

Geschichte

Sehenswertes in Mainz

Im Zentrum der Stadt erhebt sich der sechstürmige Dom St. Martin und St. Stephan, der mit den Domen zu Speyer und Worms den Höhepunkt der romanischen Sakralbaukunst am Oberrhein bildet. Unter Erzbischof

**Dom

Mainz

Dom (Fortsetzung)

Willigis wurde 975 mit dem Bau des Doms begonnen, fertiggestellt wurde die gesamte Anlage erst 1236. Der imposante Vierungsturm und seine beiden kleineren Nachbarn stammen aus dem 18. Jahrhundert.

Der Innenraum birgt bedeutende kunsthistorische Schätze wie Grabdenkmäler aus dem 13. bis 18. Jh., die Erzbischöfen, Domherren und Heiligen gewidmet sind. Besonders beachtenswert sind die Grabmäler der Erzbischöfe Berthold von Henneberg, Jakob von Liebenstein und Uriel von Gemmingen vor dem Westchor. Im Dom- und Diözesanmuseum im Kreuzgang kann man u.a. Teile des alten Domlettners von 1239 sehen.

Marktbrunnen

Der Marktbrunnen an der nördlichen Seite des Domplatzes wurde 1526 errichtet und gilt als einer der bedeutendsten Renaissancebrunnen in Deutschland.

**Gutenberg-Museum

An der Nordostecke des Platzes befindet sich das Gutenberg-Museum (Weltmuseum der Druckkunst) mit der berühmten 42zeiligen Gutenberg-Bibel, die zwischen 1452 und 1455 entstand, und einer Nachbildung von Gutenbergs Satz- und Druckwerkstatt. Des weiteren kann man hier Inkunabeln, Bücher des 16. bis 19. Jh.s und verschiedene Druckpressen finden wie auch einen Einblick in die Druckkunst des Fernen Ostens bekommen. (Öffnungszeiten: Di.–Sa. 10.00–18.00, So. 10.00–13.00 Uhr.)

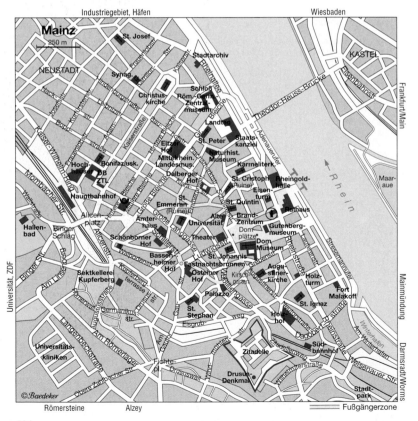

*Der sechstürmige Mainzer Dom zählt zu den bedeutendsten
Werken der romanischen Kirchenbaukunst am Oberrhein.*

Hinter dem Museum gelangt man zum Einkaufszentrum am Brand (1974),
von dem aus eine Fußgängerbrücke zum Rheinufer führt. Entlang des
Rheinufers stehen das Rathaus (1970–1973) und die Rheingoldhalle (1968),
ferner der Eisenturm (um 1240) und der Holzturm (14. Jh.), beides Reste
der mittelalterlichen Stadtmauer.

Rheinufer

Die 1950 neu über den Rhein geschlagene Theodor-Heuss-Brücke führt zu
der einstigen Mainzer Vorstadt Kastel (jetzt Stadtkreis Wiesbaden), dem
römischen Brückenkopf Castellum Mattiacorum.

Kastel

Unweit unterhalb der Rheinbrücke liegt das ehemalige Kurfürstliche
Schloß (17. und 18. Jh.) mit Festsälen und dem 1852 gegründeten Rö-
misch-Germanischen Zentralmuseum, einem überregionalen Forschungs-
institut für Vor- und Frühgeschichte der Alten Welt (Schausammlungen zu
Vorgeschichte, Römerzeit und Frühmittelalter; Restaurierungswerkstätten
und Laboratorien). Südöstlich gegenüber trifft man auf den Landtag (ehem.
Deutschordenshaus) und die Staatskanzlei.

Schloß
*Römisch-
Germanisches
Zentralmuseum

Die verwinkelte Altstadt südlich des Domes lädt zu einem kleinen Bummel
ein – besonders die Augustinerstraße mit ihren netten Läden und Boutiquen und der Kirschgarten mit seinen malerischen Fachwerkhäusern.
Sehenswert sind zudem die Seminarkirche und die Kirche St. Ignaz, die
zwischen 1763 und 1775 errichtet wurde und an der der Übergang vom
Rokoko zum Klassizismus ablesbar ist.

Altstadt

Am Gutenbergplatz, in dessen Pflaster eine Markierung den Verlauf des
50. Grads nördlicher Breite anzeigt, liegt das Theater der Stadt; gegenüber
hat man ein Standbild des berühmten Mainzers Johannes Gutenberg
(1398–1468) errichtet, der um 1440 den Satz mit beweglichen Lettern erfand und damit ein neues Zeitalter einläutete.

Gutenbergplatz

Die Fachwerkhäuser am Kirschgarten in der Mainzer Altstadt stammen aus dem 16. bis 18. Jahrhundert.

Schillerplatz

Von hier führt die Schillerstraße direkt zum Schillerplatz, der von schönen Höfen, d.h. ehemaligen Adelspalais, umgeben ist. Witzig und originell wurden bei der Gestaltung des Fastnachtsbrunnens (1966) Szenen und Figuren der "Fassenacht" aufgegriffen.

St. Stephan
✳✳Chagall-Fenster

Südlich oberhalb steht die gotische Kirche St. Stephan (14. Jh.), ein Hauptanziehungspunkt für Besucher der Stadt. In den Jahren 1973 bis 1984 wurden ihre einzigartigen Glasfenster mit Themen aus dem Alten und Neuen Testament von Marc Chagall gestaltet. Sehenswert ist auch der Kreuzgang an der Südseite der Kirche.

Schiffahrts-
museum

Nahe des Mainzer Rheinufers fand man 1981 Kriegsschiffe aus der Spätzeit des Römerreichs. Zwei davon sind neben vielen anderen Exponaten, die einen Überblick über das römische Flottenwesen geben sollen, im Museum für antike Schiffahrt zu sehen, das sich in der Nähe des Südbahnhofs Ecke Holzhofstraße und Rheinstraße befindet.

Landesmuseum

An der Großen Bleiche wurde im ehemaligen Marstall das Mittelrheinische Landesmuseum mit Sammlungen zur Vor- und Frühgeschichte und zum Kunsthandwerk untergebracht. Im zentralen Hofpavillon ist seit August 1996 eine Sammlung von 27 Tàpiez-Werken zu sehen.

Peterskirche
Museum

Einige Meter weiter ragt die doppeltürmige Peterskirche (urspr. 1752–1756) empor. Unweit östlich findet man das Naturhistorische Museum.

✳Römersteine

Im Stadtteil Zahlbach, südöstlich des Universitätsgeländes, liegen die Römersteine, die Reste eines im 1. Jh. n. Chr. errichteten Aquädukts, an denen ein Spazierweg entlangführt.

ZDF-Sende-
zentrum

Etwa 7 km südwestlich vom Stadtkern befindet sich auf dem 205 m hohen Lerchenberg das hochmoderne Sendezentrum des Zweiten Deutschen Fernsehens. Bei Führungen kann man hinter die Kulissen des großen Senders blicken.

Umgebung von Mainz

Gut 15 km westlich liegt über dem linken Rheinufer das alte Winzerstädtchen Ingelheim mit Burgkirche und den Resten einer karolingischen Kaiserpfalz.

Ingelheim

In Oppenheim (20 km südlich von Mainz) lohnt die im 13.–15. Jh. erbaute Katharinenkirche einen Besuch; sie gehört zu den bedeutendsten gotischen Bauwerken am Rhein. Sehenswert ist ebenfalls das Deutsche Weinbaumuseum.

Oppenheim
*Katharinenkirche

Mannheim

E 6

Bundesland: Baden-Württemberg
Höhe: 97 m ü. d. M.
Einwohnerzahl: 326 000

Die ehemalige pfälzische Residenzstadt Mannheim ist dank ihrer günstigen Lage am Zusammenfluß von Rhein und Neckar eine bedeutende Handels- und Industriestadt im südwestdeutschen Raum und nach dem Regierungssitz Stuttgart die zweitgrößte Stadt Baden-Württembergs. Die

Lage und
Allgemeines

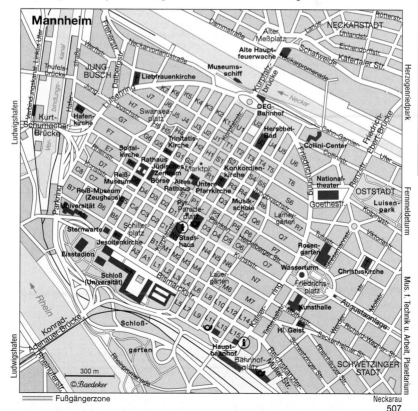

Mannheim

Hafenanlagen gehören zu den größten des europäischen Binnenlandes. Mannheim ist Sitz zahlreicher Bildungsstätten (Universität, Staatliche Hochschule für Musik und darstellende Kunst, Fachhochschulen für Gestaltung, Technik u. a.). 1782 ging Mannheim in die Theatergeschichte ein: In seinem Nationaltheater fand die Uraufführung von Schillers Drama "Die Räuber" statt. In Mannheim haben Karl Friedrich Freiherr Drais von Sauerbronn 1817 sein erstes Laufrad und Carl Friedrich Benz 1886 seinen ersten Kraftwagen vorgestellt.

Stadtanlage
in Quadraten

Die innere Stadt wurde im 17. und 18. Jh. schachbrettartig in 136 Rechtecken (heute 144) angelegt, wobei bis heute nicht die Straßen Namen haben, sondern jeder Häuserblock (Quadrat) mit einem Buchstaben und einer Zahl bezeichnet ist. Auch die Numerierung der Häuser verläuft nicht entlang der Straßen, sondern wird häuserblockweise vorgenommen. Die Hausnumerierung beginnt mit Nr. 1 an der jeweils zum Schloß weisenden Straßenecke jedes Quadrats. Liegt der Häuserblock rechts der Hauptachse der Stadt, der Kurpfalzstraße, verläuft die Numerierung der Häuser mit dem Uhrzeigersinn um den Block, liegt der Block links der Kurpfalzstraße, sind die Häuser des Blocks entgegen dem Uhrzeigersinn numeriert. Die Hauptachse ist auf das Schloß im Südwesten ausgerichtet.

Geschichte

Der Stadtname geht auf das seit 766 bezeugte Schiffer- und Fischerdorf "Mannenheim" (= Heim des Manno) zurück. Kurfürst Friedrich IV. legte 1606 eine nach holländischem Muster erbaute Festung an und ergänzte sie durch eine Handelssiedlung, die 1607 Stadtrechte erhielt. Bis zum Beginn des 18. Jahrhunderts wurde die Stadt zweimal zerstört. Kurfürst Johann Wilhelm ließ die Stadt in 136 Rechtecken neu erbauen und umgab Stadt und Festung mit einem gemeinsamen Festungsring. 1720 verlegte Kurfürst Karl Philipp seine Residenz von Heidelberg nach Mannheim; an der Stelle der Zitadelle entstand das weitläufige Schloß. Karl Philipp und sein Nachfolger zogen bedeutende französische und italienische Architekten und Künstler an ihren Hof. Die "Mannheimer Schule" (1743–1778), die von Komponisten und Mitgliedern des Mannheimer Orchesters (darunter J. Stamitz, F. X. Richter, Chr. Cannabich) getragen wurde, war wegbereitend für die Wiener Klassik. Diese kulturelle Blüte fand ein Ende, als Karl Theodor, der seit 1778 auch Kurfürst von Bayern war, seine Residenz nach München verlegte. Die Erschließung des Rheins für die Schifffahrt machte Mannheim zum Endpunkt der Oberrheinschiffahrt und leitete seinen Aufstieg zum Wirtschaftszentrum ein. Zwischen 1834 und 1876 erfolgte der Ausbau der Häfen. Im Zweiten Weltkrieg wurde die Stadt stark zerstört.

*Vor dem Landesmuseum für
Arbeit und Technik*

Innenstadt innerhalb der Ringstraßen

Hauptgeschäfts-
straßen

Hauptgeschäftsstraßen (großenteils Fußgängerzone) der schachbrettartig angelegten Innenstadt sind die Planken und die Kurpfalzstraße, die sich am Paradeplatz kreuzen. Die Planken hat ihren Namen von der historischen Straße, in der früher Holzplanken ausgelegt wurden, damit man dort trockenen Fußes flanieren konnte.

Marktplatz

Am Marktplatz stehen das Alte Rathaus und die Untere Pfarrkirche, ein 1701–1723 errichteter Doppelbau. Nahe dem Marktplatz befindet sich auch das jüdische Gemeindezentrum mit der modernen Synagoge (1987), der größten ihrer Art in Deutschland.

An der Kreuzung der großen Geschäftsstraßen Planken und Breite Straße liegt der Paradeplatz, der frühere zentrale Alarmplatz der Festung Mannheim und heute das belebte Zentrum der Stadt. Mittelpunkt ist die Brunnenanlage mit der barocken Bronzepyramide "Allegorie der herrscherlichen Tugenden". Das moderne Stadthaus (1991) beherbergt außer Läden auch Cafés, Restaurants und die Stadtinformation.

Paradeplatz

In der Nähe des Rheinufers steht das 1720–1760 erbaute, ehemalige kurfürstliche Schloß, eine der größten barocken Schloßanlagen Deutschlands. Die mehr als 400 Räume werden heute zum großen Teil von der Universität genutzt, durch einige der historischen Räume werden Führungen angeboten. In der angeschlossenen Schloßkirche sind vor allem der Altar und der Prunksarg des Kurfürsten Carl Philipp in der Gruft sehenswert.

Schloß

Nordwestlich vom Schloß erreicht man die wiederhergestellte Jesuitenkirche, die als bedeutendste Barockkirche Südwestdeutschlands gilt (1733–1760), daneben liegt die ehemalige Sternwarte (1772–1774).

Jesuitenkirche

Die Sammlungen des Reiß-Museums sind auf zwei Gebäude verteilt: Im Zeughaus (1777) sind vor allem die niederländische Malerei des 17. Jh.s, Porzellan und die Aufsatzsekretäre sehenswert. Interessantes bieten auch die stadtgeschichtliche und die neue Theatersammlung. Im nördlich stehenden Neubau in D5 sind ur- und frühgeschichtliche Funde sowie Völkerkundliches, hauptsächlich aus Indianer- und Südseekulturen, ausgestellt.

*Reiß-Museum und Zeughaus

Östlich des Innenstadtrings

Am Friedrichsplatz am östlichen Rand des Rings steht der 1888 erbaute, 60 m hohe Wasserturm, das Wahrzeichen der Stadt. Der Platz mit seinen

Wasserturm am Friedrichsplatz

Der Wasserturm in der schönen Jugendstilanlage am Friedrichsplatz ist das Wahrzeichen Mannheims.

Mannheim

prächtigen Wasserspielen gilt heute als eine der größten und schönsten Jugendstilanlagen Deutschlands. Nördlich schließt das Kongreß- und Veranstaltungszentrum Rosengarten in einem schönen Jugendstilgebäude an.

*Kunsthalle

Südlich vom Wasserturm präsentiert die Kunsthalle, die ebenfalls in einem Jugendstilgebäude untergebracht ist, Gemälde und Plastiken des 19. und 20. Jahrhunderts, darunter Plastiken von Rodin, Lehmbruck, Barlach und Giacometti, wichtige Werke des französischen Impressionismus, deutsche Sezessionsmaler, Vertreter des Expressionismus wie Beckmann, Heckel und Kokoschka sowie Kunst der Neuen Sachlichkeit.

Christuskirche

Nordöstlich des Friedrichsplatzes erhebt sich die evangelische Christuskirche (1911), die neben der katholischen Jesuitenkirche der repräsentativste Sakralbau Mannheims ist. Der von den Figuren der zwölf Apostel umgebene Kuppelbau wird von einer Skulptur des heiligen Michael gekrönt.

Nationaltheater

Am Friedrichsring befindet sich das nach seiner Zerstörung hier neu erbaute Nationaltheater (1955–1957) mit Großem und Kleinem Haus. Es wurde durch die Uraufführungen von Schillers "Die Räuber", "Fiesco" sowie "Kabale und Liebe", 1782 bzw. 1784, berühmt.

*Luisenpark

Östlich vom Nationaltheater erstreckt sich der um 1900 entstandene, große Luisenpark mit Seebühne, Pflanzenschauhaus, Aquarium, Tiergehegen und dem 205 m hohen Fernmeldeturm (1975), der ein Drehrestaurant in 125 m Höhe besitzt. Seit der Park 1975 zur Bundesgartenschau erweitert wurde, gilt er als einer der schönsten Parkanlagen Deutschlands.

Planetarium

Nahe beim südöstlichen Ende des Luisenparks steht im Autobahnoval das Planetarium. Im Inneren der 20-m-Kuppel werden einstündige Multivision-Sternenshows inszeniert.

*Landesmuseum für Technik und Arbeit

Östlich des Autobahnovals (Museumsstraße 1) hat 1990 das Landesmuseum für Technik und Arbeit eröffnet. Es dokumentiert die Geschichte der Industrialisierung Deutschlands und die Sozialgeschichte. In einer Zeitspirale wandern die Besucher von oben nach unten ins 20. Jahrhundert. Täglich finden an 16 Stationen Vorführungen statt (z.B. Handpapierschöpfen, Drucken und Setzen, Automobilmontage usw.).

Museumsschiff Mannheim

Eine Außenstelle des Landesmuseums bildet das Museumsschiff "Mannheim" (mit Restaurant), das nahe der Kurpfalzbrücke auf dem Neckar liegt. Maschinenraum und Schiffsküche sowie zahlreiche Modelle, Fotos und Ausrüstungsgegenstände im Innern des alten Raddampfers machen die Geschichte der Rhein- und Neckarschiffahrt lebendig.

Herzogenriedpark

Jenseits des Neckars liegt der Herzogenriedpark, der wie der Luisenpark Bestandteil der Bundesgartenschau 1975 war, mit einer modernen Mehrzweckhalle, einem Freibad und einer Radrennbahn.

Hafen

Durch den Mannheimer Hafen werden Hafenrundfahrten von der Kurpfalzbrücke aus angeboten.

Umgebung von Mannheim

Ludwigshafen am Rhein

Die moderne rheinland-pfälzische Großstadt Ludwigshafen (172 000 Einwohner) liegt am linken Ufer des Rheins, unmittelbar gegenüber der badischen Stadt Mannheim. Sie ist weltbekannt als Sitz der BASF AG. Im Zentrum der Innenstadt (Berliner Str. 23) steht das 1979 eröffnete Wilhelm-Hack-Museum, dessen farbenfreudige Fassade von Joan Miró gestaltet worden ist. Durch seinen Sammlungsschwerpunkt "Klassische Moderne – speziell konstruktive und konkrete Kunst" erlangte das Museum internationales Ansehen. Wenige Schritte östlich sind im Pfalzbau (1968) Theater-

und Konzertsäle sowie Kongreßräume untergebracht. An der Heinigstraße wurde 1985 der Bau der Staatsphilharmonie eingeweiht. Im Norden der Innenstadt befindet sich das Rathauscenter mit dem 70 m hohen Rathaus (1979), einem Einkaufszentrum und dem Stadtmuseum. Im nordwestlichen Stadtteil Friesenheim liegt der schöne Ebertpark mit der Friedrich-Ebert-Halle, in der neben Shows und Sportwettkämpfen auch Ausstellungen gezeigt werden.

Mannheim,
Umgebung,
Ludwigshafen
(Fortsetzung)

Marburg an der Lahn   E 5

Bundesland: Hessen
Höhe: 180 m ü.d.M.
Einwohnerzahl: 75 000

Die hessische Universitätsstadt Marburg liegt reizvoll an der Lahn. Die malerische Altstadt zieht sich mit engen, gewundenen Straßen und Treppengassen halbkreisförmig am steilen Schloßberg hinauf. Moderne Akzente setzen die Instituts- und Klinikbauten der Universität. Marburg ist Sitz bedeutender pharmazeutischer und optischer Industrie.

Lage und
Allgemeines

Der Ort, der 1228 Stadtrechte erhielt, entstand im Schutz einer Burg. Vom 13. bis 17. Jh. war die zum Schloß umgebaute Burg die Residenz der Landgrafen von Hessen, der Nachkommen der heiligen Elisabeth. Diese war 1227 – nach dem Tode ihres Gatten, des Landgrafen Ludwig IV. von Thüringen – von der Wartburg nach Marburg übergesiedelt und widmete sich hier der Pflege der Kranken und Armen. Nach ihrer Heiligsprechung 1235

Geschichte

Bei einem Spaziergang an der Lahn kann man die Ruhe genießen. Hoch über Marburg erhebt sich das Schloß.

Marburg an der Lahn

Geschichte
(Fortsetzung)

wurden ihre Reliquien in der eigens für sie erbauten gotischen Kirche bewahrt: Marburg wurde so zu einem wichtigen Wallfahrtsort. 1527 gründete Landgraf Philipp der Großmütige von Hessen die nach ihm benannte Universität, die erste protestantische Hochschule in Deutschland, die für Forschung und Lehre weithin bekannt wurde. 1529 war das Schloß Stätte des berühmten Marburger Religionsgesprächs zwischen Luther und Zwingli.

Sehenswertes in Marburg

*St. Elisabeth

Im Norden der Stadt, etwa 600 m vom Kern der Altstadt entfernt, liegt der schönste Bau Marburgs: die berühmte St.-Elisabeth-Kirche (1235–1283), neben der Liebfrauenkirche in → Trier der früheste rein gotische Sakralbau Deutschlands. Die Ausstattung des Innern ist fast vollständig erhalten und umfaßt u.a. in der Sakristei den goldenen Schrein (um 1250), der bis 1539 die Reliquien der hl. Elisabeth von Thüringen enthielt, und im Chor eine hölzerne Statue der Heiligen (15. Jh.) sowie Glasgemälde aus dem 13. und 15. Jahrhundert. Im nördlichen Querschiff sind ein Marienaltar von 1517 und der Sarkophag (nach 1250) der hl. Elisabeth beachtenswert, im südlichen Querschiff die Grabmäler hessischer Fürsten (13.–16. Jh.) und im Langhaus ein Standbild der hl. Elisabeth in höfischer Kleidung (um 1470). In der Kapelle unter dem Nordturm befindet sich das Grab des Reichspräsidenten Paul von Hindenburg (1847–1934).

Mineralogisches
Museum

Am Deutschhausplatz, im ehemaligen Kornspeicher hinter der Elisabethkirche, befindet sich ein Mineralogisches Museum.

Universität mit
Klinik und Museum

Die Gebäude der Universität sind über das Stadtgebiet verteilt: Südlich der Elisabethkirche steht die Gebäudegruppe der Universitätskliniken, woran der schöne Alte Botanische Garten angrenzt. Das Universitätsmuseum für Bildende Kunst befindet sich weiter südöstlich, jenseits des Mühlgrabens, in der Biegenstraße (Ernst-von-Hülsen-Haus). Es zeigt neben Kunst nach 1500 vor allem Werke deutscher Maler des 19. und 20. Jahrhunderts. In einiger Entfernung, nämlich im Südosten der eigentlichen Altstadt, liegt reizvoll über der Lahn das 1874–1891 errichtete neugotische Gebäude der 1527 gestifteten Philipps-Universität mit der Universitätskirche (13./14. Jh.).

St. Kilian

Unweit nördlich erhebt sich mit der Kiliankirche die älteste erhaltene Kirche Marburgs (um 1200), die heute das Deutsche Grüne Kreuz beherbergt.

Markt und
Rathaus

Unweit oberhalb der Universitätskirche stehen am Markt mehrere reizvolle alte Fachwerkhäuser. Vom Treppenturm des schönen gotischen Rathauses (1525) ertönt stündlich der Hahn einer Spieluhr.

Marienkirche

Durch die Nikolaistraße gelangt man zur nördlich des Rathauses, auf halber Höhe des Schloßbergs gelegenen Marienkirche, einem ehemals romanischen, dann im 13./14. Jh. zur gotischen Hallenkirche umgebauten Gotteshaus. Sein schiefer Turm wurde zu einem Wahrzeichen Marburgs. Vom Kirchhof hat man einen schönen Blick auf die Altstadt.

Kugelkirche

Am Ende des Kirchplatzes führt der Weg zur Kugelkirche hinunter, einer spätgotischen Kirche (15. Jh.) mit sehenswerten Gewölbemalereien (1516) im Innern. Die Kirche erhielt ihren Namen vom Orden der Kugelherren, die eine kugelförmige Kopfbedeckung trugen.

Stadtmauerreste

Unweit östlich sind einige Teile der Stadtmauer aus dem 13. Jh. erhalten, so das romanische Kalbstor und der Bettinaturm.

*Schloß

Hoch über der Altstadt erhebt sich das Schloß (287 m), das vom 13. bis zum 17. Jh. Sitz der Landgrafen von Hessen und 1529 Stätte des berühmten Marburger Religionsgesprächs zwischen Luther und Zwingli war. Im Wilhelmsbau (15. Jh.) des Schlosses befindet sich u.a. das Museum für

Kulturgeschichte, das neben vielen anderen Kunstwerken auch mehrere Ausstattungsstücke der Elisabethkirche besitzt. Zu besichtigen sind außerdem der großartige Rittersaal (um 1300) im Wilhelmsbau sowie die Schloßkapelle (13. Jh.). Interessant ist ein geführter Rundgang durch die Kasematten (Festungsräume).

Marburg
an der Lahn,
Schloß
(Fortsetzung)

Umgebung von Marburg

Im fruchtbaren Amöneburger Becken an der Ohm liegt 12 km östlich von Marburg das Städtchen Kirchhain mit Resten der Stadtbefestigung und einem stattlichen Fachwerk-Rathaus von 1562.

Kirchhain

Rund 2 km südlich von Kirchhain thront hoch über der Ebene auf einer isolierten Basaltklippe das Städtchen Amöneburg. Nicht nur aufgrund dieser exponierten Lage fühlt man sich hier fast in die Provence versetzt. Hier gründete der hl. Bonifatius im Jahre 722 das erste Kloster in Hessen; von der Ruine der aus dem 12.–14. Jh. stammenden Burg hat man einen prächtigen Rundblick.

Amöneburg

Mecklenburgische Seenplatte H–K 2

Bundesland: Mecklenburg-Vorpommern

Die rund tausend Seen im mecklenburgischen Binnenland, zwischen → Schwerin im Westen und der → Uckermark im Osten, werden Mecklenburgische Seenplatte genannt. Die vielen kleinen, oft sehr versteckt gelegenen und von Schilfgürteln umgebenen Seen liegen eingebettet in eine herrliche Naturlandschaft, die bereits zu DDR-Zeiten als Erholungsgebiet hochgeschätzt wurde. Da die meisten Seen durch Kanäle oder natürliche Wasserwege miteinander verbunden sind, gelten sie als El Dorado für Wasserwanderungen, aber auch Naturbegeisterte und Badeurlauber kommen hier auf ihre Kosten. Besonders viele Seen gibt es im Westteil des Gebiets um den Schweriner See. Die Infrastruktur bietet vor allem für Campingferien gute Möglichkeiten; aber auch das Angebot an Hotels und Ferienwohnungen hat sich in den vergangenen Jahren durch die gestiegene Nachfrage vergrößert. Ein abwechslungsreiches Kulturprogramm und zahlreiche Sehenswürdigkeiten erwarten die Besucher vor allem in den drei größeren Städten im Seengebiet, nämlich in → Schwerin, → Güstrow und → Neubrandenburg.

Lage und
Allgemeines

**Ferienparadies

Die Entstehung der Mecklenburgischen Seenplatte hängt mit Vorgängen während der letzten Eiszeit zusammen, als durch das Vordringen der Gletscher Vertiefungen ausgehoben wurden, die sich später mit Wasser füllten. Die größten Gewässer der Seenplatte sind die Müritz mit 115 km² und der Schweriner See mit 64 km². Besonders stark häufen sich die Seen im Bereich des Schweriner Sees (→ Schwerin, Umgebung) sowie im Gebiet zwischen Sternberg und Krakow. Nach Osten schließen daran zwischen Plau und Waren die "Großen Seen" an: der Plauer See (39 km²), der Fleesensee (11 km²), der Kölpinsee (20 km²) und schließlich die Müritz. Nach Südosten setzt sich das Gewässerband in den Kleinseen um Neustrelitz und in den Feldberg-Lychener Seen fort. Auch der Tollensesee (17 km²) bei → Neubrandenburg und die Ückerseen in der → Uckermark werden noch zur Mecklenburgischen Seenplatte gezählt. Im Norden der Seenplatte liegt die Mecklenburgische Schweiz mit dem Malchiner See (14 km²), dem Kummerower See (33 km²) und dem Teterower See.

Entstehung
und Gebiet

Im folgenden werden die größeren Seen ihrer Lage nach, von Nordwest nach Südost, beschrieben. Der Schweriner See findet sich als Umgebungsziel von → Schwerin.

Hinweis

Krakower See und Umgebung

Lage und
*Landschaftsbild

Der rund 16 km² große Krakower See erstreckt sich etwa 20 km südöstlich von Güstrow. Mit seinen vielen Buchten und Inselchen bietet er ein malerisches Bild. Der Tourismus um den See konzertriert sich vor allem auf das gleichnamige Städtchen an der Westseite. Eines der interessantesten Naturschutzgebiete der Region ist der Krakower Obersee, an dessen Ufer zahlreiche Vogelarten brüten. Mit etwas Glück kann man hier See- und Fischadler beobachten. Der See ist für den Sportbootverkehr gesperrt.

Krakow am See

Der Luftkurort Krakow am See (3300 Einw.) ist wegen seiner idyllischen Lage ein beliebtes Erholungsziel. Die vermutlich um 1200 gegründete Stadt verlor durch mehrere Brände ihre mittelalterliche Bebauung fast vollständig.
Die Stadtkirche, ein barocker Backsteinbau, entstand 1762 an der Stelle einer mittelalterlichen Kirche, von der der Ostgiebel erhalten blieb. An die ehemalige jüdische Gemeinde erinnern der Jüdische Friedhof und die Synagoge (um 1860).

Gräber und
Steinsetzungen

In der Umgebung von Krakow gibt es zahlreiche sog. Hünen- und Hügelgräber (u. a. Serrahn, Marienhof, Kuchelmiß, Charlottenthal, Groß Tessin, Klein Tessin) und ringförmige Steinsetzungen, sog. Steintänze (u. a. bei Bellin und auf Lindwerder).

Nebeltal

Bei Kuchelmiß, 2 km vom Nordufer des Krakower Sees entfernt, beginnt ein Wanderweg ins wild-romantische, streckenweise sehr enge Nebeltal.

Mecklenburgische Schweiz

Lage und
*Landschaftsbild

Mecklenburgische Schweiz wird die stark hügelige Seenlandschaft genannt, die sich östlich von Güstrow, in etwa zwischen Teterow und Malchin, ausbreitet. Den Reiz dieser Landschaft machen vor allem die vergleichsweise starken Höhenunterschiede und der Wechsel von Äckern, Wäldern, Wiesen und Seen aus. Für einen Panoramablick über die Mecklenburgische Schweiz empfiehlt sich der Weg auf den 96 m hohen Röthelberg oder auf den 93 m hohen Heidberg, beide bei Teterow.

Teterow

Teterow (11 000 Einw.) war bis ins 19. Jh., als sich hier auch Industrie ansiedelte, eine Ackerbürger- und Handwerkerstadt. Nach 1945 entwickelte sich Teterow zum Mittelpunkt der landwirtschaftlichen Umgebung und zu einem regionalen Fremdenverkehrszentrum. Zwei der ehemals drei mittelalterlichen Stadttore sind erhalten; ebenso die gotische Stadtpfarrkirche St. Peter und Paul. Auf der Insel im Teterower See stehen noch die Reste einer slawischen Fliehburg. Nordwestlich außerhalb der Stadt liegt der Teterower Bergring, eine bekannte Grasbahnstrecke für Motorradrennen. Einen herrlichen Blick auf die Stadt, die Hügelkuppen und Seen der Mecklenburgischen Schweiz genießt man vom Aussichtsturm auf der südlichsten Erhebung der Teterower Heidberge, die im Nordwesten der Stadt bis zu einer Höhe von 100 m ansteigen.

Malchin

Etwa 10 km östlich von Teterow, an der Peene, liegt das Städtchen Malchin (10 000 Einw.), das im Zweiten Weltkrieg fast völlig zerstört wurde. Erhalten blieb die sehenswerte Stadtkirche St. Maria und Johannes mit einem kostbaren, spätgotischen Schnitzaltar und einer Renaissancekanzel.

Malchiner See
Basedow
*Burg Schlitz
Remplin

Empfehlenswert ist eine Fahrt um den Malchiner See, der sich südwestlich der Stadt ausbreitet. Nach 8 km erreicht man das Dorf Basedow mit sehenswerter Dorfkirche, Renaissanceschloß und hübschem Park. Vielbesucht ist das schön gelegene Schloß Burg Schlitz südwestlich des Sees, oberhalb der B 108 nach Teterow. Die Anlage aus dem 19. Jh. wird z. Zt. für ein Unternehmen umgebaut, besichtigen kann man den weitläufigen, verwilderten Park im Stil englischer Landschaftsgärten. Auch Remplin, an der B 104 zwischen Teterow und Malchin gelegen, besitzt ein Schloß (zum Teil zerstört), zu dem ein herrlicher Landschaftsgarten gehört.

Malchiner See, Remplin (Fortsetzung)

Knapp 35 km nordöstlich von Malchin, am Zusammenfluß von Peene, Tollense und Trebel, liegt Demmin (16000 Einw.). Die ehemalige Hansestadt wurde am Ende des Zweiten Weltkriegs fast völlig niedergebrannt und besitzt außer der spätgotischen Pfarrkirche St. Bartholomaei aus dem 14. Jh., dem Luisentor und einem Pulverturm keine nennenswerten Baudenkmäler.

Demmin

Müritz und Umgebung

Die Müritz ist das größte Gewässer der Mecklenburgischen Seenplatte und nicht erst seit der Wiedervereinigung eine Ferienregion par excellence. Bade- und Wassersportmöglichkeiten, aber auch unberührte Natur im Nationalpark am Ostufer der Müritz locken vor allem im Sommer viele Feriengäste an Deutschlands zweitgrößten See (115 km²). Der Name Müritz ist aus dem Slawischen abgeleitet und bedeutet soviel wie "kleines Meer". Die Müritz ist im Durchschnitt 6,50 m tief und durch den Müritz-Havel-Kanal mit der oberen Havel und zahlreichen Seen dieses Gebietes verbunden.

Allgemeines und *Landschaftsbild

Der 1990 eingerichtete Nationalpark gehört zu den landschaftlichen Highlights Mecklenburg-Vorpommerns. Er umfaßt im wesentlichen zwei Teile, das Ostufer der Müritz zwischen Waren und Neustrelitz sowie ein wesentlich kleineres Gebiet zwischen Neustrelitz und Feldberg. Urwälder, schilfgesäumte Seen, Sümpfe und Wiesen prägen das Landschaftsbild des 310 km² großen Nationalparks. Das Gebiet bietet zahlreichen seltenen Tierarten (z.B. Kranichen, See- und Fischadlern) Lebensraum. Wanderwege führen durch den Park; auch naturkundliche Führungen werden angeboten.

**Nationalpark Müritz

Im Herzen der Mecklenburgischen Seenplatte, umgeben von Wald und Wasser, liegt malerisch das Städtchen Malchow mit seiner Klosterkirche.

Mecklenburgische Seenplatte

Waren

Die am Nordufer der Müritz, an der sog. Binnenmüritz, gelegene Stadt (23 000 Einw.) ist bereits seit dem 19. Jh. touristischer Mittelpunkt der Müritz-Region mit gut ausgebauter Infrastruktur und vielen Freizeitmöglichkeiten (Wassersport, Baden, Wandern, organisierte Ausflüge in den Nationalpark, Müritzrundfahrten etc.). Auf dem höchsten Punkt von Waren thront die gotische Pfarrkirche St. Georg (um 1225; später mehrfach verändert), das älteste Bauwerk der Stadt. Die Pfarrkirche St. Marien (13. Jh.), ursprünglich ein dreischiffiger frühgotischer Bau, wurde nach Brand 1792 einschiffig wiederhergestellt. Der interessanteste Profanbau der Stadt ist das im Stil der Tudorgotik errichtete Alte Rathaus am Neuen Markt (1797 und 1857); der Fachwerkbau ihr gegenüber stammt aus dem Jahr 1623 (Löwenapotheke). Das Müritz-Museum (Friedensstr. 5), 1866 gegründet, zeigt u. a. ur- und frühgeschichtliche Funde aus Mecklenburg sowie Sammlungen zur Tier- und Pflanzenwelt der Müritz-Landschaft.

**Kölpinsee
Wisentgehege**

Etwa 8 km westlich von Waren ragt die Halbinsel Damerower Werder in den Kölpinsee. In einem weitläufigen Naturgehege werden Wisente (seltene, dem Bison verwandte Wildrinder) gehalten, die man bei der täglichen Fütterung sogar aus der Nähe beobachten kann.

∗Röbel

In einer Bucht am Westufer der Müritz, 24 km südlich von Waren, liegt der vielbesuchte Erholungsort Röbel (6000 Einw.). Die frühgotische Backsteinhalle St. Marien (im Innern Flügelaltar und Triumphkreuzgruppe), die neogotisch umgestaltete Nikolaikirche (Taufstein und Chorgestühl von 1519) und Reste der Stadtbefestigung können besichtigt werden.

Malchow

Die Kleinstadt Malchow (8000 Einw.) breitet sich 16 km westlich von Waren, an der schmalen Verbindung zwischen Fleesensee und Plauer See aus. In der Altstadt von Malchow – auf einer Insel gelegen – sind die neugotische Klosterkirche (1844–1849) und das Fachwerk-Rathaus (18. Jh.) sehenswert. 6 km nordwestlich außerhalb der Stadt, in Alt Schwerin, lohnt das Agrarhistorische Museum einen Besuch.

Plauer See und Umgebung

**Allgemeines und
∗Landschaftsbild**

Der langgezogene, im Durchschnitt nur 8 m tiefe Plauer See ist mit 39 km^2 das drittgrößte Gewässer in Mecklenburg-Vorpommern. Er wird von der Elde durchflossen und ist somit Teil der Elde-Müritz-Wasserstraße, die von der Müritz bis zum Schweriner See reicht. Bereits um die Mitte des 19. Jh.s setzte hier der Fremdenverkehr ein. Am Südufer des Plauer Sees entstand in Bad Stuer 1845 eine Kaltwasserheilanstalt. Der mecklenburgische Mundartdichter Fritz Reuter weilte dort als Kurgast und berichtete darüber auf humorvolle Weise in seinem Roman "Ut mine Stromtid".

Plau

Am Westufer des Plauer Sees, dort, wo die Elde bei einer Schleuse den See verläßt, liegt Plau (6300 Einw.). Die Stadt wurde 1225/1226 planmäßig erbaut, 1288 mit Mauer und Graben umgeben und durch eine Festung gesichert, von der ein 12 m hoher Burgturm mit 3 m starken Mauern erhalten ist. Im 19. Jh. erlebte die Stadt vor allem durch die Tuchherstellung eine kurze Periode industrieller Blüte. Bis heute hat sich Plau mit seinen Fachwerkhäusern den Charme einer typisch mecklenburgischen Ackerbürgerstadt bewahrt. In der abwechslungsreichen, von Wald und Seen geprägten Umgebung gibt es viele Möglichkeiten zur aktiven Erholung, insbesondere für unterschiedliche Wassersportarten.

Neustrelitz und Umgebung

Neustrelitz

Die barocke Kleinstadt (25 000 Einw.) liegt am Zierker See und ist das Tor zum Neustrelitzer Seengebiet, auch bekannt unter dem Namen Neustrelitzer Kleinseenplatte. Nach dem Brand des Schlosses in Altstrelitz (1712)

Neustrelitz
(Fortsetzung)

verlegten die Herzöge von Mecklenburg-Strelitz ihre Residenz hierher, ließen das Schloß bauen (1726–1731) und gründeten das dazugehörige Städtchen (1733), das bis 1918 Herzogsresidenz blieb.

Mittelpunkt der Innenstadt ist der Markt, von dem strahlenförmig acht breite Straßen wegführen. Die Bebauung stammt überwiegend aus der zweiten Hälfte des 19. Jh.s. An der Ostseite des Platzes zieht das Rathaus (1841) die Blicke auf sich. Die barocke Stadtkirche (1768–1778) erhielt 1831 ihren 45 m hohen Turm. Auch in den benachbarten Straßenzügen prägen Wohnhäuser aus dem 18. und 19. Jh. das Bild.

*Schloßgarten

Das Schloß der Herzöge von Mecklenburg-Neustrelitz wurde 1945 zerstört; erhalten blieb der ebenfalls im 18. Jh. angelegte Barockgarten, der im 19. Jh. unter Beibehaltung der Hauptachse in einen Landschaftspark umgewandelt wurde. Bestandteil der Gartenanlage sind auch verschiedene Parkbauten wie der kleine Tempel zu Ehren von Königin Luise von Preußen mit einer Marmorkopie ihrer Grabfigur, der runde Hebetempel in der Hauptachse (1840), Marstall (1870), Landestheater Mecklenburg (1926/1928, erneuert nach 1945) und Orangerie (1755 als Wintergarten entstanden, 1842 zum Gartensalon umgebaut und heute u. a. Restaurant). Aus dem barocken Park stammen noch die Sandsteinfiguren der sogenannten Götterallee (Kopien). Am Südostrand des Parks steht die neogotische Schloßkirche (1859). Südöstlich vor dem einstigen Schloß liegt der 1721 entstandene Tiergarten mit Gehegen und altem Baumbestand.

Zu den Fremdenverkehrszentren im Gebiet der Mecklenburgischen Seenplatte gehört auch das Städtchen Plau mit seinen vielen Fachwerkhäusern.

Ankershagen

In Ankershagen (B 193, 20 km nördlich bis Penzlin, dann 8 km westlich) verbrachte der berühmte Altertumsforscher Heinrich Schliemann seine Kinderjahre. Im ehemaligen Pfarrhaus ist ein Schliemann-Museum eingerichtet, davor steht ein begehbarer Nachbau des Trojanischen Pferdes. Neben der gotischen Dorfkirche mit mittelalterlichen Fresken ist das ehemalige Gutshaus bemerkenswert, das im Kern auf das 16. Jh. zurückgeht. Südlich des Ortes erstreckt sich das Landschaftsschutzgebiet Havelquellseen.

Neustrelitzer Seengebiet

Allgemeines und *Landschaftsbild

Das Neustrelitzer Seengebiet, eine nahezu unberührte Seenlandschaft mit über 300 Gewässern, erstreckt sich zwischen der Müritz im Nordwesten und der Lychen–Templiner Seenplatte im Südosten und reicht nach Süden bis Mirow und Rheinsberg. In dem großenteils waldbedeckten Hügelland (Höhe zwischen 80 und 120 m) liegen Talrinnen mit kleinen Seen, Heidelandschaften und kiefernbestandene Talsandflächen. Dünen wechseln mit Laubwäldern. Nur kleinere Flächen werden landwirtschaftlich genutzt. Oft sind in den einzelnen Rinnen mehrere Seen hintereinander angeordnet, von trockenen Senken oder feuchten Wiesenniederungen unterbrochen. Auch die Havel, die im Neustrelitzer Seengebiet entspringt, ist mal Fluß und mal See. Der Müritz-Havel-Kanal stellt die Verbindung zu Müritz, Kölpinsee, Fleesensee und Plauer See her.

Wesenberg

12 km südwestlich von Neustrelitz, am Ufer des Wöblitzsees, liegt das Städtchen Wesenberg (3000 Einw.), das als planmäßig angelegte Gründung ab der Mitte des 13. Jh.s entstanden war (Reste der Burg am Seeufer). Wesenberg eignet sich als Ausgangspunkt für Wasserwanderungen; am Großen Weißen See gibt es ein Strandbad.

Mirow

Auch Mirow (4000 Einw.), knapp 12 km westlich von Wesenberg, ist ein beliebter Ferienort im Neustrelitzer Seengebiet (Bootsverleih, Campingplatz). Das barocke Schloß (1752) mit einem Renaissancetor (1588) und einer romantischen "Liebesinsel" wird z. Zt. renoviert. In der gotischen Kirche (ehem. Johanniterkomturei) befindet sich die herzogliche Gruft (1821/22).

Fürstenberg

Fürstenberg (6000 Einw.) liegt 20 km südlich von Neustrelitz auf drei Inseln zwischen Röblin-, Baalen- und Schwedtsee an der Havel. Als Ferienort in wald- und seenreicher Umgebung wird es ebenfalls gern besucht. Klassizistische Bauten prägen das Bild der Innenstadt. Ältestes Bauwerk der Stadt ist die Alte Burg, von der noch drei Flügel erhalten sind. Das Schloß (1752; heute Krankenhaus) ist ein massiver barocker Putzbau. Die Stadtkirche wurde 1845–1848 im neobyzantinischen Stil erbaut.

Ravensbrück

Im Fürstenberger Ortsteil Ravensbrück befand sich 1939–1945 ein Konzentrationslager, an dessen Opfer seit 1959 ein Gedenkmuseum erinnert. In der ehemaligen Kommandantur befindet sich heute das Museum des antifaschistischen Widerstands.

Himmelpfort

In Himmelpfort, 5 km östlich von Fürstenberg, ist die ehemalige Klosterkirche sehenswert, ein gotischer Backsteinbau (14. Jh.; im Westteil Ruine, der Ostteil 1663 in vereinfachter Form erhalten), ferner das ehemalige Brauhaus, ein spätgotischer Backsteinbau mit Blendgiebel.

Großer Stechlinsee

Den 68 m tiefen, blaugrün schimmernden See beschrieb Theodor Fontane in seinem Roman "Der Stechlin". Dem großen Dichter ist in Neuglobsow ein kleines Museum gewidmet.

Lychen

In Lychen, 13 km nordöstlich von Fürstenberg, sind Teile der Stadtmauer, das Stargarder Tor und die Ruine des Fürstenberger Tores erhalten. Die Pfarrkirche St. Johannes ist ein frühgotischer Granitbau mit Backsteinteilen und Glasgemälden (11. Jh.). Die Lage Lychens inmitten ausgedehnter Wälder begünstigte die Entwicklung zu einem vielbesuchten Erholungsort.

Feldberg-Lychener Seenlandschaft

Lage und **Landschaftsbild

Nach Nordosten setzt sich das Gewässerband bis in die Feldberg-Lychener Seenlandschaft fort, eine der schönsten Erholungsregionen Mecklenburg-Vorpommerns. Paradebeispiel für einen Rinnensee, der durch die eiszeitlichen Gletscher seine Form erhielt, ist der 6 km lange und maximal nur 300 m breite, von Buchenwäldern umrahmte Schmale Luzin, der eine Tiefe

*Die vielen Bademöglichkeiten im Seengebiet Mecklenburgs machen
die Region zu einem begehrten Urlaubsparadies.
Hier wird im Großen Stechlinsee geplanscht.*

von bis zu 50 m erreicht. Einen herrlichen Blick über die reizvolle Seenland-schaft hat man vom 142 m hohen Reiherberg. Im Naturschutzgebiet Heilige Hallen westlich von Feldberg stehen bis zu 350 Jahre alte und mehr als 40 m hohe Rotbuchen (Wanderweg).

Feldberg (3000 Einw.), 30 km östlich von Neustrelitz in malerischer Umge-bung am Haussee gelegen, ist das touristische Zentrum der Feldberg-Ly-chener Seenlandschaft. Im Feldberger Ortsteil Carwitz am gleichnamigen See lebte und arbeitete der Schriftsteller Hans Fallada 1933–1944. Sein Wohnhaus kann besichtigt werden.

Die Templiner Seen bilden den östlichen Teil der Mecklenburgischen Seen-platte und reichen bis in die hügelige Seenlandschaft in der → Uckermark hinein. In der Nachbarschaft der Stadt Templin bilden vier lange Rinnen-seen das Templiner Seenkreuz: Templiner Stadtsee (3 km), Röddelinsee (4 km), Fährsee (4 km) und Lübbesee (10 km).

Mecklenburgische
Seenplatte
(Fortsetzung)

Feldberg

*Templiner Seen

Meiningen

G 5

Bundesland: Thüringen
Höhe: 286 m ü.d.M.
Einwohnerzahl: 25 900

Zwischen Rhön und Thüringer Wald liegt im oberen Werratal die Stadt Mei-ningen, die durch eine außergewöhnliche Kunst- und Theaterpflege seit dem 19. Jahrhundert zu einem bis heute bekannten Kulturzentrum Thürin-gens wurde.

Lage und
Allgemeines

Meiningen

Geschichte

Im Jahre 982 erstmals urkundlich genannt und 1152 zur Stadt erhoben, wurde der Ort ab 1680 Residenzstadt des Herzogtums Sachsen-Meiningen. Aufgeklärte Herrscher korrespondierten, dem Geist der Zeit gemäß, mit freisinnigen Denkern. Im Dezember 1782 suchte der junge Friedrich Schiller auf der Flucht vor seinem württembergischen Landesherrn im nahen Bauerbach Zuflucht. Zu den berühmtesten Bürgern der Stadt gehört Ludwig Bechstein (1801–1860), der als Sammler und Herausgeber deutscher Sagen und Märchen den Gebrüdern Grimm nur wenig nachstand. Der "Theaterherzog" Georg II. förderte das Musik- und Theaterschaffen: "Die Meininger" entwickelten sich rasch zu einem der berühmtesten Theaterensembles Europas. An der Meininger Hofkapelle wirkten so berühmte Dirigenten wie Hans von Bülow (1880–1885), Richard Strauss (1885/1886) und Max Reger (1911–1914).

Oben im Turm von Schloß Elisabethenburg ...   *... befindet sich der Hessensaal mit Café.*

Sehenswertes in Meiningen

*Schloß
Elisabethenburg
mit Museum

Schloß Elisabethenburg, einstmals Residenzschloß, ist heute Sitz der Staatlichen Museen. Die barocke Dreiflügelanlage (1682–1692) wurde zum Teil auf einer spätgotischen Burg errichtet. Zahlreiche Schloßräume haben eine prachtvolle Innenausstattung, besonders das Treppenhaus, der Turmsaal, der Gartensaal und im Südflügel der "Johannes-Brahms-Saal", die ehemalige Schloßkirche. Die Staatlichen Museen umfassen eine wertvolle Kunstsammlung mit Gemälden europäischer Meister des 15.–19. Jh.s, ein Theatermuseum, das die Entwicklung der Meininger Theaterreform verdeutlicht, eine musikhistorische Abteilung, die die Geschichte der Hofkapelle und einiger hervorragender Musiker und Dirigenten dokumentiert, eine kulturhistorische Abteilung (Baumbachhaus, Burggasse 22; u.a. Literaturmuseum mit Darstellung der Beziehungen Schillers und anderer Dichter zu Meiningen, ferner südthüringische Trachten) sowie eine naturwissenschaftliche Abteilung. Im Hessensaal befindet sich das Turmcafé.

Nördlich des Stadtkerns liegt das berühmt gewordene Theater (1808) am Westrand eines schönen Parks, eines Englischen Gartens, der 1782 von prominenten Gestaltern angelegt wurde. Inmitten eines Sees steht das Grabmal Herzog Karls, das dem Jean Jacques Rousseaus nachgebildet ist.

Meiningen (Fts.)
Theater und
Goethe-Park

Im Mittelpunkt des ansonsten wenig aufsehenerregenden Stadtkerns steht am Marktplatz die 1884–1889 unter Verwendung alter Bauteile in neugotischem Stil errichtete Stadtkirche. Einige Bürgerhäuser aus dem 16.–18. Jh. sind erhalten, z. B. das Büchnersche Hinterhaus (Georgenstr. 20), die Alte Posthalterei (Ernestiner Str. 14) und das Steinerne Haus (Anton-Ulrich-Str. 43).

Stadtkern mit
Stadtkirche

Umgebung von Meiningen

Das Dörfchen Bauerbach, 10 km südlich von Meiningen, war von Dezember 1782 bis Juli 1783 Zufluchtsort des "desertierten" Karlsschülers und Verfassers der "Räuber", Friedrich Schiller, der im Hause Henriettes von Wolzogen eine Unterkunft fand. Hier arbeitete der Dichter an verschiedenen Dramen (u.a. "Luise Millerin", "Kabale und Liebe"; "Don Carlos").
Im einstigen Wolzogenschen Anwesen, dem heutigen Schillerhaus, veranschaulicht ein Museum die Lebensumstände des jungen Schiller.

Bauerbach

*Schiller-Museum

Rund 25 km südöstlich von Meiningen liegt Römhild mit der Marienkirche, in der sich Grabdenkmäler von Otto IV. und Hermann VII. befinden, die von der berühmten Gießerwerkstatt Peter Vischer in Nürnberg hergestellt wurden. Im Töpferhof werden die Traditionen des Römhilder Töpfergewerbes bewahrt und fortgeführt. Das Steinsburg-Museum auf dem Kleinen Gleichberg zeigt u.a. Funde, die man dort – auf dem größten archäologischen Bodendenkmal Thüringens – ausgegraben hat. Auf dem Berg stand gegen Ende des 6. Jh.s v. Chr. eine keltische Burganlage.

Römhild

Im 5 km nordwestlich von Meiningen gelegenen Walldorf steht die am besten erhaltene von 110 Wehrkirchen dieser Region: eine Kirchenburg aus dem 15. Jahrhundert. Ferner gibt es mehrere Fachwerkbauten sowie eine Märchen- und Schauhöhle, die größte von Menschenhand geschaffene Höhle Europas, in der zahlreiche Märchenszenen zu sehen sind. In der Sandhöhle erhält man außerdem einen Überblick über die Geologie dieses Raumes, und es sind Arbeitsgeräte der Sandmacher ausgestellt.

Walldorf

In der für ihren jahrhundertealten Karneval bekannten Stadt Wasungen, die 12 km nordwestlich von Meiningen liegt, gibt es ebenfalls zahlreiche Fachwerkbauten, so das spätgotische Rathaus, das Amtshaus und viele Bürger- und Adelshäuser. Die Stadtkirche entstand aus älteren Teilen zwischen 1584 und 1596 als einschiffiger Renaissancebau mit im Kern spätgotischem Turm. Im Inneren ist wertvolles Schnitzwerk (17. Jh.) erhalten. Der Turm "Pfaffenburg" von 1387 ist ein Rest der Stadtbefestigung.

Wasungen

Die Heimatstube Schwarza – mit alten Trachten, Möbeln, Hausrat und Arbeitsgeräten – befindet sich in der 12 km nordöstlich von Meiningen gelegenen ehemaligen Wasserburg, mit deren Bau im 13. Jh. begonnen wurde.

Schwarza

Meißen   K 4

Bundesland: Sachsen
Höhe: 109 m ü.d.M.
Einwohnerzahl: 36 000

Das 15 km nordwestlich von → Dresden an der Mündung von Triebisch und Meisa in die Elbe liegende Meißen gilt als die "Wiege Sachsens", denn hier gründeten die deutschen Kaiser auf ihrem Weg nach Osten die erste

Lage und
Allgemeines

Meißen

Siedlung auf slawischem Gebiet. Aber nicht ihre über tausendjährige Geschichte hat den Namen der Stadt über die Grenzen getragen, sondern die Meißener "Blauen Schwerter", das Zeichen der ersten europäischen Porzellanmanufaktur, sind es, die Meißen weltweit bekannt gemacht haben. An Historie und Porzellan orientiert sich daher der Besuch der Stadt, hinzu kommt der Wein aus Deutschlands kleinstem Anbaugebiet.

Geschichte

Meißen ist aus der 929 unter Heinrich I. auf slawischem Gebiet gegründeten Burg "Misni" entstanden, die 968 zum Bischofssitz erhoben wurde. Die Wettiner, seit 1125 Besitzer der Markgrafschaft Meißen, machten die Siedlung zu ihrer Residenz. 1150 erstmals urkundlich als Stadt erwähnt, erreichten wirtschaftlicher Aufstieg und rege Bautätigkeit bald ihren ersten Höhepunkt mit der planmäßigen Anlage der Stadt und dem Bau des Doms, des Bischofsschlosses und der Albrechtsburg. Mit der sächsischen Landesteilung, der Verlegung der Residenz nach Dresden sowie der Auflösung des Bistums zur Zeit der Reformation verlor Meißen seine politische Bedeutung. Wirtschaft und Kultur dagegen gelangten zu dieser Zeit zu neuen Höhepunkten, wie die Einrichtung der Meißner "Fürstenschule" im Kloster St. Afra 1543 zeigt. Im Dreißigjährigen Krieg wurde Meißen durch eine Feuersbrunst schwer beschädigt. Einen großen Beitrag zum Wiedererstehen leistete die 1710 auf der Albrechtsburg gegründete Königliche Porzellanmanufaktur. Nach der napoleonischen Besetzung war Meißen Ziel romantischer Dichter wie Friedrich von Hardenberg (Novalis) und von Malern wie Caspar David Friedrich und Adrian Ludwig Richter. Den Zweiten Weltkrieg hat die Stadt ohne schwere Schäden überstanden, doch in 40 Jahren DDR unterblieben Maßnahmen zur Erhaltung der historischen Bausubstanz. Dies wurde in den vergangenen Jahren nachgeholt.

Burgberg

*Albrechtsburg

Weithin sichtbar ragen auf dem Burgberg die Albrechtsburg, der Dom und das ehemalige Bischofsschloß über Stadt und Strom auf.
Die 929 gegründete Albrechtsburg wurde in ihrer heutigen Gestalt von 1471 bis 1500 von Arnold von Westfalen, dem bedeutenden Baukünstler des ausgehenden Mittelalters, als Wohn- und Regierungssitz der Wettiner Fürsten Ernst und Albrecht geschaffen. Sie gilt als einer der schönsten Profanbauten der Spätgotik. Herausragend sind der große Wendelstein – eine repräsentative Wendeltreppe an der Hofseite – sowie die Reliefs von Christoph Walther I. im ersten Obergeschoß (1524). Die Ausmalung vieler Räume stammt von der Erneuerung um 1870. Ausstellungen informieren über die Burgarchitektur und die Geschichte der Porzellanmanufaktur.

*Dom

Der größte Schatz des um 1260 begonnenen und 1477 durch Arnold von Westfalen vollendeten Doms sind die Stifterfiguren, geschaffen von Meistern der Naumburger Werkstatt. Die Mitte des 13. Jh.s hergestellten Skulpturen stellen u.a. Kaiser Otto I. und seine Gemahlin Adelheid dar. Weiterhin beachtenswert sind die Gräber der Kurfürsten Friedrich der Streitbare und Georg sowie Kruzifix und Kandelaber aus Meißner Porzellan des berühmten Porzellanmodelleurs Johann Joachim Kändler.

Domplatz

Um den Domplatz versammeln sich einige stattliche Gebäude, darunter die Domherrenhöfe, das Kornhaus, der Domkeller (Meißens ältestes Gasthaus) und der Burgkeller, von dessen Gartenterrasse man einen herrlichen Blick auf die Stadt und die Elbe hat.

Innenstadt

Markt

Am Markt erhebt sich das spätgotische Rathaus (um 1472), das durch seine Blendgiebel auffällt. Der Platz ist gesäumt von ansehnlichen Bürgerhäusern aus Renaissance und Neorenaissance wie der Marktapotheke von

Vom Turm der Frauenkirche Meißens geht der Blick
über den Markt zum Burgberg.

1560. Diese Reihe stattlicher Häuser setzt sich fort In der zum Burgberg hinaufführenden Burgstraße, in der an der Ecke zum Markt die Verkaufsstube der Sächsischen Winzergenossenschaft zum Probeschluck einlädt.
In die Südwestecke des Markts ragt der Chor der Frauenkirche (15. Jh.) hinein, die einen wertvollen spätgotischen Altar besitzt. Im Turm hängt das erste Porzellanglockenspiel der Welt (1929). Nachbarn der Kirche sind das alte Brauhaus (1569) und das Tuchmachertor, eines der schönsten Renaissance-Denkmale, sowie die historische Weinschenke "Vincenz Richter".

Hinter der Frauenkirche steigt man die Frauenstufen hinauf zum Afraberg und zur Afranischen Freiheit, einer abgeschlossenen Renaissancesiedlung mit der Kirche St. Afra (um 1300), der Afranischen Pfarre mit Renaissance-Eckerker von 1535 und dem Jahnaischen Friedhof. In der Nähe steht die berühmte ehemalige Fürstenschule St. Afra. Als Sächsische Landesschule unter Herzog Moritz 1543 gegründet, sollte sie junge Menschen aus allen Bevölkerungsschichten auf die Universität vorbereiten. Bedeutende Schüler waren u.a. Lessing, Gellert und Rabener.

Im Triebischtal, ca. 10 Minuten Fußweg vom Marktplatz entfernt, hat seit 1863 die 1710 auf der Albrechtsburg gegründete Staatliche Porzellanmanufaktur Meißen ihren Sitz. Gegenüber des Gebäudes ehrt eine Büste Johann Friedrich Böttger (1682–1719), der – von wesentlichen Vorarbeiten durch Ehrenfried Walther von Tschirnhaus (1651–1708) profitierend – das europäische Hartporzellan erfunden hat.
In der Schauhalle werden ca. 3000 der mehr als 20000 entworfenen Modelle von den Anfängen bis zur jüngsten Produktion ausgestellt. In der Schauwerkstatt kann man den Formern, Drehern, Bossierern (die die Teile einer Figur zusammensetzen) und den Malern über die Schulter sehen.
(Öffnungszeiten: Schauhalle: tgl. 9.00–17.00 Uhr; Schauwerkstatt: 9.00 bis 12.00 und 13.00–16.45 Uhr)

Markt
(Fortsetzung)

Frauenkirche

Afraberg

**Staatliche
Porzellan-
manufaktur

Schauhalle

Meißen
(Fortsetzung)
Weitere Sehens-
würdigkeiten

Die ehemalige Franziskanerkirche am Heinrichsplatz nordöstlich vom Markt wird als Stadtmuseum genutzt. Im Kreuzgang sind Grabplatten und Skulpturen ausgestellt, u.a. auch Arbeiten von Johann Joachim Kändler. Am Theaterplatz steht das 1851 zum Theater umgebaute Gewandhaus der Tuchmacher (16. Jh.), das einst als Kaufhaus diente. Die Martinskapelle auf dem Plossen ist ein romanischer Bau (um 1200); im Innern ein sehenswerter spätgotischer Altar. In der um 1100 errichteten und im 13. Jh. umgebauten Nikolaikirche am Neumarkt sind Reste frühgotischer Wandmalereien erhalten. Die Kirche ist als Gedenkstätte für die Gefallenen des Ersten Weltkrieges mit großen Porzellanplastiken (1921–1929) von Emil Paul Börner ausgestattet.

Umgebung von Meißen

Meißner
Weinbaugebiet

Elbaufwärts lädt das Spaargebirge mit seinen idyllischen Weinbergen und Weinstuben zu Wanderungen und natürlich vor allem zu Weinproben ein. Einer der ältesten Weinbauorte ist das Städtchen Weinböhla an der sächsischen Weinstraße.

Diesbar-Seußlitz

Elbabwärts gelangt man über Niederau mit seinem Bahnhof von 1842 nach 10 km nach Diesbar-Seußlitz, einem romantischen Doppeldorf an der Elbe. Es ist der nördlichste Anbauort des sächsischen Weinbaugebietes. Mehrere Weingaststätten bieten hiesige und andere Weine und den hier angebauten Spargel an. Das Barockschloß in Seußlitz wurde 1726 auf dem Klostergelände nach Plänen von George Bähr für Heinrich von Bünau errichtet; es dient heute als Seniorenheim. In der Nähe von Diesbar befinden sich die ausgedehntesten bronzezeitlichen Befestigungsanlagen Sachsens (1500–400 v.Chr.).

Strehla

Elbabwärts erreicht man über die Industriestadt Riesa das Städtchen Strehla, das von einer auf das 10. Jh. zurückgehenden Burg dominiert wird und dessen Stadtkirche eine außergewöhnliche, aus farbiger Keramik hergestellte Kanzel aus dem Jahr 1565 besitzt.

Oschatz

In Oschatz, 32 km westlich von Meißen, sind vor allem das Rathaus von 1537 und die Ratsfronfeste sehenswert, die das Stadtmuseum beherbergt. Es zeigt in einer sehr interessanten Abteilung die Geschichte des in Oschatz traditionell heimischen Waagenbaus. Auf dem 6 km westlich von Oschatz sich erhebenden Collmberg hielten die Markgrafen von Meißen unter der bereits im Sachsenspiegel erwähnten Tausendjährigen Linde ihre ersten Landtage ab.

Memmingen   G 7/8

Bundesland: Bayern
Höhe: 595 m ü.d.M.
Einwohnerzahl: 38 000

Lage und
Stadtbild

Die teilweise noch von Mauern mit stattlichen Toren umgebene einstige Freie Reichsstadt Memmingen liegt im Vorland der Allgäuer Alpen. Sie hat ihr im wesentlichen von Gotik und Renaissance geprägtes Bild noch weitgehend erhalten.

Geschichte

Memmingen wurde um 1160 von Herzog Welf VI. an der Stelle einer Römersiedlung gegründet und erlangte 1268 Reichsfreiheit. Die günstige Lage an einem Handelsweg von Süddeutschland nach Italien erbrachte der Stadt beträchtlichen Wohlstand. Im Dreißigjährigen Krieg wurde sie mehrmals belagert, verlor an Besitz und Bedeutung und versank schließlich in Provinzialität. 1806 wurde Memmingen bayerisch.

Sehenswertes in Memmingen

Den Mittelpunkt der malerischen, noch teilweise von der mittelalterlichen Stadtmauer umzogenen Altstadt bildet der Marktplatz mit dem Renaissance-Rathaus (1589), das eine Rokoko-Stukkatur von 1765 aufweist, dem Steuerhaus, dessen Fassade 1909 neu gestaltet wurde und dessen Arkaden von 1495 stammen, und der Großzunft (1453, 1718 barockisiert), dem Gesellschaftshaus der Patrizier.

Marktplatz

Nördlich vom Markt, an der Ulmer Straße stehen das Parishaus (1736) mit der Städtischen Galerie und das Grimmelhaus, das mit Stukkaturen des 18. Jh.s ausgestattet ist. Geht man vom Markt in westlicher Richtung, sieht man bald die gotische Martinskirche, mit ihrem 66 m hohen Turm das Wahrzeichen der Stadt. Das Chorgestühl (1501–1507) im Inneren ist ein Meisterwerk der Memminger Schnitzerschule. Gegenüber der Martinskirche ist im Hermannsbau, einem spätbarocken Palais (1766), das Städtische Museum (Vor- und Frühgeschichte, Gemälde, Möbel, Fayencen u. a.) untergebracht. Südlich der Martinskirche steht die Kinderlehrkirche (14./15. Jh.), die ehemalige Antoniter-Klosterkirche, mit Fresken. Geht man weiter nach Süden, trifft man auf den 1589 errichteten Fuggerbau, die Faktorei der Augsburger Kaufmannsdynastie. Östlich vom Fuggerbau erstreckt sich der Weinmarkt mit dem Haus der Weberzunft und dem Haus der Kramerzunft (15. Jh.). Die 1258 erstmals erwähnte gotische Kirche Unserer Frauen am Südrand der Altstadt weist einen vortrefflichen Freskenzyklus der Strigel-Schule auf.

Weitere Sehenswürdigkeiten

Umgebung von Memmingen

Etwa 4 km westlich von Memmingen liegt in Buxheim das 1402 gegründete ehemalige Kartäuserkloster Maria Saal; Konventsgebäude und Kirche wurden im 17./18. Jh. barockisiert. Das barocke Chorgestühl von Ignaz Waibel gehört zu den besten Beispielen süddeutscher Bildhauerkunst.

Buxheim

Seine Bekanntheit verdankt Ottobeuren, 8 km südöstlich von Memmingen, vor allem der Klosteranlage mit der mächtigen Barockbasilika. Die Kirche wurde ab 1737 nach Plänen von Johann Michael Fischer erbaut, von Johann Michael Feuchtmayr mit Stukkaturen ausgestattet und von Johann Jakob und Franz Anton Zeiller mit Fresken ausgemalt. Die berühmten Chororgeln (1766) stammen von Karl Joseph Riepp.

Ottobeuren
*Kloster

In Illerbeuern, 10 km südlich von Memmingen, lohnt das Schwäbische Bauernhof-, Schützen- und Brotmuseum, das älteste Freilichtmuseum Bayerns, einen Besuch.

Illerbeuern

Merseburg

I 4

Bundesland: Sachsen-Anhalt
Höhe: 98 m ü.d.M.
Einwohnerzahl: 41 800

Die bekannte Bischofs- und Residenzstadt Merseburg liegt 16 km südlich von Halle. Dom und Schloß, oberhalb des Saalehochufers das Panorama von Merseburg beherrschend, verleihen der ansonsten überwiegend modernen Industriestadt kunsthistorische Bedeutung.

Lage und Allgemeines

Um 800 bestand an der strategisch wichtigen Saale-Elbe-Grenzlinie des Frankenreichs eine karolingische Burg. König Heinrich I. gründete hier eine Pfalz, in der bis zum 13. Jh. alle deutschen Kaiser und Könige Hoftage hielten. Durch das 968 von Otto I. begründete Bistum wurde Merseburg

Geschichte

Dom und Schloß von Merseburg spiegeln sich in der Saale.

Geschichte
(Fortsetzung)

zum Bischofssitz, und von 1653 bis 1738 war die Stadt Residenz der Herzöge von Sachsen-Merseburg. Der Braunkohleabbau machte aus Merseburg im beginnenden 20. Jh. eine Industriestadt, die im Zweiten Weltkrieg schweren Luftangriffen ausgesetzt war.

Sehenswertes in Merseburg

**Dom

Der jetzige, ursprünglich ottonisch-frühromanische Bau wurde 1015 begonnen, im 13. Jh. kam u. a. die große Vorhalle hinzu, 1510–1517 entstand das netzgewölbte Langhaus. Am spätgotischen Westportal beachte man die Büste Kaiser Heinrichs II. mit dem Dommodell. Der Dom besitzt eine überaus reiche Innenausstattung aus nahezu allen Epochen. Das bedeutendste der zahlreichen Grabmäler im Dom (13.–18. Jh.) und zugleich ein herausragendes Zeugnis mittelalterlicher Grabmalplastik ist die Bronzegrabplatte des Gegenkönigs Rudolf von Schwaben (1080). Zu den Spitzenstücken der Innenausstattung gehören weiterhin der romanische, reich verzierte Taufstein (um 1180), das spätgotische Chorgestühl (1446), die Renaissancekanzel (1520), der barocke Hochaltar (1668) und das Portal zur Fürstengruft (1670). Die dreischiffige Hallenkrypta gilt als bedeutendes Beispiel für die frühromanische Baukunst. An der Südseite des Domes schließt sich der Kreuzgang mit frühgotischem Westflügel und romanischer Johanniskapelle an. Im Domstiftsarchiv befindet sich eine umfangreiche Sammlung mittelalterlicher Handschriften, darunter das Fränkische Taufgelöbnis (9. Jh.), die weltberühmten Merseburger Zaubersprüche (10. Jh.) und eine reich illuminierte Bibelhandschrift mit Vulgata-Text (um 1200).

Stiftsarchiv
**Merseburger
Zaubersprüche

Zum Ensemble auf dem Domberg gehört auch die beeindruckende Schloßanlage, die Stilelemente der Spätgotik und Renaissance aufweist. Der Ostflügel, nach schweren Kriegsschäden wiederaufgebaut, beherbergt das Kulturhistorische Museum. Aus der Zeit der Spätrenaissance stammt der reichverzierte Brunnen an der Südostseite des Hofes. Im Vorhof des Schlosses erinnert der Rabenkäfig an die Merseburger Rabensage.

Merseburg
(Fortsetzung)
*Schloß

Nördlich des Schlosses erstreckt sich der Schloßgarten (1661) mit dem Schloßgartensalon (1727–1738) von Johann Michael Hoppenhaupt, der die etwas nördlicher liegende Obere Wasserkunst (1738) entworfen hatte.

Schloßgarten

Westlich vom Schloßgarten erblickt man das Zechsche Palais (1782) und das Ständehaus (1892–1895); beide Häuser dienten als Parlamentsgebäude der Provinz Sachsen.

Zechsches Palais
Ständehaus

Nördlich vom Schloßgelände liegt der bereits in frühgeschichtlicher Zeit besiedelte Burgberg Altenburg, der alte Siedlungskern der Stadt (8. Jh.). Erhalten aus späterer Zeit sind Reste des Petersklosters (Klausur, 13. Jh.) sowie die Vitikirche (12.–17. Jh.).

Burgberg
Altenburg

Die wichtigsten historischen Gebäude in der Altstadt sind das Alte Rathaus (15./16. Jh.) und die spätgotische Stadtpfarrkirche St. Maximi. Südlich außerhalb der Altstadt erhebt sich als Ruine die Sixtikirche, die seit 1888 als Wasserturm genutzt wird. In der Kirche befindet sich ein Reiterstandbild Friedrich Wilhelms III. (1905). Interessant wegen der Grabdenkmäler aus dem 18. Jh. ist der ab 1581 angelegte Stadtfriedhof. Zu den ältesten Bauwerken der Stadt gehört auch die am östlichen Ufer der Saale ab 1173 erbaute Neumarktkirche.

Weitere
Sehens-
würdigkeiten

Umgebung von Merseburg

Durch die Leuna-Werke, die 1916 hier angesiedelt wurden, entwickelte sich das ehemalige Dorf (seit 1945 Stadt) 3 km südlich von Merseburg zum größten Industriestandort der damaligen DDR.

Leuna

In Bad Dürrenberg (11 km südöstlich von Merseburg), einem ehemaligen Kurort, lohnt der Kurpark mit dem Gradierwerk einen Besuch. Im Borlachturm (Solequelle in 223 m Tiefe) befindet sich ein Museum (Geschichte der Salzgewinnung). Die langgestreckten Siedehäuser und einige Häuser der Salinenarbeiter sind noch erhalten.

Bad Dürrenberg

Mücheln, knapp 20 km südwestlich von Merseburg und am Westrand des Braunkohlegebietes Geiseltal gelegen, besitzt ein stattliches, für die Renaissance in Mitteldeutschland typisches Rathaus (1571) mit Treppenturm, rundem Eckerker und zwei Portalen.

Mücheln

Minden

E 3

Bundesland: Nordrhein-Westfalen
Höhe: 46 m ü.d.M.
Einwohnerzahl: 84 000

Die Stadt Minden liegt im Norden von Westfalen in der Weserniederung unweit der Porta Westfalica, der Westfälischen Pforte. Bedeutung für die Schiffahrt hat Minden wegen seiner Lage am Kreuzungspunkt der beiden Wasserstraßen Weser und Mittellandkanal.

Lage und
Allgemeines

Keimzelle der Stadt war eine Fischersiedlung an der Weserfurt. 798 gründete Karl der Große das Bistum Minden. Im 15. Jh. wurde die Stadt Mit-

Geschichte

Minden

glied der Hanse. Nach dem Dreißigjährigen Krieg fiel Minden an Brandenburg-Preußen; der Große Kurfürst ließ es zur Festungsstadt ausbauen. Am 1. August 1759 siegten – im Verlauf des Siebenjährigen Kriegs – die verbündeten englischen und preußischen Truppen bei Minden über die Franzosen. 1873 wurden die alten Befestigungsanlagen niedergerissen und an ihrer Stelle Grünflächen und Straßen angelegt.

Sehenswertes in Minden

*Dom

Fronleichnamsprozession am Mindener Dom

In der Mindener Altstadt am linken Weserufer steht der im 11. bis 13. Jh. errichtete Dom, an dem besonders das wuchtige Westwerk und die großen Maßwerkfenster an der Südseite auffallen. Das hohe Glockenhaus mit den flankierenden Treppentürmen krönt das Westwerk. Der Dom gilt als bedeutendste gotische Hallenkirche Westfalens; Chor und Querhaus stammen aus romanischer Zeit. Bemerkenswerte Ausstattungsstücke sind der Apostelfries (um 1250) und das Altarbild von Gerd van Loen (1480).

Die Schatzkammer des Doms ist im Haus am Dom untergebracht und besitzt als wertvollstes Stück das "Mindener Kreuz" von 1070, dessen Nachbildung sich am nördlichen Pfeiler der Vierung des Doms befindet.

Markt

Ansprechend wirkt am Markt das Rathaus (13. Jh.) mit seinem Laubengang, das älteste in Westfalen. Der Oberbau wurde 1945 zerstört und 1953/1954 neu gestaltet. Weiterhin sind am Markt die Löwenapotheke, ein reichverziertes Backsteingebäude, und Haus Schmiedig mit stattlichem Fachwerkgiebel zu sehen. An der Straße Scharn steht das sog. Hahgemeyerhaus von 1592 im Stil der Weserrenaissance.

Mindener Museum

Einen Besuch lohnt das Mindener Museum für Geschichte, Landes- und Volkskunde in der Ritterstraße Nr. 23–33. Die Museumszeile, sechs Häuser aus dem 16. Jh. im Stil der Weserrenaissance, gehört zu den eindrucksvollsten historischen Gebäudeensembles der Stadt. Die Textilsammlung des Museums zeigt typische Mindener Trachten. Eine besondere Attraktion stellt das "Kaffeemuseum" dar: Von der Verbreitung des Getränks bis zum Kaffeesatz-Lesen erfährt der Besucher Wissenswertes über den Kaffee.

*Wasserstraßenkreuz

Nördlich der Altstadt befinden sich die Hafenanlagen und vor allem das beeindruckende Wasserstraßenkreuz: Auf einer 375 m langen Kanalbrücke überquert der Mittellandkanal in 13 Metern Höhe die Weser. Das "Informations-Zentrum am Wasserstraßenkreuz Minden" präsentiert in modernem architektonischen Rahmen eine umfassende Ausstellung zum Thema Binnenschiffahrt und Wasserstraßen. Die ca. 500 m² große Ausstellungshalle liegt direkt am Kreuzungspunkt von Mittellandkanal und Weser, nur wenige Schritte von der Schachtschleuse entfernt, die die Verbindung zwischen der Weser und dem Kanal herstellt. Hier befindet sich auch die Ablegestelle der Ausflugsschiffe. Das Informationszentrum verschafft Einblick in die aktuelle Situation der Binnenschiffahrt in Niedersachsen und Nordrhein-Westfalen. Auf der Grünfläche südlich der Ausstellungshalle ehrt ein Denkmal Dr. Ing. Leo Sympher, der einen entscheidenden Anteil an der Planung des Mittellandkanals hatte.

Wasserstraßen-
kreuz
(Fortsetzung)

*Ein faszinierender Anblick ist das Wasserstraßenkreuz von Minden:
Wie ein gigantischer Badezuber wirkt die Brücke des Mittellandkanals,
in dem die Schiffe die Weser kreuzen.*

Umgebung von Minden

An der Porta Westfalica – 6 km südlich von Minden – durchbricht die Weser in einem 800 m breiten Einschnitt das Weser- und Wiehengebirge. Westlich auf dem Wittekindsberg erhebt sich weithin sichtbar das monumentale, 1896 enthüllte Kaiser-Wilhelm-Denkmal.

✳Porta Westfalica

Südlich von Minden wurde in Kleinbremen ein alter Erzstollen als Besucherbergwerk eingerichtet. Nach dem Einfahren sieht man bei einem Rundgang riesige Hohlräume: die alten Abbaufelder. Ein Schaupfad vermittelt einen Einblick in den bis in die fünfziger Jahre betriebenen Bergbau.

Besucherbergwerk
Kleinbremen

In Minden-Dützen, ca. 5 km westlich der Stadt, befindet sich "Potts Park", ein Freizeit- und Erlebnispark mit Modelleisenbahn, Wasserkarussell, Kasperle-Theater, Seilbahnen und vielen anderen Einrichtungen für Kinder und Familien (Eintritt).

Potts Park

Die "Westfälische Mühlenstraße" verbindet 42 Wind-, Wasser- und Roßmühlen, die im Kreis Minden-Lübbecke restauriert wurden. Einige Mühlen sind regelmäßig für Besichtigungen geöffnet. Besuchern wird auf Wunsch die Funktionsweise der mit Wind-, Wasser- oder Pferdekraft betriebenen technischen Kulturdenkmäler erläutert. Zweimal im Jahr, am "Kreismühlentag" und am Besichtigungstag "Die Westfälische Mühlenstraße lädt ein", können alle restaurierten Mühlen kostenlos besichtigt werden.

Westfälische
Mühlenstraße

Minden, Umgebung (Fortsetzung) Bückeburg *Residenzschloß	Ungefähr 10 km südöstlich von Minden liegt – in reizvoller Landschaft zwischen den Ausläufern der Bückeberge und dem Wesergebirge – die Stadt Bückeburg. Ihr Aufstieg begann unter Fürst Ernst von Schaumburg, der Bückeburg 1609 zu seiner Residenz machte. Erhalten sind zahlreiche Bauwerke des 17. Jh.s, darunter das ehemalige Residenzschloß, ein Wasserschloß, dessen Nord- und Westflügel den Stil der Weserrenaissance erkennen lassen. Sehenswert sind im Inneren der Goldene Saal und die Kapelle. Das Mausoleum im Schloßpark wird als Gemäldegalerie genutzt. In einem der Burgmannshöfe des 16. Jh.s ist das Landesmuseum untergebracht, in einem anderen das in seiner Art einmalige Hubschraubermuseum. Neben dem Rathaus sollte man die 1651 geweihte Stadtkirche mit ihrer prächtigen Fassade beachten; sie besitzt ein Taufbecken von dem Niederländer Adrian de Vries.
Bad Oeynhausen	Neben dem Kurpark mit Spielkasino hat Bad Oeynhausen, das 20 km südlich von Minden liegt, seit 1995 mit dem neuen Energie-Zentrum, das der Stararchitekt der Vereinigten Staaten, Frank O. Gehry, erbaute, ein bemerkenswertes Bauwerk, das man zumindest von außen bestaunen kann. Im Auftrag der Elektrizitätswerke entstand das Gebäude, das durch seine ineinandergesteckten Kuben, Burgformen, Bögen und kippende Würfel einen Akzent setzt.

Mönchengladbach C 4

Bundesland: Nordrhein-Westfalen
Höhe: 60 m ü.d.M.
Einwohnerzahl: 270 000

Lage und Allgemeines	Mönchengladbach, ein Zentrum vielfältiger Textilindustrie, liegt westlich von → Düsseldorf und Neuß im Einzugsgebiet des Niederrheins. Die Stadt ist nicht unbedingt spektakulär, und gäbe es nicht die Borussia, die in den siebziger Jahren die Bundesliga beherrschte, würden sie vielleicht noch weniger Menschen kennen. Der Namensteil "Mönchen" leitet sich von einer 972 gegründeten, 1802 aufgehobenen Benediktinerabtei her.

Sehenswertes in Mönchengladbach

Alter Markt	Der Alte Markt mit der Pfarrkirche St. Mariä Himmelfahrt bildet den lebendigen Mittelpunkt der Stadt. Im Sommer sind die Straßencafés am Platz ein beliebter Aufenthaltsort. Hinter der Kirche erhebt sich das Münster.
Abteiberg	Die Silhouette der Stadt wird vom Abteiberg mit dem Rathaus bestimmt. An das Rathaus grenzt das 1275 von Albertus Magnus geweihte spätromanische Münster mit schönem Chor und Glasgemälden aus dem 13. Jh. und den Reliquien des hl. Vitus, des Schutzheiligen der Stadt.
*Museum Abteiberg	Nach Plänen des Wiener Architekten Hans Hollein ließ die Stadt einen Gegenpol zu den historischen Bauten errichten: das 1982 eröffnete Städtische Museum Abteiberg in der Abteistraße 27, ein Zentrum für moderne Kunst, u.a. mit Werken von Joseph Beuys, Andy Warhol und Yves Klein.
Karnevalsmuseum	Daneben hat die Stadt auch ein "lustiges" Museum zu bieten, das Karnevalsmuseum im alten Zeughaus, wo man Urkunden und Utensilien der Mönchengladbacher Karnevalsgesellschaften aus den letzten 100 Jahren sehen kann, ferner Zepter, Pritschen, Feströcke und Monographien.
Wasserturm	Nördlich vom Abteiberg sollte man den im Jugendstil gehaltenen Wasserturm an der Viersener Straße aufsuchen. Er ist 50 m hoch und hat 16 Aussichtskanzeln, von denen sich ein herrlicher Blick bietet.

*Die Straßencafés am Alten Markt von Mönchengladbach
locken im Sommer viele Gäste an.*

Nördlich der Innenstadt erstreckt sich der sog. Bunte Garten mit verschiedenen Freizeiteinrichtungen und einem Blindengarten.

Mönchengladbach (Fts.), Bunter Garten

Im südlichen Stadtteil Rheydt, der 1975 nach Mönchengladbach eingemeindet wurde, steht, von einer Grünfläche umgeben, Schloß Rheydt, eine prächtige Renaissanceanlage. In diesem Gebäude ist heute das Städtische Museum untergebracht – mit Abteilungen für Kunst und Kultur sowie für Stadtgeschichte mit Schwerpunkt auf Textilgeschichte.

Schloß Rheydt

Umgebung von Mönchengladbach

Südöstlich von Mönchengladbach liegt – zum Kreis Grevenbroich gehörend – Schloß Dyck, Stammsitz der bereits im 11. Jh. bezeugten Herren von Dyck. Das Herrenhaus präsentiert sich als Vierflügelanlage mit fast quadratischem Innenhof. Die Schloßkapelle im Westtrakt beeindruckt den Besucher durch stuckierte Wände und ein Deckengemälde mit Darstellung des hl. Maternus. Der Schloßpark, im Landschaftsstil des 19. Jh.s gestaltet, lädt mit seinem herrlichen Baumbestand zu einem Spaziergang ein.

＊Schloß Dyck

Moseltal   C/D 5/6

Bundesland: Rheinland-Pfalz

Die Mosel ist mit 545 km einer der längsten Nebenflüsse des Rheins. Ihren Namen "Mosella" – "die kleine Maas" – gaben ihr die Römer. Die Mosel entspringt am Col de Bussang in den südlichen Vogesen (Frankreich); zwischen Perl und der Einmündung der Sauer bei Oberbillig bildet sie die na-

Verlauf der Mosel

Moseltal

türliche Grenze zwischen Deutschland und dem Großherzogtum Luxemburg. Der Abschnitt von Perl bis → Trier wird als Obermosel, der von Trier bis Bullay als Mittelmosel und der von Bullay bis zur Mündung in den Rhein in → Koblenz als Untermosel bezeichnet.

*Landschaftsbild

Der im folgenden eingehender geschilderte, landschaftlich schönste Abschnitt des Moseltals liegt zwischen Trier und Koblenz. Nach der Trierer Talweitung windet sich der Fluß in zahlreichen Mäandern durch das Rheinische Schiefergebirge zwischen → Eifel und → Hunsrück und mündet bei Koblenz in den Rhein. Das Landschaftsbild wird besonders zwischen Bernkastel-Kues und Cochem durch Burgen, die auf Talhängen stehen oder in Seitentälern liegen, sowie kleine Städte und Weindörfer geprägt. Der gewundene Flußlauf und die Enge des Tals standen der Entwicklung größerer Städte entgegen.

*Weinbau

Die steilen Hänge an der mittleren Mosel sind fast ausschließlich mit Weißweinreben bestanden, überwiegend Riesling, Sylvaner und Müller-Thurgau. Der Weißwein von der Mosel ist meist ein leichter Wein mit lieblichem Geschmack und würzigem Duft. Als gute Kreszensen gelten u. a. der kräftigere Piesporter, der Brauneberger, der Bernkasteler Doctor, ferner die Weine von Graach, Wehlen, Zeltingen ("Himmelreich"), Traben-Trarbach und Zell ("Schwarze Katz").

Von Koblenz nach Trier

Moselkern
**Burg Eltz

Vorbei an Winningen, Kobern-Gondorf, Löf und anderen Orten führt die Route am linken Ufer der Mosel nach Moselkern, einem Weinort an der Mündung des Eltzbachs in die Mosel. Fährt man von hier im Eltztal aufwärts, gelangt man zur malerisch auf steilem Fels thronenden Burg Eltz, deren Geschichte sich bis in die Zeit um 1160 zurückverfolgen läßt. Mit ihren Giebeln, Türmen und Erkern zählt die Burg Eltz zu den schönsten Burgen Deutschlands. Ihren architektonischen Höhepunkt hat die Anlage im inneren Burghof. Ein Gang durch die Räumlichkeiten der alten Burg lohnt: In fast allen Zimmern und Sälen sind alte Einrichtungsgegenstände zu sehen. Auf der Höhe gegenüber liegt die Ruine Trutz-Eltz.

Alken

Unterhalb von Löf liegt am rechten Ufer der Mosel der Ort Alken, dessen Bild alte Häuser und Teile der mittelalterlichen Stadtmauer prägen. Über Alken erhebt sich die um 1200 erbaute, zweitürmige Burg Thurand.

Brodenbach

In Brodenbach, ebenfalls am rechten Ufer der Mosel gelegen, verdient eine Kirche Beachtung, die im Rokokostil ausgestattet ist. Von dem Ort besteht Zufahrt zur Ehrenburg, die südlich von hier in einem Seitental liegt und zu den schönsten Burgruinen im Moselgebiet zählt.

Treis-Karden

Bei dem Brückenort Treis-Karden mündet die Strecke, die am rechten Ufer der Mosel verläuft, in die am linken Ufer ein. Über dem Ortsteil Treis erheben sich Burg Treis und die Wildburg. Das Bild von Karden, einst eine kurtrierische Stiftsstadt, prägt die St.-Castor-Kirche mit drei Türmen, die im 12./13. Jahrhundert errichtet wurde. Teile des spätromanischen Kreuzgangs sind erhalten.

*Cochem

Die Route verläuft nun weiter am linken Ufer der Mosel und erreicht Cochem, den Geburtsort des Kapuzinerpredigers Martin von Cochem (1634 bis 1712). Mit seiner hochgelegenen Burg ist Cochem einer der schönsten Orte im Moseltal. Von der ehemaligen Stadtbefestigung sind mehrere Türme erhalten. Die katholische Pfarrkirche St. Martin in der Altstadt geht auf eine fränkische Gründung zurück. Von der Ausstattung verdient die Reli-

Mit ihren zahlreichen Erkern und Türmen zählt die Burg Eltz ▸
zu den schönsten Burgen Deutschlands.

Moseltal

Cochem
(Fortsetzung)

quienbüste des hl. Martin (um 1500) besondere Bedeutung. Entlang der Moselpromenade und am Marktplatz findet man schöne alte Häuser. Ferner steht am Markt das Rathaus von 1739. Über der Stadt thront die um 1070 erbaute, im 19 Jh. neugotisch wiedererrichtete und nach dem Zweiten Weltkrieg erneuerte Reichsburg Cochem. Vom ursprünglichen Bau ist nur noch das achteckige Untergeschoß des Bergfrieds erhalten.

Ruine Metternich

Von Ellenz-Poltersdorf bietet sich ein schöner Blick hinüber auf Beilstein am anderen Ufer. Die dortige Burg fiel 1637 an den Freiherrn von Metternich, einen Ahnherrn des berühmten Fürsten und österreichischen Kanzlers. Seit der Zerstörung im Jahre 1689 ist nur noch eine Ruine vorhanden.

Alf und Bullay

Der Ort Alf bildet zusammen mit dem gegenüberliegenden Bullay (Fähre und Brücke) das Tor zum mittleren Moseltal, das berühmt ist für seine Weine. Von der Marienburg, knapp 5 km südlich, bietet sich ein prachtvoller Blick über die 12 Kilometer lange Moselschleife "Zeller Hamm". West-

Bad Bertrich

lich von Alf liegt Bad Bertrich, ein Thermal-Mineralbad mit einem Kurhaus von 1770.

Zell

Am südlichen Ende der "Zeller Hamm" wechselt die Route auf das rechte Flußufer. Einen Abstecher von hier lohnt Zell, ein bekannter Weinbauort mit ca. 6 Mio. Rebstöcken. Sehenswert sind die Reste der alten Stadtbefestigung mit dem Obertor, die Peterskirche und das ehemals kurtrierische Schloß. Im Wein- und Heimatmuseum der Stadt wird anhand von Grabungsfunden die Zeit der Kelten und Römer lebendig; ferner sind Geräte zu sehen, die man früher für den Weinbau und die Weinlese benutzte. Bekannt ist der Wein mit dem Namen "Zeller Schwarze Katz": Der Überlieferung zufolge soll eine schwarze Katze einem Weinhändler verraten haben, in welchem Faß der beste Wein lagerte. Im August und September werden in Zell-Kaimt und anderen Orten der Region Weinfeste veranstaltet.

Von Rebhängen umrahmt, zieht sich der bekannte
Weinbauort Zell entlang des Moselufers.

Jeder Zentimeter wird auch bei Bernkastel-Kues für den Weinanbau genutzt: Bis dicht an die 1693 zerstörte Burg Landshut reichen die Reben.

Am östlichen Rand des langgestreckten Ortes Enkirch mit seinen zahlreichen Fachwerkbauten steht eine gotische Klosterkirche. Die Route nach Süden führt an der Ahringsmühle und den Resten der Starkenburg vorbei.

Enkirch

Zu beiden Seiten des Flusses liegt das Städtchen Traben-Trarbach, Weinbauort und Schauplatz zünftiger Straßenfeste. Das Ortsbild prägen Fachwerkbauten und stattliche Patrizierhäuser. Einen Besuch lohnen das Mittelmosel-Museum in der Villa Böcking, in dem anhand von Dokumenten aus Handwerk, Gewerbe und Weinbau die Entwicklung der Stadt Traben-Trarbach dargestellt wird, und das Ikonenzentrum im Stadtteil Kautenbach. Auf dem von einer Flußschlinge umschlossenen Mont Royal liegt die Ruine einer französischen Festung. Überragt wird der Ort von der Grevenburg, wo einst die Sponheimer Grafen residierten und heute eine gemütliche Schänke zum Einkehren einlädt.

*Traben-Trarbach

Nun fährt man wieder am linken Ufer der Mosel entlang und erreicht den Fremdenverkehrsort Kröv an der Mosel. Kröv und das benachbarte Ürzig sind traditionsreiche Winzerorte ("Kröver Nacktarsch").

Kröv

Über Wehlen und Graach kommt man nach Bernkastel-Kues, das von vielen schönen Fachwerkhäusern geprägt wird. Im von der Burg Landshut überragten Stadtteil Bernkastel sollte man den Marktplatz mit dem Michaelsbrunnen und das Renaissance-Rathaus ansehen, ferner die Kirche St. Michael. Eine Brücke führt hinüber nach Kues mit dem St.-Nikolaus-Hospital, einer Stiftung des in Kues geborenen Philosophen Nikolaus von Kues (1401–1464). Das Hospital, eine spätgotische Anlage, besteht aus einem Kreuzgang und einem Hof, um den sich die Wohnbauten im Süden und Westen gruppieren. Im Chor der zugehörigen Kapelle kann man die Grabplatte des Nikolaus von Kues sehen. Im Geburtshaus des späteren Kardinals wird eine Dokumentation zu seinem Leben und Werk gezeigt.

*Bernkastel-Kues

Moseltal
(Fortsetzung)
Neumagen-Dhron

Von Bernkastel-Kues aus führt die Route am rechten Ufer der Mosel hin nach Niederremmel an einer Flußschleife. Von dort blickt man auf Piesport jenseits der Mosel (Brücke), einen wegen seines Weinbaus bekannten Ort. Bald darauf erreicht man Neumagen-Dhron. Neumagen, Schiffsanlegstelle der Römer, zeigt auf seinem kleinen Marktplatz die Nachbildung einer römischen Skulptur, ein mit Fässern beladenes, von Galeerensklaven gesteuertes Schiff. Das Original dieses "Neumagener Weinschiffs" befindet sich im Landesmuseum von Trier.

Trittenheim

Moselaufwärts folgt nun, am rechten Ufer gelegen, der Weinbauort Trittenheim. Die besten Lagen tragen die Namen "Apotheke" und "Altärchen". Von den Weinbergen über dem Ort grüßt die Laurentiuskapelle, die bereits aus dem 16. Jh. stammt. Über Klüsserath und Mehring erreicht man abschließend → Trier.

Mühlhausen   G 4

Bundesland: Thüringen
Höhe: 230 m ü.d.M.
Einwohnerzahl: ca. 39 000

Lage und
Allgemeines

*Stadtbild

Die einstige Freie Reichs- und Hansestadt Mühlhausen liegt zwischen Hainich und Oberem Eichsfeld an der Unstrut. Als letzte Wirkungsstätte des Volksreformators Thomas Müntzer trägt sie den Beinamen "Thomas-Müntzer-Stadt". Mühlhausen besitzt ein im Grunde intaktes mittelalterliches Stadtbild, das auch unter Denkmalschutz steht, an manchen Ecken allerdings noch recht sanierungsbedürftig ist.

Geschichte

Im 8. Jh. entstand Mühlhausen als fränkische Siedlung, im 10. Jh. wurde der Ort Pfalz der deutschen Könige. 1256 kam es zur Zerstörung der Pfalz und zur Durchsetzung der städtischen Selbstverwaltung. Im August 1524 siedelte Thomas Müntzer (1486–1525) nach Mühlhausen über. Dieser gelehrte Geistliche ließ sich anfangs von Martin Luther in den Bann ziehen. Später entwickelte er eine mystische Theologie und strebte ein urchristlich-kommunistisches Reich gegen die Gottlosen an. 1524/1525 schloß er sich den Wiedertäufern und den aufständischen Bauern in Mitteldeutschland an. Er initiierte mit den "Ewigen Rat" von Mühlhausen, infolgedessen sich die Stadt zum Zentrum des Thüringer Bauernaufstands entwickelte. Nach der Niederlage der Bauern bei Frankenhausen am 15. Mai 1525 wurde Müntzer gefangengenommen und enthauptet, zehn Tage später kapitulierte auch Mühlhausen.

Sehenswertes in Mühlhausen

Pfarrkirche
Divi Blasii

Am Untermarkt erhebt sich die Pfarrkirche Divi Blasii, die als romanischer Bau begonnen und ab 1270 als gotische Hallenkirche mit Kreuzrippengewölben und Rundpfeilern neu gestaltet wurde. Hervorzuheben ist die Bachorgel. In unmittelbarer Nachbarschaft der Pfarrkirche steht die Annenkapelle (13. Jh.), die früher dem Deutschritterorden gehörte. Von hier sind es nur wenige Schritte zu einigen alten Bürgerhäusern, darunter der Bürenhof und das Alte Backhaus.

*Stadtmauer

Die Stadtbefestigung, mit deren Bau im 13. Jh. begonnen wurde, ist noch in Abschnitten erhalten. Besonders bemerkenswert sind die Teile nördlich des Inneren Frauentors, der Abschnitt an der Straße Hinter der Mauer und der Teil am Lindenbühl. Auf der Stadtmauer verläuft ein Wehrgang, der am Frauentor beginnt, mit drei Türmen aus dem Mittelalter und drei Gartenhäusern. Der größte der noch erhaltenen Türme ist der Rabenturm, vor dem das 1956 geschaffene Thomas-Müntzer-Denkmal steht.

Im Museum am Lindenbühl wird eine Ausstellung zur Ur- und Frühgeschichte des Mühlhauser Raums gezeigt. Neben Objekten zur Stadtgeschichte sowie zur Kultur- und Kunstgeschichte kann man dort eine naturkundliche Ausstellung zur Geologie Nordwestthüringens sehen.

Museum am Lindenbühl

In der ehemaligen Kirche des Barfüßerklosters am Kornmarkt dokumentiert das Bauernkriegsmuseum insbesondere die Ereignisse dieser Zeit in Mühlhausen und das Wirken Thomas Müntzers.

Bauernkriegsmuseum

Wenige Schritte vom Museum kommt man in der Ratsstraße zum Rathaus, das zwischen dem 14. und 16. Jh. entstand. Kernstück ist das gotische Hauptgebäude mit der Ratsstube, wo der "Ewige Rat" gegründet wurde, und dem großen Ratssaal. In den Gewölben des Südflügels ist das Stadtarchiv untergebracht.

Rathaus

Die fünfschiffige Pfarrkirche St. Marien nördlich vom Rathaus ist nach dem Erfurter Dom die größte gotische Hallenkirche Thüringens. Der Außenbau besticht durch seinen reichen Maßwerk-, Fialen- und Figurenschmuck. Das bauplastische Programm an der Südfassade zeigt u. a. Kaiser Karl IV. und seine Gemahlin. Im Inneren der Hallenkirche mit ihren dreischiffigen Querhausarmen sind spätgotische Flügelaltäre und ein großes Triumphkreuz bemerkenswert. In dieser Kirche predigte einst Thomas Müntzer und verkündete vor den Bürgern der Stadt und den Bauern des Umlands sein Programm (Müntzer-Gedenkstätte).

*St. Marien (Müntzer-Gedenkstätte)

Neben der Marienkirche steht an der Stelle eines mittelalterlichen Kaufhauses die dreigeschossige Brotlaube, deren Fassade von 1722 stammt.

Brotlaube

In den meisten Stadtteilen gibt es bemerkenswerte Bürgerhäuser, z.B. in der Umgebung der Marienkirche: In der Herrenstraße Nr. 1 steht das Wohnhaus von Thomas Müntzer, in der Holzstraße Nr. 1 das alte Posthaus von Thurn und Taxis und im Haus Marienkirche 6 (nach 1820) sind klassizistische Innenräume erhalten. Das Gasthaus "Goldener Stern" am Obermarkt 8 existiert schon seit 1542. Sehenswerte Bürgerhäuser findet man auch in der Umgebung der Allerheiligenkirche, so das Handwerkerhaus von 1795 und die ehemaligen Brauhäuser am Steinweg Nr. 65 und 75.

Bürgerhäuser

Umgebung von Mühlhausen

Westlich der Stadt befindet sich in Anrode, einem Ortsteil von Bickenriede, ein ehemaliges Zisterzienserinnenkloster. Bemerkenswert ist die Kirche, die 1590 unter Verwendung frühgotischer Teile errichtet und von 1670 bis 1690 im Stil der Renaissance erneuert wurde.

Anrode

Im Ried zwischen Ober- und Niederdorla wenig südwestlich von Mühlhausen stieß man im Jahre 1957 beim Torfabbau auf größere Mengen von Tierschädeln und -knochen sowie auf Hölzer mit Schnitt- und Feuerspuren, die zu einer alten Kultstätte aus dem 6. Jh. v. Chr. gehörten. Aus jener Zeit stammt ein rechteckiger Opferaltar aus Muschelkalkstein, auf dem Opfer dargebracht wurden. Eine Steinstele als Symbol einer Gottheit war das Zentrum der Anlage. Bereits Ende des 1. Jh.s v. Chr. hatten die in dieser Zeit hier siedelnden Hermunduren ein großes Rundheiligtum mit einem Opferplatz angelegt. Der Fund von zwei Schiffsheiligtümern aus dem 5. Jh. markierte einen Höhepunkt der Ausgrabungsarbeiten: Die große Anlage gehörte zu einer männlichen Gottheit, das kleinere Schiff zu einer weiblichen. Trotz der Christianisierung der Bevölkerung wurden in späteren Jahrhunderten an dieser Stelle noch Opfer dargebracht. Die Ausstellung "Opfermoor" in Niederdorla informiert über die Ausgrabungen. Den geographischen "Mittelpunkt des wiedervereinigten Deutschlands" soll eine 12 m hohe Kaiserlinde bezeichnen, die im Februar 1991 am Opfermoor gepflanzt wurde.

*Opfermoor Niederdorla

Hauptstadt des Freistaates Bayern
Höhe: 530 m ü.d.M.
Einwohnerzahl: 1,3 Millionen

Hinweis

Im Rahmen dieses Reiseführers ist die Beschreibung von München bewußt knapp gehalten; ausführlichere Informationen liefert der in der gleichen Reihe erschienene Band "München".

Lage und
Allgemeines

Die bayerische Landeshauptstadt München, die nur knapp eine Autostunde vom Alpenrand entfernt an der Isar liegt, wird gelegentlich auch als
"heimliche Hauptstadt Deutschlands" oder gar als "Weltstadt mit Herz"
apostrophiert. Ihre Lage im Herzen Mitteleuropas und an der Kreuzung
wichtiger Fernverkehrswege hat sie zur süddeutschen Metropole werden
lassen, deren Ausstrahlung seit langem weit über die Grenzen Bayerns hin-
ausreicht. Schon immer hatte man in München ein Faible für Kunst und
Kultur. Im Zeitalter des Barock und des Rokoko eiferte man in der Sakral-
und Profanbaukunst italienischen und französischen Vorbildern nach. Im
19. Jh., als Klassik und Klassizismus en vogue waren, sprach man gar vom
"Isar-Athen". Um die Jahrhundertwende, als München zumindest europaweit als Zentrum der Künste anerkannt war, wurde die bayerische Kapitale
zum Brennpunkt des Jugendstils. Doch nicht nur die Kunst hat München
berühmt gemacht. Bis heute hält sich das Wort von der "Weißwurst-Metro-
pole" bzw. der "deutschen Bierhauptstadt". Damit wird auf die Bedeutung
Münchens als Zentrum der Lebenslust hingewiesen. Schließlich wird hier
alljährlich mit dem Oktoberfest das größte Volksfest der Erde gefeiert. Daß
es sich in München gut leben läßt, erfährt man bei einem Bummel durch
die Innenstadt. Nirgendwo sonst im deutschen Süden gibt es so viele

Sieben Millionen Besucher pilgern Jahr für Jahr zum weltberühmten
Oktoberfest auf der Theresienwiese – dem größten Volksfest der Welt.

noble Shopping-Adressen, und nirgendwo sonst in Deutschland trifft man auf soviel Schickeria. Die Münchner Theater- und Museumslandschaft sucht ihresgleichen. Auch als Hochschulstandort und Sportstadt genießt München nicht erst seit den Olympischen Sommerspielen des Jahres 1972 Weltruf. Außerdem haben die Nähe der Alpen und das überaus reizvolle Umland dafür gesorgt, daß die Isarmetropole seit Jahrzehnten der beliebteste Wohnsitz der Deutschen ist. Auch in ökonomischer Hinsicht nimmt München einen Spitzenplatz ein. Es ist einer der wichtigsten Industriestandorte Deutschlands, in dem zahlreiche Unternehmen von Weltruf (Siemens, BMW u.a.) zuhause sind; es ist eine führende deutsche Medienstadt mit mehreren Fernseh- und Rundfunkanstalten, diversen Filmstudios und weit über 300 Verlagen, und es gilt als erstrangiger Finanzplatz, an dem einige der größten deutschen Versicherungsgesellschaften und Geldinstitute agieren. Mit mehr als 3 Mio. Gästeankünften und weit über 6 Mio. Übernachtungen gehört München zu den beliebtesten Städtereisezielen Europas.

Lage und Bedeutung (Fortsetzung)

Im 6. Jh. n. Chr. gründeten mit den Alamannen verwandte Bajuwaren mehrere Siedlungen an der Isar. Diese sind heute noch an der Endung "-ing" (Schwabing, Pasing, Aubing, Sendling usw.) zu erkennen. Im 10./11. Jh. ließen sich Mönche an der Isar nieder ("Apud Munichen"). Die eigentliche Stadtgründung erfolgte im Jahre 1158 durch Heinrich den Löwen. 1180 kam der Ort an den Pfalzgrafen Otto von Wittelsbach und wurde wenig später unter Ludwig dem Strengen zur dauernden Residenz der Wittelsbacher. 1369 hatte die Stadt bereits mehr als 10000 Einwohner. Im 15. Jh. (Spätgotik), in der Renaissance- und in der Barockzeit erlebte München Aufschwungphasen, die sich auch im Stadtbild manifestierten. Der eigentliche Schöpfer des neueren München ist König Ludwig I. (reg. 1825–1848), der es zu einer Kunststadt von europäischem Rang und zu einem Mittelpunkt deutschen Geisteslebens machte. Nach dem Ersten Weltkrieg erlebte München einen beispiellosen Niedergang. Armut, Wohnungsnot und Arbeitslosigkeit waren ein guter Nährboden für das Gedankengut der Nationalsozialisten. 1923 unternahm Adolf Hitler seinen Marsch zur Feldherrnhalle, zehn Jahre später griff er nach der Macht. 1935 wurde München die "Hauptstadt der Bewegung", was auch durch diverse Monumentalbauten betont wurde. Im Zweiten Weltkrieg fiel die Stadt großenteils in Schutt und Asche. Wiederaufbau und Wirtschaftswunder ließen München in den 50er und 60er Jahren zur Millionenstadt heranwachsen. Zwei sportliche Großereignisse – die Olympischen Sommerspiele von 1972 und die Fußballweltmeisterschaft von 1974 – beflügelten ebenfalls den Bauboom und damit das wirtschaftliche Leben der Stadt.

Geschichte

Zahlreiche nach den Zerstörungen des Zweiten Weltkrieges wiederaufgebaute Baudenkmäler aus Gotik, Renaissance, Barock und Klassizismus prägen heute die Kernstadt. An ihrer Peripherie sind in den letzten Jahrzehnten auch einige spektakuläre moderne Neubauten entstanden, z. B. das Olympiastadion mit seinem imposanten Zeltdach.

**Stadtbild

Marienplatz · Stachus

Mittelpunkt des alten München ist der belebte Marienplatz mit der Mariensäule (1638) und dem neugotischen Neuen Rathaus (1867–1908), an dessen Turm ein Glocken- und Figurenspiel (tgl. 11.00, Mai–Okt. auch 12.00, 17.00 u. 21.00 Uhr) zu sehen ist. Von der Aussichtsplattform bietet sich ein herrlicher Blick über die Stadt. An der Ostseite des Marienplatzes steht das Alte Rathaus (15. Jh.), von dem noch der Saalbau mit Durchfahrt erhalten ist. In seinem Turm ist ein Spielzeugmuseum untergebracht.

**Marienplatz, *Neues Rathaus, *Altes Rathaus

Südlich vom Marienplatz steht die Peterskirche, die im 11. Jh. erbaute älteste Pfarrkirche der Stadt. Von ihrem "Alter Peter" genannten Turm kann man eine schöne Aussicht genießen.

*Peterskirche

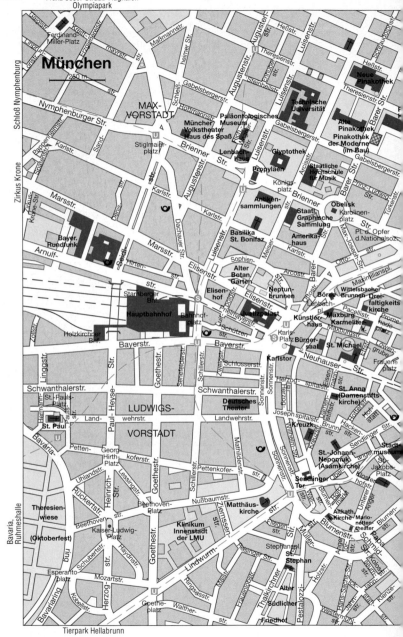

München

Franz-Josef-Strauß-Flughafen
Olympiapark

München

250 m

Ferdinand-Miller-Platz

Schloß Nymphenburg

Nymphenburger Str.

Zirkus Krone

Zirkus-Krone-Str.

Karlstr.

Marsstr.

Bayer.
Rundfunk

Arnulf-

str.

Hirten-

Holzkirchner Bhf.

Starnberger Bhf.

Hauptbahnhof

Rahnhof-
platz

Bayerstr.

Lingsstr.

Landsberger Str.

St.-Pauls-
Platz

St. Paul

Bavaria

Petten-

Goethestr.

Senefelderstr.

Schillerstr.

Zwengerstr.

Schwanthalerstr.

LUDWIGS-

VORSTADT

Landwehrstr.

Paul-Heyse-Str.

Land-

wehrstr.

Georg-
Hirth-
Platz

koferstr.

Heinrich-

Str.

Lessingstr.

Goethestr.

Schillerstr.

Pettenkoferstr.

Ruckertstr.

Uhlandstr.

Petten-

Beethoven-
Platz

Nußbaumstr.

Theresien-
wiese

(Oktoberfest)

Bavaria,
Ruhmeshalle

Bavariaring

Beethoven-

str.

Schubertstr.

Esperanto-
platz

Mozartstr.

Kobellstr.

Kaiser-Ludwig-
Platz

Hardstr.

Goethestr.

Mathildenstr.

Klinikum
Innenstadt
der LMU

Herzog-

Lindwurm-

str.

Goethe-
platz

Walther-

str.

MAX-
VORSTADT

Karlstr.

Sandstr.

Stiglmaier-
platz

Brienner

str.

Karlstr.

Dachauer Str.

Augustenstr.

Schleiß-

Gabelsbergerstr.

Rottmannstr.

Münchner
Volkstheater
Haus des Spaß

Lenbach-
haus

Propyläen

Königs-
platz

Antiken-
sammlungen

Basilika
St. Bonifaz

Staatl.
Graphische
Sammlung

Sophien-

str.

Alter
Botan.
Garten

Elisen-
hof

Elisenstr.

Neptun-
brunnen

Paläontologisches
Museum

Glyptothek

Technische
Universität

Maßmannstr.

helmer Str.

Steinheilstr.

Luisenstr.

Luisenstr.

Luisenstr.

Meiser

str.

Gabelsbergerstr.

Brienner

Arcisstr.

Amerika-
haus

Karlstr.

Staatliche
Hochschule
für Musik

Karolinen-
platz

Obelisk

Pl. d. Opfer
d.Nationalsoz.

Barer Str.

Prinz-Ludwig-

Türkenstr.

Theresienstr.

Heßstr.

Heßstr.

Augusten-
Str.

Theresien-
str.

Luisenstr.

Alte
Pinakothek

Pinakothek
der Moderne
(im Bau)

Neue
Pinakothek

Schraudolphstr.

Schellingstr.

Gabelsbergerstr.

Arcostr.

Barer Str.

Justizpalast

Pfandhausstr.

Schützenstr.

Bayerstr.

Karls-
platz

Bürger-
saal

Karlstor

Neuhauser

Str.

Schwanthalerstr.

Herzog-

Herzog-
spitalstr.

Deutsches
Theater

Sonnenstr.

Josephspitalstr.

Kreuz-
str.

St. Johann-
Nepomuk
(Asamkirche)

Sendlinger

Str.

Sendlinger
Tor

Fliegenstr.

Hackenstr.

Kreuz-

str.

Müllerstr.

Hans-Sachs-Str.

Altkath.
Kirche

Mario-
netten-
theater

Blumenstr.

Stephanspl.

St.
Stephan

Thalkirchner

str.

Pestalozzistr.

Alter
Südlicher
Friedhof

Frauenhoferstr.

Reisingerstr.

Ickstattstr.

Baader

str.

Jahnstr.

Buttermelcherstr.

Corneliusstr.

Klenzestr.

Westermühl-

Matthäus-
kirche

Börse

Lenbach-
pl.

Künstler-
haus

Maxburgstr.

Maxburg-
str.

Karmeliter-
k.

St. Michael

Frauen-
platz

Löwen-
grube

Pacellistr.

Prome-
naden-
platz

Wittelsbacher
Brunnen

Dreifaltigkeits-
kirche

Salvator-

str.

Theatinerstr.

Maffeistr.

St. Anna
(Damenstifts-
kirche)

Hofstatt

Sendlinger

str.

Altheimer

Eck

Rosen-

tal

Rindermarkt

Oberanger

Unterer
Anger

Jakobs-
platz

Kloster-
hofstr.

Stadt-
museum

Maximilianspl.

Maximilianstr.

Karls-
str.

Otto-

str.

Arco-

str.

Amalien-

str.

Tierpark Hellabrunn

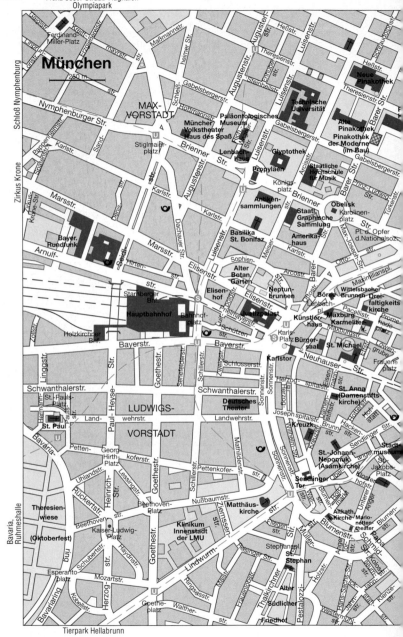

540

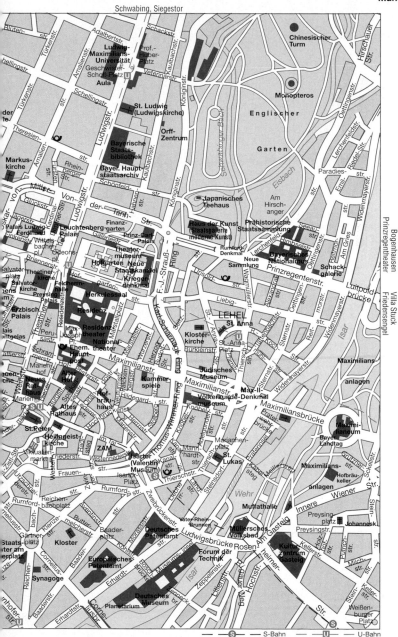

Schwabing, Siegestor

Chinesischer Turm

Monopteros

Englischer

Garten

Eisbach

Prof.-Huber-Platz

Ludwig-Maximilians-Universität

Geschwister-Scholl-Platz

Aula

St. Ludwig (Ludwigskirche)

Orff-Zentrum

Bayerische Staatsbibliothek

Bayer. Haupt-staatsarchiv

Japanisches Teehaus

Am Hirsch-anger

Paradies-

Markus-kirche

Finanz-garten

Haus der Kunst (Staatsgalerie moderne Kunst)

Prähistorische Staatssammlung

Palais Ludwig-Ferdinand

Leuchtenberg Palais

Prinz-Carl-Palais

Rumford-Denkmal

Neue Sammlung

Bayerisches Nationalmus.

Schack-galerie

Wittels-bacher-pl.

Odeons-pl.

Theater-museum

Neue Staatskanzlei

Prinzregentenstr.

Luitpold-brücke

Hofgarten

Krieger-denkmal

Salvator-platz

Theatiner-kirche

Salvator-kirche

Feldherrn-halle

Herkulessaal

Liebig-

Erzbisch. Palais

Preysing Palais

Residenz

LEHEL

St. Anna

Maximilians-

Max-Residenz

Josephstheater

National-theater

Ehem. Haupt-

Klosterkirche

St.-Anna-Platz

Burklein-str.

Maximilianstr.

Kammer-spiele

Jüdisches Museum

Maximilianstr.

Max-II-Denkmal

anlagen

Alter Hof

Hof-bräu-haus

Völkerkunde-museum

Maximilianstr.

Maximilians-brücke

Neues Rat-haus

Maximilianeum

Altes Rathaus

Bayer. Landtag

St. Peter

Heiliggeist-kirche

ZAM

Madlamen-platz

St. Lukas

Maximilians-

Isartor (Valentin Museum)

Isartor-Platz

Thierschstr.

anlagen

Hofbräu-keller

Innere Wiener

Rumford-

Reichen-bachplatz

Muffathalle

Wehr

Preysing-platz

Johannesk.

Kloster

Deutsches Patentamt

Ludwigsbrücke

Müllersches Volksbad

Kultur-zentrum Gasteig

Staats-platz

Synagoge

Europäisches Patentamt

Forum der Technik

Deutsches Museum

Planetarium

Weißen-burger Platz

Bogenhausen
Prinzregentheater

Villa Stuck
Friedensengel

Auf dem Viktualienmarkt südlich der Kirche herrscht wochentags ein reges Treiben. Von Obst und Gemüse über Fleisch, Backwaren und Milchprodukte gibt es hier alles. Selbstverständlich ist auf dem Areal, auf dem der Besucher "echt" Münchner Atmosphäre schnuppern kann, auch ein Biergarten angesiedelt. Und ein Ganzjahres-Maibaum ergänzt die Idylle. Brunnenstandbilder erinnern an unvergessene Münchner, so an den Schauspieler Karl Valentin und seine Bühnenpartnerin Liesl Karlstadt.

Viktualienmarkt

Südwestlich der Peterskirche, am St.-Jakobs-Platz, ist das Münchner Stadtmuseum beheimatet. Es umfaßt Sammlungen zur Kulturgeschichte der Stadt, das Foto- und Filmmuseum, Spielzeug-, Puppentheater- und Musikinstrumentensammlungen sowie ein Modemuseum, ein Brauereimuseum und weitere Spezialsammlungen. Das Haus des berühmten Rokoko-Künstlers Ignaz Günther am Oberanger (Nr. 11) ist heute ebenfalls Teil des Münchner Stadtmuseums.

*Stadtmuseum

Westlich vom St.-Jakobs-Platz bzw. südwestlich vom Marienplatz, an der vom Sendlinger Tor (14. Jh.) begrenzten Sendlinger Straße, steht die 1733 bis 1746 von den Brüdern Asam gestaltete Kirche St. Johannes Nepomuk, eine der phantasievollsten Schöpfungen des süddeutschen Rokoko.

*Asamkirche

Östlich vom Marienplatz kommt man – vorbei an der Heiliggeistkirche (13./ 14. Jh.) – durch das sog. Tal zum Isartor (14. Jh., 1972 restauriert). In dem Torbau ist das originelle Valentin-Musäum (geöffnet Mo., Di., Fr., Sa. 11.01 bis 17.29, So. 10.01–17.29 Uhr) untergebracht mit Bildern, Kuriositäten und Skurrilitäten, die an den Volksschauspieler und "Linksdenker" Karl Valentin, sprich "Fálentin" (1882–1948), erinnern.

Tal, Isartor, *Valentin-Musäum

Am nahen Platzl steht das 1589 zur Versorgung von Hof und Gesinde gegründete, längst zum Inbegriff bayerischer Gemütlichkeit gewordene Münchner Hofbräuhaus.

*Hofbräuhaus

Nordwestlich vom Marienplatz erhebt sich das Münchner Wahrzeichen, die Frauenkirche mit ihren beiden charakteristischen, von welschen Hauben bedeckten Türmen. Die große dreischiffige Backstein-Hallenkirche ist 1468 bis 1488 nach Plänen von Jörg von Halspach errichtet worden. Im Chor beeindrucken hervorragende Glasgemälde (14.–16. Jh.); bemerkenswert sind ferner die Sakramentskapelle mit Bildwerken des Memminger Altars (um 1500) sowie das aus dunklem Marmor bestehende Grabmonument für Kaiser Ludwig den Bayern, das Hans Krumper im 17. Jh. geschaffen hat. In der Krypta sind Mitglieder des Hauses Wittelsbach sowie mehrere Bischöfe beigesetzt. Von der Aussichtsplattform des Südturms kann man werktags einen schönen Blick auf die Stadt genießen.

*'Frauenkirche

Vom Marienplatz führt die aus der Kaufinger Straße und der anschließenden Neuhauser Straße bestehende Haupteinkaufsmeile der Stadt (Fußgängerzone) in nordwestlicher Richtung zum Karlsplatz (Stachus).

Kaufinger Straße
Neuhauser Straße

Die Michaelskirche wurde im 16. Jh. nach Plänen von Sustris als größtes Renaissance-Gotteshaus nördlich der Alpen errichtet. In der Fürstengruft sind 41 Mitglieder des Hauses Wittelsbach beigesetzt. Einige Schritte weiter kommt man zum sog. Bürgersaal, einem barocken Betsaal, in dessen Unterkirche der 1987 seliggesprochene Pater Rupert Mayer (1876–1945) bestattet ist, der den Nationalsozialisten Widerstand bot.

*Michaelskirche

Bürgersaal

Am Ende der Neuhauser Straße führt das Karlstor (14. Jh.) zum verkehrsreichen Stachus (offiziell Karlsplatz). An seiner Nordwestseite steht der monumentale Justizpalast, der 1898 nach Plänen von Friedrich Thiersch fertiggestellt worden ist. Dahinter erstreckt sich der Alte Botanische Garten.

Karlsplatz
(Stachus)

◀ *Das Herz Münchens ist der Marienplatz mit dem
neugotischen Neuen Rathaus und der Mariensäule (unten links).*

Oans, zwoa, gsuffa!

Was hat den Engel Aloysius veranlaßt, seine Pflicht zu vergessen, so daß die bayerische Regierung noch heute vergebens auf göttliche Eingebungen wartet? Er ist ins Hofbräuhaus gegangen, hat sich eine Maß bestellt, und dann no oane, und no oane... Wo gehen heute alle Amerikaner, Japaner und Schweden hin, wenn sie München besuchen? Sie gehen ins Hofbräuhaus, und deswegen gehen immer weniger echte Münchener dorthin – bis auf diejenigen, die dort als Berufsfolkloristen tagtäglich ihr "In München steht ein Hofbräuhaus, oans, zwoa, gsuffa!" schmettern müssen. An welchen Fixdaten orientiert sich der Jahreskalender des gestandenen Münchener Biertrinkers? Am Josefitag (19. März), um den herum der Starkbieranstich ansteht, an jenem Frühjahrstag, an dem sich der erste Wirt traut, seine Tische und Bänke herauszustellen und die Biergartensaison, die "fünfte Jahreszeit", eröffnet, und an jenem Tag im September, an dem der Münchener OB per Faßanstich das Oktoberfest eröffnet: "Ozapft is!"

Die Münchener und ihr **Bier**: Das gehört zusammen wie Bayern und die Lederhose und wie Neuschwanstein und der Kini. Geht es ums Bier, treibt es die ansonsten eher konservativen Münchener sogar auf die Straße – wie einst 1844, als der Bierpreis um einen halben Kreuzer erhöht werden sollte und die tobende Menge daraufhin 50 Brauhäuser niedermachte, und wie jüngst, als ein großer Demonstrationszug gegen die gerichtlich verfügte abendliche Schließungszeit des Großhesseloher Biergartens protestierte. Ein Anwohner (womöglich ein zugezogener Preuße) hatte gegen den Lärm geklagt. Von großem öffentlichen Interesse war auch die bewegende Frage, ob es rechtens sei, daß Bier auf dem Oktoberfest aus einem Container und nicht mehr aus großen Fässern (einem "Hirschn") auszu-

schenken, oder wie es kommt, daß findige Oktoberfestwirte aus einem 200-Liter-Hirsch 240 Maß herausbekommen – zur Klärung dieses Sachverhalts wende man sich an den "Verein gegen das betrügerische Einschenken" in München daselbst.

Seinen Ruf verdankt das Münchener Bier vor allem Gabriel Sedlmayr, der im 19. Jh. in seiner Spatenbrauerei brautechnologische Pionierarbeit leistete. Er tauschte sich mit Kollegen in ganz Europa aus, betrieb seine Brauerei als erster mit Dampfkraft, tüftelte mit Carl von Linde an der Kühlung des Biers und korrespondierte mit Louis Pasteur über die Gärung. Er war ein vehementer Streiter für das untergärige, weil besser haltbare Bier, und brachte das dunkle, malzige "Münchener" heraus, das neben dem Pilsener und dem Wiener bald weltbekannt wurde.
Ironie des Schicksals ist, daß heute in München kaum noch "Münchener" gebraut wird. Es ist vom herberen Hellen (Alkoholgehalt etwa 4%) als dem meistgetrunkenen Bier abgelöst worden. Das in München etwas dunkle, anderswo helle Märzenbier (Alkohol 4,5–5%) wurde ursprünglich im März für den Herbst eingebraut; in München feiert es als Oktoberfestbier resp. Wiesnbier alljährlich fröhliche Urständ'. Selbstverständlich machen die Münchener Brauer auch Export (Edelstoff, Edelhell, Spezial), Pils und Weißbiere (Weizenbiere), die aber mit eher durchschnittlichem Ergebnis. Spitzenleistungen dagegen sind die Münchener Doppelbockbiere, allesamt dunkel, recht malzig, mit 6,5–7% Alkoholgehalt und auf die Silbe "-ator" endend. Der traditionelle Starkbieranstich am Ende der Fastenzeit ist ein gesellschaftliches Ereignis ersten Ranges: Wer es geschafft hat, zum Salvatoranstich von Paulaner auf den Nockherberg geladen zu werden, kann sich zu den "Großkopfeten" zählen. Die werden zu diesem Anlaß "derbleckt", sprich von

der Bühne herab verbal durch den Kakao gezogen – wer der Regierungspartei, von der es in Bayern nur eine gibt, angehört, kann dieser Sache gelassen entgegenblicken, während die arme Opposition den Hohn maßkrugweise abbekommt. Diese übrigens heißen Keferloher, sind aus Steingut, halten das Bier sehr schön kühl und eignen sich auch vorzüglich als Wurfgeschoß bei diversen Wirtshausraufereien. Das ist vielleicht der Grund, weshalb es sie gar nicht mehr so häufig gibt, sondern durch 1-Liter-Glaskrüge ersetzt wurden. Immer öfter sieht man auch Halbliter-Krüge oder gar 0,3-l-Gläser, die "Preißnmaß".

Über 5 Mio. Hektoliter Jahresausstoß bringen die sechs Münchener Brauereien zustande: Hacker-Pschorr, fusioniert aus den 1417 bzw. 1422 gegründeten Brauereien Hacker und Pschorr (ihr Doppelbock heißt "Animator"); Spaten-Franziskaner, ebenfalls eine Fusion aus dem 1395 gegründeten Spatenbräu und Franziskaner-Leistbräu ("Optimator"); Paulaner-Salvator-Thomasbräu, erst 1928 gegründet, aber auf eine Klosterbrauerei zurückgehend ("Salvator"); Löwenbräu, im 14. Jh. gegründet und größter Münchener Brauer ("Triumphator"); das seit 1589 bestehende Hofbräuhaus ("Delicator") und Augustiner, mit dem Gründungsdatum 1328 Münchens ältestes Brauhaus ("Maximator"). Auch einige Brauereien aus der näheren Umgebung von München haben es geschafft, mit ihren Bieren den Münchener Gaumen zu überzeugen: das Ayinger, die Weißbiere aus Erding, die Schneider-Weisse mit ihrem Ausschank Im Tal oder die Biere der Weihenstephaner Brauerei, der ältesten der Welt. Wer ein rechtes Weißbier sucht, halte Ausschau nach einer Huber-Weissen aus Freising – Eingeweihte halten es für das beste.

Nur halb so schön aber wäre das Biertrinken in München, gäbe es nicht die **Biergärten**. Wobei "Biergarten" ein Modewort ist, denn in München geht man eigentlich "auf den Keller". Da in vergangenen Zeiten das Brauen zwischen dem Michaelstag (23. September) und dem Georgstag (23. April) verboten war, mußten die Brauer ihr Bier in kühlen Kellern lagern. Darauf pflanzten sie schattenspendende Kastanien. Was lag näher, als an solch einem schönen Ort sein Bier gleich direkt auszuschenken? Und weil die Brauer eben nur Brauer und keine Gastwirte waren, gab es nichts zu essen, sondern der Gast mußte seine Brotzeit selbst mitbringen – eine Tradition, die manch Münchener Biergarten heute noch aufrechterhält. Wer nichts mitbringt, braucht aber auch nicht mehr zu hungern: Zu jedem größeren Biergarten gehören Imbißstandl, wo man sich Brezn, Obatzdn (angemachter Camembert), Weißwürste, Schweinswürstl, Geselchtes, Haxn, Steckerlfische und Radi holt.

Im Sommer also gilt: "Auf den Keller!" – und zwar hier:
zum Paulaner auf dem Nockherberg in Giesing (3 500 Plätze, Brotzeit kann mitgebracht werden), auf den kinderfreundlichen Hofbräu-Keller in Haidhausen (Innere Wiener Straße 19), auf den Augustiner-Keller mitten in der Stadt und doch einer der schönsten (5 000 Plätze, Arnulfstr. 52), in den Hirschgarten in Laim, mit 8 000 Plätzen der größte, selbstverständlich auch in den Biergarten am Chinesischen Turm im Englischen Garten (7 000 Plätze), ebenfalls im Englischen Garten zum Aumeister oder in das Seehaus am Kleinhesseloher See, zum Flaucher in den Isarauen (Spezialität hier sind die Steckerlfische; bei manchem auch sehr beliebt, weil man hier die "Nackerten" in der Isar so bequem beobachten kann), in den Franziskanergarten in Waldtrudering (Brotzeit kann mitgebracht werden) oder auf den Löwenbräukeller in der Nymphenburger Straße, wo sich schon – je nach Kampflage – die Kontrahenten während der Münchener Räterepublik stärkten.

Odeonsplatz · Hofgarten · Residenz

Odeonsplatz

Der Odeonsplatz, von dem aus die Brienner Straße westwärts zum Forum der Künste (Königsplatz) und die Ludwigstraße nordwärts zum Forum der Wissenschaften (Universität) führt, entstand nach Plänen von Leo von Klenze und spiegelt das Selbstbewußtsein des jungen Königreichs Bayern.

*Theatinerkirche

Im Südwesten des Odeonsplatzes steht die doppeltürmige und mit einer hohen Kuppel versehene Theatinerkirche (St. Cajetan). Barock und Rokoko prägen dieses 1663–1768 errichtete Gotteshaus, an dessen Entstehung namhafte Baumeister wie Agostino Barelli, Enrico Zuccalli und François Cuvilliés beteiligt waren.

Feldherrnhalle

Östlich der Theatinerkirche bildet die Feldherrnhalle den südlichen Abschluß der Ludwigstraße. Sie wurde 1841–1844 von Friedrich Gärtner nach dem Vorbild der Florentiner Loggia dei Lanzi errichtet. Nach dem gescheiterten Putschversuch von Adolf Hitler 1923 wurde die Feldherrnhalle zur Kultstätte der Nationalsozialisten. Die Denkmäler des Feldherrn Tilly und des Fürsten Wrede hat Ludwig von Schwanthaler entworfen.

*Theatinerstraße

Von der Theatinerkirche führt die Theatinerstraße mit ihren noblen Geschäften stadteinwärts in Richtung Marienplatz. Beachtenswert ist das Rokoko-Palais Preysing, das 1728 fertiggestellt worden ist.

Salvatorkirche
Erzbischöfl. Palais

Wenige Schritte südwestlich der Theatinerkirche kommt man zur spätgotischen Salvatorkirche sowie zum Erzbischöflichen Palais. Der schmucke Barockbau wurde im 18. Jh. für Gräfin Holnstein, die Geliebte des Kurfürsten Karl Albrecht, errichtet.

*SiemensForum

Unweit westlich in der Prannerstraße findet man das sog. SiemensForum München. Das "Museum zum Anfassen" macht die Entwicklung der Elektrotechnik und Mikroelektronik seit 1847 verständlich.

Hofgarten

Östlich der Theatinerkirche erstreckt sich der 1613–1617 nach dem Vorbild der italienischen Gartenbaukunst angelegte Hofgarten mit seinem hübschen Dianatempel. An seiner Nordseite lädt das Deutsche Theatermuseum zum Besuch ein. An der Ostseite zieht der 1992 fertiggestellte Glaspalast der Bayerischen Staatskanzlei die Blicke auf sich. Kern des modernen Bauwerks ist der restaurierte Kuppelbau des im Zweiten Weltkrieg zerstörten Bayerischen Armeemuseums.

**Residenz

Südlich des Hofgartens liegt die ehemalige Residenz. Diese ab dem 16. Jahrhundert in mehreren Bauperioden entstandene, im Zweiten Weltkrieg schwer beschädigte Schloßanlage gehört zu den wichtigsten ihrer Art in Deutschland. Der nach dem Krieg restaurierte Gebäudekomplex sowie seine Innenausstattung bieten sich heute wieder als organisch gewachsene Einheit dar, die Stilelemente der Spätrenaissance, des Barock und Rokoko sowie des Klassizismus umfaßt.
Ein Großteil der Schloßanlage ist als Residenzmuseum zugänglich. Beachtung verdienen vor allem die Ahnengalerie, das Porzellankabinett, der Grottenhof, das Antiquarium, die Schlachtensäle, das Reiche Zimmer, die Grüne Galerie, die Nibelungensäle, die Reliquienkammer, die Steinzimmer und die Wohnräume von König Ludwig I. Die Kostbarkeiten der Schatz-

Schatzkammer

kammer zählen zu den wertvollsten Sammlungen dieser Art. Sie umfassen

**Cuvilliéstheater

u. a. das Kreuzreliquiar von Kaiser Heinrich II., die Hausaltäre von Herzog Albrecht V. sowie die bayerische Königskrone von 1806. Im schönsten noch bestehenden Rokoko-Logentheater Europas, das Mitte des 18. Jahr-

*Münzsammlung
*Ägyptische
Kunst

hunderts unter der Leitung von François de Cuvilliés d. Ä. errichtet wurde, kann man auch heute noch Aufführungen beiwohnen. Auch die bedeutende Staatliche Münzsammlung ist in der Residenz untergebracht. An der Hofgartenseite der Residenz betritt man die Staatliche Sammlung Ägyptischer Kunst, die alle Epochen der altägyptischen Geschichte umfaßt.

Glanzstücke der Sammlung sind u. a. eine weibliche Figur aus dem Tempelbezirk von Abydos sowie ein Bildnis des Krokodilgottes Sobek.

Südlich der Residenz erstreckt sich der von monumentalen Bauten umgebene Max-Joseph-Platz. Das an seiner Ostseite 1811–1818 im klassizistischen Stil erbaute Bayerische Nationaltheater (zugleich Bayerische Staatsoper) wurde im Zweiten Weltkrieg fast völlig zerstört und bis 1963 wiederaufgebaut. Danach erfolgten langwierige Renovierungsmaßnahmen. Seit 1988 erstrahlt der Münchner Musentempel wieder in alter Pracht.

**Nationaltheater

Münchens Musentempel am Max-Joseph-Platz: das Nationaltheater

Maximilianstraße · Lehel

Vom Max-Joseph-Platz führt die im 19. Jh. von Friedrich Bürklein konzipierte Prachtmeile in südöstlicher Richtung zur Isar. Repräsentative Bauten wie die ehemalige Münze, die Kammerspiele (Schauspielhaus) und das Hotel "Vier Jahreszeiten" sowie exklusive Geschäfte prägen den westlichen Straßenabschnitt. An einer platzartigen Erweiterung stehen sich die Regierung von Oberbayern (links) – ein architektonisches Musterbeispiel des Maximilianstils – und das Völkerkundemuseum (rechts) gegenüber.

*Maximilianstraße

Das Staatliche Museum für Völkerkunde ist in einem 1865 errichteten repräsentativen Gebäude untergebracht. Ausstellungsschwerpunkte sind die Kulturen Ostasiens, West- und Zentralafrikas sowie Südamerikas.

*Völkerkundemuseum

Kurz vor der Isarbrücke ehrt das imposante Maxmonument König Maximilian II. (reg. 1848–1864). Auf der Höhe jenseits der Isar hat man 1857–1874 das Maximilianeum errichtet, das heute Sitz des Bayerischen Landtags ist.

Maxmonument
Maximilianeum

Östlich der Altstadt – zwischen Isartor und Englischem Garten – erstreckt sich die Vorstadt Lehel am linken Isarufer. In dem gründerzeitlichen Quar-

Lehel

tier sieht man noch viele Wohnhäuser der Biedermeierzeit, des Historismus und des Jugendstils. Beachtung verdient die Klosterkirche St. Anna im Lehel, die 1727–1733 nach Plänen von Johann Michael Fischer errichtete erste Rokoko-Kirche Altbayerns mit wertvoller Innenausstattung von den Brüdern Asam und Johann Baptist Straub.

Prinzregentenstraße

Straßenbild

Im Norden wird der Lehel von der Prinzregentenstraße begrenzt, die im Zeitraum von 1891 bis 1912 angelegt wurde und über die Isar hinweg nach Bogenhausen führt. Entlang dieser Prachtmeile trifft man auf zahlreiche repräsentative Bauten und wichtige Museen.

Haus der Kunst
**Staatsgalerie moderner Kunst

Am Beginn der Prinzregentenstraße, d. h. am Südrand des Englischen Gartens, steht das 1937 nach Entwürfen von Paul Ludwig Troost erbaute Haus der Kunst, einer der letzten noch erhaltenen Monumentalbauten aus der Zeit des Nationalsozialismus. Im Haus der Kunst ist heute die Staatsgalerie moderner Kunst untergebracht, die zu den bedeutendsten ihrer Art in Deutschland gehört. Zu sehen sind Arbeiten namhafter Vertreter der klassischen sowie der italienischen Moderne. Besonders eindrucksvoll ist die Dokumentation zum Thema "Entartete Kunst".

Neue Sammlung

Weiter östlich erreicht man die Neue Sammlung (im Studiengebäude am Westflügel des Bayerischen Nationalmuseums). Dieses "Staatliche Museum für Angewandte Kunst" wurde 1925 als Museum moderner Werkkunst gegründet. Heute besitzt es mit rund 35 000 überwiegend kunstgewerblichen Objekten (Holz, Glas, Keramik, Porzellan, Textilien, Photographie, Gebrauchsgraphik, Buchkunst, Möbel, Lampen, Metallwaren) und zahlreichen Plakaten eine äußerst interessante Sammlung.

**National-
museum

Gleich nebenan, ebenfalls auf der linken Straßenseite, lädt das Bayerische Nationalmuseum zum Besuch ein. Es ist eines der bedeutendsten Museen für europäische Skulptur und Kunstgewerbe. Herausragend sind vor allem die Sammlung altdeutscher Plastik (u. a. Arbeiten von Tilman Riemenschneider), die Abteilung flandrischer Tapisserien, eine umfangreiche Porzellansammlung und eine großartige Krippensammlung.

*Prähistorische
Staatssammlung

In einem modernen Gebäude hinter dem Nationalmuseum befindet sich die Prähistorische Staatssammlung mit Kulturzeugnissen von der Altsteinzeit bis zum frühen Mittelalter, darunter auch Funde aus dem keltischen Oppidum von Manching sowie aus dem Fürstengrab von Wittislingen.

*Schackgalerie

Wenige Schritte weiter folgt die Schackgalerie. In dem von Max Littmann entworfenen Gebäude, das 1907 für die Preußische Gesandtschaft errichtet worden ist, kann man heute die Entwicklung der deutschen Malerei des 19. Jh.s nachvollziehen. Zu sehen sind u. a. Werke von Schwind, Spitzweg, Böcklin.

*Friedensengel

Über die Isar strebt die Prinzregentenstraße dem Friedensengel zu, einem der schönsten Denkmäler des Historismus, entstanden Ende des 19. Jh.s.

*Villa Stuck

Nach einigen Gehminuten erreicht man die prächtige Villa des Malerfürsten Franz von Stuck (1863–1928). In ihrer Architektur und Ausstattung fließen Elemente des späten Klassizismus und des Jugendstils zusammen. Zu sehen sind hier u. a. Stucks "Bronzene Amazone" und das seinerzeit vieldiskutierte Bildwerk "Die Sünde". Eine ständige Ausstellung informiert über den Münchner Jugendstil.

*Prinzregenten-
theater

Die Prinzregentenstraße endet beim gleichnamigen Theater. Dieser repräsentative Kulturbau, dessen Architektur Elemente des Klassizismus und des Jugendstils zeigt, wurde 1900/1901 nach Plänen von Max Littmann als Richard-Wagner-Festspielhaus errichtet.

Ludwigstraße · Universität · Englischer Garten

Die lange und schnurgerade Ludwigstraße, die vom Odeonsplatz nordwärts zur Universität führt und am Siegestor endet, wurde auf Wunsch von
König Ludwig I. angelegt. Hofarchitekt Leo von Klenze und sein Nachfolger
im Amt, Friedrich von Gärtner, haben mit ihrer Bautätigkeit das Bild dieser
Prachtstraße nachhaltig geprägt.

Ludwigstraße

Die Bayerische Staatsbibliothek, deren Architektur an die italienische Frührenaissance erinnert, wurde in den dreißiger Jahren des 19. Jh.s nach Plänen von Friedrich von Gärtner errichtet. Die Skulpturen vor dem Eingang –
Aristoteles, Hippokrates, Homer und Thukydides – sind Arbeiten von Ludwig von Schwanthaler.

Staatsbibliothek

Weiter nördlich folgt die 1829–1844 ebenfalls nach Entwürfen von Friedrich von Gärtner entstandene Ludwigskirche. An der Altarwand im Chor
beeindruckt das "Jüngste Gericht", ein Monumentalgemälde des "Naza-
reners" Peter Cornelius.

Ludwigskirche

Westlich des Englischen Gartens gelangt man zum "Forum der Wissenschaften", das König Ludwig I. in den dreißiger Jahren als Gegenpol zum
"Forum der Künste" am Königsplatz errichten ließ. Der symmetrische Gebäudekomplex der Ludwig-Maximilians-Universität war 1840 vollendet.
Am 18. Februar 1943 ließen die Geschwister Sophie und Hans Scholl gegen die Nationalsozialisten gerichtete Flugblätter der Widerstandsgruppe
"Die Weiße Rose" in den Lichthof des Hauptgebäudes flattern. Kurz darauf
wurden sie zum Tode verurteilt und hingerichtet.

Universität

Nördlich der Universität steht das 1843–1852 erbaute Siegestor, das von
einer bronzenen Bavaria mit Löwenquadriga bekrönt ist. Es erinnert an die
Verdienste des bayerischen Heeres.

Siegestor

Nördlich vom Siegestor liegt der Stadtteil Schwabing, der sich um die
Jahrhundertwende zu einem Künstler- und Bohèmeviertel entwickelt hatte.
Von seinem einstigen Flair ist heute jedoch nur noch wenig zu spüren.

Schwabing

Östlich der Ludwigstraße bzw. nördlich vom Haus der Kunst erstreckt sich
der Englische Garten. Der als Volksgarten konzipierte und an schönen Tagen sehr belebte Landschaftspark entstand 1789–1832 nach den Vorstellungen des Grafen Rumford und des Gartenarchitekten Ludwig von Sckell.
Publikumsmagneten sind der Chinesische Turm (1790) mit seinem großen
Biergarten, der klassizistische Monopteros-Tempel, der Japanische Tee-
garten, der Kleinhesseloher See sowie das Aumeisterhaus.

*Englischer
Garten

Königsplatz · Karolinenplatz

Vom Odeonsplatz verläuft die Brienner Straße – vorbei am Wittelsbacher-
platz mit einem Reiterdenkmal von Kurfürst Maximilian I. – als Prachtstraße in nordwestliche Richtung zum Karolinen- und weiter zum Königsplatz.

Brienner Straße

Nördlich vom Stachus ist im frühen 19. Jh. zunächst der strahlenförmige
Karolinenplatz entstanden. Ein Obelisk erinnert an die 1812 in Rußland gefallenen 30 000 bayerischen Soldaten.

Karolinenplatz

Der nach dem Karolinenplatz angelegte, von Klenze konzipierte Königs-
platz sollte mit seinen monumentalen Bauten als "Forum der Künste" den
Gegenpol zum "Forum der Wissenschaften" an der Ludwigstraße bilden.
Zwischen 1933 und 1935 wurde der Königsplatz von den Architekten Paul
Ludwig Troost und Leonhard Gall zur nationalsozialistischen "Akropolis
Germaniae" umgestaltet. Als imposante Kulissen für die Aufmärsche der
Nationalsozialisten entstanden damals die sog. Führerbau (heute Musik-

*Königsplatz

München

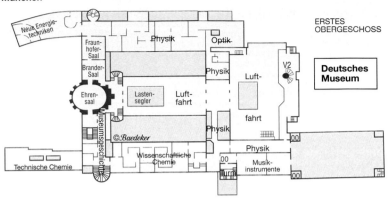

**Deutsches
Museum**

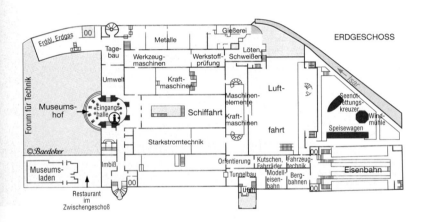

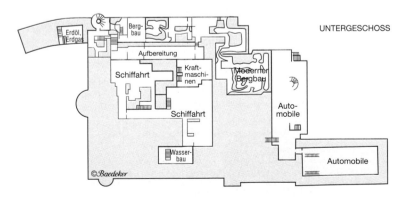

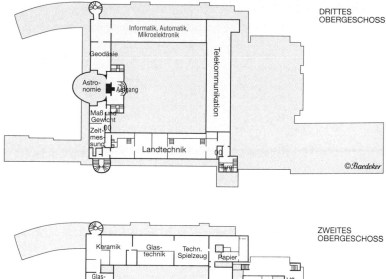

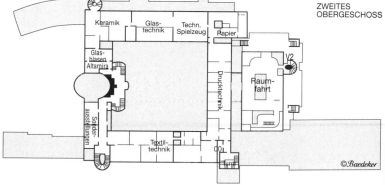

hochschule), in dem 1938 das Münchner Abkommen unterzeichnet wurde, und ein Verwaltungsgebäude der NSDAP, heute Sitz der Staatlichen Graphischen Sammlung. Die erneute Umgestaltung des Platzes seit 1988 orientiert sich wieder stärker am klassizistischen Erscheinungsbild.

Königsplatz (Fortsetzung)

In der Platzmitte steht dieses Prachttor, das Leo von Klenze nach dem Vorbild der Propyläen der Athener Akropolis entworfen hat.

Propyläen

Die Nordseite des Königsplatzes nimmt die 1816–1830 ebenfalls von Klenze gebaute, antike Tempelarchitektur zitierende Glyptothek ein. Sie beherbergt eine der bedeutendsten antiken Skulpturensammlungen Europas, die im Auftrag von König Ludwig I. zusammengetragen wurde.

*Glyptothek

Das monumentale Gebäude gegenüber der Glyptothek, 1638–1648 errichtet, beherbergt seit 1967 die Staatlichen Antikensammlungen.

*Staatliche Antikensammlungen

An der Nordwestseite des Königsplatzes steht das im Stil einer italienischen Renaissance-Villa erbaute Lenbach-Haus. Im ehemaligen Wohnsitz und Atelier des Malerfürsten Franz von Lenbach (1836–1904) zeigt heute die Städtische Galerie ihre Sammlung. Besonders gut vertreten sind die Künstler des "Blauen Reiter" (Wassily Kandinsky, Franz Marc u. a.).

*Lenbach-Haus

München

*Paläontolog.
Museum

Hinter dem Lenbach-Haus lohnt die Staatssammlung für Paläontologie und Historische Geologie einen Besuch. Prunkstücke der Schausammlung sind Versteinerungen aus dem Schwäbischen und Fränkischen Jura.

**Alte Pinakothek

Nordöstlich vom Königsplatz, bei den Institutsgebäuden der Technischen Universität, stehen sich Alte und Neue Pinakothek gegenüber – beides Gemäldegalerien von Weltrang. Mit einem weiteren Museumsneubau wurde 1996 südöstlich der Alten Pinakothek begonnen. Die 1826–1836 nach Plänen von Leo von Klenze errichtete Alte Pinakothek wurde nach dem Zweiten Weltkrieg wiederaufgebaut. Wegen dringender Sanierungsmaßnahmen ist sie voraussichtlich bis Sommer 1998 geschlossen. Die Sammlung der Alten Pinakothek bietet einen Querschnitt durch alle Schulen der europäischen Malerei vom Mittelalter bis zum beginnenden 19. Jahrhundert. Darunter befinden sich auch so berühmte Werke wie die "Alexanderschlacht" von Albrecht Altdorfer (1529) und das bekannteste Selbstbildnis von Albrecht Dürer aus der Zeit um 1500.

**Neue
Pinakothek

Die von Alexander Freiherr von Branca entworfene Neue Pinakothek öffnete 1981 ihre Pforten. Ihre Sammlungen umfassen Gemälde und Plastiken vom Rokoko bis zum Jugendstil sowie bedeutende Werke von Cézanne, Gauguin, Van Gogh, Manet und Monet.
(Öffnungszeiten: Mi., Fr., Sa., So. 10.00–17.00, Di., Do. bis 20.00 Uhr.)

Südöstliches und südliches Stadtgebiet

**Deutsches
Museum

Südöstlich des Stadtzentrums liegt das Deutsche Museum, eines der größten technisch-naturwissenschaftlichen Museen der Welt. Die Errungenschaften der Naturwissenschaften und der Ingenieurskunst werden hier nicht nur an einzigartigen Schaustücken, sondern auch an beweglichen Demonstrations- und Funktionsmodellen gezeigt. Die Bestände werden laufend ergänzt und mit Exponaten der neuesten technischen Entwicklungen aufgestockt.

*Forum der
Technik, IMAX-
Kino, Planetarium

Vor wenigen Jahren wurde das Forum der Technik eröffnet, ein Superlativ der Unterhaltungstechnik und Wissensvermittlung mit IMAX-Kino, Laser Show und "Space Theater" (Sternentheater mit Zeiss-Planetarium).

Gasteig

Unweit nordöstlich, jenseits der Ludwigsbrücke, erreicht man das Kulturzentrum Gasteig, das die Stadtbibliothek, das Richard-Strauss-Konservatorium, die Volkshochschule und die Philharmonie beherbergt.

**Tierpark
Hellabrunn

Im südlichen Stadtteil Harlaching befindet sich der vielbesuchte Tierpark Hellabrunn. Tiere aus aller Welt werden hier in möglichst naturnaher Umgebung (Aquarium, Elefantenhaus, Großvoliere u. a.) gehalten.

Geiselgasteig
*BavariaFilmTour

Im noblen südlichen Vorort Geiselgasteig liegt das Gelände der Filmgesellschaft Bavaria Atelier GmbH, auf dem heute vorwiegend Fernsehproduktionen gedreht werden. Filmfans sei die "BavariaFilmTour" empfohlen, bei der Kniffe, Tricks und Spezialeffekte aus bekannten Filmproduktionen (u. a. "Das Boot") vorgeführt werden.

Westliche Stadtteile

Theresienwiese

Südwestlich vom Stadtzentrum liegt die Theresienwiese (volkstümlich "Wiesn"), wo alljährlich – meist schon ab Mitte September – das Oktoberfest stattfindet. An der Westseite der Theresienwiese steht die 1850 nach einem Entwurf Schwanthalers in Bronze gegossene Bavaria, die von der Ruhmeshalle umrahmt wird. In dieser von Klenze entworfenen Marmorsäulenhalle sind die Büsten namhafter Bayerischer Bürger zu sehen.

*Bavaria und
Ruhmeshalle

**Schloß
Nymphenburg

Nordwestlich vom Stadtzentrum erstreckt sich die weitläufige Schloßparkanlage Nymphenburg mit Barockschloß (1664–1728), Wasserkünsten und

Schloß Nymphenburg – die barocke Sommerresidenz der bayerischen Landesherren – liegt inmitten eines herrlichen Landschaftsparks.

prächtigem Landschaftspark. Die Räumlichkeiten des Hauptbaus sind prachtvoll ausgestattet. Publikumsrenner sind die Schönheitengalerie von König Ludwig I., das Marstallmuseum (Südflügel) mit Prunkkarossen und Prunkschlitten sowie das reichhaltige Porzellanmuseum. Im nordöstlichen Teil des Schloßrondells befindet sich die 1747 gegründete Staatliche Porzellanmanufaktur Nymphenburg. Im Nordflügel ist seit 1990 das Museum Mensch und Natur zu hause, dessen Schwerpunkte die Erdgeschichte und die Entwicklung des Lebens, die Biologie des Menschen sowie diverse Umweltthemen sind.

Von den Parkbauten ist besonders die Amalienburg hervorzuheben, ein 1734–1739 von François de Cuvilliés d.Ä. erbautes Jagdschlößchen.

Nördlich vom Schloß erstreckt sich der Neue Botanische Garten mit Alpinum, Farnschlucht, Rhododendrenhain und diversen Schaugewächshäusern (u. a. Tropenhaus).

Schloß
Nymphenburg
(Fortsetzung)

Museum Mensch
und Natur

*Amalienburg

*Botanischer
Garten

München-Nord · Olympiapark

Etwa 5 km nordwestlich der Stadtmitte entstand für die Olympischen Sommerspiele 1972 der Olympiapark. Er umfaßt den 290 m hohen Olympiaturm mit Drehrestaurant und Aussichtsplattformen, das Olympiastadion, die Schwimmhalle, die große Olympiahalle, das neue Eissportstadion sowie diverse andere Sporteinrichtungen. Ein Teil der Sportanlagen wird von einem 74 800 m² großen Zeltdach geschützt, einer filigranen Konstruktion bestehend aus einem riesigen, an hohen Masten aufgehängten Stahlnetz und lichtdurchlässigen Platten aus Acrylglas.

*Olympiapark

Östlich schließt das Werksgelände der Bayerischen Motoren-Werke (BMW) an mit dem Vierzylinder-Hochhaus als Wahrzeichen. In einer fensterlosen Betonschale ist das BMW-Museum untergebracht.

BMW-Museum

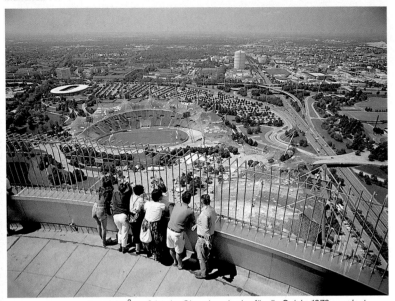

Fast 3 km² groß ist der Olympiapark, der für die Spiele 1972 angelegt wurde. Vom Olympiaturm überblickt man das Stadion und die Stadt.

Umgebung von München

Schloßparkanlage Schleißheim

Etwa 14 km nördlich von München und am Ostrand des Dachauer Mooses liegt der durch seine Schlösser berühmte Ort Schleißheim. Der von Kanälen umzogene Schloßpark ist streng symmetrisch entlang einer Mittelachse angelegt. Im Westen der Anlage steht das verhältnismäßig schlichte Alte Schloß. Östlich folgt das 1701–1704 nach Plänen von Enrico Zucalli erbaute Neue Schloß mit einer prachtvollen Innenausstattung. Es schließt sich ein großes Gartenparterre mit Wasserkünsten an, das sich ostwärts bis zum Schloß Lustheim hinzieht.

Schloß Lustheim

Das Gartenschloß Lustheim am Ostrand der Schloßparkanlage wurde 1684–1688, also noch vor dem Neuen Schloß erbaut. Die Pläne hat ebenfalls Enrico Zucalli entworfen. Es beherbergt die berühmte Meißner Porzellansammlung von Ernst Schneider, die nur noch von der Ausstellung im Dresdner Zwinger übertroffen wird.

Flugzeugwerft Oberschleißheim

Auf dem Gelände der ehemaligen Flugzeugwerft Oberschleißheim ist 1992 das Museum für Luft- und Raumfahrt als Zweigstelle des Deutschen Museums eröffnet worden. In den alten Werfthallen und einer neuen großen Ausstellungshalle sind Flugzeuge, flugtechnisches Gerät sowie allerlei Antriebsaggregate zu sehen.

Dachau

Wird heute der Name der Stadt Dachau (35 000 Einwohner, 17 km nordwestlich von München) erwähnt, denkt man zunächst an das Konzentrationslager der Nationalsozialisten, in dem während des Dritten Reichs rund 32 000 Häftlinge ermordet wurden, hauptsächlich Juden, Sinti, Roma, Geistliche und Kommunisten. Auf dem Gelände des ehemaligen Dachauer Konzentrationslagers ist heute eine Gedenkstätte mit Museum und internationalem Mahnmal eingerichtet. Beachtenswert ist aber auch das von

Joseph Effner im 18. Jh. gestaltete Schloß von Dachau mit seinem großen Barockgarten. Es handelt sich um den umgestalteten Westflügel einer einst mächtigen Renaissance-Anlage aus dem 16. Jahrhundert. Interesse verdienen ferner einige Häuser von Mitgliedern der Dachauer Künstlerkolonie, die im 19. und frühen 20. Jh. bestand.

München,
Umgebung
Dachau
(Fortsetzung)

Recht reizvoll liegt die Kreisstadt Fürstenfeldbruck (25 km westlich von München) im idyllischen Ampertal. Der bayerische Herzog Ludwig II. gründete hier 1258 ein Kloster (die heutigen Klosterbauten stammen aus der Zeit um 1700). In der sog. Klostergalerie ist eine der größten Maßkrugsammlungen Oberbayerns untergebracht. Die bemerkenswerte barocke Klosterkirche wurde 1713 – 1766 nach Entwürfen von Viscardi errichtet. Im gewaltig wirkenden Innenraum des Gotteshauses sind italienische, französische und bairische Stilrichtungen vereint. Die meisterhafte Innenausstattung mit wundervollen Stuckarbeiten und grandiosen Fresken entstand unter Mitarbeit der Brüder Appiani und der Brüder Asam. Der langgestreckte Stadtplatz von Fürstenfeldbruck mit dem Rathaus und dem ehemaligen Klosterrichterhaus (1626) wird von barocken und klassizistischen Bürgerhäusern umrahmt.

Fürstenfeldbruck

Die altbayerische Stadt Freising (40 000 Einw.), die vom 8. bis zum 18. Jh. Sitz eines Bistums (jetzt Erzbistum München und Freising) gewesen ist, liegt 33 km nördlich von München auf dem hohen linken Ufer der Isar. Auf dem Domberg steht der zweitürmige Dom, eine seit 1160 erbaute romanische Backstein-Basilika, deren barocke Innenausstattung (1723/1724) von den Brüdern Asam stammt. In der Krypta (12. Jh.) befindet sich der Reliquienschrein des hl. Korbinian. Ebenfalls auf dem Domberg lädt das Diözesanmuseum zum Besuch ein. Im nordöstlichen Stadtteil Neustift steht die Kirche eines ehemaligen Prämonstratenserklosters, die 1751 durch Johann Baptist Zimmermann und Ignaz Günther neu erbaut wurde.

Freising

Südwestlich des Stadtzentrums trifft man auf das ehemalige Benediktinerkloster Weihenstephan, dessen 1671 – 1705 errichtete Gebäude die älteste noch in Betrieb befindliche Brauerei der Welt (Biergarten) sowie Institute der beiden Münchner Universitäten beherbergen. Das neu eingerichtete Museum im Schafhof informiert über die Entwicklung der bayerischen Landwirtschaft seit 1800.

Weihenstephan

Münster · Münsterland   D 4

Bundesland: Nordrhein-Westfalen
Höhe: 62 m ü.d.M.
Einwohnerzahl: 280 000

Die altehrwürdige Bischofs- und Universitätsstadt Münster ist das geographische und wirtschaftliche Zentrum des Münsterlands im Nordwesten von Nordrhein-Westfalen. Die Stadt erstreckt sich am Dortmund-Ems-Kanal und an der Aa, die im Südwesten zum Aasee gestaut ist. Münsters Stadtbild ist geprägt von Adelshöfen, Bürgerhäusern und vor allem von Kirchen, was ihr den Beinamen "niederdeutsches Rom" eingebracht hat.

Lage und
Allgemeines
zur Stadt

*Stadtbild

Gegen Ende des 8. Jh.s gründete Karl der Große das Bistum Münster, dessen erster Bischof der Friese Liudger (Ludgerus) war. Im 12. Jh. erhielt der Ort Stadtrechte, im 13. Jh. trat er der Hanse bei. Von 1534 bis 1535 regierten die radikal-reformatorischen Wiedertäufer in der Stadt, die die Einheit von Kirche und Staat ablehnten und u. a. die Erwachsenentaufe propagierten. Ihre Schreckensherrschaft endete nach 16 Monaten Belagerung durch Truppen des Bischofs von Münster. 1648 beendete der Friede von Münster und Osnabrück den Dreißigjährigen Krieg. Bis 1803 war Münster Zentrum eines Fürstbistums, 1816 wurde es Hauptstadt der preußischen Provinz Westfalen.

Geschichte

Sehenswertes in Münster

Prinzipalmarkt

*Rathaus

*Lambertikirche

An dem von Laubengängen und Giebelhäusern umrahmten Prinzipalmarkt steht das gotische Rathaus aus dem 14. Jahrhundert. Im Friedenssaal wurde am 16. Mai 1648 der Teilfriede zwischen Spanien und den Niederlanden unterzeichnet. Neben dem Rathaus sieht man das Stadtweinhaus, ein Giebelhaus aus der Spätrenaissance. Am Prinzipalmarkt befindet sich ferner die Lambertikirche (14./15. Jh.), an deren Westturm in drei heute noch hier hängenden eisernen Käfigen 1536 die Leichen der Wiedertäufer Johann von Leyden, Knipperdollinck und Krechting zur Schau gestellt wurden.

*Dom

Am Domplatz erhebt sich der Dom St. Paul, 1225–1265 im romanisch-gotischen Stil erbaut, eine der größten Kirchen Westfalens. Bedeutendste Schätze der Innenausstattung sind die zehn Apostelfiguren im "Paradies", der Vorhalle an der Südseite. Im Inneren, das durch seine großartige Raumwirkung besticht, gibt es zahlreiche Altäre, Statuen und Grabmäler, darunter das von Clemens August Graf von Galen. Beachtung verdient auch die astronomische Uhr von 1542 im Chorumgang. In einem Neubau am Nordflügel des Kreuzgangs wird der Domschatz aufbewahrt.

*Westfälisches
Landesmuseum

An der Südseite des Domplatzes zeigt das Westfälische Landesmuseum für Kunst und Kulturgeschichte u. a. Dokumente zur Stadt- und Landesgeschichte, Malerei und Plastik des Mittelalters und Gemälde des deutschen Impressionismus.

Erbdrostenhof

An der Salzstraße 38 steht der Erbdrostenhof, ein ehemaliger Adelshof, der 1754 von dem bedeutenden westfälischen Baumeister Johann Conrad Schlaun errichtet und zwischen 1953 und 1970 originalgetreu wiederhergestellt wurde.

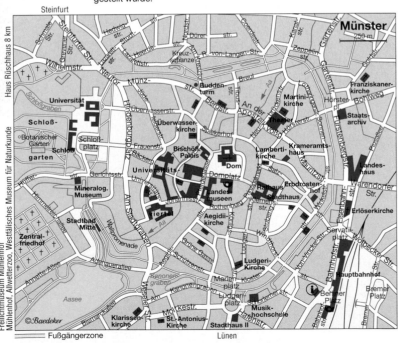

© Baedeker

Freilichtmuseum Mühlenhof
Mühlenhof, Allwetterzoo, Westfälisches Museum für Naturkunde

Haus Rüschhaus 8 km

════ Fußgängerzone

Patrizierhäuser mit schönen Renaissancegiebeln rahmen den Prinzipalmarkt ein.

In der Nähe der Bahnhofs zeigt das in seiner internationalen Ausrichtung weltweit einzigartige Museum für Lackkunst eine Kollektion feiner Lackobjekte vor allem aus Asien, Europa, dem islamischen und präkolumbianischen Kulturkreis mehrerer Jahrhunderte, z. B. chinesische Stellschirme, Figuren jeder Art, ziselierte Vasen und natürlich die Lacca ilicis, jene Lausart, aus deren Sekreten man bereits im Mittelalter den nach ihm benannten Werk- und Konservierungsstoff Lack gewann.

Museum für Lackkunst

Im Westen der Altstadt liegt jenseits der Aa das um 1770 nach Plänen Johann Conrad Schlauns erbaute ehemals fürstbischöfliche Schloß, das heute die Westfälische Wilhelms-Universität beherbergt.

Schloß

Im Südwesten der Stadt dehnt sich der Aasee aus, Münsters Wassersportparadies. Vom See aus lohnt ein Abstecher zum Freilichtmuseum Mühlenhof, in dem Hofbauten und eine originalgetreu erhaltene Bockwindmühle gezeigt werden. In unmittelbarer Nähe befindet sich das Westfälische Museum für Naturkunde, zu dem ein Planetarium gehört.

Aasee
Freilichtmuseum
Mühlenhof
(Abb. s. S. 558)

Münsterland

Das meist ebene oder leicht wellige Münsterland erstreckt sich nördlich und nordöstlich des Ruhrgebiets und geht im Westen in die Niederrheinische Tiefebene über. Aus dem flachen Land ragen einige Bergzüge auf, so im Osten die Beckumer Berge und im Nordwesten die Baumberge. Den Reiz der überwiegend durch Landwirtschaft geprägten Region machen besonders die vielen Wasserburgen aus. Außerdem ist das Münsterland ein Pferdeland: Fast auf jedem Hof stehen Pferde ein, und Warendorf ist gar das Zentrum der deutschen Springreiterei. Dort finden alljährlich im September und Oktober die vielbesuchten Hengstparaden statt.

*Landschaftsbild

Haus Rüschhaus

In der Umgebung von Münster erinnert vieles an die Familie von Droste-Hülshoff. Haus Rüschhaus, 8 km nordwestlich der Stadt, wurde 1745 bis 1749 von Johann Conrad Schlaun als Sommersitz der Familie erbaut und war später Wohnsitz der Dichterin Annette von Droste-Hülshoff (1797 – 1848).

Schloß Hülshoff

Einige Kilometer vom Rüschhaus entfernt befindet sich bei Roxel Schloß Hülshoff (16. Jh.), das Wasserschloß, in dem Annette von Droste-Hülshoff 1797 geboren wurde.

Burg Vischering

Der Wasserburg Vischering (16. Jh.) bei Lüdinghausen, 28 km südwestlich von Münster, sieht man ihren Charakter als Wehrbau noch deutlich an. Wesentlich prachtvoller gibt sich Schloß Nord-

*Schloß Nordkirchen

kirchen, die größte und bedeutendste Wasserburg Westfalens, die bewundernd als "westfälisches

Esse mit Mettwürstchen im Rauchfang im Mühlenhofmuseum bei Münster

Versailles" bezeichnet wurde. Umgeben von breiten Wassergräben, liegt das Schloß auf einer fast quadratischen Insel, deren Ecken mit vier achteckigen Pavillons besetzt sind. Das Innere des Schlosses ist mit Deckenstukkierungen ausgeschmückt. Im Park, den Johann Conrad Schlaun zusammen mit französischen Gartenarchitekten gestaltete, gibt es eine Orangerie, die zu einem Gartenkasino ausgebaut wurde.

Telgte

Die kleine Stadt Telgte, 12 km östlich von Münster, ist ein bekanntes Wallfahrtsziel. Im Heimatmuseum ist die Geschichte der Marienwallfahrt dokumentiert, u.a. mit einem 28 m² großen Hungertuch von 1623, darüber hinaus erfährt man einiges über die regionale Wohnkultur und über Clemens August Graf von Galen (1878 – 1946), der als Bischof von Münster (seit 1933) gegen die Politik der Nationalsozialisten Stellung bezog. Günter Grass hat Telgte in seiner Erzählung "Das Treffen von Telgte" literarisch verewigt.

Beckum

Beckum liegt 43 km südöstlich von Münster. Die dortige Kirche St. Stephanus bewahrt mit dem um 1230 gefertigten Prudentia-Schrein ein außerordentliches Zeugnis spätromanischer Gold- und Silberschmiedekunst.

*Wasserschloß Raesfeld

Weit im Westen des Münsterlands, jenseits der A 31 und südlich von Borken, liegt der Ort Raesfeld mit seinem Wasserschloß. Von dem ursprünglich vierflügeligen Hauptschloß sind der Nordtrakt und der frühbarocke Westflügel erhalten, den Generalfeldmarschall Alexander II. von Velen ab 1643 errichten ließ. Wie sein Vorbild Wallenstein beschäftigte er einen Astrologen: Für dessen Beobachtungen wurde der mächtige, von einer Haube gekrönte Eckturm hochgezogen. Heute beherbergt das Schloß eine Akademie des Handwerks und ein Restaurant.

Wasserschloß Lembeck

Stilvoll übernachten kann man im Hotel des 1692 vollendeten Wasserschlosses Lembeck in der Nähe von Raesfeld. Der großartige Festsaal ist ein Werk des umtriebigen von Schlaun.

Naumburg   H 4

Bundesland: Sachsen-Anhalt
Höhe: 108 m ü.d.M.
Einwohnerzahl: 31 000

Die durch ihren Dom berühmte Stadt Naumburg liegt am Nordostrand des   Lage und
Thüringer Beckens, südlich der Stelle, wo die Unstrut in die Saale mündet.   Allgemeines
An den Talhängen der beiden Flüsse wird Wein angebaut.

Etwa um das Jahr 1000 entstand an der Kreuzung zweier Handelsstraßen   Geschichte
die "neue Burg" der Markgrafen von Meißen. Von 1028 bis 1564 war der
Ort Bischofssitz. Neben dem Burgbezirk als geistlicher Residenz wuchs
die Bürger- und Handelsstadt. Als 1506 Leipzig das Messeprivileg für das
Gebiet im Umkreis von 15 Meilen erhielt, verlor Naumburg seine Bedeutung als Handelsstadt. Von 1656 bis 1718 gehörte Naumburg zum Herzogtum Sachsen-Zeitz. 1832 wurden Bürgerstadt und Domstadt vereinigt.

**Dom St. Peter und Paul

Der spätromanisch-frühgotische Dom St. Peter und Paul steht im Nordwe-   Entstehung
sten der Stadt, im Bereich der einstigen Domfreiheit. Er präsentiert sich als   des Doms
Basilika mit Langhaus und Querhaus sowie mit einem West- und einem
Ostchor, denen jeweils zwei Türme zugeordnet sind. Südwärts schließt
sich an die Kirche ein Kreuzgang mit Hof an. Der erste romanische Bau,
von dem die Krypta unter dem Ostchor stammt, wurde 1042 geweiht; der
zweite spätromanische Bau wurde vor 1213 begonnen und 1242 fertiggestellt. Um 1250 entstand der Westchor. (Eintritt nur gegen Gebühr.)

Weltberühmt sind die Figuren der zwölf Stifter im Westchor, Hauptwerk   **Stifterfiguren
des nicht namentlich bekannten Naumburger Meisters (nach 1250). Alle
Gestalten sind lebensgroß in Kalkstein gehauen und nach der Mode der
Zeit gekleidet. Die bekanntesten Paare, bei denen es sich nicht um realistische Porträts handelt, da die Personen zur Zeit der Darstellung bereits
verstorben waren, sind Ekkehard und Uta sowie Hermann und Regelindis.

Bemerkenswert ist ferner der Figurenfries am Westlettner (Schauseite zum   Übrige Ausstattung
Mittelschiff), der Szenen aus der Leidensgeschichte darstellt: Abendmahl,
Auszahlung der Silberlinge, Gefangennahme Christi, Christus vor Pilatus
(Geißelung), Kreuztragung u.a. Im Portal des Lettners ist der gekreuzigte
Christus dargestellt. Beachtung verdienen auch die mittelalterlichen Glas-
fenster im Westchor. Weitere interessante Ausstattungsstücke des Doms
sind der Altar im Ostchor, die Kanzel, ein gemalter Flügelalter von 1520
und der Hieronymusaltar von 1530, ferner zahlreiche Grabdenkmäler.

Innenstadt

Durch den Steinweg, den Lindenring querend, und durch die Herrenstraße   *Marktplatz
gelangt man zum Marktplatz, der zu den schönsten in Mitteldeutschland
zählt. Ansprechende Bürgerhäuser, meist aus der Zeit des Barock und der
Renaissance, umrahmen den weiträumig angelegten Platz. Den Marktbrunnen krönt die Figur des hl. Wenzel, des Schutzpatrons der Stadt. Am
Markt stehen das Rathaus, ein spätgotischer Bau mit dekorativem Hauptportal und dem auf das 14. Jh. zurückreichenden Ratskeller, und das
"Schlößchen" von 1541. Neben diesem befindet sich die alte Residenz, die
1652 für Herzog Moritz von Sachsen-Zeitz errichtet wurde.

An der Südseite des Marktplatzes steht die Stadtkirche St. Wenzel, eine   St. Wenzel
spätgotische Hallenkirche. Sie ist die Hauptkirche der Stadt außerhalb des

Auf dem hübschen Marktplatz von Naumburg finden im Sommer diverse Feste statt.

Innenstadt (Fortsetzung)

geistlichen Bezirks. Von der Innenausstattung sind der barocke Hochaltar und die Hildebrandt-Orgel, auf der Johann Sebastian Bach spielte, hervorzuheben. Das Gemälde "Jesus als Kinderfreund" stammt aus der Werkstatt von Lucas Cranach d. Ä.

Marientor

Durch die Marienstraße gelangt man zum Marientor (15. Jh.) am Marienplatz, Teil der mittelalterlichen Stadtbefestigung mit Außentor, Wehrgang, Innentor und Wartturm. Teile der ehemaligen Stadtmauer sind noch erhalten. Im Innentor finden Aufführungen des Naumburger Puppentheaters statt. Am Außentor sieht man das Stadtwappen.

Nietzsche-Haus

Eng mit Naumburg verknüpft ist der Name Friedrich Nietzsches. Im Südosten der Stadt kaufte Nietzsches Mutter, die schon 1850 mit ihren beiden Kindern nach Naumburg gezogen war, ein Haus (Weingarten 18), das sie bis zu ihrem Tod bewohnte. Friedrich Nietzsche ging in Naumburg zur Schule. Nachdem das Nietzsche-Haus grundlegend saniert worden war, richtete man dort 1994 die Dauerausstellung "Nietzsche in Naumburg" ein, die dem Besucher vielfältige Informationen über den Philosophen vermittelt. Im Obergeschoß werden Sonderausstellungen gezeigt.

Reiseziele im *Unstruttal

Unstrut

Im Norden von Naumburg (zwischen Memleben im Westen und Naumburg im Osten) verläuft der landschaftlich reizvollste Abschnitt des Unstruttals – enge Talabschnitte wechseln hier mit weiten Flußsenken, an deren Südhängen Wein angebaut wird, vorwiegend die Weißweinsorten Müller-Thurgau, Bacchus, Gutedel, Silvaner und Weißburgunder. Die Unstrut ist mit 192 km Länge der bedeutendste Nebenfluß der Saale, mit der sie sich bei Naumburg vereinigt. Sie entspringt weit westlich bei Dingelstädt, durchfließt → Mühlhausen und bildet bei Heldrungen ein 400 m breites malerisches Tal, die sog. Thüringer Pforte, die einst durch Sachsenburgen (heute Ruinen) geschützt wurde.

Die Reihe der sehenswerten Orte entlang des Unsttals nahe Naumburg beginnt im Westen Naumburgs mit der historisch bedeutenden Ortschaft Memleben, eine ehemalige ottonische Kaiserpfalz mit einem Benediktinerkloster. Die Kirche (heute Ruine) war nach dem Magdeburger Dom der größte Bau des 10. Jh.s im Osten des ottonischen Reiches. Die Kaiserpfalz selbst wird südöstlich vermutet; sie war Sterbeort des ersten deutschen Königs, Heinrichs I., und Kaiser Ottos I.

Dem Lauf der Unstrut folgend, erreicht man das in einer Unstrutschlinge gelegene Städtchen Nebra (32 km nordwestlich von Naumburg). Es ist der Geburtsort der Schriftstellerin Hedwig Courths-Mahler (1867–1950; Gedenktafel am Geburtshaus).

Ca. 10 km südöstlich liegt Burgscheidungen. Das Barockschloß des Ortes steht an der Stelle einer früheren Höhenburg; der Schloßpark ist als italienischer Terrassengarten angelegt.

In Laucha, wenige Kilometer südlich von Burgscheidungen an der Unstrut gelegen, befindet sich eine als Museum eingerichtete Glockengießerwerkstatt. Beachtung verdienen ferner das Rathaus mit einer Freitreppe und die guterhaltene Stadtmauer.

Freyburg (4900 Einwohner), das am Unterlauf der Unstrut, 8 km nördlich von Naumburg liegt, ist das Zentrum des Weinbaus an diesem Fluß sowie der Wein- und Sektherstellung. Hier lebte und starb der Turnvater Friedrich Ludwig Jahn (1778–1851).
Von den Sehenswürdigkeiten in Freyburg ist vor allem Schloß Neuenburg (1090–1227) zu nennen. Nach der Wartburg war es die bedeutendste Burg der Thüringer Landgrafen und im 17. Jh. Residenz der Herzöge von Sachsen-Weißenfels. Bemerkenswert in dem Schloß sind eine spätromanische Doppelkapelle, die Kapitelle mit Pflanzen- und Tierornamenten aufweist, der Fürstensaal, ein Bergfried und ein 120 m tiefer Brunnen. Das Museum im Bergfried zeigt u. a. Dokumente zum Weinbau im Unstruttal. Von der Burg bietet sich ein schöner Blick auf das Tal.
In Freyburg sollte man sich ferner die romanische Stadtkirche St. Marien (13. Jh.), das Jahnmuseum im ehemaligen Wohnhaus des "Turnvaters", die Erinnerungsturnhalle mit Jahndenkmal und die Reste der Stadtmauer ansehen. Das spätgotische Rathaus wurde nach einem Brand 1682 in einfacheren Formen wiederaufgebaut.

In Großjena, einem Ort 3 km nördlich von Naumburg, steht am Hang eines Weinbergs das ehemalige Wohnhaus des Bildhauers, Malers und Graphikers Max Klinger (1857–1920). Eine Ausstellung im Atelier des Radierhäuschens gibt über Leben und Werk des Künstlers Auskunft. Ansehen sollte man sich auch das "Steinerne Bilderbuch" in der Nähe von Großjena, ein 200 m langes Bildrelief, das vor rund 200 Jahren in den Sandstein gehauen wurde und Darstellungen zur Geschichte des Weinbaus zeigt.

Weitere Ziele in der Umgebung von Naumburg

Die einstige Residenzstadt Weißenfels liegt 17 km nordöstlich von Naumburg an der mittleren Saale vor ihrem Austritt in die Leipziger Tieflandsbucht. Die Stadt wurde im 12. Jh. am Fuß des Burgbergs als Marktsiedlung angelegt. In den Jahren 1680–1746 war sie Residenz des Herzogtums Sachsen-Weißenfels. In Weißenfels war der Dichter Friedrich Freiherr von Hardenberg, Novalis genannt, von 1799 bis zu seinem Tod 1801 als kursächsischer Salinenbeamter tätig.

Naumburg

Umgebung,
Weißenfels (Fts.)
*Schloß Neu-
Augustusburg

Das Stadtbild wird geprägt von Schloß Neu-Augustusburg, einer barocken Dreiflügelanlage, die 1660–1694 als Residenz der Herzöge von Sachsen-Weißenfels erbaut wurde. Im Original erhalten blieb die Schloßkirche mit kunstvollem Altaraufsatz; unter dem Altarraum befindet sich die Gruft der Weißenfelser Herzogsfamilie. In Schloß Neu-Augustusburg ist das Weißenfelser Museum untergebracht, zu dem ein Schuhmuseum gehört.

Unterhalb des Schlosses erstreckt sich der Markt. Um ihn gruppieren sich das Rathaus, ein barocker Bau, und die Stadtkirche St. Marien, von deren Ausstattung der Altaraufsatz, die Kanzel und der Taufstein hervorzuheben sind. Beachtung verdienen auch die Bürgerhäuser Marienstraße 2 und 4, ansprechende Barockbauten, und die Fußgängerzone in der Jüdenstraße. In der Nikolaistraße befindet sich das Heinrich-Schütz-Haus, in dem der Komponist Schütz (1585–1672), Schöpfer der ersten deutschen Oper, seit 1657 mehrere Jahre lang wohnte. In dieser "Weißenfelser Musikergedenkstätte" werden Konzerte veranstaltet. In der Klosterstraße (Nr. 24) steht das Wohn- und Sterbehaus des Dichters Novalis (1772–1801). Schautafeln zeigen die Lebensstationen dieses bedeutenden Repräsentanten der Frühromantik, Porträts weisen auf das familiäre Umfeld hin. Im nahegelegenen Stadtpark befindet sich ein Abguß der Porträtbüste des Novalis von Friedrich Schaper.

Bad Kösen

Westlich von Naumburg liegt an der Saale Bad Kösen, ein Solbad, in dem ein Gradierwerk und alte Soleförderanlagen erhalten sind. Beachtung verdient das Kunstgestänge von 1780, das die Wasserkraft der Saale bergauf übertrug. Das Romanische Haus aus dem 12. Jh., heute Heimatmuseum, gilt als das älteste Wohnhaus in Mitteldeutschland.

Pforta

Einen guten Ruf hatte einst die evangelische Landesschule Schulpforta in Pforta, heute ein Ortsteil von Bad Kösen. 1543 ließ Moritz von Sachsen dort in einem aufgehobenen Zisterzienserkloster eine "Fürstenschule" einrichten, zu deren späteren Schülern u.a. Fichte, Klopstock und Nietzsche gehörten. Sehenswert ist heute vor allem die ehemalige Klosterkirche.

Von der Ruine Rudelsburg überblickt man das Saaletal.

Schöne, ausgeschilderte Wanderwege führen von Bad Kösen flußaufwärts zur Ruine Rudelsburg, die 1172 erbaut wurde, und zur Burg Saaleck, die schon 1050 zur Überwachung der Handelsstraßen auf einem Felsen etwa 170 m hoch über der Saale errichtet wurde. Von dort bietet sich ein herrlicher Blick ins Saaletal.

Naumburg, Umgebung (Fts.), ✻Rudelsburg Saaleck

Die kleine Stadt Eckartsberga liegt rund 15 km westlich von Naumburg an den Ausläufern der Finne. Entstehung und Bedeutung verdankt sie der einst reichen Veste Eckartsburg. Die Stadt wird von der Ruine der Eckartsburg überragt, einer im Kern romanischen Anlage, die zu den bedeutendsten Denkmälern im Kreis Naumburg zählt. Im späten 15. Jh. verfiel sie. Vom Wohnturm bietet sich ein weiter Blick. In dem Turm befindet sich ein Zinnfigurendiorama der Schlacht bei Auerstedt. Vor der Burg erinnert ein Goethe-Stein an den Besuch des Dichters.

Eckartsberga ✻Eckartsburg

Südöstlich von Eckartsberga erstreckt sich das Schlachtfeld von Auerstedt, auf dem am 14. Oktober 1806 preußische Truppen unter dem Oberbefehl des Herzogs Karl Wilhelm Ferdinand von Braunschweig von der wesentlich schwächeren französischen Armee unter Marschall Davout vernichtend geschlagen wurden (Doppelschlacht von Jena und Auerstedt). Das Schlachtfeld erreicht man von Eckartsberga über die B 87. Zwischen den Orten Hassenhausen und Taugwitz steht ein Denkmal für den Herzog von Braunschweig, der bei der Schlacht schwer verwundet wurde.

Auerstedt

Von Eckartsberga gelangt man über Reisdorf und Auerstedt nach Bad Sulza, das 1064 Stadtrecht verliehen bekam und ebenso lange mit der Salzgewinnung verbunden ist. Seit 1847 Solbad, verfügt der Ort mit dem ehemaligen Salinenkomplex über ein sehenswertes technisches Denkmal spätmittelalterlicher Salzförderung; bis 1966 wurde hier noch Salz gefördert. Beachtung verdienen das Museum und der Kurpark des Solbads mit einer Trinkhalle.

Bad Sulza

Westlich von Eckartsberga liegt Buttstädt, eine alte, durch ihre Pferde- und Ochsenmärkte bekannte kleine Stadt. Bemerkenswert sind die spätgotische Hallenkirche und das Rathaus mit reichgeschmückten Portalen und Erkern. Auf dem alten Friedhof befinden sich Grabdenkmäler des 17. bis 19. Jahrhunderts. Im Vogthaus wurde ein Heimatmuseum eingerichtet, u.a. mit Thüringer Bauernstube.

Buttstädt

Von Buttstädt führt der Weg nordwärts nach Rastenberg, am Südwestrand der Finne in einem Landschaftsschutzgebiet gelegen. Zu sehen sind Reste der Stadtmauer und zwei Wehrtürme sowie die Ruine der Raspenburg. Die eisenhaltigen Heilquellen, 1646 entdeckt, machten Rastenberg fast 300 Jahre lang zu einem bekannten Bade- und Kurort; 1936 versiegten die Quellen. Das Raspehaus, das einzige Patrizierhaus der Stadt, wurde 1641 vom Weimarer Amtmann T. Raspe erbaut.

Rastenberg

Neubrandenburg   K 2

Bundesland: Mecklenburg-Vorpommern
Höhe: 19 m ü. d. M.
Einwohnerzahl: 80 000

Neubrandenburg liegt im Nordosten der → Mecklenburgischen Seenplatte, am Nordufer des Tollensees. Wirtschaftlich, verkehrstechnisch und kulturell ist die Stadt ein wichtiger Knotenpunkt im Osten des norddeutschen Bundeslandes. Die nach Kriegszerstörung überwiegend modern gestaltete Innenstadt von Neubrandenburg wird von einem vollständig intakten, mittelalterlichen Befestigungsring mit ungewöhnlich reich geschmückten Stadttoren umschlossen.

Allgemeines und Stadtbild

Neubrandenburg

Neubrandenburg entstand ab 1248 als planmäßige Gründung des Markgrafen Johann von Brandenburg und war bis zum Dreißigjährigen Krieg eine prosperierende Handwerker- und Handelsstadt. Im 19. Jh. gewann die Stadt durch die Industrialisierung und die Anbindung an die Eisenbahnlinie Berlin-Saßnitz an Bedeutung. Sechs Jahre, von 1856 bis 1863, war Neubrandenburg die Heimat des mecklenburgischen Mundartdichters Fritz Reuter. Im Zweiten Weltkrieg wurden rund 85% der Innenstadt von Neubrandenburg zerstört.

Sehenswertes in Neubrandenburg

*Stadtmauer mit Wiekhäusern

Das historische Zentrum mit dem weitläufigen, von modernen Nachkriegsbauten geprägten Marktplatz im Mittelpunkt umläuft eine 2,3 km lange mittelalterliche Stadtmauer aus Feldsteinen, die ursprünglich mit 56 kleinen Fachwerkbauten zur Verteidigung besetzt war. Knapp die Hälfte dieser sogenannten Wiekhäuser wurde originalgetreu rekonstruiert und ist wieder in Benutzung (Galerien, Kunsthandwerksläden).

*Stadttore

Der Schmuck der Stadtbefestigung sind die vier im 14./15. Jh. errichteten, mit Blenden, Filialen und Giebeln reich verzierten Stadttore, insbesondere das Stargarder Tor und das Treptower Tor, in dem heute das Regionalmuseum zur Ur- und Frühgeschichte untergebracht ist.

Marienkirche

Die 1298 geweihte Marienkirche im Süden der Altstadt an der Stargarder Straße ist rund 50 Jahre nach ihrer fast völligen Zerstörung als Konzerthalle wiedererstanden.

Fritz Reuter in Neubrandenburg

An mehreren Stellen in der Stadt wird an den Mundartdichter Fritz Reuter erinnert. In seinem ehemaligen Wohnhaus in der Stargarder Straße Nr. 35 wurde ein Café eingerichtet. Vor dem nördlichen Stadttor steht sowohl sein Denkmal (1893) als auch der Mudder-Schulten-Brunnen von 1923 mit einer Darstellung aus seinem Roman "Dörchläuchting".

Umgebung von Neubrandenburg

*Tollensesee

Der beinahe 11 km lange und durchschnittlich nur 1 km breite Tollensesee ist ein beliebtes Erholungsgebiet, von der Altstadt Neubrandenburgs nur etwa 1 km entfernt und leicht zu Fuß zu erreichen. Das frühere Sumpfgelände am Nordufer wurde in den 70er Jahren in einen Kultur- und Erholungspark umgewandelt (Sportstätten, Badeanstalten, Bootsverleih, Seglerhafen). Ein Wander- und Radwanderweg führt um den gesamten See herum; auf dem See verkehren auch Ausflugsschiffe. Am westlichen Steilufer des Tollensesees, im Stadtteil Broda, steht das 1823 von Hofbaumeister Friedrich Wilhelm Buttel entworfene Belvedere, ehemals Ausflugsstätte des herzoglichen Hofes.

Burg Stargard

Das Städtchen, 10 km südöstlich von Neubrandenburg und etwa 7 km vom Seeufer entfernt, wird vor allem wegen der Burg aus dem 13. Jh. besucht, von der u. a. ein imposanter Bergfried erhalten blieb. In der Burg sind heute eine Gaststätte und eine Jugendherberge untergebracht.

Hohenzieritz

Der kleine Ort südöstlich des Tollensesees (zwischen der B 193 und der B 96) diente den Herzögen von Mecklenburg-Strelitz als Sommerfrische. Das Barockschloß (1751; 1790 erweitert) kann nur von außen besichtigt werden. Im Park wurde Königin Luise von Preußen, die hier im Alter von 34 Jahren verstarb, ein Denkmal gesetzt.

Penzlin

Das an der Westseite des Tollensesees gelegene Penzlin (2700 Einw.) entstand als planmäßig angelegte, mittelalterliche Siedlung. Gern besucht wird die Alte Burg von Penzlin aus dem 16. Jh. (Burgrestaurant).

30 km nordwestlich von Neubrandenburg erreicht man Stavenhagen, das seinen (offiziellen) Beinamen Fritz Reuter, dem berühmtesten Bürger der Stadt, verdankt. Im Fritz-Reuter-Literaturmuseum im alten Rathaus am Markt, dem Geburtshaus Reuters, erfährt man alles Wichtige über den Mundartdichter und sein Werk. Vor dem Gebäude wurde Reuter mit einem Denkmal (Bronzefigur des Dichters; 1911) geehrt.

Neubrandenburg, Umgebung (Fts.) Reuterstadt Stavenhagen

5 km nordöstlich von Reuterstadt Stavenhagen, am Westufer des Ivenakker Sees, erstreckt sich der weitläufige Park (mit Damwildgehege), der vor allem wegen seiner mächtigen, über 1000 Jahre alten Eichen bekannt ist. Im Ort Ivenack steht ein Renaissanceschloß mit Marstall und Orangerie aus dem 18. Jahrhundert.

Ivenack

Kittendorf, 10 km südlich von Reuterstadt Stavenhagen, besitzt eine hübsche, reich ausgestattete Dorfkirche und ein Schloß (1853) im Stil der Tudorgotik (heute Hotel).

Kittendorf

Auf einer flachen Anhöhe, 16 km nördlich von Neubrandenburg, liegt die Kleinstadt (7500 Einw.) mit ihren Fachwerkhäusern aus dem 18./19. Jahrhundert. Aus dem Mittelalter stammen noch die Kirche St. Petri (14. Jh.; 1865 neogotisch restauriert; spätromanischer Taufstein und spätgotischer Schnitzaltar), Teile der Stadtmauer und zwei Stadttore.

Altentreptow

Auf der Strecke von Neubrandenburg nach Anklam und Usedom passiert man Friedland (knapp 30 km nordöstlich; 8000 Einw.). Ebenso wie Neubrandenburg besitzt das Städtchen eine gut erhaltene, mittelalterliche Befestigungsanlage mit stolzen Tortürmen und Wiekhäusern. Im Neubrandenburger Tor aus dem 15. Jh. ist das Heimatmuseum untergebracht.

Friedland

Nürnberg   G / H 6

Bundesland: Bayern
Höhe: 280 – 400 m ü.d.M.
Einwohnerzahl: 490 000

Nürnberg, die zweitgrößte Stadt Bayerns und Hauptstadt Frankens, liegt im waldreichen Mittelfränkischen Becken an der Pegnitz. Die Stadt ist einer der bedeutendsten Industrie- und Handelsplätze Süddeutschlands. Viele Namen und viele Attribute hat sich die einstige Freie Reichsstadt erworben: Meistersingerstadt, Dürerstadt, Stadt des Spielzeugs und des Weihnachtsmarkts, der Lebkuchen und der Bratwürste, aber auch der Ort, an dem die Naziparteitage abgehalten wurden und die Kriegsverbrecherprozesse stattfanden. Ein Gang durch Nürnberg, "des Deutschen Reiches Schatzkästlein" – denn hier wurden die Reichskleinodien aufbewahrt –, ist ein Gang durch die deutsche Geschichte.

Lage und Allgemeines

Beim Wiederaufbau blieb der historische Grundriß der Altstadt gewahrt. So vermitteln heute die großenteils erhaltene Stadtmauer (14./15. Jh.; im 16. und 17. Jh. bedeutend verstärkt) mit ihren zahlreichen Toren und Türmen, die Burg sowie die wiederhergestellten Pfarrkirchen St. Lorenz und St. Sebaldus ein eindrucksvolles Bild des alten Nürnberg. Die prächtigsten Ansichten bieten sich zwischen dem mächtigen Spittlertor und dem ehemaligen Maxtor; am Fürther Tor hat man den schönsten Blick auf Mauerring, Altstadt und Burg. Die Pegnitz teilt die Altstadt in die südlich gelegene Lorenzer Seite und die nördlich gelegene Sebalder Seite mit der Burg.

**Stadtbild

Nürnberg wurde 1050 erstmals urkundlich erwähnt. Zuvor hatten Kaiser Konrad II. am linken Pegnitzufer einen Königshof und Kaiser Heinrich III. auf dem Nürnberg, einem Felsvorsprung am rechten Flußufer, eine Burg gegründet. Beide Gründungen entfalteten sich zunächst getrennt um ihre

Geschichte

Geschichte
(Fortsetzung)

Mittelpunkte St. Lorenz und St. Sebaldus und wuchsen erst am Anfang des 14. Jh.s zu einem Gemeinwesen zusammen. 1219 verlieh König Friedrich II. dem Ort Stadtrechte. Nürnberg entwickelte sich bald zum mächtigsten Handelsplatz Frankens, der neben Augsburg Hauptstapelplatz des durch Venedig vermittelten Orienthandels mit dem Norden war, und erreichte zu Beginn des 16. Jahrhunderts seine größte wirtschaftliche und kulturelle Blüte: Von den vielen, die hier wirkten, seien nur der Kosmograph und Schöpfer des ersten Globus, Martin Behaim (1459–1506), der Dichter Hans Sachs (1494–1576), der Bildhauer Veit Stoß (1445–1533), Peter Henlein (um 1480–1542), der Erfinder der ersten Taschenuhr ("Nürnberger Ei") und vor allem der Maler Albrecht Dürer (1471–1528) genannt. Im 19. Jahrhundert ließ ein technisches Ereignis aufhorchen, denn 1835 verkehrte von Nürnberg nach Fürth die erste deutsche Eisenbahn. Die Nazis machten Nürnberg dann zum Ort ihrer Reichsparteitage – nicht zuletzt deswegen war die Stadt Ziel massiver alliierter Bombenangriffe, die die Altstadt größtenteils vernichteten.

Lorenzer Seite

Bahnhofsplatz

Ein günstiger Ausgangspunkt für die Erkundung der Altstadt ist der Bahnhofsplatz. Gegenüber vom Bahnhof erhebt sich das markante und vollständig erhaltene Frauentor (vor 1400). Ebenfalls gegenüber dem Bahnhof entsteht das "Neue Museum – Staatliches Museum für Kunst und Design in Nürnberg" (Fertigstellung bis Ende 1998 geplant). Es soll aus der Staatsgemäldesammlung München, der Sammlung zeitgenössischer Kunst der Stadt Nürnberg und einer privaten Sammlung bestückt werden.

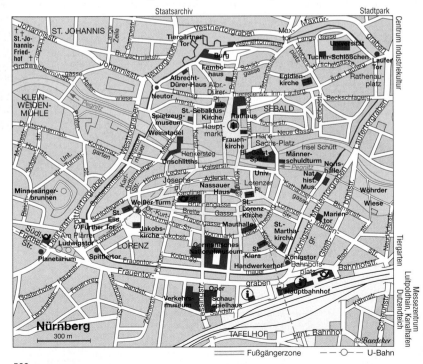

*Vor dem Hintergrund der Burg bestimmen schöne Fachwerkhäuser
das Stadtbild der Nürnberger Altstadt.*

Den Zugang zur Altstadt markiert das Königstor im Dicken Turm, wo im ehemaligen Waffenhof in neu erbauten Fachwerkhäusern Handwerk nostalgisch-kommerziell betrieben wird.

Wenig westlich vom Bahnhof befindet sich in der Lessingstraße das Verkehrsmuseum, das umfassendste Museum zu diesem Thema in Deutschland, das sich dazu noch mit dem Postwesen beschäftigt; u.a gibt es einen originalgroßen Nachbau des "Adlers", des ersten deutschen Eisenbahnzugs.

Über die Königstraße geht es nun vorbei an der St. Marthakirche mit ihren Glasmalereien aus dem Jahr 1390, in der 1578 – 1620 die Meistersinger ihre Singschulen abhielten, zur imposanten Mauthalle, dem 1498 – 1502 erbauten Korn- und Salzspeicher und späteren Waag- und Zollamt.

Von der Mauthalle ist es nicht weit zum Kornmarkt, wo sich mit dem Germanischen Nationalmuseum das größte kunst- und kulturgeschichtliche Museum der deutschsprachigen Länder befindet. Zum Eingang in der Kartäusergasse durchschreitet man die "Straße der Menschenrechte" (1993) von Dani Karavan. Das Museum beherbergt rund 1,2 Mio Objekte von 30000 v. Chr. bis heute, u.a. Malerei, Plastik, Kunsthandwerk, Design, vor- und frühgeschichtliche Objekte, wissenschaftliche Instrumente, Apotheken, Musikinstrumente und Spielzeug. Herausragende Schätze des Museums sind Skulpturen von Veit Stoß und Adam Krafft, die Kaiserbildnisse von Albrecht Dürer, die Waffensammlung, der Globus von Martin Behaim sowie die einzigartige Sammlung historischer Puppenhäuser.
(Öffnungszeiten: Di. – So. 10.00 – 17.00, Mi. – 21.00 Uhr)

Auf dem Lorenzer Platz wenig nördlich vom Mauthaus erhebt sich die zweitürmige gotische St.-Lorenz-Kirche (13. – 15. Jh.), die größte Kirche von Nürnberg. Blickfänge von außen sind das Westportal (um 1355) mit reichhaltigem Figurenschmuck und vor allem die 9 m durchmessende Fen-

Bahnhofsplatz
(Fortsetzung)

*Verkehrsmuseum

St. Marthakirche
Mauthalle

**Germanisches
Nationalmuseum

*St. Lorenz

567

Nürnberg

sterrose darüber. Deren Wirkung kommt natürlich im Inneren zur Geltung; unter den weiteren Kunstwerken sind besonders hervorzuheben der am Chorgewölbe hängende "Engelsgruß" (1517 / 1518) von Veit Stoß, das Sakramentshäuschen (1493 – 1496) von Adam Krafft, das Kruzifix von Veit Stoß auf dem Hauptaltar, der dahinter liegende Krellsche Altar (um 1480) mit der ältesten erhaltenen Darstellung der Stadt, schließlich die prächtigen Glasgemälde (1477 – 1493) im Chor.

Tugendbrunnen

Linker Hand der Kirche symbolisiert der Tugendbrunnen von Benedikt Wurzelbauer (1589) die Grundlagen der Nürnberger Stadtverfassung.

Jakobsplatz

Von der Lorenzkirche führt ein Abstecher über die Karolinenstraße zum Jakobsplatz mit der evangelischen Jakobskirche (14. Jh.), der katholischen Elisabethkirche, einem 1785 – 1806 errichteten Kuppelbau, und dem Weißen Turm (ca. 1250). Weit origineller aber ist der 1984 aufgestellte Ehekarussell-Brunnen, mit dem der Bildhauer Jürgen Weber kongenial ein Hans-Sachs-Gedicht über Freud und Leid der Ehe umgesetzt hat.

*Ehekarussell

Pegnitzbrücken

Die Museumsbrücke führt unterhalb der Lorenzkirche über die Pegnitz auf die Sebalder Seite. Von hier genießt man eine der Schokoladenseiten Nürnbergs: den Anblick des die Pegnitz überspannenden Heilig-Geist-Spitals. Aber auch vom Jakobsplatz aus ist der Weg hinüber sehr reizvoll: über die Maxbrücke mit Blick auf die Partie am Weinstadel (1446/1448 als Schlafstatt für die Aussätzigen erbaut) und den Henkersteg.

Sebalder Seite

**Hauptmarkt
*Schöner
Brunnen**

Via Museumsbrücke erreicht man – vorbei an der mächtigen Brunnenskulptur "Das Narrenschiff" von Jürgen Weber – den Hauptmarkt mit dem 17 Meter hohen Schönen Brunnen (um 1385, heute Kopie), dessen reicher Figurenschmuck Heilige, Kirchenväter, christliche und jüdische Helden darstellt. Am "Goldenen Ring" am Gitter sollte man drehen – es bringt Glück.

*Frauenkirche

Die Ostseite des Platzes nimmt die gotische Frauenkirche (1352 – 1361) ein. Über der mit reichem Bildwerk geschmückten Vorhalle sieht man das Michaels-Chörlein (= Erker), von dem 1361 erstmals die Reichskleinodien dem Volk gezeigt wurden; darüber die 1509 geschaffene Kunstuhr mit dem

**Männleinlaufen

"Männleinlaufen": Täglich um 12.00 Uhr umschreiten

Der "Schöne Brunnen" am Hauptmarkt

die sieben Kurfürsten Kaiser Karl IV. in Erinnerung an den Erlaß der Goldenen Bulle im Jahr 1356. Im Kircheninnern sind der Tucher-Altar (um 1440) und zwei schöne Grabmäler von Adam Krafft besonders sehenswert.

Rathaus

Von der Nordseite des Hauptmarkts kommt man zum von prächtigen Portalen unterteilten, von Jakob Wolff unter Einbeziehung des Altbaus errich-

teten Rathaus (1616 – 1622), in dessen Keller die sog. Lochgefängnisse besichtigt werden können. In der Eingangshalle links sind Nachbildungen der wichtigsten Reichsinsignien ausgestellt (Kaiserkrone, Zepter, Reichsapfel); außerdem gibt es zwei sehenswerte Brunnen: den Rathausbrunnen von Pankraz Labenwolf (1557) und das berühmte "Gänsemännlein" (um 1555).
Rathaus
(Fortsetzung)

Dem Rathaus gegenüber erblickt man den großartigen gotischen Ostchor (1379) der ursprünglich 1225 – 1273 erbauten St.-Sebaldus-Kirche. Hier prangt das Schreyer-Landauersche Grabmal von 1492, ein Hauptwerk von Adam Krafft. Innen gilt das besondere Augenmerk der "Madonna im Strahlenkranz" (1420 – 1425) an einem Pfeiler im nördlichen Seitenschiff und vor allem dem berühmten Sebaldusgrab von Peter Vischer, der dieses Meisterwerk deutscher Gießkunst 1508 – 1519 mit seinen Söhnen ausführte. Die Kreuzigungsgruppe hinter dem Grab (1507 u. 1520) stammt von Veit Stoß.
**St. Sebaldus

Westlich der Sebalduskirche findet man in der Karlstraße das Nürnberger Spielzeugmuseum mit Spielzeug aus allen Epochen und den unterschiedlichsten Kulturkreisen – Zinnfiguren, Puppen, Blechspielzeug, Dampfmaschinen sowie eine große Modelleisenbahnanlage.
*Spielzeug-
museum

Auf dem Weg vom Rathaus zur Burg passiert man das Fembohaus aus dem späten 16. Jh., das am besten erhaltene Alt-Nürnberger Patrizierhaus; es beherbergt das Stadtmuseum.
Fembohaus

Mächtig erhebt sich die Burg über der Altstadt. Sie gliedert sich in drei Teile: die Burggrafenburg in der Mitte, die reichsstädtischen Bauten im Osten und die im 12. Jh. begonnene Kaiserburg im Westen. Auf ihr weilten zwischen 1050 und 1571 zeitweise alle anerkannten deutschen Könige und Kaiser und hielten zahlreiche Reichs-, Hof- und Gerichtstage ab. Von der Burgstraße geht man hinauf zum um 1040 erbauten Fünfeckigen Turm, Rest der Zollerschen Burggrafenburg und ältestes Gebäude der Stadt. Unterhalb liegt die sog. Kaiserstallung, 1495 als Kornhaus errichtet und nun Jugendherberge. Weiter links aufwärts geht es über die Freiung zum äußeren Hof der Kaiserburg mit dem Sinwellturm und dem "Tiefen Brunnen", anschließend durch das Innere Burgtor zum Palas und der Kemenate. Die Burgräume können im Rahmen einer Führung besichtigt werden.
**Burg

Unterhalb dieses Teils der Burg liegt das Tiergärtner-Tor, wo noch ein geschlossenes mittelalterliches Platzbild erhalten ist. Dazu gehört auch das (wiederaufgebaute) Albrecht-Dürer-Haus (15. Jh.), in dem der Meister von 1509 bis zu seinem Tode 1528 wohnte. Zwei Wohnräume und die Küche sind im Stil der Zeit eingerichtet; ansonsten gibt es Originalgraphik, aber nur Kopien von Gemälden sowie eine "Dürer-Multivision" im Anbau.
*Dürer-Haus

Nürnbergs einzigem erhaltenen barocken Kirchenbau begegnet man im östlichen Teil der Sebalder Seite am Egidienplatz. Die Egidienkirche wurde von 1711 bis 1717 erbaut und bildet zusammen mit dem Alten Gymnasium das schönste Barockensemble der Stadt. An der Südseite sind drei Kapellen der Vorgängerkirche geblieben, von denen die gotische Tetzelkapelle von 1345 mit dem Landauerschen Grabmal von Adam Krafft die bedeutendste ist. In die Stadtbibliothek an der Nordseite des Platzes ist der Arkadenhof des zerstörten Pellerhauses (1605) integriert, Nürnbergs bedeutendstem Bürgerhaus der Renaissance.
Egidienkirche

Etwas östlich steht in der Hirschelgasse das für die Patrizierfamilie Tucher erbaute Tucherschlößchen (1533 – 1544) mit einem originellen "Chörlein" (Erker). Im Haus werden Gegenstände aus Familienbesitz ausgestellt.
Tucherschlößchen

Zurück Richtung Pegnitz kommt man zum Hans-Sachs-Platz mit einem Denkmal für den Schuhmacher und Meistersinger (1495 – 1576), der in der Nähe seine Werkstatt hatte. Die Südseite des Platzes nimmt das 1332 gestiftete Heilig-Geist-Spital ein, in dessen Kirche von 1424 bis 1796 die
Hans-Sachs-Platz

Heilig-Geist-Spital

Reichskleinodien aufbewahrt wurden. Die Kreuzigungsgruppe im Innenhof schuf Adam Krafft. Auf der Spital- und Heubrücke geht es dann über die Pegnitz-Insel Schütt hinweg und am Männerschuldturm (1323) vorbei wieder zurück auf die Lorenzer Seite.

Heilig-Geist-Spital (Fortsetzung)

Sehenswürdigkeiten im äußeren Stadtgebiet

Im Südosten der Stadt liegen der Luitpoldhain mit der Meistersingerhalle und weiter südlich der ausgedehnte Volkspark Dutzendteich mit einer Anzahl von kleinen Seen und dem Frankenstadion. Auch die Überreste des einstigen "Reichsparteitagsgeländes" sind hier zu finden, im wesentlichen der Torso der in den Dutzendteich hineinragenden Kongreßhalle, die Große Straße und vor allem die Tribüne am Zeppelinfeld, von der die Naziprominenz die Aufmärsche abnahm. Im Mittelbau der Tribüne dokumentiert die Ausstellung "Faszination und Gewalt" die Zeit der Reichsparteitage.

Luitpoldhain
Dutzendteich

Ehem. Reichs-parteitagsgelände

Am östlichen Rand des Stadtgebiets beim Schmausenbuck zieht der Nürnberger Tiergarten die Besucher an, nicht zuletzt wegen seines Delphinariums und der dem "Adler" von 1835 nachgebildeten Kleinbahn.

Tiergarten

Das Centrum Industriekultur im Nordosten an der Äußeren Sulzbacher Straße 62 dokumentiert die Kulturgeschichte des Industriezeitalters. Auf dem Gelände versammeln sich ein Schulmuseum, ein Motorradmuseum mit ca. 200 in Nürnberg fabrizierten Motorrädern, ein Dampfmaschinenhaus, Wohn- und Ladeneinheiten wie ein Kolonialwarenladen oder ein Friseurladen von 1908 sowie historische Kraftfahrzeuge.

Centrum
Industriekultur

Die im Nordwesten gelegene Johannis-Vorstadt zeigt sich an manchen Ecken noch als die barocke Gartenvorstadt, als die sie einst entstand, so am Anwesen Johannisstraße 13. Hauptsehenswürdigkeit aber ist der St.-Johannis-Friedhof, auf dem viele bedeutende Bürger der Stadt begraben sind, u.a. Albrecht Dürer, Veit Stoß, Willibald Pirckheimer und Anselm Feuerbach, aber auch William Wilson, der Lokomotivführer des "Adlers".

Johannis-Vorstadt

Umgebung von Nürnberg

Das 9 km nördlich gelegene Neunhofer Schlößchen, ein schon 1246 genannter, von einem Wassergraben umzogener Herrensitz, ist der am besten erhaltene von einst etwa sechzig alten Sitzen Nürnberger Patrizierfamilien. Deren Lebensweise zeigt die Ausstellung in den Schloßräumen.

Neunhofer
Schlößchen

Etwa 15 km südlich von Nürnberg kommt man nach Schwabach, das sich einer der schönsten Marktplätze Frankens rühmen kann. Die spätgotische Stadtkirche (15. Jh.) besitzt ein 13 m hohes Sakramentshäuschen von 1505 und einen Hochaltar von 1508 mit Gemälden aus der Schule von Michael Wolgemut und Schnitzereien möglicherweise von Veit Stoß – ein Kunstwerk von europäischem Rang.

Schwabach

→ Fränkische Schweiz

Hersbruck

Als am 7. Dezember 1835 zwischen Fürth und Nürnberg die erste deutsche Eisenbahnlinie eröffnet wurde, galt es noch eine Distanz zu überwinden – heute sind die beiden Städte fast ganz zusammengewachsen. Fürth, dessen berühmteste Söhne Leopold Ullstein, Ludwig Erhard und Henry Kissinger sind, ist bekannt als Sitz der Firmen Grundig und Quelle.
Trotz seiner guterhaltenen Sandstein- und Fachwerkhäuser aus dem 17. und 18. Jh. zeigt Fürth ein überwiegend neuzeitliches Gesicht. Das alte

Fürth

◀ *Ein geschlossenes Fachwerk- und Sandsteinensemble ist beim Tiergärtner-Tor erhalten.*

Oberpfalz

Nürnberg, Umgebung, Fürth (Fortsetzung)

Fürth erlebt man in der Altstadt um den Markt, wo besonders das Gasthaus Goldener Schwan auffällt, und am Waagplatz. Unweit östlich vom Markt erhebt sich die Michaelskirche (14. Jh.), die ein zierliches spätgotisches Sakramentshäuschen aus der Werkstatt von Adam Krafft besitzt. Das Wahrzeichen der Stadt ist der Turm des Rathauses am Rand der Altstadt an der Königstraße, das in den Jahren 1844–1850 nach dem Vorbild des Palazzo Vecchio in Florenz erbaut wurde.

Burgfarrnbach

Im nordwestlichen Stadtteil Burgfarrnbach steht das ehemalige Schloß der Grafen von Pückler-Limpurg. Es beherbergt das Stadtmuseum und seit 1993 auch das Deutsche Rundfunkmuseum.

*Cadolzburg

Etwa 12 km westlich liegt der malerische Ort Cadolzburg, überragt von der mächtigen gleichnamigen Burg mit dreifachem Mauerring, die sich die Nürnberger Burggrafen im 15. und 16. Jh. erbauen ließen.

Erlangen

Was für Franken so typisch ist – Fachwerk und heimelige Winkel – wird man in Erlangen, 16 km nördlich von Nürnberg, vergeblich suchen: Hier herrscht die planmäßige Geradlinigkeit einer barocken Residenz- und Universitätsstadt vor. Das 1002 erstmals erwähnte Erlangen kam 1405 an die Nürnberger Burggrafen und war später zweite Residenz der Markgrafen von Kulmbach-Bayreuth. Nach einem Brand im Jahr 1706 wurde die "Altstadt" wie die als Manufakturstadt für die 1686 eingewanderten Hugenotten geplante "Neustadt" auf regelmäßigem Schachbrettgrundriß angelegt. Verkehrsmittelpunkt ist der Hugenottenplatz beim Hauptbahnhof, der dominiert wird von der 1686–1693 erbauten Hugenottenkirche.

Vom Hugenottenplatz ist es nicht weit zum nördlich gelegenen Marktplatz mit dem 1886 aufgestellten Paulibrunnen. Das ehemalige Palais Stutterheim (1728–1730) an seiner Südseite gehört zu den bedeutendsten Barockbauten der Stadt und beherbergt heute u.a. zwei Galerien. Die gesamte Ostseite des Platzes nimmt das 1700–1704 nach Plänen von Antonio della Porta erbaute markgräfliche Schloß ein. Es beherbergt seit 1825 die Friedrich-Alexander-Universität. Links um das Gebäude herum gelangt man an der 1705 errichteten Orangerie vorbei in den Schloßgarten, den die Fakultätsgebäude der Universität säumen. An der Nordseite des Schlosses befinden sich der Botanische Garten und das 1715 errichtete barocke Markgrafentheater. Vom Theater geht man über den schönen Theaterplatz zum Altstädter Kirchenplatz. Dort ist im Alten Rathaus (1731–1736) heute das Stadtmuseum untergebracht. In den Platz hinein ragt der Chor der Dreifaltigkeitskirche (Altstädter Kirche; 1709–1721). Um die Kirche herum und dann rechts hinab und über die Schwabach kommt man zum Burgberg. Hier betrieben die Erlanger Brauereien ihre Eis- und Lagerkeller, und hier findet alljährlich im Mai die Erlanger Bergkirchweih statt, ein beeindruckendes Fest. Aber auch sonst lohnt sich die Einkehr in die Biergärten.

*Schloßgarten

*Barocke Altstadt

*Bergkirchweih

Herzogenaurach

Herzogenaurach wenig westlich von Erlangen kennt die ganze Welt, denn hier sind die beiden größten Sportartikelhersteller Deutschlands zu Hause. Wer keine Turnschuhe kaufen will, kann sich an der mauerumgürteten Altstadt erfreuen.

Oberpfalz   H / I 6

Bundesland: Bayern

Lage und Allgemeines

Der bayerische Regierungsbezirk Oberpfalz grenzt an Niederbayern und Oberbayern im Süden, an Mittelfranken und Oberfranken im Westen und Norden. Im Osten bildet die Grenze der Oberpfalz die Landesgrenze zwischen Deutschland und der Tschechischen Republik. Verwaltungssitz ist Regensburg. Landschaftlich gesehen gliedert sich die Region in den Oberpfälzer Wald, ein Mittelgebirge an der Grenze zur Tschechischen Republik, und das Oberpfälzer Hügelland, das südwestliche Vorland des Oberpfälzer

Waldes, zu dessen zentralen Orten Weiden i.d. Oberpfalz, Amberg und Burglengenfeld zählen. Die Oberpfalz ist ein eher herbes und karges Land, doch hat auch sie ihre ansprechenden Seiten.

Die Bezeichnung Oberpfalz hat sich nach dem Vertrag von Pavia im Jahr 1329, als die Ämter Amberg, Sulzbach und Weiden an die pfälzische Linie der Wittelsbacher fielen, allmählich eingebürgert. Im 1777 mit der Pfalz vereinten Bayern entstand 1838 die Provinz Oberpfalz.

Reiseziele in der Oberpfalz

Am Westrand des Naturparks Nördlicher Oberpfälzer Wald kommt man im Tal der Waldnaab nach Weiden i.d. Oberpfalz. Das Zentrum der Stadt bildet der Marktplatz, den der achteckige Turm des alten Rathauses beherrscht. Zahlreiche Wohnhäuser haben den Charakter des 16. und 17. Jh.s bewahrt. Ihre der Straße zugewandten Giebel sind mit Pilastern und Gesimsen geschmückt; das Eckhaus Marktplatz/Thürlgasse besitzt einen schönen Erker von 1583. Neben der evangelischen Pfarrkirche St. Michael steht das Alte Schulhaus, ein mächtiger siebengeschossiger Bau: Unter einem gemeinsamen Dachstuhl, der einst als Kornspeicher diente, sind acht selbständige Häuser zusammengefaßt, von denen jedes einen eigenen Treppenaufgang besitzt. In Weiden befindet sich das internationale Keramik-Museum, ein Zweigmuseum der Neuen Sammlung München. Auf rund 1000 m² Ausstellungsfläche werden dort alternierend Keramikobjekte aus sechs bayerischen Staatsmuseen gezeigt. Die Skala der Ausstellungsstücke reicht von ägyptischer Kunst über Meißner Porzellan und Objekten aus Selb bis hin zu Gegenständen, die nach 1945 entstanden sind, u. a. ein von Cocteau bemalter Porzellanteller und Service in modernem Design.

Weiden

Im 15 km nordöstlich von Weiden liegenden Flossenbürg wurde 1938 ein Konzentrationslager eingerichtet. An die ca. 30 000 Menschen, die hier ermordet wurden, erinnert die Gedenkstätte. Der Ort wird überragt von der Ruine der im 12. Jh. begonnenen Burg.

Flossenbürg

Martinskirche in Amberg

26 km nördlich von Weiden liegt an der Bundesstraße B 15 der Wallfahrtsort Tirschenreuth. Dort befindet sich in einer Kapelle das Gnadenbild der Schmerzhaften Muttergottes, die bei schweren Erkrankungen Wunder gewirkt haben soll. So soll z. B. ein Handwerksbursche aus Niederaltaich, der nach einem Blitzschlag halbseitig gelähmt gewesen sein soll, wieder gesund geworden sein.

Tirschenreuth

Die Stadt Amberg, im Osten des Fränkischen Jura (ca. 50 km südwestlich von Weiden) gelegen, ist eingebettet in das Tal der Vils, die mitten durch die Altstadt fließt. Ihre wirtschaftliche Blüte, die bis

Amberg

Oberpfalz

Amberg
(Fortsetzung)

zum 17. Jh. dauerte, verdankte die Stadt dem Erzabbau, der Weiterverarbeitung der Erze und nicht zuletzt dem Handel. Den spätmittelalterlichen Stadtkern umschließen bis heute Ringmauern mit Türmen und Toren (besonders malerisch die "Stadtbrille" genannte Wehrbrücke über die Vils hinweg); Grünanlagen kennzeichnen den Verlauf der einstigen Wälle. Den Mittelpunkt des Altstadt-Ovals bildet der Marktplatz, geprägt vom Rathaus und der Kirche St. Martin, der nach dem Regensburger Dom bedeutendsten gotischen Hallenkirche der Oberpfalz mit ihrem im Stil der sächsischen Bergmannsgotik gestalteten Emporenumgang. Wertvollste Ausstattungsgegenstände sind das Altarbild des Niederländers Gaspar de Crayer und das Grab des 1397 gestorbenen Pfalzgrafen Ruprecht Pipan. Gegenüber der Kirche – auf dem anderen Ufer der Vils – befindet sich das "Alte Schloß" der Pfalzgrafen; im Gebäude an der Vils wurde das Vorgeschichtsmuseum der Oberpfalz eingerichtet. Im ehemaligen Städtischen Zeughaus ist das Stadtmuseum untergebracht.

Im Nordosten der historischen Altstadt steht auf einer Anhöhe die Wallfahrtskirche Mariahilf, 1697–1703 nach Plänen von J. W. Dientzenhofer erbaut. Die Ausstattung stammt von Giovanni Battista Carlone, die Fresken schuf Cosmas Damian Asam.

**Sulzbach-
Rosenberg**

Einen Abstecher lohnt Sulzbach-Rosenberg 14 km nordwestlich von Amberg am Ostrand der Fränkischen Alb. Die Siedlung Sulzbach, im Schutz der Burg der Grafen von Sulzbach entstanden, wurde im 13. Jh. Stadt. Im Jahre 1934 wurden die Orte Sulzbach und Rosenberg, das sich durch die Maxhütte zu einem Zentrum der eisenverarbeitenden Industrie in Bayern entwickelt hatte, zusammengelegt.

Eindrucksvolle Bauten sind das gotische Rathaus am Marktplatz mit seinen Staffelgiebeln und die gotische Pfarrkirche Mariä Himmelfahrt (14./15. Jh.) in der Pfarrgasse. In der Kirche verdienen die schönen Maßwerkfenster aus der Entstehungszeit Beachtung, ferner das Gemälde "Mariä Himmelfahrt" am Hochaltar, das Hans Georg Asam, der Vater des berühmten Brüderpaares, schuf. Zum Ortsbild gehört außerdem das Schloß, das Herzog Ottheinrich II. von Pfalz-Sulzbach nach 1589 errichten ließ. Um den Schloßhof gruppieren u. a. der Fürsten- und Gästetrakt und das ehemalige Kanzleigebäude mit einem Treppentürmchen. Der Schloßbrunnen mit dem pfälzischen Löwen wurde auf Geheiß des Herzogs Christian August 1701 geschaffen.

Nabburg

Über der von Norden der Donau zustrebenden Naab liegt auf einem steilen Höhenzug die Stadt Nabburg 30 km südlich von Weiden. Von der Stadtbefestigung sind noch einige Wehrtürme erhalten, darunter der Dechanthofturm im Südosten und der Pulverturm im Norden. Das Rathaus, um die Mitte des 16. Jh.s erbaut, präsentiert sich als malerisches Gebäude mit laubenartigen Öffnungen im Obergeschoß des Treppenhauses. Die katholische Pfarrkirche St. Johann Baptist hat ihr einheitliches Bild bewahrt; in der Basilika sollte man neben der gotischen Figur der Muttergottes im linken Seitenschiff vor allem die Glasgemälde (14. Jh.) beachten.

Im Ortsteil Perschen befindet sich das "Bauernmuseum des Bezirks Oberpfalz", das u.a. über eine große Sammlung von Pflügen und eine alte Butterwiege verfügt und im Freigelände manchen alten Hof besitzt.

**Neumarkt i.d.
Oberpfalz**

In einer Talsenke vor dem Stufenrand der Fränkischen Alb, 40 km südöstlich von → Nürnberg und 40 km südwestlich von Amberg, liegt die große Kreisstadt Neumarkt i. d. Oberpfalz. Der Grundriß der Stadt läßt eine planmäßige Anlage mit einem langgestreckten Straßenmarkt als Hauptachse erkennen. Auf dem Markt steht das Rathaus, ein rechteckiger Bau mit hohen Zinnengiebeln. Er enthält Repräsentationsräume, die z.T. im 16. Jh. ausgestaltet wurden. Von den zahlreichen Kirchen sind die katholische Pfarrkirche St. Johannes und die Hofkirche Mariä Himmelfahrt neben dem Schloß hervorzuheben. In ihrem südlichen Seitenschiff steht das Grabmal des Pfalzgrafen Otto II. Das Schloß der Pfalzgrafen ist nur noch in Teilen erhalten; dem Hauptgiebel ist ein Treppenturm vorgesetzt mit prunkvollem,

von zwei Löwen flankierten Portal. Heute ist in dem Schloß das Heimatmuseum untergebracht, in dem u.a. Weihnachtskrippen aus verschiedenen Epochen und Ländern zu sehen sind. Auf dem Mariahilfberg, einem Kalvarienberg, erhebt sich die Wallfahrtskirche Maria-Hilf; im Inneren zeigen Tafelbilder Szenen aus dem Marienleben.
Eine beliebte Attraktion ist auch die Volkssternwarte, die Interessierten Kurzlehrgänge in Himmelskunde vermittelt.

Oberpfalz,
Neumarkt
(Fortsetzung)

Ein Kleinod des Mittelalters – daher bisweilen auch "oberpfälzisches Rothenburg" genannt – ist die Altstadt von Berching, gut 20 km südlich von Neumarkt. Die vollkommen erhaltenen Stadtmauern mit ihren vier Stadttoren, neun Türmen (darunter ist vor allem der Chinesische Turm beachtenswert) und Gebäuden, die Kirchen und das Heimatmuseum spiegeln die 1100jährige Geschiche des Städtchens wider.

Berching

Folgt man von Neumarkt der A3, die von Nürnberg nach Regensburg führt, passiert man auf halber Strecke Velburg, eine kleine Landstadt im Oberpfälzer Jura. Am Fuß des Burgbergs breitet sich das Städtchen aus. Auf dem Burgberg mit den Ruinen der Velburg (12. Jh.) steht der erneuerte Bergfried, von dem sich eine weite Sicht auf Stadt und Umgebung bietet.
Besonders zu empfehlen ist ein Ausflug zur König-Otto-Tropfsteinhöhle, die ein Schäfer im September 1895 durch Zufall entdeckte. Im Dezember 1972 wurde man auf einen weiteren Höhlenteil aufmerksam: eine große, hallenartige Grotte mit einer Fülle von Tropfsteinen. In Anspielung auf die Zeit der Entdeckung erhielt diese Höhle den Namen "Adventhalle". Velburg ist auch Ausgangspunkt eines Waldlehrpfads.

Velburg

*König-Otto-Höhle

Burglengenfeld, 40 südöstlich von Amberg im Tal der Naab gelegen, entstand am Fuß der gleichnamigen Burg, die Mitte des 13. Jh.s Verwaltungsmittelpunkt des Wittelsbacher Territoriums nördlich der Donau geworden war. 1542 erhielt Burglengenfeld das Stadtrecht. Von der Wittelsbacher Burg sind beträchtliche Teile erhalten geblieben: die Ringmauer, der Bergfried und der Friedrichsturm. Die Wohnhäuser zeigen der Straße ihre Giebelfronten; hervorzuheben ist der Pfälzerhof mit hohem Staffelgiebel. In der katholischen Pfarrkirche St. Veit, die im Stil des Rokoko mit Stuck und Malereien ausgeschmückt ist, verdient der Epitaph für Bernhard von Hürnheim (gest. 1541) Beachtung. Unweit der Pfarrkirche steht das malerische Allmannsche Schlößchen, ein ehemaliges Burggut, erbaut im 16. Jahrhundert. Im Oberpfälzer Volkskundemuseum (Maxhütter Straße) wird ländliche Wohnkultur gezeigt.

Burglengenfeld

Oberschwaben   F 7/8

Bundesland: Baden-Württemberg

Die süddeutsche Landschaft zwischen Bodensee, Donau und Iller gilt nicht zu Unrecht als Ferienregion par excellence. Sanft gewellte Hügelketten, Moore und Moorseen, Wälder und Äcker, Obstbaumwiesen und Hopfengärten prägen das abwechslungsreiche Landschaftsbild. Schmale Landstraßen schlängeln sich durch diese ländliche Idylle, verbinden Dörfer und Kleinstädte, Weiler und Einzelgehöfte. Wer auf den Spuren der barocken Baulust wandeln möchte, kann zwischen zwei Routen der Oberschwäbischen Barockstraße wählen, die schmucke kleine Dorfkirchen ebenso berührt wie Klöster und Schloßbauten. Außerdem erschließt ein Netz von Wander- und Radwanderwegen vor allem die landschaftlich besonders reizvollen Regionen. Baden kann man sowohl in den Thermal- und Moorbädern als auch in einem der Seen, von denen es in Oberschwaben zahlreiche gibt. Last but not least kommt auch der Genießer in dieser Region auf seine Kosten, denn die oberschwäbische Küche wartet mit köstlichen hausgemachten Spezialitäten auf.

*Ferienregion

Biberach und Umgebung

Biberach

Die ehemalige Freie Reichsstadt Biberach (30000 Einwohner) liegt im Tal der Riß, die sich hier durch die hügelige oberschwäbische Moränenlandschaft windet. Die Stadt ist eine sehenswerte Station an der Oberschwäbischen Barockstraße und an der Schwäbischen Dichterstraße – der Dichter Christoph Martin Wieland (1733–1813) wurde im Vorort Oberholzheim geboren und wirkte in den Jahren 1760–1769 als Biberacher Stadtschreiber. Höhepunkt im jährlichen Festkalender ist das Biberacher Schützenfest, ein historisches Heimat- und Kinderfest, das immer kurz vor Beginn der Sommerferien stattfindet.

*Marktplatz

Mittelpunkt der gut erhaltenen historischen Altstadt ist der Marktplatz, der als einer der schönsten in Süddeutschland gilt. Er wird von prächtigen Patrizierhäusern aus dem 15.–19. Jh. umrahmt. Den Platz beherrscht die Martinskirche aus dem 14. Jahrhundert; ihr Inneres wurde 1746–1748 barockisiert. Seit 1649 ist das Gotteshaus in Simultanbesitz. Südlich der Kirche stehen das Alte Rathaus, ein Fachwerkbau von 1432, sowie das 1503 errichtete Neue Rathaus. Unweit südöstlich erreicht man das im 16. Jh. errichtete Heiliggeistspital mit seiner beachtenswerten spätgotischen Kirche. Es beherbergt heute die Städtischen Sammlungen, die auch Werke der Tiermaler Anton Braith (1836–1905) und Christian Mali (1832–1906) umfaßt. Das Wieland-Museum ist südlich vom Marktplatz in einem der ältesten Häuser Süddeutschlands (von 1318) untergebracht. Im Erdgeschoß des Hauses wird an das traditionsreiche Biberacher Weberhandwerk erinnert. Am Südrand der Altstadt findet man das einstige Gartenhaus des Dichters Wieland mit der Daueraustellung "Gärten in Wielands Welt".

Warthausen,
*Museumsbahn
"Öchsle"

Vier Kilometer nördlich von Biberach erreicht man Warthausen, wo man das dortige Schloß besichtigen sollte. Zwischen Warthausen und Ochsenhausen (s. u.) zuckelt an Sommerwochenenden eine Schmalspur-Museumseisenbahn mit dem Namen "Öchsle" durch Wiesen und Auen.

Ehingen

Knapp 20 km nördlich von Warthausen, am Südrand der schwäbischen Alb, liegt Ehingen (24000 Einw.), das sich als Ausgangspunkt für Wanderungen und Radwanderungen anbietet. Das Heimatmuseum der im Kern hübsch renovierten Stadt ist in einem schönen Renaissance-Fachwerkbau (1532) untergebracht.

Munderkingen

Mit einem hübschen, von Fachwerkhäusern geprägten Ortsbild und einer barocken Wallfahrtskirche wartet das Städtchen Munderkingen auf, das 10 km südwestlich von Ehingen an der Donau liegt.

Obermarchtal

Knapp fünf Kilometer weiter westlich erreicht man die barocke Klosteranlage Obermarchtal. Die zwischen 1686 und 1701 erbaute Klosterkirche ist ein Werk von Michael Thumb.

Laupheim

Ein Stop in Laupheim (18000 Einw.), rund 20 km nördlich von Biberach an der B 30 nach Ulm gelegen, lohnt sich vor allem wegen des alten Jüdischen Friedhofs – die ältesten Grabsteine stammen aus der Mitte des 18. Jh.s – und des modernen Planetariums.

Ochsenhausen

Etwa 15 km östlich von Biberach liegt das Städtchen Ochsenhausen (8000 Einw.). Es wird beherrscht von der im Jahre 1093 gegründeten Benediktiner-Reichsabtei. Die Konventsgebäude und die in üppigem Barock ausgestattete Klosterkirche wurden im 17. und 18. Jh. erbaut.

Gutenzell

Ca. 6 km sind es von Ochsenhausen in die nordöstlich gelegene ehem. Zisterzienserinnen-Reichsabtei Gutenzell. Die Klosterkirche St. Kosmas und Damian ist eines der schönsten Beispiele spätbarocker Baukunst. Sie wurde 1755/1756 nach Plänen von Dominikus Zimmermann errichtet. Die Stuckierung besorgte der geniale Franz Xaver Feichtmayr, die Fresken malte Johann Georg Dieffenbrunner.

Auf ein weiteres Highlight barocker Baukunst stößt man im knapp 12 km südöstlich von Ochsenhausen gelegenen Rot an der Rot (4000 Einw.). Gemeint ist die Kirche der 1126 gegründeten ehem. Prämonstratenser-Reichsabtei, die 1777–1786 erbaut und mit Fresken von Meinrad von Ow und Januarius Zick ausgeschmückt wurde.

Rot an der Rot

Bad Waldsee und Umgebung

Knapp 20 km südlich von Biberach, idyllisch eingebettet zwischen zwei Seen in der waldreichen Landschaft Oberschwabens, liegt das alte Kurstädtchen Bad Waldsee (16000 Einw.). Die doppeltürmige Kirche des ehem. Augustiner-Chorherrenstiftes, ursprünglich gotisch, erhielt im Zuge ihrer barocken Umgestaltung durch den berühmten Barockbaumeister Dominikus Zimmermann eine bemerkenswerte Westfassade und einen Hochaltar. Mitten in der Altstadt ist das 1426 fertiggestellte spätgotische Rathaus ein Blickfang. Das gegenüberliegende, mit einem Staffelgiebel versehene Kornhaus wird heute als Heimatmuseum genutzt. Westlich der Altstadt liegt inmitten einer wunderschönen Parkanlage das im 18. Jh. erbaute Schloß des Fürstenhauses Waldburg-Wolfegg. Am östlichen Stadtrand ist vor wenigen Jahren ein modernes Kurzentrum mit Mineralthermalbad entstanden.

Bad Waldsee

Aulendorf (knapp 15 km nordwestlich; 7000 Einw.) genießt als Kneippkurort einen guten Ruf – 1994 wurde hier ein modernes Mineralthermalbad eingeweiht. Der Ort selbst wird beherrscht vom hübsch restaurierten ehem. Schloß der Grafen von Königsegg-Aulendorf. An das Schloß ist die Martinskirche angebaut, ein Sakralbau romanischen Ursprungs. In seinem Inneren verdient ein um 1500 entstandener spätgotischer Flügelaltar besondere Beachtung.

Aulendorf

Die herrliche barocke Innenausstattung der Bibliothek des ehemaligen Prämonstratenserstifts in Bad Schussenried ist einen Besuch wert.

Oberschwaben

Bad Schussenried

*Bibliothekssaal

***Kreisfreilicht-
museum Kürnbach**

6 km nördlich von Aulendorf gelangt man in das Moorheilbad Bad Schussenried (8000 Einw.). Kunstinteressierten ist die ehem. Prämonstratenser-Reichsabtei ein Begriff: Besichtigen sollte man nicht nur die Kirche, sondern vor allem den einzigartigen Bibliothekssaal (1755–1763) wegen seiner in üppigem Barock schwelgenden Innenausstattung.

An der Straße nach Bad Waldsee informiert das Freilichtmuseum des Landkreises Biberach mit Bauernhäusern aus dem 15. bis 18. Jh. über die bäuerliche Wohnkultur in Oberschwaben.

***Dorfkirche in
Steinhausen**

5 km nordöstlich von Bad Schussenried, in Steinhausen, steht die barocke Wallfahrtskirche St. Peter und Paul – angeblich die schönste Dorfkirche der Welt. Die Besonderheit des äußerlich schlichten, 1728–1731 nach Plänen von Dominikus Zimmermann erbauten Kirchleins ist der ovale Innenraum, dessen Architektur mit dem Freskenschmuck und den Stukkaturen zu einem barocken Gesamtkunstwerk verschmelzen.

Bad Wurzach

Bad Wurzach (12000 Einw.), 12 km östlich von Bad Waldsee, ist das älteste Moorheilbad Baden-Württembergs. Sehenswert sind das Alte und das Neue Schloß (1723–1728) des Fürstenhauses Waldburg-Zeil. Aus dem 18. Jh. stammen auch die 1777 vollendete Pfarrkirche St. Verena sowie die Rokokokapelle im benachbarten Kloster Maria Rosengarten.

*Wurzacher Ried

Nördlich und westlich der Kurstadt dehnt sich das Wurzacher Ried aus. Dieses große Naturschutzgebiet umfaßt in seinem Kern das größte noch intakte Hochmoor Mitteleuropas.

Saulgau und Umgebung

Saulgau

Im nordwestlichen Oberschwaben, wenige Kilometer südlich der Donau, liegt Saulgau (16000 Einw.), das noch einen hübschen alten Stadtkern vorweisen kann. Sehenswert ist der Marktplatz, der von der gotischen Stadtpfarrkirche St. Johannes Baptist beherrscht wird. Neben dem Gotteshaus steht das um 1400 errichtete Haus am Markt, das zu den ältesten noch erhaltenen Fachwerkbauten Süddeutschlands gehört. Am Nordrand der Altstadt befindet sich ein ehem. Franziskanerinnenkloster, das im 14. Jh. gegründet wurde und bis ins 18. Jh. bestand (heute Rathaus). Nahebei blieb das sog. Katzentürmle als Rest der alten Stadtbefestigung erhalten. Westlich oberhalb der Kernstadt liegt das noch junge Thermalbad (Frei- und Hallenbecken), um das sich moderne Kureinrichtungen gruppieren.

*Riedlingen

Knapp 20 km nördlich von Saulgau schmiegt sich Riedlingen (9000 Einw.) an die Donau. Ein Spaziergang durch das alte Städtchen mit seinen romantischen Gassen, den Fachwerkhäusern und der mittelalterlichen Stadtbefestigung lohnt sich.

*Bussen

Rund 5 km östlich der Stadt erhebt sich der Bussen (767 m), im Volksmund der "heilige Berg Oberschwabens". Auf dem Hügel (schöne Aussicht) sind noch Reste einer auf vorgeschichtlichen Befestigungsanlagen stehenden mittelalterlichen Burg zu finden. 1516 wurde hier oben eine Wallfahrtskirche erbaut.

*Heiligkreuztal

Unbedingt sehenswert ist die mittelalterliche Klostersiedlung Heiligkreuztal, etwa 7 km westlich von Riedlingen. In der gotischen Klosterkirche beachte man die Glasmalereien des Chorfensters (1312–1315).

Heuneburg

Etwa 5 km südlich von Heiligkreuztal, am steilen Donauufer bei Herbertingen-Hundersingen, befand sich einer der wichtigsten hallstattzeitlichen Fürstensitze des 6./5. Jt.s in Süddeutschland. Ein Lehrpfad führt zu den einzelnen Gräbern; ein Teil der Grabfunde wird im Heuneburg-Museum in Herbertingen-Hundersingen gezeigt.

Bad Buchau

Etwa zwölf Kilometer nordöstlich von Bad Schussenried liegt am Rande des Federseebeckens das Thermal- und Moorheilbad Bad Buchau (4000

Einwohner). Sehenswert ist die ursprünglich romanische und gotische, im 18. Jahrhundert barockisierte Stadtpfarrkirche. Sie ist Teil des ehemaligen reichsfürstlichen Chorfrauenstiftes.

Bad Buchau
(Fortsetzung)

Am nördlichen Ortsrand liegt der flache, von Mooren, Riedflächen und Streuwiesen umrahmte Federsee. Er war ursprünglich über 150 km² groß; heute ist der größte Teil des Sees verlandet. Im Naturschutzgebiet Federsee kann man viele seltene Pflanzen und Tiere (v. a. Vögel) beobachten. In der Umgebung des Sees wurden Reste jungsteinzeitlicher und bronzezeitlicher Dorfanlagen gefunden. Im Bad Buchauer Federseemuseum kann man sich umfassend über die Natur- und Kulturgeschichte des Federseegebietes informieren.

*Federsee

Vier Kilometer südwestlich von Saulgau, im Dominikanerinnenkloster Sießen, lebte die Ordensfrau Maria Innozentia Hummel, die Schöpferin der Hummelfiguren (Hummelmuseum). Die großartig ausgestattete Klosterkirche (1726/1727) ist das Werk von Dominikus Zimmermann.

Kloster Sießen

Etwa 12 km südlich von Saulgau gelangt man nach Altshausen. Das ehemalige Deutschordensschloß aus dem 18. Jh. ist heute Hauptwohnsitz des herzoglichen Hauses Württemberg.

Altshausen

Pfullendorf und Umgebung

Etwa auf halber Strecke zwischen Sigmaringen (→ Schwäbische Alb) und dem → Bodensee liegt die ehemalige Freie Reichsstadt Pfullendorf (12 000 Einw.), deren mittelalterlicher, aus hübschen Fachwerkhäusern bestehender Kern noch gut erhalten ist. Wahrzeichen der Stadt ist das Obere Tor. Beachtung verdient auch die ursprünglich gotische Pfarrkirche St. Jakob, die im 18. Jh. barock umgestaltet wurde.

Pfullendorf

16 km nordwestlich von Pfullendorf erreicht man Meßkirch (7000 Einwohner). Die im 18. Jahrhundert barockisierte Martinskirche birgt die Hauptsehenswürdigkeit des Landstädtchens, eine Tafel des um 1538 entstandenen Dreikönigaltars vom Meister von Meßkirch. Das Heimatmuseum ist im Schloß (Kirchstraße 7) untergebracht; besonders hervorzuheben ist sein Festsaal, den J. Schwarzenberger 1557 schuf.

Meßkirch

Etwa 15 km südöstlich von Pfullendorf, bei Wilhelmsdorf, erstreckt sich das Naturschutzgebiet Pfrunger Ried, ein vom Flüßchen Ostrach entwässertes Moorgebiet, in dem noch viele seltene Pflanzen und Tiere beobachtet werden können.

*Pfrunger Ried

Einen phantastischen Blick über den Bodensee und – bei günstiger Witterung – bis hinüber zu den Alpen genießt man vom Gipfel des Höchsten (833 m), knapp 20 km südöstlich von Pfullendorf.

*Höchsten

Zwischen Heiligenberg (s. u.) und dem Höchsten fließt die Deggenhauser Aach. Die fruchtbare, geradezu mediterran-heitere Tallandschaft zuseiten des Flüßchens hat ihren ganz eigenen Reiz.

*Deggenhauser Tal

Ca. 15 km südlich von Pfullendorf erreicht man den Luftkurort Heiligenberg (3000 Einw.) auf einem Hügel (Aussicht). Auf steilem Bergsporn thront das Renaissanceschloß der Fürsten von Fürstenberg, das auf eine Burg aus dem 13. Jh. zurückgeht. Besonders eindrucksvoll ist der Rittersaal aus der Renaissance mit einer prachtvollen Kassettendecke.

Heiligenberg

Etwa 10 km südlich unterhalb Heiligenbergs liegt das ehem. Zisterzienserkloster Salem, seit der Säkularisation im Besitz des Markgrafen von Baden. Ein Musterbeispiel hochgotischer Baukunst ist das 1299–1414 erbaute Münster Mariä Himmelfahrt. Das mächtige Konventsgebäude – heute Schloß – entwarf im frühen 18. Jh. der Vorarlberger Baumeister Franz Beer

**Salem

Oberschwaben,
Salem
(Fortsetzung)

als barocke Anlage. Im Westflügel, dem ehem. Priorat, ist jene berühmte Internatsschule untergebracht, zu deren Zöglingen u. a. Prinz Philip und Theodor Heuss gehörten. Prunkvoll im Stil des Barock ist der Kaisersaal ausgestattet. (Schloßführungen: Apr.–Okt.: Mo.–Sa. 9.00–12.00 und 13.00–17.00, So. 11.00–17.00 Uhr.)

Affenberg

Vor allem bei Kindern sehr beliebt ist das 20 ha große, begehbare Freigehege bei Salem, in dem rund 200 Berberaffen gehalten werden.

Markdorf

Weitere 15 km südöstlich liegt Markdorf. Das Städtchen besitzt einige mittelalterliche Türme und Tore sowie ein Schloß (14. und 18. Jh.). In der ehemaligen Stiftskirche aus dem 14. Jh. befindet sich eine sehenswerte Schutzmantelmadonna. Nordöstlich über der Stadt erhebt sich der Gehrenberg (754 m) mit seinem Aussichtsturm.

Weitere
Ausflugsziele

→ Bodensee
→ Ravensburg

Oberstdorf · Kleinwalsertal

G 8

Bundesland: Bayern
Höhe: 815–2224 m ü.d.M.
Einwohnerzahl: 11 000

*Lage und
Bedeutung

Oberstdorf liegt am Ende des tief in die Allgäuer Alpen eingeschnittenen Tals der Iller, deren Quellbäche Trettach, Stillach und Breitach unterhalb des Ortes zusammenfließen. Wegen des günstigen Klimas und der herrlichen Lage inmitten eines großartigen Bergkranzes ist der heilklimatische Kur- und Kneippkurort sommers wie winters eines der meistbesuchten Urlaubsziele Süddeutschlands.

Die Pfarrkirche von Oberstdorf vor dem Panorama der Allgäuer Alpen

Sehenswertes in Oberstdorf

Das einstige Bauerndorf wurde 1865 von einem verheerenden Brand heimgesucht und danach großenteils neu aufgebaut. Das Ortsbild beherrscht der spitze Turm der neugotischen Pfarrkirche. Unweit südlich liegt der Kurplatz mit der Wandelhalle. Von hier bietet sich ein herrlicher Blick auf die majestätischen Gipfel der Allgäuer Alpen. Zum Kur- und Kongreßzentrum südwestlich der Pfarrkirche gehören auch das Kurhaus und ein Zentrum für ganzheitliche Medizin. Nahebei lädt ein Wellenbrandungsbad zum Besuch ein. Über die Geschichte von Oberstdorf informiert das Heimatmuseum östlich der Pfarrkirche.

Ortsbild

Jenseits der Trettach befindet sich das große Kunsteisstadion, in dem schon viele bekannte Eiskunstläufer trainiert haben. Dahinter sieht man das Schattenberg-Skistadion mit seinen Sprungschanzen, wo die Vier-Schanzen-Tournee beginnt.

Umgebung von Oberstdorf

Östlich von Oberstdorf ragt das Nebelhorn auf, dessen Gipfel man mit einer Großkabinen- und einer Gipfelbahn in wenigen Minuten erreichen kann. Bei günstiger Witterung bietet sich von dort oben ein überwältigender Alpen-Panoramablick. Im Winter herrscht auf dem Nebelhorn reger Skibetrieb, und von Frühjahr bis Herbst zieht es Bergtouristen in das außerordentlich attraktive Bergwandergebiet. Von herrlichen Landschaftseindrücken begleitet ist der Abstieg vom Nebelhorn vorbei am Geißalpsee zur Geißalpe und zurück nach Oberstdorf.

**Nebelhorn

Am Nebelhorn beginnt bzw. endet der gut gesicherte, aber nicht ganz einfache sog. Hindelanger Klettersteig, der nur geübten Bergtouristen empfohlen wird.

*Hindelanger Klettersteig

Südlich oberhalb von Oberstdorf ist der Freibergsee ein beliebtes Ausflugsziel. Etwa 5 km südlich vom Ortszentrum sieht man die Heini-Klopfer-Skiflugschanze, die weltweit zu den größten Sportanlagen ihrer Art gehört. Weiter talaufwärts erreicht man die Talstation einer Großkabinenbahn, die das 2037 m hohe Fellhorn mit seinem ausgedehnten Höhenwander- und Skigebiet erschließt.

Freibergsee
*Heini-Klopfer-Schanze
*Fellhorn

Zwei beliebte Ausflugsziele südlich von Oberstdorf sind die Einöde im oberen Stillachtal sowie die Spielmannsau im oberen Trettachtal vor der gewaltigen Kulisse von Hohem Licht (2652 m), Mädelegabel (2645 m) und Großem Krottenkopf (2657 m). Der Heilbronner Weg, einer der schönsten Hochgebirgspfade in den Alpen, erschließt diese Gipfel. Den besten Einstieg für diese Gebirgstour hat man an der Rappenseehütte (südlich oberhalb der Einöde).

*Einödsbach
*Spielmannsau
**Heilbronner Weg

Etwa 2 km nordwestlich von Oberstdorf hat die Breitach eine wildromantische Klamm förmlich ausgefräst. Man kann diesen Engpaß auf gesichertem Pfad durchwandern (Gehzeit: ca. 1 Std.).

*Breitachklamm

Etwa 4 km nördlich von Oberstdorf liegt der Erholungsort Fischen im Allgäu. Hier beginnt die kühn angelegte Riedberg-Paßstraße, die hinüber ins landschaftlich reizvolle Hochtal von Balderschwang führt, vorbei am besonders schneesicheren Skigebiet Grasgehren und am Wandergebiet Riedberger Horn.

Fischen
*Riedbergpaß
Balderschwang

**Kleinwalsertal

Das von der Breitach durchströmte Hochtal, über dessen waldbedeckten Flanken schroffe Kalkgipfel aufragen, ist eines der reizvollsten und bekanntesten Alpentäler und aufgrund der relativ hohen Schneesicherheit ein

Lage und
**Landschaftsbild

*Die Allgäuer Alpen mit dem Kleinwalsertal bieten phantastische Wander-
möglichkeiten, z.B. eine Gratwanderung auf der Hammerspitze.*

Kleinwalsertal,
Lage und
Landschaftsbild
(Fortsetzung)

überaus beliebtes Wintersportgebiet. Das südwestlich von Oberstdorf etwa 1100–1250 m hoch gelegene Tal gehört zum österreichischen Bundesland Vorarlberg, von dem es jedoch durch das Gebirge abgeriegelt wird,
so daß es dem deutschen Zoll- und Wirtschaftsgebiet angeschlossen ist
(DM-Währung).

*Söllereck

Die Straße von Oberstdorf in das Kleinwalsertal führt über das Flüßchen
Stillach und dann bergan zur Talstation der Sesselbahn, die zum 1706 m
hohen Söllereck hinauffährt.

Riezlern
*Kanzelwand

Der Hauptort des Kleinwalsertals ist der rund 1100 m hoch gelegene Ort
Riezlern (2000 Einwohner), wo es sogar ein Spielkasino gibt. Von Riezlern
aus erschließt eine Seilbahn die 1980 m hohe Kanzelwand, von der man
einen schönen Ausblick genießen kann. Im Winter herrscht hier oben
Hochbetrieb, da man von hier aus auch das Skigebiet am Fellhorn erreichen kann. Südlich erheben sich die Hammerspitze (2170 m) und die
Hochgehrenspitze (2252 m), die man über einen schönen Gratweg erwandern kann.

Hammerspitze
Hochgehrenspitze

Schwarzwassertal
*Diedamskopf
**Hoher Ifen

Von Riezlern führt eine lohnende Bergtour durch das Schwarzwassertal zur
Melköde und hinauf zur Schwarzwasserhütte (1651 m). Von dort geht es
weiter auf den Diedamskopf oder auf den Hohen Ifen, jenes markant
schräge und bis zu 2232 m hohe Kalkplateau, das südwestlich von Riezlern aufragt. Den Hohen Ifen kann man auch von der Ifenhütte aus (Seilbahn) und über das – allerdings nur mühsam begehbare – Gottesacker-
plateau erreichen.

Hirschegg

Im mittleren Teil des Tals liegt der Ort Hirschegg (1500 Einwohner) mit einer
hochgelegenen Kirche und vielen Hotels. Ein Sessellift führt hinauf zur
Heubergmulde.

Die auf 1218 m Höhe gelegene Ortschaft Mittelberg (1500 Einwohner) wird von der Pyramide des Zwölferkopfs und vom massigen Widderstein überragt. In der Pfarrkirche des Ortes sind Fresken aus dem 14. Jahrhundert erhalten. Eine Seilbahn verbindet Mittelberg mit dem Gipfel des 1993 m hohen Walmendinger Horn.

Kleinwalsertal (Fortsetzung) Mittelberg

Der 1244 m hoch gelegene Weiler Baad liegt im prächtigen Talschluß des Kleinwalsertales. Von hier lohnt ein mehrstündiger, allerdings auch beschwerlicher Aufstieg auf den 2536 m hohen Widderstein.

Baad
*Widderstein

Odenwald · Bergstraße   E/F 6

Bundesländer: Baden-Württemberg, Hessen und Bayern

Der Odenwald, ein abwechslungsreiches Mittelgebirge, erstreckt sich östlich der Rheinebene zwischen dem Neckar im Süden (und reicht dort ein wenig über den Fluß hinaus) und dem Main im Norden. Er wird unterschieden in die von Tälern durchzogene, bewaldete Kuppenlandschaft des Vorderen Odenwalds, die im Westen aus der Rheinebene ansteigt, und in den Hinteren Odenwald. Dieser auch Buntsandstein-Odenwald genannte Abschnitt bildet eine recht einförmige Hochfläche. Im Süden hat sich der Neckar in das Gebirge eingeschnitten, so daß ein windungsreiches Tal entstand; bei Eberbach ragt der 626 m hohe Katzenbuckel als höchste Erhebung des Odenwalds über dem Neckartal auf.

Lage und Allgemeines

Reiseziele im Odenwald

An einem schon von den Römern besiedelten Straßenknotenpunkt im Norden der Region und westlich von → Darmstadt liegt Dieburg. Beachtenswert ist die barocke Wallfahrtskirche. Das örtliche Museum zeigt u. a. Fundstücke aus einem römischen Mithrasheiligtum.

Dieburg

Der Winzerort Groß-Umstadt, die "Odenwälder Weininsel", liegt an den Ausläufern des Odenwalds in die Rhein-Main-Ebene. Für den historischen Stadtkern sind Renaissancehäuser und ein Marktbrunnen charakteristisch.

Groß-Umstadt

Wichtigster Fremdenverkehrsort des Odenwalds ist Michelstadt, ungefähr in der Mitte der Region an der Nibelungenstraße gelegen. Hier besticht vor allem das zweitürmige spätgotische Rathaus am Marktplatz, ein Fachwerkbau aus dem 16. Jh. stammt der Marktplatzbrunnen mit dem hl. Michael. Die spätgotische Stadtkirche birgt Grabmäler der Grafen von Erbach (14. – 17. Jh.). Am südöstlichen Rand der Altstadt befinden sich in der Kellerei, dem Rest einer ehemaligen Burg, das Odenwaldmuseum und das Spielzeugmuseum. Ferner wurde in der ehemaligen Synagoge ein Jüdisches Museum eingerichtet.

*Michelstadt

Im Stadtteil Steinbach steht die vom Chronisten Karls des Großen erbaute Einhardsbasilika (9. Jh.), die zu den eindrucksvollsten Zeugnissen karolingischer Architektur in Deutschland zählt. Sehenswert ist im Umkreis von Michelstadt ferner Schloß Fürstenau, ein schöner Renaissancebau.

*Einhardsbasilika

Die Stadt Erbach wenig südwestlich von Michelstadt ist das Zentrum der deutschen Elfenbeinschnitzerei. Wie dieses Handwerk hierherkam und was es hervorbringt, zeigt das Elfenbeinmuseum. Im Erbacher Schloß, anstelle einer alten Wasserburg errichtet, kann man Waffen und Rüstungen sowie eine Hirschgeweihgalerie besichtigen.

Erbach

*Elfenbeinmuseum

Auf der Hochfläche südlich von Erbach liegt in waldreichem Umland der Erholungsort Beerfelden. Die Mümlingquelle am Markt ist als "Zwölfröhrenbrunnen" gefaßt.

Beerfelden

Amorbach

*St. Maria

Ganz im Osten der Region kommt man in das Städtchen Amorbach. Südlich vom Markt steht die Kirche der ehemaligen Benediktinerabtei St. Maria, eine barocke Anlage, die 1742–1747 durch den Umbau einer romanischen Basilika entstand. Die beiden Vierecktürme stammen noch von dem romanischen Vorgängerbau. Das glänzend ausgestattete Innere gehört zu den bedeutendsten Rokokoschöpfungen in Deutschland. Besonders beachtenswert sind die prachtvolle Kanzel und die Orgel.

Walldürn

Rund 17 km südöstlich von Amorbach liegt der Wallfahrtsort Walldürn. Die Wallfahrtskirche zum hl. Blut wurde 1698–1729 von Lorenz Gassner erbaut. Westlich außerhalb stößt man auf Reste eines Römerkastells.

Reiseziele entlang der Bergstraße

Allgemeines

Die Bergstraße, "strata montana" der Römer, begleitet den Oberrheingraben am Westhang des Odenwalds von → Darmstadt bis → Heidelberg. Bekannt ist dieser Landstrich wegen seines milden Klimas: Im Frühling, der hier früher einzieht als sonst in Deutschland, verwandelt sich die Landschaft in ein Meer von Blüten, so daß die Bergstraße zu dieser Zeit die meisten Besucher anzieht. Neben Obst und Wein reifen hier auch Feigen und Mandeln heran, und in den Parks findet man manch exotische Bäume. Von den Höhen bieten sich schöne Ausblicke, besonders vom 515 m hohen Melibokus.

Schriesheim

Bei Schriesheim wenig nördlich von Heidelberg erhebt sich die Ruine der Strahlenburg, von der Teile des Palas und des Bergfrieds erhalten sind. Ihr Name erinnert an den Ritter von Strahl in Heinrich von Kleists Schauspiel "Das Käthchen von Heilbronn".

Birkenau

Etwas weiter nördlich kommt man zu dem Luftkurort Birkenau, auch das "Dorf der Sonnenuhren" genannt, mit seinem Barockschloß.

Weinheim

Weinheim entwickelte sich am Austritt des Weschnitztals aus dem Odenwald in die Oberrheinebene. Das Bild der Altstadt prägen winklige Gassen und alte Wohnhäuser, darunter der Büdinger Hof (16. Jh.) mit einem interessanten Treppenturm. Im Park des Berckheimschen Schlosses gedeihen seltene Pflanzen und alte Zedern. Der Ort wird überragt von Burg Windeck (heute Ruine), im 12. Jh. vom Kloster Lorsch zum Schutz seiner Besitzungen angelegt und im Dreißigjährigen Krieg weitgehend zerstört.

Heppenheim

Den historischen Marktplatz von Heppenheim säumen ansprechende Fachwerkhäuser, darunter der ehemalige Mainzer Amtshof mit dem Volkskunde- und Heimatmuseum. Das Rathaus, 1551 erbaut, wurde nach einem Brand um 1700 im Renaissancestil neu erbaut. Das Gasthaus "Goldener Engel" war früher das Zunfthaus der Schneiderinnung. Über dem Ort ragt die Ruine der Starkenburg auf, die 1065 zum Schutz von Kloster Lorsch erbaut wurde.

**Lorsch

Auf dem westlichen Rheinufer gegenüber von Heppenheim findet man mit der Königshalle der ehemaligen Benediktinerabtei von Lorsch ein einzigartiges Zeugnis karolingischer Baukunst vor. Die mit roten und weißen Steinplatten verkleidete Halle ist der Überrest des großen, 764 gegründeten Klosters, in dem bedeutende Karolinger begraben waren.

Bensheim

Ungefähr in der Mitte der Bergstraße kommt man in das 765 erstmals erwähnte Bensheim, eine Stadt mit vielseitiger Industrie sowie Obst- und Weinbau. Anfang September feiert man hier das "Bergsträßer Winzerfest". Zeugen der Vergangenheit sind einige Reste der Stadtbefestigung, darunter der Rote Turm aus dem 16. Jahrhundert. Im alten Stadtkern findet man Fachwerkhäuser und Adelshöfe wie den Walderdorffer Hof (heute Weinstube) und den Rodensteiner Hof. Die katholische Pfarrkirche St. Georg ent-

Rathaus und Dom von Heppenheim an der Bergstraße

stand um 1830 nach Plänen von Georg Moller im klassizistischen Stil. Das Museum der Stadt Bensheim informiert über Vor- und Frühgeschichte, Stadtgeschichte, bäuerliche Wohnkultur u.a.

Odenwald · Bergstraße, Bensheim (Fts.)

Odertal

I 2/3

Die Oder entspringt im Odergebirge der Ostsudeten (Tschechien) und durchfließt die Mährische Pforte bis zur tschechisch-polnischen Grenze. Der weitaus größte Teil des Flußlaufs befindet sich auf polnischem Boden. In ihrem Unterlauf teilt sich die Oder in mehrere Arme und erreicht über das Stettiner Haff die Ostsee. Ein linker Nebenfluß der Oder ist die Lausitzer Neiße; untere Oder und Lausitzer Neiße bilden die Staatsgrenze zwischen Deutschland und Polen. Die von Altwässern durchzogene, 12 bis 15 km breite Niederung westlich der unteren Oder zwischen Küstrin und Oderberg wird als "Oderbruch" bezeichnet.

Verlauf der Oder

*Nationalpark Unteres Odertal

Zwischen Hohensaaten im Süden und einer Linie oberhalb von Gartz im Norden erstreckt sich der "Nationalpark Unteres Odertal". Er wurde von Anfang an als Bestandteil eines deutsch-polnischen Naturschutzprojekts angelegt, das das gesamte untere Odertal von Hohensaaten bis nach Stettin (poln. Szczecin) über eine Länge von 60 km einschließen soll. Auf deutscher Seite gehören neben der 2 bis 4 km breiten Flußaue, die von vielen Altarmen durchzogen ist, Wälder und Trockenrasen auf den Oderhängen dazu. An der unteren Oder werden alljährlich ein paar tausend Hektar Wiesen und Weiden, Auwälder und Moore überflutet. Die natürlichen Gegebenheiten und die Grenzlage zu Polen bewirkten, daß das untere Odertal

Deutscher Teil des Nationalparks

Odertal

Deutscher Teil des Nationalparks (Fts.)

nicht verbaut wurde und so die überaus artenreiche Auenlandschaft weitgehend erhalten blieb.

Pflanzen und Tiere

Das untere Odertal mit den anschließenden Hängen gehört zu den artenreichsten Lebensräumen in Deutschland. Hier finden viele Pflanzen- und Tierarten der Steppenzone ihre nordwestlichste Verbreitungsgrenze. Darunter sind so interessante Pflanzenarten wie der blaublühende Kreuzenzian, das silbrige Federgras und das gelbe Adonisröschen. Als Feuchtgebiete mit vielen Wasservögeln waren große Teile der Überflutungszone schon vor der Nationalparkgründung unter Schutz gestellt worden. Vor allem während der Zugzeiten sammeln sich hier Gänse, Schwäne und Kraniche in großer Zahl. Mehr als 120 Vogelarten brüten im Nationalpark, u.a. See-, Fisch- und Schreiadler, Weißstörche, der seltene Schwarzstorch und die vom Aussterben bedrohten Seggenrohrsänger und Wachtelkönige.

Orte an der unteren Oder

Frankfurt an der Oder

Die größte Stadt am westlichen Ufer der Oder, soweit es zu Brandenburg gehört, ist → Frankfurt an der Oder.

Schwedt

An der Hohensaaten-Friedrichsthaler-Wasserstraße, einem Kanal parallel zur Oder, liegt Schwedt, heute das wirtschaftliche und kulturelle Zentrum der Uckermark. Als befestigter Oderübergang ausgebaut, war Schwedt bis 1479 ständig Streitobjekt zwischen Pommern und Brandenburg. Nachdem die Stadt 1681 einem Brand zum Opfer gefallen war, wurde sie 1685 mit regelmäßigem Grundriß neu angelegt und war ab 1689 Sitz der Markgrafen von Brandenburg-Schwedt. Den Hauptzweig des Wirtschaftslebens bildete lange Zeit die Tabakverarbeitung. Nach dem Zweiten Weltkrieg wurde die Stadt zu einem Raffineriestandort.
Das Stadtmuseum am Markt informiert über die vorgeschichtliche Besiedlung der Schwedter Region und beleuchtet die Markgrafenzeit. Ferner sind dort Dokumente zum Tabakanbau und zur Tabakverarbeitung ausgestellt. Der ehemalige Tabakspeicher der Handelsfirma Ermeler beherbergt heute die Galerie der Stadt, in der Ausstellungen stattfinden. Mit dem Fahrgastschiff "MS Uckermark" kann man von Schwedt Ausflugsfahrten nach Stolpe, Friedrichsthal, Gartz und Mescherin unternehmen.

Stolpe und Criewen

Südlich von Schwedt liegen an der Hohensaaten-Friedrichsthaler-Wasserstraße die beiden kleinen Orte Stolpe und Criewen. Auf den Oderhängen bei Stolpe wurde im 12. Jh. eine Burganlage errichtet, von der nur noch der Turm steht, ein mächtiger Bergfried mit fünf Meter dicken Mauern. Von hier aus hat man einen weiten Blick in die Trockenpolder, Teil eines Anfang dieses Jahrhunderts nach holländischem Vorbild errichteten Poldersystems. Von Spätherbst bis Frühjahr überflutet die Oder oft alle Wiesenflächen der Naßpolder. Das 1820 erbaute Schloß Criewen ist von einem von Lenné angelegten Landschaftspark umgeben. Hier sollen in den kommenden Jahren ein deutsch-polnisches Umweltbildungszentrum und das Nationalparkzentrum eingerichtet werden.

Gartz

Flußabwärts bzw. auf der Bundesstraße B 2 gelangt man von Schwedt über Vierraden nach Gartz (18 km entfernt). Das Ortsbild prägen die alte Stadtmauer, das Stettiner Tor, das historische Rathaus und die dominierende Kirche St. Stephanus. Ein Ausflug in die nähere Umgebung führt zu den Naturschutzgebieten Silberberge und Geesower Hügel. An manchen Stellen erreichen die Oderhänge 50 Meter Höhe. Durch jahrhundertelange extensive Beweidung mit Schafen und Ziegen entstanden Trocken- und Halbtrockenrasen.

Wander- und Radwege

Das Gebiet im unteren Odertal eignet sich gut für Radtouren. In mehreren Orten kann man Räder ausleihen, so in Criewen, Gartz, Lunow, Mescherin, Stolpe und Schwedt. Darüber hinaus werden organisierte Fuß- und Radwanderungen angeboten, bei denen Hinweise zur Entstehung des unteren Odertals, Erklärungen zu Vögeln und Vogelstimmen, verschiedenen Tieren und Pflanzen gegeben werden.

Oldenburg

Bundesland: Niedersachsen
Höhe: 5 m ü.d.M.
Einwohnerzahl: 155 000

Die einstige Residenzstadt der Grafen, Herzöge und Großherzöge von Oldenburg, westlich von → Bremen gelegen, ist das wirtschaftliche und kulturelle Zentrum des deutschen Nordwestens. Dank der Verbindung zur Nordsee via Hunte und Weser ist Oldenburg der umschlagreichste Binnenhafen Niedersachsens.

Lage und
Bedeutung

Im Jahre 1108 erstmals als "Aldenburg" erwähnt, wurde der Ort 1150 Grafensitz. 1345 erhielt Oldenburg die Stadtrechte. 1667 begann die knapp hundert Jahre dauernde dänische Herrschaft. Der letzte Großherzog dankte 1918 ab, 1919 entstand der "Freistaat Oldenburg". Seit 1973 ist Oldenburg Universitätsstadt.

Geschichte

Zu den großen Söhnen und Töchtern der Stadt zählen der Philosoph Karl Jaspers, die Frauenrechtlerin Helene Lange, der Theologe Rudolf Bultmann sowie der Philosoph und Pädagoge Johann Friedrich Herbart. Oldenburg verleiht zwei weitbeachtete Preise: den "Oldenburger Kinder- und Jugendbuchpreis" zur Förderung von Nachwuchsschriftstellern und -illustratoren und den "Carl-von-Ossietzky-Preis" für Arbeiten zur Thematik des Widerstandes gegen den Nationalsozialismus. Der Preis wird zum Andenken an den Publizisten Carl von Ossietzky verliehen, der im westlich bei Papenburg (→ Emsland) gelegenen KZ Esterwegen interniert war. Nach ihm ist auch die Oldenburger Universität benannt.

Kultur

Sehenswertes in Oldenburg

In der Mitte der von restaurierten Wallanlagen sowie von Wasserläufen umgebenen Altstadt liegt der Markt mit dem 1887 erbauten Rathaus und der Lambertikirche. Auffällig unter den bauhistorischen Zeugen der Stadt ist das Degode-Haus westlich vom Markt, ein reichverziertes Ackerbürgerhaus aus dem Jahre 1502, das den Stadtbrand von 1676 überstand.

Markt

Der "Lappan" am Nordrand der Altstadt, ehemals der Glockenturm des Heiligengeist-Spitals von 1467, ist das Wahrzeichen der Stadt.

Lappan

Südlich vom Markt steht das ehemalige großherzogliche Schloß; in unmittelbarer Nähe liegt der im englischen Landschaftsstil gestaltete Schloßgarten. Das Schloß beherbergt das sehenswerte Landesmuseum für Kunst und Kulturgeschichte, das u. a. das Kabinett des Hofmalers und Goethe-Freundes Wilhelm Tischbein (1751–1829) präsentiert. Die "Galerie Alter Meister" zeigt überwiegend italienische und niederländische Gemälde des 16. bis 18. Jahrhunderts, u. a. auch Werke von Rembrandt. Außerdem kann man typische möblierte Räume norddeutscher Bauernhäuser aus dem 16. bis 18. Jh. und eine rekonstruierte Apotheke des 18. Jh.s besichtigen.

Schloß
(Kunstmuseum)

Das Augusteum in der Elisabethstraße wird als Ausstellungsgebäude des Landesmuseums Oldenburg für dessen sehenswerte "Galerie des 20. Jahrhunderts" genutzt. Sammlungsschwerpunkte sind Gemälde der Klassischen Moderne, der Kunst zwischen den beiden Weltkriegen mit Neuer Sachlichkeit und Magischem Realismus, u.a. von Franz Radziwill, sowie die Kunst nach 1945.

Augusteum

Oldenburg

Naturkunde-museum

Einen Besuch lohnt auch das Museum für Naturkunde und Vorgeschichte an der "Damm" genannten Straße. Es informiert über Geologie und Ökologie des nordwestdeutschen Raumes, über Moorfunde und Mineralien.

Stadtmuseum

Nordwestlich des Wallrings (Raiffeisenstraße) kommt man zum Stadtmuseum, das in zwei Villen beheimatet ist, die der Kunstliebhaber Theodor Francksen (1875–1914) der Stadt schenkte. Seine Sammlung umfaßt Möbel, Terrakotten und Kunsthandwerk. Anhand von Stadtmodellen wird die Entwicklung Oldenburgs seit dem Mittelalter für den Besucher anschaulich.

Umgebung von Oldenburg

*Ammerland
Bad
Zwischenahn

Nordwestlich von Oldenburg erstreckt sich das Ammerland, ein Geest- und Hochmoorgebiet mit dem Zwischenahner Meer. Am südlichen Ufer dieses Binnensees liegt das Moorheilbad Bad Zwischenahn. Einen Besuch lohnt das Freilichtmuseum "Ammerländer Bauernhaus", das anhand von 18 Häusern und einer Mühle einen Eindruck von der ehemaligen regionalen Wohnkultur vermittelt.

Das Freilichtmuseum "Ammerländer Bauernhaus"

Wildeshausen

Knapp 40 km südöstlich von Oldenburg liegt an der Hunte die kleine Stadt Wildeshausen. Beachtung verdient die Kirche des ehemaligen Alexanderstifts, eine dreischiffige Basilika aus dem 13. Jh. mit quadratischem Chor und Westturm, in deren Langhaus Reste spätmittelalterlicher Wandmalereien zu sehen sind; ferner Glasfenster in Jugendstilformen. Südlich von Wildeshausen befinden sich prähistorische Gräberfelder, darunter das Pestruper Gräberfeld.

Visbek

In der Umgebung von Visbek, südwestlich von Wildeshausen, gibt es zahlreiche stein- und bronzezeitliche Grabstätten. Nahe der Autobahn liegen die beiden Hünengräber "Visbeker Braut" und "Visbeker Bräutigam".

Von Wildeshausen und Visbek ist es nicht weit nach Cloppenburg. Die Hauptattraktion der Stadt ist das sehenswerte Museumsdorf. Hier stehen 50 naturgetreu wiederaufgebaute und originalgetreu eingerichtete Bauernhäuser und andere Bauten des ländlichen Raums aus dem 16. bis 19. Jh., darunter eine Dorfkirche von 1698, eine Schule, ein Brauhaus, mehrere Windmühlen, niederdeutsche Hallenhäuser und ostfriesische Gulfhäuser sowie Arbeitsstätten von Handwerkern. Thematisch gestaltete Einzelsammlungen sind in den verschiedenen Gebäuden untergebracht, z.B. Wagen und Geräte zur Butterherstellung.

Oldenburg, Umgebung (Fortsetzung) Cloppenburg *Museumsdorf

Osnabrück   E 3

Bundesland: Niedersachsen
Höhe: 64 m ü.d.M.
Einwohnerzahl: 162000

Die alte Bischofs- und junge Universitätsstadt Osnabrück ist eingebettet in das Hasetal und umrahmt von den Höhenzügen des Wiehengebirges und des Teutoburger Waldes. Osnabrück, ein bedeutender Wirtschaftsraum mit Fahrzeugbau, Metallindustrie und Dienstleistungsunternehmen hat über einen Stichkanal Verbindung mit dem Mittellandkanal. 1973 wurde die Universität gegründet.

Lage und Bedeutung

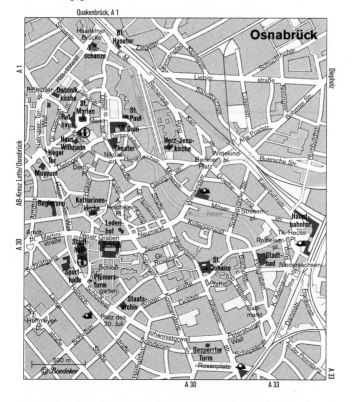

Osnabrück

Geschichte

Keimzelle der Stadt war die Domburg. Um 800 erhob Karl der Große die Siedlung zum Bischofssitz, 1147 wird Osnabrück erstmals als Stadt erwähnt. Im 13. Jh. war Osnabrück Mitglied der Hanse und des Westfälischen Städtebundes. 1306 wurden die Altstadt und die Neustadt vereint. In den Jahren 1643–1648 fanden in Osnabrück zwischen den protestantischen Mächten, den Schweden und dem Kaiser die Verhandlungen zum Westfälischen Frieden statt, der den Dreißigjährigen Krieg beendete. Osnabrück ist Geburtsort des Schriftstellers Erich Maria Remarque (1898 bis 1970), dem sein Roman "Im Westen nichts Neues" zu Weltruf verhalf.

Sehenswertes in Osnabrück

Dom

Im Zentrum der Altstadt steht der romanische Dom St. Peter, dessen Grundstein Ende des 8. Jh.s auf Veranlassung Karls des Großen gelegt wurde. Die heutige Gestalt – mit dem wuchtigen Südwestturm und dem schmaleren Nordwestturm – erhielt der Dom im 13. Jahrhundert. Sehenswert sind das Bronzetaufbecken (1225), das Triumphkreuz (1250) und die acht Apostelstatuen an den Pfeilern des Langhauses. Im angrenzenden Diözesanmuseum wird der Domschatz gezeigt. Ein Bronzestandbild auf der "Domsfreiheit" erinnert an den Publizisten und Geschichtsschreiber Justus Möser (1720–1794), der in Osnabrück geboren wurde.

＊Rathaus

Westlich vom Dom liegt der von Giebelhäusern eingefaßte Markt. Im Friedenssaal des Rathauses wurde am 24. Oktober 1648 der Teilfriede zwischen dem Kaiser, den protestantischen Reichsständen und den Schweden geschlossen. Beachtung verdienen in dem spätgotischen Rathaus, das um 1500 entstand, die Ratsschatzkammer und das Stadtmodell.

Türgriff am Rathaus zur Erinnerung an den Westfälischen Frieden (Ende des Dreißigjährigen Kriegs)

Marienkirche

Neben dem Rathaus findet man weitere Teile des alten Stadtensembles: die Stadtwaage von 1531 und die Marienkirche. Zu ihrer Ausstattung gehören ein Antwerpener Flügelaltar (1520) und ein Triumphkreuz aus dem 14. Jh.; unter dem Chorumgang befindet sich das Grab von Justus Möser.

Heger-Tor-Viertel

Zwischen dem Rathaus und dem Heger Tor im Südwesten liegt ein restauriertes Altstadtviertel. An der Krahnstraße und der Bierstraße stehen alte Fachwerkbauten, darunter Haus Willmann (1586) und der Gasthof Walhalla (1690). Die Heger Straße mit Altstadtkneipen und Antiquitätengeschäften führt zum Heger Tor, einem Teil der alten Stadtbefestigung, von der im Zuge der Wallstraße auch Bocksturm (Sammlung mittelalterlicher Folterinstrumente und Waffen), Bürgergehorsam, Vitischanze mit Barenturm und Pernickelturm erhalten geblieben sind.

Kulturmuseum

Einen Besuch lohnt das Kulturgeschichtliche Museum am Heger-Tor-Wall. Es zeigt Sammlungen zur Volkskunde, Stadtgeschichte und Kunst. Als Besonderheit kann die Dauerausstellung zu Leben und Werk des Malers Felix Nußbaum (1904–1944) gelten, der in Osnabrück geboren wurde und in Auschwitz sein Leben ließ. Seine Bilder, die stilistisch der Neuen Sachlichkeit nahestehen und auch surrealistische Elemente enthalten, sind Dokumente eines jüdischen Schicksals zur Zeit des Nationalsozialismus. Zur

Zeit entsteht nach Plänen des amerikanischen Architekten Daniel Liebes-
kind ein Anbau für die Felix-Nußbaum-Sammlung.

Osnabrück, Kultur-
museum (Fts.)

Der Straßenzug "Neuer Graben" bildet die Grenze zwischen Altstadt im
Norden und Neustadt im Süden. Am Neuen Graben stehen die Stadthalle,
ein modernes Veranstaltungszentrum, und das ehemals fürstbischöfliche
Schloß (1668 – 1690), heute Sitz der Universität. Ein Meisterwerk der Renaissance ist der Ledenhof mit seinem stattlichen Glockengiebel.

Neuer Graben

An den Neuen Graben schließt östlich der Neumarkt an, in den von Norden
die Große Straße und von Süden die Johannisstraße einmündet. An der
Johannisstraße steht die Johanniskirche, einst Keimzelle der Neustadt. Der
Schnitzaltar (1511) stammt aus der Schule des "Meisters von Osnabrück".

Neumarkt

Im Süden von Osnabrück (A 30) befinden sich am Schölerberg der Zoo
und das Museum am Schölerberg, das Exponate zum Themenkreis Natur
und Umwelt zeigt. Dem Museum ist ein Planetarium angeschlossen.

Schölerberg

Einen Ausflug lohnt auch das Museum Industriekultur nördlich von Osnabrück. Dokumentiert werden dort Technik-, Wirtschafts- und Sozialgeschichte der Region. So gibt es z. B. eine Metallwerkstatt. Rund um das
Museum bieten sich viele Möglichkeiten für Wanderungen und Radtouren.

Museum
Industriekultur

Umgebung von Osnabrück

Einige schöne Ausflugsziele liegen im Umkreis von maximal 20 km im
→ Teutoburger Wald: Tecklenburg im Südwesten, Bad Iburg, Bad Laer
und Bad Rothenfelde im Süden sowie Melle und Bad Essen im Osten.

Ausflugsziele im
Teutoburger Wald

Die A 30 führt von Osnabrück in westlicher Richtung nach Ibbenbüren am
nördlichen Rand des Teutoburger Walds. Wer sich für Autos und Motorräder interessiert, sollte sich im Auto- und im Motorradmuseum umsehen.
Von Ibbenbüren lohnt ein Ausflug zu den Dörenther Klippen (Richtung
Münster).

Ibbenbüren

Rund 35 km nordöstlich von Osnabrück liegt der Dümmer, ein von Nieder-
mooren umgebener, bis 1,50 m tiefer See, der von der Hunte durchflossen
wird. Der Dümmer ist Landschaftsschutzgebiet und gilt als beliebtes Frei-
zeit- und Erholungsgebiet. Seine verlandete Uferzone bildet ein Biotop für
Wasser- und Sumpfvögel. An vielen Stellen der vorgeschichtlichen Ufer-
linie hat man Siedlungsreste aus der Steinzeit gefunden; vollkommen ausgegraben wurde das "Moordorf" Hüde I (4200–2700 v. Chr).

Dümmer

Nördlich vom Dümmer kommt man nach Vechta, wo die gotische Propsteikirche St. Georg mit barocker Ausstattung und das Rathaus sehenswert
sind. In der Umgebung wird Erdöl und Erdgas gefördert.

Vechta

Ostfriesische Inseln   C/D 2

Bundesland: Niedersachsen

Die Ostfriesischen Inseln liegen vor der niedersächsischen Nordseeküste.
Von Westen nach Osten fortschreitend, gehören – zwischen Ems- und Wesermündung – die Inseln Borkum, Juist, Norderney, Baltrum, Langeoog,
Spiekeroog und Wangerooge zu dieser Gruppe. Den Lebensrhythmus auf
den Inseln bestimmen die Gezeiten. Aufgrund ihres gesunden Klimas, der
Dünen und der langen Sandstrände gehören die Ostfriesischen Inseln zu
den beliebtesten Reisezielen in Deutschland. In den Sommermonaten bieten sie ihren Gästen ein vielfältiges Veranstaltungsprogramm. Neben Dia-

Lage und
Allgemeines

*Ferieninseln

vorträgen und Führungen verschiedenster Art gehören dazu auch Kurkonzerte, Abendveranstaltungen mit Shanty-Chören, die alte Seemannslieder singen, und Volkstanzgruppen.
Im Jahre 1986 wurde der "Nationalpark Niedersächsisches Wattenmeer" gegründet, in dem alle Ostfriesischen Inseln liegen. Sitz der Nationalparkverwaltung ist Wilhelmshaven (→ Ostfriesland), auf mehreren Inseln unterhält sie Informationsstellen. Auch Führungen werden angeboten.

Lage und Allgemeines (Fortsetzung)

Sehenswertes auf den Inseln

Borkum, 12 km nördlich vom Festland gelegen (Fährverbindung von Emden), ist die westlichste und größte der Ostfriesischen Inseln. Im Ort Borkum – im Westen der Insel – sollte man auf der Bismarck- und der Franz-Habich-Straße einen Einkaufs- und Kneipenbummel machen. Zum Baden und Spazierengehen laden das Meerwasser-Hallenbad und die Seepromenade ein. Die heimatkundliche Sammlung Borkums, "Heimatmuseum Dykhus", ist in einem für Ostfriesland typischen Gulfhaus untergebracht, das von einem Zaun aus Walkieferknochen umgeben ist. Einen Besuch lohnt auch das Nordseeaquarium an der Bürgermeister-Kieviet-Promenade, in dem Lebewesen aus der Nordsee wie Seedahlien, Einsiedlerkrebse und Hummer zu sehen sind. Der neue Leuchtturm von Borkum, auf den eine Wendeltreppe hinaufführt, ist 60 m hoch. Romantisch veranlagte Menschen zieht es immer wieder zum Ostland, einem winzigen Weiler, wo die letzten Inselbauern ihre Höfe haben.
Am Ortsrand von Borkum liegt der unter Naturschutz stehende Tüskendörsee, der erst in diesem Jahrhundert durch Sandentnahme für den Deichbau entstand. Dort kann man mit dem Feldstecher Vögel beobachten: Uferschnepfen und Rotschenkel, Bekassinen und Neuntöter. Nord- und Südstrand sind z.T. Seevogelschutzgebiet. Östlich von Borkum liegt die Sandbank Lütje Hörn, ebenfalls ein Seevogelschutzgebiet.

Borkum

Nach Osten schließt sich Juist an (Fährverbindung von Norden – Norddeich), eine als Nordseeheilbad besuchte, autofreie Insel, die extrem schmal ist. Der schöne Nordstrand wird von einer Dünenkette begleitet. In der Mitte der Insel liegt der Ort Juist mit einer Strandpromenade. Das Küstenmuseum informiert über Seefahrt und Fischerei, Natur und Küstenschutz. Eine Besonderheit von Juist stellt der Hammersee im Westteil der Insel dar, der größte Süßwassersee der Ostfriesischen Inseln. Um diesen See, der schon seit 1952 unter Naturschutz steht und Rastplatz ist für viele Vögel wie Rallen und Haubentaucher, führt ein schöner Spaziergang. Der Name des Sees weist darauf hin, daß er die Fläche des ehemaligen Hamerichs, der dörflichen Gemeindewiese, bedeckt. Nahe dem westlichen Ende von Juist liegt die Seevogelschutzinsel Memmert.
Die Fahrt vom Ort in den Osten der Insel endet am Rand des Flugplatzes. Von dort gelangt man zu Fuß zum Kalfamer, wie der östlichste Teil von Juist genannt wird. Dieser Kalfamer ist ein Gebiet, in dem Wissenschaftler die Entstehung der Dünen weitgehend ungestört beobachten können.

Juist

Die nach Borkum zweitgrößte der Ostfriesischen Inseln ist Norderney (Fährverbindung von Norden – Norddeich). Als einzige in dieser Gruppe besitzt sie größere Waldbestände. In der südwestlichen Ecke der Insel liegt das Nordseeheilbad Norderney. Auf Norderney ist am meisten historische Bausubstanz erhalten geblieben. Ganze Straßenzüge mit Biedermeierhäusern und klassizistischen Bauten aus dem vorigen Jahrhundert sind noch zu bewundern. Architektonische Glanzpunkte bilden das Kurhaus und das Kurhotel aus der Gründerzeit der Insel, als Norderney Sommerresidenz von König Georg V. von England war. Auch prominente Besucher wie Heinrich Heine und Otto von Bismarck verbrachten in diesem "Modebad des Nordens" gelegentlich ihren Urlaub. Das Kurhaus beherbergt die Spielbank

Norderney

◀ *Strandleben auf Borkum*

Das "Heimatmuseum Dykhus" auf Borkum zeigt nicht nur eine Sammlung präparierter Vögel und Versteinerungen, sondern auch historische Möbel, Exponate zum Walfang u. a.

Norderney
(Fortsetzung)

der Insel. Im winzigen Fischerhausmuseum erfährt man, wie man als Nicht-Kurgast in früheren Zeiten auf Norderney lebte.

Die östliche Inselhälfte ist hingegen "Natur pur" mit ausgedehnten Salzwiesen und Dünenlandschaften. Sie gehört zur Ruhezone des Nationalparks, durch die nur wenige genehmigte Wege führen. Hier kann es einem durchaus passieren, daß man den nächsten Wanderer nur mit dem Fernglas erkennt. Im äußersten Osten der Insel liegt seit 1968 das Wrack eines Muschelbaggers im Sand. Man erreicht es über einen markierten Weg. Zwischen März und Oktober steht in der Nähe des Wracks ein Informationswagen der Nationalparkverwaltung, in dem Erläuterungen zu Themen wie Salzwiesen und Seehunde gegeben werden.

Baltrum

Mit einer Fläche von 6,5 km² ist Baltrum (Fährverbindung von Neßmersiel) die kleinste der Ostfriesischen Inseln, vor allem aber ist sie die ruhigste und idyllischste (fahrzeugfrei!). Bei der Anreise kommt die Fähre dicht an der Ostspitze Norderneys vorbei, wo häufig Seehunde auf dem Sand liegen. Die gut 500 Menschen, die ständig auf Baltrum leben, wohnen heute in zwei Siedlungen, die ineinander übergehen: dem größeren West- und dem kleineren Ostdorf. Einen Besuch lohnt die Alte Kirche: Neben dem Innenraum – mit rotem Klinkerboden, blauen Bänken und blauer Decke – ist besonders der hölzerne Glockenstuhl mit einer holländischen Schiffsglocke, die vom Sturm an den Strand gespült wurde, beachtenswert.

Langeoog

Von der Anlegestelle der Personenschiffe führt eine farbenfrohe Inselbahn in sechs Minuten zum Nordseeheilbad Langeoog (Fährverbindung von Bensersiel), das im Westteil der Insel liegt. In der Langeooger Inselkirche, einer evangelischen Kirche aus dem 19. Jh., sorgt seit einigen Jahren ein modernes Altarbild für Diskussionsstoff, denn das Motiv ist nicht der biblischen Geschichte entnommen. Das surrealistisch anmutende Werk des

Ostfriesische Inseln

Malers Hermann Buß zeigt ein Fährschiff, das auf dem Deck einer anderen Fähre gestrandet ist; die Menschen stehen trotz des schrecklichen Geschehens ungerührt da und verströmen Kälte. Interessante Einrichtungen sind das Schiffahrtsmuseum und das Museums-Rettungsboot Langeoog, das von 1945 bis 1980 vor Langeoog im Einsatz war.
Sturmfluten haben dem autofreien Langeoog immer wieder schwer zugesetzt. Im Jahr 1825 ließ eine Sturmflut die Insel in zwei Teile zerfallen. Wo bis zum Deichbau von 1906 das Wasser stand, ist an der flachen Wiesenlandschaft noch heute zu erkennen: im Großen und Kleinen Schlopp, zwischen denen die Melkhorndüne liegt. Von der als Aussichtsturm befestigten, 21 m hohen Düne hat man einen schönen Blick auf Salzwiesen und Vogelschutzgebiete.

Langeoog (Fortsetzung)

Den Kern der Insel Spiekeroog (Fährverbindung von Neuharlingersiel) bildet eine stellenweise bewaldete Dünenlandschaft. Nach Osten erstreckt sich die über 7 km lange Ostplate, eine Sandbank, die sich größtenteils erst in der zweiten Hälfte des 19. Jh.s gebildet hat und damit ein Musterbeispiel für das langsame, aber stetige Ostwärtswandern aller ostfriesischen Inseln ist. Selten gewordene Pflanzen wie die gelbblühende Strandwinde, der Strandqueller, die Strand- oder Salzaster wachsen hier.
Kein modernisierter Bau stört das harmonische Bild des Inseldorfs im Westen. Zwischen Dorf und Strand liegt ein außergewöhnlich breiter Dünengürtel, durch den ein Netz von Wanderwegen führt. Apostelbilder und Pietà der Kirche von Spiekeroog, 1696 erbaut, stammen vermutlich von einem 1588 vor der Insel gestrandeten Schiff der spanischen Armada.
Die ungewöhnlichste Muschelausstellung auf den Ostfriesischen Inseln präsentiert ein Sammler auf Spiekeroog. Muscheln und Meeresschnecken aus allen Weltmeeren hat er nicht nur zusammengetragen, sondern auch auf sehr originelle Art arrangiert. Jeder Besucher kann einige Muscheln – im Gegenwert der Eintrittskarte – mit nach Hause nehmen.

Spiekeroog

Windmühle mit gemütlichem Café auf Norderney (in der Marienstraße 23)

Wangerooge (Fährverbindung von Harlesiel) ist die östlichste der Ostfriesischen Inseln. Das Nordseeheilbad Wangerooge liegt im mittleren Teil der Insel. Wegen der Lage am Ausgang der Wesermündung hatte das autofreie Wangerooge für die Schiffahrt seit jeher Bedeutung. Heute gibt es auf der Insel drei bemerkenswerte Türme: den Westturm, den alten Leuchtturm und den neuen Leuchtturm. Der Westturm, der als weithin sichtbares Wahrzeichen von Wangerooge gilt, erhebt sich über 56 m hoch am Westende der Insel. Im Turm, der auf Eisenbetonpfähle gestellt und aus Klinkersteinen erbaut wurde, befindet sich eine Jugendherberge. Das höchste Bauwerk der Insel ist der 1960 in Betrieb genommene neue Leuchtturm: Die Lichter auf Höhe der unteren Plattform die-

Wangerooge

595

Krabbenkutter bei Spiekeroog

Ostfriesische
Inseln,
Wangerooge
(Fortsetzung)

nen der Schiffahrt im Nahbereich, der alle 4,9 Sekunden aufblinkende rote
Lichtstrahl ganz oben leuchtet weit in die Deutsche Bucht hinein. Der alte
Leuchtturm (1855–1859) nahe dem Bahnhof ist das älteste erhaltene Bauwerk der Insel. Er beherbergt das Heimatmuseum der Insel. Im Vorgarten
ist u.a. eine Dampflok zu sehen, die bis 1957 als Inselbahn im Einsatz war.
Im Rosenhaus wird über den Nationalpark Niedersächsisches Wattenmeer
informiert.
In einem kleinen Kiefernwald findet man eine Gedenkstätte, wo die Namen
derer verzeichnet sind, die im Zweiten Weltkrieg auf Wangerooge ums Leben kamen: etwa 60 der über 800 ausländischen Zwangsarbeiter, die ab
1940 zum Bau des Flugplatzes und anderer militärischer Anlagen eingesetzt wurden, sowie Soldaten und Opfer des Bombenangriffs vom
25. 4. 1945.

Ostfriesland   D / E 2

Bundesland: Niedersachsen

Lage und
Allgemeines

Die Heimat der Ostfriesen erstreckt sich zwischen dem Dollart, wo die
Ems in die Nordsee mündet, und dem Jadebusen entlang der niedersächsischen Nordseeküste. Ein breites und fruchtbares Band von Marschen –
verfestigte Schlickablagerungen wie das Harlinger Land und die Krumm-
hörn – umsäumt das Land im Norden und Westen; weiter im Binnenland
folgt die sandige Geest. Als bleibenden Eindruck nimmt man aus Ostfriesland das Gefühl der Weite und den Anblick von Windmühlen und zahl-
losem Weidevieh mit. Touristisch bietet der Landstrich in erster Linie Bademöglichkeiten, vor allem an den Stränden der vorgelagerten → Ostfriesischen Inseln, während man in den Küstenorten wie Dornumersiel oder
Norddeich auch Nordsee und Natur pur, am besten auf einer (geführten!)

Wattwanderung, erlebt. Für Radfahrer ist Ostfriesland ein Paradies; Teetrinker werden sich in den Teestuben bei Ostfriesentee mit Kluntjes und Sahne wohl fühlen. Die wichtigsten Sehenswürdigkeiten liegen entlang der Störtebekerstraße.

Als Grenzregion zwischen den Niederlanden und Deutschland hat das Gebiet im Lauf der Geschichte mehrfach den Besitzer gewechselt. 1866 kam Ostfriesland an Preußen.

Reiseziele in Ostfriesland

Leer, die alte Hafen- und Handelsstadt an der Leda, unweit von deren Mündung in die Ems gelegen, nennt sich "Das Tor Ostfrieslands". Von hier unternahm im 8. Jh. der Missionar Liudger seine Reisen. Im 16. Jh. machten vor Glaubensverfolgung geflohene niederländische Handwerker und Kaufleute die Stadt zu einem Zentrum der Leinenweberei. Mit dem 18. Jahrhundert begann die Entwicklung zur Hafenstadt; 1899 wurde der Dortmund-Ems-Kanal in Betrieb genommen.

*Leer

Im Ortsbild mit seinen roten Backsteinbauten ist der Einfluß des niederländischen Frühbarock noch zu erkennen. Am Hafen stehen das im deutschniederländischen Renaissancestil erbaute Rathaus und die Alte Waage von 1714, heute ein Restaurant. Ostfriesische Lebensart vermitteln das Heimatmuseum und das "Haus Samson" aus dem Jahre 1643, eigentlich eine große Weinhandlung, doch im Obergeschoß hält die Besitzerfamilie eine komplette altostfriesische Wohnung aus dem 18. und 19. Jh. bereit. Im Westen der Altstadt entstand im 17. Jh. die Haneburg, ein Renaissancebau, in dem seit einigen Jahren die Volkshochschule untergebracht ist.

Ideale Anlegemöglichkeiten finden Freizeitskipper nahe der Altstadt und der Fußgängerzone. Die Uferpromenade lädt zum Bummeln ein.

Östlich außerhalb der Innenstadt erreicht man Schloß Evenburg, eine Wasserburg aus dem 17. Jahrhundert, die im 19. Jahrhundert neugotisch umgebaut wurde. Zusammen mit dem Park, der barocken Vorburg und der Allee, die aus der Stadt zu ihr hinausführt, ist sie ein sehr beliebtes Ausflugsziel.

An der Ems liegt nördlich des Dollart die kreisfreie Stadt Emden, das wirtschaftliche und kulturelle Zentrum Ostfrieslands. Der Emdener Hafen ist der westlichste deutsche Nordseehafen, in dem vor allem Kraftfahrzeuge und Baustoffe umgeschlagen werden. Über den Ostfriesland quer durchziehenden, mittlerweile nur noch touristisch genutzten Ems-Jade-Kanal ist Emden mit Wilhelmshaven verbunden.

Emden

Im Stadtzentrum steht am Ratsdelft das (neu aufgebaute) Alte Rathaus, von dessen Turm sich ein schöner Blick auf die Stadt und das Umland bietet. Es beherbergt das Ostfriesische Landesmuseum und das Stadtmuseum mit seiner bemerkenswerten Rüstkammer. Am Ratsdelft liegt das Feuerschiff "Deutsche Bucht", das 1917 gebaut wurde. Direkt am Ratsdelft steht das "Otto-Huus" (Große Straße 1), wo man ein eine Kuriositätensammlung bewundern kann, die der aus Emden stammende Komiker Otto Waalkes zusammengetragen hat. Lohnend ist ein Spaziergang auf dem Wall (mit Windmühle), der einstigen Stadtbefestigung, die sich halbkreisförmig um die Innenstadt zieht.

Emdens große Attraktion ist die Kunsthalle im Nordwesten der Stadt (Hinter dem Rahmen 13), die vom "Stern"-Verleger Henri Nannen (1913–1996) gestiftet wurde. Der postmoderne rote Backsteinbau beherbergt die reichhaltige Sammlung von Werken deutscher Expressionisten sowie zeitgenössischer Malerei und Plastik, die der in Emden geborene Publizist im Laufe seines Lebens zusammengetragen hat.

*Kunsthalle

Auf der Suche nach ostfriesischer Idylle ist man in Greetsiel, 16 km nordwestlich von Emden, genau richtig: Hier findet man malerische Ostfriesenhäuser um den Hafen der Krabbenfischerflotte und die "Greetsieler Zwillinge", zwei Windmühlen von 1856 bzw. 1921.

*Greetsiel

*Einer der vielen Kanäle, die das Stadtbild von Emden prägen,
ist der Ratsdelft mit dem Alten Rathaus. Ein markanter
Farbtupfer ist das Feuerschiff "Deutsche Bucht".*

Norden

Weiter an der Küste nach Norden kommt man in die auf einer Geestinsel in
der ostfriesischen Marsch liegende Stadt Norden. Ihrem Ortsteil Norddeich,
ein beliebtes Seebad, kennt jeder Seemann auf einem deutschen Schiff,
denn Radio Norddeich hält die Verbindung mit der Heimat aufrecht. Die
Attraktion für Kinder schlechthin ist die Seehund-Aufzuchtstation. Neben
dem Fremdenverkehr spielen u. a. teeverarbeitende Betriebe eine Rolle;
zum Heimatmuseum gehört daher ein Teemuseum. Der Seehafen Norddeich ist Ausgangspunkt für den Fährverkehr nach Juist und Norderney
(→ Ostfriesische Inseln).
Das Stadtbild prägt – neben Profanbauten wie dem Rathaus und dem
Schöninghschen Haus, einem Renaissancebau mit in Fenstern aufgelö-
stem Giebel – die evangelische Ludgerikirche (13. / 14. Jh.). Zu deren Ausstattung gehören Sandsteinstatuen, eine Anton-Schnitger-Orgel aus dem
17. Jh. und eine Barockkanzel.

Aurich

Aurich, jahrhundertelang ostfriesische Hauptstadt, liegt ungefähr in der
Mitte Ostfrieslands nördlich am Ems-Jade-Kanal, auf dem man auch Ausflugsfahrten unternehmen kann.
Im Zentrum von Aurich liegt der Marktplatz. An seiner Westseite steht das
Knodtsche Haus, ein barocker Bau, der heute als Schule genutzt wird. An
der breiten Burgstraße südlich vom Markt befinden sich mehrere Häuser
mit barocken Giebeln. Im einstigen Verwaltungsgebäude der Ostfriesischen Grafen hat das Historische Museum seinen Sitz. Das Stadtbild prägt
besonders die evangelische Lambertuskirche mit ihrem markanten Turm;
beachtenswert ist im Inneren ein gotischer Schnitzaltar aus Antwerpen (um
1510). Im Südwesten der Innenstadt wurde 1851 – 1855 auf den Grundmauern einer wesentlich älteren Burg das neue Schloß errichtet, heute Sitz von
Behörden. Östlich vom Schloß verläuft der Georgswall: Dort stehen das
niedrige Pingelhus, dessen Glocke früher das Ablegen der Schiffe ankün-

digte, und das um 1900 in historisierenden Renaissanceformen erbaute Haus der Ostfriesischen Landschaft, in dessen Sitzungssaal Porträts ostfriesischer Grafen und Fürsten zu sehen sind. Westlich vom Schloß gelangt man zur Stiftsmühle, einer großen Windmühle, der das Mühlenmuseum angegliedert ist. Südwestlich vom Schloß legen am Ems-Jade-Kanal die Fahrgastschiffe zu Kanalfahrten ab.

Ostfriesland, Aurich (Fortsetzung)

In der Moorlandschaft der näheren Umgebung ist lange Zeit Torf gestochen worden. Im Moormuseum von Moordorf (westlich außerhalb von Aurich) erfährt man, wie das vor sich gegangen ist und wie die Moorbauern gelebt haben.

Moordorf
*Moormuseum

Westlich von Aurich liegt Ostfrieslands größter Binnensee, deshalb auch gleich "Großes Meer" getauft. Der allenfalls einen Meter tiefe See ist ein sehr beliebtes Bade- und Surfrevier.

*Großes Meer

Wilhelmshaven, Hafenstadt am Jadebusen und Endpunkt des Ems-Jade-Kanals, hat seit der Kaiserzeit eine lange Tradition als Marinehafen und ist heute noch wichtigster Hafen der Bundesmarine an der Nordsee. Im zivilen Bereich spielt der Umschlag von Rohöl und anderen petrochemischen Produkten eine bedeutende Rolle.
Das Rathaus, ein schöner Klinkerbau, wurde 1927–1929 von Fritz Höger errichtet. Vom 49 m hohen Turm bietet sich ein weiter Rundblick. Am Rathausplatz steht das City-Haus mit dem Küsten-Museum, in dem Exponate zu Naturkunde und Kulturgeschichte der Nordseeküste und zur Schiffahrt sowie Schiffsmodelle zu sehen sind.
Die ausgedehnten Hafenanlagen befinden sich im Süden der Stadt. Blickfang am Großen Hafen ist die zu Beginn unseres Jahrhunderts erbaute Kaiser-Wilhelm-Brücke, mit einer Spannweite von 159 m die größte Drehbrücke Europas, die auch heute noch regelmäßig für durchfahrende Großschiffe geöffnet wird. Am Bontekai liegt die "Kapitän Meyer", ein dampfbetriebener Seetonnenleger, bei der die Segelkameradschaft Störtebeker das Feuerschiff "Norderney" festgemacht hat. Das Seewasser-Aquarium am zur Promenade ausgebauten Südstrand zeigt die Tierwelt der Nordsee; hier befinden sich auch das Nationalparkzentrum "Wattenmeerhaus" und etwas unterhalb das Museums-U-Boot U 10 der Bundesmarine am Standort des zukünftigen Deutschen Marinemuseums. Ebenfalls unterhalb vom Aquarium legen die Boote zur Hafenrundfahrt ab.
Im Norden Wilhelmshavens ist 1996 der Freizeit- und Umweltpark Störtebeker Park eröffnet worden: Freizeitvergnügen bietet der Spielbereich mit Miniaturburgen, Umweltbewußtsein wird u. a. im Feuchtbiotop und in der Schilfkläranlage vermittelt.

Wilhelmshaven

*Hafenanlagen

Störtebeker Park

Die Kreisstadt Jever 11 km nordwestlich von Wilhelmshaven kennt jeder gestandene Biertrinker ob des dort gebrauten fein-herben Biers. Wie es gemacht wird, erfährt man im Brauhaus-Museum. Ansonsten hat die von den Römern gegründete Stadt mit ihrem vierflügeligen, großzügigen Schloß eine Attraktion zu bieten, die einen Ausflug allemal rechtfertigt: In 58 Gemächern des Schlosses breitet das Museum für Regionalkultur seine Schätze aus. Danach spaziert man durch die hübschen Altstadtgassen.

*Jever

Paderborn   E 4

Bundesland: Nordrhein-Westfalen
Höhe: 94–347 m ü.d.M.
Einwohnerzahl: 140 000

Paderborn, die alte westfälische Kaiser-, Bischofs- und Hansestadt, liegt im Ostteil der Westfälischen Bucht zwischen der Münsterländer Tiefebene und dem Teutoburger Wald bzw. dem Eggegebirge am Ursprung ("Born")

Lage und
Allgemeines

Paderborn

Lage und
Allgemeines
(Fortsetzung)

der Pader, dem mit nur 4 km kürzesten Fluß Deutschlands, der unterhalb des Doms an fünf Stellen mit über 200 Quellen aus dem Boden tritt. Von wirtschaftlicher Bedeutung ist die Elektronikindustrie.

Geschichte

Am Schnittpunkt zweier alter Handelswege, Hellweg und Frankfurter Weg, entstand früh eine sächsische Siedlung. 776/777 ließ Karl der Große eine Burg und spätere Kaiserpfalz errichten, im Jahre 806 wurde das Bistum gegründet. 836 ließ Bischof Badurad die Gebeine des hl. Liborius von Le Mans nach Paderborn überführen. Liborius wurde der noch heute verehrte Schutzpatron des Bistums. 1930 wurde das Bistum Paderborn zum Erzbistum erhoben. Seit 1980 hat die Stadt eine Universität.

Sehenswertes in Paderborn

*Dom

Am Domplatz, dem Mittelpunkt der Altstadt, erhebt sich der mächtige, dreischiffige Dom (St. Maria, St. Liborius und St. Kilian; 11.–13. Jh.), dessen 94 m hoher Westturm das Wahrzeichen Paderborns ist. Das südliche Haupttor, das Paradiesportal, zeigt romanischen Figurenschmuck.

Am Marktplatz der ehemaligen Hansestadt Paderborn erhebt sich der altehrwürdige Dom hinter der modernen Fassade des Diözesanmuseums.

Beachtenswert sind im Inneren des Doms die Grabmäler, darunter das des 1618 gestorbenen Bischofs Dietrich IV. von Fürstenberg und das Epitaph des Domdechanten Wilhelm von Westphalen (16. Jh.). In der großen Krypta befinden sich die Reliquien des hl. Liborius und die Bischofsgruft. Das originelle "Hasenfenster" (16. Jh.) im Kreuzgang ist ein Paderborner Wahrzeichen. Es zeigt im Maßwerk drei Hasen, die zusammen nur auf drei Ohren kommen – und doch hat jeder zwei.

Diözesanmuseum

Auf dem Marktplatz vor dem Dom befindet sich das Diözesanmuseum. Ausgestellt sind Sammlungen sakraler Kunst, darunter der vergoldete Liboriusschrein von 1627, die romanische Imad-Madonna (um 1050) und zwei um 1100 entstandene Tragaltäre.

Seit 1945 wurden an der Nordseite des Doms die Reste einer karolingischen und einer ottonisch-salischen Kaiserpfalz ausgegraben und rekonstruiert. Im Museum sind Funde wie Reste von Wandmalereien und Fragmente wertvoller Gläser zu sehen. Zu dem Komplex gehört auch die Bartholomäuskapelle aus dem 11. Jh., eine nach byzantinischem Vorbild errichtete Hallenkirche, die durch ihre phantastische Akustik besticht.

Südwestlich vom Domplatz führt die Fußgängerstraße "Schildern" zum Rathausplatz, der vom Rathaus, einem prachtvollen dreigiebeligen Bau im Stil der Weserrenaissance, beherrscht wird. In der Nähe steht das stattliche Heisingsche Haus (um 1600) mit reich geschmückter Fassade.

Paderborns herausragendste Kunstsammlung ist in der Städtischen Galerie am Abdinghof ausgestellt, sie umfaßt 80 Werke von Ella Bergmann-Michel und Robert Michel, u. a. Collagen und Gemälde. Zwei weitere Sammlungen sind in dem zur Galerie gehörenden Kreuzgang des ehemaligen Abdinghofklosters zu sehen: Gemälde und Zeichnungen des Paderborner Malers Willy Lucas und die Sammlung "Graphik des Expressionismus".

Nördlich der Altstadt erreicht man das Adam-und-Eva-Haus, den ältesten erhaltenen Fachwerkbau der Stadt (Ende 16. Jh.). Er beherbergt das Museum für Stadtgeschichte und die Ausstellungsräume des Kunstvereins.

Beachtenswert ist auch die Busdorfkirche am östlichen Stadtrand. Zur Innenausstattung gehören ein Kruzifix von 1280, ein spätgotisches Sakramentshaus und Grabmäler aus dem 15. bis 18. Jahrhundert.

Im Gebäude der ehemaligen Hauptverwaltung der Nixdorf Computer AG (Fürstenallee 7) ist in den letzten Jahren das "Heinz-Nixdorf-Museumsforum für Informationstechnik" eingerichtet worden. Anhand zahlreicher Beispiele wird dort gezeigt, wie sich die Informationstechnik vom Altertum bis heute entwickelt hat.

Nordwestlich der City liegt im Stadtteil Neuhaus das gleichnamige Schloß (13. bis 16. Jh.), ein Vierflügelbau mit wuchtigen Ecktürmen und Wassergraben. Der Barockgarten der einstigen fürstbischöflichen Residenz wurde 1994 nach einem Originalplan restauriert. Im ehemaligen Marstall sind das Naturkundemuseum und das Historische Museum untergebracht.

Umgebung von Paderborn

Nördlich von Paderborn bei Stukenbrock lockt das Freizeitzentrum "Hollywood-Park und Safariland" mit einer Mischung aus Safari- und Vergnügungspark mit Westernshows, Kinos und anderen Einrichtungen.

Etwa 6 km nordöstlich von Paderborn liegt am Südhang des → Teutoburger Waldes und an der Lippequelle Bad Lippspringe, ein heilklimatischer Kurort. Badespaß verspricht die "Westfalen-Therme".

Die etwa 20 km südwestlich von Paderborn gelegene Wewelsburg aus dem 17. Jh. gilt als Wahrzeichen des Paderborner Landes. In der Burg befindet sich das Historische Museum des Hochstifts Paderborn, in einem Nebengebäude ist die zeitgeschichtliche Dokumentation "Wewelsburg 1933–1945" untergebracht.

Rund 10 km südwestlich der Wewelsburg erreicht man den Erholungsort Büren. Sehenswert ist hier die ehemalige Jesuitenkirche Maria Immaculata, eine Barockkirche süddeutscher Prägung, an der bayerische und Tiroler

Paderborn,
Umgebung, Büren
(Fortsetzung)

Künstler mitgearbeitet haben. Im Innenraum fasziniert die Pracht der Stuk-katuren; die Deckenmalerei, die J. G. Winck, ein Schüler von C. D. Asam schuf, zeigt Szenen aus dem Marienleben.

Passau   K 7

Bundesland: Bayern
Höhe: 290 m ü.d.M.
Einwohnerzahl: 50 000

Lage und
Bedeutung

Die alte Bischofsstadt Passau liegt einzigartig schön an der Vereinigung der Donau mit Inn und Ilz unmittelbar an der österreichischen Grenze. Mit ihren von der Veste Oberhaus überragten Häusern bietet die Dreiflüsse-stadt, der auch Bedeutung für die Donauschiffahrt zukommt, ein ein-drucksvolles Bild. Passau ist Sitz eines Bischofs und einer Universität.

*Stadtbild

Die Altstadt liegt auf einer schmalen Landzunge, die durch den Zusam-menfluß von Donau und Inn gebildet wird, und drängt sich mit ihrem Kern um einen Hügel, von dem sich malerische Treppengassen zu den beiden Flüssen hinabwinden. Die Häuser, die mit ihren flachen Dächern die deutsch-italienische Architektur der Inn- und Salzachstädte zeigen, stam-men zumeist aus der Zeit nach den großen Stadtbränden.

Geschichte

Passau wurde benannt nach dem um 200 n.Chr. auf dem südlichen Innufer gegründeten Römerlager Castra Batava, auf dessen Trümmern im 7. Jh. eine Herzogsburg stand. Um 739 wurde das Bistum gegründet. 1662 und 1680 wurde die Stadt von zwei verheerenden Bränden heimgesucht. Zum Wiederaufbau holten die Fürstbischöfe italienische Baumeister in die Stadt, durch die Passau sein barockes Gepräge erhielt. Im Jahre 1803 wur-de das Bistum säkularisiert. Seit 1821 ist die Stadt wieder Bischofssitz.

Sehenswertes in Passau

Ludwigsplatz

Brennpunkt des Verkehrs ist der Ludwigsplatz nahe beim Hauptbahnhof. Neben der Bahnhofstraße sind Ludwigstraße und Rindermarkt die Haupt-geschäftsstraßen der Stadt. Südlich vom Ludwigsplatz liegt die Nibelun-genhalle, in der Kongresse und andere Veranstaltungen stattfinden.

*Dom

Das sakrale Zentrum der Stadt bildet der Dom St. Stephan. Die Anlage besteht aus einem spätgotischen, von einer Kuppel bekrönten Ostbau (1407 – 1530) und einem barocken Langhaus, das 1668 – 1678 von Carlo

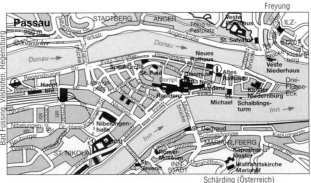

602

Der Dom St. Stephan blickt über die Häuser der hübschen Passauer Altstadt auf der schmalen Landzunge zwischen Inn und Donau.

Lurago errichtet wurde und von zwei mächtigen Türmen flankiert wird. Im Inneren der barocken Basilika fallen zunächst vor allem die Stukkaturen, die um 1680 von G. B. Carlone angefertigt wurden, und die herrlichen Fresken auf. Kostbare Gemälde des österreichischen J. M. Rottmayr (1654–1730) befinden sich in den Seitenaltären. Die Orgel, 1928 gebaut, ist mit 17 774 Pfeifen und 233 Registern eine der größten der Erde.

Dom
(Fortsetzung)

Östlich vom herrlichen spätgotischen Domchor liegt der stimmungsvolle Residenzplatz mit dem Wittelsbacherbrunnen, alten Patrizierhäusern und der Neuen Bischöflichen Residenz (18. Jh.), die das Domschatz- und Diözesan-Museum beherbergt. Am Residenzplatz findet man auch ein Spielzeugmuseum.

*Residenzplatz

Am rechten Ufer der Donau öffnet sich der Rathausplatz: Das Rathaus, eine Gebäudegruppe aus Patrizierhäusern des 14. Jh.s mit herrlicher Fassadenmalerei, hat einen 68 m hohen Turm aus dem 18. Jahrhundert.

Rathaus

Im historischen Patrizierhaus "Wilder Mann" befindet sich das Passauer Glasmuseum, ein äußerst sehenswertes Museum, in dem Meisterwerke bayerischer, böhmischer und österreichischer Glaskunst aus der Zeit von 1780 bis 1935 ausgestellt sind. Der Schriftsteller Friedrich Dürrenmatt hat dieses Museum einmal das "schönste Glashaus der Welt" genannt.

Glasmuseum

Am Dreiflüsse-Eck, in dessen Nähe die Anlegestellen der Kreuzfahrtschiffe liegen, bietet sich ein interessanter Blick auf den Zusammenfluß der gelbgrünen Donau, des grauen Inns und der moorbraunen Ilz (von Norden).

Dreiflüsse-Eck

Vom Dreiflüsse-Eck sind es nur ein paar Schritte zum Museum Moderner Kunst, das, in einem der schönsten Altstadthäuser untergebracht, moderne Kunst des 20. Jh.s präsentiert.

Museum
Moderner Kunst

Passau

Innstadt
*Römermuseum

Am rechten Ufer des Inn liegt die Innstadt. Dort wurden 1974 die Fundamente des spätrömischen "Kastell Boiotro" (3. Jh. n.Chr.) freigelegt und ein Teil der Anlage rekonstruiert (Ausgrabungsfunde im "Gruberhaus").

Kloster Mariahilf

Über der Innstadt erhebt sich die Wallfahrtskirche Kloster Mariahilf (1627). Von dort oben bietet sich ein weiter Blick auf die Stadt Passau, auf die Mündung des Inn in die Donau und auf die Veste Oberhaus.

*Veste Oberhaus

Von der Altstadt führt die Luitpoldbrücke zum linken Ufer der Donau. Dann verläuft der Weg durch ein 1762 angelegtes Felsentor zum rechten Ufer der Ilz. Links steht an der Felswand die ehemalige Salvatorkirche (heute Konzertsaal). Man geht an der Brücke zur Ilzstadt vorbei und links bergauf zur mächtigen Veste Oberhaus, die, ab 1219 errichtet, Trutzburg der Passauer Fürstbischöfe war. In der Festung befinden sich heute das kulturgeschichtliche Museum und die Neue Galerie der Stadt Passau. Allein der herrliche Ausblick auf die Stadt und das Umland lohnt den Aufstieg.

Museum und Galerie

Veste Niederhaus

Ein Wehrgang verbindet die Veste Oberhaus mit der ehemaligen Veste Niederhaus, die auf der Landzunge zwischen den Flüssen Ilz und Donau liegt.

Umgebung von Passau

Vilshofen

Mehrere Kilometer stromaufwärts liegt an der Donau Vilshofen, wo die Vils in die Donau mündet. Vilshofen gehörte bis um 1100 zum Bistum Passau, das die Grafen von Ortenburg mit dem Gebiet belehnten. Erst 1929 wurde Vilshofen Stadt. Von den Kirchen lohnt die katholische Pfarrkirche St. Johannes Baptist, die 1803/04 unter Einbeziehung älterer Bauteile nach einem Stadtbrand wieder aufgebaut wurde, wegen ihrer Innenausstattung einen Besuch: In dem spätbarocken Raum findet man am Hochaltar ein Gemälde von Caspar Sing, ferner am Chorbogen eine Kopie von Egid Quirin Asams Johannes-Nepomok-Figur zu Neustadt an der Donau (1746).
Weit über Bayern hinaus ist Vilshofen bekannt geworden für den "Politischen Aschermittwoch" der CSU, der seit dem Ableben von Franz-Joseph Strauß allerdings einiges von seinem folkloristischen Charakter verloren hat und mittlerweile hier auch nicht mehr stattfindet.

Bäderdreieck

Bad Griesbach

Südwestlich von Passau liegt in Niederbayern das sogenannte Bäderdreieck mit den Orten Bad Griesbach, Bad Birnbach und Bad Füssing. Griesbach im Rottal ist seit 1979 staatlich anerkannter Kurort mit drei Thermal-Mineralquellen, die bis 60° C warm sind. Das Wasser der Heilquellen wird besonders zur Behandlung rheumatischer Erkrankungen angewandt. Im Kurzentrum südlich der eigentlichen Ortschaft befinden sich die Kureinrichtungen und der Kurpark. In Bad Griesbach und Umgebung gibt es mehrere 18-Loch-Golfplätze.

Bad Birnbach

Etwas östlich von Griesbach liegt, ebenfalls im Rottal, Bad Birnbach, der seit 1976 ebenfalls als Kurort für rheumatische Erkrankungen besucht wird. Von beiden Kurorten aus empfehlen sich Ausflüge nach Asbach und Rotthalmünster, wo man sich die Kirchen St. Matthäus bzw. Mariä Himmelfahrt ansehen sollte. Besonders die Pfarrkirche St. Matthäus in Asbach, eine ehemalige Klosterkirche, besticht durch ihre Innenausstattung. Die Hochaltarfiguren – Petrus, Paulus, Benedikt und Scholastika – sind im Stil des Rokoko gestaltet.

Bad Füssing

Im Inntal liegt unmittelbar an der deutsch-österreichischen Grenze Bad Füssing. Die im Jahr 1938 erschlossenen, 56° C warmen Thermen wurden fünfzehn Jahre später als Heilquelle anerkannt. Die Umgebung bietet sich zum Radeln und Wandern an.

Pforzheim   E 7

Bundesland: Baden-Württemberg
Höhe: 274 m ü.d.M.
Einwohnerzahl: 117 000   •

Die weltbekannte "Goldstadt" Pforzheim liegt am Nordrand des → Schwarz-   **Lage und**
walds in einem Talkessel am Zusammenfluß von Enz, Nagold und Würm.   **Allgemeines**
Die hiesige Gold-, Silber- und Schmuckindustrie begründete schon 1767
der badische Markgraf Karl Friedrich. Heute werden 70% der in Deutschland gefertigten Schmuckprodukte in Pforzheim hergestellt. Pforzheim (lat.
"vicus Portus" = dt. "Pforte") ist Ausgangspunkt der drei Weitwanderwege
durch den Schwarzwald (nach Schaffhausen, Waldshut und Basel) sowie
der Schwarzwald-Bäderstraße.

In der am Ende des Zweiten Weltkriegs fast ganz zerstörten Stadt domi-   **Stadtbild**
niert kühle moderne Sachlichkeit in der Architektur. Das Stadtzentrum rund
um den Marktplatz – einschließlich Rathaus, Stadthalle und Stadttheater –
ist in den siebziger und achtziger Jahren völlig neu gestaltet worden. Beliebtes Erholungsgebiet ist am östlichen Stadtrand der Enzauenpark, der
1992 Schauplatz einer Landesgartenschau war.

Sehenswertes in Pforzheim

Südlich des Hauptbahnhofs, dort, wo einmal das Schloß der Markgrafen   **Schloßkirche**
von Baden stand, bildet die liebevoll restaurierte Schloßkirche (urspr. 11. Jh.)
das reizvolle Gegenüber zu den nüchtern-modernen Bauten im Tal. Sie
beherbergt noch einige schöne Beispiele romanischer und gotischer Steinmetzkunst. Im Stiftschor befindet sich die Grablege der Markgrafen von
Baden. Im Archivbau mit seinem Turm von 1553 (südlich vor der Schloßkirche) ist eine Ausstellung zur Schloß- und Kirchengeschichte zu sehen.

Die Attraktion von Pforzheim ist das Schmuckmuseum am Südrand der   ***Schmuck-**
Innenstadt (nur wenige Schritte südwestlich der neuen Stadthalle). Unter- **museum**
gebracht ist es im 1961 fertiggestellten Reuchlinhaus, benannt nach dem
in Pforzheim geborenen Humanisten Johannes Reuchlin (1455–1525). In
einer ständigen Ausstellung werden originale Schmuckstücke aus fünf
Jahrtausenden präsentiert.

Nordöstlich gegenüber kann man die Edelsteinausstellung der 1890 ge-   **Edelstein-**
gründeten Juwelenfabrik und Edelsteinschleiferei Schütt (Schmucksteine,   **ausstellung**
Achatuhren, Steinfiguren usw.) besichtigen.   **Schütt**

Ein besonderes Erlebnis ist der Besuch im Technischen Museum der   ***Technisches**
Schmuck- und Uhrenindustrie (Bleichstr. 81) südlich des Reuchlinhauses,   **Museum der**
wo man die einzelnen Arbeitsschritte der Schmuckherstellung und der   **Schmuck- und**
Uhrenproduktion miterleben kann.   **Uhrenindustrie**

Im nordwestlich gelegenen Stadtteil Brötzingen befindet sich das Stadtmu- **Stadtmuseum**
seum (Westliche Karl-Friedrich-Straße 243). Zu den Exponaten gehört die
erste Oechsle-Weinwaage, entwickelt vom Pforzheimer Goldschmied Ferdinand Oechsle.

Der älteste noch bestehende Sakralbau Pforzheims ist die dem hl. Martin   **St. Martin**
geweihte Altstädter Kirche im Osten der Stadt. Sie gilt nicht nur wegen
ihrer vor einigen Jahren entdeckten Fresken als kunsthistorisches Kleinod.

Gegenüber der Kirche wurde 1995 der "Archäologische Schauplatz Kap-   **Kappelhof**
pelhof" eröffnet (Altstädter Str. 26). Ein Rundgang führt durch Ausgrabungen der verschiedenen Epochen der Stadtgeschichte.

Pforzheim

Wildpark

Über die in südöstlicher Richtung aus der Stadt herausführende Tiefenbronner Straße erreicht man den großen Wildpark mit einheimischen und exotischen Tieren sowie einem Zuchtgehege für Uhus und Schnee-Eulen.

Alpengarten

Oberhalb des südlichen Stadtteils Würm lohnt der Alpengarten einen Besuch. Mehr als 5000 Pflanzenarten aus allen Hochgebirgen der Welt können hier studiert werden.

Umgebung von Pforzheim

**Kloster Maulbronn

Knapp 20 km nordöstlich von Pforzheim erreicht man das reizvoll zwischen den rebenbedeckten Ausläufern des Strombergs gelegene Städtchen Maulbronn. Vielbesucht wird es wegen seiner berühmten ehemaligen Zisterzienserabtei, der schönsten aller erhaltenen deutschen Klosteranlagen (Öffnungszeiten: März bis Okt.: tgl. 9.00–17.30, Nov. bis Febr.: Di. bis So. 9.30–17.00 Uhr).

Das ehemalige Zisterzienserkloster Maulbronn steht als schönste erhaltene deutsche Klosteranlage auf der UNESCO-Liste des Weltkulturerbes.

Die UNESCO nahm das Klosterdorf 1993 in die Liste des Weltkulturerbes der Menschheit auf. Ein Gang durch die Klausur- und Wirtschaftsgebäude ist nicht nur architekturgeschichtlich interessant, sondern vermittelt auch ein lebendiges Bild vom Alltagsleben und der Organisation einer zisterziensischen Klostergemeinschaft.
Die Klosteranlage von Maulbronn, deren Geschichte 1138 beginnt, zeigt trotz mancher baulicher Veränderungen noch heute im wesentlichen ihr mittelalterliches Gesicht. Deutlich voneinander geschieden sind die um den Kreuzgang angeordneten Klausurgebäude mit der Klosterkirche im Osten und die im Westen um einen Hof gruppierten Wirschaftsgebäude. Beide Bereiche wurden bereits im 13. Jh. mit einer Mauer aus Buckelquadern umgeben. Man betritt die schlichte, zwischen 1147 und 1178 errich-

tete Klosterkirche durch eine Vorhalle, das sogenannte Paradies (um 1220). Hier kündigt sich bereits der Übergang von der Romanik zur Gotik an. Nördlich schließt sich an die Kirche der malerische Kreuzgang an, dessen Ost- und Südflügel um 1210/1220, der Nord- und Westflügel um 1300 entstanden. Der große Klosterhof ist von stattlichen Fachwerkhäusern im Stil der Spätgotik umrahmt. Das Museum besitzt u.a. ein Modell der Klosteranlage.

Pforzheim, Umgebung, Kloster Maulbronn (Fortsetzung)

In der Ortschaft Tiefenbronn, 11 km südöstlich von Pforzheim, sollte man der Kirche St. Maria Magdalena einen Besuch abstatten (14. Jh.). Kostbarstes Ausstattungsstück ist der Magdalenen- oder Tiefenbronner Altar aus dem Jahre 1431.

Tiefenbronn

Im Tal der Enz, 10 km südwestlich von Pforzheim, liegt das alte Städtchen Neuenbürg mit malerisch wirkenden Fachwerkhäusern. Im Neuen Schloß (16. Jh.) ist ein kleines Heimat- und Bergbaumuseum untergebracht. Schon in keltischer und römischer Zeit hat man in Neuenbürg Eisenerz abgebaut und verhüttet, einen Höhepunkt erreichte der Erzbergbau im späten Mittelalter. Aufgegeben wurde der Eisenerzbergbau erst 1868. Der einstige Stollen ist heute als Besucherbergwerk Frischglück eine gern besuchte Attraktion (südlich, an der Straße nach Waldrennach).

Neuenbürg

Pirmasens   D 6

Bundesland: Rheinland-Pfalz
Höhe: 368 m ü.d.M.
Einwohnerzahl: 50 000

Die kreisfreie Stadt Pirmasens liegt am Naturpark Pfälzer Wald, dessen Ausläufer in das Stadtgebiet hineinreichen. Um das Jahr 820 gegründet und 1763 zur Stadt erhoben, war sie von 1741 bis 1790 landgräfliche Residenz. Da heute die Schuhindustrie den wichtigsten Wirtschaftszweig der Stadt bildet, wird sie auch "Deutsche Schuhmetropole" genannt. Über die Grenzen der Bundesrepublik hinaus bekannt ist Pirmasens durch die Internationale Messe für Schuhfabrikation (IMS), die im Abstand von drei Jahren stattfindet. In der Deutschen Schuhfachschule werden Fachleute aus dem In- und Ausland ausgebildet. In Pirmasens wurde der Schriftsteller Hugo Ball geboren (1886–1927), der zu den Begründern des Dadaismus zählt, einer um 1916 in Zürich entstandenen literarisch-künstlerischen Bewegung, deren Mitglieder die überlebten bürgerlichen Konventionen ablehnten und in ihrer Kunst ein absurdes Weltbild vermitteln wollten.

Lage und Allgemeines

Sehenswertes in Pirmasens

Das belebte Zentrum der Stadt bilden der 1995 fertiggestellte Exerzierplatz mit Kolonnadengang, Brunnen und Stahlplastik sowie der weite Schloßplatz, der zusammen mit der ihn kreuzenden Hauptstraße eine Fußgängerzone bildet, wo es sich angenehm bummeln und einkaufen läßt. Am Schloßplatz befinden sich die weitgeschwungenen "Ramba-Treppen" mit schönen Kaskaden, an der Westseite steht das Alte Rathaus (um 1770).

Exerzierplatz Schloßplatz

Das Alte Rathaus beherbergt heute die wichtigsten Museen der Stadt, insbesondere das Schuhmuseum. Zu den Prunkstücken der Sammlung gehören die verzierten Stiefelchen einer preußischen Prinzessin. Darüber hinaus sind Schuhe aus anderen Ländern ausgestellt, darunter indianische Mokassins und die mit Silber bestickten Schuhe eines burmesischen Prinzen. Interessante Ausstellungsstücke zeigen ferner das Heimatmuseum, das vor- und frühgeschichtliche Museum und die Bürkel-Galerie mit Gemälden des Genremalers Heinrich Bürkel (1802–1869).

*Schuhmuseum Heimatmuseum

Pirmasens

St. Pirminius Johanniskirche

Gegenüber dem Alten Rathaus lohnt die katholische Pfarrkirche St. Pirminius einen Besuch, eine 1897–1900 erbaute neugotische Backsteinbasilika. Dem Wanderbischof Pirminius, der bedeutende Klöster wie das auf der Insel Reichenau im Bodensee gründete, verdankt die Stadt ihren Namen. Weiter nördlich steht die evangelische Johanniskirche, die 1750 erbaut und nach starker Zerstörung bis 1953 wiedererrichtet wurde.

Lutherkirche

Im südlichen Teil der Fußgängerzone erreicht man die ursprünglich spätbarocke Lutherkirche mit ihrem geschweiften Turmhelm. Davor steht der Schusterbrunnen mit der Statue des Schuhmachermeisters Joß, der als Wegbereiter der mechanischen Schuhherstellung gilt.

Messegelände

Im Norden der "Messestadt" erstreckt sich das Messegelände, wo neben der Internationalen Messe für Schuhfabrikation zweimal jährlich die Pirmasenser Lederwoche International (PLW) und die Pirmasenser Schuhmusterung (PSM) stattfinden. Alle drei Jahre wird hier die "Internationale Fachmesse für Ledertechnik" abgehalten.

Umgebung von Pirmasens

Gersbachtal

Südwestlich der Stadt liegt bei Niedersimten das Naherholungsgebiet Gersbachtal, eine Region mit Laub- und Mischwald sowie mehreren Seen.

Hexenklamm

Ein lohnendes Ausflugsziel im näheren Umkreis der Stadt ist ferner das Naturdenkmal Hexenklamm, eine malerische Schlucht, die von Wanderwegen durchzogen ist.

Zweibrücken

Knapp 20 km westlich von Pirmasens liegt Zweibrücken, von 1410 bis 1794 Hauptstadt des Herzogtums Pfalz-Zweibrücken. Im Zweiten Weltkrieg wurde die Stadt fast vollständig zerstört, alle historischen Bauten mehr oder weniger stark beschädigt. Beachtung verdient das ehemals herzogliche Barockschloß (1720–1725). Es wurde 1793 bei der Besetzung der Stadt durch französische Truppen weitgehend der Erde gleichgemacht, jedoch

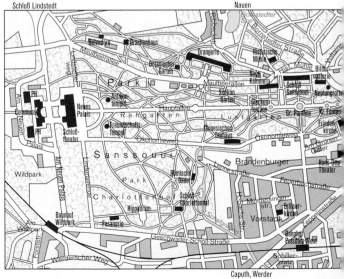

1817 und dann endgültig 1965 wiederhergestellt. Heute präsentiert sich das Schloß als monumentaler Bau von blockhafter Geschlossenheit. Im Osten der Stadt kann man die Überreste des früheren Lustschlößchens Tschifflik sehen, in dem von 1714 bis 1718 der Polenkönig Stanislaus Lesczynsky lebte, nachdem er aus seiner Heimat vertrieben worden war. Der Plan für die Anlage wie auch der für das herzogliche Schloß stammt von dem Schweden Jonas Erikson Sundahl. In Zweibrücken gibt es ein Stadtmuseum mit Sammlungen zur Geschichte der Stadt und des Herzogtums sowie zu Kunsthandwerk und Wohnkultur. Beachtung verdient in der Altstadt der Gasthof "Zum Hirsch", um 1600 für die Familie von Rammingen erbaut und später in den Besitz eines Tiroler Maurermeisters übergegangen, ein Giebelbau mit vorspringendem Erker. An der Rückseite befindet sich ein Treppenturm (16. Jh.). Die evangelische Alexanderkirche, um 1500 durch Herzog Alexander als Hof- und Stadtpfarrkirche erbaut, ursprünglich der hl. Maria geweiht, wurde nach 1945 vereinfacht wiederaufgebaut.

Hauenstein

20 km östlich von Pirmasens wurde in Hauenstein in einer hoch über dem Ortskern thronenden alten Schuhfabrik von 1928 das "Deutsche Museum für Schuhproduktion und Industriegeschichte" eingerichtet. Es ermöglicht dem Besucher eine Zeitreise zu den wichtigsten Stationen der industriellen Kultur- und Sozialgeschichte von 1740 bis heute mit interessanten Geschichten rund um den Schuh.

Potsdam

K 3

Hauptstadt des Bundeslandes Brandenburg
Höhe: 35 m ü.d.M.
Einwohnerzahl: 143 000

Im Rahmen dieses Reiseführers ist die Beschreibung von Potsdam bewußt knapp gehalten. Ausführliche Informationen liefert der Baedeker Allianz Reiseführer "Potsdam".

Hinweis

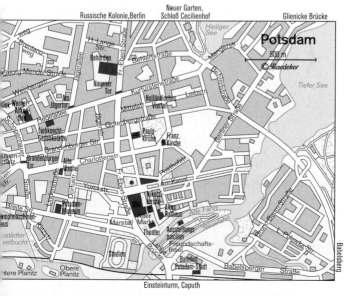

609

Potsdam

Lage und Allgemeines

Potsdam liegt am Ufer der Havel, die sich hier zu Kanälen und Seen ausweitet, wenige Kilometer südwestlich von Berlin. Mit ihrem Kranz verschiedener Schlösser und Gärten steht die ehemalige Sommerresidenz der preußischen Könige und deutschen Kaiser als "Versailles des Nordens" seit 1990 auf der UNESCO-Liste des Weltkulturerbes. Darüber hinaus genießt Potsdam als Wissenschafts- und Kulturstadt einen guten Ruf.

Stadtbild

Das sinnlose Bombardement im April 1945, der Krieg war längst entschieden, hat den historischen Stadtkern schwer beschädigt. Dieses Werk setzten DDR-Stadtplaner fort, indem sie die Ruine des Stadtschlosses, die Garnisonskirche sowie eine große Anzahl alter Bürgerhäuser sprengten, den die Innenstadt durchziehenden Kanal zuschütteten und statt dessen breite Magistralen anlegten und mit ärmlichen Hochhäusern die einst bedacht komponierten Sichtachsen verbauten. Erhalten geblieben sind Potsdams Hauptanziehungspunkte, die drei großen Parkanlagen mit ihren Schlössern, ein einzigartiges Ensemble, das in über 200jähriger Bautätigkeit und durch die Mitwirkung der bedeutendsten Landschaftsarchitekten, Baumeister, Maler und Bildhauer entstand.

Geschichte

Potsdam wurde 993 als Poztupimi erstmals erwähnt und um 1317 als Stadt bezeichnet. Fernab bedeutender Handelsstraßen gelegen, entwickelte sich das eher unbedeutende Landstädtchen erst, als Kurfürst Friedrich Wilhelm (1640–1688) Potsdam zu seiner zweiten Residenz neben Berlin wählte und das Stadtschloß (1664–1670, Memhardt) erbauen ließ. Mit dem strengen Regiment des "Soldatenkönigs" Friedrich Wilhelm I. (1713–1740) begann die eigentliche Umwandlung zur Verwaltungs- und Garnisonsstadt. Die Gründung einiger Fabriken (Gewehre, Textilien) begünstigten diese Entwicklung. Sein musisch veranlagter, den bildenden Künsten und der Literatur äußerst aufgeschlossener Sohn Friedrich II. der Große (1740–1786), setzte die rege Bautätigkeit fort. Das Stadtschloß wurde erweitert und mit dem Bau des Schlosses Sanssouci und des Neuen Palais begonnen. Ganze Stadtteile wurden abgerissen und mit barocken Bürgerhäusern neu aufgebaut. Während seiner Regierungszeit war Potsdam Anziehungspunkt für Schriftsteller, Philosophen und Musiker. Mit der 1838 eröffneten ersten preußischen Eisenbahn von Berlin nach Potsdam wurde die Stadt ein gernbesuchtes Ausflugsziel der Berliner. Am 21. März 1933, dem "Tag von Potsdam", besiegelten Hindenburg und Hitler symbolisch das Bündnis zwischen dem nationalen und dem nationalsozialistischen Deutschland, wodurch der Anfang des Dritten Reiches – wie auch später sein Ende – mit Potsdam in Verbindung stehen. Der englische Bombenangriff im April 1945 zerstörte die barocke und klassizistische Innenstadt. Im August 1945 beschlossen die vier Alliierten im Schloß Cecilienhof das Potsdamer Abkommen und damit das weitere Schicksal Deutschlands. Seit der Wiedervereinigung hat Potsdam einen bedeutenden kulturellen, politischen und wirtschaftlichen Aufschwung erlebt, der auch aufgrund der geographischen Nähe zur Hauptstadt Berlin weiterhin anhält.

✱✱Park und Schloß Sanssouci

Allgemeines

Der 290 ha große Park Sanssouci ist ein Ensemble von Schlössern und Gartenanlagen, die im 18. Jh. unter Friedrich II. dem Großen begonnen und im 19. Jh. durch Friedrich Wilhelm IV. (1840–1861) erweitert wurden. Schloß Sanssouci, die Sommerresidenz Friedrich des Großen, bildet mit den Weinbergterrassen den ältesten Teil und damit den Ausgangspunkt der weiteren Parkgestaltungen. Der Park in seiner heutigen Form geht auf den Gartenarchitekten Peter Joseph Lenné (1789–1866) zurück.

Öffnungszeiten

Sanssouci-Info
Tel. 0331/9 69 42 02

Die Gebäude haben unterschiedliche Öffnungszeiten. Die Faustregel lautet: wenn nicht anders vermerkt, sind sie während der Saison von Mitte Mai bis Mitte Oktober von 9.00 bis 17.00 Uhr geöffnet; bis auf die Hauptschlösser haben die meisten Gebäude zwischen Ostern und Mitte Mai so-

wie von Mitte bis Ende Oktober zu verkürzten Zeiten geöffnet.
Im folgenden einige Angaben:
Schloß Sanssouci, ganzjährig tgl. außer Mo., nur mit Führung
Bildergalerie, tgl. außer Mo.
Neue Kammern, tgl. außer Fr., nur mit Führung
Chinesisches Haus, tgl. außer Fr.
Neues Palais, ganzjährig tgl. außer Di.
Orangerieschloß und Römische Bäder, tgl. außer Do.
Historische Mühle, tgl. außer Fr.
Schloß Charlottenhof, tgl. außer Mi.
Dampfmaschinenhaus, an den Wochenenden
Marmorpalais, Teileröffnung nach Restaurierung, tgl. außer Di.
Schloß Cecilienhof, ganzjährig tgl. außer Mo.
Belvedere, zur Zeit nicht begehbar
Pomonatempel, an den Wochenenden
Schloß Babelsberg, tgl. außer Mo.

Sanssouci,
Öffnungszeiten
(Fortsetzung)

*Die Gesamtanlage der Gärten und Schlösser im Park Sanssouci ist wohl
die schönste und meistbesuchte ihrer Art in Deutschland. Ein Höhepunkt
des Ensembles ist Schloß Sanssouci mit den Weinbergterrassen.*

Man betritt den Park von Sanssouci am östlichen Eingang der Hauptallee
(Schopenhauerstraße). Vor dem Eingang steht ein Obelisk, dieser und das
Hauptportal sind von Hans Georg Wenzeslaus von Knobelsdorff, dem
Hauptvertreter des Rokoko in Potsdam (1747). Unweit nördlich liegt die
Neptungrotte (1751–1754; Knobelsdorff).

Eingang

Neptungrotte

Die 1755–1764 von J. G. Büring erbaute, eingeschossige Bildergalerie, das
private Museum Friedrichs II., besteht aus einem langgestreckten, prachtvollen Saal. Hier hängen die goldgerahmten Bilder, wie im Barock üblich,
dicht neben- und übereinander. Vorwiegend handelt es sich um Historien-
gemälde holländischer und italienischer Meister wie Rubens, van Dyck,
Tintoretto und Caravaggio.

*Bildergalerie

Potsdam

**Schloß Sanssouci

Friedrich II. ließ ab 1744 den ehemaligen "Wüsten Berg" terrassieren und in einen Weinberg umgestalten. Ein Jahr später begann Knobelsdorff nach Skizzen des Königs mit dem Bau des Schlosses. Der langgestreckte eingeschossige Rokokobau ist ein Meisterwerk des friderizianischen Rokoko. Hier wollte Friedrich II. "Ohne Sorgen" (französich "Sans Souci") seinen philosophischen und musischen Neigungen nachgehen. Die Schauseite zum Garten zeigt reichen plastischen Schmuck (von F. C. Glume); auf der Schloßrückseite wird der Ehrenhof im Stil der französischen Klassik durch eine halbrunde Säulenkolonnade eingefaßt. Man sieht den Ruinenberg.

Neben dem Ostflügel befindet sich das Grabmal des Bauherrn sowie das seiner Lieblingshunde. Bereits 1744, mit 32 Jahren, hatte er bestimmt, daß er in Sanssouci begraben werden wolle. Doch erst 1991 wurden seine sterblichen Überreste von der Burg Hohenzollern hierher überführt.

Mittelpunkt im Innern des prachtvoll ausgestatteten Schlosses ist der ovale Marmorsaal; im Westflügel liegen die Gästezimmer, darunter das sog. Voltaire-Zimmer, im Ostflügel die Aufenthaltsräume des Königs mit Konzertzimmer und der prächtigen Bibliothek. Die seitlichen Flügelbauten, der sog. Damenflügel im Westen und der Wirtschaftsflügel im Osten, ließ Friedrich Wilhelm IV. 1841/1842 von L. Persius anfügen.

Neue Kammern

Westlich vom Schloß entstanden 1747–1748 die Neuen Kammern (Knobelsdorff). Ursprünglich dienten sie als Orangerie, 1771–1774 wurden sie von G. C. Unger zum Gästewohnhaus Friedrichs II. umgestaltet. Oberhalb der Neuen Kammern drehen sich die Flügel der Historischen Mühle (ein Nachbau für die 1790 erbaute Vorgängerin).

*Orangerie

Die 300 m lange Orangerie ist nach Entwürfen von L. Persius von den Schinkelschülern Stüler und Hesse im Stil italienischer Renaissancepaläste ausgeführt (1851–1862; heute Archiv). Vor dem Haupteingang steht die Statue des Bauherrn Friedrich Wilhelms IV.; das Reiterstandbild im Parterre vor der Orangerie stellt Friedrich II. dar. Im Innern ist der Raffaelsaal sehenswert mit Gemäldekopien des Künstlers; vom Turm bietet sich ein weiter Blick über die gesamte Parkanlage.

Drachenhaus

Von der oberen Terrasse der Orangerie gelangt man über die Lindenallee zum Drachenhaus. 1770 wurde es von Gontard im chinesischen Stil erbaut und diente einst als Wohnhaus des königlichen Winzers; heute berherbergt es ein Café. Schließlich erreicht man das Belvedere, einen zweigeschossigen Pavillon oberhalb der Obstterrassen (1770–1772, Unger), der rekonstruiert wurde, nachdem er 1945 abgebrannt war.

**Neues Palais

Nach dem Ende des Siebenjährigen Krieges ließ Friedrich II. als Zeichen für die ungebrochene Macht Preußens seinen letzten und gewaltigsten Schloßbau ausführen: das dreigeschossige Neue Palais (1763–1769, Büring und Gontard). 428 Sandsteinfiguren schmücken die 240 m lange Anlage mit rund 200 Repräsentations- und Wohnräumen und einem Theater. Rund 60 Räume sind zu besichtigen. Die Einrichtungsgegenstände, Mobiliar und Porzellan einheimischer Handwerker und Künstler sowie Gemälde, stammen zum großen Teil aus dem 1960/1961 abgerissenen Potsdamer Stadtschloß.

*Communs

Die beiden mit Kuppelaufsatz, Kolonnaden und großen Treppenanlagen versehenen Gebäude hinter dem Neuen Palais (1766–1769; Gontard) dienten als Wirtschaftsgebäude und Unterkunft für die Dienerschaft (heute Pädagogische Hochschule).

*Schloß Charlottenhof

Im Park Charlottenhof, dem ebenfalls von Lenné angelegten südlichen Teil des Parkes von Sanssouci, steht das eher nüchtern wirkende, spätklassizistische Schloß Charlottenhof (1826–1829, nach K. F. Schinkel). Hier wohnten der Kronprinz Friedrich Wilhelm IV. und seine Frau Elisabeth. Im Innern sind u. a. das Arbeits- und Schlafzimmer Alexander von Humboldts sowie einige romantische Gemälde von Caspar David Friedrich, Carl Gustav Carus und Carl Blechen zu sehen.

Gleich am Maschinenteich liegen die Römischen Bäder (1829–1835; Schinkel und Persius), acht Gebäude im Stil italienischer Landhäuser. Heute finden hier Wechselausstellungen statt.

Römische Bäder

Das Chinesische Teehaus (1754–1757, J. G. Büring) offenbart die Verspieltheit des Rokoko und ist ein Musterbeispiel für die Chinamode des 18. Jh.s; hier befindet sich eine Sammlung chinesischen, japanischen und Meißner Porzellans.

*Chinesisches Teehaus

Die Friedenskirche, eine spätklassizistische Säulenbasilika (1845–1854, Persius) ist der letzte große Bau im Park von Sanssouci. Ihr wertvollster Schmuck ist das Apsismosaik (frühes 12. Jh. aus einer italienischen Kirche); unter dem Altar befindet sich die Gruft mit den Sarkophagen von Friedrich Wilhelm IV., seiner Frau Elisabeth, Kaiser Friedrich III. und seiner Frau Viktoria und König Friedrich Wilhelm I.

*Friedenskirche

Weitere Sehenswürdigkeiten in Potsdam

Ausgangspunkt eines kleinen Stadtrundgangs ist das 1770 im Barockstil errichtete Brandenburger Tor. Über die Brandenburger Straße mit möglichen Abstechern zum Jägertor (1733) und zum Nauener Tor (1755) gelangt man an der Peter-Paul-Kirche (1867–1870) vorbei ins Holländische Viertel mit seinen 128 hübschen Giebelhäusern (um 1740, J. Boumann).

Innere Stadt

*Holländisches Viertel

Der Alte Markt war das eigentliche Stadtzentrum von Potsdam. Seine einstige Schönheit läßt sich nur noch auf alten Dokumenten erkennen. Von der ursprünglichen Bebauung sind die Nikolaikirche sowie das heutige Kulturhaus erhalten. Die Nikolaikirche ist ein klassizistischer Zentralbau, den L. Persius 1830–1837 nach Plänen von K. F. Schinkel ausführte. Das schräg gegenüber stehende Kulturhaus besteht eigentlich aus drei Gebäu-

Alter Markt

*Nikolaikirche

Alter Markt mit Nikolaikirche, Altem Rathaus und Knobelsdorffhaus

Potsdam

Alter Markt (Fortsetzung)

den, dem Alten Rathaus, das 1753–1755 von J. Boumann im Stil des Klassizismus erbaut wurde und dessen Turm bis 1875 als Stadtgefängnis diente, einem modernen Zwischenbau sowie dem Knobelsdorffhaus, einem 1750 erbauten Bürgerhaus mit Rokokoverzierungen.

*Marstall

Der barocke Marstall ist der einzige Überrest des 1685 von Nehring errichteten und 1746 von Knobelsdorff umgestalteten Stadtschlosses. Es beherbergt seit 1981 ein sehenswertes Filmmuseum, das u.a. einen Nachbau des Cinématografen der Gebrüder Lumière von 1885, eine Laterna magica, eine Wundertrommel u.v.m. ausstellt.

*Dampf-maschinenhaus

Das an der Havelbucht errichtete Wasserwerk für die Fontänen des Parkes Sanssouci ist ein bemerkenswertes technisches Denkmal in der Form einer Moschee (1841/1842, Persius).

*Neuer Garten

*Marmorpalais

Nördlich der Altstadt, am Heiligen See, erstreckt sich Potsdams zweite Parkanlage (1787–1791; 1817–1825 von Lenné erneuert). Das zweigeschossige frühklassizistische Marmorpalais aus rotem Ziegelstein und grauem Marmor (1787–1791, Gontard und Langhans) diente Friedrich Wilhelm II. als Sommersitz. In den restaurierten Räumen ist eine Ausstellung über den Bauherrn zu sehen. Von der Terrasse des Marmorpalais sieht man die wiederaufgebaute Gotische Bibliothek (1792–1794, Langhans) Friedrich Wilhelms II.

*Schloß Cecilienhof

Am Rande des Neuen Gartens steht Schloß Cecilienhof, als letzter Schloßbau für den Kronprinzen Wilhelm im Stil eines englischen Landhauses erbaut (1913–1917; P. Schultze-Naumburg). Hier fand im Juli/August 1945 die Potsdamer Konferenz statt.

Belvedere

*Pomonatempel

In der Nauener Vorstadt, westlich des Neuen Gartens, sind das Belvedere, die Ruine eines für Friedrich Wilhelm IV. erbauten Lustschlosses (1849 bis 1852, Persius, Hesse und Stüler) und der kleine sog. Pomonatempel (1801; Schinkel) zu besichtigen.

*Russische Kolonie

Am jüdischen Friedhof und am Kapellenberg vorbei, wo die 1829 erbaute und reich ausgestattete russisch-orthodoxe Alexander-Newski-Kirche steht, gelangt man zur russsischen Kolonie Alexandrowka. Die verzierten Blockhäuser waren 1826/1827 für die in Potsdam verbliebenen russischen Sänger eines Chores errichtet worden.

Telegrafenberg *Einsteinturm

Auf dem Telegrafenberg (94 m) südlich des Bahnhofs Potsdam entstanden nach 1871 mehrere Forschungsanlagen, darunter der 1920/1921 nach Plänen von E. Mendelsohn erbaute, 16 m hohe Einsteinturm, eines der bedeutendsten Bauwerke des Expressionismus, heute ein Observatorium.

Babelsberg *Park und *Schloß

*Studiotour

Zwischen Potsdam und Berlin liegt Babelsberg, der größte Stadtteil Potsdams. Im Park Babelsberg, der dritten großen Parkanlage der Stadt (1832 von Lenné begonnen, 1843 von Pückler-Muskau ausgebaut), stehen das für Prinz Wilhelm, dem späteren Kaiser Wilhelm I. erbaute neugotische Schloß (1834–1849, Schinkel; heute Museum für Ur- und Frühgeschichte), das Kleine Schloß (1841/42) und der 46 m hohe Flatowturm (1856). Die aus dem 13. Jh. stammende Gerichtslaube wurde 1871/72 hier aufgestellt. Die Glienicker Brücke (1905) erlangte während des Kalten Krieges durch den Agentenaustausch Berühmtheit. In der Brückenmitte verläuft die Stadtgrenze zwischen Potsdam und Berlin, das klassizistische Schloß Glienicke (1826, Schinkel) befindet sich bereits auf Berliner Territorium. Babelsberg ist außerdem eine der traditionsreichsten Produktionsstätten für Spielfilme. 1912 ließ sich hier die UFA, die Universum-Film-AG, nieder, 1946 wurde dann die DEFA gegründet, aus der 1992 das Studio Babelsberg GmbH hervorging. Die Babelsberg Studiotour lädt Filminteressierte zu einem Besuch hinter die Kulissen der Filmstadt ein (August-Bebel-Str. 26–53; tgl. 10.00–18.00 Uhr). Darüber hinaus befindet sich auf dem Gelände ein modernes Medienzentrum.

Umgebung von Potsdam

Auf dem besuchenswerten Friedhof des Potsdamer Stadtteils Bornstedt, einem bereits 1375 erwähnten Dorf am gleichnamigen See (3 km westlich), finden sich die Ruhestätten vieler bedeutender Potsdamer Bürger und anderer Persönlichkeiten (u.a. Heinrich Ludwig Manger † 1728, Ludwig Persius † 1845 und Peter Joseph Lenné † 1866,); die Ortskirche geht auf einen Entwurf von Stüler zurück und wurde 1882 von Persius erweitert. — *Bornstedt*

In Caputh (6 km südwestlich), dem "Chicago des Schwielowsees" (nach Fontane), steht ein barockes Schloß (1662) mit reichen Stuckdekorationen im Festsaal und einem mit Delfter Kacheln ausgelegten Sommersaal im Kellergeschoß. Im Landhaus Waldstraße 7 befindet sich die letzte Wohnstätte Albert Einsteins vor seiner Emigration. Die Kirche ist 1848–1852 nach Plänen Stülers in Form einer romanischen Pfeilerbasilika mit separatem Glockenturm errichtet worden. — *Caputh*

Die Umgebung des ehem. Fischerdorfes Werder (8 km westlich) ist ein geschlossenes Obstanbaugebiet; besonders während des alljährlich im Mai stattfindenden Baumblütenfests ist es ein beliebtes Ausflugsziel. Zum Stadtbild gehört der Turm der Kirche Zum Hl. Geist (1856 – 1858, Stüler). — *Werder*

Im hübschen Dorf Sacrow (14 km nördlich) lohnt die auf einer Landzunge zwischen Havel und Jungfernsee gelegene Heilandskirche einen Besuch. Sie entstand 1841–1844 nach Skizzen von Friedrich Wilhelm IV. — *Sacrow*

Quedlinburg   H 4

Bundesland: Sachsen-Anhalt
Höhe: 123 m ü. d. M.
Einwohnerzahl: 26 000

Die alte Stadt Quedlinburg liegt an der Bode, am Nordrand des → Harzes. Lange Tradition haben hier die Pflanzenforschung bzw. die Blumen- und Samenzucht. Heute spielt neben der Industrie (u. a. Meß- und Reglungstechnik, Pharmazeutika) auch der Fremdenverkehr eine wichtige Rolle. Ihre historische Altstadt, innerhalb des Befestigungsrings stehen über 1000 sehenswerte Fachwerkbauten aus dem 14. bis 19. Jahrhundert, die Stiftskirche und der erst 1993 zurückgekehrte Domschatz stehen auf der UNESCO-Liste des Weltkulturerbes. — *Lage und **Stadtbild*

Mit dem Sachsenherzog Heinrich, dem ersten deutschen König (919–936), beginnt die Entwicklung Quitlingaburgs zur Reichspfalz. Im Jahr 919 war er vom Reichstag gewählt worden. Der Legende nach erreichte die Nachricht den Ahnungslosen in Quedlinburg, wo er sich gerade zum Vogel- bzw. Finkenfang aufhielt (allerdings beanspruchen auch andere Harzorte den sog. Finkenfang für sich). Sein Sohn und Nachfolger Otto I. gründete 936 auf dem Burgberg, an der Stelle einer karolingischen Pfalz, ein reichsunmittelbares Frauenstift, das er mit großem Landbesitz ausstattete. Gleichzeitig entwickelte sich im Umfeld eine Kaufmannssiedlung, die rasch wuchs und 1426 sogar der Hanse beitrat. Als Zeichen ihrer Eigenständigkeit – auch gegenüber dem Stift – stellte die Stadt auf dem Marktplatz einen steinernen Roland auf. Daraufhin rief die amtierende Äbtissin ihre Brüder, die Herzöge von Sachsen zu Hilfe, die mit ihren Truppen die Stadt besetzten, den Roland stürzten (erst 1819 konnte er wieder aufgestellt werden) und die Bürger zum Verzicht auf alle Privilegien zwangen.
Die Stadt kann einige bedeutende Töchter und Söhne aufweisen: Dorothea Erxleben (1715–1762), die die erste promovierte weibliche Ärztin ist, den Geographen Carl Ritter (1779–1859) und den Dichter Friedrich Gottlieb Klopstock (1724–1803). — *Geschichte*

Sehenswertes in Quedlinburg

**Schloßberg

Auf dem vom Mühlengraben umgebenen Schloßberg, einem Sandsteinfelsen, steht im Norden und Westen das im 16. bis 18. Jh., zum Teil auf den Mauern romanischer Vorgängerbauten errichtete ehem. Damenstift, Schloß genannt. In den einstigen Wohn- und Repräsentationsräumen befindet sich das Schloßmuseum mit Ausstellungen zur Ur- und Frühgeschichte und zur Entwicklung des Burgbergs von der Königspfalz bis zum 1802 aufgelösten Damenstift.

Stiftskirche

Um 1100 begann man an der Stelle einer aus dem 9. Jh. stammenden Pfalzkapelle mit dem Bau der heutigen dreischiffigen Stifts- oder Schloßkirche. Sie gehört – trotz späterer An- und Umbauten – zu den bedeutendsten Architekturdenkmälern der Hochromanik in Deutschland. Die beachtenswerten Kapitelle und Friese im Mittelschiff wurden von oberitalienischen Bildhauern gefertigt. Die Krypta unter dem Chor besitzt Reste romanischer Wandmalereien; hier befinden sich die Sarkophage König Heinrichs I. und seiner Frau Mathilde sowie die Grabsteine Quedlinburger

Domschatz

Äbtissinnen aus dem 11. bis zum 13. Jahrhundert. In den beiden Schatzkammern befindet sich einer der kostbarsten Kirchenschätze des Mittelalters. 1993 waren die wertvollsten Teile nach einer Zahlung von 6 Mio. Mark "Finderlohn" an ihren Ursprungsort zurückgekehrt. 1945 hatte sie ein amerikanischer Leutnant gestohlen und per Feldpost nach Texas geschickt. Als seine Erben die unschätzbaren Stücke zu Geld machen wollten, waren sie 1991 in den USA wieder aufgetaucht. Besondere Beachtung verdienen mehrere Reliquienschreine aus Gold, Edelsteinen und Elfenbeinschnitzereien, das Quedlinburger Evangeliar, ein karolingischer Codex aus dem 9. Jh. mit einem um 1225 gefertigten Buchdeckel, das Adelheid-Evangeliar (10. Jh.), ein Kamm Heinrichs I. und der mit verzierten Goldblechen be-

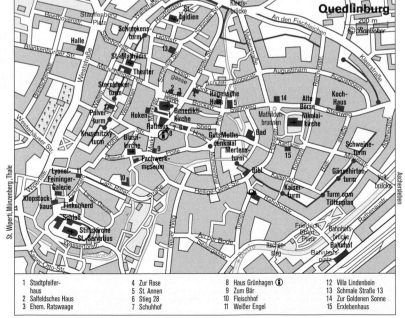

1 Stadtpfeifer-haus	4 Zur Rose	8 Haus Grünhagen	12 Villa Lindenbein
2 Salfeldsches Haus	5 St. Annen	9 Zum Bär	13 Schmale Straße 13
3 Ehem. Ratswaage	6 Stieg 28	10 Fleischhof	14 Zur Goldenen Sonne
	7 Schuhhof	11 Weißer Engel	15 Erxlebenhaus

*Zu Füßen des Schloßbergs mit dem Schloß und der Stiftskirche drängen
sich die Fachwerkhäuser Quedlinburgs. Die historische Altstadt
gehört zum UNESCO-Weltkulturerbe der Menschheit.*

schlagene Sevatiusstab (um 10. Jh.; Kirche und Domschatz sind zugänglich: Di.–Sa. 10.00–18.00, So. und Fei. 12.00 bis 18.00 Uhr). In der sog.
Teppichkammer wird ein um 1200 gestifteter Knüpfteppich ausgestellt; auf
den fünf erhaltenen Teilen ist die Vermählung der Philologie, Königin der
Wissenschaften, mit Merkur dargestellt .

Am Fuß des Schloßbergs steht das Geburtshaus von Friedrich Gottlieb
Klopstock (Schloßberg 12), heute eine Erinnerungsstätte für den bedeutendsten Dichter des Sturm und Drang. In einigen Räumen werden auch
die übrigen Quedlinburger Berühmtheiten gewürdigt (wegen Renovierung
bis auf weiteres geschlossen).

"Herr Heinrich sitzt am Vogelherd recht froh und wohlgemut..." Dieser Vo-
gel- bzw. Finkenherd, heute eine kleine Häuserzeile nördlich unterhalb des
Schloßbergs, soll der Legende nach die Stelle gewesen sein, an der Heinrich 919 die Reichsinsignien mit der Krone erhielt.

Im Haus Finkenherd 5a werden Druckgraphiken, Radierungen und Aquarelle von Lyonel Feininger (1871–1956) gezeigt. Der deutsch-amerikanische
Maler, Grafiker und Bauhaus-Lehrer gehört zu den bedeutendsten Vertretern der Klassischen Moderne. Darüber hinaus finden Wechselausstellungen zeitgenössischer Künstler statt.

Südwestlich des Schloßberges steht die romanische Klosterkirche St. Wiperti aus dem 12. Jh., deren Chor und Krypta noch von einem Vorgängerbau aus dem 10. Jh. stammen. 1956/1957 wurde in die Langhaus-Süd-
wand ein um 1220 entstandenes Säulenportal eingebaut, das aus der
Klosterkirche St. Marien vom Münzenberg stammt. Auf dem Münzenberg,
ein Felsrücken gegenüber vom Schloßberg, stand bis zu seiner Zerstörung

Stiftskirche
(Fortsetzung)

Klopstockhaus

Finkenherd

Lyonel-Feininger-
Galerie

*Klosterkirche
St. Wiperti

Münzenberg

Quedlinburg

Münzenberg
(Fortsetzung)

1525 das Marienkloster. Später siedelten sich Kesselflicker und fahrendes Volk an, darunter auch Stadtmusikanten, an die ein Denkmal auf dem Marktplatz erinnert.

Innere Stadt

*Fachwerk-museum

In Quedlinburg blieben vollständige Straßenzüge und Plätze mit über 1000 historischen Fachwerkhäusern aus dem 14. bis 19. Jh. erhalten. Bemerkenswerte Straßen sind u. a. die Lange Gasse, die am Marktplatz beginnende Breite Straße, die Hölle (deren Namen vermutlich von Helle, Sauberkeit herrührt), Am Schloßberg und der Steinweg. Das älteste Fachwerkhaus der Stadt, ein Ständerbau aus der 1. Hälfte des 14. Jh.s, beherbergt ein Museum, in dem die Entwicklung und die Vielfalt der Fachwerkbaukunst geschildert wird (Wordgasse 3).

*Marktplatz
Rathaus

Der von Häusern aus dem 17. und 18. Jh. umgebene Marktplatz wird von dem Renaissance-Rathaus beherrscht (Anfang 17. Jh.), über dessen Eingangsportal das Quedlinburger Wappen prangt. Links vor dem Gebäude steht der steinerne Roland. Schräg gegenüber vom Rathaus, an der Einmündung der Breiten Straße, steht das dreigeschossige Haus Grünhagen (1701 erbaut, 1780 verändert; Markt 2), beachtenswert ist auch das Nachbarhaus, das ehem. Gildehaus der Tuchmacher (1545; Markt 5).

St. Benedikti

Hinter dem Rathaus erhebt sich die gotische Marktkirche St. Benedikti. Unter ihrer Ausstattung sind zwei kostbare spätgotische Schnitzaltäre, die Holzkanzel (1595) sowie der Hochaltar von 1700 beachtenswert.

Marktkirchhof

Zwischen Kornmarkt (nördlich von St. Benedikti) und Rathaus liegt der Marktkirchhof, der von Fachwerkhäusern aus dem 15. bis zum 18. Jh. umgeben wird. Hier läßt sich Fachwerkgeschichte ablesen: Das stark vorspringende, grau-blau verputzte Gebäude ist aus dem 15. Jh., das anschließende mit den rollenförmigen Balkenköpfen aus dem 16. Jh.; das sog. Stadtpfeiferhaus wurde 1688 errichtet. Hier lebte u. a. der Stadtpfeifer, dessen Standessymbol, die Trompete, am Erker angebracht ist. Zuletzt folgen ein Haus aus dem 17. Jh. mit Diamantschnitt sowie ein für das 18. Jh. typisches, schmuckloses Fachwerkhaus.

St. Nikolai

Die gotische St.-Nikolai-Kirche (in der Neustadt südlich des Steinwegs) erkennt man schon von weitem an ihren zwei schlanken, 72 m hohen Türmen. Die Reste ihres romanischen Vorgängerbaus sind im Ostteil erhalten. Sehenswert sind ihr Säulenportal im Westen und ihre Ausstattung; ältestes Stück ist eine Sandsteintaufe aus dem 13. Jahrhundert.

Stadtbefestigung

Die heute noch zu großen Teilen erhaltene und teilweise mit Wehrgängen versehene Stadtmauer entstand ab 1310. Die Stadttore wurden zwar im 19. Jh. geschleift, erhalten blieben jedoch zahlreiche Wachtürme und Bastionen, u. a. der 40 m hohe Schreckensturm, der Schweinehirten- und Gänsehirtenturm. Vor der Stadt standen außerdem zwölf Feldwarten, von denen noch sieben vollständig oder teilweise erhalten sind.

Umgebung von Quedlinburg

Seweckenberge

In den Schluchten der Seweckenberge (5 km südöstlich) fand man das "Quedlinburger Einhorn", Reste von Mammut, Wollnashorn und anderen Säugetieren des Pleistozän. Die Funde sind im Schloßmuseum zu sehen.

Teufelsmauer

7 km südwestlich von Quedlinburg stößt man auf ein eindrucksvolles Teilstück der Teufelsmauer (→ Harz; Blankenburg, Umgebung).

Hoym

13 km östlich von Quedlinburg liegt das alte Harzstädtchen Hoym. Die einstige Grafenburg wurde 1714 in ein Barockschloß umgebaut und war zeitweise Sitz der anhaltinischen Fürsten. Eine Grafengattin ging als Geliebte Augusts des Starken und Reichsgräfin von Cosel in die sächsische Geschichte ein. Die Stadtkirche St. Johann Baptist, 1461 aus einem romani-

schen Kirchenbau hervorgegangen, zeigt im Innern ein wertvolles Epithaphgemälde aus der Cranachwerkstatt. Südlich der Straße nach Hoym liegt die im 14. Jahrhundert errichtete Gersdorfer Burg.

Ravensburg   F 8

Bundesland: Baden-Württemberg
Höhe: 477 m ü. d. M.
Einwohnerzahl: 45 000

Ravensburg bezeichnet sich gern als das Herz Oberschwabens und tatsächlich ist die Große Kreisstadt, verkehrsgünstig im Schussental am Schnittpunkt der B 30 und der B 32 gelegen, der lebendige Mittelpunkt eines weiten Einzugsgebiets, das vom Bodensee bis ins Allgäu reicht. Die

Lage und Allgemeines

hübsche historische Altstadt, die guten Einkaufsmöglichkeiten (zu denen u.a. auch der vielbesuchte samstägliche Markt gehört), ein breites Kulturangebot und viele Gaststätten machen den Charme der oberschwäbischen Metropole aus.

Ravensburg entstand unterhalb der gleichnamigen Burg, die nach der Mitte des 11. Jh.s von den Welfen als Stammsitz erbaut worden war. 1276 wurde der Ort zur freien Reichsstadt erhoben. Die von 1380 bis 1530 existierende Große Ravensburger Handelsgesellschaft ließ die Stadt wirtschaftlich aufblühen. Ab etwa 1395 spielte die Papierherstellung in Ravensburg eine wichtige Rolle; neben Nürnberg gab es hier die älteste Papiermühle. 1802 kam Ravensburg zu Bayern und 1810 zu Württemberg.

Geschichte

Marktstraße mit Rathaus und Blaserturm

Sehenswertes in Ravensburg

Die Hauptachse der Altstadt, früher die Grenze zwischen Ober- und Unterstadt, ist der langgestreckte Marienplatz, der vor ein paar Jahren in eine Fußgängerzone umgewandelt wurde. Bedeutende historische Gebäude sind an diesem Platz versammelt, so das spätgotische Rathaus aus dem 14./15. Jh. mit einem Renaissance-Erker und zwei gotischen Ratssälen. Auf derselben Platzseite steht das vom Blaserturm mit seiner polygonalen Turmspitze überragte Waaghaus (1498) und diesem gegenüber das sog. Lederhaus, das 1513/1514 als Haus der Lederhandwerker erbaut und später barock verändert wurde (heute Post). Nur wenige Schritte vom Rathaus entfernt (südlich) ragt das langgestreckte Kornhaus in den Marienplatz (14.–16. Jh.; heute Stadtbücherei). Ihm schräg gegenüber erhebt sich die

**Marienplatz
Rathaus
Blaserturm*

Ravensburg

Marienplatz (Fortsetzung)

Stadtkirche, die zu einem 1350 errichteten Karmeliterkloster gehörte. Im Innern der stark renovierten Kirche sind Fresken aus dem 14. und 15. Jahrhundert erhalten. In der Bachstraße, die beim Lederhaus vom Marienplatz abzweigt und zum Untertor (14. und 16. Jh.) führt, ist das erste Gebäude links (hinter dem Lederhaus) das Seelhaus, das 1408 für Pilger und Kranke errichtet und ebenfalls barock verändert wurde.

Liebfrauenkirche

Vom Blaserturm gelangt man durch die parallel zum Marienplatz verlaufende Kirchstraße zur Liebfrauenkirche aus dem 14. Jh. (farbenprächtige Chorfenster und eine Kopie der berühmten Ravensburger Schutzmantelmadonna von Michel Erhart, 15. Jh.).

*Marktstraße Obertor Mehlsack

Besonders malerisch zeigt sich Ravensburg in der Marktstraße, die vom Marienplatz zum Obertor (1490, 1525 erhöht) hinaufführt und mit schönen alten Patrizierhäusern aufwartet. Im unteren Teil der Marktstraße öffnen sich links die beiden hohen Durchgänge der Brotlaube (1625); darüber befindet sich das Alte Theater, heute die Städtische Galerie. Das Haus Marktstraße 59 ist das älteste Gebäude in der Altstadt (ab 1179). Das Haus direkt daneben (Nr. 61; Gasthof Mohren) hatte 1446 die Große Ravensburger Handelsgesellschaft errichtet. Der weiß getünchte, 51 m hohe Rundturm, zu dem man von der oberen Marktstraße hinaufblickt, ist der Mehlsack, das Wahrzeichen der Stadt (erbaut 1425–1429).

Veitsburg

Wegen der guten Aussicht über die Stadt lohnt sich ein Aufstieg zur Veitsburg oberhalb der Altstadt. Man erreicht die Burg zu Fuß vom Obertor aus. An der Stelle der 1647 abgebrannten welfischen Stammburg wurde 1750 ein Barockschlößchen errichtet, in dem heute ein Restaurant untergebracht ist.

Umgebung von Ravensburg

Weißenau *Klosterkirche

Etwa 3 km südlich der Stadtmitte lohnt die ehemalige Prämonstratenserabtei Weißenau mit der 1717–1724 von Franz II. Beer erbauten Klosterkirche einen Besuch (frühbarockes Chorgestühl von 1635, Weißenauer Madonna von Michel Erhart von 1495/1500).

Tettnang

Etwa 15 km südlich von Ravensburg liegt inmitten von Hopfengärten das Städtchen Tettnang (16000 Einwohner). Sehenswert ist hier das jüngst renovierte, barocke Schloß, das 1712–1720 anstelle einer mittelalterlichen Burg erbaut worden war. Besonders hervorzuheben sind der barocke Festsaal, die evangelische Schloßkapelle und der Barockgarten.

Weingarten **Klosterkirche

Nach Norden, entlang der B 30, geht Ravensburg beinahe nahtlos über in die benachbarte Hochschulstadt Weingarten (25000 Einwohner), die mit ihrer großartigen Abteikirche eine wichtige Station an der Oberschwäbischen Barockstraße darstellt. Das weithin sichtbare, auf einer Anhöhe thronende Gotteshaus ließ Abt Sebastian Hyller zwischen 1715 und 1724 von Vorarlberger, bayerischen und italienischen Baumeistern errichten. Die Deckenfresken schuf Cosmas Damian Asam und den Stuck Franz Schmuzer; die berühmte Orgel mit 79 Registern und 6890 Pfeifen ist das Meisterwerk des Joseph Gabler aus Ochsenhausen. Die im Hauptaltar aufbewahrte Heilig-Blut-Reliquie mit Blutstropfen aus der Seitenwunde Christi wird im alljährlichen "Blutritt" durch die Stadt getragen. Der Bau der barocken Konventsgebäude des Klosters kam nur im nördlichen Teil zur Ausführung; im Süden wurde nur ein Flügel realisiert. Einige ältere Klosterbauten blieben erhalten.

Waldburg

Die auf einer 770 m hohen Hügelkuppe thronende Burg, die dem Ort 10 km östlich von Ravensburg den Namen gab, ist seit 1996 wieder zur Besichtigung geöffnet. Von der Aussichtsplattform bietet sich an klaren Tagen ein herrlicher Panoramablick über den Bodensee.

Bundesland: Bayern
Höhe: 333 m ü.d.M.
Einwohnerzahl: 135 000

Die einstige Freie Reichsstadt Regensburg liegt am nördlichsten Punkt der abwärts schiffbaren Donau, die hier noch den kleinen Fluß Regen aufnimmt. Viel zur Entwicklung der Stadt hat die 1967 eröffnete Universität beigetragen. So ist Regensburg heute kein steriles mittelalterlich geprägtes Gesamtkunstwerk, sondern vor allem auch eine lebendige Metropole mit regem Kulturleben und leicht südländischem Flair.

Lage und Allgemeines

Das mittelalterliche Stadtbild prägen zahlreiche Kirchen, Geschlechtertürme und Patrizierhäuser aus dem 13. und 14. Jh., wie man sie in dieser Form sonst nirgends nördlich der Alpen findet. Wer nur wenig Zeit zur Verfügung hat, bekommt bei einem zwei- bis dreistündigen Rundgang durch die engen Gassen und hübschen Plätze der sich südlich der Donau erstreckenden Altstadt einen ersten Eindruck von Regensburg. Besonders im Sommer lohnt zudem ein Bummel durch die die Altstadt ringförmig umziehenden Parkanlagen bzw. entlang dem Donauufer und hinüber in den jenseits der Donau gelegenen Stadtteil Stadtamhof.

**Stadtbild

An der Stelle des heutigen Regensburg befand sich einst die keltische Siedlung Radasbona. Um 70 n. Chr. wurde hier ein römisches Kohortenlager, 179 von Kaiser Marc Aurel das große Legionslager Castra Regina gegründet. Zu Beginn des 6. Jh.s wurde Regensburg Residenz der agilolfischen Herzöge Bayerns. 739 stiftete der hl. Bonifatius das Bistum. Karl der Große machte 788 der Herrschaft der Agilolfinger ein Ende, und die Stadt wurde Residenz der Karolinger. Im 12. und 13. Jh. schwang sich Regensburg, seit 1245 Freie Reichsstadt, zur wohlhabendsten und bevölkerungsreichsten Stadt Süddeutschlands auf; der ausgedehnte Handel kam von Venedig über den Brenner. Bereits im 14. Jh. begann allerdings ein langsa-

Geschichte

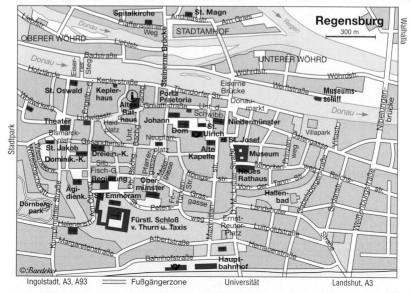

Regensburg

mer Abstieg, verursacht durch das Aufblühen von Augsburg und Nürnberg. Zwischen 1663 und 1806 tagte in Regensburg der "Immerwährende Reichstag", das erste deutsche Parlament. Als weltliches Fürstentum kam Regensburg 1802 an den bisherigen Kurfürsten von Mainz, Karl von Dalberg (gest. 1817). 1809 wurde die Stadt von den Franzosen erstürmt. Nach der 1810 erfolgten Vereinigung mit Bayern sank Regensburg zu einem unbedeutenden Provinzstädtchen herab. Dies änderte sich erst allmählich ab Mitte des 20. Jh.s durch die Gründung der Universität und die Ansiedlung neuer Industrien.

Sehenswertes in Regensburg

Bismarckplatz

Geeigneter Ausgangspunkt für einen Stadtrundgang ist der Bismarckplatz am Westrand der Altstadt (Parkgarage). Ihn bestimmen zwei klassizistische Bauten, das Präsidialpalais (1805) und das ursprünglich 1803 errichtete Stadttheater.

Einer der schönsten Plätze Regensburgs ist der Haidplatz mit dem Gebäude der Neuen Waage.

*Schottenkirche
St. Jakob

Westlich des Bismarckplatzes ragt die Schottenkirche St. Jakob auf. Sie wurde in der 2. Hälfte des 12. Jh.s von irischen Mönchen, im Volksmund "Schotten" genannt, erbaut. Am Nordportal befindet sich ungewöhnlicher, von nordischer Vorstellungswelt beeinflußter Skulpturenschmuck.

Uhrenmuseum

In der Ludwigstraße (Nr. 3), nordöstlich vom Bismarckplatz, hat seit 1997 das interessante Uhrenmuseum seinen Sitz.

*Haidplatz

Besonders malerisch präsentiert sich der Haidplatz. In der Neuen Waage befand sich im 15. Jh. die Stadtwaage. Der ehemalige Gasthof Zum Goldenen Kreuz (13. Jh.) war jahrhundertelang Herberge berühmter Gäste, selbst Kaiser und Könige logierten hier.

Nur wenige Schritte sind es bis zum Rathausplatz mit dem Alten Rathaus, einem zwischen dem 13. und 18. Jh. entstandenen Baukomplex. An den ältesten Teil mit dem hohen Rathausturm schließt sich westlich seit 1363 das Reichssaalgebäude an. Im Reichssaal hielt der "Immerwährende Reichstag" seit 1663 seine Sitzungen ab (historische Räume, Schausammlung, mittelalterliche Gerichtsstätte). Der barocke östliche Teil wurde im 17./18. Jh. angefügt.
*Altes Rathaus

Unweit nordwestlich (Keplerstr. 5) steht das Sterbehaus des Astronomen Johannes Kepler (1571–1630), das zu einem Museum umgestaltet wurde (zeitgenössisches Mobiliar, Originalinstrumente, Funktionsmodelle usw.).
Keplerhaus

Den schönsten Blick auf Regensburg hat man von der 310 m langen Steinernen Brücke (12. Jh.) über die Donau, einem Meisterwerk hochmittelalterlicher Ingenieurkunst. Östlich neben dem Brücktor steht der 1616–1620 errichtete Regensburger Salzstadel mit fünfgeschossigem Dachstuhl. Gleich daneben ist die Historische Wurstküche eine Institution. Vermutlich bestand sie bereits im 12. Jh., als die Steinerne Brücke errichtet wurde. Auf jeden Fall – da sind sich die Regensburger einig – sind die Bratwürste, die hier gebrutzelt werden, besser als die der Nürnberger Konkurrenz.
*Steinerne Brücke

Durch die Brückstraße gelangt man zur Goliathstraße mit mehreren prächtigen Patrizierhäusern. Das Goliathhaus aus dem 13. Jh. ist an seiner Fassadenmalerei sofort zu erkennen. Der Baumburger Turm am Westende (etwas zurückversetzt im Watmarkt) gilt als einer der schönsten mittelalterlichen Patriziertürme.
Baumburger Turm, Goliathhaus

Östliche Verlängerung der Goliathstraße ist die Gasse Unter den Schwibbögen. Hier befindet sich die Porta Praetoria, ein Überbleibsel des römischen Legionslagers (Castra Regina) aus dem 2. Jh. n. Chr.
Porta Praetoria

Die nach rechts abzweigende Niedermünstergasse führt zur gleichnamigen Kirche (12. und 17./18. Jh.), die ehemals zu einem Damenstift gehörte; seit 1825 beherbergen die Stiftsgebäude die bischöfliche Verwaltung. Im Untergeschoß können Überreste von Vorgängerbauten aus merowingischer, karolingischer und ottonischer Zeit sowie Reste von römischen Gebäuden besichtigt werden.
Niedermünster-kirche

Am Alten Kornmarkt, südlich der Niedermünsterkirche, stehen der sogenannte Römerturm, ein Rest der karolingischen Kaiserpfalz, und der schon 988 erwähnte Herzogshof, die ehemalige Residenz der bayerischen Herzöge. Die Alte Kapelle an der Südseite des Platzes (ursprünglich um 1000 errichtet) besitzt eine wertvolle Rokoko-Ausstattung.
Alter Kornmarkt

Südöstlich von hier, außerhalb des eigentlichen Stadtrundgangs, befindet sich am Dachauplatz (56 m lange Römermauer) im ehemaligen Minoritenkloster das Städtische Museum mit kunst- und kulturgeschichtlichen Sammlungen.
Städtisches Museum

Westlich schließt an den Alten Kornmarkt der Domplatz an, den der Dom St. Peter beherrscht. Mit dem heutigen Bau, der als das Hauptwerk gotischer Baukunst in Bayern gilt, wurde in der zweiten Hälfte des 13. Jh.s begonnen, 1525 konnten die Bauarbeiten abgeschlossen werden. Die beiden 105 m hohen Türme wurden jedoch erst 1859–1869 auf Initiative König Ludwigs I. von Bayern angefügt. Besonders eindrucksvoll sind im Innern die farbenprächtigen Glasfenster im Hochchor, im südlichen Querhaus und in der Südwand (14. Jh.). Von den zahlreichen Kunstwerken sind ferner an den westlichen Vierungspfeilern die Figuren einer Verkündigungsgruppe von dem sogenannten Erminoldmeister (um 1280) hervorzuheben. Regelmäßig im Dom zu hören sind die "Regensburger Domspatzen"; dieser berühmte Knabenchor besteht seit dem 19. Jahrhundert. Eine Besichtigung lohnt der schöne Kreuzgang (14.–16. Jh.) mit der romanischen Allerheili-
*Dom

Regensburg,
Dom
(Fortsetzung)

genkapelle und der vielleicht noch aus karolingischer Zeit stammenden Stephanskapelle. Das Domschatzmuseum zeigt Goldschmiedekunst und Textilien vom 11. bis zum 20. Jahrhundert.

St. Ulrich

Die frühgotische Kirche St. Ulrich (um 1250) östlich gegenüber dem Dom beherbergt das Diözesanmuseum (sakrale Kunst seit dem 11. Jh.).

∗St. Emmeram

Am Südrand der Altstadt liegt der Emmeramsplatz mit der ehemaligen Klosterkirche St. Emmeram. Sie gehörte zu einem bereits im 8. Jh. gegründeten Benediktinerstift. In der romanischen Vorhalle (um 1170) beeindruckt das von drei Kalksteinreliefs aus dem 11. Jh. geschmückte Portal der St.-Emmeram-Kirche. Der 1731–1733 von den Brüdern Asam barockisierte Innenraum birgt hervorragende Grabmäler aus dem 12.–15. Jahrhundert. Die um 740 erbaute Emmeramskrypta ist der älteste Teil der Kirche.

∗Schloß der
Fürsten von Thurn
und Taxis

Im Laufe des 19. Jh.s bauten die Fürsten von Thurn und Taxis, die seit 1748 als Prinzipalkommissäre beim Reichstag ihren Sitz in Regensburg hatten, die Stiftsgebäude von St. Emmeram zu einer großzügigen Residenz um. Nach wie vor befindet sich das Schloß im Besitz der Familie. Die Prunkräume, der frühgotische Kreuzgang und das Marstallmuseum können jedoch im Rahmen von Führungen besichtigt werden.

Dominikaner-
kirche

Auf dem Rückweg zum Bismarckplatz kommt man an der frühgotischen Dominikanerkirche (13. Jh.) vorbei, einem dreischiffigen Bau im asketischen Stil der Bettelordenarchitektur (harmonischer Innenraum).

Umgebung von Regensburg

Personenschiffahrt

Von Regensburg verkehren Ausflugsschiffe zur Walhalla (→ Donautal), nach Kelheim (→ Donautal) und weiter ins → Altmühltal.

Rheinsberg   I 2/3

Bundesland: Brandenburg
Höhe: 55 m ü.d.M.
Einwohnerzahl: 5500

Lage und
Bedeutung

Die märkische Kleinstadt Rheinsberg liegt rund 75 km nordwestlich von Berlin in einer wald- und seenreichen Erholungslandschaft. Die Stadt ist weitbekannt dank Schloß Rheinsberg, von 1736 bis 1740 Lieblingsaufenthalt des Kronprinzen Friedrich, später Friedrich der Große.

Geschichte

Im Schutze einer Wasserburg im Grienericksee entstand im 13. Jh. eine Siedlung, die 1368 als Stadt erwähnt ist. Ende des 14. Jh.s wurde sie mit einer hohen Mauer umgeben. Mehrfach verwüstet und im Dreißigjährigen Krieg geplündert, wurde der Ort nach einem Brand 1740 wiederaufgebaut.

Sehenswertes in Rheinsberg

∗Schloß
Rheinsberg

Hauptanziehungspunkt ist das Schloß, das der kurmärkische Baudirektor J. G. Kemmeter und der Architekt G. W. von Knobelsdorff 1734–1740 unter maßgeblicher Beteiligung des Kronprinzen Friedrich erbaut haben. 1744 schenkte Friedrich II. das Schloß seinem Bruder Heinrich, der es 1753 bezog und bis zu seinem Tod 1802 dort lebte.
Im Rahmen eines Rundgangs kommt man u.a. durch den Spiegelsaal mit seinen schönen Deckengemälden, den Rittersaal und den Marmor- oder Muschelsaal mit vergoldetem Stuck an Decken und Wänden. Das Turmkabinett war einst das Studierzimmer des Kronprinzen Friedrich. Die Kurt-

*Am Ruppiner See südlich von Rheinsberg säumen die Häuser
von Neuruppin das Ufer.*

Tucholsky-Gedenkstätte im Erdgeschoß erinnert an den Reporter und Schriftsteller Kurt Tucholsky, der Rheinsberg 1912 in der Erzählung "Rheinsberg – ein Bilderbuch für Verliebte" literarisch verewigte.

Schloß
Rheinsberg
(Fortsetzung)

Der Park, ursprünglich in spätbarocken Formen angelegt, beeindruckt durch die ausgewogene Harmonie zwischen Bau- und Gartenkunst. Ende des 18. Jh.s wurde er erweitert und in einen englischen Landschaftspark umgewandelt; kleine Kunstbauten, z.B. Grotten und künstliche Ruinen, kamen hinzu. Den Obelisken auf der Terrasse gegenüber vom Schloß ließ im Juli 1791 Prinz Heinrich für die Gefallenen des Siebenjährigen Kriegs enthüllen. Der Prinz selbst ist in einer Backsteinpyramide an der Hauptallee begraben.

*Schloßpark

Die Stadt wurde nach dem Brand 1740 nach Plänen von Knobelsdorff mit regelmäßigem Straßennetz wiederaufgebaut. Aus dieser Zeit sind noch Straßenzüge mit Häusern der friderizianischen Bauordnung erhalten.

Stadt Rheinsberg

Die Pfarrkirche (14. Jh.), ein frühgotischer Bau aus Feldsteinen, hat eine beachtenswerte Innenausstattttung: Dazu gehören der Altaraufsatz, die Kanzel und der Taufstein, ferner Epitaphien der Schloßherren von Bredow.

Pfarrkirche

Auf dem Triangelplatz steht eine Postmeilensäule mit modernen Mosaiken. Reste der Stadtmauer sind am Ende der Mühlenstraße erhalten.

Postmeilensäule

Umgebung von Rheinsberg

In Zechlinerhütte, 7 km nördlich der Stadt, erinnert eine Gedenkstätte an den Geophysiker, Metereologen und Entdecker der Kontinentaldrift Alfred Wegener (1880 – 1930), der in den Jahren 1929 und 1930 an Expeditionen

Zechlinerhütte

Rheinsberg

**Umgebung,
Zechlinerhütte
(Fortsetzung)**

zum grönländischen Inlandeis teilnahm und beim Rückmarsch den Tod fand. In der "Weißen Hütte", die von 1736 bis 1890 bestand, wurden prächtige Pokale und farbige Gläser hergestellt. Einige sind heute im Märkischen Museum in → Berlin zu besichtigen.

Neuruppin

Das im 13. Jh. gegründete Neuruppin, Geburtsort von Theodor Fontane (1819–1898) und Karl Friedrich Schinkel (1781–1841), liegt am Ruppiner See südlich von Rheinsberg. Der See, Teilstück der Ruppiner Seenkette, ist dank seiner Rad- und Wanderwege ein beliebtes Ausflugsziel. Theodor Fontane hat seiner Heimat in den "Wanderungen durch die Mark Brandenburg" ein literarisches Denkmal gesetzt.

Das älteste Gebäude der 1214 gegründeten Stadt und ihr Wahrzeichen ist die frühgotische Klosterkirche am Ruppiner See. Sie gehörte zu dem 1246 gegründeten Dominikanerkloster, das im 19. Jh. nach Schinkels Plänen restauriert wurde. Neben der Kirche steht die 650 Jahre alte Wichmannlinde, benannt nach Wichmann von Arnstein, dem Gründer des Dominikanerklosters. In der einheitlich frühklassizistischen Innenstadt findet man schöne Bürgerhäuser aus dem 18. Jahrhundert. Das Heimatmuseum in der August-Bebel-Straße 14/15 ist ein stattliches ehemaliges Bürgerhaus und besitzt die größte Sammlung "Neuruppiner Bilderbogen", die den Namen der Stadt zwischen 1825 und 1900 bekannt machten. Zwei Räume des Museums sind dem Architekten Karl Friedrich Schinkel und dem Schriftsteller Theodor Fontane gewidmet. Fontane wurde in der heutigen Löwenapotheke an der Hauptstraße Neuruppins geboren. Der Tempelgarten (auch Amalheagarten) am westlichen Stadtrand erhielt sein jetziges Aussehen im 19. Jahrhundert; der Rundtempel, das Erstlingswerk von Georg Wenzeslaus von Knobelsdorff, ist 1735 als offener Säulentempel im Auftrag des Kronprinzen Friedrich erbaut worden. Das Bild des Gartens prägen Barockplastiken und seltene Baumarten.

Hakenberg

Südlich von Neuruppin bei Fehrbellin erinnert auf dem Hakenberg ein Denkmal an die Schlacht bei Fehrbellin 1675, in deren Verlauf Kurfürst Friedrich Wilhelm von Brandenburg die Schweden besiegte.

Alt Ruppin

In Alt Ruppin, 5 km nordöstlich von Neuruppin am Ruppiner See gelegen, ist die Pfarrkirche St. Nikolai aus dem 13. Jh. sehenswert. Am See sind Reste einer slawischen Siedlung gefunden worden.

Boltenmühle

Die Boltenmühle ist 1718 von Hans-Joachim Boldte auf Geheiß des Preußenkönigs Friedrich Wilhelm I. am Tornowsee 15 km nördlich von Neuruppin errichtet worden. Sie ist heute eine sehr beliebte Ausflugsgaststätte, von deren Terrasse sich ein schöner Blick auf den Tornowsee bietet. Durch den Gastraum plätschert der Binenbach, und unter dem Fenster dreht sich das Mühlrad.

**Heimattierpark
Kunsterspring**

Etwa 13 km nördlich von Neuruppin liegt der vielbesuchte Heimattierpark Kunsterspring. In den Gehegen, Terrarien und Volieren leben mehr als vierhundert Tiere.

Ruppiner Schweiz

Zur Ruppiner Schweiz gehört nur ein eng begrenzter Teil der Ruppiner Seenrinne, nämlich das Gebiet der Rinnenseen nördlich von Neuruppin: der vom Rhin durchflossene Zermützelsee, der Teetzensee und der Molchowsee, ferner der Kalksee und der Tornowsee, die der Binenbach entwässert. Der Reiz dieser Landschaft entspringt dem hier auf kleinem Raum stark bewegten Relief. Dadurch unterscheidet sich die Ruppiner Schweiz von der nahegelegenen, gleichförmigen und mit Kiefernwäldern bestandenen Wittstocker Heide. In die hügelige, von Buchen-Kiefern-Mischwäldern bedeckte Endmoräne der letzten Vereisung haben die Wasserläufe tiefe und steilwandige Täler gesägt. In den Wäldern stößt man auf weitere kleine Seen, auf Quellmoore und lichte Wiesen. An manchen Stellen wirkt die Landschaft wie ein Mittelgebirgstal, so daß es wohl berechtigt ist, von einer "Schweiz" zu sprechen.

Rheintal

Anrainerstaaten: Deutschland, Schweiz, Liechtenstein, Österreich, Frankreich, Niederlande.

Der Rhein (kelt. Renos, latein. Rhenus; im Volksmund "Vater Rhein") ist die bedeutendste Wasserstraße und zugleich einer der landschaftlich schönsten Ströme Europas. Der insgesamt 1320 km lange Fluß entsteht im ostschweizerischen Kanton Graubünden aus Vorderrhein und Hinterrhein, die sich zum Alpenrhein vereinen. Er durchfließt den → Bodensee, bildet danach den Rheinfall bei Schaffhausen und fließt als Hochrhein nach Basel. Dort wendet er sich nach Norden und durchzieht als Oberrhein die Oberrheinische Tiefebene. Zwischen Mainz und Bingen fließt er nach Westen und durchströmt dann nordwestwärts als Mittelrhein das Rheinische Schiefergebirge; oberhalb von Bonn heißt er dann Niederrhein. Auf niederländischem Gebiet verzweigt sich der Rhein in mehrere Mündungsarme, die sich in die Nordsee ergießen.

Verlauf und Allgemeines

Kaum eine Burg, kaum ein Felsen am Rhein ist nicht mit einer Sage oder Legende verbunden. Man denke nur an die schöne Loreley, die mit ihrem Gesang die Rheinschiffer so verzauberte, daß diese nicht mehr auf die Stromschnellen achteten und mit ihren Booten am Felsen zerschellten – oder an die beiden feindlichen Brüder und den Mäuseturm bei Bingen, in dem der böse Bischof Hatto von Mainz ein schreckliches Ende gefunden haben soll. Lohengrin mit dem Schwan zeigte sich am Fuße der Burg von Kleve, und an den Ritter Roland, der seine Braut auf der Rheininsel Nonnenwerth verpaßt hatte, erinnert heute der Rolandsbogen bei Remagen. Auch das berühmteste deutsche Heldenepos, das "Nibelungenlied", ist eng mit dem Rheintal verbunden.

Sagenumwobener Rhein

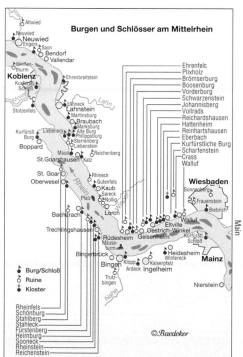

Burgen und Schlösser am Mittelrhein

Altwied
Neuwied
Neuwied
Engers
Sayn
Bendorf
Vallendar
Weißenthurm
Koblenz
Ehrenbreitstein
Kurfürstl. Schloß
Stolzenfels
Lahneck
Lahnstein
Martinsburg
Braubach
Marksburg
Kurfürstl. Burg
Liebeneck
Alte Burg
Philippsburg
Sterrenberg
Liebenstein
Boppard
Maus
Reichenberg
St.Goarshausen
Katz
St. Goar
Oberwesel
Rhineck
Gutenfels
Kaub
Sareck
Pfalz
Nollig
Bacharach
Lorch
Trechtingshausen
Rüdesheim
Oestrich-Winkel
Geisenheim
Mäuseturm
Bingerbrück
Heidesheim
Winterek
Bingen
Klopp
Kaiserpfalz
Trutz-bingen
Ardeck
Ingelheim
Nierstein

Wiesbaden
Sonnenberg
Frauenstein
Biebrich
Walluf
Eltville
Kurfürstl. Schloß
Mainz

Ehrenfels
Plixholz
Brömserburg
Boosenburg
Vorderburg
Schwarzenstein
Johannisberg
Vollrads
Reichardshausen
Hattenheim
Reinhartshausen
Eberbach
Kurfürstliche Burg
Scharfenstein
Crass
Walluf

Rheinfels
Schönburg
Stahlberg
Stahleck
Fürstenberg
Heimburg
Sooneck
Rheinstein
Reichenstein

♦ Burg/Schloß
○ Ruine
♦ Kloster

©Baedeker

Die Senke der Oberrheinischen Tiefebene wird im Osten vom → Schwarzwald, von dem Kraichgau und dem → Odenwald, westlich von den Vogesen, der Haardt und dem Nordpfälzer Berg-

*Landschaftsbild

Sagenumwoben
sind viele Bur-
gen und Felsen
am Rhein, doch
die bekannteste
Sage ist wohl
die von der
schönen Loreley,
deren Gesang
die Schiffe
der verzückt
lauschenden
Besatzung am
Felsen zer-
schellen ließ.
Hier blickt man
über die Burg
Katz hinweg auf
den Loreley-
Felsen und
St. Goarshausen.

Rheintal

Landschaftsbild
(Fortsetzung)

land begrenzt. Ihre Lößablagerungen bilden ein fruchtbares Obst- und Weinbaugebiet (Markgräflerland, Kaiserstuhl, Ortenau, Deutsche Weinstraße, Bergstraße). Am Mittellauf des Rheins verfügen der Rheingau (rechts) und Rheinhessen (links) zusammen über rund 100 km Uferlänge. Der Rheingau und das Rheinhessische Hügelland waren einst überflutet und wurden erst in geologisch jüngerer Zeit voneinander getrennt. Wie weit das Wasser früher reichte, zeigen noch heute die interessanten, fossilienreichen Ablagerungen, die in Sand- und Mergelgruben bei Gau-Algesheim, Sprendlingen, Messel und Weinheim sichtbar werden. Der Strom, der bei Mainz dem Taunus nach Westen ausweicht, ändert bei Bingen wieder seine Richtung und fließt mitten durch das Rheinische Schiefergebirge, indem er unterhalb von Bingen den harten Quarzitzug von Hunsrück und Taunus teilt. In diesem widerstandsfähigen Gestein konnte er nur ein schluchtartig enges Tal bilden. Der Durchbruch durch das Rheinische Schiefergebirge ist auch wegen seines wechselnden Gefälles für die Schiffahrt sehr hinderlich; dies gilt vor allem im Binger Loch, dann wieder beim sagenumwobenen Loreleyfelsen und bei St. Goar. In den dazwischenliegenden offeneren Talsenken liegen reiche Siedlungen, Rebfluren und Obstbaugebiete. Zusammen mit den auf den steilen Talrändern thronenden Burgen und einer Reihe von Strominseln ergibt sich ein überaus abwechslungsreiches Landschaftsbild. Unterhalb der Moselmündung bei Koblenz verbreitert sich das Tal zu dem kleinen Neuwieder Becken, in dem sich eine lebhafte Industrie entwickelt hat. Kurz vor dem Eintritt des Stroms in die Niederrheinische Ebene erhebt sich auf dem rechten Ufer als Ausläufer des Westerwaldes das Siebengebirge, der prächtige Abschluß des Mittelrheins. Dann erreicht der Rhein die Kölner oder Niederrheinische Tieflandsbucht, ein flachwelliges Land. Bei Bonn beginnt der eigentliche Niederrhein. Am Fuß des von einem Kloster bekrönten Eltener Berges passiert der Rhein dann die niederländische Grenze.

Köln-Düsseldorfer
Deutsche Rhein-
schiffahrt AG

Den regelmäßigen Personenverkehr auf dem Rhein organisiert die Köln-Düsseldorfer Deutsche Rheinschiffahrt AG (KD) mit einer Flotte von gut eingerichteten Motorschiffen und Raddampfern. Der Schiffahrtsdienst beginnt alljährlich zu Ostern und endet Mitte Oktober.

Uferstraßen

Unmittelbar entlang beiden Ufern des Mittelrheins verlaufen stark befahrene Verkehrswege: linksrheinisch die B 9 (Rheingoldstraße), rechtsrheinisch die B 42 (Loreley-Burgenstraße) und die Eisenbahnstrecken.

*Rheinhöhenweg

Der Rheinhöhenweg ist eine seit 1907 bestehende Fernwanderroute. Linksrheinisch verläuft er von Oppenheim bis Bonn (240 km), rechtsrheinisch von Wiesbaden bis Bonn-Beuel (272 km).

Linke Rheinuferstraße (von Mainz nach Köln)

Mainz

→ dort

Ingelheim

Das alte Winzerstädtchen Ingelheim ist bekannt für seinen Rotwein. In Niederingelheim befinden sich bei der Saalkirche (12. Jh.) die Reste einer Kaiserpfalz Karls des Großen und Ludwigs des Frommen, in Oberingelheim die romanisch-gotische Burgkirche und eine alte Ortsbefestigung.

Bingen

Bingen liegt an der Mündung der Nahe und oberhalb des Binger Lochs, wo der Strom das Rheinische Schiefergebirge durchbricht. In der Altstadt erhebt sich unweit oberhalb der Nahe die spätgotische Pfarrkirche (15./16. Jh.) mit karolingischer und romanischer Krypta. Über der Stadt liegt die Burg Klopp (13. Jh.; 1711 von den Franzosen gesprengt, im 19. Jh. erneuert) mit dem Heimatmuseum.

*Mäuseturm

Jenseits der Nahebrücke steht im Rhein der Mäuseturm, eine Zollstätte aus dem 13. Jh., bekannt durch die Sage vom Erzbischof Hatto, den die Mäuse bis hierher verfolgt haben sollen.

Der Weinort Trechtingshausen ist Ausgangspunkt zum Besuch der Burg Rheinstein, die aus dem 13. Jh. stammt und zwischen 1825 und 1829 ausgebaut wurde, und der Burg Reichenstein, die schon im 11. Jh. errichtet, dann 1282 zerstört und um 1900 wiederaufgebaut wurde.

Trechtingshausen

Niederheimbach wird überragt von dem mächtigen Turm der 1639 zerstörten Heimburg (Privatbesitz); auf gleicher Höhe liegt im Rhein die langgestreckte Insel Lorcher Werth. Oberhalb des Ortes kann man den Märchenhain besuchen.

Niederheimbach

Bacharach, ein altbekannter Weinhandelsplatz, ist von einer turmreichen Ringmauer (16. Jh.) umgeben und von der Ruine Stahleck (Jugendherberge) beherrscht. Am Marktplatz stehen einige Fachwerkhäuser (16. Jh.) und die spätromanische Peterskirche (13. Jh.); der Münzturm beherbergt ein Wein- und Heimatmuseum. Am Weg zur Burg Stahleck trifft man auf die Ruine der Wernerkapelle (13.–15. Jh.).

*Bacharach

In dem ummauerten altertümlichen Städtchen Oberwesel lohnt die Frauenkirche (1308–1331) mit ihrer wertvollen Barockorgel und dem Flügelaltar (mit Triptychon) einen Besuch. Am unteren Stadtrand befindet sich auf der Stadtmauer die gotische Wernerkapelle (um 1300). Über der Stadt liegt die Schönburg, von der sich eine wunderbare Aussicht auf Kaub, die Pfalz und die Burg Gutenberg bietet.

Oberwesel

Am Fuß der mächtigen Burgruine Rheinfels liegt St. Goar. Bis zur Sprengung durch die Franzosen im Jahr 1797 war Rheinfels die mächtigste Feste des Rheintals. Vom Uhrturm kann man die gesamte Anlage übersehen und auf die Burgen Katz und Maus am anderen Rheinufer blicken. Am gegenüberliegenden Flußufer ragt der Loreley-Felsen in das Tal hinein. Steile und bewaldete Ufer kennzeichnen das Rheintal nun bis auf die Höhe von Oberwesel.

St. Goar

An der Stromschleife Bopparder Hamm liegt das ehemalige Reichsstädtchen Boppard. Am Burggraben und in der Karmeliterstraße wurden beachtliche Reste eines Römerkastells gefunden. Es ist wahrscheinlich das am besten erhaltene römische Kastell Deutschlands. Im archäologischen Park Boppards ist zudem die 55 m lange Mauerfront des Kastells aus dem 4. Jh. mit zwei Türmen zu sehen, die einst die Rheingrenze gegen die von Norden anstürmenden Germanen sichern sollte. Sehenswert ist auch die zweitürmige Severuskirche (12./13. Jh.) mit romanischen Wandmalereien. Der Turm der ehemaligen kurfürstlichen Burg birgt heute das Heimatmuseum, das u. a. Möbel des in Boppard geborenen Michael Thonet (1796–1871) zeigt. Nördlich von Boppard kann man per Sessellift auf den Aussichtspunkt Gedeonseck fahren, von dem sich ein schöner Blick auf die Rheinschleife bietet.

*Boppard

Rhens, das schon im 9. Jh. erwähnt wird, besitzt noch Teile der Ummauerung und einige Fachwerkbauten aus dem 16. und 17. Jahrhundert. Am Rhenser Mineralbrunnen vorbei durch den Stadtteil Stolzenfels führt die Straße nach → Koblenz. Davor erhebt sich Schloß Stolzenfels, das 1842 im Stil englischer Landschlösser unter der Leitung Karl F. Schinkels wiederaufgebaut wurde. Auf der gegenüberliegenden Rheinseite liegt die Burg Lahneck.

Rhens

Bei Andernach erreicht man wieder den Rhein. Die Stadt geht auf das Römerkastell Autunnacum zurück und war als Reichsstadt oft umkämpft. Gut erhalten ist die Stadtmauer (14./15. Jh.) mit ihren Toren; neben dem Koblenzer Tor (um 1450) liegen die von Anlagen umgebenen Reste des 1689 zerstörten kurkölnischen Schlosses. Beachtenswert sind zudem das spätgotische Rathaus (1572) und die schöne spätromanische Liebfrauenkirche (Mariendom; 13. Jh.). Andernach ist Ausgangspunkt der Rundfahrt durch die nördliche → Eifel.

Andernach

Bad Breisig

Der beliebte Thermalkurort Bad Breisig besitzt drei Quellen (26–34° C). Im Ortsteil Oberbreisig besticht die Pfarrkirche St. Viktor (13. Jh.), in Niederbreisig sind die barocke Pfarrkirche Mariä Himmelfahrt (1718) und schöne Bürgerhäuser (17.–18. Jh.) zu bewundern.

Sinzig

Sinzig, das römische Sentiacum, liegt etwa 2 km vom Rheinufer entfernt in der fruchtbaren "Goldenen Meil" unweit der Ahrmündung. Die alte Barbarossapfalz (Heimatmuseum) und Reste der Stadtmauer sind erhalten; auf einer Anhöhe steht die spätromanische Pfarrkirche St. Peter (13. Jh.). Bei Sinzig zweigt die Straße in das → Ahrtal ab.

Remagen

Remagen ist keltischen Ursprungs; sein Name geht auf das Römerkastell Ricomagus zurück. Am unteren Ortsende liegt die neuromanische Pfarrkirche St. Peter und Paul, der als Vorhalle das Langhaus einer alten romanischen Kirche (11. Jh.) dient. Unterhalb der Kirchenterrasse und beim Rathaus findet man Reste des Römerkastells. Im linksrheinischen Turm der 1945 eingestürzten Brücke von Remagen wurde ein Friedensmuseum eingerichtet. Darauf folgen die Ortsteile Rolandseck und Rolandswerth, im Rhein die Inseln Nonnenwerth (mit einem 1122 gegründeten Franziskanerinnenkloster) und Grafenwerth.

*Rolandsbogen

Der 105 m über dem Rhein stehende Rolandsbogen ist der Rest der 1475 zerstörten Burg Rolandseck; von hier bietet sich ein prachtvoller Blick auf das Siebengebirge. In dem an sich wenig sehenswerten Ort Rolandseck wurde in den 60er Jahren der Mitte des vorigen Jahrhunderts erbaute Bahnhof zu einem Künstlerbahnhof mit Ausstellungen, Lesungen und Konzerten umgestaltet.

Bonn
Köln

Über → die Co-Bundeshauptstadt Bonn gelangt man schließlich zur Domstadt → Köln.

*Rechte Rheinuferstraße (von Wiesbaden nach Köln)

Wiesbaden

→ dort

*Eltville

Eltville liegt malerisch zwischen Weinbergen. Die Burg, die zwischen 1330 und 1345 erbaut wurde und lange Zeit die Residenz der Mainzer Kurfürsten war, beherbergt heute eine Gutenberg-Gedenkstätte. Sehenswert ist zudem die gotische Kirche St. Peter und Paul aus dem 14. Jahrhundert. Ein lohnender Abstecher führt zu der 3,5 km nördlich gelegenen ehemaligen Zisterzienserabtei Eberbach, das bedeutendste mittelalterliche Kunstdenkmal in Hessen. Heute befindet sich in den Konventsgebäuden ein staatliches Weingut. Seit 850 Jahren wird hier Wein gekeltert.

Oestrich-Winkel

Am Winzerort Oestrich-Winkel vorbei gelangt man zum weithin sichtbaren Schloß Johannisberg, das zwischen 1757 und 1759 errichte wurde (Weingut) und weiter nach Geisenheim.

*Rüdesheim

Seit dem ausgehenden 19. Jh. hat sich Rüdesheim, bekannt für seine Drosselgasse, zu einem der meistbesuchten Fremdenverkehrsorte am Mittelrhein entwickelt. In der Brömserburg (10. Jh.) wurde das Rheingauer Weinbaumuseum eingerichtet; erhalten sind auch Teile der Boosenburg (urspr. 10. Jh.) und der Vorderburg. Seit 1993 besitzt Rüdesheim außerdem ein Rechtskundemuseum, das sich bezeichnenderweise auch Mittelalterliches Foltermuseum nennt. Sehenswert sind auch die zahlreichen Bürger- und Adelshöfe aus dem 16.–18. Jh., insbesondere der Brömserhof mit einer Sammlung mechanischer Musikinstrumente.

*Niederwald-denkmal

Über Rüdesheim steht das weithin sichtbare Niederwalddenkmal, eine 10,5 m hohe Statue der Germania, die zum Gedenken an die Erneuerung des Deutschen Reichs (1871) aufgestellt wurde. Von hier aus bietet sich eine prächtige Aussicht auf das Tal, Bingen und die Nahemündung.

Auf einem kleinen Inselchen mitten im Rhein liegt der Zollturm Pfalzgrafenstein; dahinter erhebt sich über dem Städtchen Kaub die Burg Gutenfels.

An der Einmündung des burgenreichen Wispertals liegt Lorch. In der Pfarrkirche St. Martin ist ein feiner Schnitzaltar (1483) zu besichtigen; von den Adelshöfen verdient besonders das Hilchenhaus (16. Jh.) Beachtung. Über dem Ort liegt die Burg Nollig (Privatbesitz).   Lorch

Kaub, einst Zollstätte und Lotsenort, ist noch heute eine der bedeutendsten Weinbaugemeinden am Mittelrhein. Die mittelalterliche Stadtmauer ist gut erhalten. Ein Standbild des Feldmarschalls Blücher erinnert an den Rheinübergang der schlesischen Armee in der Neujahrsnacht 1813/1814.   Kaub
Kaub wird überragt von der Burg Gutenfels (13. Jh.). Im Rhein liegt der Pfalzgrafenstein (meist kurz "die Pfalz bei Kaub" genannt), eine 1326 zur Sicherung des Rheinzolls erbaute Flußfeste.   *Pfalz

Die Loreleystadt St. Goarshausen liegt zu Füßen der Burg Katz (14. Jh.; im 19. Jh. wiederhergestellt). Am oberen Ende des in seinem mittelalterlichen Kern wohlerhaltenen Orts stehen zwei Wachttürme (14. Jh.) der ehemaligen Stadtbefestigung.   St. Goarshausen
Die Loreley (132 m hoch) ist ein mächtiger, am hier nur 113 m breiten Rhein aufragender Schieferfelsen. Berühmt wurde sie durch die im beginnenden 19. Jh. aufkommende Sage von der schönen Jungfrau Loreley, die mit ihrem Gesang vorüberfahrende Schiffer ins Verderben lockte. Nähert man sich der Stelle auf einem Rheindampfer, erklingt aus den Lautsprechern das Lied "Ich weiß nicht, was soll es bedeuten", dessen Text von Heinrich Heine stammt und das von Friedrich Silcher vertont wurde. Auf dem Felsplateau werden im Sommer oft härtere Töne angeschlagen; ab und zu finden hier Rockkonzerte statt.   **Loreley

Der Doppelort Kamp-Bornhofen wird überragt von den beiden "feindlichen Brüdern" Burg Liebenstein und Burg Sterrenberg. Von der Ruine Liebenstein genießt man einen wunderbaren Panoramablick über das Tal.   Kamp-Bornhofen

Rhön

**Rheintal
(Fortsetzung)
Braubach
*Marksburg**

Am oberen Ende des alten Städtchens Braubach sind noch Teile des 1568 erbauten Schlosses Philippsburg erhalten. Ansonsten verfügt der Ort über die romanische Friedhofskapelle St. Martin (um 1000) und schöne Fachwerkhäuser. Über Braubach thront die Marksburg, die einzige unzerstörte Höhenburg am Rhein. Neben ihrer schönen Lage bestechen die mittelalterliche Gartenanlage und das Burgmuseum, das eine große Sammlung von Rüstungen besitzt.

Koblenz

→ dort

Neuwied

Neuwied im fruchtbaren Neuwieder Becken wurde nach 1662 auf regelmäßigem Grundriß angelegt. Das in einem schönen Park gelegene Schloß wurde 1706–1756 nach Versailler Vorbild gestaltet. Sehenswert sind ferner der Saal der Herrnhuter Brüdergemeinde (1783–1785) und die Mennonitenkirche (1768).

Linz

Linz, gegenüber der Ahrmündung am Rand des Westerwaldes gelegen, besitzt hübsche bunte Fachwerkhäuser, vor allem am Marktplatz und am Burgplatz. Die Burg Feith (14. Jh.) war Sommersitz der Kölner Erzbischöfe. In der erhöht gelegenen spätromanischen Pfarrkirche St. Martin sind Wandmalereien aus dem 13. Jh. zu sehen.

**Bonn
Köln**

Über Bad Honnef, Königswinter, das Siebengebirge (alle → Bonn) und → Bonn gelangt man schließlich nach → Köln.

Rhön   F/G 5

Bundesländer: Bayern, Hessen und Thüringen

**Lage und
Allgemeines**

Die Höhen der Rhön steigen fast genau in der Mitte Deutschlands auf und werden im Norden begrenzt von der Fulda und der Werra, im Süden von den Flüssen Sinn und Fränkische Saale. Der südliche und östliche Teil des Gebiets gehört zu Bayern, der Nordwesten zu Hessen und der nordöstliche Zipfel zu Thüringen. Die zahlreichen Einzelberge und Bergmassive verdanken ihre Entstehung vulkanischen Durchbrüchen und Deckenergüssen, welche die darunterliegenden weniger widerstandsfähigen Schichten vor der Abtragung bewahrten. Je nach örtlicher Gegebenheit sind dadurch teils kegel-, teils plateauförmige Berge entstanden. Die Kammlagen der Rhön sind kühl und windig. Während früher viele Menschen die Rhön verließen, lebt die Region heute zumindest teilweise vom Fremdenverkehr, vor allem in den Kurorten.

**Naturparks
Biosphären-
reservate**

In der Rhön sind zwei Naturparks eingerichtet: im Nordwesten der "Naturpark Hessische Rhön" und im Südosten der "Naturpark Bayerische Rhön". Rund um das Dreiländereck – Bayern, Thüringen und Hessen – ist 1991 ein größeres Gebiet als Biosphärenreservat ausgewiesen worden.

*Wasserkuppe

Die Rhön besteht im Grunde genommen nur aus einem zusammenhängenden Gebirgsstrang: die Hohe Rhön, eine mit Gras und Mooren bedeckte Hochfläche von 700–900 m. Höchste Erhebung der Rhön ist mit 950 m die Wasserkuppe, deren Hänge überwiegend kahl sind. Die sanft abfallenden, unbewaldeten Hänge der Wasserkuppe sind ein El Dorado für Flugsportler. Ob Segelflieger, Motorflieger, Drachenflieger oder Gleitschirmflieger – alle treffen sich auf dem höchsten Berg der Rhön, um ihrem Hobby zu frönen. Bereits 1911 unternahmen wagemutige Piloten hier mit einfachen Maschinen die ersten Gleitflüge, 1924 wurde auf der Wasserkuppe die erste Segelflugschule der Welt eröffnet. Das "Segelflugmuseum Wasserkuppe" informiert über die Geschichte des Segelflugs. Nördlich und westlich der Hohen Rhön erstreckt sich die Kuppenrhön, eine Region mit einzeln stehenden Basaltbergen in Kegel- oder Sargform.

Reiseziele in der Rhön

Am südlichen Rand der Rhön liegt im Tal der Sinn Bad Brückenau. Der Ort gliedert sich in das 1747 gegründete Staatsbad und das östlich jenseits des Kurparks gelegene Städtische Heilbad. Das Staatsbad mit seinen drei Heilquellen besteht im wesentlichen aus den Kurhäusern, die vielfach noch aus der Ära des großen Ausbaus unter König Ludwig I. von Bayern stammen, ferner aus dem Hallenbad, dem Kurmittelhaus, der Trink- und Wandelhalle sowie einigen Landhäusern. Das Städtische Heilbad, hervorgegangen aus einer alten kleinen Stadt, wurde erst um die Jahrhundertwende Kurort. Im Heimatmuseum werden Dokumente zur bäuerlichen Kultur der Rhön, vor allem zu Flachsgewinnung und -verarbeitung, gezeigt.

Bad Brückenau

Weiter östlich liegt an der Fränkischen Saale Bad Neustadt. Das eigentliche Heilbad erstreckt sich am Fuß der Salzburg im Stadtteil Neuhaus, der 1934 nach Neustadt eingemeindet wurde.
Beachtung verdient in Bad Neustadt die katholische Pfarrkirche Mariä Himmelfahrt, ein klassizistischer Bau, der 1836 vollendet wurde. Zwei Säulenreihen gliedern den Innenraum in drei Schiffe. Das Mittelschiff ist mit einem schönen Spiegelgewölbe gedeckt, die Decken der Seitenschiffe sind kassettiert.

Bad Neustadt

15 km nördlich von Bad Neustadt erwartet den Besucher im Schloß Hanstein in Ostheim vor der Rhön ein Orgelmuseum, in dem man systematisch in Technik und Klangwelt der Orgel eingeführt wird, wobei die verschiedenen Fertigungsstadien der Pfeifen vorgeführt werden, eine historische Werkstatt zu sehen ist und zwei funktionsfähige Orgeln regelmäßig erklingen.

Ostheim vor der Rhön

Bad Kissingen, bayerisches Staatsbad, liegt in einem von bewaldeten Höhen umgebenen weiten Tal der Fränkischen Saale. Die kohlensäurereichen und meist eisenhaltigen Kissinger Kochsalzquellen werden zu Trink- und Badekuren u.a. bei Stoffwechsel- und Herzenerkrankungen angewandt. Mittelpunkt des Kurbetriebs ist das Kurgastzentrum. An der Westseite des Kurgartens steht der Regentenbau mit Festsaal und Gesellschaftsräumen, an der Südseite des Gartens die große Wandel- und Brunnenhalle. Im Querbau der Wandel- und Brunnenhalle befinden sich die beiden wichtigsten Trinkquellen: Rakoczy (11,1° C) und Pandur. An der Nordseite des Kurgartens steht der Maxbrunnen (10,4° C). Gegenüber der Wandel- und Brunnenhalle erstreckt sich auf dem linken Ufer der Saale der Luitpoldpark mit dem Luitpold-Bad und dem Luitpold-Casino (Spielbank). Südöstlich vom Luitpoldpark liegt der Ballinghain mit einem Terrassenfreibad. In der Nähe steht etwas erhöht die Ruine Botenlauben, Überrest der Burg des Minnesängers Otto von Botenlauben (gest. 1245), von der sich eine schöne Rundsicht bietet. Rund 2,5 km nördlich vom Kurgarten stehen am rechten Flußufer der Gradierbau und das Heinz-Kalk-Krankenhaus mit einem 94 m tiefen artesischen Solesprudel, der abwechselnd bis um 3 m steigt und fällt.

*Bad Kissingen

Im nahen Aschach lohnt das Graf-Luxburg-Museum einen Besuch. Die Kunstsammlungen umfassen Barockschränke, Schreibtische des Rokoko, altdeutsche Tafelbilder, Silber, Porzellan und Zinn. Die bedeutende Sammlung altchinesischer Keramik hat Schloß Aschach zu überregionaler Bekanntheit verholfen.

Aschach

Ebenfalls an der Fränkischen Saale liegt die Stadt Hammelburg, ein Ort, für den der Weinbau schon seit dem 8. Jh. bezeugt ist; südlich von Hammelburg verläuft die sog. Bocksbeutelstraße. Beachtenswerte Bauten sind das Kellereischloß und die katholische Pfarrkirche St. Johannes Baptist, eine dreischiffige Basilika mit alter Ausstattung, ferner das Rathaus am Marktplatz.

Hammelburg

→ dort

Meiningen

Bundesland: Mecklenburg-Vorpommern
Höhe: 13 m ü.d.M.
Einwohnerzahl: 230 000

Lage und
Allgemeines

Rostock liegt an der Mündung der Warnow in die Ostsee und ist nicht nur
die größte Stadt Mecklenburg-Vorpommerns, sondern mit ihrem Überseehafen, den Werften und zahlreichen Industrieansiedlungen an der Peripherie auch die dichteste und bedeutendste Wirtschaftsregion dieses Bundeslandes. Der 1957–1960 erbaute Überseehafen ist der größte an der deutschen Ostseeküste. Die 1419 ins Leben gerufene Universität – die älteste
Nordeuropas – begründete Rostocks Entwicklung zum Forschungs- und
Wissenschaftszentrum.

Stadtbild

Die Innenstadt von Rostock wurde im Zweiten Weltkrieg schwer beschädigt. Dennoch findet man vor allem am Neuen Markt und in der Kröpeliner
Straße, der belebten Einkaufs- und Flaniermeile Rostocks, noch einige historische Bauten – neben einzelnen mittelalterlichen Gebäuden vor allem
schöne barocke Giebelhäuser.

Geschichte

An der Stelle einer slawischen Handelsniederlassung entstand um 1200
eine Ansiedlung deutscher Kaufleute; das Zentrum dieser Siedlung war der
Alte Markt mit der Petrikirche. Mit der Bestätigung des lübischen Stadtrechts im Jahr 1218 begann die Entwicklung der Handelsstadt. Zwischen
1270 und 1300 wurde eine Stadtbefestigung angelegt. Als Mitglied der
Hanse erlebte Rostock im 14. und 15. Jh. eine wirtschaftliche Blütezeit und
unterhielt weitreichende Handelsbeziehungen. Die 1419 gegründete Universität, die erste Nordeuropas, machte die Stadt auch zu einem Zentrum
des geistigen Lebens an der Ostsee. Auf eine Phase des ökonomischen
Niedergangs, die durch den Dreißigjährigen Krieg (1618 bis 1648) und die
Auflösung der Hanse 1669 herbeigeführt wurde, folgte ein erneuter Aufschwung durch die aufkommende Segelschiffahrt in der zweiten Hälfte des
18. Jahrhunderts. Im Zweiten Weltkrieg wurde Rostock durch Luftangriffe

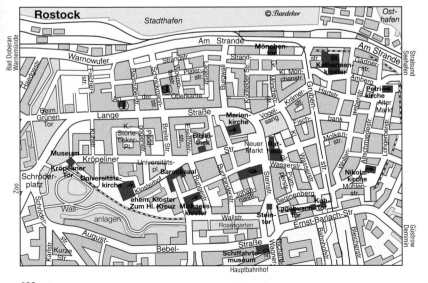

*Stadtsilhouette von Rostock mit der Marienkirche und dem
Wohnhochhaus in der Langen Straße*

schwer getroffen. Nach dem Krieg wurde die Werftindustrie erweitert und
schließlich zwischen 1957 und 1960 der Überseehafen gebaut.

Geschichte
(Fortsetzung)

Sehenswertes in Rostock

Unbedingt zu empfehlen ist eine Rundfahrt durch den Hafen von Rostock.
Ausflugsschiffe starten in Warnemünde (Anlegestelle Am Alten Strom) sowie im Stadthafen von Rostock, am Kabutzenhof.

Hafenrundfahrt

Das Zentrum der wiederaufgebauten Altstadt ist der weitläufige Neue
Markt mit seinen Bürgerhäusern und der Marienkirche. Aus dem Zusammenschluß von drei mittelalterlichen Giebelhäusern entstand im 13. Jahrhundert das Rathaus an der Ostseite. Anstelle der früheren "Ratslaube"
wurde 1727/1729 der barocke Vorbau errichtet. In den schmalen Straßen
hinter dem Rathaus stehen noch zwei schöne gotische Giebelhäuser, u. a.
das bemerkenswerte Kerkhofhaus mit Fassadenschmuck aus glasierten
Ziegelsteinen.

*Neuer Markt,
Rathaus

Der mächtige Backsteinbau der Marienkirche (1260 bis ca. 1450) stößt mit
dem Chor an den Marktplatz. Das Spitzenstück der Kirchenausstattung ist
der knapp 3 m hohe Bronzetaufkessel (1290), einer der bedeutendsten im
norddeutschen Küstengebiet. Des weiteren sehenswert sind die astronomische Uhr (1472; mit Kalendarium bis zum Jahr 2017), der sog. Rochusal-
tar (1530), Kanzel (1574) und Barockorgel.

*Marienkirche

Am Ziegenmarkt an der Südseite der Marienkirche stehen zwei spätgotische Giebelhäuser, früher Sitz der Rostocker Münze.

Rostocker Münze

Die südlich vom Neuen Markt wegführende Steinstraße endet vor dem
1577 erbauten Steintor, eines von ehemals 22 Stadttoren.

Steintor

Rostock

Schiffahrtsmuseum

Noch etwas weiter südlich, in der August-Bebel-Straße, befindet sich das Schiffahrtsmuseum mit zahlreichen Schiffsmodellen.

Lange Straße

In der Langen Straße, die vom Neuen Markt nach Westen führt, begann der Wiederaufbau Rostocks – in einer Mischung aus norddeutscher Backsteingotik und Repräsentationsarchitektur stalinistischer Prägung. Das ehemalige Hafenviertel zwischen Lange Straße und Warnowufer wurde in den 80er Jahren saniert. Zwischen Giebelhäusern in Plattenbauweise blieb nur wenig historische Bausubstanz erhalten (z. B. Wokrenterstraße 40).

Kröpeliner Straße Universitätsplatz

Südlich, parallel zur Langen Straße, verläuft die Kröpeliner Straße, heute eine als Fußgängerzone gestaltete, belebte Einkaufsmeile mit Giebelhäusern aus verschiedenen Stilepochen (v. a. aus dem 17.–19. Jahrhundert). Der dreieckige Universitätsplatz mit dem "Brunnen der Lebensfreude" (Jo Jastram; 1978) ist vor allem im Sommer ein beliebter Treffpunkt. Um den Platz stehen das Hauptgebäude der Universität (1867–1870; Neorenaissance), das ehemalige Palais mit dem Barocksaal und die klassizistische Hauptwache (1823).

＊Ehem. Kloster zum Heiligen Kreuz

Von der Universität sind es nur wenige Schritte bis zum ehemaligen Zisterzienserinnenkloster. Sehenswert sind hier sowohl die Kirche (Ausstattung) als auch die Sammlungen des Kulturhistorischen Museums in den Klausurgebäuden um den malerischen Kreuzgang. Am westlichen Ende der Kröpeliner Straße, im Kröpeliner Tor (13./14. Jh.), ist eine Außenstelle des Kulturhistorischen Museums untergebracht.

Kunsthalle

Deutsche und nordeuropäische Kunst seit 1945 wird in der Kunsthalle am Schwanenteich nordwestlich außerhalb der Altstadt (an der B 105) gezeigt.

Schiffbaumuseum

Im Stadtteil Rostock-Schmarl, auf halber Strecke nach Warnemünde, liegt das Traditionsschiff "Frieden" zur Besichtigung vor Anker.

Das Seebad Warnemünde ist der beliebteste Badeort der Rostocker.

Das ehemalige Fischerdorf Warnemünde, das 1323 der Rostocker Rat dem Fürsten von Mecklenburg abkaufte, ist heute Rostocks beliebtestes Naherholungsziel und eines der meistbesuchten Seebäder an der Ostsee mit einem breiten Sandstrand und zahlreichen Unterkünften von der einfachen Pension bis zum Luxushotel. Vor allem am Alten Strom, dem einstigen Warnowausfluß, und in den benachbarten Straßenzügen zeigt Warnemünde noch den Charme des ehemaligen Fischerstädtchens. Typisch sind aber auch die vielen Pensionshäuser mit ihren breiten Veranden und Wintergärten. Einen weiten Blick über den Ort verspricht ein Aufstieg zum 37 m hohen Leuchtturm an der Seepromenade (1898). In einer ehemaligen Fischerkate aus dem 18. Jh. (Alexandrinenstraße 31) ist das Heimatmuseum untergebracht, das die Geschichte Warnemündes als Fischerort und Seebad mit interessanten und kuriosen Exponaten dokumentiert.

*Seebad Warnemünde

Umgebung von Rostock

Östlich der Warnowmündung erstreckt sich bis zur Halbinsel Fischland die Rostocker Heide, ein etwa 6000 ha großes Gebiet mit Torfstichen, Mooren und Wäldern. Am Südrand der Heide, in Wiethagen, kann man eine rekonstruierte Teerschwelerei besichtigen.

Rostocker Heide

Das von Wäldern umgebene Seeheilbad 25 km nordöstlich von Rostock ist bekannt für sein vorzügliches Heilklima und einen herrlichen, 6 km langen Badestrand (mit Seebrücke). Im Mai und Juni wird der Kurort vor allem wegen des Rhododendronparks besucht.

*Seeheilbad Graal-Müritz

Die Hauptsehenswürdigkeit von Ribnitz-Damgarten (27 km nordöstlich; 17 000 Einw.) ist zweifelsohne das Bernsteinmuseum im ehemaligen Klarissinnenkloster. Die Sammlung reicht von frühgeschichtlichen Bernsteinstücken mit eingeschlossenen Insekten bis zu barockem Kunstgewerbe. Im Museumsladen wird moderner Bernsteinschmuck angeboten. Sehenswert in Ribnitz-Damgarten ist auch die Klosterkirche (um 1400) mit Grabmälern und spätgotischen Holzplastiken, den sog. "Ribnitzer Madonnen".

Ribnitz-Damgarten

In Klockenhagen, 5 km westlich von Ribnitz-Damgarten, wurden um ein einheimisches Gehöft (um 1700) weitere Bauernhäuser, Katen und andere ländliche Gebäudetypen zusammengetragen.

*Freilichtmuseum Klockenhagen

Die kleine Stadt Barth (12 000 Einw.), am gleichnamigen Bodden gelegen, ist das Tor zu den Ostseebädern auf den Halbinseln Darß und Zingst (→ Fischland-Darß-Zingst). Als Wahrzeichen des Ortes gilt die Marienkirche. Der mächtige gotische Backsteinbau (13.–15. Jh.) wurde innen 1856 neugotisch restauriert. In der Kirchenbibliothek wird eines der letzten Exemplare der 1588 in Barth gedruckten niederdeutschen Bibeln aufbewahrt. Von der ehemaligen Stadtbefestigung mit vier Tortürmen ist nur noch der Dammtorturm (14. Jh.) erhalten. Der Barockbau des ehemaligen Stifts für adelige Frauen entstand 1733 an der Stelle des herzoglichen Schlosses. Im Süden der Stadt erinnert ein Mahnmal (1965/1966) an die im nationalsozialistischen Lager Barth umgekommenen Gefangenen.

Barth

Bad Doberan und Umgebung

Bad Doberan, die ehemalige Sommerresidenz des Mecklenburger Hofes, liegt knapp 15 km westlich von Rostock. Die gepflegte Kleinstadt (13 000 Einw.) wird heute vor allem wegen der ehemaligen Klosterkirche besucht. Das Zisterzienserkloster, zu dem sie gehörte, wurde 1186 am heutigen Standort gegründet und 1552 aufgelöst. Durch Herzog Friedrich Franz I. zum Feriendomizil der herzoglichen Familie bestimmt, entwickelte sich Doberan in Verbindung mit dem nahegelegenen Heiligendamm zu einem Erholungsort der vornehmen Gesellschaft. Es gab ein Eisenmoorbad (1825

Bad Doberan

Rostock,
Umgebung,
Bad Doberan
(Fortsetzung)

gegründet) und eine Pferderennbahn (seit 1807), die erste auf dem europäischen Kontinent. Die Schmalspurbahn "Molli" verbindet Bad Doberan mit dem Seebad Heiligendamm. Mittelpunkt des Kurstädtchens ist der Kamp, eine reizvolle kleine Grünanlage mit zwei chinesischen Pavillons, den einzigen Bauten dieser Art in Mecklenburg (1809 bzw. 1813; heute Café bzw. Ausstellungspavillon). Die klassizistischen Gebäude um den Kamp, darunter das Großherzogliche Palais von 1809 und das Salongebäude von 1802, stammen aus Doberans Zeit als großherzoglicher Sommersitz.

**Ehemalige
Klosterkirche

Inmitten eines im 19. Jh. angelegten, englischen Landschaftsgartens steht die zwischen 1295 und 1368 errichtete Zisterzienserklosterkirche, eines der schönsten Beispiele für die Backsteingotik im Ostseeraum. Der an französische Kathedralarchitektur angelehnte Kirchenbau (1964–1984 grundlegend renoviert) beeindruckt durch seine ungewöhnlich reiche Ausstattung, darunter mittelalterliche Altäre (Hochaltar von 1310), ein 12 m hohes Sakramentshaus und ein bemalter Kelchschrank um 1280. Beachtenswert sind die zahlreichen Grabmäler; insbesondere das des mecklenburgischen Herzogs Adolf Friedrich und seiner Gemahlin in der Chorkapelle (1664 vollendet). Neben der Kirche steht noch das achteckige, mit glasierten Backsteinen verzierte Beinhaus (13. Jh.).

*Heiligendamm

Das älteste, 1793 gegründete Seebad an der deutschen Ostseeküste liegt 6 km nordwestlich von Bad Doberan. Die weiß verputzten, klassizistischen Häuser am zentralen Kurplatz trugen Heiligendamm den Namen "weiße Stadt am Meer" ein. Der Kiesstrand ist gepflegt, aber schmal.

Kühlungsborn

Geradezu ideal sind die Bade- und Wassersportmöglichkeiten in Kühlungsborn, das 8 km weiter westlich im Waldgebiet Kühlung liegt (kilometerlanger, gepflegter Sandstrand, Meerwasserschwimmbad).

Rothenburg ob der Tauber   G 6

Bundesland: Bayern
Höhe: 425 m ü.d.M.
Einwohnerzahl: 12 000

Lage und
Allgemeines

Die alte fränkische Reichsstadt Rothenburg liegt malerisch auf dem Steilrand der Tauber an der Romantischen Straße und bietet mit ihren seit dem Dreißigjährigen Krieg fast unveränderten Mauern und Türmen ein Bild von einzigartigem Reiz. Dies lockt jedes Jahr mehr als 400 000 Übernachtungsgäste und etwa 2,5 Mio. Tagesbesucher an. Davon sind 50% ausländische Touristen; vor allem Japaner und Amerikaner mögen sich Rothenburg auf ihrem Europatrip nicht entgehen lassen.

**Stadtbild

Rothenburg ob der Tauber ist für viele der Inbegriff einer mittelalterlichen deutschen Stadt. Enge gepflasterte Gassen, Giebelhäuser, Kirchen und Stadttürme verbinden sich zu einem romantischen Stadtbild. Wen wundert's, daß man das nicht für sich alleine hat. Vor allem in den Sommermonaten und im Dezember können die Besuchermassen, die sich durch das Städtchen drängen, erdrückend wirken. Der Innenstadtkern ist für Kraftfahrzeuge weitgehend gesperrt. An den Stadttoren im Norden, Osten und Südosten gibt es große Parkplätze.

*Stadtmauer

Lohnend ist ein etwa halbstündiger Spaziergang auf dem Wehrgang der im 13./14. Jh. errichteten Stadtmauer, der vom Klingentor über das Rödertor bis zum Spitaltor begehbar ist.

Geschichte

Rothenburg entstand im 12. Jh. im Schutz einer Hohenstaufenburg. Die um 1274 reichsunmittelbar gewordene Stadt erreichte um 1400 unter dem tatkräftigen Bürgermeister Heinrich Toppler ihre höchste Blüte. Im Dreißigjährigen Krieg wurde Rothenburg, das auf der Seite Gustav Adolfs stand, von den kaiserlichen Truppen unter Graf Tilly erstürmt (1631).

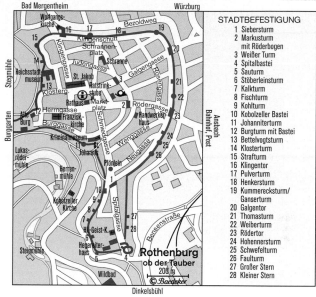

Bad Mergentheim   Würzburg

STADTBEFESTIGUNG
1 Sieberturm
2 Markusturm
 mit Röderbogen
3 Weißer Turm
4 Spitalbastei
5 Sauturm
6 Stöberleinsturm
7 Kalkturm
8 Fischturm
9 Kohlturm
10 Kobolzeller Bastei
11 Johanniterturm
12 Burgturm mit Bastei
13 Bettelvogtsturm
14 Klosterturm
15 Strafturm
16 Klingentor
17 Pulverturm
18 Henkersturm
19 Kummereckssturm/
 Ganserturm
20 Galgentor
21 Thomasturm
22 Weiberturm
23 Rödertor
24 Hohennerturm
25 Schwefelturm
26 Faulturm
27 Großer Stern
28 Kleiner Stern

Dinkelsbühl

Sehenswertes in Rothenburg ob der Tauber

Das Rathaus am Marktplatz, das als eines der schönsten in Süddeutschland gilt, ist ein Doppelbau, bestehend aus einem gotischen Gebäudeteil aus dem 13./14. Jh. und einem dem Marktplatz zugewandten, 1572–1578 errichteten Renaissancebau. Vom 60 m hohen Turm bietet sich eine schöne Aussicht über die Altstadt. Über den Lichthof, der die beiden Gebäudeteile verbindet, gelangt man in das sogenannte Historiengewölbe, in dem anhand zahlreicher Exponate die Zeit des Dreißigjährigen Krieges wieder lebendig wird.

*Rathaus

An der Nordseite des Marktes wurde 1466 die Ratstrinkstube errichtet (im Erdgeschoß befindet sich heute die Touristeninformation) und 1683 um eine Kunstuhr bereichert. Sie zeigt um 11.00, 12.00, 13.00, 14.00, 15.00, 21.00 und 22.00 Uhr eine Darstellung des Meistertrunks. Damit wird an eine legendäre Begebenheit des Jahres 1631 erinnert: Indem er mehr als 3 l Wein auf einen Zug leerte, soll Altbürgermeister Nusch die Stadt vor der Brandschatzung durch die kaiserlichen Truppen gerettet haben.

Ratstrinkstube

Unweit nördlich vom Rathaus steht die 1311–1471 erbaute Stadtpfarrkirche St. Jakob. Der Hochaltar (1466) ist in Aufbau und Gesamteindruck einer der bedeutendsten in Deutschland, den Heiligblutaltar im Westchor hat Tilman Riemenschneider um 1500 geschaffen.

*St. Jakob

Durch die Klingengasse kommt man von hier zum gleichnamigen, um 1400 vollendeten Stadttor (Aufgang zur Stadtmauer). In den äußeren Befestigungsgürtel des Tores ist die spätgotische Wolfgangskirche einbezogen (unterirdische Kasematten).

Klingentor
Wolfgangskirche

Südwestlich befindet sich unmittelbar an der Stadtmauer im ehemaligen Dominikanerinnenkloster das Reichsstadtmuseum (Klosterküche, Möbel, Skulpturen, Waffen u.a.).

Reichsstadt-
museum

Beim Burgtor betritt man den Burggarten, der sich an der Stelle der 1356 durch ein Erdbeben zerstörten Hohenstaufenburg befindet. Von hier aus hat man einen herrlichen Ausblick.

Rothenburg o.d.T. (Fortsetzung) Burggarten

Außerhalb der Stadtmauer steht jenseits der Tauber das Topplerschlößchen, ein turmartiges Gebäude, das 1388 im Auftrag von Bürgermeister Toppler errichtet wurde.

Topplerschlößchen

Vorbei an der um 1285 erbauten Franziskanerkirche gelangt man durch die breite Herrngasse, mit herrschaftlichen Wohnhäusern aus Gotik und Renaissance, zurück zum Marktplatz.

Herrngasse

Wenige Schritte südlich fasziniert das Puppen- und Spielzeugmuseum in der Hofbronnengasse nicht nur Kinder.

Puppen- und Spielzeugmuseum

Über die vom Marktplatz nach Süden führende Schmiedgasse erreicht man die St.-Johannis-Kirche (1390–1410). Gleich dahinter gibt das Kriminalmuseum einen Einblick in das Rechtsgeschehen der vergangenen 1000 Jahre.

Schmiedgasse

Die Straßengabelung am Plönlein, am Ende der Unteren Schmiedgasse, ist einer der malerischsten Punkte der Stadt. Man geht weiter durch den Siebersturm in die Spitalgasse. Der Weg führt an der frühgotischen Spitalkirche (rechts) sowie am 1574–1578 erbauten Spital vorüber. Im Spitalhof verdient das "Hegereiterhäuschen" von 1591 Beachtung. Die mächtige Spitalbastei aus dem 16. Jh. schließt die Straße ab.

*Plönlein, Spitalgasse

Im Handwerkerhaus, östlich vom Marktplatz (Alter Stadtgraben 26), wird in elf komplett eingerichteten Räumen gezeigt, wie Handwerkerfamilien in vergangenen Jahrhunderten in Rothenburg lebten.

Handwerkerhaus

Umgebung von Rothenburg ob der Tauber

Detwang, nordwestlicher Stadtteil von Rothenburg, ist bekannt wegen seiner romanischen (später mehrfach veränderten) Kirche St. Peter und Paul. Sie birgt eine höchst beachtenswerte Kreuzigungsgruppe (um 1512/1513) von Riemenschneider.

Detwang

→ Hohenlohe · Taubertal, Umgebung

*Creglingen

Rottweil   E 7

Bundesland: Baden-Württemberg
Höhe: 507–745 m ü.d.M.
Einwohnerzahl: 24 000

Die älteste Stadt Baden-Württembergs und ehemalige Freie Reichsstadt Rottweil breitet sich in aussichtsreicher Lage über dem oberen Neckartal aus. Schon von weitem sieht man die mächtigen Türme der Stadt, die mit ihrer gemütlichen Atmosphäre und einigen bedeutenden Sehenswürdigkeiten den Besucher in ihren Bann zieht.

Lage und *Stadtbild

Im Jahre 73 n. Chr. gründeten die Römer hier ihren Militärstützpunkt Arae Flaviae, in dessen Umkreis bald eine Siedlung heranwuchs. Zur Zeit der Stauferkaiser entstanden die ersten Gebäude des heutigen Stadtkerns.

Geschichte

◄ *Nicht ohne Grund ist Rothenburg ob der Tauber eines der beliebtesten Ziele in Deutschland: Fachwerkhäuser, Tore und Türme drängen sich in jedem Winkel der mittelalterlichen Stadt malerisch zusammen.*

Geschichte (Fortsetzung)

1463 schloß Rottweil ein Bündnis mit der Schweizerischen Eidgenossenschaft. 1802 wurde die Stadt dem Königreich Württemberg zugeschlagen. Heute ist Rottweil Verwaltungssitz eines Landkreises, der von den Höhen der Südwestalb bis in die Täler des mittleren Schwarzwalds reicht.

**Rottweiler Narrensprung

Rottweil ist eine Hochburg der schwäbisch-alemannischen Fasnet. Der alljährlich am Rosenmontag stattfindende Narrensprung gehört zweifelsohne zu den schönsten Fastnachtsumzügen in Süddeutschland.

Wer einmal beim Rottweiler Narrensprung dabei war, weiß, warum die Stadt als Hochburg der schwäbisch-alemannischen Fasnet gilt.

Sehenswertes in Rottweil

*Heilig-Kreuz-Münster

Wichtigster Sakralbau der Stadt ist das Heilig-Kreuz-Münster, eine ursprünglich spätromanische, auf das 12. Jh. zurückgehende Pfeilerbasilika, die im 15. Jh. spätgotisch umgestaltet wurde. Kunsthistorische Schätze von Rang sind das große Kruzifix, das wohl der berühmte Veit Stoß geschaffen hat, sowie der prächtige Apostelaltar von Cord Bogentrik.

Hauptstraße

Die steile Hauptstraße mit ihren malerischen alten Häusern ist sozusagen die "gute Stube" von Rottweil. Sie wird beherrscht vom mächtigen, im 13. Jh. aus staufischen Buckelquadern errichteten Schwarzen Tor. Ein weiteres beachtliches Bauwerk an der Hauptstraße ist das Alte Rathaus mit seiner spätgotischen Schauseite und seinem kostbar ausgestatteten Ratssaal. Im Stadtmuseum gegenüber wird u.a. auch die Geschichte der Rottweiler Fasnetsmasken und -kostüme illustriert.

Dominikanerkirche

Nordöstlich unterhalb des Münsters steht die Kirche eines ehemaligen Dominikanerklosters (ab 1263). 1643 ereignete sich das "Wunder der Augenwende": die Marienstatue des Rosenkranzaltars soll geweint haben. Das Gotteshaus wurde daraufhin Wallfahrtsziel. 1750 gestaltete man es barock um.

In einem benachbarten modernen Gebäude befindet sich das Dominikanermuseum. Glanzstück seiner römischen Abteilung ist ein im 2. Jh. n. Chr. entstandenes und noch gut erhaltenes Orpheus-Mosaik. Außerdem besitzt das Museum eine hervorragende Sammlung spätgotischer Bildwerke – darunter auch Arbeiten so berühmter Meister wie Hans Multscher, Michel Erhart und Jörg Syrlin.

Rottweil (Fortsetzung) *Dominikanermuseum

Das hohe Niveau der Rottweiler Steinmetzkunst des 14. Jh.s wird in der nahen Lorenzkapelle deutlich, wo Steinplastiken aus dieser Zeit zu sehen sind. Die Kirche wurde um 1580 als Friedhofskapelle erbaut.

*Lorenzkapelle

Ein markanter Sakralbau im Südosten des Stadtkerns ist die ursprünglich gotische Kapellenkirche, die 1727 barockisiert und von Joseph Firtmair ausgemalt wurde. Ihr 70 m hoher Turm gehört mit seinem reichen figürlichen Schmuck zu den schönsten gotischen Bauzeugnissen seiner Art.

*Kapellenkirche

Südöstlich außerhalb des mittelalterlichen Stadtkerns hat man die Reste einer vermutlich unter Kaiser Trajan errichteten Thermenanlage der Römersiedlung freigelegt. Sie ist eine der größten ihrer Art in Süddeutschland.

Römerbad

Umgebung von Rottweil

In dieser im Primtal, etwa 2 km südöstlich des Stadtzentrums gelegenen Saline wurde 1824–1969 Salz gewonnen. Im "Unteren Bohrhaus" ist ein Salinemuseum eingerichtet. Die Rottweiler Sole wird heute im vielbesuchten Erlebnisbad "Aquasol" verwendet.

Ehem. Saline Wilhelmshall

Ca. zwei Kilometer südlich von Rottweil liegt die ehemalige Reichsabtei Rottenmünster, die aus einem im 13. Jahrhundert gegründeten Nonnenkloster hervorging und heute eine Heil- und Pflegeanstalt beherbergt. Sehenswert ist die Klosterkirche, die nach dem Dreißigjährigen Krieg von den Vorarlberger Barockbaumeistern Michael Thumb und Michael Beer wiederaufgebaut wurde.

Rottenmünster

Nördlich von Rottweil windet sich der Neckar durch ein landschaftlich reizvolles, steilwandiges Tal. Rund 20 km nördlich von Rottweil erreicht man das am Neckar gelegene Oberndorf (15 000 Einwohner), in dem 1811 die Königlich Württembergische Waffenfabrik gegründet wurde. Das Waffenmuseum infomiert über dieses wichtige Kapitel der Stadtgeschichte. Sehenswert ist außerdem die ehemalige Augustinerklosterkirche (18. Jh.) mit ihrer Rokoko-Ausstattung.

*Oberes Neckartal Oberndorf

13 km weiter nordöstlich folgt das Industriestädtchen Sulz (11 000 Einw.) mit einer sehenswerten Pfarrkirche (1513–1515). Schon allein wegen des Ausblicks lohnt sich ein Aufstieg zur staufischen Burgruine Albeck.

Sulz

Etwa 15 km flußabwärts blickt das hübsche Städtchen Horb (24 000 Einw.) von einem schmalen Felssporn auf den Neckar hinab. Historische Gebäude, darunter auch das 1765 erbaute, farbenprächtig bemalte Rathaus, prägen das Stadtbild. Die Heilig-Kreuz-Kirche bewahrt eine sehenswerte Kalksteinplastik aus dem frühen 15. Jh., genannt "Horber Madonna".

*Horb

Rügen · Hiddensee   K 1

Bundesland: Mecklenburg-Vorpommern

Im Rahmen dieses Reiseführers sind die Beschreibungen von Rügen und Hiddensee bewußt knapp gehalten. Ausführliche Informationen liefert der Baedeker Allianz Reiseführer "Rügen".

Hinweis

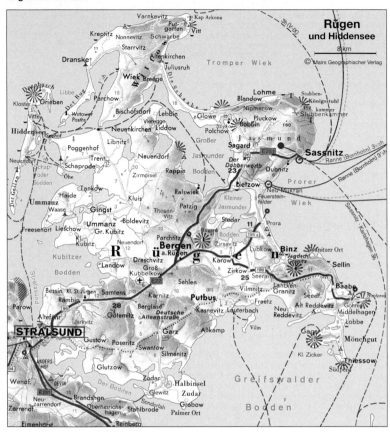

Rügen und Hiddensee

© Mairs Geographischer Verlag

8 km

Lage und Allgemeines

Die Insel Rügen ist mit ihren 926 km² die größte Insel Deutschlands und die landschaftlich schönste an der Ostseeküste. Nur durch eine weniger als 1 km breite Wasserfläche ist sie vom Festland getrennt. Die Insel war schon zur Altsteinzeit besiedelt, die beeindruckenden Hünengräber stammen aus der Jungsteinzeit (3000 – 1800 v. Chr.). Aus der Slawenzeit (8.– 12. Jh.), die mit der Christianisierung endete, sind Burgwälle erhalten. Nach dänischer und schwedischer Herrschaft kam Rügen 1815 zu Preußen. Seit 1936 verbindet der Rügendamm die Insel mit der Hafenstadt → Stralsund.

** Landschaftsbild

Die vielgerühmte Schönheit der Insel Rügen resultiert aus ihrer außerordentlichen landschaftlichen Vielfalt. Sanfte bewaldete Hügel gehen in flachere, leicht wellige Ebenen mit Wiesen und sumpfigen Mooren über. Steilküstenkliffe mit schmalen Steinstränden wechseln ab mit breiten, feinen Sandstränden an langgezogenen Buchten. Bei nur 50 km Durchmesser hat die Insel Rügen mehrere hundert Kilometer Küste aufzuweisen. Das Gelände steigt vom vorwiegend flachen, landwirtschaftlich genutzten Südwestteil der Insel nach Nordosten an, wo schließlich die berühmte Kreideküste steil ins Wasser abfällt. Zwei Binnenseen trennen den Inselkern Rügens von den Halbinseln Jasmund und Wittow: der Große und der Kleine Jasmunder Bodden.

Eine Fahrt mit dem historischen Dampfzug "Rasender Roland", der mehrmals täglich zwischen Putbus, Göhren, Binz, Sellin und Baabe hin- und
herschnauft, ist eine der Hauptattraktionen auf Rügen.

Rasender Roland

Sehenswertes auf Rügen

Die wichtigsten Orte und Landschaften werden im folgenden entlang einer
Rundfahrt beschrieben, die am Rügendamm im Südwesten der Insel beginnt und entgegen dem Uhrzeigersinn über den Inselkern und die Halbinseln Mönchgut, Jasmund und Wittow verläuft.

Große Rundfahrt

Bei der Fahrt über den 1936 gebauten Rügendamm, der einzigen Landver-
bindung zum Festland, passiert man das Inselchen Dänholm mit einem Museum, das die Marinegeschichte Stralsunds und Dänholms dokumentiert.

Rügendamm, Dänholm

Über die Deutsche Alleenstraße erreicht man die Kleinstadt Garz, wo das
Ernst-Moritz-Arndt-Museum über Leben und Wirken eines der berühmtesten Söhne Rügens, den Dichter und Historiker Arndt, informiert.

Garz

10 km östlich von Garz liegt die "weiße Stadt" Putbus, eine planmäßig angelegte, ehemalige fürstliche Residenz mit einem riesigen Schloßpark und
zahlreichen weißgetünchten klassizistischen Gebäuden, vor allem um den
kreisrunden, "Circus" genannten Platz im Nordosten der Stadt. Im Schloßpark liegen die Orangerie, in der Wechselausstellungen stattfinden, das
liebevoll eingerichtete Puppen- und Spielzeugmuseum in einem ehemaligen Affenhaus, der Marstall und ein Wildgehege. Das klassizistische Theater an der Alleestraße ist das einzige auf Rügen. Zu Beginn des 19. Jh.s
richteten die Fürsten von Putbus bei Lauterbach unweit ihrer Residenzstadt eines der ersten öffentlichen Bäder ein. Das klassizistische Badehaus
steht noch heute dort.

Putbus

Besonders zu erwähnen sind die zahlreichen vor- und frühgeschichtlichen
Zeugnisse auf der Insel Rügen. Zu diesen gehören die jungsteinzeitliche
Lietzow-Kultur, während der offenbar weite Teile Mitteleuropas mit Werk-
zeugen aus rügenschem Feuerstein beliefert wurden, sowie die vielen
Großsteingräber (Hünengräber) und die bronzezeitlichen Hügelgräber, die
belegen, daß die Insel Rügen schon seit Jahrtausenden besiedelt ist. Fünf
der eindrucksvollsten Hünengräber liegen südlich von Lancken-Granitz (in
Richtung Dummertevitz) nah beieinander in einer Wiese.

Hünen- und Hügelgräber

Die meistbesuchte Ferienregion auf Rügen ist das Küstengebiet im Südosten der Insel mit dem hübschen Ort Binz und dem südlich anschließenden Mönchgut mit den Orten Sellin, Baabe und Göhren. Entlang der Küste
zwischen Binz und Thiessow dehnen sich die schönsten Sandstrände der
Insel aus, während die Westküste des Mönchguts stark zerlappt ist und
gute Wandermöglichkeiten bietet.

Mönchgut

Der größte und attraktivste Badeort auf Rügen ist Binz mit seinem langen,
feinsandigen Strand und den vielen hübschen Häusern im Stil der Bäderarchitektur. Diese alten Villen zeichnen sich durch ihre weißgestrichenen,
reich verzierten Holzfassaden mit Balkonen, Veranden und Erkern aus. Sehenswert ist hier auch das imposante dreiflügelige Kurhaus am Strand bei
der 370 m langen Seebrücke, an der die Ausflugsschiffe anlegen.

**Binz*

Eines der reizvollsten Ausflugsziele ist das klassizistische Jagdschloß Granitz (1837–1852) südlich von Binz auf dem Tempelberg. Die als Museum
zugänglichen historischen Räume des mittelalterlich anmutenden Schlosses geben einen Einblick in den fürstlichen Lebensstil des 19. Jahrhunderts. Vom Aussichtsturm des Schlosses, auf den eine kostbare gußeiserne Wendeltreppe hinaufführt, hat man eine wunderbare Aussicht über
die Insel bis nach Stralsund auf dem Festland.

Jagdschloß Granitz

Kleine Geschichte der Ostseebäder

Ein jeder Besucher in Binz, Ahlbeck, Boltenhagen oder Heringsdorf hat sie schon einmal entdeckt, jene etwas hinfälligen angegrauten Holzbalkone, welche die meisten der hiesigen Altbauten schmücken. Sie stammen aus einer Zeit, die 'Belle Epoque' genannt wird und in der die Ostseebäder nicht nur um der Gesundheit willen, sondern auch der gesellschaftlichen Ereignisse wegen aufgesucht wurden – galten ihre Kurpromenaden vor Zeiten doch als sommerliche Verlängerung des "Ku'dammes an die See".

Angefangen hatte alles mit der Aufklärung in England: Als um 1750 englische Ärzte die Meerwasserkur als neuartiges Mittel gegen Haut- und Lungenkrankheiten empfahlen, entstanden an der Kanalküste in Brighton und Margate die ersten Badeorte. An der deutschen Ostseeküste machte 1793 Bad Doberan den Anfang, wo der Herzog von Mecklenburg-Schwerin auf Anraten seines Leibarztes Samuel Gottlieb Vogel auf dem "Heiligen Damm" ein Kurhaus errichten ließ. Durch die Schirmherrschaft des Fürsten wurde dem Bad bald Publicity und Bedeutung zuteil, und es avancierte vom Nest mit hundert Seelen zum bevorzugten Sommertreffpunkt des Adels.

Nach dem raschen Erfolg von Doberan folgten auch andere Orte diesem Beispiel. Auf Rügen legte Fürst Malte 1816 in Putbus nach dem Vorbild des englischen Seebads Bath quasi eine kleine Stadt um ein Rondell an. Wie im Fall von Bad Doberan, das Fürst Malte kurz zuvor auf einer Reise kennengelernt hatte, erhielt auch Putbus eine "Dependance" am Meer in Form des klassizistischen Badehauses in Lauterbach. Das Baden im Meer wurde zwar im Laufe des Jahrhunderts allgemein üblich, bereitete aber der prüden Gesellschaft dieser Zeit doch Probleme, die man schließlich mit Hilfe der ins Wasser gelassenen Badekarren löste.

Immer mehr Pensionen und Kurhäuser entstanden nunmehr auch in privater Regie. So nahmen die Fischer von Ahlbeck ihr Schicksal selbst in die Hand und begannen, ihr Dorf zur Sommerfrische auszubauen. In anderen Orten schlossen sich bürgerliche Aktionäre zu Kurvereinen zusammen. Natürlich wandelte sich damit auch das Gesicht der Küstenorte grundlegend. So manche Fischerkate machte plötzlich Karriere als Pension, und zunehmend verliehen villenartige Gästehäuser den ehemals idyllischen Dörfern einen städtischen Charakter.

Nach der Reichsgründung 1871 erlebte die Ostseeküste einen regelrechten Boom, und die provinziellen Sommerfrischen verwandelten sich in exklusive Modebäder. Neue Zugverbindungen nach Berlin taten das ihrige, um die Besucherzahlen in die Höhe schnellen zu lassen. Vor allem Rügen und Usedom profitierten vom Berliner Publikum. Auf den zunehmenden Andrang reagierte man prompt und legte Stege, Badeanstalten, Tennisplätze und Promenaden an. Als um 1900 die erste Generation der Kureinrichtungen veraltet oder zu klein war, entstanden die imposanten Kurhäuser, die sich, wie in Binz, als mehrflügelige Anlagen im Stil barocker Gutshäuser präsentierten. Eine neue, internationale Architektursprache zeigten dagegen die eher seltenen Bauten aus den zwanziger Jahren, deren sachliche Schlichtheit den an Heimatmotiven orientierten Stil des Kaiserreiches ablöste. So entstand der funktionalistische Flachdachbau des Kurhauses in Warnemünde bei Rostock 1928 nicht zuletzt auch als moderne Antwort des westlichen Ostseebades auf die traditionsreichen älteren Bäder.

In ganz anderen Dimensionen plante man im Rahmen der kollektivierten Sommerfrische im Dritten Reich. Mit dem KdF-Bad Prora sollte ein gigantischer Komplex mit kasernenhaften Ferienunterkünften aus dem Boden gestampft werden: 20 000 "Volksgenossen" auf einen Schlag sollten dort nach Hitlers Vorstellungen "Kraft durch Freude" tanken können. Doch das Projekt blieb im Bau stecken und geriet so zum immer noch gigantomanen steinernen Zeugen der Vereinnahmung des einzelnen durch den Nationalsozialismus.

Die Wende 1989 bedeutete auch für den Ostseetourismus eine kleine Revolution, die das Gesicht der Badeorte bereits verändert hat und weiterhin verändern wird. Ein Beispiel für viele ist das ehemals von der Stasi scharf bewachte Funktionärsgästehaus bei Sellin, das seine Auferstehung als Nobelherberge feierte. Vieles von dem, was man früher nicht als Be-

Badevergnügen in Binz um 1910: Im Familienbad durften Männer und Frauen – züchtig und zugleich modisch gekleidet – sogar gemeinsam planschen!

In der DDR hatte die individuelle Sommerfrische dem Gemeinschaftserlebnis im Ferienheim des volkseigenen Industriekombinats zu weichen. Für die neuen Belange wurden die bourgeoisen Hotels eher glanzlos umgebaut, daneben entstanden Bungalowkolonien und Zeltplätze, die zum bescheideneren Urlaub paßten. Selbst Prora wurde teilweise wieder belegt. Wie immer man diese verordnete Verbundenheit mit Arbeitsplatz und Brigade auch werten mag, die "volkseigenen" Ostseebäder entgingen dadurch dem Schicksal, das ihre westdeutschen Vettern ereilte. Während man in Kiel oder Travemünde im Wirtschaftswundertaumel ohne Bedenken die Küste zubetonierte, bewahrten jene aus ökonomischem Mangel ihren historischen Charakter.

sonderheit betrachtete, sondern vielleicht als selbstverständlich wahrgenommen hatte, wird heute als Kulturgut entdeckt, so z. B. die berühmten Alleen, die auch abseits der werbewirksamen "Alleenstraße" geschützt werden sollen, oder die Seebrücken, die früher fast jeden Badeort schmückten und heute nach und nach wiederaufgebaut werden – und nicht nur das: Wie das Beispiel Heringsdorf zeigt, geraten sie zu regelrechten Vergnügungs- und Einkaufsstraßen. Bleibt zu hoffen, daß man sich im Zuge eines gewachsenen Denkmalbewußtseins auch auf die Architektur der Vergangenheit besinnt, vor allem dort, wo eine Renovierung aufwendiger sein wird als ein Neubau; denn schließlich harren die vor sich hin rottenden Holzbalkone noch ihrer Rettung.

Kilometerlange weiße Sandstrände locken jedes Jahr mehrere tausend Urlauber auf die Insel Rügen.

Sellin und Baabe

Südlich von Binz liegen dicht beieinander die Badeorte Sellin und Baabe. Sellin mit seinen hübschen Villen im Stil der Bäderarchitektur liegt oberhalb einer 40 m hohen Steilküste. Eine breite Holztreppe führt hinab zum Strand und zu einer wiederhergestellten historischen Seebrücke. Der feinsandige Strand zieht sich südwärts bis zum Badeort Baabe, einer kleineren Ortschaft, die sich ursprünglich am westlich gelegenen Selliner See entwickelte und sich erst im Zuge des Badetourismus zum Strand hin ausdehnte.

∗Göhren

Das Ostseebad Göhren liegt auf einer weit ins Meer vorspringenden, bewaldeten Landzunge, wodurch es einen Hauptstrand im Norden und einen Südstrand gibt. Vier hübsche Museen lohnen hier den Besuch, die alle zu den sog. Mönchguter Museen gehören und in denkmalgeschützten Gebäuden, z. B. in alten Fischer- und Bauernhäusern, untergebracht sind. Die Museen, nämlich der Museumshof Ecke Strandstraße/Nordperdstraße, das Heimatmuseum, das liebevoll restaurierte Rookhuus (Rauchhaus) und das Museumsschiff am Südstrand, dokumentieren jedes auf seine Weise anschaulich Alltag und Arbeitswelt der Bauern, Handwerker, Fischer und Schiffer des Mönchguts während der letzten Jahrhunderte.

Middelhagen Groß Zicker

Im Süden des Mönchguts sind vor allem das Schulmuseum in Middelhagen und der abgelegene Ort Groß Zicker mit dem Pfarrwitwenhaus aus dem 18. Jh. sehenswert. Von hier aus bieten sich Wandermöglichkeiten über die sanft geschwungenen Zickerschen Berge zur Westspitze der Landzunge an.

Prora auf der Schmalen Heide

Nördlich von Binz stellt die Schmale Heide die Verbindung zur Halbinsel Jasmund dar. An der Ostküste der Schmalen Heide dehnt sich ein breiter Sandstrand aus. Hier liegt auch ein gigantischer, 4,5 km langer Betonbau, der als Ferienanlage von den Nationalsozialisten geplant, aber nur zum Teil fertiggestellt wurde. Die zukünftige Nutzung ist noch ungewiß; heute sind

*Die leuchtend weiße Kreideküste von Rügen ist das Wahrzeichen
der Insel. Herrliche Aussichten kann man vom Schiff, vom Strand
und vom Hochuferweg aus genießen.*

dort u.a. das "Museum zum Anfassen", das die technischen Errungenschaften des 19. und 20. Jh.s anschaulich erklärt, das "Prora-Museum",
das den Bau und die Nutzung des Gebäudekomplexes zu DDR-Zeiten
dokumentiert, und das Eisenbahn- und Technik-Museum mit einer Sammlung von Lokomotiven, Pkw-Oldtimern, Feuerwehrautos u.a. untergebracht.

Prora auf der
Schmalen Heide
(Fortsetzung)

Kurz vor Neu-Mukran beginnt ein Wanderweg, der in westlicher Richtung
zu den Feuersteinfeldern führt. Aus den Feuersteinen stellten die Menschen
der Steinzeit Werkzeuge her und erzeugten Funken zum Feuermachen.

Feuersteinfelder

Die Halbinsel Jasmund besteht aus mächtigen Kreideschichten, die ihren
höchsten Punkt am Piekberg (161 m) haben und an der Ostküste steil zum
Meer hin abfallen. Diese weiß leuchtende Kreideküste, die sog. Stubben-
kammer, ist die bekannteste Sehenswürdigkeit und das Wahrzeichen Rügens, die schon Caspar David Friedrich in einem berühmt gewordenen Öl-
gemälde (nach 1818) festhielt. Schöne Wanderwege führen zum einen
durch den Buchenwald der Stubnitz (Hochuferweg) und zum anderen unten an der Kreideküste entlang. Zu erwandern ist dabei die gesamte Strek-
ke vom berühmtesten Aussichtspunkt der Kreideküste, dem Königsstuhl
(119 m) im Nordosten, bis nach Sassnitz im Süden.

Halbinsel Jasmund
**Kreidefelsen

Sassnitz ist international bekannt durch seinen Fährhafen für die Ostsee-
Fährlinien nach Schweden und ins Baltikum. Die zweitgrößte Stadt auf Rü-
gen ist außerdem ein guter Ausgangspunkt für Wanderungen entlang des
Hochufers zur nördlich anschließenden Kreideküste. Auch oberhalb der
Stadt leuchten Kreidewände von ehemaligen Brüchen; auf der Höhe befin-
det sich ein bronzezeitliches Hügelgrab. Hübsch ist der Fischereihafen der
Stadt, von dem aus die Strandpromenade zum alten Kern von Sassnitz am
östlichen Stadtrand führt.

Sassnitz

**Glowe und
Schloß Spyker**

An der Nordwestspitze der Halbinsel Jasmund liegt der Fischer- und Bade-ort Glowe. Der wunderbare lange Sandstrand von Glowe zieht sich entlang der schmalen Landbrücke, der sog. Schaabe, die die Verbindung zwischen den Halbinseln Jasmund und Wittow herstellt, bis nach Juliusruh auf Wit-tow. 4 km südöstlich von Glowe liegt auf der Strecke nach Sagard das Schloß Spyker, ein dunkelrot getünchter, dreigeschossiger Backsteinbau mit vier runden Ecktürmen (16. Jh.), in dem heute ein Hotel und ein Restaurant untergebracht sind.

**Halbinsel Wittow
*Kap Arkona**

Die nördlichste Halbinsel Rügens ist Wittow. Sie trägt auf ihrer nordöstli-chen Spitze den Leuchtturm von Kap Arkona (46 m) und unmittelbar dane-ben den kleineren Schinkelturm, in dem ein Museum u.a. über die Ge-schichte des Leuchtfeuers seit der Antike informiert. Von der Aussichts-plattform des Schinkelturms hat man eine weite Sicht über die Insel. Der Marinepeilturm hundert Meter weiter östlich beherbergt ebenfalls ein klei-nes Museum und ein Aussichtsplateau. Der Hügel hinter dem Turm ist der Rest des Walls der slawischen Jaromarsburg, in der sich bis zu ihrer Er-oberung und Zerstörung durch die Dänen (1168) das Hauptheiligtum der hier ansässigen Westslawen befand.

*Vitt

Wandert man vom Kap Arkona die Küste entlang nach Süden, stößt man auf das denkmalgeschützte Bilderbuchdörfchen Vitt, ein altertümliches Fischerdorf, das versteckt in einer windgeschützten Bucht liegt.

Altenkirchen

In Altenkirchen auf Wittow steht eine beachtenswerte gotische Basilika mit einem spätromanischen Taufstein und Gesichtsmasken, einem spätgoti-schen Triumphkreuz und einem slawischen Grabstein (vor 1168).

Gingst

An der schmalsten Stelle zwischen Wittow und Zentralrügen verkehrt eine Autofähre. Südlich davon lohnt in Gingst der Besuch der Historischen Handwerkerstuben, ein liebevoll gestaltetes Museum zur Geschichte des Dorfhandwerks.

Waase

Westlich von Gingst liegt auf der Insel Ummanz, auf die eine Brücke führt, das Fischerdorf Waase. Die Dorfkirche birgt den kostbaren Antwerpener Schnitzaltar von 1520, dessen kunstvoll geschnitzte Figuren fast vollstän-dig mit Blattgold überzogen sind.

Bergen

In der Kreisstadt Bergen lohnt die im 14. Jh. zur gotischen Hallenkirche ausgebaute Kirche St. Marien (um 1180 begonnen) einen Besuch. Nach dem Vorbild des Lübecker Domes errichtet, zählt sie zu den herausragend-sten Beispielen norddeutschen Backsteinbaus. Besonders eindrucksvoll ist der Wandgemäldezyklus (13. Jh.) in Chor und Querschiff, der Szenen aus dem Alten und Neuen Testament zeigt. Ein lohnenswerter Spaziergang führt zum Ernst-Moritz-Arndt-Turm auf dem Rugard (90 m), von dem aus man eine schöne Aussicht über die Insel hat.

Sehenswertes auf Hiddensee

**Allgemeines und
*Landschaftsbild**

Die kleine, langgestreckte Ostseeinsel Hiddensee ist der Insel Rügen west-lich vorgelagert und nur mit dem Schiff von Stralsund oder der Insel Rügen aus erreichbar. Die rund 1300 Einwohner der 17 km langen und an man-chen Stellen nur 125 m breiten Insel leben in den vier Orten Kloster, Grie-ben, Vitte und Neuendorf-Plogshagen. Bekannt ist die autofreie Insel für ihre reizvolle naturgeschützte Landschaft mit einzigartiger Flora und Fau-na, für ihre schönen Sandstrände entlang der Westküste und für ihre hüb-schen Dörfer. Wer von einem Ort zum anderen gelangen will, muß sich auf ein Farrad schwingen – Fahrradverleihe gibt es zuhauf – oder eine Kutsche besteigen. Seit die Insel um 1880 von Künstlern, z. B. von Gerhart Haupt-mann, Käthe Kruse, Bert Brecht und Franz Kafka als Feriensitz entdeckt wurde, entwickelte sie sich zu einem beliebten Erholungsgebiet.

Mitten in Kloster, dem ältesten Ort der Insel, befindet sich Gerhart Haupt- manns ehemaliger Sommersitz, der zum Hauptmann-Museum umgestal- tet wurde; auf dem Friedhof bei der hübschen Inselkirche hat der Dichter (1862–1946) seine letzte Ruhestätte gefunden. Der Ort, im Nordteil Hidden- sees gelegen, geht auf eine 1297 erfolgte Klostergründung zurück. Nörd- lich von Kloster steigt das Gelände zum sanft-hügeligen Dornbusch an, wo sich ein schöner Rundblick auf die Bodden und Hügelzüge Rügens bietet. An der Westküste des Dornbuschs ragt ein Leuchtturm auf.

Südlich von Kloster liegt Vitte, der größte Ort Hiddensees, dessen Name sich von einem mittelalterlichen Heringsanlandeplatz (Vitt) ableitet. Beim Ortseingang liegt die Blaue Scheune, ein blaugestrichenes, 200 Jahre altes Backhaus (heute Galerie), wenig entfernt ragt die ihrer Flügel beraubte Windmühle von Vitte auf. Östlich des Ortes erstreckt sich ein feiner, langer Sandstrand. Südlich von Vitte beginnt das Naturschutzgebiet Dünenheide, eine schöne Heidelandschaft mit bis zu vier Meter hohen Dünen. Mit ihrem Schutz wird ein Stück der einzigartigen Küstenheidevegetation der Insel vor den Eingriffen des Menschen bewahrt (Wanderwege).

Vitte

Der südlichste Ort Hiddensees, Neuendorf-Plogshagen, entstand erst um 1700, bietet aber mit seinen weißgestrichenen Häusern, die ohne abge- grenzte Wege mitten auf dem grünen Rasen stehen, ein reizvolles Sied- lungsbild.

Neuendorf-
Plogshagen

Ruhrgebiet

C/D 4

Bundesland: Nordrhein-Westfalen

Das Herz der deutschen Schwerindustrie schlägt nach wie vor in der Re- gion, die in etwa im Süden von der Ruhr, im Norden von der Lippe und im Westen vom Rhein begrenzt wird; im Osten markiert die Stadt Hamm den äußersten Rand. Das Ruhrgebiet ist der größte deutsche und europäische Industriebezirk, in dem auf rund 4400 km^2 über 5 Mio. Menschen leben. Die wirtschaftliche Bedeutung des Ruhrgebiets leitete sich ursprünglich vom Steinkohlebergbau und den damit verknüpften Industrien, besonders der Eisen- und Stahlindustrie, her. Der Bergbau holte sich Mitte des 19. Jh.s verstärkt Bergleute aus Polen, so daß polnische Namen – Kowal- ski, Szymaniak oder Kasperski – noch heute an vielen Türklingeln zu lesen sind. "Stahlbarone" wie Krupp und Thyssen bauten sich hier ihre Firmen- imperien auf. Heute allerdings ist der zitierte Herzschlag langsamer gewor- den – im Revier vollzieht sich ein Strukturwandel, der Handel und Dienst- leistungen neben die alten Industrien treten läßt und sie mancherorts be- reits überflügelt hat. Ein dichtes Netz von Straßen, Eisenbahnlinien und Wasserwegen durchzieht das Revier, in dem Siedlungen und Industriean- lagen weithin ohne deutliche Grenzen ineinander übergehen. Dennoch bietet das Ruhrgebiet zahlreiche Erholungsmöglichkeiten an vielen Stauseen und Revierparks. Für den Touristen von außerhalb ist das Ruhrgebiet vor allem wegen seiner technischen Sehenswürdigkeiten – noch in Betrieb befindli- che Industrieanlagen und Museen – attraktiv.

Lage und
Bedeutung

Die historische Entwicklung des Ruhrgebiets vollzog sich im Gefolge des Steinkohlenbergbaus von Süden nach Norden, da die kohlenführenden Schichten im Süden unmittelbar zutage treten und dort leicht abzubauen waren, nach Norden hin jedoch von anderen Schichten überlagert sind. Dies hat zu einer Gliederung in Zonen geführt, die noch heute spürbar ist: Im Süden erstreckt sich die Ruhrzone, zu der u.a. Witten gehört, dann folgt die Hellwegzone mit → Essen, → Bochum und → Dortmund; im Norden schließt sich die Emscherzone an, der z. B. Gelsenkirchen und Oberhau- sen zuzurechnen sind. Hinzu kommen die Lippezone (u. a. Recklinghausen und Marl) und das niederrheinische Revier.

Räumliche
Gliederung

Ruhrgebiet

Witten

Die Ruhrzone bei Witten hat sich zu einer Wohn- und Erholungslandschaft entwickelt. Neben dem Ruhrtal mit der Burgruine Hardenstein und dem Freizeitpark Hohenstein – dort steht ein Wasserkraftwerk von 1925 – lohnt besonders das Muttental südlich der Ruhr einen Besuch, wo es einen bergbaugeschichtlichen Rundweg gibt. Wer den Stationen dieses Weges folgt, sieht Zechen, Stollen, Abraumhalden, ein Steigerhaus und andere für den frühen Bergbau typische Erscheinungen aus nächster Nähe – heute allesamt technische Denkmäler.

*Bergbaurundweg
Muttental

Mülheim an
der Ruhr

Am Übergang vom Rheinischen Schiefergebirge zur Niederrheinischen Tiefebene liegt die Stadt Mülheim, durch welche die Ruhr fließt. In der Altstadt, deren Mittelpunkt der Kirchenhügel mit der katholischen Kirche St. Mariä Geburt und der evangelischen Petrikirche bildet, sind noch einige Fachwerkhäuser erhalten. Sehr originell ist das Deutsche Büromuseum im Rathausturm, das vor allem mit seiner Sammlung noch funktionstüchtiger alter Büromaschinen beeindruckt.

*Deutsches
Büromuseum

Sehenswert ist Schloß Broich in Mülheim-Broich, eine Anlage, deren Geschichte sich bis in die Karolingerzeit zurückverfolgen läßt. 1965 – 1969 wurden bei Ausgrabungen innerhalb der Ringmauer Fundamente und Mauerreste einer ausgedehnten Befestigungsanlage entdeckt. Seit der Restaurierung nutzt man den Rittersaal für festliche Empfänge.

Eine Attraktion für Kinder und Erwachsene ist die "Camera Obscura" in der Kuppel des Broicher Wasserturms. Im Stadtbereich von Mülheim lohnen ferner das "Aquarius Wassermuseum", ebenfalls in einem alten Wasserturm untergebracht, und das "Haus Ruhrnatur" einen Besuch. In letzterem kann man sich über das Flußbett der Ruhr sowie über Flora und Fauna des Ruhrtals informieren.

Oberhausen

Nordwestlich von Mülheim liegt Oberhausen, die "Wiege der Ruhrindustrie". Neben der Schwerindustrie haben in den letzten Jahren Branchen

*Europas größter Einkaufspark CentrO, der zugleich ein
Freizeitzentrum ist, wurde 1996 in Oberhausen eröffnet.*

wie Maschinenbau und Elektrotechnik wirtschaftliche Bedeutung gewonnen. Als überregional bedeutendes Ereignis gelten die "Internationalen Kurzfilmtage", die jährlich im Frühjahr stattfinden.
Für den kulturell Interessierten lohnt ein Besuch der Städtischen Galerie in Schloß Oberhausen. In der denkmalgeschützten ehemaligen Zinkfabrik Altenberg hat im August 1997 ein neues Industriemuseum eröffnet. Die Dauerausstellung zeigt auf 3500 m^2 die Geschichte der Schwerindustrie von 1850 bis heute. Neun Abteilungen beschäftigen sich mit der Entwicklung der Stahl- und Eisenindustrie. Im Stadtteil Osterfeld liegt die alte Wasserburg Vondern, die heute als Bürgerzentrum genutzt wird. Nordwestlich vom Zentrum erstreckt sich der Revierpark Vonderort mit zahlreichen Freizeiteinrichtungen. 1996 eröffnete in Oberhausen das CentrO, das als Europas größter Einkaufspark gilt.

Bottrop, am Nordrand des Reviers zwischen Oberhausen und Gelsenkirchen gelegen, gilt als die Revierstadt mit dem größten Anteil an Grünflächen. Andererseits ist Bottrop Standort einer der größten und modernsten Koksereien der Welt. In den 146 Öfen der Kokserei Prosper werden jährlich 2 Mio. Tonnen Koks erzeugt.

Bottrop

Im Zentrum von Bottrop liegt der ruhige Stadtgarten. In diesen eingebettet ist das Museumszentrum Quadrat. Es beherbergt das Museum für Ur- und Ortsgeschichte sowie die Moderne Galerie (Ausstellungen) und das Josef-Albers-Museum mit Werken des Malers Josef Albers (1888–1976), der in Bottrop geboren wurde. Da Josef Albers durch Bilder zu Ruhm gelangte, die ineinander verschachtelte Quadrate zeigen, erhielt die Einrichtung den Namen "Quadrat". Im Mai und September ist ganz Bottrop auf den Beinen: In diesen Monaten findet der auf das 15. Jh. zurückgehende Pferdemarkt statt. Im Jahr 1996 wurde in Bottrop Deutschlands bislang teuerster Freizeitpark "Warner Bros. Movie World" eröffnet. Unter den mehr als 25 Attraktionen sind auch ein Flugsimulator, Multimedia-Spektakel und eine Wildwasserbahn.

*Museumszentrum Quadrat

Gelsenkirchen, eine Stadt mit 293 000 Einwohnern am Rhein-Herne-Kanal, ist Mittelpunkt des Emscher-Lippe-Raums. Die Stadt versucht durch Ansiedlung von Unternehmen der verschiedensten Branchen, darunter Maschinenbau und chemische Industrie, Voraussetzungen dafür zu schaffen, daß sich die Menschen, die ihre Arbeit im Bergbau verloren haben, eine neue Existenz aufbauen können. Vielbesuchte Freizeiteinrichtungen sind das Sport-Paradies, das Parkstadion, Heimat des Fußballklubs Schalke 04, und der Ruhrzoo. In Gelsenkirchen-Buer befinden sich die Wasserburg Schloß Berge und das Städtische Museum mit Werken deutscher und französischer Impressionisten und deutscher Expressionisten. Ferner sind Plastiken von Rodin und Barlach sowie kinetische Objekte zu sehen.
Im westlichen Stadtteil Horst steht Schloß Horst, das 1552–1578 im Renaissancestil errichtet wurde. Von der ursprünglichen Vierflügelanlage blieben nur der Dienerflügel und das Erdgeschoß des Herrenflügels erhalten; dort sind einige Plastiken aus früheren Bauperioden aufgestellt.

Gelsenkirchen

Mit einem Einzugsgebiet von rund 650 000 Menschen ist Recklinghausen der wirtschaftliche und kulturelle Mittelpunkt des nördlichen Ruhrgebiets an der Schwelle zum südlichen Münsterland.

Recklinghausen

Die größte Sehenswürdigkeit der Stadt ist das Ikonenmuseum, das 1956 eröffnet wurde. Es vermittelt einen Überblick über die Ikonenmalerei und die Kleinkunst der Ostkirche. Die Malschulen Rußlands sind mit hervorragenden Meisterwerken vom 13.–19. Jh. vertreten. Aus Griechenland und den Balkanstaaten werden charakteristische Bildgruppen gezeigt. Mehr als 600 Ausstellungsstücke – Ikonen, Miniaturen, Holz- und Metallarbeiten – veranschaulichen die stilistische und thematische Vielfalt. (Öffnungszeiten: Di.–Fr. 10.00–18.00, Sa. und So. 11.00–17.00 Uhr). Recklinghausen ist bekannt für die alljährlich stattfindenden Ruhrfestspiele, die 1948 gemeinsam von der Stadt und dem Deutschen Gewerkschaftsbund ins Leben gerufen wurden.

**Ikonenmuseum

Ruhrgebiet

Marl

*Glaskasten

Nordwestlich von Recklinghausen liegt die Stadt Marl. Im Industrie- und Technologiepark Marl-Frentrop haben sich um das "TechnoMarl" und den Gewerbehof "high t park" mittelständische Unternehmen angesiedelt. Das kulturelle Leben wird u.a. von dem Sinfonieorchester "Philharmonica Hungarica" und dem Skulpturenmuseum "Glaskasten" geprägt . Es ist ein Museum ganz besonderer Art: In einer jederzeit zugänglichen Grünanlage sind rund 60 Großplastiken zu bewundern – darunter Werke moderner Klassiker wie Max Ernst und Hans Arp und Arbeiten zeitgenössischer Künstler wie Richard Serra und Alf Lechner. Vor dem Stadttheater befindet sich Europas größte Skulptur: "La Tortuga", geschaffen von dem Aktionskünstler Wolf Vostell (geb. 1932 in Leverkusen), ist eine auf den Kopf gestellte Lokomotive in einer begehbaren Betongruft.

Hamm

*Gustav-Lübcke-Museum

*Maximilianspark

Hamm, im Nordosten des Ruhrgebiets gelegen, wurde durch die kommunale Neugliederung 1975 zu einer der flächengrößten deutschen Städte. Neben einigen restaurierten Bürgerhäusern in der Altstadt bildet besonders das nach dem Kunsthändler Gustav Lübcke benannte Museum eine Attraktion. Die Kunstsammlung ist in einem Neubau (Kirchstraße) untergebracht, der von Jørgen Bo und Vilhelm Wohlert entworfen wurde. Diese Architekten hatten sich bereits mit dem Louisiana-Museum bei Kopenhagen einen Namen gemacht. Zu den Schwerpunkten des Museums gehört auch eine Sammlung zeitgenössischer Kunst der Nachkriegszeit.

Für die erste nordrhein-westfälische Landesgartenschau (1984) wurde auf dem Gelände der ehema-

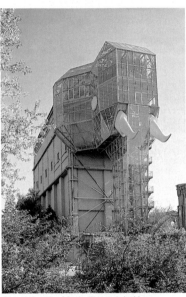

Glaselefant im Maximilianpark in Hamm

ligen Zeche Maximilian ein Freizeitpark mit Veranstaltungs- und Kongreßzentrum angelegt. Wo früher Bergleute arbeiteten, zeigen sich heute Teiche, Blumenareale, ein ökologischer Schulgarten sowie diverse Spiel- und Sportstätten. Aus der einstigen Waschkaue machte der Hammer Künstler Horst Rellecke mittels einer Stahl-Glas-Konstruktion einen riesigen begehbaren "Elefanten". Im Park gibt es außerdem ein großes Schmetterlingshaus und ein regionales Eisenbahnmuseum mit einer Simulationsanlage eines Lokführerstandes.

Wasserburg Heessen

An einem Nebenarm der Lippe liegt im Stadtteil Heessen die dreieckige Wasserburg Heessen (jetzt Internat). Am heutigen Standort erbauten die Ritter von der Recke eine gotische Anlage, die später durch barocke und klassizistische Erweiterungen verändert wurde. Die neugotische Kapelle ist ein Werk des englischen Architekten Sidney Tugwell.

Wasserschloß Oberwerries

Das Haupthaus des barocken Wasserschlosses (um 1690) im Stadtteil Hamm-Werries wurde durch den Baumeister Ambrosius von Oelde errichtet. Das Schloß, das sich heute im Besitz der Stadt befindet und zwischen 1972 und 1975 saniert wurde, wird bei festlichen Anlässen und zu Repräsentationszwecken genutzt.

Saaletal   H 5

Bundesländer: Thüringen und Sachsen-Anhalt

Die Saale entspringt im Fichtelgebirge und folgt in einem tiefen, gewunde-   Verlauf
nen Tal zunächst der Abdachung des → Frankenwaldes und des Thüringi-   der Saale
schen Schiefergebirges nach Nordwesten, verläßt dieses Gebirge bei Saalfeld und biegt dann im Vorland in nordöstliche Richtung ab. Bei Weißenfels
erreicht sie die Leipziger Tieflandbucht und mündet nach einem Lauf von
427 km Länge bei Barby – unterhalb von Calbe – in die Elbe. Ihr Einzugsgebiet umfaßt nicht nur das Thüringische Schiefergebirge und den nordöstlichen Teil des → Thüringer Waldes, sondern auch das gesamte Thüringer Becken, den östlichen → Harz und sein Vorland sowie das → Vogtland
und einen Teil der Leipziger Tieflandbucht.
Das Tal der Saale gliedert sich in drei Abschnitte: den Oberlauf von der
Quelle bis Saalfeld, den Mittellauf durch das Randgebiet des Thüringer
Beckens und den Unterlauf ab Weißenfels bis zur Mündung in die Elbe.

Oberes Saaletal

Das Tal der oberen Saale ist in das Thüringische Schiefergebirge einge-   *Landschaftsbild
schnitten, das 500 bis 650 m aufragt. Durch die steil eingelassenen Tal-
mäander kommt der Gebirgscharakter dieser Region überhaupt erst zum
Tragen: So entstehen die gegensätzlichen Landschaftsbilder, die dem oberen Saaletal seinen besonderen Reiz verleihen. Heute bildet die Obere
Saale zwischen Blankenstein und Saalfeld eine Kette von Stauseen. Nur
wenige Kilometer des oberen Saaletals lassen noch jene Urtümlichkeit erkennen, die für die Saale jahrhundertelang kennzeichnend war, als sie der
Flößerei des Holzes aus dem Mittelgebirge diente. Das Gebiet an der Oberen Saale wurde wegen seiner landschaftlichen Vielfalt zum Naturpark
"Thüringer Schiefergebirge/Obere Saale" erklärt.

Der oberste der fünf Saalestauseen, die Bleilochtalsperre, ist mit einem   *Bleilochtalsperre
Fassungsvermögen von 215 Mio. m³ Wasser die größte Talsperre Deutsch-
lands. Ihre mächtige Staumauer bei Saalburg ist 59 m hoch. Unterhalb der
Staumauer liegt das Ausgleichsbecken Burgkammer. Dann folgt saale-
abwärts das Ausgleichsbecken Grochwitz, das als Unterbecken für das
Speicherkraftwerk Wisenta entstand.

Die Stadt Lobenstein liegt im Thüringer Schiefergebirge nahe der Bleiloch-   Lobenstein
talsperre. Von 1557 bis 1918 gehörte die Stadt zum Fürstentum Reuß, etwa
200 Jahre lang war sie Residenz des Hauses Reuß-Lobenstein. Von der
Burg auf dem Burgberg blieb der als Aussichtsturm begehbare Bergfried
erhalten. Im Mittelpunkt der Altstadt liegt der rechteckige Marktplatz mit
dem Rathaus. In der Nähe steht das Schloß, ein Barockbau, der bis 1824
als preußische Residenz diente. In der Stadtkirche St. Michaelis sollte man
die Altarwand in Enkaustik-Technik (1976) von Friedrich Popp beachten.

Eine Bootsfahrt saaleabwärts führt nach Saaldorf, zum Aussichtspunkt   Saaldorf
"Heinrichstein" und zur Staumauer der Bleichlochtalsperre. In Saaldorf
steht das Jagdschlößchen "Waidmannsheil" mit einer Parkanlage.

In Ebersdorf, 6 km nördlich von Lobenstein, sind das Barockschloß mit   Ebersdorf
seiner klassizistischen Säulenfront und der Schloßpark sehenswert. Im
Park befindet sich ein von Ernst Barlach entworfenes Grabmal.

Saalburg, einige Kilometer flußabwärts am Ostufer des Sees der Bleiloch-   Saalburg
talsperre gelegen, besitzt noch eine teilweise erhaltene Stadtmauer mit
Wehrtürmen sowie Reste des Bergfrieds der einstigen Burg. Die Fürstenloge ist das sehenswerteste Stück der gotischen Stadtkirche.

Saaletal

Schleiz

Die ehemalige Residenzstadt Schleiz liegt 35 km südlich von → Gera in einer Talmulde der Wisenta, einem Nebenfluß der Saale. Die Stadt im thüringischen Schiefergebirge, die sich im 12. Jh. aus einem slawischen Dorf entwickelte, gilt als Tor zur Schleizer Seenplatte. Bekannt wurde sie besonders durch die Motorradrennstrecke "Schleizer Dreieck". In Schleiz wurde Johann Friedrich Böttger (1682–1719), der Erfinder des europäischen Porzellans, geboren, außerdem war die Stadt eine Zeitlang Wirkungsstätte von Konrad Duden (1829–1911). Das Stadtbild wird von der Pfarrkirche St. Georg dominiert. Die Alte Münze am Neumarkt ist der älteste Profanbau der Stadt (16. Jh.), in dem sich eine Gedenkstätte für Johann Friedrich Böttger befindet. Außerhalb von Schleiz steht die Bergkirche. Ihr 1635 vollendeter Altar trägt das Motiv des Pelikans, der sich für seine Jungen opfert, Symbol für das Leiden Christi für die Menschen. Das Epitaph vor der Turmkapelle wurde im 17. Jh. von Hans Balbierer geschaffen und von Paul Keil bemalt.

Schloß Burgk

In Burgk, westlich von Schleiz, erhebt sich auf einem Bergrücken über der Saale Schloß Burgk (1403), das ehemalige Jagd- und Sommerschloß der Fürsten Reuß älterer Linie. Zu sehen sind Reste der mittelalterlichen Wehranlagen mit Zwinger und Hungerturm, der Rittersaal mit bemalter Decke, die Schloßkapelle mit einer Silbermann-Orgel (1743), ein Jagdzimmer und mehrere Prunkzimmer mit kostbarem Inventar. In der historischen Schloßküche (um 1600) steht der größte Kamin Deutschlands.

Zeulenroda

In Zeulenroda, 15 km nordöstlich von Schleiz, ist das klassizistische Rathaus auf hohem Sockelgeschoß und mit einem Turm (Themis-Statue) sehenswert. Die Pfarrkirche zur heiligen Dreieinigkeit hat dreigeschossige Emporen, das Altarbild stammt von E. Gründler (1820). Beeindruckend ist die einheitlich klassizistische Bebauung am Markt. Im Kunstgewerbe- und Heimatmuseum (Aumaische Straße 30) werden Exponate zur Strumpfwirkerei, Keramik- und Kunstschmiedearbeiten gezeigt.

Ziegenrück

Saaleabwärts kommt man nach Ziegenrück. Vom Schloß blieb nach einem Brand (um 1550) nur der spätgotische Wohnturm erhalten. Das ehemalige Wasserkraftwerk "Fernmühle", bis 1965 in Betrieb, ist heute als technisches Denkmal Kernstück eines Museums für Wasserkraftnutzung.

*Hohenwarte-talsperre

Dem gewundenen Flußlauf weiter folgend, erreicht man die 185 Mio. m³ fassende Hohenwartetalsperre. In der Nähe liegt 60 m über der Saale die Wisentalsperre. Beide Stauseen haben dazu beigetragen, die naturgegebenen Reize der Landschaft im oberen Saaletal zu steigern. Die Felswände stürzen steil in die Tiefe, während sich die von Booten belebten Wasserflächen weit ausdehnen. Es gibt idyllische Winkel und Ausbuchtungen von oft fjordartigem Charakter.

Mittleres Saaletal

Allgemeines

Auch der Mittellauf der Saale zeigt sich landschaftlich außerordentlich reizvoll. Das mittlere Saaletal, in dem u.a. die Städte → Jena und → Naumburg liegen, erstreckt sich von Saalfeld bis Weißenfels und wird als "Tal der Burgen und Schlösser" bezeichet. Mit Schloß Heidecksburg in Rudolstadt beginnt die Reihe der berühmten Burgen und Schlösser, zu der die Leuchtenburg bei Kahla, die Dornburger Schlösser bei Jena wie auch die Ruinen der Burg Saaleck und der Rudelsburg (→ Naumburg) gehören.

*Saalfeld

Saalfeld, die Stadt der märchenhaften Feengrotten, erstreckt sich am Nordostrand des Thüringischen Schiefergebirges und an der Saale. Urkundlich im 9. Jh. erwähnt, entwickelte sich der Ort nach der Stiftung eines Benediktinerklosters (1071) zu einem kirchlichen Zentrum in Thüringen. Saalfelds verkehrsgünstige Lage am Schnittpunkt der "Kupferstraße" und der "Böhmischen Straße", der seit dem 13. Jh. einsetzende Silber- und

Kupferbergbau sowie die Verarbeitung dieser Rohstoffe und der Handel beschleunigten den Aufschwung der um 1180 gegründeten Stadt. Seit 1389 stand der Ort unter der Herrschaft der Wettiner. Die Stadt war von 1680 bis 1735 Residenz des Herzogtums Sachsen-Saalfeld und gehörte 1826–1918 zum Herzogtum Sachsen-Meiningen.
Zahlreiche Baudenkmäler verschiedener Epochen prägen das Bild der Altstadt. Dieser Vielfalt wegen wird die Stadt auch als "Steinerne Chronik Thüringens" bezeichnet. So bietet der Markt ein außergewöhnlich geschlossenes Ensemble historischer Bauten mit der auf das Jahr 1180 zurückgehenden Hofapotheke und dem 1529–1537 entstandenen stattlichen Rathaus, ein frühes Beispiel thüringisch-sächsischer Renaissancebaukunst. Die Stadtkirche St. Johannis, eine der schönsten Hallenkirchen Thüringens, bewahrt u. a. die lebensgroße Figur "Johannes der Täufer" (von Hans Gottwald) und den Mittelschrein eines Flügelaltars von 1480. Den Außenbau schmücken Sandsteinfiguren, die den Einfluß der Parler-Schule erkennen lassen. Wenige Schritte von der alten Stadtbefestigung entfernt steht am Münzplatz ein ehemaliges Franziskanerkloster, in dem heute das Thüringer Heimatmuseum untergebracht ist (mittelalterliche Stadtgeschichte; Saalfelder Bildschnitzkunst des späten Mittelalters). Im Norden der Stadt liegt auf dem Schloßberg das frühere Schloß der Herzöge von Sachsen-Saalfeld. In der Kapelle soll nach dem Gefecht bei Wöhlsdorf am 10. Oktober 1806 der Leichnam des Prinzen Louis Ferdinand von Preußen aufgebahrt worden sein. Das Wahrzeichen der Stadt, der "Hohe Schwarm" nahe der Saale mit seinen schlanken Türmen, ist der Rest eines viertürmigen Kastells der Grafen von Schwarzburg.

Hauptattraktion von Saalfeld sind die "Feengrotten", etwa 1 km südwestlich der Stadt gelegene Tropfsteinhöhlen mit buntschillernden Mineralien und Tropfsteinen, eine faszinierende unterirdische Welt ("Märchendom"), die nicht nur Kinder bezaubert. Eine Mineralquelle liefert noch heute ein Tafelwasser.

In Ranis, 16 km östlich von Saalfeld, erhebt sich auf einer Anhöhe Burg Ranis. Im dortigen Museum werden Natur und Geschichte der Landschaft um Ranis vorgestellt. Der große Burgturm bietet eine herrliche Aussicht.

In der alten Tuchmacherstadt Pößneck, 18 km östlich von Saalfeld, sind das Rathaus mit überdachter Freitreppe, der Marktbrunnen mit Marktbornmännchen und ein Renaissancehaus am Markt sehenswert.

Am Eingang des anmutigen Schwarzatals liegt 7 km nordwestlich von Saalfeld der Erholungsort Bad Blankenburg, umgeben von Bergen und Wäldern. Am Markt steht das Rathaus mit dem "Hungermännchen" (eingemauerter Gedenkstein), einem alten Wappen und einer Gedenktafel für den im nahen Oberweißbach geborenen Friedrich Fröbel (1782-1852), der 1840 den ersten deutschen Kindergarten gründete. In der Stadt gibt es noch weitere Fröbel-Gedenkstätten wie das Fröbel-Memorial-Museum.
Die restaurierte Burgruine Greifenstein bei Bad Blankenburg war bis ins 14. Jh. hinein die Residenz der Grafen von Schwarzburg.

Am Mittellauf der Schwarza liegt im schönsten Abschnitt des Schwarzatals der Ort Schwarzburg, einst Sitz des thüringischen Geschlechts der Grafen von Schwarzburg. Deren Schloß erhebt sich auf einem zum Fluß steil abfallenden Bergvorsprung. Gleichfalls im Schwarzatal liegt Sitzendorf, wo 1760 H. G. Macheleid als erster nach Böttger und unabhängig von diesem Versuche zur Porzellanherstellung machte.

Am Mittellauf der Saale erstreckt sich, von bewaldeten Bergen umgeben, die ehemalige Residenz Rudolstadt. Die ursprünglich karolingische Grenzstation wurde 1326 erstmals als Stadt genannt. Die Fürsten von Schwarzburg-Rudolstadt zogen im 18. und 19. Jh. mit ihrem Ehrgeiz, die Residenz in ein "Klein-Weimar" zu verwandeln, Dichter und Gelehrte an ihren Hof.

Marginalia:

Saalfeld (Fortsetzung)

*Feengrotten

Ranis

Pößneck

Bad Blankenburg

*Burgruine Greifenstein

*Schwarzburg

Rudolstadt

Eine Besichtigung von Schloß Heidecksburg in Rudolstadt führt auch in den prunkvollen Festsaal (1741–1750) mit herrlichen Stuckarbeiten.

Rudolstadt
(Fortsetzung)

Die Weimarer Theatertruppe wirkte unter Goethes Leitung am 1792/1793 eröffneten Rudolstädter Theater. 1762 entstand im heutigen Ortsteil Volkstedt eine Porzellanmanufaktur.

*Schloß
Heidecksburg

Die Stadt und der Fluß werden überragt vom 1737 begonnenen Schloß Heidecksburg. Festräume und Gemächer sind mit der Gemäldegalerie als Kunstmuseum den Staatlichen Museen Heidecksburg angegliedert. Im Nordflügel des Schlosses befinden sich natur- und kulturgeschichtliche Sammlungen, außerdem die Waffensammlung "Schwarzburger Zeughaus" mit seltenen Stücken wie Steinschloßbüchsen, Degen aus Toledo und perlmuttverzierten Radschloßpistolen. In der Altstadt steht Schloß Ludwigsburg (1734), eine barocke Dreiflügelanlage. Das Alte Rathaus ist ein barokkisierter gotischer Bau, während das Neue Rathaus ein Renaissancebau ist, der später umgestaltet wurde. An die mehrfachen Aufenthalte von Friedrich Schiller erinnert das ehemalige Lengefeldsche Haus (Schillerstraße 25), wo er am 6. Dezember 1787 erstmals seiner späteren Frau Charlotte begegnete, und wo er am 7. September 1788 auch mit Goethe zusammentraf, ohne daß es zu einer Annäherung kam. An der Jenaer Straße befand sich eine Glockengießerei, in der Schiller zu seinem "Lied von der Glocke" angeregt worden sein soll.

Freilichtmuseum

Das Freilichtmuseum "Thüringer Bauernhäuser" im Heinrich-Heine-Park zeigt in Gebäuden, die aus der Umgebung von Rudolstadt stammen, die bäuerliche Arbeits- und Wohnkultur des 17. bis 20. Jahrhunderts.

Großkochberg

In Großkochberg, ca. elf Kilometer nordöstlich von Rudolstadt gelegen, erinnert die Goethe-Gedenkstätte im Schloß Kochberg an Goethes Freundschaft zu Charlotte von Stein (1742–1827), deren Familie das Schloß gehörte.

Weißenfels
Lützen

Weitere sehenswerte Orte an der mittleren Saale sind Weißenfels (→ Naumburg, Umgebung) und Lützen (→ Leipzig, Umgebung).

Unteres Saaletal

Wenngleich im unteren Saaletal Industrie und Landwirtschaft das Bild der
Landschaft stärker geprägt haben als im oberen und mittleren Saaletal,
lohnen alte Städte wie Merseburg, → Halle, Wettin und Bernburg allemal
einen Besuch. Burg Wettin war Stammsitz der Wettiner, eines Adels-
geschlechts, das lange Zeit im sächsisch-thüringischen Raum eine bedeutende Machtstellung innehatte.

Saarbrücken · Saarland   C/D 6

Hauptstadt des Bundeslandes Saarland
Höhe: 230 m ü.d.M.
Einwohnerzahl: 190 000

Saarbrücken, im waldumrahmten Tal der Saar inmitten des Saarkohlebek-
kens gelegen, ist die Hauptstadt des Saarlands sowie wirtschaftlicher und
kultureller Mittelpunkt dieser Region. Die Stadt ist Sitz einer Universität,
einer Musikhochschule sowie des Saarländischen Rundfunks, Fernsehens
und der Europawelle Saar. Als Messe- und Tagungsort hat die Stadt an der
deutsch-französischen Grenze gleichfalls Bedeutung.

Erst Anfang des 20. Jh.s schlossen sich das westlich der Saar gelegene
Alt-Saarbrücken, die sich östlich der Saar erstreckende Siedlung St. Johann sowie das nördlich der Saar, außerhalb des heutigen Stadtkerns gelegene Malstatt-Burbach zusammen. Die meisten Geschäfte und Kneipen
findet man rund um den St. Johanner Markt. Die Ministerien haben ihren
Sitz dagegen größtenteils im ehemaligen Alt-Saarbrücken.

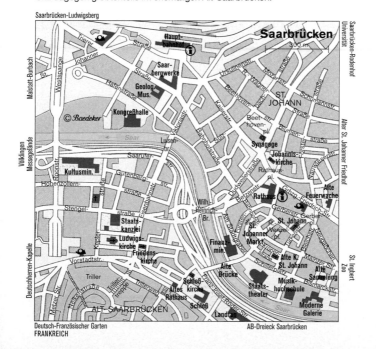

Saarbrücken · Saarland

Geschichte

Ursprung Saarbrückens war eine keltische Siedlung. Die Römer errichteten hier eine Steinbrücke über die Saar und sicherten den Flußübergang durch ein Kastell. Später stand hier der fränkische Königshof "Villa Sarabrucca". Ihre Blütezeit als Residenz der Grafen und späteren Fürsten von Nassau-Saarbrücken erlebte die Stadt im 18. Jh. unter Fürst Heinrich (1741–1788), dessen Hofbaumeister Friedrich Joachim Stengel Saarbrücken durch mehrere repräsentative Barockbauten verschönerte. Die umfangreichen Eisenerz- und Kohlevorkommen machten Stadt und Umland im 19. und 20. Jh. zu einem bedeutenden Wirtschaftszentrum, auf das nach dem Zweiten Weltkrieg Frankreich Anspruch erhob. Zwischen 1947 und 1956 war das Saarland ein halbautonomer Staat, der in Zollunion mit Frankreich verbunden war. Die Stahlkrise in den achtziger Jahren des 20. Jh.s hat zur Schließung der beiden bedeutenden Hüttenanlagen in Völklingen und Neunkirchen geführt, auch die meisten Zechen im Saarland sind inzwischen stillgelegt.

Sehenswertes in Saarbrücken

St. Johanner Markt

Der St. Johanner Markt bildet das Zentrum einer hübschen Fußgängerzone östlich der Saar. Ihn säumen einige in den siebziger Jahren restaurierte Barockbauten. Auch der Marktbrunnen ist ein Zeugnis des Barock.

Rathaus
St. Johann

Von hier sind es nur wenige Schritte bis zum Rathaus, das 1897–1900 nach Plänen von Georg J. Hauberisser, der auch für das Münchener Rathaus verantwortlich zeichnete, entstand. Unweit südlich ragt der Zwiebelturm der zwischen 1754 und 1758 errichteten Basilika St. Johann auf. Architekt war Friedrich Joachim Stengel. Die in der Französischen Revolution großenteils zerstörte Innenausstattung wurde im 19. und 20. Jh. mehrmals erneuert.

Saarland-Museum

Südöstlich vom St. Johanner Markt befindet sich an der Saar das Saarland-Museum, dessen Sammlungen sich auf zwei Gebäude verteilen. An der Bismarckstraße hat die Moderne Galerie ihren Sitz. Schwerpunkte der Sammlung sind deutsche Impressionisten und Expressionisten (Liebermann, Corinth, Slevogt, Kirchner, Beckmann, Marc und Macke). Die Alte Sammlung gegenüber (Karlstr. 1) präsentiert Malerei, Plastik, Porzellan, Möbel u.a. vom Mittelalter bis Anfang des 19. Jahrhunderts.

Alte Brücke

Vorbei am während des Dritten Reiches entstandenen Staatstheater überquert man auf der Alten Brücke die Saar. Die ältesten Bauteile stammen noch von einem 1546–1548 errichteten Vorgängermodell.

*Schloßplatz
(Abenteuer-
museum)

Den Mittelpunkt von Alt-Saarbrücken bildet der Schloßplatz mit seinen ansehnlichen Bauten. Im Alten Rathaus gegenüber dem Schloß hat das Abenteuermuseum seinen Sitz, das dem Besucher fremde Kulturen und Völker auf abwechslungsreiche Weise näherbringen will. Ebenso wie das Alte Rathaus ist das benachbarte Erbprinzenpalais ein Stengel-Bau. Zu verweisen ist ferner auf das in einem neobarocken Bau untergebrachte Museum für Vor- und Frühgeschichte.

Schloß

Als gelungene Kombination von Barock, Klassizismus und Moderne präsentiert sich das Schloß. Im Mittelalter stand hier eine wehrhafte Burg, dann eine weitläufige Renaissanceresidenz und schließlich ein von Stengel errichtetes Barockschloß. Dieses brannte 1793 aus und wurde im 19. Jh. neu errichtet. Der gläserne Mittelpavillon des heute als Kulturzentrum genutzten Schlosses ist eine Bereicherung der achtziger Jahre des 20. Jh.s. Vom Schloßgarten bietet sich ein schöner Blick auf Saarbrücken.
Die Glas-Stahl-Konstruktion neben dem Südflügel des Schlosses beherbergt das Historische Museum Saar. Etwas unterhalb steht die spätgotische Schloßkirche (1956–1958 wiedererrichtet; Glasgemälde von G. Meistermann; Fürstengräber).

Die Alte Brücke verbindet die Stadtteile Alt-Saarbrücken und St. Johann –
im Hintergrund ragt die Kirche auf, die dem Viertel den Namen gab.

Nordwestlich vom Schloß liegt der von prächtigen Palais' gesäumte Ludwigsplatz, in dessen Zentrum die gleichnamige Kirche aufragt. Dieses 1775 fertiggestellte Barockensemble gilt als Meisterwerk des fürstlichen Baumeisters Stengel. Die Ludwigskirche wurde nach dem Zweiten Weltkrieg in ihrer ursprünglichen Form wiederaufgebaut.
*Ludwigsplatz
*Ludwigskirche

In dem 3 km südwestlich gelegenen Stadtteil St. Arnual steht die gleichnamige ehemalige Stiftskirche aus dem 13./14. Jahrhundert. Seit dem 15. Jh. ist die Kirche Grablege des Hauses Nassau-Saarbrücken.
*Stiftskirche
St. Arnual

Im Südwesten von Saarbrücken wurde auf den einstigen Festungsanlagen des Westwalls 1960 der Deutsch-Französische Garten angelegt. Ein Rosengarten, das Tal der Blumen, eine Wasserorgel und vieles mehr laden zum Flanieren ein (Kleinbahn, Seilbahn). Von dem Parkgelände aus hat man Zugang zur "Gulliver-Welt" mit maßstabgetreuen Nachbauten berühmter Bauwerke.
Deutsch-
Französischer
Garten

Unterwegs im Saarland

Man kann das Saarland zu Fuß erkunden: Ein etwa 300 km langer Rundwanderweg erschließt das Gebiet. Oder aber per Schiff: Von der Anlegestelle am Staatstheater in Saarbrücken werden regelmäßig Ausflugsfahrten unternommen.
Saarland-Rund-
wanderweg
Schiffsfahrten

Die Völklinger Hütte (10 km westlich von Saarbrücken) wurde als einzigartiges Zeugnis der Technikgeschichte und Industriekultur des 19. und frühen 20. Jh.s von der UNESCO 1994 zum Weltkulturerbe erklärt. Die 1873 gegründete Eisenhütte war bis 1986 in Betrieb und steht seitdem unter Denkmalschutz. In anschaulicher Weise läßt sich hier der komplette Prozeß der
**Alte Völklinger
Hütte

Saarland,
Alte Völklinger
Hütte
(Fortsetzung)

Roheisenerzeugung nachvollziehen. Kernstück der Anlage sind die zwischen 1882 und 1916 errichteten sechs Hochöfen, in denen Eisenerz zu Eisen geschmolzen wurde. Die Völklinger Hütte kann nur im Rahmen von Führungen besichtigt werden (März – Nov. Di.–So. 10.00 und 14.00 Uhr).

Saarlouis

Das 10 km nordwestlich von Völklingen gelegene Saarlouis ließ Ludwig XIV. Ende des 17. Jh.s mit einer Festungsanlage ausstatten. Die nach Plänen von Vauban sternförmig angelegte Festung ist noch teilweise erhalten; in den restaurierten Gewölben der Kasematten kann man heute in verschiedenen Restaurants speisen. Prächtige Wandteppiche und Barockmöbel sind im Rathaus am Großen Markt zu besichtigen.

Mettlach

Weiter dem Lauf der Saar folgend, erreicht man nach 26 km das Städtchen Mettlach. In der ehemaligen Benediktinerabtei St. Peter hat heute Villeroy & Boch seinen Sitz. Im Hauptgebäude des Unternehmens erlaubt die "Keravision" einen Blick hinter die Kulissen der traditionsreichen Keramikfirma. Im Park der einstigen Abtei ist der sog. Alte Turm, ein achteckiger Zentralbau, ein Zeugnis aus dem 10. Jahrhundert. Interessant ist ferner ein Besuch im Schloß Ziegelberg, das aus dem 19. Jahrhundert stammt. Das hier untergebrachte Keramikmuseum zeigt Steingut und Porzellan der letzten 300 Jahre.

Ein beeindruckender Anblick ist die Große Saarschleife bei Orscholz.

**Saarschleife

Wald umgibt die große Saarschleife, wenige Kilometer westlich von Mettlach. Den besten Blick über die Flußwindung hat man vom Aussichtspunkt Cloef oder der Burgruine Montclair.

Saarburg

Nach weiteren 20 km Fahrt entlang der Saar wird Saarburg erreicht. Der Ort ist Zentrum des Saarweinhandels. Mitten in dem Städtchen bildet der Leukbach, der hier in die Saar mündet, einen 20 m hohen Wasserfall. Von einer Burgruine aus dem 10. Jh. oberhalb von Saarburg bietet sich ein schöner Ausblick.

Das ca. 20 km nordöstlich von Saarbrücken gelegene Städtchen Ottweiler besitzt einen hübschen historischen Kern mit Bauten aus dem 16.–18. Jahrhundert. Im Alten Rathaus am Rathausplatz sind ein Schulmuseum sowie ein Fastnachtsmuseum untergebracht.

Saarland (Fortsetzung) Ottweiler

St. Wendel, 10 km nördlich von Ottweiler, ist Zentrum des als Ferienregion zunehmend geschätzten St. Wendeler Landes im Norden und Nordosten des Saarlands. Dieses Gebiet hat einen großen Anteil am Naturpark Saar-Hunsrück. Viel Wald, zwei Seen und 400 bis 600 m hohe Hügelketten bestimmen das Landschaftsbild.
St. Wendel selbst wird von der spätgotischen Pfarr- und Wallfahrtskirche beherrscht. Sie bewahrt die Gebeine des 617 verstorbenen Wandermönches und Stadtpatrons, des hl. Wendalinus. Zu den besonderen Kunstschätzen gehören eine Grablegungsgruppe vom Ende des 15. Jh.s sowie die achteckige Steinkanzel (Mitte 15. Jh.).

St. Wendel St. Wendeler Land

Ebenso wie Völklingen war Neunkirchen, knapp 20 km nordöstlich von Saarbrücken, ein wichtiger Hüttenstandort mit großem Eisenwerk, das bis 1982 in Betrieb war. Daran erinnert der Neunkircher Hüttenweg, der durch die allerdings nicht vollständig erhaltenen Werksanlagen führt.

Neunkirchen

In Neunkirchens östlicher Nachbarortschaft Bexbach dokumentiert das Saarländische Bergbaumuseum mit Besucherbergwerk eindrucksvoll zwei Jahrhunderte Grubengeschichte.

Bexbach

Südöstlich an Bexbach grenzt Homburg. Hier sind die größten, von Menschenhand geschaffenen Buntsandsteinhöhlen Europas zu besichtigen. Die Schloßberghöhlen wurden vorrangig zu Verteidigungszwecken zwischen dem 11. und 17. Jh. in mehreren Stockwerken über viele Kilometer in das Gestein gegraben. Der gelbrote, quarzhaltige Sandstein diente daneben zur Glasherstellung. Auf einer Strecke von etwa 2 km kann man die Schloßberghöhlen besichtigen – das ganze Jahr über beträgt die Temperatur hier 10 °C.
Lohnend ist ferner ein Besuch im Freilichtmuseum Schwarzenacker, 2 km östlich von Homburg. Hier wurden Überreste einer Römersiedlung freigelegt, die 275 n. Chr. von den Alemannen zerstört wurde. Einige rekonstruierte Häuser und ein Museum legen ein eindrucksvolles Zeugnis von der ehemaligen mächtigen Römerstadt ab.

*Homburg Schloßberghöhlen

Freilichtmuseum Schwarzenacker

In dem 23 km östlich von Saarbrücken gelegenen Kneippkurort Blieskastel haben sich einige prächtige Renaissance- und Barockbauten erhalten. Dazu gehören das Rathaus (1773–1775), die Schloßkirche von 1776–1778, die bereits klassizistische Anklänge zeigt, und die zwischen 1665 und 1670 entstandene Orangerie, ein wertvolles Zeugnis der Renaissance. Der Gollenstein (ca. 2000 v. Chr.), nordwestlich des Ortes, ist mit einer Höhe von 7 m der größte Menhir (Hünenstein) Deutschlands.

Blieskastel

Ein Gemeinschaftsprojekt zwischen Deutschland und Frankreich ist der Europäische Kulturpark Bliesbruck-Reinheim, ca. 25 km südöstlich von Saarbrücken im Grenzbereich zwischen beiden Ländern gelegen. Verschiedene Ausgrabungsfunde beweisen, daß dieses Gebiet von der Bronzezeit an durchgehend besiedelt war. Zu sehen sind u. a. ein keltisches Fürstengrab, aus römischer Zeit die "Villa Rustica" sowie gut erhaltene Thermen.

Europäischer Kulturpark

Sächsische Schweiz   K / L 4 / 5

Bundesland: Sachsen

Als Sächsische Schweiz wird der rund 360 km² umfassende sächsische Teil des Elbsandsteingebirges bezeichnet. Dieses stark zerschnittene, im

Lage und **Landschaftsbild

Mittel 400 m hohe Tafelbergland reicht von der Lausitzer Überschiebung im Norden und dem Osterzgebirge im Westen bis hinüber in die Böhmische Schweiz in der Tschechischen Republik.

Das Elbsandsteingebirge ist ein Erosionsgebirge: Mehrere hundert Meter mächtige Ablagerungen reinen, quaderförmig gebankten Quarzsandsteins wurden aus einem kreidezeitlichen Meer gehoben und anschließend durch die Elbe und ihre Nebenflüsse tief zerschnitten. So sind im Laufe der Zeit die heutigen Landschaftsformen entstanden: das cañonartige Elbtal und die Niederungen der kurzen Elbnebenflüsse, die landwirtschaftlich genutzten Ebenen, die tafelbergartigen "Steine" wie Lilienstein (415 m), Pfaffenstein (429 m), Königstein (361 m) und Großer Zschirnstein (561 m) sowie die Felsreviere wie die Bastei (305 m) und die Schrammsteine (386 bis 417 m). Diese natürlichen Gegebenheiten bilden die Lebensgrundlage für eine reiche Flora und Fauna; selbst Luchse sind wieder beobachtet worden.

Die "Entdeckung" der Sächsischen Schweiz geht maßgeblich auf den Schweizer Porträtmaler Anton Graff und seinen Freund, den Kupferstecher Adrian Zingg, zurück, die als Professoren an der Dresdner Kunstakademie seit 1766 das Elbsandsteingebirge durchwanderten. Ihnen taten es viele andere Künstler nach, darunter Ludwig Richter und Caspar David Friedrich, der sich die Anregung für sein berühmtes Gemälde "Wanderer über dem Nebelmeer" in der Sächsischen Schweiz holte. Den Künstlern folgten bald die ersten Touristen per Dampfschiff und Eisenbahn. Damit änderte sich auch die Lebensgrundlage der Waldarbeiter und Flößer – sie wurden Gastwirte und Hoteliers. Heute ist die Sächsische Schweiz eine der attraktivsten touristischen Regionen in Sachsen.

Noch kurz vor dem Beitritt der DDR zur Bundesrepublik Deutschland hat die letzte amtierende Regierung der DDR am 12. September 1990 den "Nationalpark Sächsische Schweiz" geschaffen und damit die einmalige naturräumliche Eigenart des Elbsandsteingebirges auf einer Fläche von 93 km^2 unter strengsten Natur- und Landschaftsschutz gestellt. Der Nationalpark umschließt zwei räumlich getrennte Gebiete: im Westen zwischen Stadt Wehlen und Prossen einschließlich Bastei und Hohnstein, im Osten zwischen den Schrammsteinen und der deutsch-tschechischen Grenze.

Randnotizen:
Lage und Landschaftsbild (Fortsetzung)

Eine Landschaft wird Urlaubsziel

Nationalpark Sächsische Schweiz

Reiseziele in der Sächsischen Schweiz

Für die Erkundung der Sächsischen Schweiz kann man zu einer Rundfahrt von Pirna aus auf dem linken Elbufer nach Oberrathen und Königstein starten, dann auf das rechte Ufer nach Bad Schandau wechseln, um dort über Hohnstein und Stadt Wehlen zurück nach Pirna gelangen. Von → Dresden aus fährt die S-Bahnlinie S 1 am linken Elbufer entlang bis zur deutsch-tschechischen Grenze bei Schmilka-Hirschmühle. Das Radwegenetz im Elbtal ist gut ausgebaut. Am schönsten aber ist eine Fahrt mit einem Schaufelraddampfer der Elbschiffahrt von Dresden aus.

Anfahrt

Pirna und Umgebung

Pirna, das "Tor zur Sächsischen Schweiz", liegt ca. 20 km südöstlich von → Dresden auf beiden Ufern der Elbe. Ihren Namen hat die Stadt vom sorbischen "na pernem" (= auf dem harten Stein), mit dem der Sandstein gemeint ist, von dessen Verkauf Pirna jahrhundertelang sehr gut lebte. Pirna, 1233 erstmals erwähnt, gehörte von 1294 bis 1405 zu Böhmen. In dieser Zeit und danach bis 1639, als schwedische Truppen furchtbar hausten, entwickelte sich die Stadt zur wichtigsten Ansiedlung im oberelbi-

*Tor zur Sächsischen Schweiz

◀ *Vom Lilienstein in der Sächsischen Schweiz reicht der Blick weit über Königstein und Bad Schandau hinweg bis nach Tschechien.*

Pirna (Fortsetzung)	schen Gebiet. Mit der Eröffnung der Dampfschiffahrt auf der Elbe 1837 und dem Anschluß an den Eisenbahnverkehr 1848 erlebte die Stadt einen neuerlichen Aufschwung.

*Markt

Malerischer Mittelpunkt von Pirna ist der Marktplatz mit dem Rathaus in seiner Mitte. Es geht auf das Jahr 1485 zurück, wurde aber 1555 und nochmals 1581 umgebaut. Unter den umstehenden Bürgerhäusern fallen folgende besonders auf: die Stadtapotheke zum Löwen (Am Markt 17/18) von 1578 mit einem ungewöhnlichen Sitznischenportal, gleich daneben das ehemalige Wirtshaus Weißer Schwan (Nr. 19) sowie das hochgiebelige, um 1520 erbaute Haus Nr. 7 ("Canalettohaus").

St. Marien

*Altar

Hinter dem Canalettohaus erheben sich der Turm und das mächtige Dach der Stadtkirche St. Marien (1502–1546). Im Innenraum beeindrucken die Gewölbeverzierungen sowie der 10 m hohe manieristische Altar aus Pirnaer Sandstein der Gebrüder Schwenke, eines der bedeutendsten Werke der deutschen Spätrenaissance. Schon Goethe lobte den wohl von Hans Walther II. gefertigten Taufstein (1561), auf dem 26 Figuren den Tagesablauf eines Kindes darstellen.

Renaissance- und Barockhäuser

Pirna besitzt eine Vielzahl schöner Häuser aus Renaissance und Barock, etwa das im 16. Jh. erbaute Blechschmidthaus mit seinem auffallenden Sitznischenportal (Niedere Burgstr. 1), dann das sog. Teufelserker-Haus (Obere Burgstr. 1) oder in der Schmiedestraße Nr. 19 das Geburtshaus des Ablaßpredigers und Luther-Widersachers Johannes Tetzel.

St. Heinrich

Im Kapitelsaalgebäude des ehemaligen Dominikanerklosters St. Heinrich (1330/1360) ist heute das Stadtmuseum untergebracht.

Schloß Sonnenstein

Pirna wird überragt von Schloß Sonnenstein, wo 1811 die erste Pflegeanstalt für geistig Behinderte in Deutschland gegründet wurde. Die Nationalsozialisten ermordeten hier 1940 und 1941 in Vollzug ihres "Euthanasieprogramms" 13 720 Menschen als "lebensunwertes Leben".

Graupa

Nur wenige Kilometer nördlich von Pirna liegt der Richard-Wagner-Ort Graupa. Wagner hatte sich im Sommer 1846 zur Arbeit am "Lohengrin" hierher auf ein Gehöft zurückgezogen, das nun als Museum dient.

*Barockgarten Großsedlitz

Oberhalb von Pirna erreicht man den Barockgarten Großsedlitz, eine der vollkommensten barocken Gartenschöpfungen Sachsens, zwischen 1719 und 1732 von den damals besten Baumeistern am Dresdner Hof – Johann Christoph Knöffel, Matthäus Daniel Pöppelmann und Zacharias Longuelune – erbaut und geplant. Seinen Ruhm verdankt Großsedlitz seinen einst 360 Skulpturen im Garten, von denen nur 52 erhalten sind, denn viele fielen 1756 den Preußen zum Opfer. Besonders harmonisch ist die "Stille Musik", eine barocke Treppenanlage mit geschwungenen Balustraden und Puttengruppen in lebhaft bewegter Formensprache.

Von Pirna durch die Sächsische Schweiz

Hohnstein

Das Städtchen Hohnstein am Nordrand der Sächsischen Schweiz verströmt noch einen Hauch von Mittelalter. Es war einer der wichtigsten Ausgangspunkte für geführte Bergtouren; nicht umsonst stammen namhafte Alpinisten, unter ihnen Otto Ufer, Erstbezwinger des Mönchs, aus diesem Ort. Hohnsteins Namen verbreiteten vor allem aber die Hohnsteiner Puppenspiele von Max Jacob.
Das Rathaus wurde 1688 als Brauereimalzhaus erbaut, auch das Gebäude der Stadtapotheke von 1721 hatte ursprünglich einen anderen Zweck – bis 1846 war es Sitz der Oberförsterei. Die Stadtkirche ist ein schlichter Entwurf von George Bähr (1728). Im Haus Markt Nr. 4 wurde Christoph Gottlieb Schroeter (1699–1782) geboren, der Erfinder des Hammerklaviers.

140 m hoch über dem Polenztal klebt Burg Hohnstein am Fels, im Lauf seiner Geschichte Grenzfeste, Justizamt, Zuchthaus und seit 1925 Jugendherberge, zwischen 1933 und 1934 aber "Schutzhaftlager" der Nationalsozialisten. Darüber informiert das Burgmuseum; außerdem gibt es eine naturkundliche Ausstellung. Vom Burggarten genießt man einen herrlichen Blick ins Polenztal.

*Burg Hohnstein

Der kleine malerische Kurort Rathen am Fuße der Bastei (115 m) ist ein touristisches Zentrum der Sächsischen Schweiz. Er teilt sich in Oberrathen am linkselbischen Ufer und in Niederrathen am rechtselbischen Ufer. Dorthin gelangt man mit einer Gierseilfähre, die sich der Stromkraft der Elbe bedient. Rathen ist ein guter Ausgangsort für Wanderungen, u. a. zur Bastei und zur Felsenbühne.

*Kurort Rathen

Besonderer Anziehungspunkt Rathens ist die Bastei, ein Schluchtenlabyrinth, dessen 200 m hoch aufragender Felsrücken zu den schönsten natürlichen Aussichtspunkten Europas zählt. Vom Kurort führt ein gekennzeichneter und gut gesicherter Wanderweg hinauf. Oben begeht man die steinerne Basteibrücke (1881) und die aus dem 13. Jh. stammende Felsenburg Neurathen, von der sich ein überwältigender Blick auf die Bastei bietet.

**Bastei
(Abb. s. S. 8/9)

Die Felsenbühne Rathen wurde 1936 erbaut und ist mit ihren 2 000 Plätzen die größte Naturbühne Sachsens. Die Landschaft am Wehlgrund beeindruckte schon Ludwig Richter und inspirierte Carl Maria von Weber zu seiner berühmten Wolfsschlucht-Szene in der Oper "Freischütz". So gehört diese Oper zum ständigen Repertoire der Felsenbühne, aber auch die Karl-May-Spiele mit verschiedenen "Winnetou"-Inszenierungen werden hier aufgeführt.

Felsenbühne Rathen

Stadt Königstein duckt sich am linken Ufer der Elbe unter dem 361 m aufragenden Königstein. Zu sehen gibt es die Kirche St. Marien, 1720 bis 1724 nach Plänen George Bährs erbaut, und eine Postmeilensäule von 1727.

Königstein

Der wahre Grund aber, Königstein zu besuchen, ist die hoch über der Stadt das Elbtal beherrschende Festung. Diese wahrscheinlich um 1200 angelegte und 1241 erstmals erwähnte böhmische Königsburg kam 1459 zur Mark Meißen und wurde von 1589 bis zum Ende des 19. Jh.s laufend ausgebaut. Sie konnte nie erobert werden. Von 1706 bis 1707 ist hier Johann Friedrich Böttger, der Erfinder des europäischen Porzellans, gefangengehalten worden. Andere prominente Gefangene waren August Bebel (1874), Frank Wedekind (1899) und Thomas Theodor Heine (1899). Außer als Gefängnis diente der Königstein hauptsächlich dem Dresdner Hof in Krisenzeiten als Zufluchtsstätte und zur Unterbringung der Staatsschätze. Heute sind hier mehrere Museen eingerichtet: In den beiden Zeughäusern befinden sich Ausstellungen des Militärhistorischen Museums Dresden zu Festungsbau und sächsischer Militärgeschichte, im Torhaus und im Schatzhaus sind Sonderausstellungen zu sehen und im Georgenbau eine Schau zur Geschichte des Staatsgefängnisses. Auch das Brunnenhaus mit dem 152,5 m tiefen Brunnen und den Faßkeller sollte man sich anschauen.

*Festung

Bad Schandau ist der bedeutendste Kur- und Ferienort in der Sächsischen Schweiz sowie Ausgangspunkt für lohnende Ausflüge in die felsenreiche Umgebung. Die 1430 erstmals genannte Stadt lebte lange vom Handel auf der Elbe, bis nach Entdeckung einer eisenhaltigen Quelle ab 1730 der Badebetrieb begann. Am Marktplatz stehen der ehemalige Brauhof, ein Renaissancebau mit schönem Portal, und die spätgotische Kirche St. Johannis, deren Altar (1572) von Hans Walther II. ursprünglich für die Dresdner Kreuzkirche geschaffen wurde.

*Bad Schandau

Mit einem 1904 erbauten, 50 m hohen Aufzug erreicht man die Stadtteile Ostrau und Postelwitz mit ihren Villen, Umgebinde- und Fachwerkhäusern.

Ostrau

Durch das idyllische Tal der Kirnitzsch fährt von Bad Schandau aus die 1898 erbaute Kirnitzschtalbahn zum 1830 künstlich angelegten Lichtenhai-

*Kirnitzschtal mit Wasserfall

Bizarre Felsformationen – hier die Schrammsteine und der
Falkenstein (hinten rechts) – erinnern eher an das Monument
Valley in den USA als an eine deutsche Landschaft.

Kirnitzschtal mit Lichtenhainer Wasserfall (Fts.)

ner Wasserfall. Von hier bietet sich eine Vielzahl von Ausflugsmöglichkeiten an, so zum "Kuhstall" (Felsentor), zur "Himmelsleiter" und zum 336 m hohen Wildenstein.

Hinterhermsdorf

Fernab des sonstigen Trubels versetzt ein Ausflug in das Grenzland bei Hinterhermsdorf in ein idyllisches Dorf inmitten einer fast märchenhaften Waldlandschaft.

Sebnitz

Sebnitz, 13 km nordöstlich von Bad Schandau, ist bekannt für die von böhmischen Exilanten eingeführte Seidenblumenherstellung, was im Heimatmuseum dokumentiert wird.

*Schrammsteine

3 km elbaufwärts von Bad Schandau beginnt das ausgedehnte Wander- und Klettergebiet der Schrammsteine, die zu den markantesten Felsmassiven der Sächsischen Schweiz gehören. Bereits im letzten Jahrhundert kam man hier auf den Gedanken, Haken nur zur Sicherung vor einem Absturz und nicht zum Hochziehen einzuschlagen und die eigentliche Kletterei der Kraft der Arme und Finger zu überlassen – heute nennt man das "Free Climbing".

Zschirnstein

Bad Schandau ist auch der Ausgangspunkt für eine Wanderung zum Großen Zschirnstein, der mit 561 m der höchste Gipfel der Sächsischen Schweiz ist. Den Marsch selbst beginnt man am besten in Kleingießhübel 5 km jenseits der Elbe, von wo aus man in eine urtümliche Waldlandschaft gelangt.

Böhmische Schweiz

Unbedingt lohnend ist auch ein Abstecher in die Böhmische Schweiz zu Europas größter natürlicher Sandsteinbrücke, dem Prebischtor (tschech. Pravcická braná).

Sauerland

Bundesland: Nordrhein-Westfalen

Das Sauerland, auch "Süderland" genannt, ist ein bewaldetes Bergland östlich und südöstlich des → Ruhrgebiets und bildet den nördlichen Teil des Rheinischen Schiefergebirges. Die Region, die bei Willingen mit dem Hegekopf 843 m sowie bei Winterberg mit dem Kahlen Asten 841 m Höhe erreicht, wird von vielen Flüssen in gewundenen Tälern durchschnitten, darunter Lenne, Sorpe, Möhne, Eder und Bigge. Der größte Fluß des dicht besiedelten Gebiets ist die Ruhr, in die bei Herdecke die Lenne mündet. Das Sauerland ist touristisch gut erschlossen. Neben alten Städten wie Altena, Arnsberg, Attendorn, Brilon, Lüdenscheid u. a. sind die vielen Tropfsteinhöhlen, z.B. die Attahöhle und die Dechenhöhle, attraktive Ausflugsziele. Im Sommer stehen Wandern und Wassersport im Vordergrund, im Winter lockt das Sauerland als Wintersportgebiet.

Lage und Bedeutung

Arnsberg und Umgebung

Arnsberg, Verwaltungssitz des gleichnamigen Regierungsbezirks, liegt am Nordrand des Sauerlands. Seine Altstadt, von deren früherer Stadtbefestigung noch Reste erhalten sind, erstreckt sich auf einem von der Ruhr umflossenen Bergrücken und wird von einer Schloßruine überragt. Sehenswert sind das Sauerland-Museum und die Klosterkirche im Stadtteil Oelinghausen. Auch ein Ausflug zur nördlich gelegenen Möhnetalsperre bietet sich an.

Arnsberg

⁕Möhnetalsperre

21 km östlich von Arnsberg kommt man an der Mündung der Henne in die obere Ruhr nach Meschede. Hier sollte man sich die Reste einer karolingischen Krypta in der Pfarrkirche St. Walburga anschauen. Im Norden erstreckt sich der Naturpark Arnsberger Wald, an dessen Ostrand Warstein liegt, das jedem Bierkenner ein Begriff ist.

Meschede

Weitere 22 km östlich von Meschede erreicht man auch den Wintersportort Brilon. Wer nicht Skilaufen will, kann sich das Rathaus mit Barockfassade, die Propstei- und die Nikolaikirche sowie die alten Fachwerkhäuser anschauen.

Brilon

Hagen und Umgebung

Hagen am nordwestlichen Rand des Sauerlands stößt südwärts in die von bewaldeten Höhen umgebenen Täler von Ruhr, Ennepe, Lenne und Volme vor. Keimzelle Hagens war ein Hof des Kölner Erzbischofs an der Handelsstraße von Köln über Dortmund nach Norddeutschland. Um 1000 stand bereits die Johanniskirche, um welche die Siedlung sich entwickelte. Mit der Ansiedlung von Solinger Klingenschmieden 1661 setzte die industrielle Entwicklung ein. Bald danach folgten Papier- und Tuchfabriken. 1746 erhob Friedrich der Große Hagen zur Stadt. Eingemeindungen von Vororten führten seit 1876 zu einer raschen Ausdehnung des Stadtgebiets. Im Zentrum am Friedrich-Ebert-Platz steht das Rathaus, auf dessen Turm als Symbol der Sonne eine vergoldete Kugel aus Edelstahl angebracht ist. Südlich vom Rathaus, Hochstraße 73, befindet sich das Karl-Ernst-Osthaus-Museum, ein von Henry van de Velde errichteter, monumentaler Jugendstilbau; auch im weiteren Stadtgebiet gibt es etliche Jugendstilhäuser. Das Museum ist auf Kunst des 20. Jh.s spezialisiert: Neben wichtigen Gemälden des Expressionismus, u. a. von Kirchner, Macke, Marc, Mueller und Heckel, gibt es dort z.B. Arbeiten von Feininger und Christian Rohlfs. Im südlichen Stadtteil Selbecke liegt das Westfälische Freilichtmuseum Hagen, das aus rund 60 historischen Werkstätten und Fabrikbetrieben be-

Hagen

⁕Karl-Ernst-Osthaus-Museum

⁕Westfälisches Freilichtmuseum

Hagen, Freilicht-
museum (Fts.)

Schloß
Hohenlimburg

steht, u.a. sind eine Papier- und eine Sägemühle, eine Holzschuhmacherei
und eine Goldschmiede zu sehen.

In Hohenlimburg, einem südöstlichen Stadtteil von Hagen, lohnt ein Besuch in Schloß Hohenlimburg mit seinem Museum für Wohnkultur und
Volkskunde, Stadtgeschichte und Frühgeschichte. Einen Blickfang besonderer Art bieten die Drahtgemälde als charakteristische Produkte der
Hohenlimburger Industrie des 19. Jahrhunderts.

Hengsteysee

Nördlich von Hagen erstreckt sich der 1928 angelegte Hengsteysee, der
erste Stausee der Ruhr – ein Naherholungsgebiet und Wassersportrevier.

*Unter den historischen Werkstätten im Westfälischen Freilichtmuseum in Hagen
ist auch ein Messingstampfhammerwerk, dessen Betrieb vorgeführt wird.*

Iserlohn und Umgebung

Iserlohn

Die Stadt Iserlohn, östlich von Hagen auf einer von bewaldeten Bergen
umgebenen Hochfläche gelegen, besitzt noch Reste der alten Ummauerung. Unweit südlich vom Markt steht die Obere Stadtkirche (St. Marien)
mit romanischem Westturm. Zur Innenausstattung gehören ein flandrischer
Schnitzaltar (um 1400) und ein gotisches Chorgestühl. Das Stadtmuseum
am Fritz-Kühn-Platz ist in einem der schönsten Barockgebäude Iserlohns
untergebracht. Auf drei Etagen verteilt gibt es dort Abteilungen zur Geologie, zur Ur- und Frühgeschichte, zum Iserlohner Bergbau sowie zu Industrialisierung und Stadtgeschichte. So sind z.B. Iserlohner Tabakdosen
(18. Jh.) und Messingwaren ausgestellt.

*Dechenhöhle
(Abb. s. S. 674)

An der Straße nach Letmathe, 4 km westlich, befindet sich rechts der Zu-
gang zur 1868 entdeckten Dechenhöhle, einer Tropfsteinhöhle mit einem
Höhlenkundemuseum, in dem sich alles um den Steinzeitmenschen dreht.
Farbige Graphiken und seltene Ausstellungsstücke veranschaulichen die
Entstehung und Entwicklung der Dechenhöhle in einem ehemaligen Koral-

lenriff, das sich hier vor ca. 370 Mio. Jahren in einem tropischen Meer bildete. Auch auf die Tierwelt der Höhlen wird hingewiesen: Hauptattraktion des Museums ist die Nachbildung eines Höhlenbären der Eiszeit.

Dechenhöhle (Fortsetzung)

In Hemer, östlich von Iserlohn, befindet sich eine weitere Höhle, die Heinrichshöhle. Sie wurde 1812 von Heinrich von der Becke entdeckt, dem sie ihren Namen verdankt. In der Nähe liegt das aus Dolinen und einem Karrenfeld bestehende "Felsenmeer".

Heinrichshöhle

Ungefähr 15 km südöstlich von Hemer kommt man nach Balve, wo die Pfarrkirche St. Blasius mit Wandgemälden aus dem 13. Jh. und das Museum für Vor- und Frühgeschichte, das u. a. Mineralien, Fossilien und Funde aus der Balver Höhle ausstellt, sehenswert sind. Die in der Eiszeit bewohnte Balver Höhle, eine der größten Höhlen Mitteleuropas, ist eine bedeutende Fundstätte eiszeitlicher Tierfossilien. Heute wird die Höhle als Fest- und Konzerthalle genutzt.

Balve

Attendorn und Umgebung

Die einst zur Hanse gehörende Stadt Attendorn liegt im südlichen Sauerland zwischen Rothaar- und Ebbegebirge am Biggesee. Reste der alten Stadtbefestigung haben sich am Nordrand des Stadtkerns erhalten. Am Alten Markt steht das Historische Rathaus, der einzige gotische Profanbau im südlichen Westfalen. Es beherbergt das Kreisheimatmuseum, das Exponate zur Stadtgeschichte zeigt, außerdem wunderschöne Mineralien aus der Gegend und prähistorische Höhlenfunde, aber auch Zinnfiguren, alte Handwerkserzeugnisse und Jagdutensilien. Wahrzeichen von Attendorn ist die Pfarrkirche St. Johannes Baptist, auch "Sauerländer Dom" genannt.

Attendorn

Ein traumhafter Blick über die Stadt bietet sich von Burg Schnellenberg aus, einer gut erhaltenen Burganlage südöstlich der Stadt inmitten ausgedehnter Wälde. Die Burg, ehemals Stammsitz der Freiherren von Fürstenberg, beherbergt heute neben dem Burgmuseum ein Hotel.

*Burg Schnellenberg

Auf der Finnentroper Straße gelangt man östlich zur Attahöhle, eine der schönsten Tropfsteinhöhlen Deutschlands, 1907 bei Sprengungen in einem Kalksteinbruch entdeckt. Durch einen 80 m langen Stollen gelangt der Besucher in eine faszinierende "Unterwelt". Über mehrere Stationen mit phantastischen Namen wie Alhambragrotte, Ruhmeshalle oder Kristallpalast kommt man zum prächtigen Thronsaal der Fürstin Atta, der sagenhaften Gründerin Attendorns.

*Attahöhle

Südwestlich von Attendorn liegt der Biggesee, der durch Aufstauung der Bigge entstand und heute Westfalens größter Wasserspeicher ist. Mit seinen Nebenarmen und der angrenzende Listersee Gebiete von besonderer landschaftlicher Schönheit und beliebte Naherholungsziele. Die mitten im Biggesee liegende Insel "Gilberg" mit angrenzenden Wasserflächen und nahen Uferbereichen ist als Naturschutzgebiet eingestuft – ein Eldorado für viele Tiere. Im Sommer lockt der Biggesee zum Baden, Tretbootfahren, Surfen, Segeln und Angeln. Von Ostern bis Oktober verkehren Personenschiffe zwischen Attendorn und Olpe am südlichen Ende des Sees.

*Biggesee

Winterberg und Umgebung

Die Stadt Winterberg, auf einer aussichtsreichen Hochfläche gelegen, hat sich zum beliebtesten Wintersportgebiet des Hochsauerlands entwickelt, denn der Kahle Asten (841 m) im nördlichen Rothaargebirge zählt zu den schneereichsten Gebieten Deutschlands. Hier bieten sich Möglichkeiten zum Langlauf und Rodeln sowie für Ski alpin. Im Umkreis von Winterberg

Wintersportgebiet Kahler Asten

Mächtige Stalagmiten und Stalaktiten wachsen in der Dechenhöhle aufeinander zu.

Sauerland,
Kahler Asten
(Fortsetzung)

gibt es eine Reihe von "Höhendörfern" wie Langewiese, Mollseifen und Altastenberg. Vom Astenturm auf dem Kahlen Asten bietet sich ein herrlicher Blick über das "Land der tausend Berge".

*Rothaargebirge

Das Rothaargebirge erstreckt sich als waldreicher Gebirgszug im östlichen Sauerland und reicht bis nach Hessen. Zum Naturpark Rothaargebirge gehört auch ein großer Teil des Wittgensteiner Landes. Im Bereich des Gebirges liegt das von der Odeborn durchflossene Bad Berleburg mit seinem schönen Schloßpark mit Teichen und altem Baumbestand.

Bad Berleburg

Naturschutz-
gebiet
Neuer Hagen

Nördlich von Winterberg bzw. östlich von Niedersfeld erstreckt sich das Naturschutzgebiet Neuer Hagen, ein großes Hochheidegebiet. Hier konnten sich völlig verschiedenartige Biotope entwickeln, denn das Gelände ist im Unterschied zu anderen Hochheiden von Sumpf- oder Moorstellen unterbrochen. Man findet hier noch Restvorkommen des im Eiszeitalters eingewanderten Alpenbärlapps und der Islandflechte. Im östlichen Bereich der Heide liegt ein Hochmoor über wasserundurchlässigem Schiefer; dort wachsen Enzian, Arnika und andere seltene Pflanzen.

Schleswig   F 1

Bundesland: Schleswig-Holstein
Höhe: 0–56 m ü.d.M.
Einwohnerzahl: 27 000

Lage und
Bedeutung

Die Stadt Schleswig, die zu den ältesten Nordeuropas gehört, liegt reizvoll an dem von sanften Höhen umgebenen inneren Ende der Schlei, einer schmalen, flußartigen Bucht der Ostsee (Förde). Dank der hochkarätigen kulturhistorischen Sehenswürdigkeiten in der Stadt und ihrer Umgebung ist Schleswig ein vielbesuchtes Touristenziel.

Die Geschichte von Schleswig ist aufs engste mit jener der benachbarten Wikingersiedlung Haithabu verbunden, die seinerzeit einer der wichtigsten Handelsplätze in Nordeuropa war. Nach der Zerstörung von Haithabu im Jahr 1066 gründeten seine ehemaligen Bewohner an der Stelle des heutigen Schleswig eine neue Siedlung. "Slieswic" war bereits 947 Sitz eines Bischofs und seit etwa 1200 im Besitz der Stadtrechte. Von 1544 bis 1713 residierten die Herzöge von Schleswig-Holstein-Gottorf, einer Nebenlinie des dänischen Königshauses, in Schloß Gottorf. 1711 entstand aus den Siedlungen Altstadt, Holm, Lollfuß und Friedrichsberg die heutige Stadt.

Altstadt

Bedeutendstes Bauwerk der Altstadt ist der gotische, im wesentlichen im 12.–15. Jh. entstandene Dom St. Petri, der von einem 112 m hohen, 1894 errichteten Westturm überragt wird. Im reich ausgestatteten Inneren des Gotteshauses beachte man das mächtige Marmor-Grabmal des Dänenkönigs Friedrich I. († 1533), das spätgotische Chorgitter, ein Taufbecken von 1480 und Wandmalereien aus dem 12./13. bzw. aus dem 14. Jh. (im Kreuzgang). Glanzstück der Ausstattung ist der kostbare, 1514–1521 für das Augustiner-Chorherrenstift in Bordesholm – deshalb der Name "Bordesholmer Altar" – geschnitzte und 1666 hierher überführte Altar des Hans Brüggemann. Der über 12 m hohe Flügelaltar mit seinen 392 Figuren gilt als Hauptwerk mittelalterlicher niederdeutscher Schnitzkunst.

Mittelpunkt der Altstadt ist der von hübschen Bürgerhäusern umrahmte Markt mit dem 1794 in klassizistischem Stil erbauten Rathaus und dem sog. Graukloster, das aus einem 1234 gegründeten Franziskanerkonvent hervorgegangen ist.

Weiter nördlich, am Stadtweg, steht das 1656 als Armenstift errichtete Präsidentenkloster. Es beherbergt heute u. a. die Ostdeutsche Heimatstube.

*Holm

Direkt an der Schlei liegt die malerische alte Fischersiedlung Holm. Der dänische Name dieses Stadtteils bedeutet soviel wie "vom Wasser umgeben". Ein besonders hübsches Bild bietet der von Linden gesäumte Fischerfriedhof mit der kleinen Kapelle in der Mitte. An einigen niedrigen Häusern dort sieht man noch die typischen "Klöndören" (Plaudertüren) und die "Utluchten" genannten Erker. Wer sich für die Geschichte des Holms interessiert, besuche das Holm-Museum nordwestlich des Friedhofs.

Südöstlich des Friedhofs steht das im 12. Jh. für Benediktinerinnen gegründete St.-Johannis-Kloster am Ufer der Schlei. Bemerkenswert sind die spätbarocke Klosterkirche und der Kapitelsaal mit seinem bereits im 13. Jh. geschaffenen Gestühl.

Friedrichsberg · Schloß Gottorf

Im Stadtteil Friedrichsberg liegt auf einer Insel in der abgetrennten Schlei die mächtige Vierflügelanlage von Schloß Gottorf, der größte und bedeutendste Profanbau Schleswig-Holsteins. Die einstige Residenz der Herzöge von Schleswig-Holstein erhielt im wesentlichen zwischen dem 16. und 18. Jh. ihr heutiges Aussehen; mit der Vollendung des barocken Südflügels 1703 war der Bau abgeschlossen. Nach dem Zweiten Weltkrieg wurde das Schloß Heimstatt des schleswig-holsteinischen Landesmuseums. Zu sei-

Friedrichsberg ·
Schloß Gottorf
(Fortsetzung)

nen herausragenden Schätzen gehören u. a. Werke gotischer Sakralkunst, Gemälde altdeutscher Meister sowie Kunst des 16. und 17. Jh.s. Besichtigt werden können auch die mittelalterliche Schatzkammer, eine Barockgalerie, die Schloßkapelle, der Hirschsaal, eine Galerie des 19. Jh.s sowie eine Jugendstil-Ausstellung. In den historischen Nebengebäuden wird Kunst des 20. Jh.s, insbesondere Werke des deutschen Expressionismus, ausgestellt. In einer modernen Halle nördlich des Schlosses werden Kutschen und diverse historische Reiseutensilien gezeigt.

**Archäologisches
Landesmuseum

Ebenfalls in Schloß Gottorf sind die umfangreichen Sammlungen des Archäologischen Landesmuseums untergebracht, das zu den wichtigsten Einrichtungen seiner Art in Nordeuropa gehört. Ein Ausstellungsschwerpunkt ist die Lebensweise der steinzeitlichen Rentierjäger. Besonders eindrucksvolle Exponate sind Moorfunde aus der Eisenzeit sowie Moorleichen aus der Zeit um Christi Geburt. Zu den Glanzstücken der Sammlung gehört das 23 m lange "Nydamboot" aus dem 4. Jh. n. Chr. Es ist eines der ältesten noch seegängigen Schiffe im nordeuropäischen Raum. (Öffnungszeiten beider Museen: März – Okt. tgl. 9.00–17.00; Nov. – Febr. Di. – So. 9.30 – 16.00 Uhr)

Städtisches
Museum

Im vornehmen Günderothschen Hof (Friedrichstr. 7–11), einem 1834–1836 erbauten herzoglichen Gästehaus, ist das Städtische Museum untergebracht. Hier sind nicht nur wichtige archäologische Funde, sondern auch wertvolle Schleswiger Fayencen und eine Spielzeugsammlung zu sehen. In einem Nebengebäude findet man eine Ausstellung zum Thema Buchdruck, der in Schleswig eine lange Tradition hat, sowie die Hoësche Bibliothek mit 17 000 Bänden aus dem 17.–19. Jahrhundert.

Haithabu

Erste
stadtähnliche
Siedlung
Nordeuropas

Ungefähr 2 km östlich vom Stadtteil Friedrichsberg liegt Haithabu, der im 11. Jh. zerstörte Hafen und Handelsplatz der Wikinger am Haddebyer Noor. Haithabu, an das heute nur noch eine halbkreisförmige Wallanlage erinnert, war die erste größere, stadtähnliche Siedlung im gesamten Ostseeraum. Zu ihrer Blütezeit im 10. Jh. zählte sie bis zu 1000 Einwohner, die Handelsbeziehungen mit skandinavischen Küstenorten, aber auch mit Siedlungen an der von Slawen bewohnten Ostseeküste pflegten.

*Wikingermuseum

In einem 1985 eröffneten Museum ist die Geschichte des Siedlungsplatzes Haithabu hervorragend dokumentiert, wobei alle wichtigen Lebensbereiche der damaligen Zeit Beachtung finden. In der Schiffshalle wird ein Langschiff der Wikinger restauriert, dessen Wrack man 1979 im ehemaligen Hafen von Haithabu geborgen hat.

Danewerk

Nach Westen erstreckt sich das Danewerk, eine seit dem 7. Jh. ausgebaute, riesige Verteidigungsanlage, von der heute noch rund 20 km Wallanlagen und Mauerreste vorhanden sind. Die 3,5 km lange, 7 m hohe und 2 m starke Backsteinmauer, die sog. Waldemarsmauer, entstand um 1180.

Museum
(Danevirkegården)

An der Waldemarsmauer im Ortsteil Kleindannewerk (ca. 6 km südwestlich von Schleswig) wurde 1990 ein Museum eingerichtet, das die Vor- und Frühgeschichte dieser Gegend erhellt. Es wird von der dänischen Minderheit im Land Schleswig-Holstein getragen.

Umgebung von Schleswig

Schlei

Wie ein Fluß schlängelt sich die rund 40 Kilometer lange Schlei von Schleswig in nordöstlicher Richtung zur Ostsee. Sie ist zwar die längste aller Ostseeförden, hat aber, da sie relativ schmal und flach ist, als Wasserstraße nur in der Zeit der Wikinger eine größere Rolle gespielt. Im Mittelalter bildete die Schlei die Grenze zwischen den im Norden lebenden Angeln und Jüten sowie den weiter südlich wohnenden Sachsen und Holsten. Heute ist die Schlei von kleinen Fischerbooten und den Booten von Freizeitkapitänen belebt. In dem fischreichen Gewässer kann man Schleie, Aale, Lachse, Barsche, Hechte und Heringe angeln.

Schleswig, Umgebung, Schlei (Fortsetzung)

Der knapp 10 km nordöstlich von Schleswig gelegene Freizeitpark begeistert vor allem die Kleinen (u. a. Märchenwelt, Wildpark, Streichelzoo).

Freizeitpark Tolk-Schau

In Kappeln, 35 km nordöstlich von Schleswig an der Schlei gelegen, wird noch – einzigartig in Europa – mit den Heringszäunen aus dem 15. Jh. Fischfang betrieben. Bei den jährlichen Kappelner Heringstagen (um Christi Himmelfahrt) steht der leckere Fisch natürlich im Mittelpunkt. Besichtigen sollte man in Kappeln die spätbarocke Nikolaikirche (1789–1793) und den Museumshafen (Schiffsausflüge).

Kappeln

Knapp 15 km nordöstlich von Kappeln, an der Schleimündung, erreicht man den hübschen Fischerort Maasholm mit seinen historischen Fachwerkhäusern.

Maasholm

Im Dreieck zwischen Schleswig, Rendsburg und Kiel erstreckt sich der 22 000 ha große Naturpark – eine abwechslungsreiche Landschaft mit welligen Hügelketten, Äckern, Wiesen und Seen. Bei Wassersportlern sehr beliebt ist der 10 km² große Wittensee, der direkt an der B 203 von Rendsburg nach Eckernförde liegt. Die schilfgesäumten Ufer im Südwesten des fischreichen Sees sind Vogelschutzgebiet.

*Naturpark Hüttener Berge

Schwäbische Alb

E – G 7

Bundesland: Baden-Württemberg

Im Rahmen dieses Reiseführers ist die Beschreibung der Schwäbischen Alb bewußt knapp gehalten. Ausführlichere Informationen liefert der in der gleichen Reihe erschienene Band "Schwäbische Alb".

Hinweis

Die Schwäbische Alb, ein Mittelgebirgszug von etwa 700 m Höhe, erstreckt sich in einem ca. 220 km langen und bis zu 40 km weiten Bogen vom Hochrhein bei Schaffhausen (Schweiz) nordostwärts bis zum Ries an der Landesgrenze von Baden-Württemberg und Bayern. Höchste Erhebung ist der Lemberg (1015 m) auf der Südwestalb. An seiner Nordwestflanke bildet das jäh abfallende Gebirge eine ca. 400 m hohe Mauer, die durch tief in das Gebirge eingreifende Täler reich gegliedert ist. Etliche der vorspringenden Bergbastionen und vorgelagerten Zeugenberge tragen berühmte Burgruinen. Nach Südosten dacht sich die Alb ganz allmählich zum Donautal ab und bildet eine flachwellige Hochebene, in deren durchlässigem Kalkgestein das Wasser großenteils versickert und zur Bildung von Höhlen, Einsturztrichtern und Trockentälern führt.

Lage und Naturraum

Ihren besonderen Reiz verdankt die Alb ihren abwechslungsreichen Landschaftsformen. Dazu gehören obstreiche Täler mit freundlichen Dörfern und hübschen Städtchen, schroffe Talschlüsse und märchenhafte Quelltöpfe, Grotten und Höhlen sowie felsige Hänge mit lichten Buchenwäldern und vor allem die herbe Schönheit von Wacholderheiden und Magerwiesen der Hochflächen.

*Landschaftsbild

Die Kalksteinschichten der Alb sind von Rissen, Spalten und Klüften durchzogen, in die Regen- und Schmelzwasser einsickern kann. Dieses leicht säurehaltig gewordene Sickerwasser löst auf seinem Weg in die Tiefe den Kalk, und schließlich werden ganze Höhlensysteme ausgewaschen. Bei der Verdunstung des Wassers an der Höhlendecke wird der Kalk wieder ausgeschieden, und es entstehen Tropfsteine, die nach unten wachsen, sog. Stalaktiten. Durch die auf den Höhlenboden platschenden Wassertropfen bauen sich von unten nach oben Bodentropfsteine auf,

Tropfsteinhöhlen

Tropfsteinhöhlen
(Fortsetzung)

sog. Stalagmiten. Oft verwachsen Decken- und Bodentropfsteine miteinander zu richtigen Tropfsteinsäulen. Je nach Mineralgehalt weißlich bis bräunlich schimmert der Sinter, der in der Art einer Glasur nicht nur die Tropfsteine, sondern stellenweise auch die Höhlenwände überzieht. Die bekanntesten Tropfstein-Schauhöhlen der Alb sind die Nebel- und die Bärenhöhle südlich von Reutlingen sowie die Charlottenhöhle südlich von Heidenheim.

Fossilien

Verschiedene Schichten des Juragesteins der Alb und ihres Vorlandes bergen Fossilien in großer Zahl, weil im Erdmittelalter, vor ca. 160 Mio. Jahren, das Gebiet der heutigen Alb vom Jurameer bedeckt war. Weltbekannt sind die Funde aus dem Schwarzen Jura von Holzmaden. Geübte Sammler finden in Steinbrüchen, Baugruben und sonstigen Aufschlüssen versteinerte Muscheln, Schnecken, Korallen, Seelilien und Reste großer Fische. Relativ häufig trifft man auf versteinerte Ammoniten und die im Volksmund "Donnerkeile" genannten Belemniten.

Touristische
Straßen

Die Schwäbische Albstraße durchzieht das Gebirge auf seiner ganzen Länge von Nordosten (Nördlingen) nach Südwesten (Tuttlingen). Die Straße der Staufer erschließt die interessantesten Orte in den Räumen Göppingen, Schwäbisch Gmünd und Heidenheim. Die Hohenzollernstraße durchmißt die Südwestalb zwischen Haigerloch, Hechingen und Sigmaringen. Eine Teilstrecke der Schwäbischen Dichterstraße berührt die Städte Nürtingen, Tübingen, Bad Urach, Blaubeuren und Ulm. Weitere Touristenrouten berühren die Schwäbische Alb an ihren Rändern, so die Romantische Straße, die Deutsche Limesstraße, die Schwäbische Weinstraße, die Oberschwäbische Barockstraße und die Deutsche Uhrenstraße.

Ries · Ostalb

*Ries

Ganz im Nordosten der Alb ist das Ries als nahezu kreisrunder, etwa 80 bis 100 m tiefer Kessel mit einem Durchmesser von ca. 25 km in den Schwäbischen Jura eingesenkt. Es entstand vor ca. 15 Mio. Jahren, als hier ein mächtiger Steinmeteorit einschlug und tief in die Erdkruste eindrang. In dem Krater bildete sich vorübergehend ein See. Mit der Anhebung und Schrägstellung des Schwäbischen Jura ging die teilweise Ausräumung des Kraters einher, wobei in seinem Innern einige "Mützen" aus Kalkstein herausmodelliert wurden. Nicht zuletzt wegen seiner hervorragenden Akkerböden gehört das Ries zu den am längsten besiedelten Landschaften Deutschlands. Alle wichtigen Epochen von der Altsteinzeit bis zu den Kelten, Römern und Alamannen sind durch entsprechende Funde belegt. Der größte Teil des Rieses ist heute bayerisch. Lediglich die nordwestliche Ecke des Rieskessels gehört zu Baden-Württemberg.

**Nördlingen

Die bayerische Stadt Nördlingen (20000 Einw.) ist Hauptort des Rieses und neben → Rothenburg ob der Tauber und → Dinkelsbühl die dritte der berühmten, an der alten Reichsstraße von Würzburg nach Augsburg gelegenen mittelalterlichen Städte. Um den kreisrunden Stadtkern legen sich zwei ringförmige Erweiterungen mit Häusern aus dem 16. und 17. Jh. sowie eine vollständig erhaltene Stadtmauer mit 15 Türmen und einem heute noch begehbaren Wehrgang. Vom 90 m hohen, "Daniel" genannten Turm der spätgotischen Georgskirche kann man einen großartigen Rundblick genießen. Nördlich des Gotteshauses steht das spätgotische Rathaus mit einer Renaissance-Freitreppe. Gegenüber befindet sich das historische Tanzhaus von 1444. Im ehemaligen Heilig-Geist-Spital ist das reichhaltige Stadtmuseum untergebracht. Das Rieskrater-Museum informiert ausführlich über die Ries-Katastrophe, die sich vor etwa 15 Mio. Jahren (s. oben) ereignete.

Wallerstein

Ca. 5 km nördlich von Nördlingen erreicht man den Markt Wallerstein, wo jahrhundertelang die Fürsten von Oettingen-Wallerstein residierten. Neben dem fürstlichen Schloß mit seiner reichen Porzellansammlung sind auch die reich ausgestattete Pfarrkirche aus dem frühen 17. Jh. und eine Marien-säule von 1725 sehenswert.

Wallerstein (Fortsetzung)

Im nördlichen Ries liegt das malerische Städtchen Oettingen, das einst-mals Mittelpunkt des gleichnamigen, 1806 aufgelösten Fürstentums gewe-sen ist. Im ehem. Residenzschloß (17. Jh.) kann man die mit Stukkaturen des Wessobrunner Meisters Matthias Schmuzer versehenen Prunkräume sowie Wechselausstellungen des Staatlichen Museums für Völkerkunde anschauen.

*Oettingen

Am östlichen Riesrand liegt das mittelalterliche Städtchen Wemding. Be-achtung verdienen hier die spätgotische Pfarrkirche mit ihren bemerkens-werten Wandgemälden aus dem 15. Jh. sowie die vom Deutschordens-baumeister Joseph Roth entworfene und von Johann Baptist Zimmer-mann ausgestattete barocke Wallfahrtskirche Maria Brünnlein.

Wemding

Am südöstlichen Riesrand liegt das altertümliche Städtchen Harburg, das von der gleichnamigen, bereits 1093 erwähnten Burg des Fürstenhauses Oettingen-Wallerstein beherrscht wird. Im Fürstenbau der Burg sind die wertvollen Kunstsammlungen der Oettinger (u.a. Altarbildwerke von Tilman Riemenschneider) sowie ein umfangreiches Archiv untergebracht.

*Harburg

Am nordwestlichen Eingang zum Ries liegt die ehemalige Freie Reichs-stadt Bopfingen zu Füßen des nahezu kahlen Berges Ipf (668 m). Im 6. Jh. v. Chr. befand sich hier oben ein hallstattzeitlicher Fürstensitz. In der liebe-voll restaurierten Altstadt findet man das Seelhaus, in dem eine Sammlung vor- und frühgeschichtlicher Kulturzeugnisse aus dem Ries zu sehen ist.

*Bopfingen

Ca. 8 km nordwestlich von Bopfingen erhebt sich ein bewaldeter Kegel-berg, auf dem das Schloß Baldern (18. Jh.) thront. Sehenswert sind die Schloßkirche, die Prunkräume des Fürstenbaus und die Waffenkammer.

Baldern

Auf dem Härtsfeld südwestlich von Bopfingen liegt Neresheim mit seinem bereits im Jahre 1095 gegründeten und ab 1694 großzügig ausgebauten Kloster. Hauptsehenswürdigkeit ist die 1745–1792 nach Vorlagen des be-rühmten Barockbaumeisters Balthasar Neumann errichtete Abteikirche mit ihren großartigen, von Martin Knoller geschaffenen Kuppelgemälden.

*Neresheim

Heidenheim ist das wirtschaftliche und kulturelle Zentrum der Ostalb. Se-henswert ist das auf stauferzeitlichen Grundfesten errichtete Renaissance-schloß Hellenstein, in dem man heute interessante vor- und frühgeschicht-liche Funde sowie Kulturzeugnisse aus römischer und alamannischer Zeit studieren kann. Im mächtigen Fachwerk-Fruchtkasten aus dem 17. Jh. kann man Kutschen, Chaisen und Karren aus alter Zeit bewundern. Eine der größten römischen Bauruinen Süddeutschlands ist heute als Museum im Römerbad zugänglich. In dem zum Kunstmuseum umfunktionierten al-ten Jugendstil-Stadtbad kann man Plakate von namhaften Künstlern (u. a. Picasso, Braque, Chagall, Max Ernst und HAP Grieshaber) bewundern.

*Heidenheim an der Brenz

Südlich und südwestlich von Heidenheim sind das Eselsburger Tal mit seinen bizarren Felsnadeln sowie das Lonetal mit seinen geschichtsträch-tigen Höhlen beliebte Wanderziele. In den steinzeitlichen Höhlenwohn-plätzen hat man einige der ältesten bislang bekannten Kunstwerke gefun-den, die man heute in → Ulm und → Tübingen besichtigen kann.

*Eselsburger Tal (Abb. s. S. 680) Lonetal

Wenige Kilometer südlich von Heidenheim erreicht man die Industriestadt Giengen an der Brenz, wo Margarete Steiff im vorigen Jahrhundert mit ihrer Filz- und Plüschtierproduktion begann. Im Museum der Firma Steiff kann man natürlich einen originalen "Teddy" bewundern. – Westlich außerhalb der Stadt lohnt die Charlottenhöhle mit ihren wunderschönen Tropfsteinbil-dungen einen Besuch.

Giengen (Brenz)

Charlottenhöhle

*Aalen Die ehemalige Freie Reichsstadt Aalen (65000 Einw.) liegt am Übergang des Kochertals ins Vorland der Ostalb. 1979 stieß man hier auf mineralhaltiges Thermalwasser, das heute in einem modernen Kurbad zur Anwendung kommt. Am Türmchen des Alten Rathauses sieht man den "Spion", das Wahrzeichen der Stadt. Im Gebäude befindet sich ein Urweltmuseum mit reichen Fossilienfunden aus dem Schwäbischen Jura. Im nahen Heimatmuseum wird an den Dichter Christian Friedrich Daniel Schubart erinnert. Das Limesmuseum befaßt sich mit dem Wirken der Römer im östlichen Albvorland bzw. entlang des Rätischen Limes. Eine Attraktion besonderer Art ist das Besucherbergwerk Tiefer Stollen (mit Asthma-Therapiestollen) am Braunenberg. Hier oben hat man jenes Eisenerz abgebaut, das in Wasseralfingen verhüttet worden ist.

Eine der schönsten Landschaften der Ostalb: das Eselsburger Tal mit seinen sagenumwobenen Felsen

Oberkochen Etwa 8 km südlich von Aalen liegt das Städtchen Oberkochen zu Füßen des aussichtsreichen Volkmarsberges. Kurz nach dem Zweiten Weltkrieg siedelte sich hier das weltberühmte Optikunternehmen Carl Zeiss (→ Jena) an, dessen Werksmuseum Beachtung verdient.

*Ellwangen Etwa 17 km nördlich von Aalen liegt die Stadt Ellwangen an der Jagst (23000 Einw.), die mit Kirchen und Stiftshäusern noch heute das Gepräge einer geistlichen Barockresidenz zeigt. Beachtenswert ist die romanische Stiftskirche St. Veit (13. Jh.) am Marktplatz. Östlich über der Stadt thront das ehemalige Schloß (17./18. Jh.) der Fürstpröpste auf einer Anhöhe, das ein interessantes Museum (u.a. wertvolle Fayencen, Krippen, Ofenplatten) beherbergt. Nordöstlich auf dem Schönenberg steht die weithin sichtbare, prachtvoll ausgestattete Wallfahrtskirche St. Maria. Im Rahmen von Hochwasserschutzmaßnahmen sind in den letzten Jahrzehnten in der Umgebung von Ellwangen mehrere Stauseen angelegt worden. Das "Ellwanger Seenland" ist inzwischen zu einer beliebten Erholungslandschaft geworden. Hier findet man auch das Limes-Freilichtmuseum von Rainau-Buch.

Stauferland · Mittlere Alb

Die alte Stauferstadt Schwäbisch Gmünd (59000 Einw.) liegt am Nordfuß der Kaiserberge im Tal der Rems. Die Geburtsstadt des Baumeisters Peter Parler sowie der Maler Hans Baldung (genannt Grien) und Jerg Ratgeb ist bekannt geworden durch ihre Gold- und Silberwarenindustrie. Gmünd hat heute Bedeutung als Schul- und Hochschulstadt sowie als Industriestandort. An dem von barocken Bürgerhäusern umrahmten Marktplatz stehen die spätromanische Johanniskirche (13. Jh.) sowie das Rathaus (1783). Weiter westlich erreicht man das Kulturzentrum "Prediger", das in einem ehem. Dominikanerkloster untergebracht ist. Hier kann man auch das reichhaltige Museum für Natur und Stadtkultur besichtigen. Hauptsehenswürdigkeit der Stadt ist das Heilig-Kreuz-Münster, mit dessen Errichtung im frühen 14. Jh. begonnen wurde. Baumeister waren Heinrich Parler und sein Sohn Peter, der später als Prager Dombaumeister berühmt geworden ist. Südwestlich lädt die ehemalige Augustinerkirche (15. u. 18. Jh.; heute ev. Stadtkirche) mit ihren meisterhaften Deckengemälden und Stukkaturen zur Besichtigung ein. Südöstlich vom Münster, hinter der Fuggerei (15. Jh.) ist die ehem. Ott-Pauser'sche Silberwarenfabrik als museale Einrichtung wiederbelebt worden.

*Schwäbisch Gmünd

Einige Kilometer südlich von Schwäbisch Gmünd erhebt sich der aussichtsreiche Rechberg (707 m), auf dessen Gipfel eine Wallfahrtskapelle (17. Jh.) thront. Auf einem niedrigeren Bergsporn steht die Ruine einer stauferzeitlichen Burg.

Rechberg

Etwa 8 km westlich von Schwäbisch Gmünd erreicht man das Städtchen Lorch, wo sich in römischer Zeit ein Kastell befand. Nordöstlich über der Stadt kann man das ehem. Kloster Lorch besichtigen. Die romanische Pfeilerbasilika war im 12. Jh. Grablege der Staufer.

Lorch

Die alte württembergische Amtsstadt Göppingen (54000 Einw.) liegt im Filstal zu Füßen des Hohenstaufen. Berühmt wurde die Stadt durch ihre reichen, als besonders heilkräftig geschätzten Mineralwasservorkommen. Sehenswert sind die 1618/1619 errichtete Stadtkirche und das herzoglich-württembergische Schloß (16. Jh.) mit einer reich ornamentierten Rebenstiege. Im "Storchen", einem Fachwerkschlößchen aus dem 16. Jh., ist das Städtische Museum mit seinen reichen Funden aus der Stauferzeit untergebracht. Am südöstlichen Stadtrand zieht das Werksmuseum der Modelleisenbahnfirma Märklin die Besucher in seinen Bann. Im südlichen Vorort Jebenhausen sind das Jüdische Museum sowie das Naturkundliche Museum mit seiner einmaligen Jura-Fossiliensammlung beachtenswert. Im westlichen Stadtteil Faurndau ist die im 9. Jh. erbaute romanische Stiftskirche mit ihren Fresken aus dem frühen 13. Jh. ein kunsthistorisches Kleinod.

Göppingen

Nordöstlich von Göppingen erheben sich die "Drei Kaiserberge" Hohenstaufen (684 m), Rechberg (707 m) und Stuifen (757 m). Hier hatte das mächtige Herrschergeschlecht die Staufer seinen Besitz. Auf dem Hohenstaufen sind noch spärliche Reste ihrer Stammburg zu sehen.

Drei Kaiserberge

Ca. 7 km südlich von Göppingen liegt das "Wunderbad" Boll, wo man seit 1477 das Wasser einer Schwefelquelle für Kurzwecke nutzt. 1972 ist man hier auf heilkräftiges Themalwasser gestoßen. Bad Boll ist Sitz einer Evangelischen Akademie.

Bad Boll

Die "Fünftälerstadt" Geislingen ist bekannt geworden durch den 1850 fertiggestellten Albaufstieg der Eisenbahnstrecke Stuttgart–Ulm. Im Mittelalter bewachten die Grafen von Helfenstein hier die Reichsstraße zwischen dem Neckartal und Augsburg. Die Ruine ihrer Burg kann heute besichtigt werden. Im alten Stadtkern sind einige stattliche Fachwerkbauten sowie die mit Kunstwerken Ulmer Meister ausgestattete Stadtkirche bemerkenswert. Östlich der Stadt erstreckt sich das vielbesuchte Naturschutzgebiet Eybtal mit seinen weiß leuchtenden Felsbastionen.

Geislingen an der Steige

Schwäbische Alb

*Oberes Filstal

Westlich von Geislingen ist das felsenbekränzte Obere Filstal ein gern besuchter Erholungsraum. Brennpunkte des Fremdenverkehrs sind die beiden altbekannten Heilbäder Überkingen und Ditzenbach mit ihren modernen Thermalkureinrichtungen sowie das malerische alte Städtchen Wiesensteig, das sich auch als Wintersportplatz einen Namen gemacht hat.

*Blaubeuren

Das malerische Städtchen Blaubeuren (11000 Einw.) liegt am Südrand der Mittleren Alb im Blautal. Der Ort ging aus einem im 11. Jh. gegründeten Benediktinerkloster hervor. In der Klosterkirche ist ein 1493 entstandener Hochaltar sehenswert, der als ein Hauptwerk der Ulmer Schule gilt. Im Urgeschichtlichen Museum sind Artefakte aus Mammutelfenbein zu sehen, die prähistorische Jäger und Sammler vor 30000–35000 Jahren in Höhlen der Umgebung geschnitzt haben. Der spätestens durch Mörikes "Historie von der Schönen Lau" berühmt gewordene Blautopf gehört zu den stärkst schüttenden Karstquellen Mitteleuropas. Das aus dem 21 m tiefen, trichterförmigen und blaugrün schimmernden Quelltopf austretende Wasser kommt aus einem weitverzweigten Höhlensystem der Mittleren Alb. Der Höhlenforscher und Rekordtaucher Jochen Hasenmayer hat diese Unterwasserhöhle 1985 bis zu einer Länge von ca. 1300 m erkundet und 1996 mit einem eigens für diesen Zweck konstruierten Mini-U-Boot befahren. Am Rand des Quelltopfs kann man eine mit Wasserkraft betriebene historische Hammerschmiede besichtigen.

*Kirchheim unter Teck

Die Stadt Kirchheim unter Teck (35000 Einw.) liegt im Vorland der Mittleren Alb. In der malerischen Altstadt fällt das schmucke Fachwerk-Rathaus von 1724 sehr ins Auge. Im Innern der mächtigen Martinskirche, deren Ursprünge bis ins 7. Jh. zurückreichen, sind Freskenreste aus dem 15. Jh. beachtenswert. In dem Mitte des 16. Jh.s erbauten Kornhaus befinden sich das städtische Museum und eine Galerie. Das Schloß (16. Jh.) am Südwestrand der Altstadt war seinerzeit Witwensitz des Hauses Württemberg.

*Teck

Südlich von Kirchheim ragt die Teck als schmaler, 775 m hoher Bergsporn ins Vorland. Auf dem von Wanderern und Segelfliegern gleichermaßen geschätzten Berg sind noch Reste einer mittelalterlichen Burg der Herzöge von Teck zu finden. Vom Aussichtsturm des Wanderheimes bietet sich ein großartiger Panorama-Rundblick.

Holzmaden **Museum Hauff

Wenige Kilometer südöstlich von Kirchheim liegt der kleine Ort Holzmaden, der durch reiche Fossilienfunde der Jurazeit Weltruhm erlangt hat. Das Museum Hauff mit seiner großartigen Fossiliensammlung gehört zu den bedeutendsten naturhistorischen Sehenswürdigkeiten Deutschlands. Den Schwerpunkt bilden die rund 150 Mio. Jahre alten Versteinerungen von Lebewesen aus dem Liasmeer (u.a. Seelilien, Fischsaurier, Ammoniten) sowie Petrefakten aus den jüngeren Gesteinsformationen Dogger und Malm.

*Burgruine Hohenneuffen

Südwestlich von Kirchheim unter Teck thront die größte Burgruine der Schwäbischen Alb auf einer 743 m hohen und felsigen Bergkuppe.

Beuren

Zu Füßen der geschichtsträchtigen Feste hat man 1977 das moderne Thermalbad Beuren eröffnet. Am Ortsrand von Beuren lädt ein liebevoll aufgebautes bäuerliches Freilichtmuseum zum Besuch ein.

*Bad Urach

Im Herzen der Mittleren Alb liegt das alte württembergische Residenzstädtchen Urach, das vor einigen Jahren das Prädikat "Bad" erhalten hat. Fachwerkbauten prägen den malerischen Stadtkern. Besonders imposant sind das Rathaus (15. Jh.), das Residenzschloß (15. Jh.) und das Haus am Gorisbrunnen, in dem einstmals Graf Eberhard im Bart gewohnt hat. Neben dem Schloß lädt die im Kern spätgotische Amanduskirche zum Besuch ein. In der alten Klostermühle ist heute das Stadtmuseum untergebracht. 1971 hat man am nordwestlichen Stadtrand Thermalwasser erbohrt. Seither ist hier ein modernes, stark frequentiertes Kurzentrum mit Thermalbewegungsbad und Spaßbad "Aquadrom" entstanden. Lohnende

Die mittelalterliche Altstadt von Bad Urach macht die Stadt zu einem reizvollen Ausflugsziel.

Ausflugsziele in der näheren Umgebung sind die Burgruine Hohenurach (11. u. 16. Jh.), der 37 m hohe Uracher Wasserfall, die Gütersteiner Wasserfälle und die Falkensteiner Höhle (aktive Flußhöhle).

Bad Urach (Fortsetzung)

Von Bad Urach gelangt man durch das tief eingeschnittene Seeburger Tal hinauf nach Münsingen und weiter ins romantische Tal der Großen Lauter. Das Flüßchen mäandriert von der Uracher Alb südwärts zur Donau hinunter, vorbei an steilen Wacholderhängen, schroffen Felsen, Burgruinen und Bauerndörfern. Am Oberlauf der Lauter laden das Haupt- und Landesgestüt Marbach sowie das Gestütsmuseum Offenhausen zum Besuch ein.

**Münsingen
*Großes Lautertal**

Die einstige Freie Reichsstadt Reutlingen (102 000 Einwohner) wird oft als "Tor zur Schwäbischen Alb" bezeichnet. Die Geburtsstadt des großen Ökonomen Friedrich List (1789–1846) hat Bedeutung als Einkaufsstadt und ist ein wichtiger Industriestandort. Ferner ist sie Sitz einer renommierten Fachhochschule und einer Exportakademie. Zusammen mit der benachbarten Universitätsstadt → Tübingen bildet Reutlingen ein Oberzentrum an der südlichen Peripherie des Ballungsraumes → Stuttgart. Hauptgeschäftsstraße im alten Stadtkern ist die belebte Wilhelmstraße. Der hübsche Gerber- und Färberbrunnen vor der Nikolaikirche (14. Jh.) erinnert an zwei für die Stadt bedeutende Handwerkerzünfte. Vor der Kulisse renovierter Fassaden alter Zunft- und Geschäftshäuser bietet sich der große Marktplatz an Markttagen (Di., Do. Sa.) besonders photogen dar. Den Marktbrunnen ziert ein Standbild von Kaiser Maximilian II. An der Nordseite des Platzes steht das Spital (14. u. 16. Jh.), das Raum für kulturelle Veranstaltungen bietet. An der Südseite des Marktplatzes fällt das 1965 fertiggestellte Rathaus ins Auge. In seinem Innern befindet sich der berühmte "Sturmbock" von HAP Grieshaber. Wenige Schritte vom Marktplatz entfernt erhebt sich die Marienkirche (12.–15. Jh.). Sie zählt zu den schönsten

*Reutlingen

Schwäbische Alb

Reutlingen
(Fortsetzung)

Beispielen gotischer Sakralbaukunst in Schwaben. Im Innern des Gotteshauses gefallen Wandmalereien aus dem 14. Jh., ein spätgotisches Heiliges Grab und ein Taufstein aus dem Jahr 1499. Vom 73 m hohen Turm hat man einen schönen Ausblick. In der benachbarten Alten Lateinschule wird gegenwärtig das Naturkundemuseum eingerichtet. Wenige Schritte südlich der Marienkirche, vorbei am hübschen Zunftbrunnen (1983), erreicht man das 1996 neu eröffnete und überaus reichhaltige Historische Museum, das im ehem. Königsbronner Klosterhof (14. u. 16. Jh.) untergebracht ist. Wenige Schritte weiter kommt man zum 1518 erbauten Spendhaus, das die städtischen Kunstsammlungen (bes. Holzschnitte, umfangreiche HAP-Grieshaber-Sammlung) beherbergt. Nordwestlich vom Spendhaus, vorbei am mächtigen Tübinger Tor (13. Jh.), kommt man zum Wandelknoten. In den ehemaligen Fabrikhallen sind die Sammlungen der Reutlinger Stiftung für Konkrete Kunst (u.a. Werke von Willy Baumeister, Adolf Fleischmann und Max Bense) zu sehen. Gleich nebenan sind diverse Zeugnisse der langen Reutlinger Industriekultur (u.a. Textilmaschinen) ausgestellt.

*Achalm

Östlich der Stadt erhebt sich der 707 m hohe Weißjura-Zeugenberg Achalm mit Resten einer mittelalterlichen Burg, von deren Turm man einen schönen Ausblick genießen kann.

Pfullingen

Wenige Kilometer südlich von Reutlingen kommt man in das alte Städtchen Pfullingen, wo sich schon im vorigen Jahrhundert viele Industriebetriebe angesiedelt haben. Sehenswert sind die spätgotische Martinskirche, der mit restaurierten Fachwerkbauten gezierte Marktplatz und die noch funktionstüchtige Baumannsche Getreidemühle, in der ein Trachtenmuseum untergebracht ist. Im Schlößle, einem schmucken Fachwerkbau aus dem 15. Jh., und in der dazugehörigen Schlößlescheuer ist die Stadtgeschichte dokumentiert. Am südlichen Stadtrand stehen die sog. Pfullinger Hallen. Im Innern dieses Jugendstil-Festsaalbaus (1905) sind Wandgemälde (u.a. von Hans Brühlmann) sehenswert, die unter der Leitung von Adolf Hoelzel entstanden sind.

Gern besuchte Wanderziele in der Umgebung von Pfullingen sind Übersberg, Mädlesfels, Schönberg und Wackerstein.

*Lichtenstein:
ein Märchenschloß auf schroffem Fels*

**Lichtenstein

Einige Kilometer weiter südlich thront das Schloß Lichtenstein auf hohem Fels über dem Echaztal. Das 1840/1841 erbaute Wahrzeichen der Schwäbischen Alb, das spätestens durch Wilhelm Hauffs gleichnamigen Roman bekannt geworden ist, gehört zu den schönsten Beispielen der deutschen Burgenromantik. Im Rahmen einer Schloßführung kann man großartige Gemälde des Meisters von Lichtenstein und von Jerg Ratgeb bewundern.

***Nebelhöhle
Bärenhöhle

Nicht weit vom Schloß Lichtenstein entfernt sind die Nebelhöhle mit ihren wunderbaren Tropfsteinbildungen und vor allem die Bärenhöhle mit ihren

Höhlenbärenskeletten besonders starke Besuchermagneten. Während die Nebelhöhle schon im 15. Jahrhundert bekannt war, wurde der vordere Teil der Bärenhöhle erst 1834 und ihr besonders imposanter rückwärtiger Teil sogar erst 1949 entdeckt.

Nebelhöhle
Bärenhöhle
(Fortsetzung)

Am Südrand der Mittleren Alb liegt der Erholungsort Zwiefalten mit seinem imposanten doppeltürmigen Barockmünster, das 1744–1765 nach Plänen von Johann Michael Fischer erbaut worden ist. Der Sakralbau gehört zu den schönsten Süddeutschlands. Die Deckenausmalung stammt von Franz Joseph Spiegler, die reiche Stuckornamentik von Johann Michael Feichtmayr.

*Zwiefalten

Ca. 4 km nördlich außerhalb von Zwiefalten ist die Wimsener Höhle (Friedrichshöhle) das Musterbeispiel einer aktiven Flußhöhle. Hier tritt Karstwasser aus, das als Zwiefalter Ach zur Donau fließt. (Kahnfahrten: April–Okt. tgl. 9.00–17.00 Uhr).

Wimsener Höhle
(Friedrichshöhle)

Hohenzollern · Südwestalb · Obere Donau

Die ehemalige Residenzstadt Hechingen (16000 Einwohner) liegt zu Füßen der Burg Hohenzollern (siehe unten). Sehenswert ist die 1779–1783 im klassizistischen Zopfstil erbaute Stiftskirche St. Jakobus. Wenige Schritte nordöstlich befindet sich die kürzlich restaurierte Synagoge. Hinter dem Rathaus liegt der Schloßplatz mit dem Neuen und dem Alten Schloß. In letzterem befinden sich u.a. die Hohenzollerische Landessammlung und ein Bürgerwehrmuseum. – Etwa drei Kilometer nordwestlich von Kernstadt, bei der Siedlung Stein, wurden 1976 die Reste eines römischen Gutshofs, der aus dem 1. bis 3. Jahrhundert stammt, freigelegt und teilweise rekonstruiert (Besichtigung).

Hechingen

Südlich von Hechingen thront die weithin sichtbare Burg Hohenzollern auf einem markanten Bergkegel. Die Burg ist Stammsitz eines der berühmtesten süddeutschen Grafengeschlechter, aus dem u.a. das Haus Preußen erwuchs. Die heutigen Gebäude (bis auf die im 15. Jh. entstandene Michaelskapelle) wurden 1850–1867 in historisierenden Formen errichtet. Einige Räume können besichtigt werden. Bemerkenswert ist die Schatzkammer. Hier wird u.a. die 1889 angefertigte preußische Königskrone aufbewahrt, ebenso die Schnupftabakdose, die Friedrich dem Großen in der Schlacht von Kunersdorf das Leben rettete.

**Burg
Hohenzollern
(Abb. s. S. 686)

Einige Kilometer nordwestlich von Hechingen liegt das malerische Städtchen Haigerloch im tief in den Muschelkalk eingekerbten Eyachtal. Im hiesigen Schloß residierte eine hohenzollerische Nebenlinie. Sehenswert ist die Rokoko-Schloßkirche mit einem Deckengemälde von Meinrad von Ow und einem wunderschönen Renaissance-Altar. Im Felsenkeller unter der Schloßkirche ist das Atomkellermuseum eingerichtet. Hier beschäftigten sich die Professoren Bothe, Heisenberg, Weizsäcker und Wirtz in den letzten Monaten des Zweiten Weltkrieges mit Versuchen zur Energiegewinnung aus Kernspaltung.

*Haigerloch

Knapp 10 km südwestlich von Hechingen liegt Balingen (32000 Einw.), der industriereiche Hauptort des Zollernalbkreises. Sehenswert ist das im 15. Jh. erbaute Zollernschlößle, es beherbergt heute das Museum für Waagen und Gewichte. In der alten Zehntscheuer sind das Heimatmuseum und die Friedrich-Eckenfelder-Galerie untergebracht.

Balingen

Ca. 7 km westlich von Balingen liegt die Ortschaft Dotternhausen mit einem großen Zementwerk. Eine besondere Attraktion ist das Werkforum, in dem verschiedene Kulturveranstaltungen stattfinden und das eine großartige Sammlung von Jura-Fossilien (u.a. Saurierreste, Krokodile, Ammoniten, Seelilien) beherbergt.

Dotternhausen
*Werkforum
Fossilienmuseum

*Weit über das Land blickt die majestätische Burg Hohenzollern –
eine der meistbesuchten Sehenswürdigkeiten der Schwäbischen Alb.*

*Lochenstein

Südwestlich von Balingen grüßt der 963 m hohe Lochenstein, einer der schönsten Aussichtsfelsen der Schwäbischen Alb, von dem man einen überwältigenden Panorama-Rundblick genießen kann.

Albstadt

Die Stadt Albstadt (48 000 Einw.), am 1.1.1975 durch Zusammenlegung der beiden Städte Ebingen und Tailfingen entstanden, ist die größte Siedlung auf der Südwestalb. Im Stadtteil Ebingen lohnt die Städtische Galerie (bes. Graphik des 20. Jh.s; Klassische Moderne) einen Besuch. Im Stadtteil Tailfingen befindet sich das Maschenmuseum (Geschichte der hiesigen Textilindustrie). Im alten Fruchtkasten von Onstmettingen informiert eine Ausstellung über das Wirken des Mechanikerpfarrers Philipp Matthäus Hahn, der als einer der Begründer der feinmechanischen Industrie (u.a. Waagenbau) auf der Südwestalb gilt. Im Stadtteil Lautlingen steht das Schloß der Schenken von Stauffenberg (1850; Schloßkonzerte) mit einer musikhistorischen Sammlung und einem Gedenkraum für Claus und Berthold von Stauffenberg, die der Widerstandsbewegung gegen Hitler angehörten und 1944 hingerichtet wurden.

*Raichberg

Nördlich von Onstmettingen ist der 956 m hohe Raichberg mit seinem weithin sichtbaren Sendemast ein beliebtes Ausflugsziel. Von seinem Aussichtsturm kann man bei günstiger Wetterlage die Schweizer Alpen sehen.

*Sigmaringen

Die einstige hohenzollerische Residenzstadt Sigmaringen (16 000 Einwohner) liegt am südlichen Albrand, der hier von der Donau durchbrochen wird. Die Grafen von Hohenzollern, denen die Stadt seit 1535 gehörte, bauten sie zur Residenz aus. Von September 1944 bis April 1945 residierte hier die französische Vichy-Regierung unter Marschall Pétain. Hauptsehenswürdigkeit der Stadt ist das stattliche Schloß der Fürsten von Sigmaringen-Hohenzollern, das auf steilem Fels über der Donau thront. Die Prunkräume können besichtigt werden. Beachtung verdienen die diversen

Kunstsammlungen – u.a. werden Artefakte aus vor- und frühgeschichtlicher Zeit, Miniaturen und Kunstwerke süddeutscher Meister präsentiert –, die Waffenhalle und das Marstallmuseum. Südlich vom Schloß steht die 1758 fertiggestellte Kirche St. Johannes Evangelist, ein Musterbeispiel barocker Sakralbaukunst. Weiter südlich, im Runden Turm, ist das Sigmaringer Heimatmuseum untergebracht.

Sigmaringen (Fortsetzung)

Sigmaringen ist ein guter Ausgangspunkt für einen Ausflug ins landschaftlich überaus reizvolle Obere Donautal, das sich vor allem an schönen Sommerwochenenden als Freizeit- und Erlebnislandschaft für Bergsteiger, Wanderer und Kanufahrer darbietet.

**Oberes Donautal

Die junge Donau hat hier ein imposantes Durchbruchstal in den widerständigen Weißen Jura gegraben. Jäh abstürzende Felswände, weiß leuchtende Felskränze, bewaldete Steilhänge, von denen trutzige Burgen und Burgruinen grüßen, beeindrucken die Besucher. Besonders schöne Blicke ins Donautal bieten sich vom Eichfelsen bei Irndorf (westlich von Schloß Werenwag), vom Schaufelsen bei Stetten am kalten Markt (östlich von Schloß Werenwag), von der Burg Wildenstein, vom Knopfmacherfels bei Beuron und vom Stiegelesfels bei Fridingen.

Bereits im 11. Jh. wurde das Kloster Beuron gegründet, dessen ursprünglich romanisch-gotische Bauten ab dem 17. Jh. durch barocke Neubauten ersetzt worden sind. Die nach Plänen des Vorarlberger Baumeisters Franz Beer errichtete Klosterkirche ist üppig ausgestattet. Als kunsthistorisches Kleinod gilt die 1898 errichtete Gnadenkapelle.

*Kloster Beuron

Der Naturpark Obere Donau (Informationszentrum im Beuroner Bahnhof) bildet quasi das Bindeglied zwischen Schwäbischer Alb, Oberschwaben und Schwarzwald. Er reicht von Tuttlingen donauabwärts bis östlich Scheer und umfaßt die für die Südwestalb charakteristischen Hochflächen des Großen Heubergs mit den höchsten Gipfeln der Schwäbischen Alb, das imposante Durchbruchstal der Oberen Donau sowie einen Teil der Ebenen südlich der Donau. Neben der zu allen Jahreszeiten eindrucksvollen Naturlandschaft laden zahlreiche historisch und kunstgeschichtlich interessanten Orte zum Besuch ein.

*Naturpark Obere Donau

Ein guter Ausgangspunkt für schöne Wanderungen im westlichen Teil des Naturparks Obere Donau ist der Ort Fridingen mit seinem malerischen alten Stadtkern.

Fridingen

Südwestlicher Eckpunkt der Schwäbischen Alb ist die am Beginn des Donaudurchbruchs gelegene alte württembergische Amtsstadt Tuttlingen, die durch die hier beheimatete chirurgiemechanische und medizintechnische Industrie (u.a. Firma Aesculap) Weltruhm erlangt hat. Sehenswert sind die ev. Stadtkirche mit ihrer Jugendstilfassade sowie das in Sachen Handwerk und Industriegeschichte besonders reichhaltige Heimatmuseum. – Etwa 10 km südöstlich abseits von Tuttlingen lohnt das bäuerliche Freilichtmuseum von Neuhausen ob Eck einen Besuch.

Tuttlingen

Zwischen Tuttlingen und der weiter nördlich gelegenen Stadt → Rottweil liegt Spaichingen (11000 Einw.), in dessen interessantem Gewerbemuseum man die Entwicklung des Ortes von einem Arbeiterbauerndorf zum florierenden Industriestandort nachvollziehen kann. Dieser Werdegang ist typisch für viele Orte auf der Alb.

Spaichingen

Östlich und nordöstlich von Spaichingen erheben sich die höchsten Gipfel der Schwäbischen Alb. Unmittelbar östlich der Stadt bilden die aussichtsreichen Höhen des Großen Heubergs eine hohe Mauer. Auf dem 983 m hohen Dreifaltigkeitsberg steht eine vielbesuchte Wallfahrtskapelle. Weiter nordöstlich erreicht man das 981 m hohe Klippeneck, das als hervorragendes Segelfluggelände bekannt ist. Wenige Kilometer weiter nördlich ragen die drei "Alb-Tausender" auf, nämlich der 1015 m hohe Lemberg, der 1011 m hohe Oberhohenberg und der 1009 m hohe Hochberg. Von allen genannten Höhen kann man einen wunderbaren Weitblick ins Albvorland und hinüber zum Schwarzwald genießen.

Wo die Alb am höchsten ist ...

Schwäbische Alb
(Fortsetzung)
Trossingen

Einige Kilometer westlich von Spaichingen liegt die als Heimat der Hohner-Mundharmonika bekannt gewordene Industriestadt Trossingen (12 000 Einw.), die auch Standort einer Musikhochschule ist. Die alten Gebäude der 1857 gegründeten Musikinstrumentenfabrik Hohner stehen heute unter Denkmalschutz. Im Heimatmuseum und im benachbarten Harmonikamuseum wird die Geschichte des Musikinstrumentenbaus beleuchtet. Ferner ist im Heimatmuseum das Skelett eines Sauriers aufgebaut, dessen 200 Mio. Jahre alte Überreste man im nahen Trosselbachtal gefunden hat.

Rottweil

Im nordwestlich gelegenen Albvorland liegen die beiden Einkaufsstädte → Rottweil und Villingen-Schwenningen (→ Schwarzwald).

Schwäbisch Hall   F 6

Bundesland: Baden-Württemberg
Höhe: 270 m ü.d.M.
Einwohnerzahl: 34 000

Lage und
Bedeutung

Die Stadt Schwäbisch Hall liegt im Tal der Kocher, einem rechten Nebenfluß des Neckars, am Nordostrand des Schwäbisch-Fränkischen Waldes. Die am Ufer des Kochers entspringende Solequelle ließ Hall schon früh zu einer wohlhabenden Stadt werden. Die Häller Pfennige (Heller), wohl schon zu Anfang des 11. Jh.s geprägt, waren weit verbreitet; nach ihnen benannte man später auch die Münzen anderer Währungen. Noch heute bietet die über der Kocher ansteigende Altstadt, überragt vom Turm der Michaelskirche, ein überaus malerisches Stadtbild.

*Stadtbild

Geschichte

Schwäbisch Hall verdankte seinen Wohlstand dem Salz, das hier schon seit keltischer Zeit gewonnen wurde. Um 1280 stieg Hall zur Freien Reichs-

*Von den Treppen vor St. Michael überblickt man den Marktplatz,
der von prachtvollen alten Häusern gesäumt ist.*

stadt auf. In den Jahren 1802/1803 fiel Schwäbisch Hall mit seinem Territorium an das Land Württemberg, das die Salzquelle gegen eine ewig zu zahlende Rente enteignete. Die Quelle wird heute zu Solbädern genutzt.

Geschichte (Fortsetzung)

Jedes Jahr im Sommer finden die Schwäbisch Haller Freilichtspiele statt. Die "Bühne" ist einmalig, denn gespielt wird – vom Klassiker über modernste Stücke bis zur Operette – auf den Stufen der Freitreppe zur Kirche St. Michael.

*Freilichtspiele

Sehenswertes in Schwäbisch-Hall

Am Marktplatz, der in der architektonischen Geschlossenheit seiner Umrahmung zu den eindrucksvollsten deutschen Marktplätzen gehört, stehen das Rathaus, ein Bau im Stil des frühen Rokoko, und der gotische Pranger. Gegenüber vom Rathaus führt eine Freitreppe mit 54 Stufen hinauf zur

**Marktplatz

*St. Michael

evangelischen Stadtkirche St. Michael auf einer Terrasse hoch über dem Markt. Sie bewahrt u.a. den Hochaltar von 1470, der den Einfluß altniederländischer Meister erkennen läßt. In der Sakristei befindet sich der Hans Beuscher zugeschriebene Michaelsaltar (um 1510). Vom Turm bietet sich ein schöner Rundblick. Oberhalb der Kirche befinden sich das Crailsheimer Tor und der stattliche "Neubau", der 1527 als Zeughaus erbaut wurde; heute finden dort Konzerte und Theateraufführungen statt.

An der Unteren Herrengasse ist im "Keckenhof", einem Wohnturm aus staufischer Zeit, das Hällisch-Fränkische Museum untergebracht. Es umfaßt die Abteilungen zur Geologie und Landschaftsgeschichte, Vor- und Frühgeschichte, ferner Dokumentationen zur Stadtge-

*Hällisch-Fränkisches Museum

Rathaus und Altstadt

schichte von Schwäbisch Hall. Die Schützenscheibensammlung gehört zu den bedeutendsten in Europa. Allein aus dem 18. und 19. Jahrhundert sind fast 200 Exponate ausgestellt, die die Welt der Haller Bürger zu jener Zeit veranschaulichen.

Auf dem linken Kocherufer erhebt sich im Stadtteil St. Katharina die Katharinenkirche, deren älteste Fundamente bereits aus dem 9. Jh. stammen sollen. Im Chor sind kunstvoll ausgeführte Glasfenster zu sehen.

St. Katharina

In der Vorstadt Unterlimpurg steht die Kirche St. Urban, die 1230 als flachgedecktes, einschiffiges Langhaus erbaut wurde. Von der reichen Ausstattung seien der Hochaltar, das Wandbild "Maria am Spinnrocken" und eine steinerne Stifterstatuette von etwa 1420 genannt. Von hier führt ein Fußweg zu den spärlichen Resten der Burgruine Limpurg (13. Jahrhundert).

Unterlimpurg

Umgebung von Schwäbisch Hall

*Hohenloher
Freilandmuseum

Im 6 km nordwestlich gelegenen Stadtteil Wackershofen (Busverbindungen ab Stadtzentrum) erhält man im Hohenloher Freilandmuseum einen Einblick in das bäuerliche Leben des nördlichen Württemberg. Die über 50 Gebäude gliedern sich in die drei Baugruppen Hohenloher Dorf, Weinlandschaft und Waldberge; in einigen von ihnen werden alte Handwerke vorgeführt und erklärt. Unbedingt einkehren sollte man im Museumsgasthof.

*Comburg

Östlich von Schwäbisch-Hall erhebt sich im Ortsteil Steinbach – auf einem Bergkegel über dem rechten Kocherufer – das ehemalige Benediktinerkloster Comburg (Groß-Comburg), das, 1078 gegründet, von 1488–1802 Chorherrenstift war. In der Stiftskirche St. Nikolaus, Mittelpunkt der ausgedehnten burgartigen Anlage mit romanischen Türmen, verdienen die Radleuchter aus romanischen Zeit besondere Beachtung.

Schwäbisch-
Fränkischer Wald

Südlich von Schwäbisch-Hall erstreckt sich der Schwäbisch-Fränkische Wald, zu dem die Löwensteiner Berge, der Murrhardter Wald und die Limpurger Berge zählen. Die stark bewaldeten Löwensteiner Berge, bis 586 m hoch, sind Teil des Schwäbisch-Fränkischen Schichtstufenlandes südöstlich von → Heilbronn. Zwischen den Ausläufern der Löwensteiner Berge und dem Murrhardter Wald liegt die Stadt Murrhardt, Mittelpunkt des hiesigen Fremdenverkehrs. Die Limpurger Berge, östlich des Kocher gelegen und bis 495 m hoch, gehören mit ihren Keuperhöhen ebenfalls zum Schwäbisch-Fränkischen Schichtstufenland.

Schwarzwald   D/E 7/8

Bundesland: Baden-Württemberg

Lage und
**Naturraum

Trotz saurem Regen wird der Schwarzwald mit seinen dunklen Wäldern, duftenden Bergwiesen, rauschenden Bächen und wildromantischen Tälern auch heute noch als Inbegriff einer heilen Welt verstanden. Bollenhüte, Kuckucksuhren, Rauchfleisch, Kirschwasser und Kirschtorte sind Markenzeichen einer Landschaft, die nicht nur Kulisse für ganze Fernsehserien wie "Die Schwarzwaldklinik", sondern auch Urlaubsziel für Touristen aus dem In- und Ausland ist.
Der Schwarzwald bildet den südwestlichen Eckpfeiler Deutschlands. Er ist von Pforzheim bis Waldshut am Hochrhein 160 km lang sowie im Norden etwa 20 km, im Süden 60 km breit. Nach Westen bildet das Gebirge zur Oberrheinebene hin einen von wasserreichen Tälern zerschnittenen Steilabfall, der dann in einer von Weinreben und Obstbäumen bestandene Vorbergzone übergeht. Nach Osten dacht es sich sanfter gegen das obere → Neckartal und → Donautal ab. Der wellige Rücken ist durch zahlreiche Täler gegliedert und wird von den flachen Gipfeln überragt.

Erholungsraum
und Freizeit-
gelände

Schon Kelten und Römer schätzten die Heilkraft der hiesigen Therme. Heute gibt es im Schwarzwald zahlreiche Heilbäder. Die bekanntesten sind Baden-Baden, Badenweiler, Bad Wildbad, Bad Liebenzell, Bad Teinach, Bad Peterstal und Bad Griesbach. Seit dem 18. Jh. kommen Menschen mit Atemwegsbeschwerden wegen der guten Luft in den Schwarzwald. St. Blasien, Höchenschwand, Menzenschwand, Königsfeld, Schömberg und Dobel sind nur einige der zahlreichen Orte, die für ihr vorzügliches Klima bekannt sind. In den letzten Jahrzehnten ist der Schwarzwald außerdem zu einem riesigen Sport- und Spielplatz für Freizeitaktivisten aller Art geworden wie Wintersportler, Wanderer, Mountainbiker, Wildwasserfahrer, Segler und Surfer ebenso wie für Gleitschirm-, Drachen- und Segelflieger.

Touristikstraßen

Die berühmteste Touristikstraße ist die Schwarzwald-Hochstraße (→ Routenvorschläge, S. 77), die in die Schwarzwald-Tälerstraße übergeht (ebenda).

Königin im Tortenreich

Obstgarten des Reiches, so hat man den Südwesten Deutschlands vor 100 Jahren genannt. Das milde südliche Klima und der fruchtbare Boden lassen Himbeeren, Brombeeren, Mirabellen, Birnen, Zwetschgen, Aprikosen und natürlich Kirschen gedeihen. Aus all diesen Früchten stellt man Obstbranntweine her, doch der Kirsch – das berühmte Schwarzwälder Kirschwasser – ist mengenmäßig die Nummer eins. Nur wenn es im Schwarzwald hergestellt ist, darf es als "Echt Schwarzwälder Kirschwasser" bezeichnet werden. Wer es richtig genießen möchte, trinkt es nicht eiskalt – der feine Duft geht dabei unweigerlich verloren! Es eignet sich auch zum Mixen von Getränken, als Zusatz zu Fruchtsalaten und Eis, zu Delikatessen wie Kirschwassersalami, zu feinem Gebäck, zu Kuchen und Torten – und damit sind wir beim Thema: das Wässerchen ist natürlich die wichtigste Zutat einer echten Schwarzwälder Kirschtorte.

Die wurde allerdings gar nicht im Schwarzwald erfunden, sondern in Bad Godesberg bei Bonn. Ihr Schöpfer hieß Josef Keller, der 1981 im Alter von 94 Jahren in Radolfzell am Bodensee gestorben ist. Über die Entstehung der beliebtesten Torte in Deutschland weiß man erst seit 1982 Bescheid – dank jahrelanger Recherchen eines Schweizer Journalisten. Josef Keller arbeitete 1915 vor seiner Meisterprüfung im damaligen Prominentencafé Agner in Bad Godesberg. Dort wurde Schlagsahne mit Kirschen serviert. Keller kam nun auf die Idee, einen Mürbeteigboden darunter zu backen und die Sahne mit Kirschwasser zu aromatisieren. Anlaß hierzu waren die Studenten aus dem nahegelegenen Bonn, die immer unvorhergesehen und in großer Zahl das Café Agner aufsuchten, um dann nach gewaltigen Mengen süßer Sachen zu verlangen. Im Bad Godesberg von heute findet man allerdings keinen Hinweis auf die erste

Schwarzwälder Kirschtorte, und das Café Agner besteht seit Ende der 60er Jahre nicht mehr. Keller aber arbeitete nach seiner Meisterprüfung 1919 an der von ihm kreierten Sahne-Kirschen-Kirschwasser-Komposition auf Mürbeteigboden in Radolfzell weiter. 1927/1928 zeichnete er zum ersten Mal ein Rezept seiner "Schwarzwälder Kirschtorte" auf.

Wer sie einmal selbst herstellen möchte, benötigt dafür 100 g Butter, 100 g Zucker, 1 Päckchen Vanillezucker, 4 Eier, 75 g Mandeln, 100 g Schokolade, 50 g Mehl, 50 g Mondamin, 2 gestrichene Teelöffel Backpulver sowie für die Füllung 6 bis 7 Löffel Kirschwasser, 500 g saure Kirschen, 50 g Johannisbeer- oder Himbeermarmelade und 0,5 l Schlagsahne. Garniert wird die Kalorienbombe mit geraspelter Schokolade und Kirschen. Die einzelnen Rezepte für die Kirschtorte variieren natürlich. Wichtig ist aber grundsätzlich das Schwarzwälder Kirschwasser, das der Torte das besondere Aroma verleiht. Die Bundesfachschule für das Konditorenhandwerk in Wolfenbüttel schreibt vor, daß das Kirschwasser in der verarbeiteten Sahne "geschmacklich deutlich wahrzunehmen" sei. Und das Kirschwasser ist denn auch das einzige, was die Kirschtorte mit dem Schwarzwald gemeinsam hat. Das soll uns aber auf keinen Fall den Appetit verderben.

Touristikstraßen
(Fortsetzung)

Sehr beliebt ist auch die → Deutsche Weinstraße. Die etwa 50 km lange Schwarzwald-Panoramastraße windet sich von Waldkirch auf den Kandel hinauf und zieht dann über St. Peter und St. Märgen zum Thurner, wo sie in die B 500 einmündet und über Breitnau bis nach Hinterzarten weiterführt. Die Deutsche Uhrenstraße erschließt von Villingen-Schwenningen aus als ca. 320 km lange Rundstrecke all jene Orte im mittleren Schwarzwald, in denen Uhrmacherhandwerk bzw. Uhrenindustrie eine lange Tradition haben.

Eine Schwarzwaldidylle, wie man sie sich vorstellt: um eine von dunklen Tannen umgebene Mühle rauscht ein klarer Gebirgsbach – wie hier um die Hexenlochmühle bei St. Märgen.

Nordschwarzwald

Landschaft

Der Nordschwarzwald erstreckt sich zwischen Karlsruhe bzw. Pforzheim und der Linie Offenburg – Freudenstadt. Ausgedehnte Nadelwälder, stimmungsvolle kleine Seen und Hochmoore prägen das Landschaftsbild. Die prächtigen Kuranlagen von → Baden-Baden und Bad Wildbad, die Täler von Alb, Murg, Enz und Nagold mit ihren hübschen Kurorten und malerischen Städtchen sowie der Raum Freudenstadt und die von hier nach → Baden-Baden führende Schwarzwaldhochstraße sind die Glanzpunkte dieses Gebiets.

*Bad Herrenalb

In dem von Tannenwäldern umkränzten Tal der oberen Alb südlich von → Karlsruhe liegt der freundliche Kurort Bad Herrenalb, der aus einem mittelalterlichen Zisterzienserkloster hervorgegangen ist. Seit dem 19. Jh. werden hier verschiedene auf Naturheilverfahren beruhende Kuren verabreicht. Der schöne Kurpark und das Kurhaus lassen noch einiges von der Kuratmosphäre des 19. Jh.s verspüren. Zwei Attraktionen sind das in einem Jugendstilgebäude untergebrachte Spielzeugmuseum sowie der Bahnhof mit seiner wunderschönen Jugendstilhalle, der an etlichen Wochenenden im Jahr Endstation nostalgischer Albtal-Dampfzugfahrten ist.

Im östlichen Nordschwarzwald hat die Nagold ein romantisches Tal in den Buntsandstein und in den Muschelkalk gegraben, an dem mehrere sehenswerte alte Städtchen, Kurorte und Burgruinen liegen.

Nagoldtal

Die junge Nagold ist etwa 10 km südwestlich des malerischen Städtchens Altensteig von zwei Hochwasserrückhaltebecken aufgestaut, die im Sommer beliebte Ziele von begeisterten Wassersportlern sind.

Erzgrube
Nagoldstauseen

An einer von der Burgruine Hohennagold beherrschten Flußschlinge liegt die alte Stadt Nagold (22000 Einw.), deren kleiner, von renovierten Fachwerkbauten geprägter Kern sich recht malerisch darbietet. Bemerkenswerte Bauzeugnisse sind das Rathaus mit seiner ansehnlichen Barockfassade, das mittelalterliche Steinhaus (heute Heimatmuseum), die seit dem 14. Jh. nachgewiesene Badstube, der Fachwerkbau der Oberamtei (15. Jh.) und der Alte Turm, der als Wahrzeichen der Stadt gilt. Das wohl bekannteste Gebäude der Stadt ist der Gasthof "Sonne-Post" (heute Hotel), in dem sich schon Napoleon und der württembergische König Friedrich wohlgefühlt haben. An der Straße zum Friedhof steht die romanische Remigiuskirche auf römischen Grundfesten. Sie gehört zu den ältesten christlichen Gotteshäusern Süddeutschlands.

*Nagold

Weiter flußabwärts mündet das bewaldete und durch seine Heilquellen berühmte Teinachtal von Westen kommend ins Nagoldtal ein. Bad Teinach war lange Zeit das bevorzugte Heilbad der württembergischen Herrscher. Es wurde 1835 im Stil des Klassizismus ausgebaut. Einen neuerlichen Entwicklungsimpuls erhielt das Bad in den achtziger Jahren, als man hier ein hochmodernes Thermalkurzentrum aufbaute.

*Bad Teinach

Nördlich über dem Heilbad thront das bestens erhaltene und deshalb unter Denkmalschutz stehende mittelalterliche Burgstädtchen Zavelstein auf einem bewaldeten Bergsporn. Eine botanische Besonderheit ist die Zavelsteiner Krokuswiese, die alljährlich im Frühjahr erblüht.

*Zavelstein

Die alte Tuchmacher-, Holz- und Salzhandelsstadt Calw liegt im mittleren Nagoldtal. Die vielen schön herausgeputzten Fachwerkhäuser im alten Stadtkern erinnern an die Zeit, als Calw eine der reichsten Städte Württembergs war. Besonders malerisch präsentiert sich der Marktplatz. Hier steht gegenüber dem Rathaus das Geburtshaus des Schriftstellers Hermann Hesse (1877–1962). Dem bedeutendsten Sohn der Stadt ist ein Museum gewidmet (am Nordende des Marktplatzes, schräg gegenüber der Stadtkirche). Jenseits der Nagold lädt das Stadtmuseum zum Besuch ein, das in einem repräsentativen Rokokopalais von 1791 untergebracht ist.

*Calw

Etwa 3 km weiter nördlich erreicht man den Luftkurort Hirsau mit den malerischen Ruinen jenes 1059 gegründeten Benediktinerklosters (1692 verwüstet), das im Mittelalter Zentrum der cluniazensischen Reformbewegung im deutschsprachigen Raum gewesen ist. In Hirsau entwickelte sich eine Bauschule, die für die von Hirsau aus reformierten Klöster maßgeblich wurde. Im Mauergeviert des im 16. Jh. an der Südseite des Kreuzgangs erbauten Jagdschlosses der Württemberger (1692 zerstört) stand bis 1988 jene mächtige Ulme, die Ludwig Uhland zu seinem Gedicht "Die Ulme zu Hirsau" anregte.

*Hirsau

Im Nagoldtal liegt 7 km südlich von Calw der Kurort Bad Liebenzell. Die mit einer Temperatur von 24 °C bis knapp 30 °C austretenden kohlensäure- und salzhaltigen Heilwässer wurden bereits 1526 vom Naturarzt Paracelsus gerühmt. Den Ort beherrscht die um 1200 von den Calwer Grafen erbaute Burg, von deren 34 m hohen Turm sich eine schöne Aussicht bietet.

*Bad Liebenzell

In → Pforzheim mündet die Nagold in die Enz.

Pforzheim

Die kleine Kurstadt Bad Wildbad, im tief eingeschnittenen Tal der Großen Enz gelegen, ist neben → Baden-Baden das zweite "Weltbad" im nördli-

*Bad Wildbad

Schwarzwald

Bad Wildbad
(Fortsetzung)

chen Schwarzwald. Seit dem 13. Jh. werden die 35–41 °C warmen Quellen zu Kurzwecken genutzt. An der Enz wurde das klassizistische, zwischen 1839 und 1847 errichtete Graf-Eberhard-Bad 1995 nach umfangreichen Renovierungsarbeiten als luxuriöses "Palais Thermal" wiedereröffnet. Das maurische Interieur und die Jugendstil-Dekoration wurden liebevoll restauriert. Westlich gegenüber spiegelt das zwischen 1882 und 1892 erbaute König-Karls-Bad (heute "Haus des Gastes") gründerzeitliche Monumentalität wider. Südlich entlang der Enz lädt der Kurpark mit seinem prächtigen alten Baumbestand zum Flanieren ein. Westlich der Stadt erhebt sich der aussichtsreiche Sommerberg (731 m; Standseilbahn).
Lohnende Ausflugsziele in der Umgebung von Bad Wildbad sind die südwestlich bei Kaltenbronn gelegenen Hochmoorgebiete um den Wildsee und den Hohlohsee.

*Freudenstadt

Die auf der südöstlichen Abdachung des Nordschwarzwalds gelegene Kurstadt Freudenstadt gehört zu den stärkstfrequentierten Zielen des Kur- und Naherholungsfremdenverkehrs in dieser Landschaft und wird auch als Ausgangspunkt für diverse Wintersportaktivitäten aufgesucht. Die Stadt wurde erst 1599 auf Geheiß Herzog Friedrichs I. gegründet. Die ersten Siedler waren protestantische Flüchtlinge aus dem Salzburgischen und Bergleute, die in der näheren Umgebung Erz schürften. Die regelmäßige Stadtanlage entwarf der herzoglich-württembergische Baumeister Heinrich Schickhardt. Gegen Ende des Zweiten Weltkrieges wurde der alte Stadtkern fast vollständig zerstört. Der bis 1954 erfolgte Wiederaufbau hielt sich im wesentlichen an die historischen Architekturformen.
Die Stadtmitte bildet ein fast 5 ha großer Marktplatz, der von Häuserzeilen mit Laubengängen umrahmt ist. Mitten auf dem Platz steht das Stadthaus mit dem Heimatmuseum. In der nördlichen Ecke des Marktplatzes fällt das im Stil der Nachkriegszeit errichtete moderne Rathaus mit seiner markanten Turmhaube ins Auge. Die südliche Marklplatzecke wird vom der 1601 im Stil der Renaissance errichteten evangelischen Stadtkirche (1951 wiederaufgebaut) eingefaßt. Das Taufbecken und der Lesepult sind kunsthistorisch wertvolle Arbeiten aus dem 12. Jahrhundert. Wenige Gehminuten südlich vom Marktplatz erreicht man das Kurviertel mit dem modernisierten Kurhaus, einem Kurgarten und dem parkartigen Tannenhochwald "Palmenwald" mit dem gleichnamigen Kurhaus. Am nördlichen Stadtrand ist das als Spaßbad konzipierte "Panoramabad" ein Publikumsmagnet.

Bad Peterstal
-Griesbach

Am Schluß des Renchtales liegen die beiden altbekannten Heilbäder Bad Peterstal und Bad Griesbach, die inzwischen zu einer Kurgemeinde zusammengewachsen sind. Schon Matthäus Merian schätzte die Heilwässer der Kniebisbäder, die heute auch mit modernen Thermalbädern und Kneippkureinrichtungen aufwarten können.

Oppenau
*Allerheiligen

Weiter talabwärts kommt man in das alte, von waldigen Höhen umgebene Renchtalstädchen Oppenau, das gern als Luftkurort besucht wird.
In einem nördlichen Seitental findet man die Ruinen des 1803 durch Blitzschlag zerstörten Klosters Allerheiligen. Es wurde Ende des 12. Jh.s gegründet und im 15. Jh. ausgebaut. Unterhalb der Klosterruine stürzt sich der Lierbach über eine Treppe wildromantischer Wasserfälle.

Oberkirch

Am Austritt der Rench breitet sich die für ihren Obstbau und ihre Weine bekannte alte Amtsstadt Oberkirch aus, die von der Ruine der einstmals recht stattlichen Schauenburg beherrscht wird. Im alten Rathaus ist ein Heimat- und Grimmelshausenmuseum eingerichtet. Der bedeutende Barockdichter und Verfasser des "Simplicissimus" war zeitweise Gutsverwalter und Wirt vom "Silbernen Stern" im heutigen Stadtteil Gaisbach.

Murgtal

Die Murg, deren Quellbäche oberhalb von Baiersbronn entspringen, strebt als fast 80 km langer Fluß dem Rhein zu. Der Fluß hat ein landschaftlich besonders abwechslungsreiches Tal geschaffen. Im Tal liegen mehrere freundliche Erholungsorte und altertümliche Städtchen.

Baiersbronn ist einer der meistbesuchten Erholungsorte im Nordschwarz-wald, in dessen Umgebung es zahlreiche Wintersporteinrichtungen gibt. Um den Kernort gruppieren sich elf Ortsteile und über 100 Hofstellen. Besonderen Ruhm hat Baiersbronn in den letzten Jahren als Standort der Spitzengastronomie ("Traube" in Tonbach und "Bareiss" in Mitteltal) erworben. Kunsthistorisch bemerkenswert ist die romanische Kirche der ehem. Benediktinerabtei im Ortsteil Klosterreichenbach. Rund um Baiersbronn sind über 1000 km Wanderwege markiert, über die man auch die beliebten Ziele Kniebis, Schliffkopf, Zuflucht, Alexanderschanze, Seekopf und Wild-see erreichen kann. Auf den westlich aufragenden Ruhestein führt eine Sesselbahn hinauf. *(Baiersbronn)*

Im mittleren Murgtal liegt das schmucke alte Murgflößerstädtchen For-bach, dessen Wahrzeichen die größte freitragende und überdachte Holz-brücke Europas ist. Die etwa 40 m weite Brücke wurde 1778 fertiggestellt und in den fünfziger Jahren des 20. Jh.s renoviert. Forbach ist Standort des Murg-Schwarzenbach-Kraftwerkes, das 1926 als modernstes Wasser-kraftwerk seiner Zeit in Betrieb genommen worden ist. Durch mächtige Druckrohre wird Wasser von der 340 m höher gelegenen Schwarzenbach-talsperre auf gewaltige Turbinen geleitet. *(Forbach)*

Südwestlich oberhalb von Forbach ist 1926 eine 380 m lange und 65 m hohe Sperrmauer errichtet worden, hinter der sich ein ca. 7 km langer fjordartiger Stausee erstreckt. An schönen Sommerwochenden vergnügen sich auf dem See zahllose Tretbootfahrer, Kanuten und Windsurfer. *(Schwarzenbach-talsperre)*

Das altertümliche Fachwerkstädtchen Gernsbach steigt am linken Ufer der unteren Murg terassenförmig an und wird von seinen beiden sehenswerten Kirchen überragt. Das Alte Rathaus am Marktplatz, ein prachtvolles Bau-zeugnis der Spätrenaissance, ist einstmals für den mächtigsten Herrn der Murgschifferzunft errichtet worden. – Südlich von Gernsbach thront das Schloß Eberstein auf einem Bergsporn. Es gehört den Markgrafen von Ba-den. Vom vielbesuchten Terrassenrestaurant kann man einen schönen Ausblick genießen. *(*Gernsbach)*

→ Baden-Baden *(Rastatt)*

Nördlich von Seebach, an der Schwarzwaldhochstraße, erhebt sich die Hornisgrinde (1164 m) als höchster Berg des Nordschwarzwalds. Von hier oben hat man an schönen Tagen eine wundervolle Aussicht. *(Hornisgrinde)*

Unter dem langgestreckten Berggipfel liegt der idyllische Mummelsee, in dem der Sage nach sog. Mümmeln (= Nixen) leben sollen. Der kleine Kar-see ist heute ein "hot spot" des Schwarzwaldtourismus. *(*Mummelsee)*

Schönster Ort in der Vorbergzone des Nordschwarzwalds ist Sasbachwal-den, der südöstlich von der Hornisgrinde überragt wird. Der Ortskern mit seinen prächtigen Fachwerkhäusern steht unter Denkmalschutz. Der von Weinbergen umrahmte Ort wird vom sog. Brigittenschloß (Ruine) be-herrscht, das eine der ersten Steinburgen im Schwarzwald gewesen ist. *(*Sasbachwalden)*

→ Baden-Baden *(Bühl)*

Mittlerer Schwarzwald

Der Mittlere Schwarzwald, der sich zwischen der Linie Offenburg – Freu-denstadt und der Linie Freiburg – Donaueschingen ausbreitet, besteht aus mächtigen Grundgebirgsstöcken. Nach Osten dacht sich das Waldgebirge zur Hochebene der Baar ab. Kernzone des Mittleren Schwarzwalds ist das Kinzigtal, in dem sich altertümliche Städtchen aneinanderreihen. Großarti-ge Fernblicke kann man von den Bergen Kandel, Rohrhardberg und Brend *(Landschaft)*

Schwarzwald

Mittlerer
Schwarzwald,
Landschaft
(Fortsetzung)

genießen. Stimmungsvolle Täler mit weit verstreuten alten Hofstellen sind typisch für den Mittleren Schwarzwald. Die diagonal durch diese Landschaft ziehende Schwarzwaldbahn, die Offenburg mit Villingen-Schwenningen verbindet, hat ihren Mittelpunkt in dem wegen seiner Wasserfälle berühmten Triberg.

Kinzigtal

Das Kinzigtal trennt den nördlichen vom südlichen Schwarzwald und ist spätestens seit der Römerzeit die wichtigste den Schwarzwald in west-östlicher Richtung querende Verkehrsverbindung.

*Alpirsbach

Der erste wichtige Ort, den die Kinzig durchfließt, ist die im Jahre 1095 gegründete Klostersiedlung Alpirsbach. Die Klosteranlage mit ihrer romanischen, um das Jahr 1130 geweihten Säulenbasilika und ihrem spätgotischen Kreuzgang (15. Jh.) sowie diversen Nebengebäuden ist noch bestens erhalten. Die 1566 erbaute ehem. Fruchtschranne dient seit geraumer Zeit als Rathaus. Im klösterlichen Kameralamt, einem Fachwerkbau von 1698, ist das Museum für Stadtgeschichte untergebracht. Seit einigen Jahren wird an historischer Stätte wieder Glas geblasen, wie dies die Benediktinermönche einstmals taten. Ebenfalls von den Mönchen übernommen hat man die Kunst des Bierbrauens.

Schenkenzell
*Kloster Wittichen

Weiter im Kinzigtal abwärts kommt man in den Luftkurort Schenkenzell mit seiner bemerkenswerten barocken Pfarrkirche. Südwestlich des Ortes wacht die Ruine der im 16. Jh. zerstörten Schenkenburg über das Kinzigtal. Nördlich von Schenkenzell erstreckt sich das romantische Waldtal der Kleinen Kinzig. In einem Seitental findet man das ehem. Nonnenkloster Wittichen mit seiner hübsch ausgestatteten barocken Wallfahrtskirche. Vom 16.–18. Jh. hat man hier größere Mengen Silber und Kobalt gefördert.

*Schiltach

Weiter flußabwärts erreicht man Schiltach, ein altes Flößer- und Gerberstädtchen. Der Marktplatz mit dem schmucken Rathaus (Fassadenmalerei), dem stadtgeschichtlichen Museum und dem Apothekenmuseum zeigt die "Handschrift" des Renaissance-Baumeisters Heinrich Schickhardt. Im alten Gerberviertel am Fluß kann man das Schüttesägenmuseum, eine Flößerstube und eine seit 300 Jahren bestehende Weißgerberei besichtigen.

Wolfach

Wenige Kilometer weiter folgt das als Fasnetshochburg bekannte alte Städtchen Wolfach mit einem fürstenbergischen Schloß und einem mit Fassadenmalerei versehenen Rathaus. Im Schloß ist das Heimatmuseum untergebracht. Am westlichen Stadtausgang kann man die Dorotheenhütte besichtigen, eine der letzten Glashütten des Schwarzwalds.

Bad Rippoldsau
-Schapbach

Nördlich von Wolfach hat der Kinzignebenfluß Wolf ein landschaftlich reizvolles Tal in das Grundgebirge gegraben. Die beiden Orte Schapbach und Bad Rippoldsau sind heute zu einer Gemeinde zusammengefaßt. Während in Schapbach die Klimakur im Vordergrund steht, schätzen die Kurgäste von Bad Rippoldsau die Heilkraft der aus dem Gebirge quellenden Mineralwässer und des modernen Thermalbades.

Hausach
**Vogtsbauernhof
(Abb. s. S. 698)

Dort, wo das als Heimat der Bollenhüte bekannte Gutachtal ins Kinzigtal einmündet, hat sich das ehemalig fürstenbergische Städtchen Hausach entwickelt. Nur wenige Kilometer südlich von Hausach, an der Gutach, erwartet das Schwarzwälder Freilichtmuseum "Vogtsbauernhof" von April bis Oktober viele Besucher. Um den alten Hof gruppieren sich heute mehrere historische Bauernhöfe samt Nebengebäuden.

Schramberg

Südlich von Schiltach erreicht man die im 13. Jh. erstmals urkundlich erwähnte Fünftälerstadt Schramberg, die im 19. Jh. als Standort der Uhrenindustrie bekannt geworden ist. Ihren wirtschaftlichen Aufschwung hat sie dem Unternehmer Erhard Junghans zu verdanken, der die Massenfertigung preiswerter, präziser Zeitmeßgeräte forcierte. Im klassizistischen Schloß ist das Stadtmuseum (u.a. Steingutherstellung, Strohflechterei, Uhrenindustrie) untergebracht. Die Stadt wird von drei Burgruinen bewacht. Eine der größten Wehranlagen im Schwarzwald war die 1457 erbaute und 1689 zerstörte Nippenburg.

Schramberg
(Fortsetzung)

Nach Hausach folgt Haslach, dessen malerischer alter Stadtkern unter Denkmalschutz steht. Beachtenswert sind das im ehem. Kapuzinerkloster untergebrachte Schwarzwälder Trachtenmuseum sowie das dem Schriftsteller und Pfarrer Heinrich Hansjakob gewidmete Museum im Freihof.

Haslach

Unterhalb von Haslach liegt das Städtchen Zell am Harmersbach. Es ist aus einer mittelalterlichen Mönchszelle hervorgegangen und hatte Jahrhundete lang den Status einer Freien Reichsstadt. Ansehnliche Fachwerkbauten und hübsche Jugendstilbauten bestimmen das Bild. Nordöstlich erhebt sich der vielbesuchte Aussichtsberg Brandenkopf (945 m).

Zell am
Harmersbach

Röhrbrunnen am Gengenbacher Marktplatz

Wohl das schönste Städtchen im Kinzigtal ist die denkmalgeschützte ehemalige Freie Reichsstadt Gengenbach, die wenige Kilometer südlich von Offenburg liegt. Von den drei Stadttoren laufen breite, von hübschen Fachwerkbauten gesäumte Straßen auf den Marktplatz zu. Beachtenswerte Bauten am Marktplatz sind das klassizistische Rathaus, das steinerne Giebelhaus Pfaff sowie das Löwenbergpalais mit dem Städtischen Museum. Im Osten der Stadt steht eine im 8. Jahrhundert gegründete und 1803 aufgehobene Benediktinerabtei (heute Fachhochschule). Ein kunsthistorisches Kleinod ist die Klosterkirche. Beachtenswert sind ferner das im Niggelturm untergebrachte Fasnachtsmuseum sowie das Flößerei- und Verkehrsmuseum.

*Gengenbach

Den nördlichen Ausgang des Kinzigtals in die Oberrheinebene markiert das über Rebhängen thronende Schloß Ortenberg, dessen Anfänge ins Mittelalter zurückreichen und das im 19. Jh. im Stil der Burgenromantik neu aufgebaut worden ist. Heute dient es als Jugendherberge.

*Ortenberg

Offenburg (56 000 Einwohner), die Hauptstadt der Ortenau, wird gern als "Tor zum Mittleren Schwarzwald" bezeichnet. Die Stadt wurde 1148 erstmals urkundlich erwähnt und war ab 1289 Freie Reichsstadt. Zwischen 1556 und 1701 sowie zwischen 1771 und 1803 gehörte sie zu Österreich. Im Pfälzischen Erbfolgekrieg (in den Jahren 1688 bis 1697) brannten Truppen Ludwigs XIV. die Stadt nieder. Zahlreiche Fachwerkhäuser sowie schöne barocke und klassizistische Bauten prägen das Stadtzentrum. Am Marktplatz bzw. an der Hauptstraße sind das barocke Rathaus und der barocke Königshof (heute Polizeidirektion) beachtenswert. Nach Osten öffnet sich der malerische Fischmarkt mit der Hirschapotheke (1698) und dem Löwenbrunnen (1599).

*Offenburg

Schwarzwald

Offenburg (Fortsetzung)

Weiter östlich, in der Glaserstraße, trifft man auf eine Mikwe, ein seit dem 14. Jh. bestehendes rituelles Tauchbad der Juden. Im Süden der Altstadt lohnt das regional- und stadthistorisch orientierte Museum im Ritterhaus einen Besuch, ebenso das im 17. Jh. erbaute Kapuzinerkloster mit seinem wunderschönen Kreuzgang. Nordwestlich vom Marktplatz kann man die stattliche, im 18. Jh. erbaute Heiligkreuzkirche besichtigen. Am nordöstlichen Altstadtrand befindet sich das Liebfrauenkloster (ehemals Franziskanerkloster), in dessen barocker Kirche ein prachtvoller Hochaltar und eine Silbermann-Orgel Beachtung verdienen.

∗Villingen-Schwenningen

Die am Neckarursprung gelegene Doppelstadt Villingen-Schwenningen (78 000 Einw.) entstand 1972 durch den Zusammenschluß der ehemaligen Freien Reichsstadt und später badischen Stadt Villingen sowie der württembergischen Stadt Schwenningen. Stattliche Baudenkmäler bezeugen die Bedeutung, die das katholische Villingen bereits im Spätmittelalter hatte. Das protestantische ehemalige Bauerndorf Schwenningen hingegen erlebte erst mit der Industrialisierung im 19. Jh. seinen Aufstieg.

Der von Mauern und Türmen umgebene alte Stadtkern von Villingen mit seinem typisch zähringischen Straßenkreuz ist noch gut erhalten. Mittelpunkt ist das Münster Unserer lieben Frau (um 1130; erneuert im 13. Jh.). Am Münsterplatz steht das Alte Rathaus (1306), das in der Renaissancezeit ausgebaut wurde. Sehenswert sind der ehem. Ratssaal und die reichhaltige Villinger Altertümersammlung, die sich vornehmlich mit den Zünften und Handwerken befaßt. Im Westen der Altstadt befindet sich die ehemalige Klosteranlage der Franziskaner (heute Kulturzentrum). Die Klosterkirche (1292) dient als Konzertsaal. Das Franziskanermuseum zeigt neben bemerkenswerten Funden aus der Hallstadtzeit eine Schwarzwaldsammlung (u.a. Glasmacher- und Uhrmachererzeugnisse).

Mittelpunkt der Industriestadt Schwenningen ist der Muslenplatz. Der Turm der im Kern aus dem 15. Jh. stammenden Stadtkirche sowie das Pfarr-

Der um etwa 1570 erbaute Vogtsbauernhof ist das Kernstück des gleichnamigen Freilichtmuseums bei Hausach.

Die einladende Fußgängerzone von Villingen wird von den Toren der ehemaligen Stadtmauer begrenzt – hier sieht man das Obertor.

haus und das Lehrerhaus, zwei im 18. Jahrhundert errichtete Fachwerkbauten, bilden ein hübsches Ensemble. Beachtung verdienen das im Lehrerhaus untergebrachte Heimat- und Uhrenmuseum, das in der ehem. Württembergischen Uhrenfabrik eingerichtete Uhrenindustriemuseum sowie das Museum der einst renommierten Uhrenfabrik Mauthe.
Am südlichen Stadtrand von Schwenningen erstreckt sich das Naturschutzgebiet Schwenninger Moos, in dem man die im 16. Jh. gefaßte Hauptquelle des Neckars findet. Auf dem Flugplatz am östlichen Stadtrand von Schwenningen sind über zwei Dutzend imposante Flugzeug-Oldtimer zu bestaunen, darunter auch eine russische "Antonow 2", der größte Doppeldecker der Welt.

Villingen-Schwenningen (Fortsetzung)

Wenige Kilometer südlich von Villingen-Schwenningen kommt man nach Bad Dürrheim, dem höchstgelegenen Solebad Europas mit diversen Kureinrichtungen und dem dem Sole-Mineral-Erlebnisbad "Solemar". Der alte Salzspeicher beherbergt das volkskundliche Museum "Narrenschopf", das sich mit der schwäbisch-alemannischen Fasnet befaßt.

*Bad Dürrheim

Etwa 15 km nordwestlich von Villingen, am Scheitelpunkt der Schwarzwaldbahn, liegt der Erholungsort St. Georgen. Im 18. Jh. wurde der Ort zu einem Zentrum des Uhrmacherhandwerks. Die Wirtschaftsgeschichte kann man im hiesigen Phono- und Uhrenmuseum nachvollziehen. Beliebte Wanderziele in der Umgebung sind die Brigachquelle, der Stöcklewaldturm und die alte Reichenauer Mönchsniederlassung Peterzell.

St. Georgen

Ca. 8 km östlich von St. Georgen erreicht man den heilklimatischen Kurort. Königsfeld. Graf von Zinzendorf rief hier sein Königsfelder Schulwerk ins Leben. Der alte Siedlungskern mit seinen gründerzeitlichen Villen steht unter Denkmalschutz. Ausflugsziele in der Nähe sind das St.-Nikolaus-Kirchlein (13. Jh.) in Buchenberg sowie die Ruine der mittelalterlichen Burg Waldau.

*Königsfeld

Schwarzwald

**Triberg

Im tief eingekerbten Tal der oberen Gutach liegt das Städtchen Triberg, das durch den höchsten Wasserfall Deutschlands zu einem Brennpunkt des Schwarzwaldtourismus geworden ist. Die Gutach stürzt über sieben insgesamt 162 m hohe Kaskaden zu Tal. Außer dem Wasserfall verdient das hiesige Schwarzwaldmuseum einen Besuch. In der spätbarocken Wallfahrtskirche Maria an der Tanne befindet sich ein geschnitztes Gnadenbild, dem wundersame Heilungen zugeschrieben werden.

Schwarzwaldbahn

Triberg befindet sich am landschaftlich reizvollsten Abschnitt der Schwarzwaldbahn, die 1873 eröffnet worden ist und oft als schönste Bahnstrecke Deutschlands bezeichnet wird. Sie führt von Offenburg kommend über Hausach, Hornberg und Triberg hinauf nach St. Georgen und Villingen.

Hornberg

Das alte Städtchen Hornberg liegt im tief eingeschnittenen Gutachtal zu Füßen einer in der Vergangenheit heftig umkämpften Burg, die durch das Hornberger Schießen bekannt geworden ist. In Erwartung eines Besuchs des württembergischen Herzogs, der mit Salut empfangen werden sollte, sollen diverse Irrtümer dazu geführt haben, daß alles Pulver noch vor der Ankunft des Herrschers verschossen war.

Schonach

Knapp 5 km nordwestlich oberhalb von Triberg liegt in einem Hochtal der Luftkurort Schonach, der seit langem als Schauplatz von Wettkämpfen des nordischen Skisports bekannt ist. Schon von weitem sieht man die große Schanze. Eine besondere Attraktion ist die größte Kuckucksuhr der Welt. Reizvolle Wanderziele in der Umgebung von Schonach sind das Naturschutzgebiet Blindensee sowie der 1159 m hohe Rohrhardsberg, von dem man eine schöne Aussicht genießen kann.

Schönwald

Ca. 5 km südwestlich oberhalb von Triberg liegt der Kurort und vielbesuchte Wintersportplatz Schönwald. Hier soll Franz Ketterer um 1730 die Kuckucksuhr ersonnen haben.

*Furtwangen

Knapp 10 km südlich von Schönwald erreicht man das alte Uhrmacherstädtchen Furtwangen (10 000 Einw.). Es ist Sitz einer renommierten Fachhochschule für Feinwerktechnik, Elektrotechnik, Elektronik und Informatik, die aus einer früheren Lehranstalt für Uhrmacher hervorgegangen ist. Ein Muß für jeden Besucher des Schwarzwalds ist eine Visite im Deutschen Uhrenmuseum, in dem zahlreiche technische Wunderwerke zu sehen sind. Die Palette reicht von der gotischen Stuhluhr über die berühmte astronomische Weltzeituhr (1787) des Benediktinermönchs Thaddäus Rinderle bis zu neuesten Entwicklungen der Schwarzwälder Uhrenindustrie.

Brend

Nordwestlich von Furtwangen ist der 1148 m hohe Brend einer der schönsten Aussichtsberge des mittleren Schwarzwalds (Aussichtsturm).

*Bregquelle, Martinskapelle

Ca. 6 km nordwestlich von Furtwangen sprudelt der Donauquellfluß Breg in 1078 m aus dem Schoß des Schwarzwalds. Seit dem 16. Jh. streiten sich Furtwangen und Donaueschingen (→ Donau) um den Besitz der "richtigen" Donauquelle. Oberhalb der Bregquelle steht die Martinskapelle.

*Simonswälder Tal

Von Furtwangen gelangt man westwärts in das Simonswälder Tal. Mit seinen verstreuten Weilern und Höfen ist es ein besonders typisches Schwarzwaldtal. Im Kerbtal ist die Hexenlochmühle versteckt. Mit ihren beiden Wasserrädern ist sie der Inbegriff der Schwarzwaldmühle.

*St. Märgen

Auf einer aussichtsreichen Hochfläche zwischen → Freiburg und Furtwangen liegt der Ferienort St. Märgen. Sehenswert ist die barocke ehem. Klosterkirche. Sie ist bis heute Ziel von Wallfahrten. In ihrem Innern kann man einige Arbeiten von Matthias Faller bewundern, der als "Herrgottschnitzer des Schwarzwalds" Berühmtheit erlangt hat. Religiöse Volkskunst und eine Kollektion alter Schwarzwalduhren sind im Rathaus ausgestellt. In St. Märgen hat man den "Schwarwälder Fuchs" gezüchtet, eine Pferderasse, die sich besonders für die schwere Arbeit im Wald eignet. Alle drei

Jahre (1998 usw.) wird der "Tag des Schwarzwälder Pferdes" mit dem Auftritt traditionsreicher Schwarzwälder Trachtengruppen begangen.

St. Märgen
(Fortsetzung)

Der Luftkurort St. Peter ist aus einem im 11. Jh. gegründeten Benediktinerkloster hervorgegangen. Bemerkenswert ist die doppeltürmige barocke Klosterkirche mit ihrer Buntsandsteinfassade (1727 nach Plänen Peter Thumbs). Die Deckenbemalung besorgte Franz-Joseph Spiegler aus Konstanz, die Stuckarbeiten der Tessiner J. B. Clerici. Großartig ausgestattet sind ferner Fürstensaal und die Rokoko-Bibliothek.

*St. Peter

Von St. Peter geht es in nordwestlicher Richtung hinunter ins liebliche Glottertal, das so gut wie alle Klischeevorstellungen eines Schwarzwaldurlaubers erfüllt: Sonnige Rebenhänge, blühende Kirschbaumwiesen, darüber dunkle Tannenwälder und das Ganze durchsetzt von stattlichen Schwarzwaldhöfen. Wahrscheinlich war es diese Kombination, die das Glottertal zum Hauptschauplatz der Fernsehserie "Die Schwarzwaldklinik" machte.

*Glottertal

Im Ortskern von Waldkirch leuchten die farbenfrohen Häuserfassaden.

Hauptort des Elztales ist die Stadt Waldkirch. Der Orgelbau, die Konstruktion mechanischer Musikinstrumente sowie der Bau von Fahrgeschäften für Schausteller verhalfen Waldkirch im 19. Jh. zu Weltruf. Die Altstadt zu Füßen des von einer Burgruine gekrönte Kastelberges hat noch viel von ihrem alten Charme bewahrt. Dies gilt vor allem für den von hübschen Bürgerhäusern umrahmten Marktplatz. Sehenswert ist die prachtvoll ausgestattete Kirche St. Margaretha (1734 nach Plänen Peter Thumbs). Im ehemaligen Propsteigebäude befindet sich das Elztalmuseum. Am südlichen Stadtrand zieht der Schwarzwaldzoo vor allem Familien mit Kindern an.

*Waldkirch

Aussichtsreicher Hausberg von Waldkirch ist der 1243 m hohe Kandel, zu dem die Schwarzwald-Panoramastraße hinaufführt. Von der mattenbedeckten Gipfelkuppe des Berges bietet sich eine überwältigende Fernsicht bis zu den Schweizer Alpen.

*Kandel

Schwarzwald

*Emmendingen

Ca. 15 km nördlich von Freiburg, zwischen Schwarzwald und → Kaiserstuhl, liegt die Stadt Emmendingen, die Ende des 16. Jh.s Residenz des Markgrafen von Baden gewesen ist. Hier lebte Goethes Schwester Cornelia (1750–1777). Ein hübsches Ensemble bildet der Marktplatz mit den schönen alten Bürgerhäusern. Bemerkenswerte Bauten sind das Rathaus von 1729, die in Teilen noch spätgotische ev. Stadtkirche sowie das 1585 im Stil der Renaissance fertiggestellte Markgrafenschloß, das heute eine stadtgeschichtliche Ausstellung beherbergt. Am südwestlichen Altstadtrand gefällt das im 17. Jh. errichtete Stadttor. Lohnende Ausflugsziele in der Umgebung von Emmendingen sind die 5 km nördlich gelegene Burgruine Landeck, die weiter nordöstlich gelegene frühgotische Klosterkapelle Tennenbach (13. Jh.) und die östlich gelegene malerische Ruine der 1689 von den Franzosen zerstörten Hochburg.

*Kenzingen

Etwa 15 km nördlich von Emmendingen erreicht man Kenzingen mit seiner denkmalgeschützten, auf zähringischem Grundriß errichteten Altstadt. Sie wird beherrscht von der ursprünglich gotischen, im 18. Jh. umgestalteten Kirche St. Laurentius. Das Rathaus wurde um 1520 erbaut. Einblicke in die Alemannische Fasnet vermittelt die Oberrheinische Narrenschau.

*Ettenheim

Knapp 10 km nördlich von Kenzingen gelangt man nach Ettenheim mit seinem denkmalgeschützten historischen Stadtkern. Zwei alte Stadttore, schmucke Fachwerkbauten aus dem 17./18. Jh. sowie repräsentative Barockbauten prägen das Stadtbild. Beachtenswert sind die spätbarocke Pfarrkirche, das Rathaus, das Palais Rohan und das sog. Prinzenschlößle. Im 4 km südöstlich gelegenen Ortsteil Ettenheimmünster beachte man die barocke ehem. Wallfahrtskirche St. Landolin. Sie ist das Relikt eines im 8. Jh. gegründeten und im 19. Jh. abgetragenen Benediktinerklosters.

*Europa-Park Rust

Ca. 7 km westlich vonm Ettenheim zieht der Europa-Park Rust von Ostern bis Oktober Tausende von Besuchern aus nah und fern in seinen Bann. Er wurde 1975 im Park des Schlosses Balthasar eröffnet und seither ständig erweitert. Zu den Hauptattraktionen gehören die Westernbahn "Grottenblitz", die "Schweizer Bobbahn" sowie die Wildbachfahrt "Fjord Rafting".

Lahr

Die Industriestadt Lahr breitet sich am Ausgang des Schuttertals in die Oberrheinebene aus. Recht hübsch ist ihr alter Kern, der sich seinen mittelalterlichen Charakter zumindest teilweise bewahren konnte. Beachtung verdienen die Stiftskirche mit ihrem gotischen Chor, das im Stil der Renaissance errichtete Alte Rathaus und das klassizistische Neue Rathaus. Westlich des Stadtkerns erstreckt sich der Stadtpark mit einem heimatkundlichen Museum. Die frühromanische Kirche im Stadtteil Burgheim ist eines der ältesten Gotteshäuser Badens. Ein beliebtes Ausflugsziel ist die wenige Kilometer östlich von Lahr gelegene Burgruine Hohengeroldseck.

Südschwarzwald

Landschaft

Der Südschwarzwald, wohl der landschaftlich großartigste Teil des gesamten Gebirges, wird beherrscht von dem 1493 m hohen Feldberg. Besonders schön sind Titisee und Schluchsee sowie die vom Feldberg ausstrahlenden Täler, vor allem das wildromantische Höllental, das Wiesental, das Albtal und auch das einzigartige Wutachtal. Belchen, Blauen, Herzogenhorn und Hasenhorn sind neben dem Feldberg die schönsten Aussichtsberge im südlichen Hochschwarzwald, der nach Südosten in den von Sonnenterrrasen und tiefen Waldschluchten geprägten Hotzenwald übergeht.

*Staufen im Breisgau

Knapp 20 km südlich von → Freiburg und am Ausgang des Münstertales liegt das malerische alte Städtchen Staufen im Breisgau, das nicht nur für seine guten Weine, sondern auch für edle Bränden bekannt ist. In die Literatur eingegangen ist Staufen als Sterbeort des Arztes und Alchimisten Doktor Faustus. Im Gasthaus zum Löwen soll ihn 1539 der Teufel geholt haben. Nördlich über der Stadt thront die Ruine der mittelalterlichen Burg Staufen auf einem rebenbestandenen Berg.

Staufen i. B.
(Fortsetzung)

Von Staufen lohnt ein Ausflug ins Münstertal, das sich am Westfuß des mächtigen Belchenmassivs erstreckt. Bereits im Mittelalter florierte im Münstertal der Silberbergbau. Über die Geschichte des hiesigen Bergbaus kann man sich in dem bei der Ortschaft Untermünstertal gelegenen Besucherbergwerk Teufelsgrund informieren. Prachtvoll ausgestattet ist die Barockkirche des ehemaligen Benediktinerklosters St. Trudpert.

*Münstertal

Der am Ende des Münstertals jäh aufragende, 1414 m hohe Belchen ist der dritthöchste Berg des Schwarzwalds und einer der schönsten Aussichtsberge Deutschlands. Von seinem Gipfel reicht der Blick nach Süden bis zu den Schweizer Alpen und im Westen zu den Vogesen.

**Belchen

Das für seine ausgezeichneten Weine (bes. Gutedel, Müller-Thurgau, Spätburgunder) und reichen Obstgärten bekannte Markgräflerland umfaßt die Vorbergzone des Südschwarzwalds, die sich zwischen der Einmündung des Münstertals in die Oberrheinebene und dem Rheinknie bei Basel erstreckt. Die liebliche Landschaft wird im Osten vom Blauen (1156 m) und vom Belchenmassiv (1414 m) geschützt.

*Markgräflerland

Ganz im Norden des Markgräfler Landes, ca. 9 km nördliche von Müllheim (s. unten), liegt die Ortschaft Heitersheim mit dem berühmten Malteserschloß. Es wurde zu Beginn des 16. Jh.s im Auftrag des Großpriors des Johanniterordens errichtet. Im barocken Kanzleibau ist das Ordensmuseum untergebracht.

Heitersheim

Das einstmals blühende Bergbaustädtchen Sulzburg liegt in der nördlichen Vorbergzone des Markgräflerlandes. Ausgesprochen malerisch ist sein historischer Kern mit dem hübschen Marktplatz. In der Nähe steht die 1823 errichtete Synagoge. Nordöstlich vom Marktplatz erhebt sich mit der romanischen St.-Cyriak-Kirche eines der ältesten Denkmäler christlicher Sakralbaukunst in Deutschland. In der ehem. Stadtkirche befindet sich heute das sehenswerte Landesbergbaumuseum, von dem aus ein Lehrpfad zu alten Stollen im Sulzbachtal führt.

*Sulzburg

Hauptort des Markgräflerlandes ist die Stadt Müllheim (16 000 Einw.). Die Stadt ist die größte Weinbaugemeinde der Region. Sehenswert ist die heute als Konzertsaal genutzte Martinskirche, in deren gotischem Turm man einen Freskenzyklus aus dem 14. Jh. bewundern kann. Das Markgräfler Museum am Marktplatz befaßt sich in erster Linie mit der Geschichte des Weinbaus in dieser Gegend.

Müllheim

Ca. vier Kilometer östlich von Müllheim erreicht man den weitbekannten Thermalkurort Badenweiler. Die heilenden Quellen wurden schon von den Römern genutzt, wie die im Osten des Kurparks gelegene Ruine eines im 1. Jh. n. Chr. errichteten Badehauses beweist. Gleich nebenan lädt das vor wenigen Jahren modernisierte Markgrafenbad zum Besuch ein mit seinem klassizistischen Marmorbad und der nach modernsten balneotherapeutischen Gesichtspunkten gestalteten Cassiopeia-Therme. Den schönsten Blick über den Ort genießt man von der Ruine einer im 11. Jahrhundert von den Zähringern erbauten Burg. Am Hang der Burgruine hat man in den siebziger Jahren ein modernes Kurhaus errichtet. Weiter nördlich steht das 1811 nach Plänen von Friedrich Weinbrenner erbaute Belvedere. Südwestlich des Kurparks fällt das Großherzogliche Palais ins Auge, das urspüglich im 16. Jahrhundert erbaut und 1888 im Stil der Neorenaissance umgestaltet worden ist.

*Badenweiler

Südöstlich von Badenweiler erhebt sich der 1165 m hohe Blauen, von dessen Aussichtsturm sich ein überwältigender Panorama-Rundblick über die Oberrheinebene hinweg bis zu den Vogesen und über die Höhen des Südschwarzwalds bis zu den Schweizer Alpen eröffnet.

*Blauen

Schwarzwald

Bad Bellingen

Ca. 4 km südlich von Schliengen erreicht man den Thermalkurort Bad Bellingen, der bis in die fünfziger Jahre ein beschauliches Bauern- und Fischerdorf gewesen ist. 1955 stieß man bei Probebohrungen auf heißes Mineralwasser. Weitere Thermen wurden 1963 und 1973 erschlossen. Praktisch über Nacht wuchs ein Thermalbad mit den dazugehörigen Kureinrichtungen aus dem Boden, die schon wenige Jahre später durch noch modernere Anlagen ergänzt bzw. ersetzt wurden.

Kandern

Etwa 10 km östlich von Bad Bellingen liegt das Städtchen Kandern in einem geschützten Tal, in dem seit der Römerzeit hochwertiger Ton abgebaut und verarbeitet wird. Klassizistische Architektur prägt das Bild jener Stadt, in der Johann August Sutter (1803-1880), der Gründer der kalifornischen Hauptstadt Sacramento, das Licht der Welt erblickt hat. Hauptsehenswürdigkeit von Kandern ist das Heimat- und Keramikmuseum.

Chanderli

Der sehr beliebte Museumsdampfzug "Chanderli" pendelt an einigen Sommerwochenenden zwischen Kandern und dem 13 km weiter südlich gelegenen Ort Haltingen.

∗Schloß Bürgeln

Ca. 8 km nördlich von Kandern kann man das Barockschloß Bürgeln im Rahmen einer Führung besichtigen. Es wurde 1762 im Auftrag des Abtes von St. Blasien nach Plänen des berühmten Baumeisters Franz Anton Bagnato errichtet. Von der Terrasse des Schloßrestaurants genießt man eine wunderschöne Aussicht.

Höllental

Östlich von Freiburg zwängen sich Straße und Schiene durch das enge Höllental hinauf auf die Schwarzwaldhöhen. Es ist Teil der wichtigsten West-Ost-Verbindung im südlichen Schwarzwald. Mit kühnen Verkehrsbauten hat man den engen wildwassergefährdeten Felsdurchgang am sagenumwobenen Hirschsprung sowie den steilen und felsigen Anstieg am Talende bei der Ravennaschlucht gezähmt.

Hinterzarten

Auf einer weiten Hochfläche oberhalb des Höllentals liegt der Kur- und Wintersportort Hinterzarten. Auf der berühmten mattenbelegten Adlerschanze können Spitzensportler und Skiflieger das ganze Jahr über trainieren. 1997 wurde in Hinterzarten das Schwarzwälder Skimuseum eröffnet. Die restaurierte alte Sägemühle des Jockeleshofs ist ein sehenswertes technisches Denkmal.

∗∗Titisee

Knapp 5 km weiter gelangt man zum ca. 2 km langen und etwa 700 m breiten Titisee, der von herrlichen Wäldern umrahmt ist. Dieser Natursee hat sich binnen weniger Jahrzehnte zu einem sommers wie winters stark frequentierten Rummelplatz entwickelt. Wo 1929 noch wenige Einzelhöfe standen, gibt es heute weit über 2000 Fremdenbetten.

∗∗Feldberg

Südwestlich vom Titisee erhebt sich der 1493 m hohe Feldberg (Sessellift). An schönen Sommer- und schneereichen Winterwochenenden tummeln sich auf dem höchsten Berg des Schwarzwalds Tausende von Erholungssuchenden und Freizeitsportlern. Von seinem Gipfel kann man einen großartigen Panorama-Rundblick genießen. Die Feldberg-Gipfelzone ist seit 1937 als Naturschutzgebiet ausgewiesen. Der Feldberg ist auch die Wiege des Skisports in Deutschland. Bereits 1863 wurde das Gasthaus "Feldberger Hof" errichtet (inzwischen Kur- und Sporthotel). Heute gibt es im Feldberggebiet nicht weniger als zwei Dutzend Liftanlagen, über 30 verschiedene Skiabfahrten und jede Menge Langlaufloipen.

Wiesental

Am Seebuck entspringt die Wiese, die bei Lörrach bzw. Basel in den Rhein mündet. Sie teilt den Südschwarzwald in eine westliche und eine östliche Hälfte. Landschaftlich besonders reizvoll ist das obere Wiesental.

∗Todtnau

Das einstmals bedeutsame Silberbergbaustädtchen Todtnau mit seiner imposanten doppeltürmigen Pfarrkirche ist heute Mittelpunkt einer abwechslungsreichen und höchst reizvollen Landschaft. Hier kommen Wanderer,

In luftiger Höhe schwebt die Seilbahn vom 1158 m hohen Hasenhorn herunter ins Silberbergbaustädtchen Todtnau.

Mountainbiker, Gleitschirmflieger und Skisportler auf ihre Kosten. Lohnende Ausflugsziele sind das östlich aufragende, 1158 m hohe Hasenhorn (Sessellift), die westlich oberhalb im Wald versteckten Todtnauer Wasserfälle, der Luftkurort Todtnauberg sowie die Notschrei-Paßhöhe, von der aus man erlebnisreiche Wanderungen zum Schauinsland (→ Freiburg), zum Belchen und hinüber zum Feldberg unternehmen kann.

Todtnau (Fortsetzung)

Im unteren Wiesental liegt das einstige badische Markgrafenstädtchen Schopfheim, dessen alter Kern in den letzten Jahren liebevoll restauriert worden ist. Beachtenswert sind die spätgotische Michaelskirche, das im gegenüberliegenden Krafftschen Haus (15./16. Jh.) untergebrachte Stadtmuseum und das spätgotische Hirtenhaus. Der 1821 angelegte Marktplatz wird von dem wenig später im Weinbrenner-Stil errichteten Rathaus beherrscht. Lohnend Ausflugsziele sind das überaus reizvolle Kleine Wiesental, das Weitnauer Bergland und der Vogelpark Wiesental.

Schopfheim

Einige Kilometer südöstlich vom Feldberg wird der fast 7,5 km lange und 0,5 bis 1,5 km breite Schluchsee (930 m) von den sanft gerundeten Kuppen des Hochschwarzwaldes eingefaßt. 1932 wurde bei Seebrugg eine Talsperre fertiggestellt. Der Schluchsee wird seitdem als Wasserspender und -reservoir einer Treppe von weiteren Speicherbecken und Wasserkraftwerken genutzt. – Der vielbesuchte Erholungsort Schluchsee, an einem sonnigen Hang über dem östlichen Seeufer gelegen, kann mit einigen noblen Beherbungsbetrieben und vielerlei Kur-, Sport- und Freizeiteinrichtungen aufwarten.

*Schluchsee

Etwa 4 km südöstlich vom Schluchsee erreicht man die Staatsbrauerei Rothaus, deren Produkte zu den besten Bieren der Welt gehören. Nicht weit von hier findet man das "Hüsli", das als Wohnsitz von Professor Brinkmann aus "Die Schwarzwaldklinik" bekannt wurde.

Rothaus

Südschwarzwald
(Fortsetzung)
*St. Blasien

Die Klostersiedlung St. Blasien, deren Ursprünge bis ins 9. Jh. zurückreichen, liegt im tief eingeschnittenen und waldreichen Tal des Hochrheinzuflusses Alb. Seit dem 19. Jh. schätzen Kurgäste die heilende Wirkung des hiesigen Klimas. Das Stadtbild von St. Blasien wird von der gewaltigen Kuppel der 1783 fertiggestellten Abteikirche beherrscht. Der drittgrößte Kuppelbau Europas gilt als Meisterwerk des Frühklassizismus. Er wurde nach Plänen von Michel d'Ixnard und Nicolas de Pigage und unter der Leitung des fürstenbergischen Baumeisters Franz Joseph Salzmann errichtet. Den großartigen Hochaltar hat Christian Wenzinger geschaffen. Die ebenfalls im 18. Jh. entstandenen Konventgebäude zeigen noch barocke Architekturformen. Der Marstallbau, das hübsch restaurierte älteste Gebäude der Klosteranlage, dient heute als Haus des Gastes und beherbergt ein regionalgeschichtliches Museum.

Beliebte Luftkurorte in der Umgebung von St. Blasien sind der in einem Hochtal gelegene Ort Menzenschwand, der Wintersportplatz Bernau mit einem Museum zu Ehren des hier geborenen Malers Hans Thoma (1839 bis 1924) und der heilklimatische Kurort Höchenschwand.

*Hotzenwald

Südlich und südöstlich von St. Blasien breitet sich der sog. Hotzenwald ("Hotzen" = grobes Tuch aus Schafwolle) aus. Er bietet wunderschöne Fernblicke in Richtung Schweizer Alpen und ist von tiefen Waldschluchten zerschnitten. Typisch für diese Landschaft sind die im Vergleich zu den stattlichen Schwarzwaldhöfen eher gedrungen-kleinen, schiefergedeckten Bauernhöfe.

*Todtmoos

Unweit westlich von St. Blasien liegt der altbekannte Kurort Todtmoos am oberen Ende des wildromantischen Wehratales. Beachtenswert sind hier die prachtvoll ausgestattete barocke Pfarr- und Wallfahrtskirche Mariä Himmelfahrt, das ebenfalls barocke ehem. Superiorat (heute Pfarrhaus) und nicht zuletzt das "Heimethus" mit seiner lokalhistorischen Ausstellung. Alljährlich im Hochwinter ist Todtmoos Austragungsort des international besetzten Schwarzwälder Schlittenhunderennens.

**Wutachschlucht

Die vom Hochschwarzwald in östlicher Richtung fließende und bei Blumberg in einem scharfen Knick nach Südwesten zum Hochrhein abbiegende Wutach hat die naturgeschichtlich interessanteste Flußlandschaft Südwestdeutschlands geschaffen. Sie zwängt sich streckenweise durch spektakuläre canyonartige Schluchten. Da die Wutachschlucht nur schwer zugänglich und deshalb wirtschaftlich kaum nutzbar ist, hat sich hier eine artenreiche Flora und Fauna halten können. Ein besonderes Erlebnis ist die Begehung der mittleren Wutachschlucht auf dem mit Eisen und Drahtseilen gesicherten Ludwig-Neumann-Weg.

*Sauschwänzle-
bahn

Eine Attraktion besonderer Art ist die Museumsbahn Wutachtal Blumberg - Weizen, pikanterweise auch "Sauschwänzlebahn" oder "Kanonenbähnle" genannt. Die knapp 26 km lange Bahnstrecke wurde 1890 fertiggestellt. Aufgrund der schwierigen topographischen Verhältnisse mußten Viadukte, Schleifen und Tunnels – darunter auch der einzige Kreiskehrtunnel Deutschlands – gebaut werden. Auf der Strecke verkehren im Sommer Museumsdampfzüge.

Schwerin   H 2

Hauptstadt des Bundeslandes Mecklenburg-Vorpommern
Höhe: 40 m ü.d.M.
Einwohnerzahl: 110 000

Allgemeines und
*Stadtbild

Schwerin liegt etwa 200 km östlich von Hamburg am Rande der → Mecklenburgischen Seenplatte. Die alte Residenz der mecklenburgischen Herzöge ist seit 1990 Landeshauptstadt und nach Rostock die zweitgrößte Stadt in

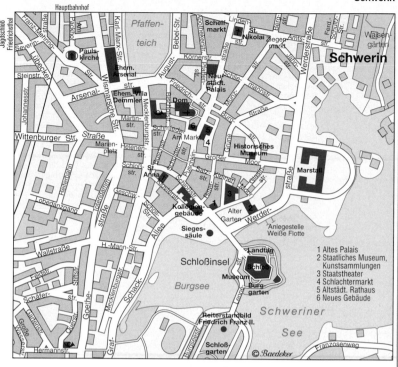

Mecklenburg-Vorpommern. Nicht nur zahlreiche Behörden und kulturelle Institutionen sind in Schwerin ansässig, auch Industrie und Fremdenverkehr spielen im Wirtschaftsleben der Hauptstadt eine wichtige Rolle. Schwerin ist wegen seiner hübsch renovierten historischen Altstadt mit dem herzoglichen Schloß, aber auch wegen seiner herrlichen Lage inmitten einer idyllischen Seenlandschaft ein Anziehungspunkt für viele Touristen. Rund 70 Seen breiten sich direkt vor den Toren der Stadt bzw. innerhalb des Stadtgebiets aus; selbst das Zentrum von Schwerin ist von Gewässern umgeben.

Allgemeines und Stadtbild (Fortsetzung)

Bereits in slawischer Zeit stand auf der Schloßinsel von Schwerin eine Burg, von der im Jahr 1018 erstmals berichtet wird. Nach der Niederwerfung der Obotriten im Jahre 1160 gründete der Sachsenherzog Heinrich der Löwe neben der Insel ein Siedlung und erhob sie zur Stadt – nach Lübeck die zweite deutsche Stadtgründung östlich der Elbe. Mit der Erhebung zum Bischofssitz (1167) und der Gründung der Grafschaft Schwerin (1358) begann Schwerins Aufstieg zum kulturellen und politischen Mittelpunkt Mecklenburgs. Bis auf die Jahre zwischen 1756 und 1837, als die Herzöge nach Ludwigslust (→ Umgebung) ausgewichen waren, residierte der mecklenburgische Hof in Schwerin. Nachdem Großherzog Paul Friedrich in der zweiten Hälfte des 19. Jahrhunderts seine Residenz wieder von Ludwigslust nach Schwerin verlegt hatte, erhielt Schwerin unter dem Hofarchitekten Gustav Adolf Demmler zahlreiche Repräsentationsbauten, die auch heute noch das Bild der Stadt prägen. Nach dem Ersten Weltkrieg wurde Schwerin Landeshauptstadt von Mecklenburg-Schwerin; in der ehemaligen DDR war es 1952–1989 Bezirksstadt.

Geschichte

Sehenswertes in Schwerin

**Schloß

Das Wahrzeichen von Schwerin und zugleich das bedeutendste Baudenkmal aus dem 19. Jh. in Mecklenburg-Vorpommern ist die ehemalige Residenz der mecklenburgischen Herzöge. Der um einen Innenhof angelegte Schloßbau erhebt sich an der Stelle des Fürstensitzes der Obotriten und der späteren Burg der Grafen von Schwerin. Sein heutiges Erscheinungsbild erhielt er 1843–1857 nach dem Vorbild des französischen Schlosses Chambord bei Orléans und nach Entwürfen des Hofbaumeisters Georg Adolph Demmler. Die malerische Lage auf der kleinen Insel sowie die vielen Türme und Giebel verleihen dem Schloßbau ein geradezu märchenhaftes Aussehen. Nach umfassender Renovierung sind die Prunkräume in der Beletage (Speisesaal, Rote Audienz u. a.) und in der Festetage wiederhergestellt (geöffnet Di.–So. 10.00–17.00, April–Sept. bis 18.00 Uhr). Besonders eindrucksvoll wegen der herrlichen Intarsienböden aus Edelholzfurnieren und des überreichen, zum Teil vergoldeten Stucks sind die Ahnengalerie und der Thronsaal. In den ehemaligen herzoglichen Kinderzimmern ist heute die Galerie "Malerei in Mecklenburg" mit Gemälden aus dem 18. und 19. Jh. untergebracht. Zu den ältesten Gebäudeteilen gehört die 1560–1563 im Nordflügel des Schlosses erbaute Renaissancekapelle. Die dortige Kanzel, das Portal und sechs Alabasterreliefs niederländischer Künstler stammen noch von der originalen Ausstattung.

Stadt am Wasser: Schwerin mit der Schloßinsel

*Schloßgarten

Vom Burggarten mit altem Baumbestand führt eine Brücke hinüber in den Schloßgarten, der 1748–1756 als barocker Park mit Kreuzkanal und Arkaden angelegt wurde. Den Kanal säumen 14 Sandsteinplastiken (Kopien) aus der Werkstatt von Balthasar Permoser. Das Reiterstandbild von Großherzog Friedrich Franz II., dem Bauherrn der Residenz, wurde 1883 hier aufgestellt. Von der höchsten Stelle des Schloßgartens bietet sich ein herrlicher Blick auf das Schloß. Die alte Schleifmühle (18. Jh.) am Südostrand der Anlage wurde zu Vorführzwecken wieder in Betrieb genommen.

Zum Schloßgarten gehörte ursprünglich auch der "Alte Garten", heute ein weitläufiger, von repräsentativen Bauten gerahmter Platz. Das Gebäude mit der ausladenden Freitreppe, 1882 im Stil des Spätklassizismus vollendet, ist heute Sitz des Staatlichen Museums. Die hier beheimatete, von Herzog Christian Ludwig II. begründete Kunstsammlung umfaßt heute über 3000 Gemälde, 35 000 grafische Blätter, etwa 8000 Zeichnungen, mittelalterliche Plastik aus Mecklenburg und Kunsthandwerk. Weit über Mecklenburg hinaus bekannt ist ihre große Kollektion niederländischer und flämischer Malerei.

Alter Garten
*Staatliches
Museum

Links neben dem Museum steht das nicht weniger repräsentative, mit einer Portikusfassade geschmückte Mecklenburgische Staatstheater (1883–1886). Bei dem zweigeschossigen Fachwerkbau etwas weiter links handelt es sich um das Alte Palais (1799), ehemals Witwensitz der Mecklenburger. Das gegenüberliegende Kollegiengebäude (1883–1886) ist eines der vielen Bauwerke, die Hofbaumeister Georg Adolph Demmler in Schwerin entwarf. Die auf dem Gelände eines Klosters errichtete Dreiflügelanlage ist mit dem benachbarten Regierungsgebäude (Nr. 4–8; 1890 erbaut) verbunden.

Staatstheater

Altes Palais

Kollegiengebäude

In der Altstadt von Schwerin sind – bedingt durch mehrere Stadtbrände im 17. Jahrhundert – zwar kaum Gebäude aus dem Mittelalter, aber noch viele Wohnhäuser und Adelspalais aus dem 18. und 19. Jahrhundert erhalten, so beispielsweise in der Puschkinstraße das Brandensteinsche Palais (Nr. 13) und das 1776 erbaute Neustädtische Palais (Nr. 19–21), eine zweigeschossige Dreiflügelanlage, die dann 1878 im Neorenaissancestil umgebaut wurde.

Puschkinstraße

Durch die autofreie Schloß- bzw. Puschkinstraße geht es hinauf in das Herz der Schweriner Altstadt, zum Marktplatz, den hübsch renovierte Bürgerhäuser einfassen. Die ältesten Teile des Rathauses stammen aus dem 14. Jahrhundert. Hinter der Fassade im Stil der Tudorgotik, 1835 von Georg Adolph Demmler entworfen, verbergen sich vier Fachwerkgiebelhäuser aus dem 17. Jahrhundert. Für den markanten Bau an der Nordseite des Platzes mit seiner mächtigen Säulenhalle hat sich der Name Neues Gebäude eingebürgert. Johann Joachim Busch hatte ihn 1783–1785 als Markthalle errichtet. Hinter dem Rathaus (Durchgang) liegt der Schlachtermarkt, auf dem heute wieder Markt gehalten wird. Im Haus Nr. 5 befindet sich die Gedenkstätte der jüdischen Landesgemeinde; im Hof des Hauses stand die 1938 zerstörte Synagoge.

Am Markt

Schlachtermarkt

Zu den herausragenden Sehenswürdigkeiten der Stadt zählt der gotische Dom St. Maria und St. Johannes (1280–um 1420), einer der schönsten Bauten der norddeutschen Backsteingotik. Der ursprüngliche Raumeindruck, der im 19. Jh. im Sinne einer Neugotik verändert worden war, wurde durch die 1988 abgeschlossene Renovierung wiederhergestellt. Bedeutende Ausstattungsstücke der Bischofskirche sind der gotische Kreuzaltar (Lübecker Arbeit; um 1440), zwei in Flandern gefertigte Grabplatten aus Messing (14. Jh.), die herzoglichen Renaissancegrabmäler im Chor (16. Jh.) und das gotische Taufbecken.

**Dom

Vom Dom ist es nicht weit zum Pfaffenteich, dem idyllischen Binnensee im Nordwesten der Altstadt, der bis etwa 1840 noch außerhalb der Stadtgrenzen lag. Bis heute ist das Erscheinungsbild dieses Stadtteils von Wohnhäusern aus dem 19. Jh. geprägt. Der kastellartige, langgestreckte Bau des Arsenals am Südufer des Pfaffenteichs wurde 1840–1844 von Stadtbaumeister Demmler als Waffenlager und Kaserne erbaut.

Am Pfaffenteich

Die Puschkinstraße mündet in den hübschen Schelfmarkt, Mittelpunkt der ehemaligen Schelfstadt, die erst 1832 mit der Schweriner Altstadt vereinigt wurde. Die dortige barocke Pfarrkirche St. Nikolai (Schelfkirche) entstand 1708–1711 an der Stelle eines mittelalterlichen Vorgängerbaus. Das Neu-

Schelfmarkt

Schwerin

Schelfmarkt (Fortsetzung)

städtische Rathaus am Schelfmarkt (Nr. 2) erhielt durch einen Umbau im Jahr 1776 sein heutiges Aussehen.

Historisches Museum

Das Viertel südlich der Schelfstadt um den Großen Moor ist eines der ältesten der Stadt. Im Fachwerkgebäude Nr. 38 informiert das Historische Museum Schwerin über die interessante Kultur- und Stadtgeschichte.

Ehem. Marstall

Die Straße Großer Moor führt auf den an der Werderstraße gelegenen Marstall zu, den ebenfalls Georg Adolph Demmler in den Jahren 1838 bis 1843 entworfen hatte. Der ausgedehnte Komplex wird heute von verschiedenen Ministerien genutzt.

Nähere Umgebung von Schwerin

**Schweriner See

Der 21 km lange und 3 bis 5 km breite Schweriner See ist mit seiner Größe von rund 65 km² nach der Müritz das zweitgrößte Gewässer in Mecklenburg-Vorpommern und für die Bewohner von Schwerin ein Naherholungsgebiet mit vielfältigen Freizeitmöglichkeiten. Baden, Segeln und Surfen sind hier ebensogut möglich und beliebt wie Wanderungen entlang der bewaldeten Ufer des Sees und der ihm benachbarten kleineren Gewässer. Fahrgastschiffe der Weißen Flotte verbinden Schwerin mit den eingemeindeten Dörfern Zippendorf und Mueß am Südufer des Sees (Anlegestelle zwischen Schloßinsel und Marstall). Der Schweriner See hat einen natürlichen Abfluß nach Süden über die Stör zur Elbe und einen künstlichen Abfluß nach Norden durch den Wallensteingraben zur Ostsee. In der Mitte zieht eine Moränenstaffel durch den Schweriner See, auf der 1842 der Paulsdamm aufgeschüttet wurde. Dieser trennt den Schweriner Binnensee (größte Tiefe 43 m) vom Außensee (größte Tiefe 51 m). Über den Paulsdamm führt die Bundesstraße (B 104) nach Güstrow und Neubrandenburg. Im Schweriner Binnensee liegen zwei größere Inseln: der unter Naturschutz stehende Kaninchenwerder (0,5 km²; Aussichtsturm) und der Ziegelwerder (0,4 km²). Unter den Inseln des Außensees ist die schmale, aber 2 km lange Lieps die größte.

*Franzosenweg

Am Grünhausgarten, im Ostteil des Schloßparks, beginnt der ausgesprochen schöne Wanderweg, der am südlichen Ufer des Schweriner Sees entlangführt.

Zippendorf Freilichtmuseum Mueß

Ein beliebtes Ausflugsziel ist der Stadtteil Zippendorf am Südufer des Schweriner Sees (Badestrand und Ausflugsgaststätten sowie Schiffsverbindungen zur Insel Kaninchenwerder). Nicht nur die ländliche Architektur des 17./18. Jh.s (u. a. Hallenhaus, Spritzenhaus), sondern auch die Arbeits- und Lebensweise der mecklenburgischen Bevölkerung werden im Freilichtmuseum im Stadtteil Mueß anschaulich vermittelt.

Raben-Steinfeld

In Raben-Steinfeld, drei Kilometer östlich von Zippendorf, gab es im 19. Jahrhundert ein herzogliches Gestüt, von dem der Marstall und das Wärterhäuschen erhalten sind. An der Brücke über die Stör, direkt bei der B 321, wurde eine Gedenkstätte errichtet, die an den zehntägigen Todesmarsch Tausender KZ-Häftlinge aus dem Lager Sachsenhausen erinnert.

Gadebusch

Gadebusch (6500 Einw.; 24 km nordwestlich von Schwerin) besitzt mit der spätromanischen Pfarrkirche (12.–15. Jh.) eine der frühesten Backsteinhallenkirchen in Mecklenburg. Von dem ehemaligen Renaissanceschloß der mecklenburgischen Herzöge (1571) steht noch das mit Terrakottareliefs verzierte Hauptgebäude. Das gotische Rathaus (1340) hat an der Marktseite eine Gerichtslaube (1618).

Vietlübbe

In Vietlübbe, 5 km östlich von Gadebusch, steht eine der ältesten und schönsten Dorfkirchen Mecklenburgs, ein spätromanischer Backsteinbau (um 1300) mit zeittypischer Bauornamentik.

Ludwigslust und Umgebung

Die kleine Kreisstadt (12 000 Einw.) liegt 35 km südlich von Schwerin in der sog. "Griesen Gegend". Als ehemalige Residenzstadt mit barock-klassizistischer Bebauung gehört sie zu den besterhaltenen Stadtanlagen aus dem 18./19. Jahrhundert. In dem kleinen Dorf Klenow wurde 1724 ein herzogliches Jagdhaus errichtet, das 1757 den Namen Ludwigslust erhielt. Herzog Friedrich ließ den Ort ab 1765 nach Plänen seines Hofbaumeisters Johann Joachim Busch zur Residenz ausbauen. Ab 1815 wurde sie nach den Entwürfen von Johann Georg Barca erweitert. Durch die Rückkehr des Hofes nach Schwerin (1837) wurde Ludwigslust eine ruhige Pensionärs- und Garnisonsstadt, die heute vor allem durch den Tourismus wieder zu Leben erwacht ist.

Mittelpunkt der Residenz ist das spätbarocke, außen mit Elbsandstein verkleidete Schloß (1772–1776). Die dem weiten Schloßplatz zugewandte Hauptfassade schmücken 16 Prunkvasen und 40 überlebensgroße Sandsteinfiguren, Personifikationen von Tugenden, Künsten und Wissenschaften. Hinter dem vorspringenden Mitteltrakt liegt der über zwei Geschosse reichende, prunkvolle "Goldene Saal" mit Teilen der originalen Ausstattung und reicher, z. T. aus Pappmaché gefertigter Dekoration. Der Saal sowie einige herzogliche Gemächer können besichtigt werden (geöffnet Di.–So. 10.00–17.00; Sa. und So. Führungen).

In der Achse des Schloßes verläuft der 20 km lange Kanal, der vor der Eingangsseite der Residenz effektvoll über steinere Kaskaden geführt wird. Dem Schloßplatz schließt ein weiterer Platz an, der von hübschen zweigeschossigen Backsteinhäusern (Wohnungen der Hofbediensteten) gerahmt wird. Dann folgt – wirkungsvoll mit der eingeschossigen Fachwerkbauung zu beiden Seiten kontrastierend – die klassizistische Stadtkirche mit einer Tempelfassade (1765–1770). Im Inneren steht der Steinsarkophag Herzog Friedrichs († 1785). Die ehemalige Hofloge an der Westseite schmückt üppiges Pappmaché-Dekor aus der Ludwigsluster Manufaktur.

Nördlich und westlich des Schlosses erstreckt sich der etwa 130 ha große Schloßpark. Mit seinen stillen Kanälen, romantischen Brücken und kleinen Teichen, den seltenen alten Bäumen und den verstreuten Parkbauten, Mausoleen und einer künstlichen Ruine ist er einer der schönsten Landschaftsgärten im Norden Deutschlands. Ursprünglich als barocke Anlage begonnen, verwandelte sich der Park, u. a. durch die Mitwirkung des berühmten Gartenarchitekten Peter Joseph Lenné, sukzessive in einen Landschaftspark nach englischem Vorbild.

Pferdeliebhaber kennen diesen Ort 21 km westlich von Ludwigslust wegen des dortigen Gestüts. Die Pferdezucht hat eine lange Tradition in Redefin: 1810 wurde hier das mecklenburgische Hauptgestüt gegründet. Die 1820 im Stil des Klassizismus erbaute Gestütsanlage ist erhalten. Im Herbst werden in Redefin Hengstparaden abgehalten.

Hauptattraktion in Dömitz, 30 km südwestlich von Ludwigslust, ist die am rechten Elbeufer errichtete Burg, die 1559–1565 zu einer bedeutenden Flachlandfestung ausgebaut wurde. Die bestens erhaltene Anlage kann besichtigt werden. Sie beherbergt u. a. ein Heimatmuseum und eine Ausstellung zu dem niederdeutschen Schriftsteller Fritz Reuter, der hier 1839 bis 1840 einen Teil seiner Haftstrafe verbüßte ("Ut mine Festungstid").

Grabow, 7 km südöstlich gelegen, ist eine Kleinstadt mit vielen Fachwerkbauten aus dem frühen 18. Jahrhundert, u. a. das Rathaus am Markt. Das Gebäude direkt daneben beherbergt das Heimatmuseum. In der gotischen Stadtkirche (13./14. Jh.) sollte man auf die Renaissancekanzel aus dem Jahr 1555 (Szenen aus dem Neuen Testament) einen Blick werfen.

Die ruhige, 12 km nordöstlich an der Elde gelegene Kleinstadt ist bekannt für ihre Giebelfachwerkhäuser aus dem 18. und 19. Jh., von denen viele kunstvoll geschnitzte Eingänge aufweisen. Die gotische Stadtkirche aus

Ludwigslust

*Schloß

**Schloßpark

Redefin

*Dömitz

Grabow

Neustadt-Glewe

Schwerin, Umgebung, Neustadt-Glewe (Fortsetzung)	dem 14. Jh. besitzt eine prächtige, in Lübeck gefertigte Kanzel (1587). Direkt an der Elde liegt die gut erhaltene Burg aus dem 14./15. Jh.; das barocke Schloß (um 1720 vollendet) wird zur Zeit restauriert.
Wöbbelin	In Wöbbelin (6 km nordwestlich von Neustadt-Glewe, an der B 106) fand der 1813 bei Lützow gefallene Schriftsteller Theodor Körner seine letzte Ruhestätte (Gedenkstätte und kleines Museum). Ebendort erinnern auch ein Mahnmal und eine Ausstellung an die Opfer des Konzentrationslagers Reiherhorst.
Friedrichsmoor	In Friedrichsmoor, 15 km nördlich von Neustadt-Glewe, dem einzigen in der Lewitz (Naturschutzgebiet) gelegenen Dorf, steht ein barockes Fachwerkschlößchen (um 1790) mit einer sehenswerten französischen Jagdtapete aus dem Jahr 1815.
Parchim	Parchim (22000 Einw.), knapp 30 km nordöstlich von Ludwigslust an der B 191 gelegen, ist traditionell ein wichtiger Industriestandort. Sehenswert sind in der Innenstadt vor allem die alten Fachwerkhäuser aus dem 16. und 17. Jh. sowie die Pfarrkirche St. Georg (14./15. Jahrhundert).

Siegen · Siegerland   E 5

Bundesland: Nordrhein-Westfalen
Höhe: 350 m ü.d.M.
Einwohnerzahl: 107 000

Lage und Allgemeines	Siegen, das lange Zeit eine der Residenzen des Hauses Nassau-Oranien war, liegt hübsch zu beiden Seiten der Sieg, einem rechten Nebenfluß des Rheins. In Siegen wurde Peter Paul Rubens (1577–1640) geboren. Bis ins 20. Jh. stritten sich die Städte Antwerpen, Köln und Siegen darum, welche von ihnen die Geburtsstadt des Malers sei. Ein holländischer Archivar fand dann heraus, daß Rubens am 28. Juni 1577 in Siegen geboren wurde.
	Das Siegerland an der oberen Sieg schließt sich südlich an das → Sauerland an und wird nach Süden hin vom → Westerwald begrenzt. Das bis zu 800 m hohe kuppige Bergland ist von Wäldern bedeckt. Vielerorts finden sich noch Relikte des über zweitausendjährigen Bergbaus, der erst 1962 endgültig eingestellt wurde.

Sehenswertes in Siegen

Unteres Schloß	Die Altstadt steigt an einem Hügel über dem linken Ufer der Sieg an. Das Untere Schloß, ein große dreiflügelige Barockanlage, wurde 1695–1720 als Residenz der evangelischen Fürsten von Nassau-Siegen errichtet. Erste Entwürfe zum Bau des Komplexes stammen von Fürst Johann Moritz. Seine sterblichen Überreste und die seiner Familienangehörigen sind in der Fürstengruft beigesetzt, die in die Schloßanlage eingebunden ist.
	Unmittelbar westlich vom Schloß liegt auf dem Sporn des Siegberges die Martinikirche, der älteste Sakralbau in Siegen. Ein Fußbodenmosaik im nördlichen Seitenschiff geht auf das 10. Jh. zurück.
Alte Poststraße	Zu gemächlichem Bummeln lädt die Alte Poststraße ein, die eine von drei Fußgängerzonen in der Siegener City ist. Der Hirtenbrunnen, ein Figurenensemble des Siegerländer Künstlers Wolfgang Kreutter, erinnert an frühere "Hudegemeinschaften" innerhalb der Stadtmauern von Siegen.
*Nikolaikirche	Nördlich der Fußgängerzone liegt im historischen Zentrum von Siegen der Markt mit der Nikolaikirche und dem Rathaus. Die Nikolaikirche, ehemals Stadtkirche und Gruftkapelle der Grafen von Nassau-Siegen, wurde im 13. Jh. erbaut. Der sechseckige Grundriß ihres Zentralbaus ist einzigartig in

Deutschland. Kostbarster Besitz der Kirche ist eine von peruanischen Silberschmieden gefertigte Taufschale aus dem 17. Jahrhundert. Das "Krönchen", das seit 1658 die Spitze der Nikolaikirche schmückt, ist das Wahrzeichen der Stadt. Johann Moritz von Nassau-Siegen schenkte das vergoldete Kleinod den Siegenern anläßlich seiner Erhebung in den Fürstenstand im Jahre 1652. Könnte man das Krönchen aus der Nähe betrachten, würde man feststellen, daß es einen Durchmesser von 2,35 m hat und mehrere Tonnen wiegt.

Nikolaikirche (Fortsetzung)

Vom Markt führt die Burggasse zum Oberen Schloß hinauf, das auf eine Höhenburg des 13. Jh.s zurückgeht. Hier hatten lange Zeit die katholischen Grafen des Hauses Nassau-Oranien ihren Sitz. Heute beherbergt das Obere Schloß die Sammlungen des Siegerland-Museums. Eine besondere Attraktion ist der Rubenssaal, in dem acht Gemälde des in Siegen geborenen Malers zu sehen sind. Im Park um das Obere Schloß ist 1935 der Rubensbrunnen aufgestellt worden.

Oberes Schloß

Am 16. Dezember 1944 wurde das Zentrum von Siegen durch einen Bombenangriff nahezu vollständig zerstört. Dort, wo einst die Zünfte der Fleischer (Obere Metzgergasse) und Lohgerber gelebt hatten, blieben einige schiefergedeckte Fachwerkhäuser erhalten. Sorgfältig restauriert, sind sie heute als geschlossenes Gebäude-Ensemble ein besonders anziehender Punkt der Siegener Altstadt.

Metzgergasse

Im südlichen Stadtteil Eiserfeld befindet sich der Reinhold-Forster-Erbstollen, eine Anfang des 19. Jahrhunderts erschlossene Eisengrube; benannt wurde der Stollen später nach dem 1729 bei Danzig geborenen Naturforscher Reinhold Forster. Besonders eindrucksvoll wirkt das prachtvolle Stollenportal mit seinem reichen Ornamentschmuck. Der Stollen ist auf eine Länge von 470 m zu begehen.

Siegen-Eiserfeld

Wie ein Ei dem anderen scheinen sich die zahlreichen Fachwerkhäuser von Freudenberg im Ortsteil "Alter Flecken" zu gleichen.

Umgebung von Siegen

Freudenberg

Etwa 15 km nordwestlich der Stadt liegt die schöne ehemalige Bergmannssiedlung Freudenberg, geprägt von vielen Fachwerkhäusern. Im "Alten Flecken" befindet sich das sehenswerte Stadtmuseum.

Bad Berleburg

Bad Berleburg, nordöstlich von Siegen im Kreis Siegen-Wittgenstein gelegen, wird als Kneippheilbad besucht. Daneben prägen Tourismus und Wintersport das Wirtschaftsleben der Stadt. Aus der Zeit, als die Grafen von Sayn-Wittgenstein-Berleburg hier ihre Residenz hatten, stammt das mächtige Renaissanceschloß. Dieses ist heute z.T. als Museum zugänglich – mit heimatgeschichtlicher Sammlung, Rüstungen und Uniformen.
Auch im Raum Berleburg findet man einige Zeugnisse früherer Berufe: Im Stadtteil Arfeld gibt es ein Schmiedemuseum, im Stadtteil Girkhausen eine alte Drechslerwerkstatt und in Raumland ein Schiefer-Schaubergwerk.

Soest   E 4

Bundesland: Nordrhein-Westfalen
Höhe: 98 m ü.d.M.
Einwohnerzahl: 50 000

**Lage und
*Stadtbild**

Die alte westfälische Stadt Soest (sprich "Soost") liegt in der fruchtbaren Soester Börde am Nordrand des → Sauerlands. Das Bild des Stadtkerns wird von bemerkenswerten Kirchen, Fachwerkhäusern und einer fast vollständig erhaltenen Stadtumwallung geprägt. Soest hat Einzug in die deutsche Literatur gehalten. Als "Jäger von Soest" erntete Simplizissimus im Dreißigjährigen Krieg hier soldatischen Ruhm.

Geschichte

Archäologische Funde bezeugen, daß die Soester Börde schon im 7. Jh. v. Chr. besiedelt war. Die erste urkundliche Erwähnung der Siedlung Soest datiert aus dem Jahr 836. Ab 965 wurde das Patrokli-Stift, eine Stiftung der Kölner Erzbischöfe, errichtet. Parallel zum wirtschaftlichen Aufschwung im 11. und 12. Jh. erfolgte die Entwicklung eines eigenen Stadtrechts: Wahrscheinlich auf einem Stadtrechtsprivileg der Kölner Erzbischöfe beruhend, wurde das Soester Recht um 1200 auf der "Alten Kuhhaut" niedergeschrieben und in den nächsten 200 Jahren auf insgesamt 65 Städte übertragen. In der sog. Soester Fehde (1444–1449) sagte sich die Stadt vom Erzbistum Köln los. Durch die Folgen des Dreißigjährigen Kriegs und des Siebenjährigen Kriegs büßte Soest seinen

Wiesenkirche und Stadtteich von Soest

einstigen Wohlstand ein. Im Jahr 1817 wurde die Stadt zum Verwaltungssitz des neugeschaffenen gleichnamigen Kreises.

Sehenswertes in Soest

Im Zentrum der Stadt erhebt sich am Domplatz das wuchtige Münster
St. Patrokli (12. Jh.), eine der bedeutendsten frühromanischen Kirchen
Westfalens. Im Marienchor sind Wandmalereien (12. Jh.) und Glasgemälde
zu sehen.

*Dom

Nur die Fußgängerzone trennt den Dom von der Petrikirche im Westen, der
ältesten Kirche der Stadt (um 1150), einst "Alde Kerke" genannt. In der
Nähe des Doms steht auch die Nikolaikapelle (12. Jh.), die dem Schutzpa-
tron der Seefahrer und Reisenden gewidmet ist. Beachtung verdienen im
Inneren Wand- und Deckenmalereien, ferner eine kostbare Altartafel, die
Meister Konrad von Soest schuf.

Petrikirche

Nikolaikapelle

Südlich vom Dom befindet sich das Wilhelm-Morgner-Haus. Es beherbergt
städtischen Kunstbesitz und eine ständige Ausstellung mit Werken des in
Soest geborenen expressionistischen Malers (1891–1917).

Wilhelm-Morgner-
Haus

Das Rathaus (18. Jh.) an der Nordseite des Domplatzes ist einer der wenigen erhaltenen Barockbauten der Stadt. Im Stadtarchiv befinden sich zwei
Exemplare des "Sachsenspiegels", der als ältestes und bedeutendstes
Rechtsbuch des deutschen Mittelalters gilt und um 1224/1225 von dem
sächsischen Ritter Eike von Repgow verfaßt wurde.

Rathaus

Im Nordosten der Altstadt befindet sich die im 14.–15. Jh. erbaute Wiesenkirche (St. Maria zur Wiese), die als Hauptwerk der Gotik in Soest angesehen wird. Auf einem Fenster über dem Nordportal ist das "Westfälische
Abendmahl" dargestellt. Auf dieser um 1500 von einem unbekannten Meister geschaffenen Glasmalerei wird das Abendmahl in einem westfälschen
Wirtshaus gehalten, in dem es Schinken und Bier gibt.

*Wiesenkirche

In der Nähe der Wiesenkirche kann man noch eine weitere Kirche besichtigen, die Hohnekirche (St. Maria zur Höhe). Sie entstand mit ihren prächtigen Decken- und Wandmalereien um 1200 und beherbergt ein Scheiben-
kreuz (um 1230), das in Deutschland einzigartig ist.

Hohnekirche

Von den beiden Kirchen aus erreicht man in kurzer Zeit das Osthofentor
am Rand der Altstadt, das einzige noch vorhandene von ursprünglich zehn
Stadttoren des alten Stadtwalls. Im Inneren ist das Osthofentormuseum
untergebracht, ein Museum zur Stadtgeschichte mit einer Sammlung von
25000 mittelalterlichen Armbrustbolzen. Gegenüber vom Museum beginnt
der Stadtwall, der noch in Teilen erhalten ist.

Osthofentor

Im Süden der Innenstadt befindet sich das Burghofmuseum. Es beherbergt eine reichhaltige Sammlung von Möbelstücken, Schmuckgegenstän-
den, erlesenem Porzellan verschiedener Stilepochen und ca. 60 Exponate
des Kupferstechers Heinrich Aldegrever (1500–1555), der in Soest lebte
und wirkte. Zum Museum gehört das Romanische Haus (um 1200).

Burghofmuseum

Umgebung von Soest

Die Möhnetalsperre, rund 10 km südlich der Stadt gelegen, ist ein beliebtes Wassersportrevier. Der Möhnesee wird von einer 650 m langen und
40 m hohen Sperrmauer aufgestaut. Die Talsperre liegt im Norden des Naturparks Arnsberger Wald, der einen Teil des Sauerlands umfaßt und südlich in den Naturpark Homert übergeht. Das Gebiet wird vom Plackweg,
einer alten Handelsroute, durchquert, nun eine schöne Wanderstrecke.

*Möhnetalsperre

**Soest,
Umgebung
(Fortsetzung)
*Lippstadt**

Das 1185 gegründete "Venedig Westfalens", nördlich von Soest an der Lippe gelegen, ist mit 70 000 Einwohnern die größte Stadt in der Hellwig-Region zwischen Münsterland und Sauerland. Besonders als Einkaufsstadt hat Lippstadt im weiten Umfeld einen Namen.

Es lohnt sich, einen Rundgang durch die Altstadt zu machen. Die Marienkirche am Marktplatz gilt als das Wahrzeichen von Lippstadt; im Inneren sind die Wand- und Gewölbemalereien aus Gotik und Renaissance sehenswert, ferner ein Sakramentshaus von 1523 und ein barocker Hochaltar. An der Rathausstraße ist in einem verputzten Fachwerkbau von 1656 das Städtische Museum untergebracht, in dem u.a. die älteste Fächersammlung Westfalens und eine Spielzeugsammlung gezeigt werden. Im Westen der Altstadt, wo einst das Augustinerinnenkloster stand, kann man noch die Ruine der Stiftskirche sehen. Südlich der Ruine gelangt man zur Nicolaikirche, deren Turm das älteste Bauwerk von Lippstadt ist.

Südwestlich der Altstadt liegen die Stadtteile Overhagen und Herringhausen, beide mit einem Wasserschloß. Südöstlich lohnt das barocke Wasserschloß Schwarzenraben einen Besuch.

Bad Waldliesborn

Nahe der nördlichen Gemarkungsgrenze von Lippstadt liegt Bad Waldliesborn, ein Heilbad mit jod- und kohlensäurehaltigen Solequellen. Mittelpunkt des Badebetriebs ist das Kurzentrum, in dem Thermalsole-Bewegungsbäder und andere Heilmittel angeboten werden. Wer nach Abwechslung sucht, sollte Ausflüge in die nähere Umgebung machen, z.B. zur Abtei Liesborn und zum Wallfahrtsort Stromberg.

Spessart   F 6

Bundesländer: Hessen und Bayern

**Lage und
Allgemeines**

Der Spessart – der Name ist abgeleitet von "Spechteshart"', d.h. Spechtwald – ist ein Mittelgebirge von durchschnittlich etwa 500 m Höhe, das vom Mainviereck Hanau – Miltenberg – Wertheim – Gemünden im Westen, Süden und Osten umschlossen wird und im Norden bis gegen Schlüchtern reicht. Die wellige Hochfläche wird durch tiefe, gewundene Täler in breite Rücken gegliedert. Den südlichen Teil bildet der im 585 m hohen Geiersberg gipfelnde Hochspessart, der von schönem Eichen- und Buchenwald bedeckt ist. Nördlich der Linie Aschaffenburg – Lohr erstreckt sich der überwiegend mit Kiefern bewachsene Hinterspessart. Der Vorspessart nördlich von → Aschaffenburg ist ein fruchtbares Hügelland, das im Hahnenkamm 437 m Höhe erreicht. Der Spessart umschließt heute einen der größten Naturparks in Deutschland, von dessen Gebiet zwei Drittel zu Bayern und ein Drittel zu Hessen gehören.

Reiseziele im Spessart

***Schloß
Mespelbrunn**

Schloß Mespelbrunn, das im 15./16. Jahrhundert erbaut wurde, liegt etwa 20 km südöstlich von Aschaffenburg überaus malerisch in die schönen Spessartwälder eingebettet. In dem von einem breiten Wassergraben umgebenen Wasserschloß, heute noch bewohnt, kann man im Nordflügel die Repräsentationsräume besichtigen und dort erlesenes Porzellan, Möbel und Gemälde bewundern.

Lohr

Die Stadt Lohr liegt in einem lieblichen, von bewaldeten Höhen umgebenen Talkessel. Als "Tor zum Spessart" gepriesen, besitzt sie in ihrem Kern noch viele alte Fachwerkhäuser. Beachtenswert ist die Stadtpfarrkirche, eine dreischiffige Pfeilerbasilika mit wertvollen Epitaphien der Grafen von Rieneck. Im ehemaligen Kurmainzer Schloß befindet sich das Spessart-Museum mit Sammlungen von Gläsern aus Spessarter Glashütten und Prunkspiegeln der Lohrer Spiegelglasmanufaktur (17./18. Jahrhundert).

Wie ein verwunschener Ort wirkt Schloß Mespelbrunn im Spessart.

Das Gebiet von Main und Spessart läßt sich gut per Fahrrad erkunden. Mehrere Main-Spessart-Radrouten verschiedener Länge laden dazu ein. Ziele solcher Touren können die Umgebung von Rohrbrunn und der ehemalige Klosterhof Lichtenau sein, in dessen Nähe schöne alte Eichenbestände zu finden sind.

Spessart
(Fortsetzung)
Radwandern

Speyer

E 6

Bundesland: Rheinland-Pfalz
Höhe: 104 m ü.d.M.
Einwohnerzahl: 50 000

Die alte Kaiserstadt Speyer liegt am linken Ufer des Rheins. Seit dem 7. Jh. ist sie Bischofssitz. Von 1294 bis 1797 war sie Freie Reichsstadt, in der fünfzig Reichstage stattfanden, darunter der berühmte von 1529, auf dem die evangelischen Fürsten und Stände eine Protestation einbrachten (daher die Bezeichnung Protestanten) und an dessen Ende die Spaltung der römischen Kirche stand. Im Pfälzer Erbfolgekrieg wurde die Stadt 1689 von den Truppen Ludwigs XIV. in Schutt und Asche gelegt. Bedeutendstes Bauwerk ist der Dom, eine der wichtigsten hochromanischen Kathedralen Deutschlands, der seit 1980 auf der UNESCO-Liste des Weltkulturerbes steht. Auf dem Rhein verkehrt im Sommerhalbjahr ein Ausflugsschiff.

Lage und
Allgemeines

Sehenswertes in Speyer

Der sechstürmige, dreischiffige und ungewöhnlich hohe Dom St. Maria und St. Stephan trägt den Beinamen Kaiserdom zurecht. Seine Entstehung verdankt er der Salierdynastie, die 1024–1125 die Könige und Kaiser im

**Dom

Dom
(Fortsetzung)

Reich hervorbrachte, von denen acht in der 1041 geweihten Krypta bestattet wurden. Mit dem Dombau hatte Konrad II. um 1030 begonnen. Nach seinem Tod setzte Heinrich III. das Werk mit deutlich gewachsenem Anspruch fort, u. a. wurde das Mittelschiff verlängert und die Höhe gesteigert. Bei seiner Weihung 1061 war der Dom das größte Gotteshaus des christlichen Abendlandes. Bereits um 1080 setzte unter Heinrich IV. ein Umbau ein, der bescheiden begann, aber bei seiner Vollendung um 1106 einem Neubau gleichkam, u. a. wurde der Dom als eine der ersten Kirchen des Mittelalters eingewölbt und die unter der Dachtraufe verlaufende Zwerggalerie ausgeführt. Die große Steinschüssel auf dem Domplatz, der sog. Domnapf (1490), wurde früher bei

Dom zu Speyer

Heidentürmchen

der Einführung eines neuen Bischofs für das Volk mit Wein gefüllt. Einen schönen Blick auf die Ostseite des Doms hat man vom Heidentürmchen aus, einem Überrest der Stadtmauer (13. Jahrhundert).

Historisches Museum

Im Historischen Museum (1906–1909; südlich vom Dom) wird die Geschichte der Stadt und der Pfalz dargestellt; einer der Höhepunkte ist der Goldene Hut aus Schifferstadt (12. Jh.); ferner sind hier ein Diözesan- und Dommuseum mit den Grabbeigaben aus den Saliergräbern und ein interessantes Weinmuseum eingerichtet.

*Judenbad

Das Zentrum der seit 1084 urkundlich verbürgten jüdischen Siedlung in Speyer war der Judenhof, nur wenige Gehminuten vom Dom entfernt (Zugang über die Judengasse südwestlich des Doms). Von dem Ensemble sind das rituelle Kaltbad (Mikwe), Teile der Synagoge (1104) und des Frauen-Betraumes erhalten. Die Mikwe wurde vermutlich von Handwerkern der Dombauhütte angelegt. Hier entsteht eine Gedenk-, Schau- und Lehrstätte.

Altpörtel

Vom Dom führt die breite Maximilianstraße, die Hauptstraße der Stadt, westlich zum Altpörtel, einem schönen Torturm aus dem 13. und 16. Jahrhundert (Inneres zugänglich).

*Dreifaltigkeits-kirche

Die 1701–1707 erbaute Dreifaltigkeitskirche (Große Himmelsgasse; nordwestlich vom Dom) gilt als spätbarockes Gesamtkunstwerk.

Technik-Museum Speyer

Südlich der B 39, in der Geibstr. 2, befindet sich das Technik-Museum, zu seinen Schwerpunkten zählen Luftfahrt, Eisenbahn, Feuerwehr, Oldtimer, U-Boote und Dampfmaschinen (auch Wechselausstellungen). Ein IMAX-Filmtheater lädt zu einem Kinoerlebnis der besonderen Art ein.

Purrmann-Haus

Im Geburtshaus des Malers Hans Purrmann (1880–1966; Kleine Greifengasse 14) wird sein Werk und sein Leben vorgestellt.

Der Holiday-Freizeitpark Haßloch, der 14 km nordwestlich von Speyer gelegen ist, lockt mit Märchenpark, Liliputanerstadt, Delphinarium, Varieté, Großkino und anderen Attraktionen vor allem die Kleinen.

Speyer
(Fortsetzung)
*Holiday-Park

Spreewald K/L 3/4

Bundesland: Brandenburg

Der Spreewald (sorbisch Blota = Sumpf), eine überaus reizvolle Landschaft, erstreckt sich rund 100 km südöstlich von → Berlin. Geographisch ist der Spreewald eine von zahlreichen Wasserläufen ("Fließe") durchzogene feuchte Niederung mit Sandflächen und Dünen. Auf den kleinen Sandinseln, den Kaupen, haben sich die für den Spreewald charakteristischen Streusiedlungen entwickelt.

Lage und
Allgemeines

Die Region gliedert sich in Ober- und Unterspreewald. Beim Städtchen Burg beginnt der Oberspreewald. In diesem Gebiet verzweigen sich die Spree und die ihr zufließende Malxe in zahlreiche kleine und große Bäche. Die Baumreihen an den Flüßchen ziehen durch weite offene Wiesen sowie kleine Acker- und Gartenflächen. Im Unterspreewald nordöstlich von Lübben teilt sich die Spree erneut in mehrere Flußläufe. Dauergrünland, Bruchwald und Äcker nehmen diese Beckenlandschaft ein. Die hochwasserfreien Gebiete im Spreewald sind altes Siedlungsland. Hier wohnen seit jeher die slawischen Sorben (→ Baedeker-Special S. 466/467), zu deren kultureller Überlieferung farbenprächtige Trachten gehören. Hauptwirtschaftszweig der Region ist neben dem Tourismus der Anbau von Gemüse – Spreewälder Gurken sind ein Begriff.

*Landschaftsbild

Die "Entdeckung der Langsamkeit" kann man bei einer Kahnfahrt durch den Spreewald machen. Während die Fährleute gemächlich durch das Wasserlabyrinth staken, genießt man die urwüchsige Natur.

Spreewald

*Kahnfahrten

Der Verkehr im Spreewald wurde früher mit Kähnen abgewickelt; jedes Gehöft besaß seinen eigenen Hafen. Heute vermag man durch Hochwasserschutzbauten die Wasserwege in bestimmten Bahnen zu halten. Dennoch können Besucher eine Spreekahnfahrt erleben: 1908 wurde in Lübbenau ein Fährmannsverein gegründet, der mittlerweile jährlich mehr als eine halbe Million Touristen durch den Spreewald stakt.

*Wanderwege

Als bekanntester Wanderweg im Spreewald gilt der bereits 1911 angelegte Fußweg vom kleinen Hafen in Lübbenau zu der eine Stunde entfernten Gaststätte "Wotschowska". Die Route verläuft über viele Streuwiesen und über mehrere Brücken, unter denen die Spreewaldkähne dahingleiten. Lohnend ist ferner der in Lehde gleich hinter dem Hafen beginnende Fußweg, der von dort aus nach Leipe, einem weiteren Spreewalddorf, führt.

Reiseziele im Spreewald

Lübben

Die alte Stadt Lübben, sorbisch Lubin, liegt rund 80 Kilometer südöstlich von Berlin an der engsten Stelle des Spreetals. Im 7. Jahrhundert ließen sich slawische Siedler an dem Ort nieder. Im Jahre 1220 mit Stadtrecht belehnt, entwickelte sich Lübben am wichtigen Spreeübergang schnell zum beherrschenden Zentrum der Niederlausitz. 1815 wurde Lübben preußische Kreisstadt. Teile der alten Stadtbefestigung sind erhalten, u. a. der runde Hexenturm, der viereckige "Trutzer" und das Wiekhaus mit Spitzbogenblenden.

Das Schloß, vermutlich im 14. Jh. als Wasserburg errichtet, wurde mehrmals um- und ausgebaut und erhielt um 1680 sein heutiges Aussehen. Beachtenswert sind der Ostgiebel und das mit dem kursächsischen Wappen geschmückte Sandsteinportal. Ferner wirken der festliche Wappensaal und das Hochzeitszimmer im Wohn- und Wehrturm sehr eindrucksvoll. Im Wappensaal finden während der Sommermonate Konzerte und Ausstellungen statt. Die Paul-Gerhardt-Kirche, eine spätgotische Hallenkirche am historischen Marktplatz, ist das Wahrzeichen von Lübben. Die Kirche ist eng verknüpft mit der Person des Kirchenliederdichters Paul Gerhardt, der hier von 1668 bis zu seinem Tod 1676 als Prediger wirkte.

Luckau

In Luckau, 18 km südwestlich von Lübben, ist fast die gesamte alte Stadtmauer mit zwei Wiekhäusern und dem Roten Turm erhalten. Der achteckige "Hausmannsturm" mit Georgenkapelle, der schöne Netzgewölbe hat, wird heute zu feierlichen Anlässen genutzt. Am Markt sind barocke Bürgerhäuser mit Volutengiebeln und Stuckdekorationen sehenswert.

Lübbenau

Am südlichen Rand des Oberspreewalds liegt die kleine Stadt Lübbenau, sorbisch Lubnjow. Ursprünglich eine Anlage des westslawischen Stammes der Lusizi, wurde das Gebiet von Lübbenau im Zuge der deutschen Ostkolonisation erobert. Ende des 19. Jh.s entdeckten vor allem die Berliner den Ort als beliebtes Ausflugsziel.

Am Markt steht die Stadtkirche St. Nikolai, ein schlichter Barockbau mit bemerkenswerter Ausstattung, darunter ein Wandgrab aus dem Jahr 1765. Im architektonisch bemerkenswerten früheren Gerichtsgebäude ist das Spreewaldmuseum untergebracht, in dem für den Spreewald typische Trachten und eine informative Schausammlung zur Geschichte der Region gezeigt werden. Der Schloßbezirk als ältester Teil der Stadt entstand anstelle der einstigen Wasserburg als klassizistische Schloßanlage. In der früheren Orangerie werden Ausstellungen gezeigt. Ältestes Haus der Stadt ist das zweistöckige Fachwerkhaus am Eingang des Geländes. Gegenüber dem Fachwerkhaus befinden sich in einer Ausstellungshalle Originalwaggons der ehemaligen Schmalspurbahn Cottbus–Lübben und eine Schmalspurlokomotive mit kombiniertem Pack- und Personenwagen. Das "Haus für Mensch und Natur" unterrichtet mittels elektronischer Medien und Filmvorführungen über den Spreewald. Anhand von Modellen wird gezeigt, wie sich der Spreewald zu einer Kulturlandschaft entwickelte und welche Bedeutung die Spree für die Auenlandschaft des Spreewalds hat.

Empfehlenswert ist ein Abstecher zum romantisch gelegenen Dörfchen Lehde, das unter Künstlern als "Klein Venedig" galt. Im Spreewald-Freilandmuseum sind zahlreiche Gehöft versammelt, die – oft mit Originaleinrichtung – aus allen Ecken des Oberspreewalds zusammengetragen wurden und zeigen, wie sorbische Bauern im 19. Jahrhundert lebten – unter anderem sind ein Gehöft mit Ziehbrunnen, ein Backhaus, ein Kahnschuppen und ein Kräutergarten zu besichtigen. Neben dem Gasthof "Quappenschänke" (An der Dolzke 6) liegt außerdem ein Gurkenmuseum (geöffnet April bis Oktober).

Spreewald
(Fortsetzung)
*Lehde

Stade   F 2

Bundesland: Niedersachsen
Höhe: 7 m ü.d.M.
Einwohnerzahl: 47 000

Stade liegt an beiden Ufern der Schwinge, die unweit nordöstlich in die Niederelbe mündet. Von wirtschaftlicher Bedeutung sind Chemie- und Energieindustrie, Holzhandel und der Elbhafen in Stadersand. Der 994 erwähnte Hafen- und Hanseort war während des ganzen Mittelalters neben Hamburg die mächtigste Stadt an der Unterelbe. Zwischen 1648 und 1712 war Stade unter schwedischer Herrschaft.

Lage und
Allgemeines

Zwei mittelalterliche Kirchen überragen die 1000 x 500 m große, noch vollständig von den ausgezackten Wassergräben und den zu Anlagen umgewandelten Festungswällen der Schwedenzeit umschlossene Altstadt (Wallrundgang ca. 1 Std.). Die engen Gassen der Innenstadt säumen viele hübsche Fachwerkbauten.

*Stadtbild

Sehenswertes in Stade

Besonders malerisch präsentiert sich Stade am Alten Hafen. Zu den schönsten Bauten gehört der 1692–1705 errichtete Schwedenspeicher. Der mächtige Bau beherbergt heute ein Museum mit einer vor- und frühgeschichtlichen Abteilung sowie Zeugnissen der Stadtgeschichte. Gleich nebenan präsentiert das Kunsthaus eine ständige Ausstellung von Worpsweder Malern der älteren Generation (Mackensen, Vogeler, Modersohn-Becker u. a.). Das Bürgermeister-Hintze-Haus (Nr. 23) ist ein reich verzierter Sandsteinbau von 1621. Der Holzkran am Südwestrand des Hafenbeckens wurde ursprünglich 1661 errichtet (Rekonstruktion).

*Alter Hafen

Die Hökerstraße, Hauptgeschäftsstraße der Stadt, führt zum Rathaus, einem barocken Backsteinbau von 1667/1668. Über dem prächtigen Portal halten zwei Löwen das schwedische Staatswappen. Nördlich erhebt sich die Kirche St. Cosmae, mit deren Bau 1137 begonnen wurde. Das Innere birgt eine schöne Barockausstattung; besondere Beachtung verdienen die Orgel von Arp Schnitger (17. Jh.), der um 1500 entstandene Flügelaltar und der Gertrudenaltar.

Rathaus

St. Cosmae

Unweit südöstlich steht die Wilhadikirche, ein Backsteinbau aus dem 13./ 14. Jh.; im späten 19. Jh. jedoch weitgehend erneuert. Die sehenswerte Barockorgel entstand zwischen 1731 und 1734.

St. Wilhadi

In dem Freilichtmuseum auf einer kleinen Insel im Burggraben (im Westen der Stadt) stehen eine Windmühle von 1632, ein Altländer Haus von 1733, ein Geestbauernhaus von 1841 und andere Nutzbauten.

Freilichtmuseum

Das Technik- und Verkehrsmuseum (Freiburger Str. 60) nördlich der Altstadt gibt Einblick in die Technikgeschichte der letzten 150 Jahre.

Technik- und
Verkehrsmuseum

Stralsund K 1

Bundesland: Mecklenburg-Vorpommern
Höhe: 9 m ü.d.M.
Einwohnerzahl: 65 500

Lage und
Allgemeines

Die viertgrößte Stadt Mecklenburg-Vorpommerns liegt am Strelasund an der Ostsee und ist u. a. der Ausgangspunkt für den Besuch der Insel Rügen, mit der sie durch den Rügendamm verbunden ist. Als ehemalige Hansestadt blickt Stralsund auf eine glanzvolle Vergangenheit zurück, die sich heute noch in ihrem historischen Stadtbild widerspiegelt.

*Stadtbild

Stralsund besitzt mit seinem berühmten Rathaus, den mächtigen Backsteinkirchen, den Klosteranlagen, Befestigungswerken und Bürgerhäusern eine historische Bausubstanz von unschätzbarem Wert. Obwohl vieles noch nicht vor dem Verfall gerettet ist, zeigt sich die Stadt als Schmuckstück, und nicht ohne Grund wird die von reizvollen Teichen und Parks umschlossene Altstadt als "Venedig des Nordens" bezeichnet.

Geschichte

Neben dem slawischen Fischerdorf Stralow entwickelte sich Anfang des 13. Jh.s eine deutsche Kaufmannssiedlung, die 1234 das lübische Stadtrecht erhielt. Seit 1293 war Stralsund Mitglied der Hanse und wurde in den folgenden Jahrhunderten von Lübeckern, Dänen, Schweden und Hollän-

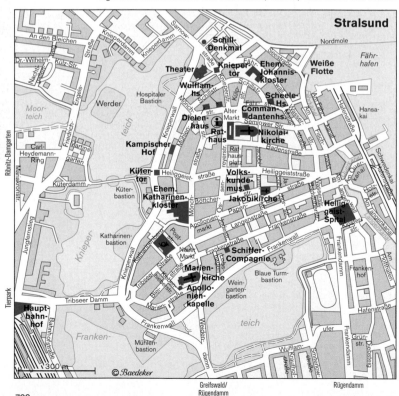

Greifswald/
Rügendamm

Rügendamm

Aus der historischen Altstadt von Stralsund ragen die Nikolaikirche (Mitte) und die Jakobikirche (rechts) auf.

dern heftig umkämpft. 1249 wurde daher eine Stadtmauer errichtet. Während des Dreißigjährigen Krieges belagerte Wallenstein die Stadt vergeblich; sie kam nach dem Westfälischen Frieden (1648) zu Schweden. 1815 wurde die Stadt preußisch. Die Rolle Stralsunds als Tor zur Insel Rügen, zu der seit 1883 Fährverkehr bestand, gewann 1936 durch den Bau des Rügendamms an Bedeutung.

Geschichte (Fortsetzung)

Sehenswertes in Stralsund

In der auf einem Inselkern zwischen Strelasund, Franken- und Knieperteich gelegenen Altstadt mit ihrem einmaligen Ensemble von Bauwerken der Spätgotik, der Renaissance, des Barocks und des Klassizismus wird zur Zeit noch an vielen Ecken restauriert und renoviert. Die charakteristische Bebauung mit Giebelhäusern ist z.T. noch in der Mönch- und Ossenreyerstraße sowie in der Mühlenstraße vorhanden. Sehenswert sind in der Badenstraße (Nr. 17) das Schwedenpalais (1726–1730), das ehemalige schwedische Regierungsgebäude, und das Doppelhaus in der Fährstraße (Nr. 23/24), das Geburtshaus des Chemikers C.W. Scheele (1742–1786).

*Altstadt mit historischen Bürgerhäusern

Von der mittelalterlichen Stadtbefestigung sind wesentliche Abschnitte der Stadtmauer mit einigen Wiekhäusern am Knieperwall und in der Nähe des Johannisklosters noch vorhanden. Darüber hinaus sind das Kütertor (1446) und das Kniepertor (Anfang 14. Jh.) erhalten.

Stadtbefestigung

Im Norden der Altstadt gruppieren sich um den Alten Markt ein Reihe bedeutender Sehenswürdigkeiten: das Rathaus, die Nikolaikirche und einige besondere Häuser, vor allem das mittelalterliche Wulflamhaus (Nr. 5) von 1380, der dreigeschossige Barockbau der ehemaligen schwedischen Kommandantur (Nr. 14) und das Dielenhaus in der angrenzenden Mühlenstraße.

Alter Markt

Stralsund

**Rathaus

Am Alten Markt steht das Rathaus, das Wahrzeichen Stralsunds. Das gotische Gebäude (Baubeginn im 13. Jh.) hat eine prächtige Fassade und zählt zu den schönsten Profanbauten der norddeutschen Backsteingotik.

*Nikolaikirche

Östlich hinter dem Rathaus steht die gotische Nikolaikirche, der älteste Sakralbau der Stadt (1270–1350). Hochgotische Architektur und eine überreiche Ausstattung aus der Zeit der Gotik bis zum Barock verbinden sich in der Nikolaikirche zu einem großartigen Gesamteindruck. Ein wichtiges Element der Innenraumwirkung sind die ausgemalten Gewölbe und Arkadenzonen in Langhaus und Chor (144./15. Jh.). Kostbar sind außerdem die Anna-Selbdritt-Skulptur (um 1290), die Astronomische Uhr (1394), der Hochaltar und die vielen mittelalterlichen Wandaltäre.

Johanniskloster

Nordöstlich vom Alten Markt liegt an der Schillstraße das 1254 gegründete ehemalige Franziskanerkloster St. Johannis. Die Ruine der Klosterkirche mit einer Kopie einer "Pieta" von Ernst Barlach ist ein Mahnmal für die Zerstörung der Kirche 1945.

Hafen

Wenig weiter östlich kommt man an den Hafen Stralsunds, wo u. a. die Fähren der Weißen Flotte zur kleinen Insel Hiddensee (→ Rügen, Umgebung) auslaufen.

Kampischer Hof

Südwestlich des Alten Marktes liegt die Dreiflügelanlage des Kampischen Hofs (Mühlenstr. 23), eine Gebäudegruppe, die einst dem Zisterzienserkloster Neuenkamp gehörte und seit 1319 bezeugt ist.

Katharinenkloster/ *Meereskundemuseum und *Kulturhistorisches Museum

Zu den Publikumsrennern unter den Museen Mecklenburg-Vorpommerns gehören die beiden Museen in der Mönchstraße im ehemaligen Katharinenkloster, das 1251 von Dominikanern gegründet wurde.

Das Deutsche Museum für Meereskunde und Fischerei verfügt seit 1984 über eines der europaweit größten Aquarien für tropische Fische. Ferner wird die Flora und Fauna des Meeres, Fischfangtechniken, die Entwicklung der Hochsee- und Küstenfischerei und der Naturraum Ostsee vorgestellt.

Gleich nebenan präsentiert das Kulturhistorische Museum in den ehemaligen Klausurgebäuden und dem Kreuzgang des Klosters neben regionalen ur- und frühgeschichtlichen Funden auch Zeugnisse der Besiedlung der Region vom 8. Jahrtausend v. Chr. bis zum 12. Jh. n. Chr., die Stralsunder Stadtgeschichte, Exponate zur bürgerlichen Wohnkultur des 19. und beginnenden 20. Jh.s, sakrale Kunst des Mittelalters und den prächtigen "Hiddenseer Goldschmuck" aus dem 10. Jh., der vor der Küste Hiddensees (→ Rügen, Umgebung) gefunden wurde.

Heilig-Geist-Kirche Jakobikirche

Bemerkenswerte Sakralbauten sind auch die Heilig-Geist-Kirche, eine spätgotische Backsteinhalle (etwa 15. Jh.), mit dem Heilig-Geist-Hospital (Wasserstraße) und die Jakobikirche am Ostende der Böttcherstraße, eine gotische Backsteinbasilika (14./15. Jh.).

Neuer Markt mit *Marienkirche

Den lebendigen Mittelpunkt der südlichen Altstadt bildet der Neue Markt, der von dem mächtigen gotischen Backsteinbau der Marienkirche (um 1380) überragt wird. Besonders beeindruckend ist die Architektur mit ihren enormen Ausmaßen: ein gewaltiges Westwerk mit einem herrlichen Netz- bzw. Sterngewölbe und das lange, 32 m hohe Langhaus.

Umgebung von Stralsund

Hiddensee

Von Stralsund kann man mit Schiffen der Weißen Flotte Ausflüge zu der landschaftlich schönen Insel Hiddensee (→ Rügen, Umgebung) machen.

Rügen, Dänholm

Über den Rügendamm gelangt man per Auto oder Bahn zum Inselchen Dänholm und nach → Rügen. Auf Dänholm befindet sich das Marinemuseum, das die Geschichte der Stralsunder Marine dokumentiert.

Bundesland: Bayern
Höhe: 331 m ü.d.M.
Einwohnerzahl: 44 500

Die niederbayerische Stadt Straubing liegt am rechten Ufer der Donau am Fuß des → Bayerischen Waldes in einer fruchtbaren Ebene, dem Gäuboden. Die Agnes-Bernauer-Stadt ist ein bedeutendes Landwirtschaftszentrum innerhalb der Kornkammer Bayerns.

Lage und Allgemeines

Die Altstadt entstand in der Gegend der heutigen Peterskirche an der Stelle der Römersiedlung "Sorviodurum". Die 1218 gegründete befestigte Neustadt war 1353–1425 Hauptstadt des selbständigen Herzogtums Straubing-Holland, das dann an Herzog Ernst von Bayern fiel. Dessen Sohn Albrecht III. vermählte sich 1432 – nicht standesgemäß – mit der schönen Augsburger Baderstochter Agnes Bernauer; diese wurde auf Betreiben ihres Schwiegervaters, des Herzogs Ernst, 1435 der Zauberei angeklagt und in der Donau ertränkt. Hebbel setzte ihr mit seinem Trauerspiel "Agnes Bernauer" ein literarisches Denkmal.

Geschichte

Wochenmarkt auf dem Stadtplatz von Straubing

Sehenswertes in Straubing

Der geschwungene Stadtplatz im Zentrum Straubings (Neustadt) wird durch den Stadtturm in den Ludwigs- und den Theresienplatz geteilt. Das Erscheinungsbild des Platzes mit seinen schmucken Bauwerken vom Barock über den Klassizismus bis zum Jugendstil zeugt vom ausgeprägten Repräsentationswillen des Adels und vom Selbstbewußtsein des Bürgertums.

*Stadtplatz

Straubing

Stadtturm

Der achtstöckige, 68 m hohe Stadtturm aus dem 14. Jahrhundert ist das Wahrzeichen der Stadt. Vom Turm hat man einen herrlichen Blick auf die mittelalterliche Stadtanlage, über den Gäuboden und über die Baumwipfel des Bayerischen Walds.

Rathaus

Nördlich gegenüber steht am Theresienplatz das dreigeschossige, gotische Rathaus (1382), etwas weiter westlich der Tiburtiusbrunnen (1685) und die 1709 nach einer Belagerung aufgestellte Dreifaltigkeitssäule.

St. Jakob

Nördlich des Theresienplatzes erhebt sich die mächtige Kirche St. Jakob, die zwischen 1400 und 1590 gebaut wurde und eine der schönsten Kirchen der Backsteingotik in Altbayern ist. Im Innern sind vor allem die wertvollen spätgotischen Glasgemälde, die Kanzel von 1752 und mehrere Grabdenkmäler sehenswert.

Ludwigsplatz

Auf dem Ludwigsplatz steht der 1644 gebaute Jakobsbrunnen; in der Löwenapotheke (Nr. 11) war zwischen 1828 und 1830 der Maler Karl Spitzweg Apothekerlehrling.

Gäubodenmuseum

An der von der Mitte des Ludwigsplatzes nach Norden führenden Fraunhoferstraße (Nr. 1) passiert man zunächst das Geburtshaus des Physikers Joseph von Fraunhofer (1787–1826), bevor man das Gäubodenmuseum (Nr. 9) erreicht. Neben zahlreichen archäologischen Fundstücken präsentiert sich vor allem die sakrale Kunst und die Volkskunde; herausragend ist der 1950 entdeckte Straubinger Römerschatz.

Karmelitenkirche und Ursulinenkirche

Unweit östlich erhebt sich die spätgotische, im 15. Jh. erbaute und um 1700 barockisierte Kirche des Karmelitenklosters. Hinter dem Hochaltar befindet sich das prächtige Hochgrab für Herzog Albrecht II. († 1397). Weiter östlich erkennt man an der von den Brüdern Asam prunkvoll ausgestatteten Ursulinenkirche (1735–1741) den Übergang vom Barock zum Rokoko. Sie ist mit bedeutenden Fresken und Gemälden der Brüder Asam ausgestattet.

Schloß

Weiter nördlich steht an der Donau das ehemalige Herzogschloß, dessen Bau 1356 begonnen wurde. Teile der unregelmäßigen, um einen Hof geordneten Anlage sind der ehemalige Fürstenbau mit Rittersaal, die spätgotische Kapelle im Hof und der "Ages-Bernauer-Turm" am Nordwesteck. Im Osttturm ist ein Zweigmuseum des Bayerischen Nationalmuseums München untergebracht, das sakrale Kunst zeigt. Im Schloßhof finden alle vier Jahre die Agnes-Bernauer-Festspiele (1999) statt.

Peterskirche in der Altstadt

Östlich von der Neustadt lohnt der Besuch der Peterskirche (1180) in der ländlichen Altstadt Straubings. Man erreicht sie, ausgehend vom Schloß, wenn man kurz vor der Donaubrücke in die Donaugasse abbiegt, nach etwa einem Kilometer. Die romanische Pfeilerbasilika mit Türmen von 1886 und zwei prächtigen Portalen liegt in einem alten Friedhof. Im Innern sind vor allem das Kruzifix (um 1200) über dem Hochaltar und die Pieta (um 1430) im nördlichen Seitenschiff beachtenswert. Auf dem stimmungsvollen Kirchhof steht u. a. die Agnes-Bernauer-Kapelle (1436) mit dem Grabstein der mit Herzog Albrecht III. vermählten Augsburger Baderstochter; nahebei befindet sich die Seelenkapelle mit Totentanzfresken von 1763.

Stadtpark

Westlich der Neustadt erstreckt sich der 1905 angelegte Stadtpark und der Tiergarten, der einzige Zoo Ostbayerns, in dem über 1000 Tiere in 250 Arten gehalten werden.

Umgebung von Straubing

Oberalteich

Die Klosterkirche von Oberalteich, 10 km nordöstlich von Straubing, wurde 1630 vollendet; im Innern besitzt sie eine reiche Rokoko-Ausstattung.

Stuttgart

Hauptstadt des Bundeslandes Baden-Württemberg
Höhe: 207 m ü.d.M.
Einwohnerzahl: 561 000

Im Rahmen dieses Reiseführers ist die Beschreibung von Stuttgart bewußt **Hinweis**
knapp gehalten; sie beschränkt sich auf die Hauptsehenswürdigkeiten.
Ausführlichere Informationen liefert der in der gleichen Reihe erschienene
Band "Stuttgart".

Die baden-württembergische Landeshauptstadt liegt überaus reizvoll in **Lage und**
einem von Bergwald, Obstgärten und Weinbergen umrahmten Talkessel, **Bedeutung**
der sich nur zum Neckar hin öffnet. Aus der Talsohle, in der sich der Stadtkern mit den meisten historischen Bauten befindet, klettern die Häuserzeilen der Stadt die Hänge hinauf. Wo diese für die Anlage von Straßen zu
steil sind, führen Treppen und Treppchen (hier Staffeln oder Stäffele genannt) bergauf und bergab. Stuttgart ist Sitz zweier Universitäten, einer
Akademie der Bildenden Künste, einer Hochschule für Musik und Darstellende Kunst sowie zahlreicher Fachhochschulen. Die Stadt besitzt ein
reges Theater- und Konzertleben; Stuttgarter Ballett und Stuttgarter

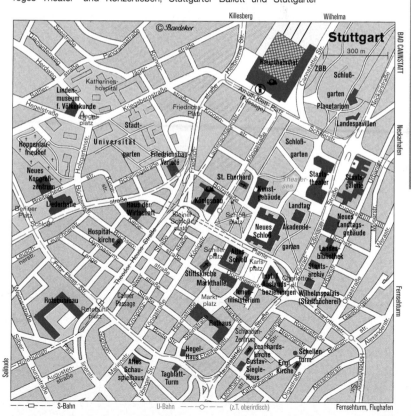

Im Herzen Stuttgarts, auf dem Schloßplatz, genießt man Sommer und Sonne beim Neuen Schloß und der Jubiläumssäule.

Lage und Bedeutung (Fortsetzung)

Kammerorchester genießen internationalen Ruf. Fahrzeugbau (Mercedes-Benz, Porsche), Elektroindustrie (Bosch), Maschinenbau, feinmechanische und optische Werke, Textil- und Papierindustrie bestimmen das Wirtschaftsbild. Auch auf dem Gebiet des Verlagswesens nimmt die Stadt eine führende Stellung ein. Überdies ist Stuttgart ein großer Weinbauort. In den Stadtteilen Berg und Bad Cannstatt besitzt die Stadt ergiebige Mineralquellen, deren Wasser für Trinkkuren genutzt wird und Mineralbäder speist.

Geschichte

Der Name Stuttgart leitet sich her von einem um 950 angelegten Gestütshof ("Stutengarten") des Alamannenherzogs Liutolf; daher auch das schwarze Pferd im Stadtwappen. Neben einer von Ulrich I. (1241–1265) errichteten Wasserburg entwickelte sich die Stadt bald zu einem bedeutenden Marktort. Nach der Zerstörung seiner Stammburg Wirtemberg auf dem Rotenberg verlegte Graf Eberhard I., der Erlauchte, 1321 seinen Sitz nach Stuttgart, das dann bald über seinen alten Mauerring hinauswuchs. Anfang des 16. Jh.s erhielt die Stadt eine neue äußere Ummauerung, die dann auch die Obere und Untere Vorstadt einbezog. Herzog Friedrich II. wurde 1803 zum Kurfürsten und 1805 als Friedrich I. von Napoleon zum König erhoben – und Stuttgart somit Hauptstadt des Königreichs Württemberg. Mitte des 19. Jh.s setzte eine rege Bautätigkeit ein: Die Stadt wuchs, es entstanden einige klassizistische Repräsentationsbauten, und die Stadtmauern wurden größtenteils beseitigt. Nach dem Zweiten Weltkrieg entwickelte sich Stuttgart als Hauptstadt des neugegründeten Bundeslandes Baden-Württemberg zu einer betriebsamen Großstadt.

Sehenswertes in Stuttgart

*Hauptbahnhof

Der mit seinem 58 m hohen Turm und dem darauf rotierenden Mercedes-Stern weithin sichtbare Hauptbahnhof wurde als Kopfbahnhof 1914 bis

1927 von Paul Bonatz und E.F. Scholer im Stil der Neuen Sachlichkeit errichtet. Für die nächsten Jahre ist die Durchführung des Projektes "Stuttgart 21" geplant, wobei die bisherige Anlage mit 16 Gleisen durch einen unterirdischen Durchgangsbahnhof mit acht Gleisen ersetzt werden soll.

Hauptbahnhof
(Fortsetzung)

Vom Hauptbahnhof führt die Königstraße, Stuttgarts schönste Geschäftsstraße und Fußgängerzone, an der Domkirche St. Eberhard vorbei, zum Schloßplatz und weiter zum Wilhelmsbau.

Königstraße

Den Schloßplatz umgeben Bauten aus Stuttgarts Residenzzeit. In der Mitte der weiten Anlage steht die Jubiläumssäule, zum Gedächtnis an das 25. Regierungsjahr König Wilhelms I. (1841) errichtet; ferner schmücken ein Musikpavillon (1871) und einige moderne Plastiken (Calder, Hrdlička, Hajek) den Platz. An seiner Ostseite steht das beeindruckende dreiflügelige Neue Schloß, das 1746–1807 unter Herzog Carl Eugen erbaut wurde. Nachdem es im Zweiten Weltkrieg stark beschädigt worden war, erfolgte sein Wiederaufbau in den Jahren 1959–1962. Heute werden die Räume für staatliche Repräsentations- und Verwaltungszwecke genutzt. Dem Schloß gegenüber liegt der Königsbau, ein klassizistisches Bauwerk mit Säulenhalle und Ladenpassage (1856–1860). Dem schließt sich, an der Stelle des ehemaligen Kronprinzenpalais etwas erhöht gelegen, der Kleine Schloßplatz (1968) mit Geschäften und Lokalen an. An der Nordostecke des Schloßplatzes steht das 1912–1913 errichtete und 1956–1961 wiederaufgebaute Kunstgebäude mit der Städtischen Galerie. Gezeigt werden dort Ausstellungen zur Kunst des 19. und 20. Jahrhunderts.

*Schloßplatz

*Neues Schloß

Rechts vom Kunstgebäude führt ein Weg in den Oberen Schloßgarten mit dem Landtagsgebäude und den beiden Häusern des Württembergischen Staatstheaters. Im mittleren Teil der Parkanlagen, jenseits der Schillerstraße, lohnt das Carl-Zeiss-Planetarium mit seiner Multi-Media-Astro-Show

Schloßgarten

*Planetarium

Ein Glanzstück postmoderner Architektur ist die Neue Staatsgalerie, in der eine der bedeutendsten Kunstsammlungen Deutschlands untergebracht ist.

Stuttgart

Schloßgarten
(Fortsetzung)

einen Besuch. Der Schloßgarten mit hübsch angelegten Teichen, Skulpturen und Rabatten erstreckt sich weiter bis zu den Unteren Anlagen im Stadtteil Berg.

**Staatsgalerie

Auf der anderen Seite der Konrad-Adenauer-Straße, dem Großen Haus des Staatstheaters gegenüber, liegt die Staatsgalerie, eine der bedeutendsten Kunstsammlungen Deutschlands. Sie besteht aus einem klassizistischen Altbau (1838–1842) und dem nach Entwürfen des Briten James Stirling errichteten Neubau (1977–1983). Das Museum besitzt Werke der älteren europäischen Malerei (u. a. schwäbische Meister des 15. Jh.s), eine weltbekannte Abteilung der Malerei des 20. Jh.s sowie eine ausgezeichnete graphische Sammlung.
(Öffnungszeiten: Mi., Fr., Sa., So. 10.00–17.00, Di., Do. 10.00–20.00 Uhr).

*Altes Schloß
*Württem-
bergisches
Landesmuseum

Wieder zurück am Schloßplatz steht südwestlich an der Planie das Alte Schloß (1553–1578) mit seinem malerischen Arkadenhof, der für kulturelle Veranstaltungen genutzt wird. Das Schloß birgt Sammlungen des Württembergischen Landesmuseums: mittelalterliche Sammlungen, Kunsthandwerk, württembergische Kronjuwelen, Uhren, astronomische und Musikinstrumente, Kostüme verschiedener Epochen, archäologische Funde u. a. (Öffnungszeiten: Di. 10.00–13.00, Mi.–So. 10.00–17.00 Uhr.) Die Schloßkirche (1560–1562) im Südflügel war die erste protestantische Kirche Württembergs.

Blumenmarkt auf dem Schillerplatz

*Schillerplatz

Hinter dem Schloß am heutigen Schillerplatz soll der Ursprung Stuttgarts, das Gestüt, gelegen haben. In den 50er Jahren wurde der Renaissance-Platz mit dem Schillerdenkmal von Thorvaldsen sorgfältig restauriert. Die Alte Kanzlei an der Nordostseite, um 1500 als Sitz der herzoglichen Kanzleien erbaut, dient heute als Restaurant. Im ehemaligen Prinzenbau (1605 von Schickhardt begonnen, aber erst hundert Jahre später von Matthias Weiß vollendet) hat jetzt das Justizministerium seinen Sitz. Sehr eindrucksvoll prangt an der Südwestseite des Platzes der 1390 erbaute Fruchtkasten, ein spätgotischer Steinbau mit spitzgiebeliger Fassade – einst Kornspeicher, heute Sitz der Musikalien-Sammlung des Württembergischen Landesmuseums.

Schillerplatz (Fortsetzung)

Die zweitürmige Stiftskirche wurde im 12. Jh. gegründet und im 15. Jh. durch Aberlin Jörg und andere spätgotisch umgebaut. Interessant ist die großartige Reihe von elf Grafenstandbildern (zwischen 1576 und 1608) im Chor, eine reiche Renaissancearbeit von Simon Schlör. Unweit südöstlich liegt der Marktplatz mit dem Rathaus.

*Stiftskirche

Über die Eberhardstraße gelangt man in westlicher Richtung – vorbei am Schwabenzentrum zum Geburtshaus Georg W. F. Hegels, in dem eine Gedenkstätte für den Philosophen eingerichtet wurde.

Hegel-Haus

Direkt gegenüber ragt der 61 m hohe Tagblatt-Turm (1927/28) empor, seinerzeit das erste in Sichtbetonbauweise erstellte Hochhaus Deutschlands. Daneben wurde 1979 das Kulturzentrum "Kultur unterm Turm" eröffnet mit zwei Theatern, einer Galerie und einer stadtgeschichtlichen Ausstellung.

Tagblatt-Turm

Im nordwestlichen Teil der Innenstadt, nahe dem Wirtschaftsministerium, steht das imposante kuppelgekrönte Haus der Wirtschaft, ein überregionales Kongreß- und Ausstellungszentrum, in dem auch das Landesgewerbeamt und das Design Center Stuttgart ihren Sitz haben.

Haus der Wirtschaft

Unweit südwestlich, am Berliner Platz, liegt die unter Denkmalschutz stehende Stuttgarter Liederhalle (1955/56). Drei verschieden große Säle, ermöglichen Veranstaltungen aller Art.

Liederhalle

Zwischen Liederhalle und Linden-Museum befindet sich der Hoppenlau-Friedhof, der älteste noch erhaltene und unter Denkmalschutz stehende Friedhof der Stadt (1626 angelegt). Grabmäler unterschiedlichster Stilrichtungen verleihen dem ehemaligen Kirchhof eine besondere Atmosphäre. Besonders beachtenswert sind die Ruhestätte des Dichters Wilhelm Hauff sowie die Gräber von Gustav Schwab und C.F.D. Schubart.

*Hoppenlau-Friedhof

Eine der bedeutendsten völkerkundlichen Sammlungen Deutschlands ist im Linden-Museum am Hegelplatz zu bewundern. Sechs Dauerausstellungen bieten einen Überblick über die Kulturgeschichte der Großräume Amerika, Südsee, Afrika, Orient, Ostasien und Südostasien. Besonders beeindruckend sind die Sammlungen der Ozeanien-Abteilung, der Indianer Nordamerikas und die rekonstruierte orientalische Bazar-Straße. (Öffnungszeiten: Di.–So. 10.00–17.00, Mi. 10.00–20.00 Uhr).

*Linden-Museum

Nördlich über der Stadt liegt bei der Akademie der Bildenden Künste die einst bahnbrechende Weißenhofsiedlung, die im Jahr 1927 anläßlich einer Ausstellung des Werkbundes von international führenden Architekten konzipiert wurde. Mies van der Rohe, Le Corbusier, Hans Scharoun und Walter Gropius waren an Entwurf und Planung beteiligt. Obwohl ein großer Teil der Gebäude im Zweiten Weltkrieg zerstört wurde, ist das Gesamtkonzept der Anlage noch gut zu erkennen.

**Weißenhofsiedlung

Unweit von hier liegt der ab 1937 in mehreren Etappen zu einer reizvollen Landschaft gestaltete Höhenpark Killesberg mit Messehallen, Kongreßzentrum, Sesselbahn und Sommertheater.

Killesberg

Im Stadtteil Berg, über dem linken Ufer des Neckars, befindet sich auf einer Anhöhe das Schloß Rosenstein (1824–1829), das zusammen mit dem Museum am Löwentor (1984) das Staatliche Museum für Naturkunde beherbergt. Seit den 50er Jahren ist in dem nach dem Zweiten Weltkrieg wiederaufgebauten Schloß Rosenstein die biologische Sammlung ausgestellt. Besonders interessant ist die Abteilung "Lebensräume der Erde".

*Naturkundemuseum

Stuttgart

Naturkunde-museum (Fortsetzung)

Über den Rosensteinpark kann man zum Museum am Löwentor spazieren, das die weithin berühmten Fossilienfunde aus der Urzeit Baden-Württembergs zeigt, u. a. eine Saurier-Sammlung.

**Wilhelma

Unterhalb des Schlosses liegt der nach einem 1842–1853 im maurischen Stil erbauten Schlößchen benannte Zoologisch-Botanische Garten "Wilhelma" mit schönen Gartenanlagen, Gewächshäusern, Tierhäusern und -freigehegen sowie einem Aquarium. Besonders eindrucksvoll ist der Maurische Garten, das Herz der historischen Anlage, mit seinem Seerosenteich und dem Magnolienhain. Weltberühmt wurde die Wilhelma für die Menschenaffen-Sektion, in der die Tiere im Familienverband leben.

Bad Cannstatt

Auf dem rechten Neckarufer befindet sich der alte Stadtteil Bad Cannstatt mit dem Kursaal und Kurpark. Im Innern des Parks erinnert die Gottlieb-Daimler-Gedenkstätte an Leben und Werk des schwäbischen Erfinders. Beim Cannstatter Wasen – jedes Jahr Schauplatz des Frühlings- und des Volksfestes – liegt das große Gottlieb-Daimler-Stadion und die Hanns-Martin-Schleyer-Halle (Sportveranstaltungen, Konzerte).

**Mercedes-Benz-Museum

Östlich des Zentrums im Stadtteil Obertürkheim liegt das international bekannte Mercedes-Benz-Museum. Seine Ausstellung bietet eine nahezu lückenlose Dokumentation der Entwicklung des Auto- und Motorenbaus der Firma. Die zum 100. Firmenjubiläum neugestaltete Sammlung der ältesten Automobilfabrik der Welt reicht von den beiden ersten jemals gebauten Automobilen – dem Benz-Dreirad und dem Daimler-Reitwagen von 1886 – bis zu den neusten Entwicklungen. (Öffungszeiten: Di.–So. 9.00–17.00 Uhr).

*Grabkapelle auf dem Württemberg

Im Stadtteil Rotenberg, oberhalb Untertürkheims gelegen, ragt auf dem Württemberg die Grabkapelle für Königin Katharina (gest. 1819), ein kuppelgekrönter klassizistischer Rundbau, empor. Am Platz der ehemaligen württembergischen Stammburg ließ König Wilhelm I. zu Beginn der 20er Jahre des vorigen Jahrhunderts für seine verstorbene Gemahlin, die die Schwester des russischen Zaren war, von Giovanni Salucci die Grabkapelle bauen, in der auch er später beigesetzt wurde. Von hier aus bietet sich ein wunderbarer Rundblick auf das Neckartal und die umgebenden Weinberge.

*Fernsehturm

Der Stuttgarter Fernsehturm (1954–56, 217 m) auf der im Süden der Stadt aufragenden Waldhöhe Hoher Bopser (481 m) war der erste Fernsehturm der Welt aus Stahlbeton. Von der zweigeschossigen Aussichtsplattform in 152,4 m Höhe bietet sich ein außergewöhnlicher Rundblick. Man kann nicht nur den Trauf der Schwäbischen Alb im Süden und Südosten, die Silhouette des Schwarzwaldes im Westen und Südwesten sowie die Erhebungen des Schwäbisch-Fränkischen Keuperberglandes im Osten und Nordosten erkennen, sondern gelegentlich auch die Alpen am südlichen Horizont.

Porsche-Museum

Der nördlich gelegene Stadtteil Zuffenhausen ist Standort des Porsche-Automobilwerks. Das Werksmuseum vermittelt einen Einblick in die Geschichte der weltberühmten Renn- und Sportwagenfabrik. Ein kleines Kino zeigt Kurzfilme zur Porsche-Geschichte.

*Schloß Solitude

Etwa 10 Kilometer westlich vom Zentrum ließ Herzog Karl Eugen in den Jahren 1763 bis 1767 auf einer Anhöhe das Schloß Solitude errichten. Die Anlage umfaßt einen Ballsaal, Kavaliershäuschen, einen Marstall, Wohnungen für Bedienstete und eine Kapelle. Eine schnurgerade Straße, die Meridian der württembergischen Landvermessung war, verbindet Schloß Solitude mit dem etwa 15 Kilometer nördlich gelegenen Schloß → Ludwigsburg. Seit 1990 ist ein Teil der Schloßanlage Sitz der Akademie Schloß Solitude, einer "schwäbischen Villa Massimo" für Kunststipendiaten aus aller Welt.

Umgebung von Stuttgart

13 km südwestlich von Stuttgart liegt Sindelfingen, einer der bedeutend- Sindelfingen
sten Industriestandorte (Mercedes-Benz, IBM, Modeindustrie) im Mittleren
Neckar-Raum. Das seit dem Mittelalter bestehende Chorherrenstift verlor
seine Bedeutung 1477, als Graf Eberhard im Bart den größten Teil des
Stifts zur Gründung der Universität nach Tübingen verlegte. Mit dem Anschluß an das Eisenbahnnetz (1879) und der Ansiedlung der Firma Daim-
ler-Benz (1915) setzte ein immenser wirtschaftlicher Aufschwung ein.
Besonders interessant ist der historische Stadtkern um den Stiftsbezirk,
durch den ein "Stadtgeschichtlicher Weg" mit 38 Stationen führt, begin-
nend am Neuen Rathaus. Sehenswert ist die Martinskirche, eine romanische Pfeilerbasilika (1083), und das Chorherrenhaus. Im Alten Rathaus
(1478) ist das Stadtmuseum eingerichtet. Daneben befindet sich das Salzhaus (1592) und das Storchenhaus. Ausgesprochen idyllisch liegt die Kurze Gasse mit ihren sorgfältig restaurierten Fachwerkhäusern.

Die Kreisstadt Böblingen, das in 17 km Entfernung südwestlich von Stutt- Böblingen
gart und am Nordrand des Schönbuchs liegt, ist zugleich ein wichtiges
Industrie- und Messezentrum. Die von Alamannen gegründete und um
1100 erstmals urkundlich erwähnte Siedlung wurde im 13. Jh. von den
Pfalzgrafen zu Tübingen zur Stadt ausgebaut. Am 12. Mai 1525 besiegte
der Schwäbische Bund bei Böblingen die aufständischen Bauern. Genaueres über die Zeit der Bauernkriege erfährt man im Bauernkriegsmuseum
in der Zehntscheuer (Pfarrgasse). Alte Bauzeugnisse sind die Stadtkirche
(14./15. Jh.) auf dem Schloßberg, der hübsche Marktbrunnen (1526) sowie
Reste der alten Stadtbefestigung. Im Deutschen Fleischermuseum am
Marktplatz ist die Entwicklung des Fleischerhandwerks seit dem 14. Jh.
dokumentiert.

Leonberg (15 km westlich von Stuttgart, 44000 Einwohner) gilt als erste Leonberg
Stadtgründung der Württemberger Grafen (1248). Der berühmte Astronom
Johannes Kepler ging in dieser Stadt zur Schule, und der Philosoph Friedrich Wilhelm Schelling wurde hier geboren. Einen der wenigen noch erhaltenen Spätrenaissance-Terrassengärten findet man in der Schloßanlage
über der Stadt. Dieser Pomeranzengarten wurde in den 80er Jahren nach
Originalplänen rekonstruiert. Noch recht gut erhalten ist der alte Stadtkern
Leonbergs um den Marktplatz. Hier stehen hübsch herausgeputzte,
geschichtsträchtige Fachwerkbauten wie das Steinhaus (13.Jh.), in dem
1457 erstmals ein württembergischer Landtag abgehalten wurde, das Alte
Rathaus (heute Städtisches Museum), das Elternhaus Johannes Keplers
und das Haus, in dem Friedrich Hölderlin seine Jugendliebe Luise Nast
kennenlernte.

Weil der Stadt (30 km westlich von Stuttgart) liegt inmitten des Hecken- Weil der Stadt
gäus im Schwarzwaldvorland. In der ehemaligen Freien Reichstadt, die
noch mittelalterliche Befestigungsanlagen besitzt, ist heute mittelständische Industrie angesiedelt. Vor allem aber ist Weil der Stadt bekannt als
Geburtsort des Astronomen Johannes Kepler (1571–1630); auch der Reformator Johannes Brenz (1499–1570) ist hier geboren.
Der Marktplatz, in dessen Mitte ein Denkmal zu Ehren Johannes Keplers
steht, ist eingefaßt von stattlichen Häusern, darunter das Alte Rathaus und
das Stadtmuseum. Den 1669 aufgestellten Oberen Marktbrunnen
schmückt ein Standbild Kaiser Karls V.. Einen Besuch wert ist das Kepler-
museum (Keplergasse 2), in dem Dokumente, Modelle und Schriften zu
Leben und Werk des Astronomen zu sehen sind. Von der hiesigen Narren-
zunft – Weil der Stadt ist einer der wichtigsten Orte der schwäbisch-alemannischen Fastnacht – wurde in der Stuttgarter Str. 60 ein Narrenmu-
seum eingerichtet.

→ dort Esslingen
→ dort Ludwigsburg

Sylt · Nordfriesische Inseln
E 1

Bundesland: Schleswig-Holstein

*Ferieninseln

Vor der Westküste von Schleswig-Holstein liegen die Nordfriesischen Inseln, deren größte und nördlichste die langgestreckte Insel Sylt ist. Die drei Inseln Sylt, Föhr und Amrum gelten als Urlaubsparadiese für gestreßte Städter, die gute Luft atmen und abschalten wollen. Besonders der lange Weststrand von Sylt ist das Ziel vieler Wassersportler und Badelustiger. Für Tagesausflüge bieten sich die Halligen (→ Husum, Umgebung) an, etwa die Hallig Hooge oder Langeneß.

Sylt

Anreise

Nach Sylt gelangt man mit dem Autoreisezug von Niebüll über den durch das Wattenmeer führenden Hindenburgdamm.

Westerland

Etwa in der Mitte der Westküste liegt Westerland, ein fast mondänes Nordseeheilbad und Hauptort der Insel. Sehenswert ist die Dorfkirche St. Niels. Neben den Kureinrichtungen gibt es das Freizeitbad "Sylter Welle" und weitere Vergnügungseinrichtungen, u. a. das Spielkasino.

Kampen
*Rotes Kliff

Eine ca. 18 km lange Inselstraße führt von Westerland nordwärts über Wenningstedt zum Nordseebad Kampen mit seinen reetgedeckten Häusern; im Umkreis des Ortes befinden sich Hünengräber. Eine besondere Attraktion ist das Rote Kliff, das steil zum offenen Meer hin abfällt. Die Furcht, daß das Kliff eines Tages in den Fluten verschwinden könnte, ist nicht unbegründet: Bei der schweren Sturmflut im Jahre 1976 wurde es stark unterspült, so daß von oben her Lehm und Sand nachsackten und das Kliff insgesamt an Substanz verlor.

List

Durch das Listland, ein Naturschutzgebiet mit

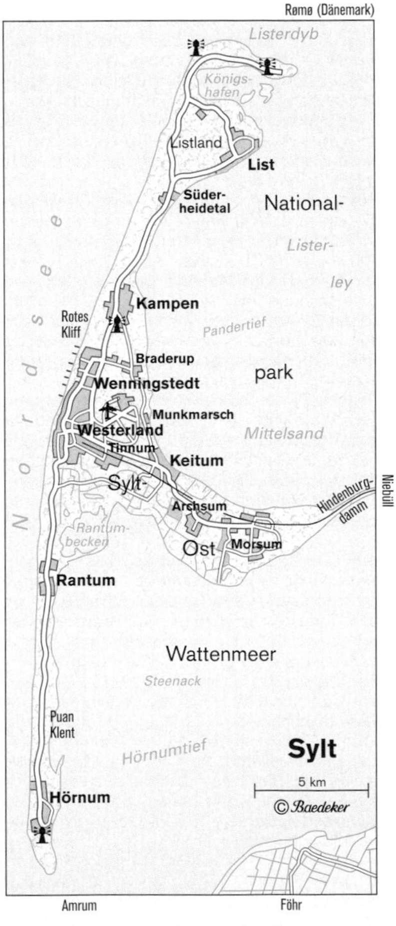

Sylt

734

*Wer würde nicht gerne am feinen Sandstrand von Westerland,
dem Hauptort von Sylt, in einem Strandkorb dösen?*

großen Dünen, erreicht man List an der Südseite eines versandeten Ha- **List**
fens, der nördlich von der bogenförmigen Landzunge "Ellenbogen" um- **(Fortsetzung)**
schlossen wird. Eine Autofähre legt von hier zur dänischen Insel Rømø
(Röm) ab.

Von Westerland zieht sich der ca. 18 km lange südliche Zweig der Insel- ***Hörnumer**
straße durch die schöne Dünenlandschaft der Hörnumer Halbinsel nach **Halbinsel**
Rantum, das einen 8 km langen Sandstrand hat; nordöstlich der Ortschaft
liegt das große Seevogelschutzgebiet "Rantumbecken".
Über die Häusergruppe Puan Klent gelangt man nach Hörnum an der Süd- **Hörnum**
spitze der Insel. Vom Hörnumer Hafen, einem beliebten Treffpunkt, besteht
Schiffsverbindung nach Amrum, Föhr und → Helgoland.

Von Westerland nach Osten erstreckt sich die vorwiegend aus Marsch- **Sylt-Ost**
land bestehende Halbinsel Sylt-Ost. Eine 11 Kilometer lange Straße führt **Tinnum**
über Tinnum – mit dem Ringwall "Tinnumburg" – zum alten Inselhauptort **Keitum**
Keitum. Hier gibt es noch schöne alte Friesenhäuser, u. a. das "Altfriesi- **(Abb. s. S. 736)**
sche Haus", und das Sylter Heimatmuseum; nördlich steht etwas erhöht
die romanische Severinkirche. Von Keitum sind es noch rund 7 Kilometer
bis nach Morsum an der Ostspitze von Sylt, wo der Hindenburgdamm (s.
oben) beginnt.

Föhr

Die Insel Föhr liegt südlich von Sylt, etwa 11 km vom Festland entfernt. Da **Allgemeines**
sie durch Sylt, Amrum und die Halligen gegen das offene Meer abge-
schirmt wird, ist sie weitgehend vom Wattenmeer umgeben. Für den Süden ist Geestland charakteristisch, für der Norden fruchtbares, durch Siele
entwässertes Marschland.

Alte Friesenhäuser beleben das Ortsbild von Keitum auf Sylt.

Wyk auf Föhr

Im Südosten der Insel liegt die wegen ihrer anregenden Atmosphäre vielbesuchte Stadt Wyk, die man vom Festland (Dagebüll) aus mit Fährschiffen erreicht. Wyk nimmt den Besucher durch sein ansprechendes Ortsbild – mit kleinen Gassen, restaurierten Friesenhäusern und Restaurants – für sich ein. Einen Besuch verdient das Friesen-Museum: Die Kieferknochen eines Wals am Eingang erinnern an die frühere Walfang-Tradition der Inselbewohner. Neben naturkundlichen Ausstellungsstücken sowie Exponaten zu Wohnkultur und Schiffahrt findet man Dokumente über die Auswanderung vieler Inselbewohner, die in wirtschaftlich schlechten Zeiten in die Vereinigten Staaten emigrierten.

Kirchen

Beachtung verdienen auf der Insel Föhr auch einige alte Kirchen, beispielsweise der Friesendom St. Johannis in Nieblum. Auf den zugehörigen Friedhöfen findet man stelenartige Grabsteine, versehen mit ausführlichen Texten: Diese berichten über das Leben des Verstorbenen, oft eines Kapitäns oder eines in der Fremde verstorbenen Seemanns.

Von Dunsum, einem Ort an der Westküste Föhrs, kann man bei Ebbe auf einem 2 km langen Wattenweg zur Nordspitze Amrums hinüberwandern.

Amrum

Allgemeines

Amrum, die südlichste der drei Inseln, ist die kleinste und stillste von ihnen, doch deswegen nicht weniger reizvoll. Hauptbadestrand ist der ca. 1 km breite, brandungsreiche Kniepsand im Westen der Insel.

Nebel

Vom Hafenort Wittdün, an der Südspitze der Insel gelegen, besteht über Föhr Schiffsverbindung nach Dagebüll. Von Wittdün aus führt eine Straße vorbei am weithin sichtbaren Leuchtturm nach Nebel, dem Hauptort der von Dünen und Kiefernwald geprägten Insel. Bemerkenswert ist hier die romanische Clemenskirche mit einem Fries der zwölf Apostel im Inneren. Auf dem Friedhof sind ebenfalls interessante Grabsteine zu sehen. Die

1771 errichtete Holländerwindmühle dient heute als Heimatmuseum. Nördlich von Norddorf beginnt ein Vogelschutzgebiet. Wer sich für Naturkunde
interessiert, kann bei dem Vogelwart auf Amrum Odde Informationen ein-
holen. Von hier führt ein Weg durch das Watt nach Föhr.

Sylt · Nordfr. Inseln, Nebel (Fortsetzung)

Taunus

D/E 5

Bundesland: Hessen

Der Taunus ist ein etwa 70 km langer Höhenrücken zwischen Rhein, Main,
Lahn und Wetterau. Er gipfelt im Großen Feldberg (881 m), der höchsten
Erhebung des Rheinischen Schiefergebirges. Die höheren Lagen sind von
Buchen- und Eichenwäldern, aber auch von Nadelwald bedeckt. Der süd-
liche Steilabfall gibt dem Taunus, von Frankfurt am Main gesehen, erst das
Gepräge eines Gebirges. Dieser vor rauhen Nordwinden geschützte Süd-
hang ist klimatisch sehr begünstigt und zählt zu den mildesten Gegenden
Deutschlands, wo Obst, Mandeln und bei Kronberg sogar Edelkastanien
reifen. Dazu ist der Taunus das an Mineralquellen reichste Gebiet in
Deutschland; an den Quellen, die am Südrand zutage treten, sind bekannte Kurorte entstanden.

Lage und Allgemeines

Sehenswertes im Taunus

Im nordwestlichen Teil des Taunus liegen unweit von Wiesbaden die hübschen Kurorte Bad Schwalbach und Schlangenbad, von denen die Bäderstraße (B 260) über die nordwestlichen Ausläufer des Gebirges zum → Lahntal nach Bad Ems führt.

Bad Schwalbach, Schlangenbad

*Der Hexenturm, das Rathaus und die ehemalige Burg des
Städtchens Idstein im Taunus bilden ein reizvolles Ensemble.*

Taunus (Fortsetzung) Idstein	Ungefähr 20 km östlich liegt das kleine Städtchen Idstein mit seinen hübschen Fachwerkhäusern und der beeindruckenden Unionskirche. Besonders sehenswert sind die ehem. Burg (12. Jh.) und das Schloß. Durch den imposanten Torbau (1497) gelangt man zum hohen, runden Bergfried (um 1400), auch "Hexenturm" genannt. Heute ist ein Gymnasium in dem zu Beginn des 17. Jh.s erbauten Schloß untergebracht.
Königstein	Zu den landschaftlich schönsten Punkten des Taunus gehört das Städtchen Königstein (20 km nordwestlich von Frankfurt) mit der Ruine der gleichnamigen Burg (13. Jh.). Diese wurde 1225 erstmals erwähnt und 1796 von französischen Truppen gesprengt. Vom Bergfried hat man eine schöne Aussicht auf die Stadt und das Umland. Von hier wie von Oberursel führt eine Straße auf den Großen Feldberg.
*Großer Feldberg	Der Große Feldberg, mit 881 m die höchste Erhebung des Taunus, ragt im südöstlichen Teil des Gebirges auf. Er trägt einen 70 m hohen Fernmeldeturm, von dem man einen ausgezeichneten Blick auf den Westerwald und über die Mainebene genießen kann. Daneben liegt der Kleine Feldberg (827 m), ebenfalls mit einem Aussichtsturm.
Bad Homburg	→ dort
Freilichtmuseum Hessenpark	Im von Bad Homburg ca. 15 km entfernten, unweit nordwestlich der Saalburg gelegenen Neu-Anspach lohnt das Freilichtmuseum Hessenpark einen Besuch. Es zeigt regionaltypische historische Bauern- und Handwerkerhäuser, die zum Teil auch originalgetreu eingerichtet sind. Besonders interessant sind die Vorführungen alter Handwerke sowie Veranstaltungen zum Brauchtum.
Badeorte	Als Touristenziele und Luftkurorte werden zahlreiche Gemeinden im Taunus besucht. Neben den anfangs genannten Badeorten sind auch Kronberg, Falkenstein, Eppstein, Oberreifenberg und Schmitten hervorzuheben.

Teutoburger Wald   D/E 3/4

Bundesländer: Nordrhein-Westfalen und Niedersachsen

Lage und Allgemeines	Der Teutoburger Wald verläuft über etwa 110 km Länge von Osnabrück über Bielefeld bis in den Südosten von Paderborn. Er beginnt, wo der Mittellandkanal in den Dortmund-Ems-Kanal mündet, und endet – von Nordwesten nach Südosten ansteigend – in seiner höchsten Erhebung, dem 468 m hohen Preußischen Velmerstot. Im Teutoburger Wald haben im Jahr 9 n.Chr. die Römer ihre vernichtende Niederlage gegen die Germanen erlitten, als das Heer des römischen Feldherrs Varus von Hermann (Arminius) dem Cherusker geschlagen wurde (Herrmannsschlacht); daran erinnert das berühmte Herrmannsdenkmal (s.u.) auf der Grotenburg.
Landschaftsbild	Viele hundert Kilometer Wanderwege durchziehen die Wälder und Wiesen der Bergketten des Teutoburger Waldes und des nordwestlich anschließenden Wiehengebirges. Vorherrschend sind Buchen- und Fichtenwälder. Die landschaftlich schönsten Punkte sind – von Nordwesten nach Südosten – die Dörenther Klippen, der 331 m hohe Dörenberg bei Bad Iburg, die Ravensburg bei Borgholzhausen, das Hermannsdenkmal und die Externsteine. Das reizvolle Waldgebirge besitzt zahlreiche Sommerurlaubsorte: das malerische Bergstädtchen Tecklenburg, den Kneippkurort Bad Iburg, die Solbäder Bad Laer und Bad Rothenfelde, die Lebkuchenstadt Borgholzhausen, die Bergstadt Oerlinghausen und viele andere. Besondere Attraktionen sind die Adlerwarte bei Detmold-Berlebeck sowie der Vogel- und Blumenpark bei Detmold-Heiligenkirchen. Südlich schließt sich an den Teutoburger Wald das Eggegebirge an, das, etwa 35 km lang, im

Süden vom Diemeltal begrenzt wird. Im westlich vorgelagerten, weiten Heide-Sand-Gebiet der Senne liegt Bad Lippspringe; östlich des Gebirges befinden sich Bad Driburg und Willebadessen. Landschaftsbild (Fortsetzung)

Reiseziele im Teutoburger Wald

Eine Auswahl der attraktivsten Reiseziele im Teutoburger Wald sind im folgenden entlang einer Fahrt beschrieben, die im Nordwesten in der Nähe von Ibbenbüren bei Osnabrück beginnt und im Südosten des Teutoburger Waldes südlich von Paderborn endet. Eigene Kapitel sind den Städten → Osnabrück, → Bielefeld sowie → Paderborn gewidmet. Fahrt durch den Teutoburger Wald

Im äußersten Nordwesten des Teutoburger Waldes gelten die meterhohen Felsgebirge der Dörenther Klippen zwischen Ibbenbüren und Tecklenburg als beliebtes Wander- und Ausflugsziel. Von den Felsformationen hat man einen weiten Blick ins Münsterland. Dörenther Klippen

Das Bergstädtchen Tecklenburg liegt 22 km südwestlich von Osnabrück im Süden von Ibbenbüren. Über der Stadt erhebt sich eine Burgruine, der Rest eines Schlosses aus dem 12. Jh., von der aus man eine herrliche Aussicht genießt. Tecklenburg

Das Kneippheilbad Bad Iburg befindet sich 12 km südlich von Osnabrück. Bischof Benno II. von Osnabrück ließ dort eine Doppelanlage von Benediktinerkloster und bischöflichem Schloß errichten. Das Kloster, das 1803 aufgehoben wurde, entwickelte sich zu einem der reichsten im Osnabrücker Land. Durch die engen Gassen der Stadt gelangt man zum Schloß; Hauptanziehungspunkt darin ist heute der Rittersaal. Bad Iburg

In der "Honigkuchenstadt" Borgholzhausen (23 km südöstlich von Bad Iburg) ist das frühbarocke Haus Brincke, Sitz der Grafen Kerssenbrock, sehenswert. Im Süden der Stadt liegt das Spätrenaissance-Schloß Holtfeld. Borgholzhausen

Der Stadt → Bielefeld ist ein eigenes Kapitel gewidmet, in deren Umgebung auch Herford und Bad Salzuflen vorgestellt werden. Bielefeld, Herford, Bad Salzufflen

Das archäologische Freilichtmuseum in Oerlinghausen (15 km südöstlich von Bielefeld) zeigt in Originalgröße Rekonstruktionen von Behausungen des vor- und frühgeschichtlichen Menschen, anhand derer man den Wandel der Wohnformen von ca. 10000 v. Chr. bis 1000 n. Chr. nachvollziehen kann. Hierzu wurde sogar die pflanzliche Umwelt nachgestaltet. Auf dem Segelflugplatz des Ortes starten jährlich nicht nur überdurchschnittlich viele Segelflieger, die man beobachten kann, sondern auch Heißluftballone. Oerlinghausen

Lemgo (42000 Einwohner; 30 km östlich von Bielefeld) liegt inmitten des waldreichen Lippischen Berglandes im Tal der Bega. Die älteste Stadt des Lipper Landes zeigt ein reizvolles, in weiten Teilen von der Renaissance geprägtes Bild. Der Ort wurde 1190 von Bernhard II. von Lippe gegründet. Die wohlhabende Handelsstadt war bereits im 13. Jh. Mitglied der Hanse; ihre größte kulturelle und wirtschaftliche Blüte erreichte sie im 15. und 16. Jh.; damals entstanden das prächtige Rathaus und viele vom Wohlstand ihrer Besitzer kündende Bürgerhäuser. Ein dunkles Kapitel der Stadtgeschichte ist die grausame Hexenverfolgung im 17. Jh. unter dem "Hexenbürgermeister" Hermann Cothmann. Lemgo

Geschichte

An dem von schönen Giebelhäusern gesäumten Markt fällt das Rathaus (14. bis 17. Jh.) auf mit seinem gotischen Staffelgiebel, der Ratslaube und dem prachtvollen "Apothekenerker" (Renaissance; 1612), an dessen Fassade 10 Naturforscher, Ärzte und Philosophen darstellt sind. Gegenüber steht das Ballhaus (1609). Unweit östlich erheben sich die zwei Türme der St.-Nikolai-Kirche (13. Jh.; gotisch erweitert) mit ihrem romanischen Retabel, einem frühbarocken Hochaltar, Renaissance-Grabmälern und einem *Stadtbild

St. Nikolai

Teutoburger Wald

Lemgo
(Fortsetzung)

schönen Taufstein (1597). Reizvoll ist auch das Ensemble alter Fachwerkbauten am St.-Nikolai-Kirchhof. Die Mittelstraße (Fußgängerzone) wird von alten Stein- und Fachwerkhäusern gesäumt: Nr. 17 der Gasthof Alt-Lemgo (1587), Nr. 24 Haus Sonnenuhr (1546), Nr. 27 Haus Sauerländer (1569) und Nr. 36 das Planetenhaus (1612). Westlich und östlich der Straße stehen noch zwei alte Stadttürme: der Johannisturm und der Pulverturm. In der Echternstraße wird im Frenkel-Haus eine ständige Ausstellung zur Geschichte der Lemgoer Juden gezeigt. An der vom Markt nach Süden führenden Breiten Straße beheimatet das Hexenbürgermeisterhaus, ein schöner Renaissancebau von 1571, das Heimatmuseum und das Engelbert-Kämpfer-Zimmer mit Erinnerungsstücken an den 1561 in Lemgo geborenen Japanforscher. An der westlich abzweigenden Stiftstraße steht die St.-Marien-Kirche, ein gotischer Hallenbau von 1320; im Inneren birgt sie eine Scherer-Orgel von 1600 (alljährlich internationale Orgeltage). An der nach Osten aus dem Stadtgebiet hinausführenden Hamelner Straße wohnte einst der Sonderling Karl Junker, dessen "Junkerhaus" außen und innen mit grotesken Schnitzereien bedeckt ist. Zeugen seines Schaffensdrangs sind auch im Museum im Junkerhaus zu sehen (Möbel, Skulpturen, Gemälde, Skizzen). Südöstlich außerhalb der Altstadt lohnt der Besuch des von einem Wassergraben umzogenen Schlosses Brake. Es gehörte im 13. Jh. den Edlen Herren zu Lippe; Turm und Nordflügel (16. Jh.) sind Zufügungen der Renaissance. Im Inneren ist das Weserrenaissance-Museum zu finden.

*Hexenbürger-
meisterhaus

Sternberg

Etwa 13 km nordöstlich von Lemgo war die Burg Sternberg einst Sitz des gleichnamigen Grafengeschlechts. Heute beherbergt sie eine Sammlung alter Musikinstrumente; bei Konzertabenden wird auf historischen Instrumenten gespielt.

Detmold

Die alte Residenz- und Garnisonstadt des ehemaligen Fürstentums Lippe-Detmold (75 000 Einwohner) bettet sich am Nordabhang des Teutoburger Waldes in eine Talmulde der Werre. Detmold wurde erstmals 783 erwähnt und erhielt im 13. Jh. Stadtrechte. Das Gesicht der malerischen Altstadt prägen heute noch Fachwerkhäuser des 16. und 17. Jahrhunderts. Als Ausgangspunkt für Touren zum Hermannsdenkmal und zu den Externsteinen (s.u.) hat die Stadt einen regen Fremdenverkehr.

Mittelpunkt der Altstadt ist der Markt mit dem klassizistischen Rathaus (1830), der Erlöserkirche (16. Jh.) und dem Donopbrunnen (1901). Zwischen Rathaus und Kirche führt ein Durchgang auf den Schloßplatz. Das ehemalige fürstliche Schloß, eine Vierflügelanlage im Stil der Weserrenaissance, wurde 1548–1557 als Wasserschloß erbaut; der ältere Rundturm stammt von 1470. Die Königssäle mit den über 300 Jahre alten Gobelins, der Rote Saal, der Ahnensaal und die wertvolle Gobelinsammlung geben einen Einblick in die Kultur höfischer Zeit. Weiter nördlich liegt das 1914 bis 1918 erbaute Landes-Theater. Nordwestlich vom Hofgarten, an der Ameide am Detmolder Burggraben, deckt das Lippische Landesmuseum mit seinen Abteilungen zur Naturkunde, Ur- und Frühgeschichte, Landes- und Kulturgeschichte, Volkskunde, Völkerkunde, zur altperuanischen Kunst und zur Möbelgeschichte ein breites Kulturspektrum ab. Westlich vom Markt stehen in der Straße Unter der Wehme das Geburtshaus des Dichters Ferdinand Freiligrath (1810–1876) und das Sterbehaus des Dramatikers Christian Dietrich Grabbe (1801–1836). Am Südrand der Stadt (Gartenstraße) wurde in dem 1708–1717 erbauten ehemaligen Neuen Palais die Hochschule für Musik untergebracht; hinter dem Palais erstreckt sich der hübsche Palaisgarten.

*Schloß

**Westfälisches
Freilichtmuseum**

Einen Besuch lohnt das etwa 500 m südlich von Detmold liegende Westfälische Freilichtmuseum. In dem größten Freilichtmuseum Deutschlands auf dem 80 ha großen Gelände am Königsberg stehen rund 95 voll eingerichtete alte Bauernhäuser verschiedener westfälischer Landschaften der vergangenen vier Jahrhunderte, eine Wassermühle und zwei Windmühlen. Alte Handwerkstechniken wie das Spinnen, Weben, Backen und Schmieden werden in den historischen Werkstätten vorgeführt.

Mehr als 2000 seltene exotische und heimische Vögel sind im Vogel- und Blumenpark im Ortsteil Heiligenkirchen (4 km südlich von Detmold) zu Hause. Vom kleinsten Huhn der Welt, dessen Küken so groß wie eine Hummel ist, bis zum größten Vogel sind viele Vogelarten zu bewundern.

Vogelpark

Die größte und älteste Greifvogelwarte Europas, die Adlerwarte im Detmolder Ortsteil Berlebeck (5 km südlich von Detmold), zeigt täglich Freiflugvorführungen mit Adlern, Geiern und Falken. Über 80 Greifvögel aus aller Welt sind zu besichtigen.

Adlerwarte Berlebeck

8 km südwestlich von Detmold steht das gewaltige Hermannsdenkmal (53 m hoch) auf der 386 m hohen Grotenburg. 1838–1875 wurde es von Ernst von Bandel zur Erinnerung an die Schlacht im Teutoburger Wald im Jahre 9 n. Chr. errichtet, als der Cheruskerfürst Hermann (Arminius) das römische Heer vernichtend schlug. Vom Denkmal aus hat man einen weiten Blick über Detmold und das Weserbergland.

Hermannsdenkmal

Ein Ausflug zu den Externsteinen ist einer der Höhepunkte während eines Aufenthalts im Teutoburger Wald.

Rund 10 km südöstlich von Detmold liegt Horn-Bad Meinberg. Den Stadtteil Horn schmücken hübsche Fachwerkbauten; im Burgmuseum gewinnt man einen Einblick in die Geschichte der Burg, der Stadt Horn sowie der Externsteine. Der Stadtteil Bad Meinberg weist trockene Kohlensäuregasquellen und Schwefelmoorbäder sowie vier Kurparks auf. Die Freilichtbühne Bellenberg, die malerisch unweit des Bergdorfs Bellenburg bei Horn-Bad Meinberg liegt, zeigt Volksstück und Märchen.

Horn-Bad Meinberg

Hunderttausende wählen jedes Jahr die Externsteine (12 km südlich von Detmold bzw. 2 km westlich von Horn–Bad Meinberg) als Ausflugsziel. Die beeindruckenden, wildzerklüfteten und bis zu 37,5 m hohen Sandsteinfelsen dienten ursprünglich als heidnisches Heiligtum, bevor sie zu einer christlichen Wallfahrtsstätte wurden. Ein monumentales Steinrelief der

*Externsteine

Thüringer Wald

Teutoburger Wald,
Externsteine
(Fortsetzung)

Kreuzabnahme Christi, um 1120, das dort in den Felsen gemeißelt ist, ist das größte seiner Art in Norddeutschland. Ein 5 km langer Rundwanderweg führt in weitem Bogen um die Felsen herum.

Paderborn

→ dort

Bad Driburg

Der vielbesuchte Kurort Bad Driburg liegt 25 km östlich von Paderborn; von der Ruine Iburg im Westen Driburgs hat man einen schönen Blick.

Rheda-
Wiedenbrück

→ Bielefeld

Harsewinkel-
Marienfeld

In dem heute zu Harsewinkel gehörenden Ort Marienfeld (nördlich von Rheda-Wiedenbrück) ist das ehemalige Zisterzienserkloster sehenwert. Die gotische Klosterkirche wurde 1222 geweiht, ihre Barockorgel von 1751 ist eine der besten im Westfalenland.

Thüringer Wald G/H 5

Bundesland: Thüringen

Allgemeines und
*Landschaftsbild

Im geografischen Herzen Deutschlands erhebt sich – von Eisenach im Nordwesten bis zur oberen Saale im Südosten – der Thüringer Wald, der sich in den letzten Jahrzehnten zu einer beliebten Fremdenverkehrsregion entwickelt hat. Die auch heute noch weitgehend bewaldete Mittelgebirgslandschaft besteht aus zwei hinsichtlich Alter und Gesteinsaufbau sehr unterschiedlichen Gebirgssträngen: dem eigentlichen Thüringer Wald, einem rund 60 km langen, sich von 7 auf 14 km verbreiternden Gebirge, und dem Thüringischen Schiefergebirge. Der Thüringer Wald erreicht in seinen zentralen Teilen Höhen zwischen 800 und 900 m. Auffallend sind die vielen Täler, die den Thüringer Wald gliedern. Die zahlreichen vom Thüringer Wald herabkommenden Flüsse werden im südlichen Vorland von der Werra, im nördlichen Vorland von der Saale aufgenommen. Im Gebirge sind mehrere Stauseen angelegt; am bekanntesten ist die Ohratalsperre. Eine lange Tradition hat im Thüringer Wald der Bergbau. Früher wurden u. a. Eisenerze, Edelmetalle (bes. Gold) und Schiefer abgebaut, und auch heute noch wird hier Schiefer in großem Stil gebrochen. Der Bergbau hat zur charakteristischen Verteilung vieler kleiner Industriestandorte über den gesamten Thüringer Wald beigetragen. Größere Städte im Bereich des Thüringer Waldes sind (von Nordwest nach Südost): → Eisenach, Waltershausen (→ Gotha), Arnstadt, Ilmenau, → Rudolstadt, → Saalfeld, Schmalkalden, Zella-Mehlis, Suhl und Sonneberg (→ Coburg).

Wanderparadies
Thüringer Wald,
**Rennsteig

Zahlreiche gut markierte Wanderwege erschließen das waldreiche Gebirge. Am bekanntesten ist der rund 160 km lange Rennsteig, der über die Gebirgskämme von Thüringer Wald und Thüringischem Schiefergebirge führt. An vielen Stellen bieten sich prächtige Panoramablicke. Der Wanderpfad beginnt im Westen bei Hörschel und zieht sich dann über die höchsten Erhebungen des Thüringer Waldes (Großer Inselsberg, 916 m; Großer Beerberg, 982 m) und des Thüringischen Schiefergebirges (Kieferle, 868 m) bis Blankenstein westlich der oberen Saale. Der Name "Rennsteig" bedeutet soviel wie "Grenzweg". Er markiert die Grenze zwischen Thüringen und Franken sowie eine heute noch wahrnehmbare Dialektgrenze.

Schmalkalden und Umgebung

Schmalkalden

Im landschaftlich reizvollen Westen des Thüringer Waldes liegt das alte Städtchen Schmalkalden (17 000 Einw.). Im ausgehenden Mittelalter sorgte das eisenverarbeitende Gewerbe für wirtschaftlichen Wohlstand. 1531 wurde hier der Schmalkaldische Bund als Schutz- und Trutzbündnis der

Der Altmarkt von Schmalkalden und ...   *... das Museum im Schloß (hier: Schloßmodell)*

protestantischen Reichsstände gegen den Habsburgerkaiser Karl V. ins Leben gerufen. Sechs Jahre später hat man hier die von Martin Luther verfaßten Schmalkaldischen Artikel angenommen. Nach der Niederlage des Bundes im Schmalkaldischen Krieg von 1546/1547 bei Mühlberg besann man sich in der Stadt wieder auf die Tradition der Metallverarbeitung. Noch heute sind in Schmalkalden hergestellte Werkzeuge, Schneidwaren und Bestecke begehrte Erzeugnisse.

Schmalkalden (Fortsetzung)

Hauptsehenswürdigkeit der Stadt ist das weithin sichtbare, in den Jahren 1585 bis 1589 im Stil der Renaissance erbaute Schloß Wilhelmsburg. Besonders beachtenswert sind die Schloßkapelle mit einer Orgel aus dem 16. Jh., der Bankettsaal mit seiner schönen Kassettendecke, der reich stuckierte Weiße Saal sowie das im Schloß eingerichtete regionalhistorische Museum.

Schloß Wilhelmsburg

Die gesamte Altstadt von Schmalkalden steht unter Denkmalschutz. Blickfang am Altmarkt ist das im Kern spätgotische Rathaus. Über dem Ratskeller liegt der frühere Sitzungssaal des Schmalkaldischen Bundes. Ebenfalls am Altmarkt steht die 1437–1509 erbaute spätgotische Stadtkirche St. Georg, die als eine der schönsten Hallenkirchen Thüringens gilt. Über der Sakristei befindet sich die sog. Lutherstube, in der wertvolle Sakralkunst ausgestellt ist. Die ebenfalls am Altmarkt gelegene Todenwarthsche Kemenate ist zu Beginn des 16. Jh.s als heizbares steinernes Wohnhaus errichtet worden. Am Neumarkt steht der Hessenhof als eindrucksvoller Fachwerkbau. In der "Trinkstube" im Keller ist eine der ältesten noch erhaltenen Profanmalereien des deutschen Mittelalters zu sehen. Der in der ersten Hälfte des 13. Jh.s entstandene spätromanische Freskenzyklus zeigt Motive aus dem Roman "Iwein, der Ritter mit dem Löwen" des Hartmann von Aue. Besonders interessante Bürgerhäuser in der Altstadt sind die Große Kemenate und das Lutherhaus, in dem der Reformator im Jahre 1537 gewohnt hat. Im nördlich des Zentrums gelegenen Stadtteil Weidebrunn kann man die Neue Hütte besichtigen, ein als technisches Denkmal restauriertes Eisenhüttenwerk mit einer Hochofenanlage von 1835.

*Altstadt

Asbach

Im 2 km östlich von Schmalkalden gelegenen Ort Asbach, wo man bereits im Mittelalter Eisenerz abgebaut hat, wurde das Schaubergwerk "Finstertal" eingerichtet.

Trusetal

12 km nördlich von Schmalkalden erreicht man die aus mehreren Bergarbeiterdörfern zusammengewachsene Ortschaft Trusetal. Die Attraktion von Trusetal ist ein 58 m hoher, künstlicher Wasserfall, der 1865 am Ortsausgang nach Brotterode angelegt wurde.

Suhl und Umgebung

Suhl

Die alte thüringische Stadt Suhl (56 000 Einw.) liegt etwa 30 km südöstlich von Schmalkalden am Südwestrand des Thüringer Waldes. Der Ort wurde 1318 erstmals urkundlich erwähnt; 1527 bekam die Bergbausiedlung das Stadtrecht. Wenige Jahre später siedelten sich Nürnberger Büchsenmacher an, die Suhl zur "Waffenschmiede Europas" machten. Zu der Waffenproduktion, die heute noch existiert, gesellte sich nach dem Ersten Weltkrieg der Kraftfahrzeugbau: Zu DDR-Zeiten fertigte man hier mehrere Millionen Motorräder (Marke "Simson") und Motorroller ("Schwalbe").
Obwohl Suhl dreimal (1590, 1634 und 1735) von Bränden heimgesucht wurde, ist das Bild der Kernstadt mittelalterlich geblieben. Mitten auf dem Marktplatz, der vom Rathaus und der barocken Marienkirche beherrscht wird, steht ein Brunnen mit dem Wahrzeichen der Stadt, dem 1903 enthüllten Suhler Waffenschmied. Der Steinweg, die Hauptgeschäftsstraße der Stadt, wird von schönen Bürgerhäusern flankiert, so dem Rokokohaus (Nr. 26) von 1755/1756 sowie Haus Nr. 31. Den Abschluß des Steinwegs bilden die 1739 geweihte Kreuzkirche und die 1642 errichtete ehem. Kreuzkapelle. Im ehem. Malzhaus (1663) am Herrenteich, einem der ältesten und schönsten Fachwerkbauten, ist das sehenswerte Suhler Waffenmuseum untergebracht (Handfeuerwaffen aus fünf Jh.en). Neu ist das Suhler Congress Centrum mit dem Ottilienbad (Erlebnisbad). Zu den jüngsten Sehenswürdigkeiten der Stadt gehört auch das Automobil- und Zweiradmuseum, das sich mit der Geschichte des Suhler Fahrzeugbaus befaßt. Glanzstücke der Ausstellung sind ein BMW-Rennwagen, eine "Simson Supra" und natürlich der Motorroller "Schwalbe". Im Stadtteil Heinrichs mit seinem denkmalgeschützten Marktplatz kann man noch einige Fachwerkbauten bewundern, so etwa das 1657 errichtete alte Rathaus, eines der schönsten Fachwerkgebäude Thüringens. Am nördlichen Stadtrand von Suhl ist die Schillingsschmiede ein vielbesuchtes technisches Denkmal.

Zella-Mehlis

7 km nördlich von Suhl erreicht man die Stadt Zella-Mehlis (14 000 Einw.), die 1919 aus der Vereinigung zweier Siedlungen hervorging. Die wohl im 11. Jh. gegründete Ortschaft Mehlis wurde 1892 zur Stadt erhoben. Siedlungskern von Zella ist ein kleines, im Jahre 1112 gegründetes Kloster. Metallgewerbe und feinmechanische Industrie brachten Zella-Mehlis Wohlstand; heute spielt der Tourismus eine wichtige Rolle.
Die in den Jahren 1768–1774 errichtete Stadtkirche Zella St. Blasii gehört zu den wichtigsten Baudenkmälern der Barockzeit in Thüringen. Beachtung verdient auch das Heimatmuseum. Ein imposanter hennebergischer Fachwerkbau ist das Bürgerhaus, dessen älteste Bauteile aus dem 9. Jh. stammen. Eine besondere Attraktion ist das Meeresaquarium (Talstr. 50) mit mehreren hundert Meerestieren – darunter auch Haie.

Gesenkschmiede Lubenbach

Nördlich der Stadt lädt die alte, mit Wasserkraft betriebene Gesenkschmiede Lubenbach zum Besuch ein.

*Oberhof

Rund 10 km nördlich von Suhl liegt der vielbesuchte Ferien- und Wintersportort Oberhof (3000 Einw.) an einer uralten Paßstraße inmitten der hier 800–836 m hohen Mittelgebirgslandschaft des Thüringer Waldes. Bereits im Mittelalter befand sich oben ein Hof, später eine Zollstation. Seinen Aufschwung nahm der Ort allerdings erst nach der Fertigstellung einer neuen, den Thüringer Wald überwindenden Straße, die dem Verlauf des alten Handelsweges von Erfurt nach Nürnberg folgte. 1906 entstand eine erste kleine Sprungschanze, 1925 dann die erste Großschanze auf dem Wadeberg. Nach dem Zweiten Weltkrieg ließ die DDR-Regierung Oberhof zum nationalen Wintersportzentrum ausbauen.

Oberhof (Fortsetzung)

Im rund 12 ha großen Rennsteiggarten auf dem Pfanntalskopf bei Oberhof werden mehrere hundert Pflanzenarten aus verschiedenen Hochgebirgen der Erde kultiviert.

*Rennsteiggarten

Beliebte Ausflugsziele in der Umgebung von Oberhof sind die Lütschetalsperre und die Ohratalsperre. Auf den beiden Stauseen kann man rudern und paddeln. Um die Seen führen hübsche Wanderwege.

Lütschetalsperre
Ohratalsperre

Südöstlich von Suhl erstreckt sich das von der UNESCO anerkannte Biosphärenreservat Vessertal, in dem noch viele seltene Pflanzen- und Tierarten beheimatet sind. Im Naturschutzzentrum Breitenbach kann man sich über das Schutzgebiet informieren. Der kleine, südlich der Ortschaft Vesser gelegene Kernbereich des Reservats steht unter strengstem Naturschutz: hier darf man nicht einmal wandern!

Biosphärenreservat Vessertal

Rund 15 km südlich von Suhl liegt Schleusingen (5000 Einw.) mit seiner hübschen Altstadt. Sie wird beherrscht von Renaissanceschloß Bertholdsburg, in dem heute eine sehenswerte naturhistorische Ausstellung untergebracht ist.

Schleusingen

Weitere 13 km südlich kommt man in das Städtchen Hildburghausen im oberen Werratal (10000 Einw.). Charmant ist der Marktplatz mit dem Renaissance-Rathaus und einigen schönen barocken Bürgerhäusern. Weitere beachtenswerte Barockbauten sind die Stadtkirche sowie das ehemalige Regierungsgebäude. Alljährlich im Oktober feiert man in Hildburghausen das Theresienfest. Dabei wird – ebenso wie beim Münchner Oktoberfest – an die Vermählung der Prinzessin Therese von Sachsen-Hildburghausen mit dem späteren bayerischen König Ludwig I. erinnert.

Hildburghausen

10 km südwestlich von Schleusingen kann man die noch vorhandenen Bauten des 1131 gegründeten Prämonstratenserklosters Veßra besichtigen. Die Klosterkirche fiel 1939 einem Brand zum Opfer. Auf dem Gelände des Klosters befindet sich das Hennebergische Freilichtmuseum mit einigen alten Bauernhäusern und Werkstätten.

Veßra
Freilichtmuseum

Ilmenau und Umgebung

Die Hochschul- und Industriestadt Ilmenau (33000 Einw.) liegt am Nordostrand des Thüringer Waldes. Die Entwicklung des 1273 urkundlich erwähnten Ortes wurde lange Zeit vom Silber- und Kupferbergbau bestimmt. Mitte des 18. Jh.s ging die Blütezeit des Ilmenauer Bergbaus zu Ende. In den Jahren ab 1776 weilte Johann Wolfgang von Goethe als Minister des Weimarer Hofes wiederholt in Ilmenau. Im 18. und 19. Jh. entwickelten sich die Glasindustrie und die Porzellanmanufaktur zu wichtigen Wirtschaftszweigen. Nach 1830 machte sich Ilmenau auch als Kurort einen Namen.

Ilmenau

Im Amtshaus am Markt (1756) wird an das vielfältige Wirken von Johann Wolfgang von Goethe in Ilmenau und Umgebung erinnert. Ferner wird hier die Regionalgeschichte des Bergbaus und der Porzellanmanufaktur aufgezeigt. Beachtenswerte Baudenkmäler in Ilmenau sind das Rathaus mit seinem schönen Renaissanceportal, die 1603 erbaute Stadtkirche sowie das Zechenhaus an der Sturmheide, das älteste Gebäude der Stadt. Technikfans lockt es in das Historische Bahnbetriebswerk am Rehestädter Weg, wo zahlreiche alte Dampfloks besichtigt werden können.

Ein ca. 18 km langer Wanderweg ("Auf Goethes Spuren") führt von Ilmenau über Gabelbach nach Stützerbach und berührt dabei alle wesentlichen Goethe-Erinnerungsstätten. Im Jagdhaus Gabelbach, wo sich der Dichter besonders gern aufhielt, befaßt sich eine kleine Ausstellung mit Goethes

*Auf Goethes
Spuren

Auf Goethes Spuren (Fortsetzung)

naturwissenschaftlichen Studien im Thüringer Wald. Nördlich vom Jagdhaus erreicht man das Goethehäuschen auf dem Kickelhahn, wo Goethe am 6. September 1780 das Gedicht "Über allen Gipfeln ist Ruh'..." verfaßte. Vom Aussichtsturm auf dem Kickelhahn (861 m) bietet sich ein schöner Rundblick. Mit Goethes Namen verbunden ist auch der Große Hermannstein, in dessen Höhle sich der Dichter mitunter aufgehalten hat. Auf dem aussichtsreichen Schwalbenstein schrieb Goethe im Jahre 1779 an einem einzigen Tag den vierten Akt seines Dramas "Iphigenie" nieder. Auch im heute vielbesuchten Ferienort Manebach weilte Goethe öfters. Im Erholungsort Stützerbach war der Dichter mehrfach Gast im Gundelachschen Haus (heute Goethehaus, Kneippstr. 18). Heute ist hier eine kleine Ausstellung untergebracht, die sich mit dem Thema Glas und Glasherstellung befaßt. Architektonisch bemerkenswert ist die Barockkirche von Stützerbach.

Bergbaumuseum Oehrenstock

Im Bergbaumuseum von Oehrenstock, 5 km südöstlich von Ilmenau, erfährt man Wissenswertes über den Ilmenauer Bergbau.

*Ehem. Kloster Paulinzella

Rund 20 km östlich von Ilmenau lohnt die Ruine der Klosterkirche in Paulinzella einen Besuch. Die romanische Säulenbasilika wurde im Jahre 1124 geweiht. Sie bezeugt den Einfluß der sog. Hirsauer Schule, die gegen Ende des 11. Jahrhunderts vom nördlichen → Schwarzwald ihren Ausgang nahm.

Arnstadt

Die als Tor zum Thüringer Wald bekannte Stadt Arnstadt (30 000 Einw.) liegt rund 20 km nördlich von Ilmenau. Die Siedlung, die bereits 704 urkundlich erwähnt wurde und 1266 das Stadtrecht erhielt, war damals Warenumschlagsplatz an der Kreuzung zweier Handelswege. Im 17. Jh. wirkten hier mehrere Generationen der Familie Bach. Johann Sebastian Bach war von 1703 bis 1707 Organist an der Neuen Kirche (heute Bachkirche). Am Markt stehen zwei schöne, im späten 16. Jh. errichtete Renaissance-Baudenkmäler: das nach niederländischem Vorbild gestaltete Rathaus und die sog. Tuchgaden (Galeriegebäude). In dem beim Rathaus gelegenen "Haus zum Palmbaum" wird an Johann Sebastian Bachs Wirken in Arnstadt erinnert. Bekanntester Sakralbau der Stadt ist die sog. Bachkirche. Die im Übergangsstil von der Romanik zur Gotik errichtete Liebfrauenkirche gilt als eines der wichtigsten Baudenkmäler des 13. Jh.s in Thüringen. Beachtenswert ist ihr spätgotischer Altar. Vor dem Gotteshaus steht die ehem. Papiermühle (16./17. Jh.), ein schöner Fachwerkbau. Der Neideckturm, heute Wahrzeichen von Arnstadt, gehörte ursprünglich zu einer Renaissance-Schloßanlage. Das Neue Palais, ein 1728–1732 errichteter Barockbau, beherbergt heute die berühmte Puppensammlung "Mon Plaisir", die Einblicke in das höfische Leben des beginnenden 18. Jh.s und in die Wohn- und Arbeitswelt der einfachen Bevölkerung gewährt. Kostbarster Besitz des Neuen Palais sind elf Brüsseler Renaissancegobelins, eine Sammlung ostasiatischer und Meißner Porzellane aus der ersten Hälfte des 18. Jh.s sowie Dorotheenthaler Fayencen.

*Drei Gleichen (Burgen)

Nordwestlich von Arnstadt, beiderseits der Autobahn, sieht man das Ensemble der sog. Drei Gleichen. Es umfaßt die Ruine der im Jahre 704 erstmals erwähnten Mühlburg, die Ruine der sagenumwobenen mittelalterlichen Burg Gleichen sowie die Wachsenburg (heute Burghotel).

Von Sonneberg durch das Schwarzatal nach Rudolstadt

Sonneberg

Die südlichste Stadt im Thüringer Wald ist Sonneberg, wo seit rund 400 Jahren Spielzeug produziert wird. Im reichhaltigen Deutschen Spielzeugmuseum (Beethovenstr. 10) kann man nicht nur Puppen aus aller Welt bestaunen, sondern auch Blechspielzeug, Modelleisenbahnen und die berühmte "Thüringer Kirmes", die schon auf der Brüsseler Weltausstellung von 1910 für großes Aufsehen sorgte.

Von Sonneberg fährt man an der Steinach entlang in den Thüringer Wald hinein. Erste Station ist der alte Schieferbergbauort Steinach, wo man das kleine Schiefermuseum besichtigen kann.

Steinachtal

Nach ca. 15 km ist das Glasbläserstädtchen Lauscha erreicht. Kunstvoll geblasene Gläser und andere interessante Exponate zeigt das dortige Museum für Glaskunst. Auf dem berühmten Weihnachtsmarkt kann man die gläsernen Christbaumkugeln erstehen.

Lauscha

Direkt am Rennsteig liegt das schiefergraue Städtchen, das eine der schönsten Holzkirchen Thüringens besitzt. Im benachbarten Schmiedefeld wurde 1993 das Schaubergwerk Morassina eröffnet. Sehenswert ist auch die dortige Tropfsteinhöhle.

Neuhaus am Rennweg

Schwarzatal bei Sitzendorf im Thüringer Wald

Nördlich von Neuhaus zweigt man von der B 281 ab ins Schwarzatal nach Katzhütte. Die Schwarza ist ein Nebenfluß der Saale, der im Thüringischen Schiefergebirge nahe am Rennsteig bei Scheibe-Alsbach entspringt. Der Flußlauf ist mit einer Länge von 53 km und einem Gefälle von mehr als 500 m ausgesprochen kurz. Die Schwarza durchfließt zunächst ein liebliches Tal auf der Hochfläche des Schiefergebirges und windet sich dann durch ein Sohlental. Nahe am Gebirgsrand hat sich der Fluß ein tiefes Kerbtal geschaffen. Zwischen Schwarzburg und Bad Blankenburg sind die Talhänge bis zu 45° geneigt. Typisch für diesen Talabschnitt ist ein kühlfeuchter Schluchtwald, in dem man viele botanische Besonderheiten entdecken kann. Von der Rennsteigwarte auf dem 841 m hohen Eselsberg bei Masserberg, wenige Kilometer südwestlich oberhalb von Katzhütte, hat man einen herrlichen Blick über den gesamten Lauf der Schwarza.

Schwarzatal

Rennsteigwarte

11 km flußabwärts liegt die Talstation der Oberweißbacher Bergbahn. Als eine der steilsten Standseilbahnen der Welt bewältigt sie auf ihrer Fahrt hinauf zur 663 m hohen Bergstation Lichtenhain einen Höhenunterschied

Oberweißbacher Bergbahn

von 323 Metern. Von der Bergstation fährt ein Triebwagen auf der Hochfläche weiter bis Cursdorf.

*Schwarzburg

Ein Brennpunkt des Fremdenverkehrs im Thüringer Wald ist der Erholungsort Schwarzburg, der oft als "Perle Thüringens" bezeichnet wird. Er liegt weitere 7 km flußabwärts und wird beherrscht von einem hoch über der Schwarza errichteten Schloß. Im Hotel Schwarzburg unterzeichnete Reichspräsident Friedrich Ebert 1919 die Weimarer Verfassung. Oberhalb von Schwarzburg beginnt jener Teil des Schwarzatales, in dem die Wasserkraft einstmals zahlreiche Mühlen und Hammerwerke antrieb.

Torgau   K 4

Bundesland: Sachsen
Höhe: 83 m ü.d.M.
Einwohnerzahl: 21 000

Lage und
Allgemeines

Wie man → Wittenberg die Wiege der Reformation heißt, so nennt sich Torgau ihre "Amme", denn in der einstigen Residenz der ernestinischen Kurfürsten am südlichen Ufer der Elbe ist der Verbreitung der Reformation entscheidend der Weg geebnet worden. Noch aus einem weiteren Grund kennen viele den Namen Torgau: Hier trafen sich – zumindest nach offizieller Lesart – kurz vor Ende des Zweiten Weltkriegs erstmals auf deutschem Boden US- und Sowjettruppen.

Geschichte

Auf einem steilen Porphyrfels über der Elbe entstand am Ort des heutigen Torgau zur Sicherung des Elbübergangs eine Befestigung und bald eine Siedlung, die Mitte des 13. Jh.s das Stadtrecht erhielt. Die Wettiner erhoben sie 1456 zu ihrer Residenz, und als die wettinischen Lande 1485 geteilt wurden, forcierten die Ernestiner den Ausbau der Burg. Unter Kurfürst Friedrich dem Weisen wurde Torgau zu einem Brennpunkt der Reformation: 1526 schlossen hier die protestantischen Reichsfürsten den Torgauer Bund, und 1530 erarbeiteten Martin Luther, Philipp Melanchthon, Justus Jonas und Bugenhagen die Torgauer Artikel als Grundlage des Augsburger Religionsfriedens. Als 1547 die Protestanten die Schlacht von Mühlberg östlich von Torgau gegen den Schmalkaldischen Bund verloren, fiel die Stadt an die Albertiner und wurde unbedeutend. Nach der napoleonischen Besetzung entwickelte sich Torgau zur Garnisons- und Beamtenstadt.

Sehenswertes in Torgau

Altstadt

Zentrum der Torgauer Altstadt ist der historische Marktplatz mit dem langgestreckten Rathaus (1563 – 1579), in dessen Hof die im 13. Jh. begonnene Nikolaikirche steht. Am Markt und in seinen Nebengassen haben sich etwa 100 historische Bürgerhäuser aus dem 16. und 17. Jh. mit schönen Renaissancegiebeln und Sitznischen erhalten, u. a. die Mohrenapotheke von 1503 (Markt Nr. 4), die älteste Apotheke in Kursachsen, und in der Bäckerstraße Nr. 3 das älteste deutsche Spielzeuggeschäft. Historisch bedeutsam sind das Sterbehaus von Martin Luthers Ehefrau Katharina von Bora in der Katharinenstraße, das Kentmannhaus für den Stadtphysikus und Universalgelehrten Johannes Kentmann sowie die Kursächsische Kanzlei, in der sich 1711 Zar Peter I. und Gottfried Wilhelm Leibniz trafen, der dabei die Gründung einer Akademie in St. Petersburg anregte. Die wichtigste Kirche Torgaus ist die das Stadtpanorama dominierende Marienkirche (12. – 16. Jh.), die als wertvollsten Schatz das 1507 von Lucas Cranach d. Ä. geschaffene Gemälde "Die vierzehn Nothelfer" besitzt.

**Schloß
Hartenfels

Dicht am Ufer der Elbe ragt weithin sichtbar Schloß Hartenfels auf, das älteste Renaissanceschloß in Deutschland. Es entstand ab Mitte des

15. Jh.s auf den Mauern der Burg aus dem 10. Jh. als unregelmäßige Vierflügelanlage. Bei den späteren Umbauten zu Zuchthaus und Kaserne gingen die kostbare Innenarchitektur und die Ausstattung verloren.
Betritt man den Hof, sieht man rechts den Albrechtbau als ältesten Schloß-
flügel (1470–1485), in dessen Theatersaal am 13. April 1627 die Uraufführung der ersten deutschen Oper "Daphne" von Heinrich Schütz stattfand.
Am anschließenden Johann-Friedrich-Bau (1533–1536) prangt der einzigartige Große Wendelstein, ein spiralförmiges Treppenhaus aus Elbsandstein mit reicher Ornamentik. Im rechten Winkel zum Johann-Friedrich-Bau
steht der Schloßkirchenflügel, dessen östlichen Teil Kurfürsten bewohnten
und den heute das Stadtmuseum belegt. In der Mitte des Schloßkirchen-
flügels sieht man den 1544 gesetzten Schönen Erker. Den gesamten Westteil dieses Flügels nimmt die Schloßkirche ein, 1543–1544 als erster protestantischer Kirchenbau in Deutschland erbaut. An der Kanzel kommt das
protestantische Programm zum Ausdruck: Jesus im Tempel, Jesus mit der
Ehebrecherin und bei der Vertreibung der Händler und Wechsler.

Schloß Hartenfels (Fortsetzung)

Unterhalb des Schlosses am Elbufer erinnert das Denkmal der Begegnung
an das Zusammentreffen der sowjetischen und amerikanischen Soldaten
auf der Torgauer Eisenbahnbrücke am 25. April 1945. Das Foto vom Treffen ging um die Welt – allerdings ist es einige Tage später nachgestellt worden. Tatsächlich fand die erste Begegnung zwischen sowjetischen und
US-Truppen bereits einige Stunden vor der Torgauer Begegnung bei Strehla statt. Trotzdem und trotz der Tatsache, daß die Brücke vor wenigen Jahren abgerissen wurde, ist das Denkmal zu einem alljährlichen Treffpunkt
von Kriegsveteranen am "Elbe Day" geworden.

Denkmal der Begegnung

Umgebung von Torgau

Auf dem östlichen Elbufer, etwa 7 km von Torgau entfernt, liegt das Gestüt
Graditz, einst kurfürstlicher Landsitz, in dem schon 1630 eine "Stutterey"
bestand. 1722 schuf der Dresdener Zwingerbaumeister Matthäus Daniel
Pöppelmann im Auftrag Augusts des Starken das Gutshaus, einen schlichten langgestreckten Bau mit hohem Mansarddach und betontem Balkon-
vorbau, umgeben von einem Park mit hübschem Teepavillon.

Graditz

Belgern am westlichen Elbufer, 11 km südöstlich von Torgau, entstand im
10. Jh. aus einer deutschen Grenzburg, auf deren Gelände später ein Zisterzienserkloster errichtet wurde. Es besitzt mit der überdimensionalen Rolandsfigur von 1610, die vor dem 1574 erbauten und 1661 erneuerten Rathaus aufgestellt ist, die größte Symbolfigur städtischer Freiheit in Sachsen.

Belgern

Südlich von Torgau erstreckt sich mit der Dahlener Heide eines der größten Waldgebiete Sachsens. 200 Kilometer markierte Wanderwege führen
durch diese hügelige Waldlandschaft mit eingesprengten Seen, Höhen
zwischen 100 und 200 m erreichend. Dunkle Fichtenwälder und helle Bu-
chenhaine wachsen an sanften Hängen, so daß man stellenweise das Gefühl hat, im Erzgebirge zu sein. Eines der beliebtesten Ausflugsziele ist das
Waldbad im Heidedorf Schmannewitz, das auch noch eine Bockwindmühle und ein bäuerliches Museum zu bieten hat.
Einige Kilometer nördlich von Schmannewitz liegt Schildau, die Heimat der
Schildbürger und Geburtsort des preußischen Feldherrn Graf August Neid-
hardt von Gneisenau (1760–1831). Sein Geburtshaus an der Gneisenaustr. 2 ist heute Gasthof und Gedenkstätte zugleich.

＊Dahlener Heide

Schildau

Auf der Burg von Bad Düben, 31 km westlich von Torgau, fand im Mai
1532 der Prozeß gegen Hans von Zaschwitz statt, der einem gewissen
Michael Kohlhase zwei Pferde gestohlen hatte – Heinrich von Kleist machte seine berühmte Novelle daraus. Mit der Wald- und Seenlandschaft Dübener Heide beschäftigt sich das Landschaftsmuseum; im Burggarben
steht eine seltene sog. Schiffsmühle.

Bad Düben

Trier   C 6

Bundesland: Rheinland-Pfalz
Höhe: 130–330 m ü.d.M.
Einwohnerzahl: 105 000

Lage und Stadtbild

Die Stadt Trier liegt nahe der deutsch-luxemburgischen Grenze in einer Weitung des → Moseltals. Sie ist eingebettet in ein reizvolles Umland, umgeben von den Bergen und Wäldern von Hunsrück und Eifel sowie den Weinbauterrassen von Mosel, Saar und Ruwer. Von der einstigen Bedeutung Triers zeugen stattliche Römerbauten, zahlreiche Kirchen prägen das Stadtbild.

Geschichte

Trier gilt als die älteste Stadt Deutschlands. Sie wurde 16 v. Chr. von Kaiser Augustus an der Stelle einer Siedlung der von Caesar besiegten keltischen Treverer gegründet und "Augusta Treverorum" genannt. 117 n. Chr. wurde sie Hauptstadt der Provinz Belgica prima. Hier residierten mehrere römische Kaiser, als Stadt des Römischen Reichs erlebte Trier eine Zeit der kulturellen Blüte. Im 9. Jh. machte Karl der Große Trier zum Erzbistum. 1803 wurde das Erzbistum säkularisiert, 1815 fiel die Stadt an Preußen. Heute ist Trier u.a. Sitz einer Universität.

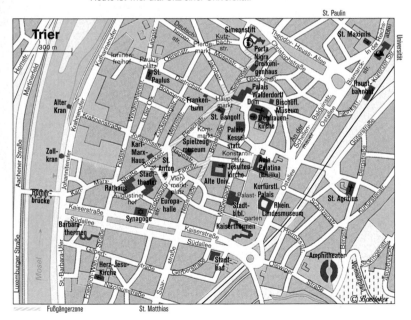

Sehenswertes in Trier

**Porta Nigra

Am Nordrand der Altstadt steht die Porta Nigra, ein mächtiges Stadttor der römischen Stadtbefestigung, die Ende des 2. Jhs. n. Chr. entstand. Der doppeltorige Mittelbau wird von zwei halbrunden Türmen begrenzt. Die schwarzen verwitterten Quadern aus Sandstein (daher "Porta Nigra" = schwarzes Tor) wurden ursprünglich ohne Mörtel aufeinandergesetzt und nur von eisernen Klammern zusammengehalten. Die Porta Nigra wurde um 1040 in eine Basilika, die Simeonskirche, umgewandelt, im 19. Jh. jedoch wieder in den alten Zustand versetzt. Ein Teil des ehemaligen Simeonstifts (11. Jh.) beherbergt heute das Städtische Museum. Der Kreuzgang gehört zu den ältesten in Deutschland.

Porta Nigra
(Fortsetzung)

Im Gambrinus-Keller an der Porta Nigra wird in einer multimedialen Show mittels 3D-Animation mit Licht- und Toneffekten die Geschichte der Stadt Trier rekonstruiert und lebendig gemacht.

"Fantastic Trier"

Nordöstlich der Porta Nigra steht an der Paulinstraße die St.-Paulin-Kirche, die 1732–1754 nach Plänen von Balthasar Neumann errichtet wurde und einer der bedeutendsten Barockbauten des Rheinlands ist. An der Ausstattung waren namhafte Künstler beteiligt, die Deckengemälde schuf Thomas Scheffler.

＊St. Paulin

Von der Porta Nigra führt die Simeonstraße (Dreikönigenhaus, um 1230) südwärts zum schönen Hauptmarkt, dem Zentrum der Trierer Altstadt, mit Marktkreuz und Marktbrunnen. An der Südseite steht die gotische Kirche St. Gangolf, im Westen die Steipe (15. Jh.), ein Gebäude, in dessen von Pfeilern gebildeten offenen Lauben einst das Marktgericht tagte. In der nahen Dietrichstraße ragt der Frankenturm (11. Jh.) auf, ein Wohnbau aus frühester Zeit.

＊Hauptmarkt

Eines der besterhaltenen römischen Bauwerke Deutschlands steht in Trier: die mächtige Porta Nigra.

Östlich vom Markt erhebt sich der Dom, dessen Vorgängerbau im 4. Jh. von Konstantin dem Großen errichtet wurde. Der heutige Dom, eine der ältesten Kirchen Deutschlands, entstand im 11. und 12. Jh. (1964–1974 restauriert). Das Innere wird von einem gotischen Rippengewölbe beherrscht. Bemerkenswerte Teile der Ausstattung sind die romanische Chorschranke (12. Jh.) und die Kanzel, ferner diverse Grabdenkmäler, u. a.

＊Dom

Trier

Dom (Fortsetzung)

für Kardinal Ivo (gest. 1144). Im sogenannten Badischen Bau befindet sich der Domschatz, dessen bedeutendstes Stück der St.-Andreas-Tragaltar aus dem 10. Jh. ist.

Bischöfliches
Museum

In der Nähe des Doms (Windstraße 6–8) zeigt das Bischöfliche Dom- und Diözesanmuseum sakrale Kunst aus der Zeit des frühen Christentums, des Mittelalters und der Neuzeit. Hinzu kommen zahlreiche Funde von den frühchristlichen Gräberfeldern der Stadt Trier.

*Liebfrauenkirche

Neben dem Dom steht die Liebfrauenkirche, um 1270 vollendet, eine der frühesten gotischen Kirchen in Deutschland. Das Westportal ist als Figurenportal konzipiert. Im Inneren verdienen die Grabmäler Beachtung.

Karl-Marx-Haus

Etwa 500 m südwestlich vom Hauptmarkt, Brückenstr. 10, steht das Geburtshaus von Karl Marx. Zu sehen sind Dokumente zu Lebensgeschichte und Werk des Philosophen.

*Aula Palatina

Südöstlich vom Hauptmarkt befindet sich am Konstantinplatz die Aula Palatina (Palastaula), erbaut unter Kaiser Konstantin dem Großen, der 306 bis 312 in Trier residierte und das Christentum den römischen Religionen gleichstellte. Im Inneren ist die Aula Palatina, die heute als evangelische Kirche genutzt wird, eine mächtige Halle mit Kassettendecke.

*Rheinisches
Landesmuseum

Im südlichen Teil der Stadt liegt auch das Rheinische Landesmuseum Trier. Das 1874 gegründet Museum zeigt bedeutende Sammlungen zur Vor- und Frühgeschichte, aus der römischen, frühchristlichen und fränkischen Zeit, ferner zur mittelalterlichen und neuzeitlichen Kunstgeschichte.

*Kaiserthermen

Einen weiteren Höhepunkt des Stadtrundgangs bilden die Ruinen der römischen Kaiserthermen an der Ostallee (4. Jh. n. Chr.), eine der größten Bäderanlagen des römischen Reichs. In der Zeit nach den Römern diente das Bauwerk im Wechsel als Kastell, Kirche und Teil der Stadtbefestigung. Am Ende der Südallee, die von hier nach Westen führt, sind Reste der Barbarathermen (2. Jh. n.Chr.) zu sehen. Die nahe Römerbrücke über die Mosel ruht noch auf römischen Fundamenten. Die mächtigen Brückenbögen stammen aus den Jahren 1717 und 1718.

Amphitheater

In östlicher Richtung gelangt man von den Kaiserthermen über die Olewiger Straße zu dem römischen Amphitheater, das um das Jahr 100 n.Chr. angelegt wurde und nur in Resten erhalten ist. Das Theater, in dem einst Kampfspiele stattfanden, bot Platz für etwa 20 000 Besucher.

St. Matthias

Am südlichen Stadtrand steht die Wallfahrtskirche St. Mattthias aus dem 12. Jh., in welcher die Gebeine des Apostels Matthias der Überlieferung nach aufbewahrt werden. In der Krypta (um 980) unter dem Chor sind die spätromanischen Sarkophage des hl. Eucharius und des hl. Valerius bemerkenswert.

Umgebung von Trier

Konz

An der Mündung der Saar in die Mosel liegt südwestlich von Trier der Weinort Konz mit dem "Volkskunde- und Freilichtmuseum Roscheiderhof". Die Bauten des Museums, alte Häuser aus Hunsrück und Eifel, gruppieren sich um die Gutsdomäne Roscheider Hof; angeschlossen ist ein Kräutergarten. Die Gutsschenke im Innenhof lädt ein zu einem Imbiß.

*Igeler Säule

Am linken Moselufer erreicht man 8 km oberhalb von Trier das Dorf Igel. Hier steht die Igeler Säule, ein etwa 23 m hohes Grabdenkmal einer Tuchhändlerfamilie aus dem 3. nachchristlichen Jahrhundert. Der Sandsteinpfeiler mit Reliefdarstellungen zeugt von der wirtschaftlichen Blüte des Trierer Landes in römischer Zeit.

Knapp 40 km südwestlich von Konz wurde bei Nennig 1852 der Rest einer römischen Prunkvilla freigelegt, deren 10,30 x 15,65 m großer Mosaikboden zu den schönsten und größten nördlich der Alpen zählt.

→ dort

Tübingen   F 7

Bundesland: Baden-Württemberg
Höhe: 307–515 m ü.d.M.
Einwohnerzahl: 85 000

Im Rahmen dieses Reiseführers ist die Beschreibung von Tübingen bewußt knapp gehalten; ausführliche Informationen liefert der Baedeker Allianz Reiseführer "Reutlingen · Tübingen".

Hinweis

Stocherkähne auf dem Neckar, romantische Gassen und heimelige Plätze, Erinnerungen an Hölderlin und andere große Dichter und Denker – kaum eine deutsche Universitätsstadt verströmt soviel historischen Charme wie Tübingen. Auf 85 000 Einwohner kommen rund 25 000 Studenten, die das Leben in der Stadt maßgeblich prägen. Nicht nur die Einrichtungen der Universität, auch mehrere Forschungsinstitute sowie zahlreiche kulturelle Institutionen sind in Tübingen angesiedelt. Vor den Toren der Stadt, die sich eine halbe Autostunde südwestlich von → Stuttgart an den Neckar schmiegt, liegen das Naherholungsgebiet Schönbuch und das landschaftlich reizvolle Neckartal.

Lage und
**Stadtbild

Die Stadt wurde 1078 erstmals urkundlich erwähnt. 1342 kam sie an Württemberg; 1477 gründete Graf Eberhard im Bart die Universität. Im 1514 ausgehandelten Tübinger Vertrag wurden erstmals auf dem europäischen Festland die Grund- und Menschenrechte verankert. Herzog Ulrich grün-

Geschichte

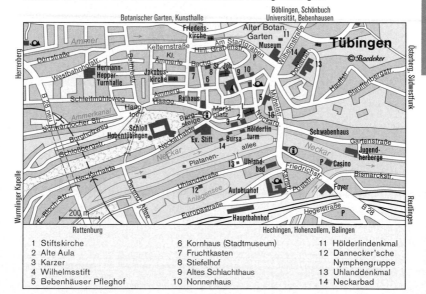

1 Stiftskirche	6 Kornhaus (Stadtmuseum)	11 Hölderlindenkmal
2 Alte Aula	7 Fruchtkasten	12 Dannecker'sche
3 Karzer	8 Stiefelhof	Nymphengruppe
4 Wilhelmsstift	9 Altes Schlachthaus	13 Uhlanddenkmal
5 Bebenhäuser Pfleghof	10 Nonnenhaus	14 Neckarbad

Geschichte
(Fortsetzung)

dete 1536 das Evangelisch-Theologische Stift, das alsbald zu einer herausragenden Bildungsstätte des württembergischen Geisteslebens werden sollte. Im 1659 hier gegründeten Cotta-Verlag (heute Klett-Cotta) erschienen die Werke der bedeutendsten deutschen Dichter.

Sehenswertes in Tübingen

**Neckarufer
mit Hölderlinturm

Die malerische Altstadt baut sich stufenartig über dem Neckarufer auf. Sie wird im Westen vom Schloßberg und im Osten vom Österberg begrenzt. Den schönsten Blick auf die einzigartige Neckarfront der Altstadt hat man von der Platanenallee auf der Neckarinsel. Direkt am Neckar steht der gelb gestrichene Hölderlinturm (Besichtigung möglich), in dem der Dichter von 1807 bis zu seinem Tode 1843 lebte. Dahinter beherrscht die Bursa die Szenerie. In dem rosa getünchten und bereits über 500 Jahre alten Gebäude hielt Philipp Melanchthon 1514–1518 Vorlesungen. Weiter westlich, zu Füßen des Schloßberges, befindet sich das berühmte Tübinger Stift (1536 gegründet), zu dessen Schülern Kepler, Schelling, Hegel, Hölderlin, Mörike und Hauff gehörten.

*Stiftskirche

Die Altstadt wird von der spätgotischen Stiftskirche (15. Jh.) dominiert, von deren Turm man einen schönen Ausblick genießen kann. Sie beherbergt u. a. eine spätgotische Kanzel und einige bemerkenswerte Grabdenkmäler von Angehörigen des württembergischen Fürstenhauses (u. a. von Graf Eberhard im Bart und Herzog Ludwig).

Stocherkahnfahren auf dem Neckar beim Hölderlinturm

Alte Aula
Karzer

Neben dem Gotteshaus steht noch die Alte Aula der Universität. Nahebei liegt der eher unscheinbare alte Universitätskarzer (Besichtigung möglich).

*Marktplatz
*Ammergasse
Stadtmuseum

Wenige Schritte stadteinwärts erreicht man den schönen, von historischen Häusern umstandenen Marktplatz mit dem Neptunbrunnen. Das prächtige Gebäude mit der bemalten Fassade und der astronomischen Uhr (1511) im turmbekrönten Giebel ist das Rathaus (älteste Teile aus dem 15. Jh.). Nördlich unterhalb vom Marktplatz zieht sich die idyllische Ammergasse entlang des kleinen Ammerkanals durch die Unterstadt. Einen Besuch verdient das im alten Kornhaus untergebrachte Stadtmuseum.

*Schloß
Hohentübingen

Oberhalb des Marktes führt die aussichtsreiche Burgsteige steil hinauf zu dem im 16. Jh. auf den Resten einer alten Pfalzgrafenburg errichteten Schloß Hohentübingen mit schönem Renaissance-Portal. Im renovierten Schloß sind die kulturhistorisch bemerkenswerten Sammlungen der Universität untergebracht, u. a. Vogelherdfiguren, Ägyptische Grabkammer, Funde aus Troja, Tübinger Waffenläufer, Münzsammlung.

In der Brunnenstraße 18 zeigt das Auto- und Spielzeugmuseum "Boxenstop" klassische Renn- und Sportwage sowie zahlreiche Spielsachen.

Tübingen (Fts.)
"Boxenstop"

Auf der Morgenstelle, nördlich oberhalb der Kernstadt, erstreckt sich der wunderschöne Neue Botanische Garten. Einige Schritte abseits erreicht man die Kunsthalle, die durch Ausstellungen mit Werken berühmter Künstler von sich reden machte.

*Neuer Botanischer Garten
Kunsthalle

Umgebung von Tübingen

Nördlich von Tübingen dehnt sich der Schönbuch aus, das größte zusammenhängende Waldgebiet Württembergs und ein vielbesuchtes Naherholungsziel vor den Toren der Stadt (Wildgehege, Schönbuchmuseum).

*Naturpark
Schönbuch

Etwa 5 km nördlich außerhalb der Stadt liegt die im 12. Jh. gegründete Klostersiedlung Bebenhausen im Schönbuch. Sie gehört zu den schönsten und besterhaltenen Anlagen ihrer Art in Deutschland.

**Bebenhausen

Etwa 23 km nordwestlich von Tübingen, am Westabfall des Schönbuchs, liegt die Stadt Herrenberg. Ihr hübscher alter Stadtkern mit vielen Fachwerkbauten wird vom weithin sichtbaren, wuchtigen Turm der Stiftskirche (13./14. Jh.; Glockenmuseum) beherrscht.

Herrenberg

Wenige Kilometer südwestlich von Tübingen thront die durch Ludwig Uhlands Gedicht bekannt gewordene Kapelle auf einem Bergkegel.

Wurmlinger
Kapelle

Etwa 12 km südwestlich von Tübingen liegt die als Hochburg der schwäbischen Fasnet bekannte katholische Bischofsstadt Rottenburg am oberen Neckar. Besonders sehenswert sind hier der Dom St. Martin (12., 15. und 19. Jh.), die Stiftskirche St. Moriz (14. Jh.; schöne Fresken), das 1996 eröffnete Diözesanmuseum sowie das Römische Stadtmuseum (Sumelocenna-Museum).

Rottenburg

Uckermark · Ueckermünder Heide   K/L 2

Bundesländer: Brandenburg und Mecklenburg-Vorpommern

Die Uckermark ist ein seenreiches Hügelland mit ausgedehnten Kiefernwäldern und Heidelandschaften im äußersten Nordosten Deutschlands. Zur Uckermark gehören die Gebiete um die Städte Prenzlau, Angermünde und Templin zwischen der oberen Havel und der unteren Oder beiderseits der Uecker. Nördlich schließt sich an die Uckermark die sogenannte Uekermünder Heide an, die bis ans Stettiner Haff heranreicht. Der Name Uckermark (= "Grenzland") ist seit dem 15. Jh. gebräuchlich und charakterisiert die Lage dieses Gebietes zwischen den historischen Ländern Brandenburg, Mecklenburg und Pommern. Eine regionale Besonderheit ist die unterschiedliche Schreibweise des namensgebenden Flusses, der im Brandenburgischen Ucker, im Pommerschen (ab Pasewalk flußabwärts) jedoch Uecker heißt. Ackerbau und Forstwirtschaft sind traditionell die wichtigsten Erwerbszweige – seit dem 18. Jh. wurde die Uckermark auch als Kornkammer Berlins bezeichnet. Auch als Naherholungsziel war die ländliche Region für Berlin seit jeher von Bedeutung.

Lage und Gebiet

Reiseziele von Nord nach Süd

Die Hafenstadt (12000 Einwohner) an der Mündung der Uecker ins Stettiner Haff kann nicht mit großartigen Baudenkmälern aufwarten, doch sie bietet einige Möglichkeiten für einen Erholungs- oder Aktivurlaub, so z. B.

Ueckermünde

Ueckermünde
(Fortsetzung)

Schiffsausflüge nach Polen oder ins Stettiner Haff, Radwanderungen in der flachen Wald- und Heidelandschaft der Ueckermünder Heide (Fahrradverleih; ausgebautes Radwegenetz) und Bademöglichkeiten am 800 m langen Sandstrand von Ueckermünde. Mit dem Ausbau eines neuen Jachthafens samt Ferienwohnungen und Gastronomie will Ueckermünde künftig verstärkt auf den Tourismus setzen.

Die Hauptsehenswürdigkeit der Stadt ist das ehemalige Renaissanceschloß von 1540, von dem nur noch der Südflügel mit spätmittelalterlichem Treppenturm und Bergfried steht. Er beherbergt heute u. a. das Haffmuseum. Im Sommer werden im Schloß Konzerte veranstaltet. Die Pfarrkirche St. Marien ist ein Barockbau aus dem Jahr 1766 mit einem neugotischen Turm, der 1863 hinzugefügt wurde. Vor allem bei Kindern sehr beliebt ist der Tierpark von Ueckermünde, der u. a. einen Streichelzoo und einen begehbaren Affenwald besitzt.

Torgelow

In Torgelow (15 km südlich von Ueckermünde, 12 000 Einw.) gründete Friedrich der Große 1754 ein Eisenhüttenwerk (Glockenstuhl und Wohngebäude erhalten). Die nur noch als Ruine existierende Burg bestand vermutlich schon im 12./13. Jahrhundert. Am Südrand der Industriestadt kann man eine rekonstruierte slawische Händler- und Handwerkersiedlung aus dem 9./10. Jh. ("Ukranenland") besichtigen.

Pasewalk

Die Kreisstadt Pasewalk (14 000 Einwohner) liegt in der nördlichen Uckermark an der Uecker. Bei einer pommerschen Burg am Ueckerübergang entstand wahrscheinlich nach 1150 eine Kaufmannssiedlung, die 1251 Stadtrecht erhielt. Pasewalk war Mitglied der Hanse und damit Ausgangspunkt für einen seit 1320 durch Zollfreiheiten geförderten Fernhandel. Zu den begehrtesten Exportgütern zählte lange Zeit das Pasewalker Bier, "Pasenelle" genannt.

Von der Stadtbefestigung blieben zwei Backsteintürme, zwei Tortürme und Abschnitte der Ringmauer erhalten. Im Prenzlauer Tor (um 1450) ist das städtische Museum eingerichtet, das die Ur-, Früh- und Stadtgeschichte dokumentiert sowie Werke des pommerschen Zeichners Paul Holz zeigt. Die Pfarrkirche St. Marien wurde im 14. Jh. auf Granitquadersockeln des 13. Jh.s errichtet. Sie birgt im Innern eine Kopie der "Kreuztragung" von Raffael. Die Pfarrkirche St. Nikolai aus dem 13./14. Jh. wurde spätgotisch umgebaut. Im Schillhaus (Grünstr. 16) lebte 1795–1806 Ferdinand von Schill (Gedenktafel).

**Strasburg
Brohmer Berge**

Das uckermärkische Städtchen (7000 Einw.) 20 km westlich von Pasewalk ist ein idealer Ausgangspunkt für Ausflüge in das bewaldete Landschaftsschutzgebiet Brohmer Berge.

Löcknitz

In Löcknitz (16 km südöstlich von Pasewalk) gibt es eine sehenswerte Burgruine (Turmhügel mit Backsteinturm) sowie das Naherholungsgebiet am Löcknitzer See.

Prenzlau

Prenzlau (21 000 Einw.) liegt am Nordufer des Unteruckersees. Die Altstadt erhebt sich auf einer Terrasse unmittelbar neben der ebenen Uckerniederung. Der Ort erhielt 1234 das Stadtrecht. Angesichts ständigen Streits zwischen Brandenburg und Pommern gelang es dem Rat im Mittelalter, sich wichtige Privilegien zu sichern. Für die wirtschaftliche Entwicklung wirkte sich die Ansiedlung von Hugenotten (ab 1685) zum Vorteil aus. Die Industrialisierung setzte in der preußischen Ackerbürger-, Beamten- und Garnisonsstadt erst nach 1945 ein.

In der Altstadt sind große Teile der Stadtbefestigung (13./14. Jh.) mit drei Stadttortürmen (Blindower Torturm, Mitteltorturm und Steintorturm), dem Hexen- und Pulverturm sowie mehrere Wiekhäusern erhalten geblieben. Ein imposantes Zeugnis mittelalterlicher Backsteingotik ist die Marienkirche (13./14. Jh.) mit ihrem prächtigen Ostgiebel. Die in den letzten Tagen des Zweiten Weltkrieges völlig ausgebrannte Kirche wurde wiederaufgebaut. Prenzlau besitzt gleich mehrere mittelalterliche Kirchen: St. Nikolai

(Anfang 13. Jh.; Ruine), die älteste Pfarrkirche der Stadt, die frühgotische Dominikanerklosterkirche zum Heiligen Kreuz (1275–1343), den flachgedeckten Feldsteinbau der Jakobikirche (2. Hälfte 13. Jh.), die ehemalige Franziskanerklosterkirche (1. Hälfte 13. Jh.; Dreifaltigkeitskirche genannt), und die im Kern frühgotische Sabinerkirche (1816/1817 umgebaut), die einen Kanzelaltar von 1597 besitzt. Im Refektorium des ehemaligen Dominikanerklosters sind Wandmalereien von 1516 erhalten (Museum). Prenzlau
(Fortsetzung)

Mitteltorturm und Marienkirche von Prenzlau

Südlich der Stadt breitet sich der 7 km lange und 2,5 km breite Uckersee aus (Landschaftsschutz- und Naherholungsgebiet, Freizeiteinrichtungen am Ostufer; Baden, Surfen). *Uckersee

In Fürstenwerder (22 km nordwestlich), das im 13. Jh. als Grenzstadt gegen Mecklenburg gegründet und befestigt wurde, sind noch Reste der Stadtmauer mit Wiekhäusern sowie das Woldegker und das Berliner Tor erhalten. Fürstenwerder

Die Kreisstadt (14 000 Einwohner) liegt in seenreicher Umgebung, rund 30 km südwestlich von Prenzlau. Der Ort entstand um 1250 und erhielt 1270 Stadtrechte. Die mittelalterliche Stadtbefestigung mit 51 Türmen, Toren und Wiekhäusern ist nahezu vollständig erhalten. Nach einem verheerenden Stadtbrand im Jahr 1735 erhielt Templin ein rechtwinkliges Straßennetz. Aus dieser Stadtbauphase sind das Rathaus (1750) und die Stadtkirche Maria Magdalena (1749) erhalten geblieben. Reizvoll ist die Lage der Stadt am sog. Templiner Seenkreuz, dem östlichen Ausläufer der → Mecklenburgischen Seenplatte (Templiner Stadtsee, Röddelinsee, Fährsee und Lübbesee). Templin
*Templiner Seen

In Angermünde, rund 40 km südöstlich von Prenzlau, sind die Reste der alten Stadtmauer, das spätbarocke Rathaus und die dreischiffige Hallenkirche St. Marien sehenswert. Angermünde

Ulm

Bundesland: Baden-Württemberg
Höhe: 478 m ü.d.M.
Einwohnerzahl: 100 000

Lage und Bedeutung

Die alte Reichsstadt Ulm am linken Ufer der Donau ist das wirtschaftliche und kulturelle Zentrum des württembergischen Oberlandes. Seit langem ist sie Standort namhafter Handels- und Industrieunternehmen, zudem Sitz einer Universität und einer bedeutenden Fachhochschule. Stadtbildbeherrschend und gleichzeitig die größte Sehenswürdigkeit von Ulm ist das Münster mit dem höchsten Kirchturm der Welt.

Geschichte

Funde deuten auf eine jungsteinzeitliche Besiedlung im Stadtgebiet hin. Die Anfänge der Stadtgründung liegen vermutlich im 11. Jahrhundert. Dank der günstigen Verkehrslage an der Donau und am Schnittpunkt wichtiger Straßen entwickelte sich Ulm im Mittelalter zu einem Handelszentrum. Im Dreißigjährigen Krieg verlor es seine wirtschaftliche und politische Macht. Nach wechselnden Herrschaften im 18. Jh. kam die Stadt 1810 zu Württemberg. Der Wiederaufbau von Ulm infolge der Zerstörungen im Zweiten Weltkrieg hat das Gesicht der Stadt stark verändert.

Sehenswertes in Ulm

**Münster

Das im Stadtzentrum gelegene Münster (1377 begonnen, bis 1529 fortgeführt, 1844 bis 1890 ausgebaut) ist nach dem Kölner Dom die größte gotische Kirche in Deutschland und der Turm (1392 begonnen, 1880–1890 vollendet) mit 161 m der höchste Kirchturm der Erde, von dem aus man eine

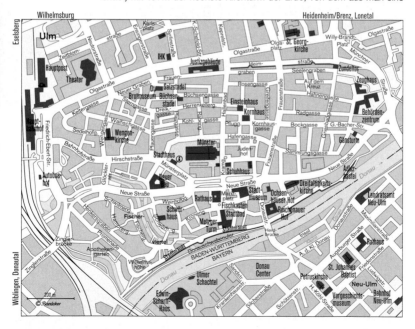

*Farbenprächtige Illusionsmalerei bedeckt die Fassade des Ulmer
Rathauses; seit dem 16. Jh. prangt dort auch eine astronomische Uhr.
Hinter dem Gebäude lugen die Türme des Münsters hervor.*

hervorragende Aussicht hat. Vom Inneren ist besonders das prachtvolle
Chorgestühl (1469–1474) von Jörg Syrlin d.Ä. hervorzuheben, das berühmte Dichter und Philosophen der Antike sowie Propheten und Apostel
aus der Bibel darstellt. Beachtenswert sind außerdem der aufwendig geschnitzte Schalldeckel (1510) der Kanzel und das Sakramentshaus.

Münster
(Fortsetzung)

Postmoderner Blickfang am Münsterplatz ist das 1993 fertiggestellte
Stadthaus des amerikanischen Architekten Richard Meier. Es umfaßt u. a.
einen Konzert- und Vortragssaal sowie Ausstellungsräume.

Stadthaus

Südlich vom Münster, am Marktplatz steht das stattliche gotische Rathaus,
nach Kriegszerstörung wiederhergestellt, mit Fresken von 1540. Davor ist
der Fischkasten, ein schöner Brunnen (1482) von J. Syrlin d. Ä., zu sehen.

Marktplatz

Das Ulmer Museum (Marktplatz 9) beherbergt die bedeutendste Sammlung oberschwäbischer Kunst und Kultur seit dem Mittelalter. Großartig ist
die Prähistorische Abteilung, deren Exponate bis in die Altsteinzeit zurückreichen.

*Ulmer Museum

Westlich vom Marktplatz erstreckt sich das überaus malerische und mit
viel Sachkenntnis restaurierte Fischer- und Gerberviertel. An der Donau ist
noch ein erheblicher Teil der alten Stadtmauer aus dem 15. Jh. mit dem
schiefen Metzgerturm erhalten. Weiter westlich, am Ufer der kleinen Blau,
liegt das sog. Schiefe Haus, ein hübsches Fachwerkhaus aus dem 16.
Jahrhundert.

*Fischer- und
Gerberviertel

Im Salzstadel (Salzstadelgasse 10) im Norden der Stadt ist das originelle
Deutsche Brotmuseum untergebracht, in dem die Geschichte des Brotes
und des Bäckerhandwerks dargestellt wird.

*Deutsches
Brotmuseum

Die 1842–1867 um die Stadt erbaute Bundesfestung umfaßt mehrere Forts und einen 9 km langen Festungsgürtel mit 41 Hauptwerken. Im Fort Oberer Kuhberg war im Dritten Reich ein Konzentrationslager eingerichtet. Heute befindet sich hier eine Gedenkstätte.

Ulm (Fortsetzung) Bundesfestung

Im südlichen Ulmer Stadtteil Wiblingen, 7 km vom Stadtzentrum entfernt, steht das große ehemalige Benediktinerkloster, das im 11. Jh. gestiftet und 1803 aufgehoben wurde. Es verfügt über eine prachtvolle Klosterkirche (1780) mit Bildwerken von Januarius Zick im Inneren und einen prunkvollen Bibliothekssaal.

Wiblingen ✱Kloster

Umgebung von Ulm

Die bayerische Kreisstadt Neu-Ulm (48000 Einwohner) liegt gegenüber von Ulm am rechten Ufer der Donau. Sie wurde erst 1811 angelegt und war bis zum Ersten Weltkrieg vor allem Garnisonstadt. Im Stadtzentrum findet man das Neu-Ulmer Heimatmuseum mit einer geologischen Abteilung, prähistorischen Fundstücken und einer stadtgeschichtlichen Dokumentation. Das Edwin-Scharff-Haus in einer Grünanlage an der Donau (1977) ist ein Kultur- und Kongreßzentrum mit einer kleinen Galerie, die Werke des Künstlers Edwin Scharff (1877–1955) zeigt. Davor sieht man die Nachbildung einer "Ulmer Schachtel" (Donauschiff).

Neu-Ulm

Rund 10 km nordöstlich des Ulmer Zentrums liegt der Ort Oberelchingen mit Resten eines um 1000 gegründeten Klosters, das eine beachtenswerte barockisierte Kirche aufweist.

Oberelchingen

In Leipheim (12 km nordöstlich von Oberelchingen), dessen Stadtbild vorwiegend von Häusern des 18. und 19. Jh.s geprägt ist, sind sehenswert: die Pfarrkiche St. Veit, wohl eine spätromanische Anlage des 14. Jh.s, und das mittelalterliche Schloß, das 1552–1558 wiederaufgebaut wurde.

Leipheim

Auch das 17 km nordöstlich von Ulm gelegene Weißenhorn mit reizvollem Altstadtkern lohnt einen Besuch. Das ehemalige Schloß (Kirchplatz) umfaßt das Alte Schloß (1460/1470) und das Neue Schloß (1513/1514). Die spätromanische Spitalkirche Hl. Geist geht auf eine Stiftung von 1470 zurück.

Weißenhorn

In dem Ort Roggenburg, 6 km südöstlich von Weißenhorn, erhebt sich das großartige, weithin sichtbare ehemalige Prämonstratenserreichsstift, das der Überlieferung nach 1126 gegründet und 1802 säkularisiert wurde. Die Klosterkirche Mariä Himmelfahrt verfügt über einen beeindruckenden Innenraum mit reichen Stukkaturen.

Roggenburg

Usedom   K/L 1/2

Bundesland: Mecklenburg-Vorpommern
Höhe: 0–59 m ü.d.M.

Usedom ist nach Rügen die zweitgrößte deutsche Ostseeinsel und wegen ihrer heilsamen Seeluft und vor allem wegen ihrer kilometerlangen, feinsandigen Strände ein vielbesuchtes Reiseziel an der Ostseeküste – nicht ohne Grund nannte man Usedom in den 20er Jahren die "Badewanne Berlins". Die 445 km² große Insel im Mündungsgebiet der Oder gehört heute überwiegend zu Mecklenburg-Vorpommern; nur der kleinere, östliche Teil liegt seit 1945 auf polnischem Gebiet. An zwei Stellen ist Usedom mit dem Festland verbunden, bei Wolgast (→ Greifswald, Umgebung) und bei Anklam.

Lage und Allgemeines

◄ *Vom Turm des Münsters blickt man auf die hübsche Ulmer Altstadt und die Donau.*

Usedom

Lage und Allgemeines (Fts.)

Zwischen Wolgast und Ahlbeck sowie zwischen Peenemünde und Zinnowitz verkehrt im Stundentakt eine Inselbahn (im Sommer halbstündlich).

*Landschaftsbild

Usedom besitzt eine rund 40 km lange, fast auf ihrer gesamten Länge von einem breiten Sandstreifen und dahinterliegenden Misch- oder Nadelwäldern gesäumte Meeresküste. Im Hinterland der Küste, das im Norden eher flach, im Süden dagegen hügelig ist, finden sich idyllisch gelegene Seen (z. B. Gothensee oder Schmollensee), Wälder und Moore wie der Mümmelkensee, ein Hochmoor bei Bansin. Landschaftlich reizvoll ist auch die dem Festland zugewandte Binnenküste mit ihren vielen großen, meist schilfbewachsenen Buchten. Um die artenreiche Natur der Insel zu schützen, wurde der 800 km² große "Naturpark Usedom" eingerichtet, der die Insel selbst, den Peenestrom und einen Streifen des Festlandes umfaßt.

Geschichte

Da bis etwa zur Mitte des 19. Jh.s die Bewohner von Usedom hauptsächlich von der Fischerei lebten, befinden sich die meisten alten Dorfkerne an der Binnenküste. Mit dem Beginn des Fremdenverkehrs in den 80er Jahren entstanden die neuen Ortsteile an der Außenküste der Insel.

Reiseziele auf Usedom

Usedom (Stadt)

Der erste Ort, den man von Anklam kommend passiert, ist Usedom, die älteste Siedlung auf der gleichnamigen Insel, heute vom Durchgangsverkehr geprägt. Aus der Blütezeit des Städtchens stammt noch das Anklamer Tor (um 1450; heute Heimatmuseum). Die dreischiffige, spätgotische Marienkirche (15. Jh.) verdankt einer grundlegenden Umgestaltung 1893 im wesentlichen ihr heutiges Erscheinungsbild.

Lieper Winkel

Auf der Fahrt von Usedom an die Meeresküste lohnt sich ein Abstecher auf die ruhige, in das Achterwasser hineinragende Halbinsel Lieper Winkel.

Das Wahrzeichen von Ahlbeck auf Usedom ist die Seebrücke mit Restaurant.

Ahlbeck (4500 Einw.) war vor seinem Aufstieg zum berühmtesten Erholungsort auf Usedom ein Fischerdorf. Das Wahrzeichen des Seebades mit seinen schönen Pensions- und Ferienhäusern ist die 1898 erbaute Seebrücke mit der türmchenbekrönten, ganz in weiß erstrahlenden Gaststätte am Kopfende. Eine Uferpromenade und der breite Sandstrand verbinden Ahlbeck mit dem westlich anschließenden Seebad Heringsdorf.

Usedom
(Fortsetzung)
*Seebad
Ahlbeck

Viele hübsche alte Villen erinnern daran, daß sich auch in Heringsdorf (3700 Einw.) einst zahlreiche Reiche und Prominente zur Sommerfrische einfanden. In der sog. Villa Irmgard (Maxim-Gorki-Straße) erholte sich der russische Dichter Gorki 1922 von seinem Lungenleiden (kleines Museum). Die große Seebrücke von Heringsdorf – mit 508 m die längste kontinentale Seebrücke Europas – wurde 1995 eingeweiht.

*Seebad
Heringsdorf

Zinnowitz (4100 Einw.) ist der nordwestlichste Badeort auf Usedom. Neben dem Badevergnügen am Sandstrand gibt es die Möglichkeit, zu Fuß auf die Halbinsel Gnitz und ins Naturschutzgebiet Möwenort zu wandern.

Zinnowitz

Die Nordwestspitze von Usedom war bis 1989 militärisches Sperrgebiet. In der 1936 hier gegründeten Raketenversuchsanstalt hatte Wernher von Braun die berüchtigte V 2-Rakete entwickelt. Heute ist das, was von der Anlage übrigblieb, ein großes Freilichtmuseum (Historisch-Technisches Informationszentrum).

Peenemünde

Vogtland

H / I 5

Bundesländer: Bayern, Sachsen, Thüringen

Unter der Bezeichnung Vogtland versteht man im weitesten Sinne das Gebiet zwischen → Thüringer Wald, → Fichtelgebirge und → Erzgebirge, das somit Teile von Sachsen, Thüringen und der Oberpfalz in Bayern umfaßt sowie das in der Tschechischen Republik gelegene Ascher Ländchen um die Industriestadt Aš (deutsch: Asch). Die wellige, durch tiefe Täler mit steilen Hängen und vielen Windungen gegliederte Hochfläche steigt vom thüringischen Greiz im Norden bis Bad Brambach im Süden von 450 auf über 650 m an. Im Elstergebirge, das an der Grenze zu Tschechien liegt, werden Höhen von 800 m überschritten; der Große Rammelsberg steigt dort gar auf 963 m an. Als Vogtländische Schweiz verstehen sich die landschaftlich besonders schönen Durchbruchstäler der Weißen Elster und der Göltzsch zwischen Plauen und Greiz.

Lage und
*Landschaftsbild

Der Landstrich hat von alters her als Durchgangsland für den Verkehr von Norden nach Süden Bedeutung. Sein Name "Land der Vögte" geht darauf zurück, daß hier vom Ende des 12. bis ins 15. Jh. hinein kaiserliche Reichsvögte die Macht ausübten. Bereits im Mittelalter wurden im Vogtland Tuche und Leinwand hergestellt, und noch heute ist die Textilindustrie vielerorts der wichtigste Industriezweig.

Geschichte

Greiz und Umgebung

Im thüringischen Vogtland liegt im Tal der Weißen Elster Greiz, von waldreichen Höhen umrahmt, einst Sitz des Fürstentums Reuß und im Volksmund "Perle des Vogtlands" genannt. Das Stadtbild wird beherrscht vom Schloßberg mit dem Oberen Schloß, in dem heute außer dem Staatsarchiv auch knapp 50 Wohnungen eingerichtet sind. Rechts der Elster erstreckt sich die Altstadt mit dem heute klassizistischen Unteren Schloß, in dem das Heimatmuseum untergekommen ist. Im ca. 1650 entstandenen und im 19. Jh. nach englischem Vorbild gestalteten Greizer Park steht das Sommerpalais (1779 – 1789), in dessen Räumen sich die Staatliche Bücher- und

Sehenswertes
in Greiz

Vogtland

Greiz
(Fortsetzung)

Kupferstichsammlung mit ihren berühmten englischen Schabkunstblättern und das Satiricum, eine Sammlung von Karikaturen und satirischen Pressezeichnungen, befinden.

Reichenbach

Bereits in Sachsen, 8 km östlich von Greiz, liegt Reichenbach. Hier wurde die Theaterprinzipalin Friederike Caroline Neuber, die "Neuberin", geboren; ihrem bewegten Leben widmet sich die Gedenkausstellung im Neuberin-Museum in ihrem Geburtshaus (Johannisplatz 3).

Mylau

Mitten im 2 km westlich von Reichenbach liegenden Mylau erhebt sich die trutzige Burg (12.–16. Jh.), in der das Museum des Altkreises Mylau u. a. über die Vergangenheit der Stadt als Textilzentrum berichtet.

**Göltzsch-talbrücke

Auf halber Strecke zwischen Mylau und dem 2 km entfernten Nachbarort Netzschkau zweigt von der Bundesstraße die Zufahrt zu einer einmaligen Sehenswürdigkeit ab, zur größten Ziegelsteinbrücke der Welt. Für die 78 m hohe Göltzschtalbrücke (1846–1851) sind 26 Mio. Ziegel verbaut worden, und sie hält heute noch.

Plauen und Umgebung

Plauen

Plauen, der Hauptort des sächsischen Teils des Vogtlands und allseits bekannte "Stadt der Plauener Spitzen", liegt landschaftlich sehr schön eingebettet in den Tälern der Weißen Elster und deren Zuflüssen.
Das schönste Gebäude Plauens ist das spätgotische Alte Rathaus am Altmarkt, an dessen Renaissancegiebel von 1548 eine prachtvolle Nürnberger Uhr prangt. Im Alten Rathaus illustriert das einzige Spitzenmuseum Deutschlands Geschichte und Machart der Plauener Spitzen. Westlich vom Altmarkt bietet das Vogtland-Museum (Nobelstraße 9–13) Ausstellungen zur Regionalgeschichte; noch weiter im Westen überspannt die 1905 fertiggestellte Friedensbrücke, die längste Steinbogenbrücke Europas, 18 m hoch und 90 m lang, das Syratal. Östlich vom Altmarkt kommt man an der spätgotischen Hauptkiche St. Johannis vorbei zur seit 1244 belegten Alten Elsterbrücke, somit die älteste Brücke Sachsens.
Nördlich der Altstadt findet man in der Bahnhofstraße Nr. 36 die Galerie e.o. plauen. Hinter diesem Pseudonym verbirgt sich der Zeichner Erich Ohser (1903–1944), als Schöpfer der Bildgeschichten "Vater und Sohn" bekannt geworden. Viele seiner Originalblätter sind hier ausgestellt.

Drachenhöhle

Das 7 km nordwestlich von Plauen gelegene Syrau bietet mit der 550 m langen Drachenhöhle die einzige Tropfsteinhöhle Sachsens.

*Talsperren Pöhl und Pirk

Die 1958 bis 1964 erbaute Talsperre Pöhl 10 km nordwestlich von Plauen heißt nicht umsonst das "Vogtländische Meer" – mit mehr als 62 Mio. cm^3 Fassungsvermögen ist sie die größte im Vogtland. 27 km Ufer bieten alle Möglichkeiten zum Wassersport. Auch die Talsperre Pirk, 7 km südwestlich von Plauen, ist ein beliebtes Naherholungsgebiet.

Auerbach

Wo das Vogtland ausläuft und allmählich das Erzgebirge ansteigt, liegt 27 km östlich von Plauen das Städtchen Auerbach im Tal der Göltzsch. Man steigt hier auf den 47 m hohen Schloßturm und hat einen schönen Blick auf die im 15. Jh. erbaute Nikolaikirche.

Rodewisch

Das nördlich benachbarte Rodewisch genoß zu DDR-Zeiten einen guten Ruf wegen seiner Schulsternwarte, die heute noch betrieben wird (Tel. 03744/32313). Im Ortsteil Obergöltzsch zeigt das Museum Göltzsch Funde aus einer frühen deutschen Siedlung des 12. Jh.s und an Weihnachten eine weitbekannte Ausstellung mit Vogtländer Weihnachtsfiguren.

Falkenstein

Wenig südlich von Auerbach kommt man nach Falkenstein. Hier und in den umliegenden Wäldern sind die Moosmännchen zu Hause, kleine sagenhafte Gestalten, die gute Menschen mit einer Handvoll Laub belohnen, die sich zu Hause in Gold verwandelt. Die größte Sammlung hölzerner Moosmänner kann man im Falkensteiner Heimatmuseum bewundern.

Falkenstein
(Fortsetzung)

Musikwinkel

Das südöstliche Vogtland entlang der tschechischen Grenze hat als "Musikwinkel" einen besonderen Klang im wahrsten Sinne des Wortes: Seit dem 17. Jh. ist in und um Klingenthal und Markneukirchen der von Exilanten aus dem nahen Egerland mitgebrachte Musikinstrumentenbau zu Hause. Gefertigt werden Saiten-, Schlag- und Blechblasinstrumente.

*Musik-
instrumentenbau

In Markneukirchen gründeten im Jahr 1677 zwölf Instrumentenbaumeister die erste Innung. Was sie und ihre Nachfolger in über drei Jahrhunderten und ihre Kollegen aus aller Welt geschaffen haben, kann im Musikinstrumentenmuseum im Paulusschlössel bestaunt werden. Eine private Sammlung von Musikautomaten bis hin zur Jahrmarktsorgel findet man im 2 km östlich gelegenen Wohlhausen in Hüttels Musikwerkausstellung.

Markneukirchen

*Musik-
instrumenten-
museum

Das elegante Albertbad in Bad Elster besitzt sogar noch eine "königliche Badezelle".

Klingenthal, 17 km nordöstlich von Markneukirchen, ist zwar als Zentrum des Mundharmonikabaus bekannt, hier steht aber in der Falkensteiner Str. 31 die älteste Geigenmacherwerkstatt des Vogtlands. Sehenswert ist auch die Stadtkirche zum Friedefürsten, die größte auf achteckigem Grundriß erbaute Zentralkirche Sachsens. Außer für den Instrumentenbau ist Klingenthal auch als Wintersportort bekannt. Beidem wird das Musik- und Wintersportmuseum gerecht.

Klingenthal

Der prominenteste Sohn von Morgenröthe-Rautenkranz, 18 km nördlich von Klingenthal, heißt Sigmund Jähn, und er war 1978 an Bord des sowjeti-

Morgenröthe-
Rautenkranz

Vogtland
(Fortsetzung)

schen Raumschiffs Sojus 29 der erste Deutsche im All. Folgerichtig ist sein Geburtsort der Standort der Deutschen Raumfahrtausstellung.

Bäderwinkel

*Kur- und
Erholungsgebiet

Der Bäderwinkel füllt den ins Staatsgebiet der Tschechischen Republik hineinragenden Landzipfel entlang der Weißen Elster zwischen Adorf und Schönberg aus. Das auch Oberes Vogtland genannte Gebiet ist heute wegen seines hohen Erholungswertes ein Landschaftsschutzgebiet.

Adorf

Ein sehr seltenes Handwerk ist in Adorf zu Hause: die Perlmuttherstellung, heute auch Thema des Heimatmuseums.

*Bad Elster

Knapp 6 km südlich von Adorf erreicht man das herrlich im Tal der Weißen Elster gelegene Bad Elster, das größte Heilbad Sachsens, 1789 erschlossen und seit 1849 Sächsisches Staatsbad. Noch heute atmen das 1895 erbaute Kurhaus, das Kurtheater von 1914 und das 1851 bis 1927 erbaute Badehaus etwas vom Geist dieser Zeit. Mittelpunkt des Badebetriebs ist das 1910 vollendete Albertbad, wo es sogar noch – als Teil des Bademuseums – die "königliche Badezelle" gibt.

Landwüst

Fährt man auf der B 92 weiter nach Süden, sollte man einen Abstecher nach Landwüst zum Vogtländischen Bauernmuseum einplanen, wo es u. a. ein 1782 entstandenes Egerländer Wohnstallhaus gibt.

Bad Brambach

Bad Brambach ist nicht ganz so kuschelig wie Bad Elster, doch hat auch sein etwas außerhalb im Röthenbachtal liegender Kurbereich seinen Reiz. Hier sprudelt die stärkste Radiumquelle der Welt.

Waldecker Land   F 4

Bundesland: Hessen

Lage und
Allgemeines

Als Waldecker Land wird eine Region in Nordhessen, westlich von Kassel bezeichnet, die zunächst als Fürstentum, später als Freistaat eine gewisse Eigenständigkeit besaß. Heute ist das Gebiet, dessen Zentrum der Ederstausee bildet, eine beliebte Ferienregion.

Geschichte

Bis 1665 war die vor 1180 errichtete Burg Waldeck, in deren Schutz sich allmählich der gleichnamige Ort entwickelte, Residenz der Grafen von Waldeck (1625 erwarben sie auch noch die Grafschaft Pyrmont). Seit 1438 beanspruchten die Landgrafen von Hessen die Lehnshoheit über das Gebiet, eine vollständige Eingliederung gelang ihnen jedoch nicht. Nach ihrer 1711 erfolgten Ernennung zu Reichsfürsten begannen die Herren von Waldeck das Städtchen Arolsen zu ihrer Residenz auszubauen. 1867 übernahm Preußen die Verwaltung über das Fürstentum, 1918 wurde Waldeck Freistaat. Diesen wiederum gliederte man 1929 Preußen an.

Fahrt durch das Waldecker Land

Bad Wildungen

Ausgangspunkt für die etwa 140 km lange Tour durch das Waldecker Land ist der Kurort Bad Wildungen. In der Altstadt sind noch einige schöne Fachwerkhäuser erhalten (bes. in der Brunnen,- Hinter- und LIndenstraße). Die Stadtkirche aus dem 14. Jh. besitzt mit dem Wildunger Altar, den Konrad von Soest 1403 schuf, eines der Hauptwerke gotischer Malerei in Deutschland. Im Schloß Friedrichstein (In Alt-Wildungen), das Anfang des 18. Jh.s im barocken Stil eingerichtet wurde, ist die Militär- und Jagdabteilung der Staatlichen Museen Kassel untergebracht.

Nordwestlich von Bad Wildungen ist die Eder seit 1914 zu einem 27 km langen See aufgestaut, der als Naherholungsgebiet und Wassersportzentrum viel besucht wird. Fast die gesamte Uferzone ist bewaldet. Edersee

Ein schöner Blick über den See bietet sich vom Schloß Waldeck am nördlichen Ufer. Die heute zum Hotel ausgebaute Burg wurde im 12. Jh. angelegt, der Bergfried stammt noch aus dem 13. Jh., die meisten anderen Bauteile aus dem 15./16. Jh. (kleines Burgmuseum). Der unterhalb der Burg gelegene Ort Waldeck (8000 Einw.), der bereits seit 1232 Stadtrecht hat, besitzt einige hübsche Fachwerkbauten (vor allem aus dem 18. Jh.). Waldeck

Über Sachsenhausen und von dort weiter auf einer Nebenstrecke gelangt man nach Landau; von hier folgt man der B 450 in nordwestlicher Richtung und erreicht nach wenigen Kilometern den Twistestausee, der ebenfalls als naturnahes Freizeit- und Erholungsgebiet (Badestrände, Wasserski-Seilbahn, Surfen, Rudern, Sport- und Spielterrain, Ausdauersportzentrum) beliebt ist. Twistestausee

Seit Anfang 1997 darf sich das etwa 4 km westlich gelegene Städtchen Arolsen (18 000 Einw.) "Bad" nennen. Den Status als Heilbad hat die ehemalige Residenz der Fürsten zu Waldeck und Pyrmont, die einstige Hauptstadt des Freistaats Waldeck, bereits seit 1979. *Bad Arolsen
Die evangelische Kirche (1735–1787) ist ein spätbarock-frühklassizistisches Werk des fürstlichen Baumeisters L. J. Rothweil. Beachtenswert sind im Innern vor allem am Altar die von Chr. D. Rauch geschaffenen Marmorfiguren von Glaube, Liebe und Hoffnung. Das Geburtshaus von Rauch befindet sich nur wenige Schritte entfernt in der Rauchstraße (Nr. 6; Museum). Ein weiterer berühmter Sohn der Stadt ist der 1804 geborene Maler Wilhelm von Kaulbach; das Stammhaus seiner Familie ist ebenfalls als Museum zugänglich (Kaulbachstr. 3). Das Schreibersche Haus ist eines der ältesten Wohnhäuser in der Schloßstraße (Nr. 24). Es wurde 1717 erbaut

Das Schloß von Bad Arolsen ist dem von Versailles nachempfunden.

Waldecker Land, Bad Arolsen (Fortsetzung)

und besitzt eine sehenswerte frühklassizistische Innenausstattung. Wichtigstes Bauwerk von Bad Arolsen ist jedoch am östlichen Rand der Innenstadt das 1713–1728 nach dem Vorbild von Versailles errichtete Schloß, eine dreiflügelige harmonische Barockanlage (im Rahmen von Führungen zugänglich). Südlich bzw. südöstlich liegen die Nebengebäude (Marstall, Klosterscheune). Jenseits der sogenannten Großen Allee – die Eichen wurden ab 1676 in sechs Reihen gepflanzt – erreicht man das Neue Schloß, das 1764–1778 erbaut und 1853 in klassizistischem Stil umgestaltet wurde.

Korbach

Man verläßt Bad Arolsen in südlicher Richtung auf der B 252 und erreicht nach 17 km Korbach, das im 14. Jh. durch die Zusammenlegung von Alt- und Neustadt entstand. Mit der Kilianskirche (14./15. Jh.; Steinkanzel vom Ende des 14. Jh.s) und der Nikolaikirche (Mitte 15. Jh.; Wandgrab des 1692 verstorbenen Fürsten Georg Friedrich von Waldeck) kann Korbach zwei sehenswerte Sakralbauten aufweisen.

Frankenberg

Nächste Station der Rundfahrt ist das 33 km südlich von Korbach gelegene Frankenberg. Reste der mittelalterlichen Stadtbefestigung und zahlreiche schöne Fachwerkgebäude machen das Städtchen zu einem lohnenden Ziel. Auf dem höchsten Punkt der Stadt erhebt sich die gotische Liebfrauenkirche (1286–1360 nach dem Vorbild der Marburger Elisabethkirche errichtet). Zwischen Unter- und Obermarkt steht das Rathaus (1509), ein beachtenswerter, im oberen Teil schieferverkleideter Fachwerkbau mit zehn Spitztürmchen. Im Südosten der Stadt birgt das ehemalige Zisterzienserinnenkloster St. Georgenberg (13.–16. Jh.) das Heimatmuseum.

Haina

Letzte Station der Rundfahrt ist Haina, ca. 15 km östlich von Frankenberg. Das hier Mitte des 13. Jh.s errichtete Zisterzienserkloster ist nahezu vollständig erhalten (Psychiatrisches Krankenhaus). Die Klosterkirche ist ein grandioses Beispiel für die deutsche Hochgotik.

Weimar   H 5

Bundesland: Thüringen
Höhe: 240 m ü.d.M.
Einwohnerzahl: 62 000

Hinweis

Im Rahmen dieses Reiseführers ist die Beschreibung der Stadt Weimar bewußt knapp gehalten. Ausführliche Informationen liefert der Baedeker Allianz Reiseführer "Weimar".

Stadt der deutschen Klassik

Weimar liegt im Südosten des Thüringer Beckens, südlich vom Großen Ettersberg im Tal der Ilm. Als "Stadt der deutschen Klassik" ist sie ein Anziehungspunkt für viele Besucher. Nachdem Luther, Cranach und Bach hier gewirkt hatten, begründeten die großen Dichter Wieland, Goethe, Herder und Schiller die bedeutende Epoche Weimars im 18. Jahrhundert. Im 19. Jh. zog die Stadt Musiker wie Franz Liszt und später auch zahlreiche Maler an. Zum geistigen Leben Weimars tragen heute die Musikhochschule Franz Liszt und die Bauhaus-Universität wesentlich bei.

*Stadtbild

Weimar vermittelt trotz seiner zahlreichen, berühmten Kulturdenkmäler das Flair einer kleineren Stadt. Viele Bauten lassen kulturelle und historische Tradition erkennen. Einen besonderen Akzent verleiht dem Stadtbild der Park an der Ilm. 1997 wurden die Bauhaus-Gebäude in Weimar in die Liste des Weltkulturerbes der UNESCO aufgenommen.

Geschichte

Als Siedlungsplatz der Altsteinzeit schon früh Stätte menschlicher Ansiedlung, wird "Wimares" 975 erstmals urkundlich genannt. 1348 wurde dem Ort Stadtrecht verliehen. Seit 1547 war Weimar Hauptstadt des Herzogtums Sachsen-Weimar. Weimars klassische Periode begann 1758 mit dem

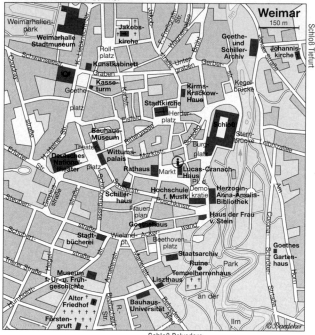

Gedenkstätte Buchenwald Bahnhof

Weimar
150 m

Schloß Tiefurt

Schloß Belvedere

Geschichte
(Fortsetzung)

Regierungsantritt der Herzogin Anna Amalia, die 1772 Christoph Martin Wieland als Prinzenerzieher an den Hof holte. Ihr Sohn Carl August lud 1775 Johann Wolfgang von Goethe an seinen Hof, der hier als Minister wirkte. Das Wirken des Schriftstellers und Theologen Johann Gottfried Herder und Friedrich Schillers Freundschaft zu Goethe führten dann zu jenem schöpferischen Prozeß, dem Weimar seinen Ruf verdankt. Walter Gropius gründete 1919 das Bauhaus. Im gleichen Jahr tagte im Weimarer Nationaltheater die Deutsche Nationalversammlung und verabschiedete die Verfassung der Weimarer Republik. 1920 wurde Weimar Hauptstadt des Landes Thüringen. In der Nähe der Stadt errichteten die Nationalsozialisten 1937 das Konzentrationslager Buchenwald.

Sehenswertes in Weimar

Den Mittelpunkt der Altstadt bildet die Herderkirche (1498–1500). Die Kirche (ursprünglich Stadtkirche St. Peter und Paul) war langjährige Wirkungsstätte des Hofpredigers J. G. Herder. Von der Ausstattung verdient eine Altartafel Beachtung, die von L. Cranach d.Ä. begonnen und von seinem Sohn fertiggestellt wurde. Vor der Kirche steht ein Herderdenkmal.

*Herderkirche

Von der Kirche ist es nicht weit zum Kirms-Krackow-Haus (Jakobstr. 10). Das Gebäude wird z. Z. grundlegend umgebaut, später soll darin bürgerliche Wohnkultur dokumentiert werden.

Kirms-Krackow-Haus

Am Theaterplatz erhebt sich das Deutsche Nationaltheater. 1779 als Barockbau errichtet, wurde es 1907 wegen Baufälligkeit abgebrochen und in

*Deutsches Nationaltheater

Im Deutschen Nationaltheater von Weimar tagte 1919 die Deutsche Nationalversammlung; im August desselben Jahres wurde hier die Weimarer Verfassung verabschiedet.

Nationaltheater (Fortsetzung)
*Goethe-Schiller-Denkmal

der heutigen Gestalt wieder aufgebaut. In diesem Haus, in dem auch Goethe Intendant war, wird die Weimarer Theatertradition gepflegt. Auf dem Theaterplatz davor steht das berühmte Goethe-Schiller-Denkmal (Abb. s. S. 1) von Ernst Rietschel (1857).

*Bauhaus-Museum

Den Süden des Theaterplatzes begrenzt das Bauhaus-Museum, das 1995 eröffnet wurde. Gezeigt werden Bilder, Graphiken sowie Holz- und Metallarbeiten von Künstlern, die in den Jahren 1919 – 1925 am Weimarer Bauhaus gearbeitet haben.
(Öffnungszeiten: Di. – So. 10.00 – 18.00 Uhr)

Wittumspalais

Am Übergang vom Theaterplatz zur angrenzenden Schillerstraße liegt das Wittumspalais (1767) der Herzogin Anna Amalia, ein Haus, das in der Periode der frühen Klassik ein Zentrum gesellschaftlichen und literarischen Lebens bildete. Bemerkenswert sind die Gegenstände, die an die Tafelrunde der Herzogin erinnern. Als besonderes Kleinod gilt der kleine Festsaal, in dem Goethe seine berühmte Trauerrede auf Wieland hielt.

*Schillerhaus

In der Schillerstraße (Nr. 12) steht das 1777 erbaute Schillerhaus. Hier wohnte der Dichter von 1802 bis zu seinem Tod (1805). In diesem Haus entstanden seine letzten Werke. Schillers Arbeitszimmer und die Wohnräume sind nach historischem Vorbild eingerichtet. Das benachbarte Schillermuseum ist z. Z. geschlossen und soll später anderen Zwecken zugeführt werden.

**Goethehaus

Wenige Schritte vom Schillerhaus entfernt steht am Frauenplan das Goethehaus, ein schlichter Barockbau (1709), in dem Goethe von 1782 bis zu seinem Tod im Jahre 1832 wohnte. Im Inneren sind Goethes Kunstsammlungen zu sehen, ferner Teile seiner naturwissenschaftlichen, insbesondere mineralogischen Sammlungen. Neben dem Arbeitszimmer liegen das Ster-

*In Goethes Arbeitszimmer im Goethehaus entstanden u. a. die
"Wahlverwandtschaften" und "Dichtung und Wahrheit".*

bezimmer des Dichters sowie die Bibliothek mit 5400 Bänden. An das
Goethehaus schließt sich ein kleiner Garten an. (Öffnungszeiten: November bis Februar Di. – So. 9.00 – 16.00; März bis Oktober Di. – So. 9.00 bis
17.00 Uhr).

Goethehaus
(Fortsetzung)

Das Goethemuseum neben dem Wohnhaus ist z.Z. geschlossen. 1996
wurde mit der Errichtung eines Erweiterungsbaus begonnen; 1997 beging
man das Richtfest. Das Haus soll ein "Museum der Weimarer Klassik" werden, in dem auch Dokumente über Herder, Wieland u. a. zu sehen sind.

Goethemuseum

In der Nähe des Goethehauses befindet sich das Haus der Frau von Stein,
in dem heute das Goethe-Institut Weimar untergebracht ist.

Haus der
Frau von Stein

Ein Stück Alt-Weimar hat sich in der Gegend um den Markt erhalten. Dort
steht das Lucas-Cranach-Haus (1549), ein schöner Renaissancebau mit
zwei Giebeln. Hier verbrachte Lucas Cranach d. Ä. sein letztes Lebensjahr.

*Lucas-Cranach-
Haus

Beachtenswerte Bauten finden sich auch rings um die von einer Zwiebelhaube gekrönte barocke Jakobskirche (1712) im Nordwesten der Stadt. Auf
dem Jakobsfriedhof sieht man das sogenannte Kassengewölbe, die erste
Begräbnisstätte Schillers. Ferner befinden sich dort die Grabstätten von
Lucas Cranach d. Ä., Christiane von Goethe, Georg Melchior Kraus u. a.

Jakobskirche
Jakobsfriedhof

An der Karl-Liebknecht-Straße steht das Bertuchhaus, ein klassizistischer
Bau aus dem 19. Jahrhundert. Es beherbergt heute das Stadtmuseum.

Bertuchhaus
(Stadtmuseum)

Bemerkenswert ist am Goetheplatz, dem Verkehrszentrum und Ausgangspunkt zum Fußgängerboulevard Richtung Theaterplatz und Schillerstraße,
der Kasseturm. Das Gebäude, ein im 18. Jahrhundert umgebauter Rundturm der mittelalterlichen Stadtbefestigung, ist heute das Domizil eines
Studentenklubs.

Kasseturm

Weimar

*Schloß

*Kunst-
sammlungen
zu Weimar

Einen weiteren Anziehungspunkt in Weimar bildet das Schloß im Osten der Stadt, eine Dreiflügelanlage mit klassizistischer Säulenhalle an der Ostseite zur Ilm. Südwestlich vom Schloß stehen der mittelalterliche Schloßturm mit einem Barockaufsatz und die sogenannte Bastille. Im Schloß haben die Kunstsammlungen zu Weimar ihren Sitz. Das Museum hat die Abteilungen deutsche Kunst des Mittelalters und der Renaissance, italienische und niederländische Malerei des 16./17. Jh.s, Kunst der Goethezeit (u. a. Tischbein, Chodowiecki), deutsche Romantik (Caspar David Friedrich), Weimarer Malerschule und deutsche Malerei des 19. und 20. Jahrhunderts. Hinzu kommt die Sammlung Paul Maenz.

Im Schloß (hier mit Schloßturm und Bastille) werden die Kunstsammlungen zu Weimar präsentiert.

Hochschule
für Musik

An der Südseite des Platzes der Demokratie steht das ehemalige Fürstenhaus, ein eindrucksvoller, dreigeschossiger Barockbau mit einem Säulenvorbau. Heute hat hier die Hochschule für Musik "Franz Liszt" ihren Sitz. Vor der Musikhochschule befindet sich das Reiterstandbild des Großherzogs Carl August (1875).

*Herzogin Anna
Amalia Bibliothek

An der Ostseite des Platzes der Demokratie steht das 1570 errichtete Grüne Schloß. Es beherbergt die 1691 gegründete und 1991 nach Herzogin Anna Amalia benannte Bibliothek, die bis 1819 von Goethe betreut wurde. Besucher können einen Blick in den herrlichen Rokoko-Bibliothekssaal werfen.

*Park an der Ilm

*Goethes
Gartenhaus

Sehr schön ist der Park an der Ilm mit seinen Bauten. Goethe selbst schuf in jahrzehntelanger Arbeit mit Gärtnern diesen Landschaftsgarten. Am Ostufer der Ilm steht Goethes Gartenhaus, ein Bau aus dem 17. Jahrhundert. Von 1776 bis 1782 war das Haus ständiger Wohnsitz des Dichters. Am Westufer der Ilm befindet sich das Borkenhäuschen, in dem sich Herzog Carl August zu erholen pflegte. Für Carl August entwarf Goethe auch den klassischen Bau des Römischen Hauses; im Durchgang an der Ostseite Deckengemälde und ein Wandfries nach Entwürfen von H. Meyer.

An der Einmündung des Parks in die Belvederer Allee steht das Haus, in dem der Komponist Franz Liszt von 1869 bis 1886 wohnte. Zu sehen sind seine ehemaligen Wohnräume und eine kleine Ausstellung.

Weimar (Fts.)
Wohnhaus von
Franz Liszt

Südlich der Innenstadt (Amalienstr. 6) findet man im Poseckschen Haus, einem Patrizierhaus der Goethezeit, das Museum für Ur- und Frühgeschichte (bis 1999 geschlossen). Es zeigt u. a. Altsteinzeitmenschen von Ehringsdorf, jungsteinzeitliche Kulturen Thüringens und ein Hügelgrab.

Museum für
Ur- und
Frühgeschichte

Sehenswert ist auch der Historische Friedhof mit der Fürstengruft: Am Ende einer Allee erhebt sich die kuppelgekrönte Kapelle, in deren Gruftgewölbe sich u. a. der Sarkophag Großherzog Carl Augusts sowie die Särge von Goethe und Schiller befinden. An der Südseite der Fürstengruft steht die Russische Kapelle; dort ist die Großherzogin Maria Pawlowna beigesetzt. Auf dem Friedhof befinden sich u. a. die Gräber der Familie von Goethe, von Charlotte von Stein und von Goethes Sekretär Eckermann.

*Historischer
Friedhof

Auf dem Weg vom Friedhof zur Belvederer Allee kommt man am Hauptgebäude der Bauhaus-Universität (Geschwister-Scholl-Straße) vorbei. Es wurde 1904 nach Plänen des Architekten Henry van de Velde erbaut.

Bauhaus-
Universität

Umgebung von Weimar

Nordöstlich der Stadt liegt an der Ilm Schloß Tiefurt mit einem schönen Park. Herzogin Anna Amalia wählte das Schloß in der Zeit von 1781 bis 1806 als Sommersitz und pflegte es als eine Stätte der Geselligkeit und des Gedankenaustausches führender Köpfe Weimars.

*Schloß Tiefurt

Lohnend ist ein Gang durch den von der Ilm umflossenen Tiefurter Landschaftspark. Man sieht Denkmäler und Kleinarchitektur, z. B. den Musentempel, den Teesalon, den Herder-Gedenkstein und das Mozart-Denkmal.

*Landschaftspark

Nordwestlich von Weimar erhebt sich der Ettersberg (478 m). Hier errichteten die Nationalsozialisten 1937 das Konzentrationslager Buchenwald, in dem bis zur Befreiung am 11. April 1945 mehr als 50 000 Menschen ermordet wurden. Auf dem ehemaligen Lagergelände informiert heute eine Ausstellung (Museum) über das Konzentrationslager. Auf dem Gelände der Massengräber am Südhang des Ettersberges wurde die Gedenkstätte Buchenwald errichtet. 1997 ist eine zusätzliche Dauerausstellung über die Nutzung Buchenwalds als sowjetisches "Speziallager 2" von 1945 bis 1950 eröffnet worden.

Konzentrations-
lager
Buchenwald

Südöstlich der Stadt befindet sich ein weiterer Park mit dem Schloß Belvedere, einem Barockbau, der als Jagd- und Lustschloß diente. Die Räume sind als Rokoko-Museum zugänglich. In der Nähe entstand 1995/1996 das moderne Musikgymnasium Schloß Belvedere. In dem Schloßpark ist die Orangerie mit einer Sammlung historischer Wagen beachtenswert.

*Schloß
Belvedere

Wendland   G/H 2/3

Bundesland: Niedersachsen

Das Wendland im Norden der Altmark entspricht dem Kreis Lüchow-Dannenberg mit den mittelalterlichen Städtchen Hitzacker, Dannenberg und Schnackenburg. Ein touristischer Anziehungspunkt ist außerdem die Elbuferstraße, die östlich von Hamburg beginnt und einen besonders schönen Abschnitt im Wendland zwischen Jasebeck und Damnatz hat.

Lage und
Bedeutung

Im Wendland finden sich noch zahlreiche Beispiele der Siedlungsform des Rundlingsdorfs, bei der alle Höfe mit den Stirnseiten einen großen Dorf-

Rundlingsdorf

Wendland,
Rundling (Fts.)

platz umschließen. Ein touristischer Vorzeige-Rundling ist Lübeln, wo man auch frisches Holzofenbrot und selbstgemachte Wurstwaren kaufen kann.

Geschichte

Im 9. Jh. wurde das heutige Wendland von den Wenden, einer slawischen Völkergruppe, besiedelt. Deren Sprache, Sitten und Gebräuche hielten sich hier länger als in anderen im Mittelalter von Wenden bewohnten Gebieten, nämlich bis ins 18. Jahrhundert, als schließlich auch die Namengebung der Landschaft erfolgte.

Reiseziele im Wendland

Hitzacker

Fachwerkbauten mit Ziegelmauerwerk bestimmen das hübsche Ortsbild von Hitzacker, einer 1203 erstmals genannte Kleinstadt, deren Burg schon im 15. Jh. wieder verschwand. An der Elbe liegt der kleine Hafen von Hitzacker. Am Markt ist dem bemerkenswerten Amtshaus (Fachwerk von 1718) das Wasser- und Schiffahrtsmuseum untergebracht. Ein schöner Spaziergang führt auf den nahen Weinberg, von dem aus man eine wunderbare Fernsicht hat.

Dannenberg

Zur Sicherung der Elblinie nach Osten wurde wahrscheinlich im 12. Jh. eine 8 km südlich von Hitzacker gelegene Festung errichtet. Von der ehemaligen Burg Dannenbergs auf dem Amtsberg ist nur noch ein mächtiger Rundturm erhalten (1200). Die zwei Fachwerkbauten daneben stammen aus dem 19. Jahrhundert. Sehenswerte Fachwerk-Bürgerhäuser findet man vor allem in der Langen Straße (z. B. Nr. 18 von 1609).

Schnackenburg

Schnackenburg ist eine alte Fischersiedlung an der Elbe, etwa 35 km östlich von Dannenberg. Auch die mittelalterliche Burg dieses 1373 als Stadt bezeichneten Ortes ist völlig vernichtet worden. Die Stadtkirche ist ein spätromanischer Backsteinbau von etwa 1200 mit einem wuchtigen Westturm.

Lüchow

Im Süden des Wendlandes (17 km südlich von Dannenberg) bietet Lüchow mit seinen vielen Fachwerkhäusern, die z.T. noch aus der Zeit vor dem großen Stadtbrand von 1811 stammen, ein reizvolles Ziel. Von der ehemaligen Burg, die ursprünglich den Handelsweg von Magdeburg nach Hamburg sichern sollte, sind noch Reste der Ringmauer und der hohe Rundturm erhalten, in dem heute das Heimatmuseum untergebracht ist.

Wernigerode   G 4

Bundesland: Sachsen-Anhalt
Höhe: 240 m ü.d.M.
Einwohnerzahl: 36 000

Lage und
Allgemeines

Wernigerode liegt am Nordrand des → Harzes, am Zusammenfluß von Holtemme und Zillierbach. Die fast tausendjährige "bunte Stadt am Harz" (Hermann Löns, 1907) besitzt viele gut erhaltene Kunst- und Kulturdenkmäler, eine große Zahl schöner Fachwerkhäuser aus vier Jahrhunderten und das malerische, hochgelegene Schloß. Wirtschaftlich sind einige Industriebetriebe sowie der Fremdenverkehr bedeutsam.

**Stadtbild

*Harzquerbahn

Wernigerode ist Ausgangsort der Harzer Schmalspurbahn ins thüringische Nordhausen. Die ca. 60 km lange Fahrt mitten durch den Harz dauert rund 2,5 Std. In Drei Annen Höhne zweigt die Brockenbahn ab, die auf den berühmten Gipfel hinauffährt. An der Station Eisfelder Talmühle besteht die Möglichkeit, in die Selketalbahn umzusteigen, in Richtung Hasselfelde oder Stiege bis nach Gernrode (→ Harz).

Geschichte

Im Auftrag des Klosters Corvey entstand im 9. Jh. eine Missionssiedlung, die nach dem Abt Waringrode genannt wurde. Anfang des 12. Jh.s wird erstmals ein Graf von Wernigerode erwähnt, der seine Stammburg auf dem Agnesberg hatte. Aufgrund der Lage am Schnittpunkt wichtiger Handelsstraßen entwickelte sich eine Marktsiedlung, die 1229 das Goslarer Stadtrecht erhielt. Ihre Blütezeit lag im 14. und 15. Jh. und gründete auf dem Handel mit Tuch, Bier und Branntwein. Pestepidemien und der Dreißigjährige Krieg lösten ihren Niedergang aus, die einstige Hansestadt sank zu einer Ackerbürgerstadt herab. Erst Ende des 18. und im 19. Jh. kam es zu einem erneuten Aufschwung. Mit dem Anschluß Wernigerodes an die Eisenbahnlinie (1872) sowie 1898/1899 an die Harzquer- und über diese an die Brockenbahn setzte der Fremdenverkehr ein.

Geschichte
(Fortsetzung)

Sehenswertes in Wernigerode

Der belebte Mittelpunkt der autofreien Innenstadt ist der von farbenprächtigen Häuserfassaden umgebene Marktplatz, um den die Straßen in konzentrischen Kreisen angeordnet sind. An seiner Südseite steht das Rathaus, das 1277 als sog. Spelhus erstmals erwähnt wurde. Ursprünglich war es gräfliche Gerichtsstätte. Der heutige Bau entstand zwischen 1427 und 1450; sein Umbau zum Rathaus fand rund hundert Jahre später statt. Sein Figurenschmuck ist außergewöhnlich: Auf den Knaggen, den Stützbalken unter den Balkenköpfen, befinden sich 33 holzgeschnitzte Figuren, die Heilige, Narren, Gaukler, Spielleute oder Tänzer darstellen. Der südwestliche Anbau, der sich auf der rechten Seite hinter dem Rathaus erstreckt, entstand 1480 als Waaghaus; heute beherbergt es die Stadtverwaltung. Rechts neben dem Rathaus steht das bereits 1425 erwähnte Gothische Haus, das heute als Hotel dient und nur noch in der Fassade erhalten ist. Gegenüber vom Rathaus steht das 1760 erstmals erwähnte, vermutlich aber viel ältere Hotel Weißer Hirsch. Der Marktbrunnen wurde 1848 in der Ilsenburger Eisenkunsthütte im neugotischen Stil gegossen.

**Marktplatz

Rathaus

Aus verschiedenen Jahrhunderten stammen die hübschen Fachwerkhäuser, die das Stadtbild von Wernigerode prägen.

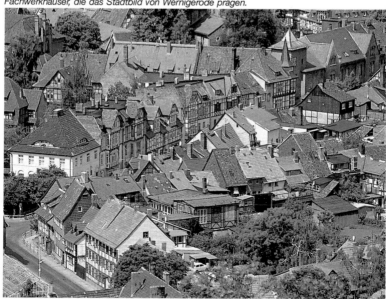

Klint

Durch die schmale Gasse westlich vom Rathaus gelangt man auf den Klint, den ältesten Stadtteil Wernigerodes. Das Haus Klintgasse 3 entstand um 1580; Haus Nr. 5 ist die 1680 erbaute ehem. Teichmühle, heute das Schiefe Haus genannt (die Schieflage ist Folge der dauernden Unterspülung). Einen Besuch verdient das in einem klassizistischen Fachwerkhaus

Harzmuseum

von 1840 untergebrachte Harzmuseum (Klint 10). Seine Ausstellungen führen in die Landschafts- und Siedlungsgeschichte des Harzes und in die Stadtgeschichte ein. In weiteren Räumen wird die Fachwerkbauweise er-

St. Sylvester

läutert und Harzer Folklore vorgeführt. Nicht weit von dem Museum entfernt steht die Sylvestrikirche (Oberer Pfarrkirchof), eine dreischiffige gotische Basilika von 1230, die wenig später zur Klosterkirche und Grablege der Wernigeröder Grafen umgebaut und zuletzt 1833–1885 verändert wurde. Unter den Ausstattungsstücken befindet sich ein spätgotischer Schnitzaltar (Brüssel; 1480). Die schmale Gasse um die Kirche herum ist von prächtigen alten Häusern aus dem 16. und 17. Jh. gesäumt. Über einen kleinen Durchgang gelangt man zur Johann-Sebastian-Bach-Straße, der man bis zur Kochstraße folgt. Hier steht das 1774 erbaute kleinste Haus der Stadt (Kochstraße 43). Es mißt bis zur Dachtraufe 4,20 m und ist nur 2,95 m breit. Einziger Raum ist die sog. Fuhrmannsstube. Nordöstlich hiervon erhebt sich die 1756–1762 auf einem romanischen Vorgängerbau errichtete, später barock umgestaltete Liebfrauenkirche.

*Breite Straße

Einige der bedeutendsten Fachwerkhäuser der Stadt stehen in der Breite Straße, die am Marktplatz beginnt. Zu den schönsten Beispielen gehören das 1583 erbaute Café Wien (Nr. 4) sowie das Haus Krummel (1674; Nr. 72) mit seiner reich verzierten holzgeschnitzten Fassade. Der Pferdekopf und die Hufeisen über der Tür weisen auf die Krellsche Schmiede (Haus Nr. 95; 1678), heute ein kleines Schmiedemuseum.

Stadtbefestigung

Von der alten Stadtbefestigung aus dem 13. und 14. Jh. sind noch Überbleibsel vorhanden, u. a. der Wallgraben, zwei Schalentürme und ein Torturm, das Westerntor, heute der Bahnhof der Harzer Schmalspurbahn.

*Schloß

Auf der 350 m hohen Kuppe des Agnesbergs erhebt sich das Werningeröder Schloß. Wer den kurzen, aber steilen Fußweg umgehen möchte, fährt mit der Bimmelbahn, die hinter dem Rathaus bei der Blumenuhr startet. Bereits im 12. Jh. stand hier eine Burg, von der außer einigen Kellergewölben und Mauerbruchstücken nichts erhalten geblieben ist. Um 1500 wurde die Burg modernisiert und im 17. Jh. aufgegeben. Sein heutiges Aussehen erhielt das Schloß im 19. Jh., als Graf Otto zu Stolberg-Wernigerode (Vizekanzler unter Bismarck) 1862 eine umfassende Rekonstruktion im historisierenden Stil der Neugotik veranlaßte, daher auch sein Beiname "Neuschwanstein des Harzes". Seit 1949 ist es ein Museum. Der Besucher erhält einen Einblick in die Wohnkultur des Hochadels im 19. Jahrhundert; Beachtung verdienen die zahlreichen Gemälde, Handzeichnungen und Grafiken, die v. a. von Künstlern der Romantik stammen, die im Harz gelebt und gearbeitet haben. Die Wände des Festsaals sind mit drei großen Gemälden geschmückt (1885; C. Beckmann). Von der Freiterrasse hat man einen schönen Blick auf die Stadt. Nördlich unterhalb des Schlosses erstreckt sich der ehem. Lustgarten, heute ein englischer Landschaftspark.

Umgebung von Wernigerode

*Steinerne Renne
Ottofelsen

Durch den Ortsteil Hasserode oder mit der Harzquerbahn erreicht man die Steinerne Renne, ein romantisches, von der Holtemme ausgewaschenes Flußtal, und den 548 m hohen Ottofels, von dem man einen schönen Ausblick genießt.

Drübeck
*Klosterkirche

6 km nordwestlich von Wernigerode liegt Drübeck mit seinem ehem. Kloster S. Viti (vor 960). Die heutige Klosterkirche entstand im 12. Jh.; unter der Ausstattung befindet sich ein schöner Schnitzaltar (um 1500).

"Neuschwanstein des Harzes" wird das Schloß von Wernigerode auch genannt.

Wernigerode, Umgebung (Fortsetzung) Ilsenburg

Der kleine Ferienort Ilsenburg liegt an der Ilse, 9 km nordwestlich von Wernigerode. Das hochgelegene, 1862 in neoromanischem Stil erbaute kleine Schloß (heute Hotel) steht an der Stelle der 1003 in ein Kloster umgewandelten Ilsenburg. Die bis auf den Westflügel und den Kreuzgang noch erhaltenen Klosterbauten sind von 1120–1176. Nach der Reformation ging das Kloster in den Besitz der Grafen von Stolberg-Wernigerode über. Die Klosterkirche St. Petri und Pauli entstand 1078–1087 nach cluniazensischem Vorbild (heute fehlen ihre nördlichen Bauteile). Im Innern sind noch Teile des verzierten Fußbodenestrichs (12./13. Jh.), die reich geschnitzte Altarwand und die Kanzel (beide von B. Heidekamp, 1706) zu sehen. Auf halbem Weg zwischen Schloß und Dorf kommt man an der romanischen Dorfkirche St. Marien vorbei. Vor der Kirche befinden sich mehrere Grabsteine aus dem 17. und 18. Jh. sowie die Grabstätte des Malerehepaars Georg Heinrich und Elise Crola. Sie stifteten im 19. Jh. die Kreuzigungsgruppe aus Ilsenburger Kunstguß. Wer sich für Eisenkunstguß interessiert, dem sei ein Besuch des Hüttenmuseums (Marienhöferstr. 9) sowie der Fürst-Stolberg-Hütte (Schmiedestr. 16, nördlich vom Bahnhof) empfohlen, wo anhand von alten Originalmodellen Eisenkunstguß hergestellt wird.

→ Harz

Blankenburg

Weserbergland   E / F 3 / 4

Bundesländer: Hessen, Nordrhein-Westfalen und Niedersachsen

Das Weserbergland besteht aus mehreren Gebirgszügen, darunter Bramwald, Solling, Vogler, Ith, Süntel, Reinhardswald und Wesergebirge, zu beiden Seiten der Weser zwischen Hann. Münden und Minden. Im Norden

Lage und *Landschaftsbild

Weserbergland

Lage und Landschaftsbild (Fortsetzung)

grenzt es an die Norddeutsche Tiefebene; im Westen geht es in das Lippische Bergland, im Osten in das Leinebergland, im Süden in das Hessische Bergland über. Es ist eine reizvolle Mittelgebirgslandschaft mit Laub- und Nadelwald und weiten Hochflächen. Höchste Erhebung ist die Große Blöße (528 m) im Solling. Wanderer und Naturfreunde finden in dieser Region noch Ruhe und Einsamkeit, doch kommen auch kunst- und kulturgeschichtlich Interessierte auf ihre Kosten. Aufgrund einer besonderen wirtschaftlichen Blüte entstanden hier im 16. und Anfang des 17. Jh.s prunkvolle Schlösser, reich verzierte Bürgerhäuser und repräsentative Rathäuser im sogenannten Stil der Weserrenaissance. Die Bauten wurden meist aus Sandstein in ungeheurer Formenvielfalt mit üppig verzierten Erkern und Giebeln errichtet.

Touristikstraßen

Mehrere Touristikstraßen erschließen das Gebiet. Die im folgenden beschriebene Fahrt durch das Weserbergland folgt im wesentlichen der Wesertalstraße. Viele bekannte Stätten im Weserbergland sind mit Märchen und Sagen verbunden, auf der Deutschen Märchenstraße lernt man sie kennen. Die Straße der Weserrenaissance beginnt in Hann. Münden, berührt viele interessante Orte und Bauwerke im Weserbergland und führt dann weiter meist entlang der Unterweser.

Schiffsfahrten Weserradweg

Eine beschauliche Art, das Weserbergland kennenzulernen, ist eine Dampferfahrt auf der Weser. In den Sommermonaten verkehren regelmäßig zwischen den einzelnen Orten Ausflugsschiffe. Wichtigste Anlegestellen sind Bodenwerder, Hameln, Höxter, Bad Karlshafen und Polle. Lohnend ist es auch, den Weserradweg zu absolvieren, der meist in Ufernähe verläuft.

Fahrt entlang der Weser

Hinweis

Schöne Landschaftseindrücke vom Weserbergland vermittelt die Fahrt entlang der Weser. Reizvollster Abschnitt ist die Strecke zwischen Hann. Münden und Bad Karlshafen. Insgesamt hat die beschriebene Route – ohne die erwähnten Abstecher – eine Länge von ca. 170 km.

**Hann. Münden

Hann. Münden (gebräuchlich ist daneben die Bezeichnung Hannoversch Münden; 28000 Einw.) liegt reizvoll in einem von den Höhen des Reinhards-, Bram- und Kaufunger Waldes umgebenen Talkessel auf einer Landzunge zwischen Fulda und Werra, die sich hier zur Weser vereinigen. Alexander von Humboldt zählte Münden zu den sieben schönstgelegenen Städten der Welt. Mehr als 700 Fachwerkhäuser aus sechs Jahrhunderten, Kirchen und alte Befestigungstürme bestimmen das malerische Stadtbild. Bedeutend für die Entwicklung der Stadt war das Stapelrecht, das Münden 1247 erhielt: Alle ankommenden Schiffe mußten hier ausgeladen und die Waren drei Tage lang zu Vorzugspreisen angeboten werden. Sie durften dann nur mit Mündener Schiffen oder Fuhrwerken weiterbefördert werden – wirtschaftlicher Wohlstand war so garantiert.
Das Zentrum der Fachwerkstadt bildet der Marktplatz mit dem stattlichen Rathaus. Dem ursprünglich gotischen Bau gab Georg Crossmann 1603 bis 1613 eine prächtige Weserrenaissance-Fassade. Das Glockenspiel im Rathausgiebel erinnert an den Wanderarzt Doktor Eisenbart, der am 11. November 1727 in Hann. Münden starb. Südlich gegenüber dem Rathaus ragt die St.-Blasii-Kirche (13.–16. Jh.) auf. Von den Kunstschätzen im Innern sind das Bronzetaufbecken von 1392, die Sandsteinkanzel von 1493 und ein Epitaph (von Loy Hering) für den Welfenherzog Erich I., der Münden im 16. Jh. zu seiner Residenz machte, besonders beachtenswert. Das ehemalige Welfenschloß (16. und 18. Jh.) im Nordosten der Altstadt, nahe der Werra, beherbergt u. a. das Städtische Museum (Fayencen-Sammlung). Von der bereits um 1250 erbauten Werrabrücke bietet sich ein hübscher Blick auf die Fachwerkstadt. Auf der Insel "Unterer Tanzwerder" zwischen Fulda und Werra sind auf dem Weserstein (1899) die bekannten Verse "Wo Werra sich und Fulda küssen ..." nachzulesen.

"Wo Werra sich und Fulda küssen ...", da liegt die von unzähligen alten Fachwerkhäusern geprägte Stadt Hann. Münden.

Westlich der Stadt und jenseits der Fulda steht auf dem Rabanerkopf ein 25 m hoher Aussichtsturm; Tilly hatte 1626 eine seiner Schanzen am Fuß des Berges errichtet (Waldgaststätte).

Tillyschanze

Bei Witzenhausen-Ziegenhagen (rund 10 km südöstlich von Hann. Münden) befindet sich der Erlebnispark Ziegenhagen. Ein Auto- und Motorradmuseum, Tiere, Irrgarten, Seilbahn, Funkboote und Flugsimulator sind nur einige der vielen Attraktionen.

Erlebnispark Ziegenhagen

Nach 17 km Fahrt (von Hann. Münden) entlang dem östlichen Weserufer erreicht man die Ortschaft Bursfelde. Die ehemalige Kirche eines Benediktinerklosters geht in ihrem ältesten Teil, der romanischen Westkirche, auf das Jahr 1104 zurück. Die Ostkirche wurde 1130–1140 angebaut. In beiden findet sich reicher Freskenschmuck.

Bursfelde

Westlich von Bursfelde ist der Tierpark bei der Sababurg (→ Kassel, Umgebung) ein beliebtes Ausflugsziel.

Sababurg

Bad Karlshafen wurde 1699 von Landgraf Carl von Hessen an der Einmündung der Diemel in die Weser gegründet, um hier hugenottische Glaubensflüchtlinge anzusiedeln. Einige hübsche Barockbauten aus den Anfangstagen der Stadt haben sich in dem symmetrisch angelegten Straßennetz erhalten. Das Hugenottenmuseum (nahe dem Rathaus) informiert über die Situation dieser Glaubengemeinschaft in Frankreich und Deutschland. Den Status "Bad" verdankt Karlshafen einer 1730 entdeckten Solquelle.

*Bad Karlshafen

Bekannt ist der knapp 20 km nördlich von Bad Karlshafen (östlich der Weser) gelegene Ort Fürstenberg wegen der hier ansässigen Porzellanmanufaktur, die bereits 1747 gegründet wurde. Im Schloß hat das Porzellanmuseum der Firma seinen Sitz.

Fürstenberg

Weserbergland
(Fortsetzung)
*Höxter

Höxter am linken Weserufer wird reizvoll von bewaldeten Höhen umrahmt, die am rechten Ufer des Flusses zum Solling gehören. Die Altstadt besitzt zahlreiche Renaissance-Fachwerkhäuser aus dem 16. Jh.; hervorgehoben seien in der Marktstraße die 1561 erbaute Dechanei, einst Stadtsitz des Adelsgeschlechts von Amelunxen und in der Westerbachstraße Nr. 33 das Tillyhaus von 1598 (hier soll der kaiserliche Feldherr während des Dreißigjährigen Krieges mehrmals Quartier genommen haben). Das Rathaus entstand 1610–1613 im Stil der Weserrenaissance (Glockenspiel). Nordöstlich vom Rathaus steht die romanische Kilianikirche (ev.) aus dem 12. und 13. Jh. mit zwei weithin sichtbaren, ungleich hohen Westtürmen.

**Kloster Corvey

Das ehemalige Kloster Corvey, 2 km nordöstlich von Höxter, wurde 822 von Ludwig dem Frommen gegründet und 1803 säkularisiert. Von der alten Klosterkirche steht noch das großartige Westwerk (873–885), das älteste erhaltene Bauwerk des Frühmittelalters in Westfalen. Die heutige Klosterkirche zeigt eine prachtvolle Barockausstattung; an ihrer Südseite das Grab von A. H. Hoffmann von Fallersleben, dem Dichter des Deutschlandliedes, der auf Schloß Corvey als Bibliothekar tätig war. Aus der Barockzeit stammen auch die schlichten ehemaligen Abteigebäude, das heutige Schloß (sehenswert die Äbtegalerie, der Kaisersaal, die fürstliche Bibliothek und das Museum mit Stücken zur Klostergeschichte, zu Hoffmann von Fallersleben sowie zur Volks- und Heimatkunde).

Neuhaus im
Solling

Einen kurzen Abstecher von der Wesertalroute lohnt der heilklimatische Kurort und Wintersportplatz Neuhaus im Solling, 16 km östlich von Höxter. Das ehemalige Jagdschloß der hannoverschen Könige wurde 1768–1791 erbaut.

Holzminden

Bevern

Rund 10 km nordöstlich von Höxter liegt am rechten Weserufer die Stadt Holzminden mit stattlichen Fachwerkhäusern aus dem 17. Jahrhundert. Das Schloß im nördlichen Nachbarort Bevern gilt als eines der Hauptwerke der Weserrenaissance, die Vierflügelanlage entstand 1603 bis 1612.

Polle

Weitere 10 km weserabwärts überragt die Ruine der im 13. Jh. erbauten Burg Everstein den kleinen Ort Polle.

Bodenwerder
Hameln

Nächste Stationen der Tour entlang der Weser sind die "Münchhausenstadt" Bodenwerder (→ Hameln, Umgebung) und die Rattenfängerstadt → Hameln. Eine Fahrtunterbrechung lohnt auch die Stiftskirche in Fischbeck, 7 km nordwestlich von Hameln (→ Hameln, Umgebung).

Rinteln

Folgt man dem Lauf der Weser von Fischbeck aus weitere 15 km, so erreicht man das Städtchen Rinteln, das wie so viele andere Orte dieser Region mit schönen Fachwerkbauten aufwarten kann. Das Alte Rathaus am Markt besitzt zwei hübsche Giebel im Stil der Weserrenaissance.

Porta Westfalica
Minden

Die Porta Westfalica (→ Minden, Umgebung), bei der die Weser in das Norddeutsche Tiefland eintritt, bildet ebenso wie die Domstadt → Minden einen Höhepunkt der Weserfahrt.

Westerwald   D / E 5

Bundesländer: Hessen, Rheinland-Pfalz und Nordrhein-Westfalen

Lage und
Landschaftsbild

Der größtenteils zu Hessen, im Nordwesten zum Rheinland gehörende Westerwald ist eine von Rhein, Sieg und Lahn umgrenzte Hochfläche von 300–600 m Höhe, die noch zum Rheinischen Schiefergebirge zählt und in der 657 m hohen Fuchskaute gipfelt. Während der im Westen gelegene Vorder- oder Unter-Westerwald ausgedehnte Waldungen besitzt, ist der Hohe Westerwald im Osten ziemlich entwaldet. Im südwestlichen Kannen-

bäckerland ließen die reichen Tonlager eine bedeutende keramische Industrie entstehen (früher wurden vorwiegend "Kannen", d.h. Tonkrüge hergestellt). Südlich grenzt an den Westerwald der → Taunus, nördlich das → Sie-
gerland, als westlicher Ausläufer das reizvolle Siebengebirge (→ Bonn).

Lage und
Landschaftsbild
(Fortsetzung)

Reiseziele im Westerwald

Die am Rhein und damit am Westrand des Westerwalds gelegenen Städtchen Neuwied und Linz sind im → Rheintal beschrieben; Bad Honnef,
Königswinter und das Siebengebirge sind unter → Bonn zu finden. Im Norden des Westerwalds liegen → Siegen und Freudenberg (→ Siegen, Umgebung), am Ostrand lohnt der Besuch → Gießens und Wetzlars sowie der
Stadt → Marburg.

Hinweis

Um den Marktplatz von Hachenburg (45 km nordöstlich von Koblenz)
gruppiert sich ein ganzes Ensemble prachtvoller Bauten, allen voran das
Schloß, die ev. Stadtkirche (15. – 18. Jh.) und die kath. Pfarrkirche (1729 bis
1739), eine ehemalige Franziskaner-Klosterkirche. Das im 13. Jh. erbaute
Schloß (heute eine Ausbildungsstätte) wurde im 18. Jh. barock umgestaltet. Ein Gang durch die Straßen rings um den Marktplatz führt an zahlreichen schönen Giebelhäusern mit Fachwerk vorbei.

*Hachenburg

Wenige Kilometer östlich von Hachenburg ist ein ehemaliger Steinbruch in
Bad Marienberg zu einem Besichtigungsziel, dem Basaltpark (Bismarckstraße), umgewandelt worden: dort kann man im Maschinenpark und
einem Ausstellungsraum nachvollziehen, wie man einst das vulkanische
Gestein abbaute und verarbeitete.

Bad Marienberg

Sehenswerte spätromanische und gotische Räume besitzt das Schloß (12.
Jh.) in Westerburg (12 km südlich von Bad Marienberg). Die hufeisenförmi-
ge Anlage wurde im 12. Jh. für die Vögte des Stifts Gemünden errichtet.
Unterhalb der Burg sind einige Fachwerkhäuser aus dem 17. und 18. Jh.
erhalten.

Westerburg

Auch in Montabaur (17 km südlich von Westerburg) ist das Schloß die
Hauptattraktion. Das schon 910 errichtete erste Kastell Humbach wurde im
13 Jh. bis 15. Jh. zum Schloß ausgebaut und im 17. Jh. weitgehend neu
aufgeführt. Im 13. Jh. residierten hier die Trierer Erzbischöfe. Viele Räume
sind mit schönen Stuckdecken und z. T. mit Deckengemälden ausgestattet. Eine ehemalige Schule im Ort birgt das Heimatmuseum.

Montabaur

Nördlich von Montabaur (etwa 7 km) kann man westlich der Straße zwischen den beiden kleinen Orten Mogendorf und Sierhahn eine der für
das Kannenbäckerland typische Tongrube besuchen, aus der das für die
hochwertigen Keramikarbeiten der Region benötigte Material gewonnen
wird.

Tongrube

Zwischen → Siegen und Wetzlar (→ Geißen) liegt Herborn, das schon im
11. Jh. ein wichtiger Verkehrsknotenpunkt und Marktort war. Über dem Ort
thront das im 13. Jh. erbaute malerische Schloß (heute Sitz des Ev.-theo-
log. Seminars). Reste der Stadtbefestigung umgeben die sehenswerte Altstadt mit ihren von zahlreichen schönen Fachwerk-Giebelhäusern gesäumten Straßenzügen. Die ehemalige Hohe Schule (Schulhofstraße 5), die bis
1588 als Rathaus diente, birgt das Heimatmuseum. 1589 begann man mit
dem Bau des Renaissance-Rathauses am Marktplatz. Sehr hübsch ist
auch der Kornmarkt.

*Herborn

10 km nördlich von Herborn erhob sich einst in Dillenburg, das über mehrere Jahrhunderte Residenzstadt der Fürsten von Nassau-Oranien war, die
mächtige Befestigungsanlage des Schlosses Dillenburg. Reste des zerstörten Schlosses sind die "hohe Mauer", die Stadt und Schloß voneinander trennen, und die unterirdischen Kasematten (Führungen während der

Dillenburg

Westerwald,
Dillenburg
(Fortsetzung)

Sommermonate). Anstelle des nicht wiederaufgebauten Schlosses wurde zur Erinnerung an Wilhelm I. von Oranien der sog. Wilhelmsturm errichtet, der heute das Nassau-Oranische Museum beherbergt.

Wiesbaden E 5

Hauptstadt des Bundeslandes Hessen
Höhe: 117 m ü.d.M.
Einwohnerzahl: 270 000

Lage und
Bedeutung

Die hessische Landeshauptstadt Wiesbaden liegt am Fuß bewaldeter Taunushöhen und erstreckt sich mit ihren Vororten bis zum Rhein. Die 26 Thermalquellen (46–67° C), das milde Klima und die reizvolle Umgebung machen die Stadt zu einem beliebten Kurort. Wiesbaden ist Sitz des Bundeskriminalamts, des Statistischen Bundesamts und verschiedener Bundesverbände. In der Umgebung gibt es mehrere große Sektkellereien.

Geschichte

Die Heilquellen Wiesbadens waren schon den Römern bekannt, die den Ort Aquae Mattiacorum nannten (nach den hier beheimateten Mattiakern, einem germanischen Stamm). Wohl seit der Zeit des Kaisers Claudius (41–50 n.Chr.) gab es hier ein Kastell; römische Bäder befanden sich etwa an der Stelle des heutigen Kochbrunnens. Der Name Wisibada (Bad in den Wiesen) wurde zum ersten Mal 829 überliefert. Im 13. Jh. avancierte Wiesbaden zum Königshof und zur kaiserlichen Stadt, die allerdings 1242 vom

Wiesbaden
Innenstadt

1 Kochbrunnen (Therme)
2 Kaiser-Friedrich-Bad
3 Römertor
4 Altkatholische Kirche
5 Kurhaus
   Kolonnade
6 Spielbank (im Kurhaus)
7 Theaterkolonnade
8 Rathaus
9 Altes Rathaus
10 Synagoge
11 Villa Clementine
12 Englische Kirche
13 Hessische Staatskanzlei
14 Waterloo-Obelisk
15 Hessisches
   Kultusministerium
16 Landesbibliothek
17 Hessisches
   Finanzministerium
18 Herbert-Anlage
19 Reisinger-Brunnen-
   Anlage
20 Hessisches
   Innenministerium
21 Statistisches
   Bundesamt
22 Hessisches
   Wirtschaftsministerium
23 Lutherkirche

300 m

©Baedeker

Mainzer Erzbischof erobert und zerstört wurde. Von den Folgen des Dreißigjährigen Krieges (1618–1648) konnte sie sich lange nicht erholen. Erst im 18. Jh. unter der Herrschaft der Nassauer gewann die Stadt wieder an Bedeutung. Bald erlebte sie ihre Blütezeit als biedermeierlich-schlichte Residenz- und Badestadt, in der die europäischen Fürstlichkeiten und auch Goethe (1814/1815) zur Kur weilten. Im Jahre 1868 wurde das Herzogtum Nassau preußisch und Wiesbaden zur Hauptstadt eines Regierungsbezirks. Bis zum Ersten Weltkrieg erlebte die Kurstadt eine Glanzzeit als sommerlicher Treffpunkt des Kaisers und des Hofes. Noch heute prägen die prachtvollen Gebäude dieser Epoche das Bild der Stadt. Verschiedene Künstler fühlten sich von der besonderen Atmosphäre inspiriert – in Wiesbaden komponierte Brahms seine Dritte Sinfonie, Richard Wagner arbeitete an den "Meistersingern", und Alexej Jawlensky vollendete hier sein Spätwerk "Meditationen".

Geschichte (Fortsetzung)

Sehenswertes in Wiesbaden

Hauptverkehrsader der Stadt ist die breite Wilhelmstraße. An ihrem Nordende schließt sich in östlicher Richtung der Kurbezirk an. Das Kurhaus, ein stattlicher Festbau mit mächtiger ionischer Säulenvorhalle, wurde 1904 bis 1907 von Friedrich von Thiersch errichtet. Der imposante Portikus trägt das Stadtwappen mit den drei Lilien und der Aufschrift "Aquis Mattiacis". Seit seiner Renovierung Ende der 80er Jahre dient das prachtvolle Gebäude als Veranstaltungsort für Tagungen, Kongresse und Konzerte. Im ehemaligen Weinsaal des Kurhauses befindet sich das Casino, in dem schon Fjodor Dostojewski und Richard Wagner spielten. Die benachbarte Kurhauskolonnade (1827) gilt als die längste Säulenhalle Europas (ca. 130 m); ihr gegenüber liegt das Hessische Staatstheater. Hinter dem Kurhaus breitet sich der gepflegte Kurpark aus, der 1852 als englischer Garten angelegt wurde. Um den Weiher, auf dem man bei schönem Wetter Tretboot fahren kann, wachsen Magnolien- und Sumpfzypressen wie auch Azaleen- und Rhododendronsträucher. Am Nizzaplätzchen kann man Säulenreste des alten Kurhauses entdecken. Östlich schließt sich an den Kurpark der Kurbezirk Aukammtal an mit verschiedenen Kliniken und einem Thermal-, Frei- und Hallenbad.

*Kurbezirk

*Kurpark

Westlich des Kurbezirks findet man den Kochbrunnen, der 15 Quellen zusammenführt. Die 66° C heiße Therme ist die bekannteste Quelle der Stadt und war schon 1366 als Brühborn bekannt.

Kochbrunnen

Etwas weiter südlich liegt das Römisch-Irische Bad mit seiner schönen Jugendstilausstattung, ehemals als Kaiser-Friedrich-Bad bekannt. Hier kann man im 66,4°C warmen Wasser der Adlerquelle baden.

*Römisch-Irisches Bad

Zwischen Webergasse, Langgasse, Kirchgasse, Friedrichstraße und Wilhelmstraße befinden sich die schmalen und verwinkelten Gäßchen der Wiesbadener Altstadt. Zwischen der Grabenstraße (Bäckerbrunnen) und der Wagemannstraße (ältestes Stadthaus von 1728) liegt die Häuserzeile "Schiffchen", die den Kern der historischen Altstadt bildet.

Altstadt

Am Schloßplatz im Zentrum Wiesbadens steht das Stadtschloß (1837 bis 1841), seit 1946 Sitz des Hessischen Landtags. Nach dem Einzug der Preußen residierten hier zeitweise die preußischen Könige und deutschen Kaiser. Gegenüber steht das Alte Rathaus (1610), dessen Fachwerkgiebel 1829 durch einen steinernen Aufbau ersetzt wurde. Das Neue Rathaus (19. Jh.) an der Südostseite des Platzes wurde 1951 in schlichter Ausführung wiederaufgebaut. Im Pflaster vor dem Rathaus kann man den Reichsadler, die nassauischen Löwen und die Wiesbadener Lilien erkennen. Beeindruckend ist auch die ziegelrote Marktkirche (1852–1862), eine neogotische dreischiffige Basilika. Vor dem Gotteshaus erinnert "Der Schweiger" an Wilhelm von Oranien.

*Schloßplatz

Wiesbaden

Wilhelmstraße

Nur wenige Meter weiter östlich gelangt man wieder auf die Wilhelmstraße, die Promenierstraße Wiesbadens. An ihrem südlichen Teil liegen mehrere kulturelle Einrichtungen wie die Villa Clementine (Ausstellungen und Konzerte), der Kunstverein (Kunst des 20. Jh.s) und das Museum Wiesbaden mit einer Gemäldegalerie (Jawlensky-Sammlung), naturwissenschaftlichen Ausstellungen und der Sammlung Nassauische Altertümer. Gegenüber steht das Kongreß- und Ausstellungszentrum Rhein-Main-Halle.

Rheinstraße

Von hier aus führt die Rheinstraße, an der sich die Hessische Landesbibliothek und das erste Frauenmuseum Deutschlands befinden, in westlicher Richtung zum Inneren Ring der Stadt.

Der Kurbezirk im Herzen Wiesbadens (hier mit Kurhaus und Hessischem Staatstheater) verspricht Erholung vom Trubel der Stadt.

*Neroberg

*Griechische Kapelle

Nördlich über der Stadt erhebt sich der bewaldete Neroberg (245 m), auf den man am besten mit der wasserbetriebenen Zahnradbahn (1888) gelangt. Etwas fremdartig wirkt hier die Griechische Kapelle mit ihren goldenen Zwiebeltürmen. Sie wurde 1855 im russisch-byzantinischen Stil zu Ehren einer Herzogin von Nassau errichtet, die die Nichte des russischen Zaren war. Ganz in der Nähe steht ein Tempel, von dem sich ein wunderbarer Blick auf die Stadt bietet. Einen Besuch ist auch das Opelbad wert, das 1933/34 im Bauhausstil angelegt wurde und als eine der schönsten Badeanstalten Deutschlands gilt.

Fasanerie

Im Nordwesten der Stadt liegt am Schützenhausweg der Tier- und Pflanzenpark Fasanerie mit vorwiegend einheimischen Tierarten.

*Schloß Biebrich

Im Stadtteil Biebrich (ca. 5 km südlich vom Zentrum) befindet sich das gleichnamige Schloß, die 1698–1744 erbaute barocke Residenz der Nassauer Herzöge. Die Rotunde und die Galerien dienen heute als Repräsentationsräume für den hessischen Ministerpräsidenten. Pfingsten findet im Schloßpark das renommierte Internationale Reit- und Fahrturnier statt.

Umgebung von Wiesbaden

→ Rheintal
→ dort

Wismar H 2

Bundesland: Mecklenburg-Vorpommern
Höhe: 14 m ü.d.M.
Einwohnerzahl: 55 000

Die in der tiefeingeschnittenen gleichnamigen Bucht gelegene alte Hanse-
stadt gehört zu den Hauptanziehungspunkten an der mecklenburgischen
Ostseeküste, denn trotz schwerer Verluste im Zweiten Weltkrieg besitzt
Wismar eine sehenswerte historische Altstadt und einige herausragende
Sehenswürdigkeiten. Die moderne Industrie- und Hafenstadt erstreckt sich
westlich und nordwestlich des Stadtkerns.

Lage und Allgemeines

Wismar ging aus einer kurz vor 1200 gegründeten Siedlung hervor, die ab
1229 das Stadtrecht besaß. Dank ihrer Lage an einer alten Handelsstraße
von Lübeck über Rostock ins Baltikum entwickelte sich die Stadt bald zu
einem wichtigen Umschlagplatz und Hafen. Der Niedergang der Hanse,
der Wismar seit 1358 angehörte, und der Dreißigjährige Krieg setzten der
Blütezeit ein Ende. Durch den Seehandel kam die Stadt im 19. Jh. wirtschaftlich wieder auf die Beine; im 20. Jh. vollzog sich der Ausbau zur
Industriestadt (Schiffswerften).

Geschichte

Sehenswertes in Wismar

Von der Stadtbefestigung des Mittelalters sind noch das spätgotische
Wassertor (Mitte 15. Jh.) am Alten Hafen sowie einige Reste der Stadtmauer erhalten. Wehreinrichtungen aus der Schwedenzeit sind das barocke
Provianthaus (1690; jetzt Poliklinik) und das ehemalige Zeughaus (1699) in
der Ulmenstraße (heute Stadtarchiv).

Stadtbefestigung

Der weiträumige, annähernd quadratische (100 x 100 m) Marktplatz ist einer der größten und schönsten Stadtmittelpunkte im norddeutschen
Raum. Unter den historischen Gebäuden, die den Platz rahmen, nimmt
das Staffelgiebelhaus "Alter Schwede" (um 1380) an der Ostseite einen
besonderen Platz ein, da es das älteste profane Gebäude Wismars ist (seit
1878 Gaststätte). Das Gebäude rechts daneben, heute Gaststätte Reuterhaus, wurde 1988 abgetragen und originalgetreu wiederaufgebaut. Das
Staffelgiebelhaus links daneben stammt aus dem 19. Jahrhundert.

**Marktplatz
*Alter Schwede

Der zierliche, von einer geschwungenen Kupferhaube bedeckte Pavillon,
die sog. Wasserkunst, diente bis 1897 der Wasserversorgung von Wismar.
Baumeister Philipp Brandin lieferte die Pläne für das 1580–1602 an der
südöstlichen Platzseite errichtete Schmuckstück.

*Wasserkunst

Beinahe die gesamte Nordseite beansprucht das klassizistische Rathaus
(1817–1819; Johann Georg Barca). Vom ersten Rathaus (14. Jh.) sind noch
die Gerichtslaube im Westflügel und die Kellergewölbe vorhanden.

Rathaus

Nur wenige Meter westlich des Marktes, am Marienkirchhof, ragt der
mächtige Turm der 1945 zerstörten Marienkirche auf (1339; Unterbau
1270–1280). Das benachbarte Archidiakonat (Mitte des 15. Jh.) wurde wiederhergestellt und präsentiert sich heute wieder als Staffelgiebelhaus.

Marienkirche

Eine Straßenkreuzung weiter westlich kommt man zum ehemaligen Stadt-
wohnsitz der mecklenburgischen Herzöge. Interessant ist vor allem der
dreigeschossige, an italienische Palazzi erinnernde Flügel ("Neues Langes

*Fürstenhof
Georgenkirche

Drei markante Gebäude sind der Blickfang am schönen Marktplatz von Wismar: das Staffelgiebelhaus (links), der "Alte Schwede" (Mitte) und die wiederaufgebaute "Gaststätte Reuterhaus".

Fürstenhof Georgenkirche (Fortsetzung)

Haus"; 1553–1556), der mit Fensterrahmungen aus Terrakotta, einem schönen Sandsteinportal und Relieffriesen geschmückt ist. Die westlich benachbarte, monumentale Georgenkirche aus gotischer Zeit wird derzeit wiederaufgebaut.

Heilig-Geist-Spital

Ein hübsches mittelalterliches Ensemble bilden Heilig-Geist-Spital und dazugehörige Kirche an der Ecke Lübsche Straße/Neustadt. In der schlichten Kirche beachte man vor allem die bemalte Holzdecke aus dem 17. Jh., die Glasfenster (um 1400) und die geschnitzten Gestühlswangen.

Lübsche Straße Krämerstraße

Die Lübsche Straße, überwiegend Fußgängerzone, ist die Hauptachse der Wismarer Innenstadt. Schöne alte Häuser wie z. B. die Gaststätte "Zum Weinberg" (1575; Nr. 31) findet man hier und in der Krämerstraße, die beim Rathaus auf die Lübsche Straße trifft.

＊＊Nikolaikirche

Durch die Krämerstraße geht es in die nördliche Altstadt um die Nikolaikirche, die nach dem Muster der Lübecker und der Wismarer Marienkirche im 14./15. Jh. entstanden war. Ihr 37 m hohes Mittelschiff ist eines der höchsten Deutschlands. Ergänzt wird der imposante Eindruck der Architektur durch die sehenswerte Ausstattung (Spätgotik bis Barock), die auch einige Stücke aus den anderen großen Kirchen Wismars umfaßt, wie z. B. den bronzenen Taufkessel aus der Marienkirche (um 1335) oder den riesigen Hochaltar aus St. Georg (um 1430).

Schabbellhaus (Stadtgeschichtliches Museum)

An der Südseite der Nikolaikirche, durch die Frische Grube von ihr getrennt, lohnt das Schabbellhaus einen Besuch. Der 1569–1571 von Philipp Brandin, dem Architekten der Wasserkunst, errichtete Renaissancebau niederländischer Prägung beherbergt heute die Sammlungen des Stadtgeschichtlichen Museums.

Im Nordwesten der Altstadt befindet sich der Alte Hafen, seit dem Bau des neuen Hafens nur noch Fischereihafen (Abfahrtstelle zur Insel Poel; Fischmarkt). An die lange schwedische Herrschaft in Wismar erinnern die beiden gußeisernen Poller vor dem Baumhaus (heute Sitz des Hafenamtes) in Form von zwei Köpfen, die sogenannten Schwedenköpfe.

Umgebung von Wismar

Von Wismar fahren Schiffe der Weißen Flotte (rund 1 Std.) zur Insel Poel, die der Wismarer Bucht vorgelagert ist. Das 37 km² große, flachwellige Eiland lockt vor allem Ruhesuchende und Badefans (Sandstrände). Über die Inselgeschichte informiert das Heimatmuseum im Hauptort Kirchdorf.

Insel Poel

Klützer Winkel heißt der hübsche Landstrich nordwestlich von Wismar, der nach dem gleichnamigen Hauptort benannt ist und 23 km von Wismar entfernt liegt. Große Teile des Gebiets gehörten einst der Familie Bothmer, deren barockes Schloß, das 1726–1732 erbaut wurde, am südlichen Ortsausgang der Ortschaft Klütz erhalten blieb. Das Schloß ist von einem schönen Park umgeben, eine Innenbesichtigung des Gebäudes ist nicht möglich.

*Klützer Winkel

Boltenhagen (4 km nördlich von Klütz) ist nach Heiligendamm das zweitälteste deutsche Ostseebad mit vielen alten Ferienvillen und einer gut ausgebauten Infrastruktur. Seit 1992 besitzt der vielbesuchte Badeort mit dem berühmten flachen Sandstrand auch wieder eine Seebrücke.

*Ostseebad Boltenhagen

Am Südrand des Klützer Winkels, etwa 20 km westlich von Wismar, liegt Grevesmühlen (10 000 Einw.). Im benachbarten Everstorfer Forst (5 km östlich) ist ein Spazierweg zu den dortigen Megalithgräbern ausgeschildert.

Grevesmühlen

In Neukloster (17 km südöstlich) verdient die Klosterkirche des ehemaligen Zisterziensernonnenklosters Sonnenkamp (vor 1245) Beachtung. Im Übergang von der Spätromanik zur Gotik entstanden, wurde sie Vorbild für viele mecklenburgische Kirchenbauten. Im Chor befinden sich Glasgemälde. Südlich von Neukloster erstreckt sich das Landschaftsschutzgebiet Neukloster-Warin, eine Wald- und Seenlandschaft mit hohem Erholungswert.

Neukloster

*Seengebiet

Wittenberg

→ Lutherstadt Wittenberg

Wolfenbüttel   G 3

Bundesland: Niedersachsen
Höhe: 77 m ü. d. M.
Einwohnerzahl: 50 000

10 km südlich von Braunschweig liegt die von zwei Armen der Oker umflossene und von hübschen Wallanlagen umgebene alte Stadt Wolfenbüttel (50 000 Einwohner), von 1308 bis 1753 Wohnsitz der Herzöge von Braunschweig. Sie bietet mit ihren zahlreichen schönen Fachwerkgebäuden noch heute das unversehrte Bild einer kleinen Fürstenresidenz. Seit 1978 wurde die Altstadt von Grund auf sorgfältig saniert und restauriert.

Lage und Stadtbild

Keimzelle der Stadt war eine 1255 zerstörte Burg, an deren Stelle Herzog Heinrich Mirabilis 1283 ein Wasserschloß errichten ließ. Während seiner Residenzzeit (1308–1753) war Wolfenbüttel eine Pflegestätte von Wissenschaft und Künsten; Herzog Heinrich Julius (1589–1613), der selbst Prosa-

Geschichte

Wolfenbüttel

Geschichte (Fortsetzung)

dramen verfaßte, berief englische Komödianten (die ersten Berufsschauspieler in Deutschland) an seinen Hof. Herzog August (1635–1666) gründete die berühmte, nach ihm benannte Bibliothek, an der später Leibniz und Lessing wirkten.

Sehenswertes in Wolfenbüttel

Schloß

Am Schloßplatz erhebt sich das vom Hausmannsturm überragte Schloß, eine im 16. Jh. entstandene Anlage, die im frühen 18. Jh. barock umgestaltet wurde. Im Innern ist das Stadt- und Kreisheimatmuseum mit Sammlungen zur Wohnkultur untergebracht.

Zeughaus und Lessinghaus

An der Nordseite des Platzes steht das ehemalige Zeughaus (1613–1618), ein stattlicher Renaissancebau mit viergeschossigem Giebel, der heute Teile der Herzog-August-Bibliothek sowie ein Museum für Buchgeschichte beherbergt. Unweit westlich liegt das Lessinghaus, das nach 1777 das Wohnhaus des Dichters war, wo dieser 1779 seinen "Nathan" vollendete. Heute birgt das Haus ein Literaturmuseum.

**Herzog-August-Bibliothek

Dahinter liegt der Neubau der Herzog-August-Bibliothek (1882–1887); das alte Bibliotheksgebäude, in dem Leibniz und Lessing tätig waren, wurde 1887 abgerissen. Die Bibliothek besitzt rund 8 000 Handschriften, u. a. das Reichenauer Evangeliar aus dem 10. Jh., das Evangeliar Heinrichs des Löwen aus dem 12. Jh. und den Sachsenspiegel aus dem 14. Jh., sowie 4 000 Wiegendrucke und über 450 000 Bücher.

Fachwerk in Wolfenbüttel

Klein Venedig

Östlich vom Schloßplatz befindet sich der letzte Rest der alten Grachten, "Klein Venedig" genannt.

Rathaus

Das um 1600 errichtete Rathaus am östlich vom Schloß gelegenen Stadtmarkt ist ein schöner Fachwerkbau mit hölzernen Arkaden. Der unweit östlich gelegene Renaissancebau der Kanzlei war bis 1753 Sitz der Landesregierung, jetzt beherbergt er das Museum für Vor- und Frühgeschichte.

Marienkirche

Südlich von hier, im Mittelpunkt der Stadt, erhebt sich die Hauptkirche, 1607–1623 erbaut, eine eigenartige Verbindung von gotischer Anlage und Renaissanceformen, ein Hauptwerk des frühen Protestantismus in Deutschland. Im Innern befindet sich ein barocker Hochaltar (1618) mit Kreuzigungsgruppe, eine geschnitzte Kanzel von 1623 (Moses als Trägerfigur) und Chorgestühl von 1625 sowie Grabsteine aus dem 16. Jahrhundert. Die Kirche diente als Fürstengruft. Weiter östlich liegt am Holzmarkt die Trinitatiskirche, ein eigenartiger Barockbau von 1719, der auf den Resten des Kaisertors errichtet wurde.

Umgebung von Wolfenbüttel

Westlich von Wolfenbüttel dehnt sich das Stadtgebiet von Salzgitter aus. Das über 210 km² große Industriegebiet entstand im Jahr 1942 durch Zusammenschluß von 29 Dörfern.

Salzgitter

Im Stadtteil Salzgitter-Bad gibt es ein Thermalsolbad mit starker Salzquelle, die Irenen-Heilquelle und ein Solewellenbad. Außerdem steht hier eine Wehrkirche von 1481 und das Tillyhaus, in dem sich nach 1626 der berühmte Feldherr des Dreißigjährigen Kriegs einquartierte. In Salzgitter-Salder entstand 1600 ein Schloß mit barocker Ausstattung, in dem heute ein Heimatmuseum untergebracht ist. Salzgitter-Lichtenberg wird von der Ruine einer 1552 zerstörten Burg Heinrichs des Löwen überragt. Die Wasserburg in Gebhardshagen ist mittelalterlichen Ursprungs, wurde allerdings mehrfach umgebaut und gehört heute zu einem landwirtschaftlichen Betrieb. Das schon im 10. Jh. gegründete adlige Damenstift in Salzgitter-Steterburg besitzt eine sehenswerte spätbarocke Kirche. In Flachstöckheim ist ein englischer Park mit einem schönen Gutshof aus dem 18. Jh. sehenswert. Die Klosterkirche in Ringelheim mit ihrem kostbaren ottonischen Kruzifix lohnt ebenfalls den Besuch.

Wolfsburg   G 3

Bundesland: Niedersachsen
Höhe: 60 m ü.d.M.
Einwohnerzahl: 128 000

Die Stadt Wolfsburg am Mittellandkanal wurde 1938 in Zusammenhang mit der Planung und Errichtung des Volkswagenwerks gegründet. Das aus zwei Dörfern und dem an der Aller gelegenen Schloß Wolfsburg entstandene Provisorium wurde erst durch den Wiederaufbau nach 1945 zu einem geschlossenen Gemeinwesen.

Lage und Allgemeines

Im Zentrum südlich des Mittellandkanals dominieren moderne Zweckbauten. In den sechziger Jahren entstanden nach Plänen des Finnen Alvar Aalto das Rathaus und die Heiliggeistkirche mit ihrem "Himmelsleiter-Turm". Hauptgeschäftsstraße ist die zur Fußgängerzone erklärte Porschestraße. Rund um das Zentrum dehnen sich weite Grünflächen aus. Nur wenige Gehminuten von der Stadtmitte entfernt liegt zwischen Aller und Mittellandkanal der Allerpark (Strandbad, Freizeitzentrum "Badeland").

Stadtbild

Sehenswertes in Wolfsburg

An der Nordseite des Mittellandkanals erstreckt sich das große Betriebsgelände des Volkswagenwerks (ca. 50 000 Mitarbeiter, Tagesproduktion 3000 Fahrzeuge), das interessante Werksbesichtigungen anbietet.

VW-Werk

Unweit nordöstlich vom VW-Werk, jenseits der Aller, beherbergt das Schloß Wolfsburg (16./17. Jh.) die Städtische Galerie und das Museum der Stadt. In der nahen Scheune Alt-Wolfsburg ist die Landwirtschaftsabteilung des Museums untergebracht.

Schloß Wolfsburg

In der Innenstadt, bzw. am Südende der Porschestraße, beherbergt der Stahl-/Glasbau des Hamburger Architekten Peter Schweger seit 1994 das Kunstmuseum. Es sammelt zeitgenössische Kunst ab 1968. Zu sehen sind Schlüsselwerke einzelner Künstler, u. a. von Anselm Kiefer, Panamarenko, Mario Merz, Tony Cragg, Rebecca Horn, Andy Warhol, Nam June Paik.

Kunstmuseum

Wenige Gehminuten südwestlich von hier stehen am Klieversberg das Theater (1973; Hans Scharoun) sowie das 1983 eröffnete Planetarium. Das

Planetarium

Wolfsburg

Planetarium (Fortsetzung)

größte Planetarium in Niedersachsen bietet vielfältige Simulationsmöglichkeiten aus Astronomie und Raumfahrt.

AutoMuseum

Das AutoMuseum im Osten der Stadt (Dieselstr. 35) liefert einen geschlossenen Überblick über die Autoentwicklung der Marken Volkswagen, Audi, DKW, Horch, Wanderer und NSU.

Umgebung von Wolfsburg

Fallersleben

In Fallersleben, heute ein westlicher Stadtteil von Wolfsburg, wurde 1798 August Heinrich Hoffmann von Fallersleben, der Dichter des Deutschlandlieds, geboren. Im restaurierten Renaissanceschloß ist neben anderen Sammlungen (Heimatgeschichte, Gemälde) auch ein ihm gewidmetes Museum untergebracht.

Gifhorn

Gifhorn (44000 Einw.) liegt 20 km nordwestlich von Wolfsburg in der Niederung der Aller, die hier die Ise aufnimmt. Schon 1196/1197 wird es urkundlich genannt; Bedeutung erlangte Gifhorn als Knotenpunkt der Salzstraße von Lüneburg nach Braunschweig und der Kornstraße von Magdeburg nach Celle. Im Bereich um den Marktplatz gibt es noch etliche Fachwerkbauten aus dem 16. und 17. Jh., darunter der Ratsweinkeller, das ehemalige Rathaus. Unweit nordöstlich steht das ehemalige Welfenschloß (beachtenswerte Schloßkapelle), das um die Mitte des 16. Jh.s für Herzog Franz erbaut wurde; in ihm ist das Historische Museum untergebracht.

*Internationaler Mühlenpark

Nördlich des Schlosses erstreckt sich zwischen Schloßsee und Mühlensee der Internationale Mühlenpark, auf dessen Freigelände derzeit neun historische Wind- und Wassermühlen sowie der Nachbau einer russisch-orthodoxen Kirche stehen. In einer Ausstellungshalle können maßstabsgerecht nachgebaute Mühlenmodelle aus aller Welt besichtigt werden.

Die Bockwindmühle von Sanssouci ist eine von neun historischen Mühlen, die man im Mühlenpark bei Gifhorn besichtigen kann.

Lohnend ist von Gifhorn die Weiterfahrt in nördlicher Richtung, in das 30 km entfernte Hankensbüttel, am Südrand der → Lüneburger Heide. Zu den Sehenswürdigkeiten gehören das Jagdmuseum Wulff im Ortsteil Oerrel, das ehemalige Kloster Isenhagen (14. Jh.; mit Klosterhofmuseum und Kräutergarten) sowie das Otterzentrum am Isenhagener See. In naturnahen Gehegen werden auf dem 55 000 m² großen Freigelände Fischotter, Marder, Iltisse, Dachse und die vom Aussterben bedrohten Otterhunde gehalten (regelmäßige Fütterungen, diverse Lernspiele).

Wolfsburg, Umgebung (Fortsetzung) Hankensbüttel

Worms

E 6

Bundesland: Rheinland-Pfalz
Höhe: 100 m ü.d.M.
Einwohnerzahl: 82 000

Das über 2000jährige Worms, am linken Ufer des Oberrheins gelegen, gehört zu den ältesten Städten Deutschlands. Die Stadt ist untrennbar verbunden mit den wichtigsten Episoden der Nibelungensage: "Ze Wormez bi dem Rine, si wonden mit ir kraft". Worms ist ein Zentrum des Weinhandels im oberrheinischen Weinbaugebiet. Während die Lederindustrie der Stadt bis zum Ende des Zweiten Weltkriegs ihr Gepräge gab, entwickelten sich in den folgenden Jahrzehnten die chemische und die kunststoffverarbeitende Industrie zu wichtigen Wirtschaftszweigen.

Lage und Bedeutung

Im Gebiet des heutigen Worms siedelten sich im letzten vorchristlichen Jahrtausend Kelten an. Später errichteten die Römer das Kastell "Civitas Vangionum". Im 4. Jh. wurde Worms Bischofssitz. Zur Zeit der Völkerwanderung war es Hauptstadt des Burgunderreichs, das 437 von den Hunnen

Geschichte

Eine der schönsten romanischen Bauten Deutschlands ist der viertürmige Wormser Dom.

vernichtet wurde. Diese Kämpfe bilden die geschichtliche Grundlage des Nibelungenlieds. Im Mittelalter war Worms Schauplatz von über hundert Reichstagen. Auf dem Reichstag von 1521 verteidigte Martin Luther seine Thesen gegenüber Kaiser Karl V., woraufhin die Reichsacht über Luther verhängt wurde. Im Februar und März 1945 wurde die Stadt durch Luftangriffe nahezu völlig zerstört. Bald darauf begannen intensive Aufbauarbeiten, so daß die alten Denkmäler wieder zu vielbesuchten Sehenswürdigkeiten geworden sind.

Sehenswertes in Worms

*Dom St. Peter

In der Altstadt erhebt sich der Dom St. Peter (11.–12. Jh.), eine Kathedrale mit vier Türmen und zwei Kuppeln, neben den Domen von → Speyer und → Mainz eines der bedeutendsten Zeugnisse des hoch- und spätromanischen Baustils in Deutschland. Beachtenswert sind im nördlichen Seitenschiff fünf Sandsteinreliefs aus dem früheren gotischen Kreuzgang. Der überwiegende Teil der Ausstattung stammt aus dem 18. Jh., darunter der barocke Hochaltar, den Balthasar Neumann entwarf. Das prachtvolle Chorgestühl, um 1760 aufgestellt, ist die Arbeit eines unbekannt gebliebenen Meisters. Auffallend sind auch das zwölfteilige große Radfenster und die drei kleineren Radfenster des nördlichen Turms.

Marktplatz

In der Nähe liegt der Marktplatz mit dem Siegfriedbrunnen und dem Gerechtigkeitsbrunnen. Das Bild des Platzes prägen die barocke Dreifaltigkeitskirche (1709–1725) und das moderne Rathaus. Nordöstlich vom Markt befinden sich die auf das 11. Jh. zurückgehende Pauluskirche, die reformierte Friedrichskirche (1743) und das Rote Haus, einziger erhaltener Renaissancebau der Stadt.

Stadtmuseum

Geht man vom Dom in südwestlicher Richtung, kommt man – vorbei an der spätromanischen Magnuskirche – zum Museum der Stadt Worms, das in der alten Stiftskirche St. Andreas (12. Jh.) untergebracht ist. In eindrucksvoller Umgebung wird hier Stadt- und Kulturgeschichte dargeboten.

*Jüdischer
Friedhof

Im Westen der Altstadt liegt am Andreasring der "Heilige Sand", der älteste jüdische Friedhof Europas, dessen Grabsteine mit hebräischen Schriftzeichen z.T. aus dem 11. und 12. Jh. stammen.

*Heylshof

Einen Besuch lohnt das Kunsthaus Heylshof nördlich vom Dom. Das Gebäude wurde 1884 im Bereich der ehemaligen Kaiser- und Bischofspfalz, in der die Reichstage stattfanden, errichtet und 1945 zerstört. Das wiederaufgebaute Haus birgt Sammlungen deutscher, niederländischer und französischer Malerei, ferner Glas, Porzellan und Keramik. An J. C. Heyl, den Gründer der Wormser Lederindustrie, erinnert eine Bronzebüste im Garten.

Lutherdenkmal

Auf dem Lutherplatz unweit nördlich vom Heylshof wurde 1868 ein Lutherdenkmal von Rietschel enthüllt. Es zeigt den Reformator im Kreise des Franzosen Waldes, des Engländers Wyclif, des Tschechen Hus und des Italiener Savonarola sowie die evangelischen Fürsten des Reiches, darunter Friedrich von Sachsen und Philipp von Hessen und Luthers Mitstreiter Reuchlin und Melanchthon.

*Ehemaliges
jüdisches Viertel

Im Norden der Altstadt liegt das restaurierte ehemalige Judenviertel mit der Synagoge, die der "Reichskristallnacht" 1938 zum Opfer fiel und 1961 wiederaufgebaut wurde, dem unterirdischen rituellen Bad (Mikwe) und dem Raschi-Haus. Dieses beherbergt seit 1982 ein jüdisches Museum, in dem das Leben der Juden am Oberrhein vorgestellt wird. In der Nähe sind Reste der alten Stadtmauer zu sehen.

Hagenstandbild

Bei der Schiffsanlegestelle am Rhein zeigt ein Standbild von 1906 Hagen von Tronje, wie er den Nibelungenschatz im Rhein versenkt. Hagen war der

Sage nach der treueste Gefolgsmann des Königs Gunther und der Mörder Siegfrieds. Wenige Schritte sind es nun zur Gasthausbrauerei "Hagenbräu".

Umgebung von Worms

Ungefähr 25 km nordwestlich von Worms liegt der von den Römern gegründete Weinbauort Alzey ("Altiaia", Heimat des Sängers und treuen Gefolgsmanns von König Gunther, Volker von Alzey). Sehenswert sind die Burg (13./15. Jh.) sowie einige Fachwerkgiebelhäuser, das Renaissance-Rathaus am Fischmarkt und der originelle Brunnen am Roßmarkt. Im ehemaligen Spital, einem Barockbau mit Renaissanceturm, ist das Museum Alzey-Worms untergebracht. Es umfaßt eine archäologische, eine volkskundliche und eine geologische Abteilung. An der Jean-Braun-Straße findet man die Reste des Römerkastells, das Burgunderkönig Gunther im Jahr 406 erobert hatte.

Alzey

Wuppertal · Bergisches Land   D 4

Bundesland: Nordrhein-Westfalen
Höhe: 100–350 m ü.d.M.
Einwohnerzahl: 380 000

Die Stadt Wuppertal, kultureller und wirtschaftlicher Mittelpunkt des Bergischen Lands, liegt südlich von → Essen und östlich von → Düsseldorf. Wuppertal besteht aus mehreren Stadtteilen, die größten, Barmen und Elberfeld, ziehen sich im Tal der Wupper etwa 20 km lang hin. Zahlreiche kulturelle Einrichtungen, darunter z. B. das weltberühmte Tanztheater von

Lage und
Allgemeines

Das Wahrzeichen Wuppertals, die Schwebebahn, existiert schon seit Beginn unseres Jahrhunderts.

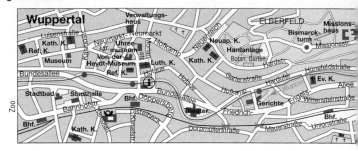

Lage
(Fortsetzung)

Pina Bausch, wie auch die Universität sorgen für ein reges geistiges Leben. Die Stadt hat eine angenehme Atmosphäre: Die Bergische Kaffeetafel – "Koffedrenken met allem Dröm on Dran" – sollte jeden Rundgang krönen.

Geschichte

Elberfeld entstand im 10. Jh. bei einer Wasserburg der Herren von Elverfelde und erhielt 1610 Stadtrechte. Barmen dagegen, bereits 1070 als Besitz des Klosters Werden genannt, wurde erst 1808 Stadt. Das Textilgewerbe in beiden Orte erhielt durch die 1806 von Napoleon verhängte Kontinentalsperre starken Aufschwung, da durch sie die englische Konkurrenz ausgeschaltet wurde. 1929 wurden Elberfeld, Barmen, Vohwinkel, Cronenberg und Ronsdorf sowie einige andere Gemeinden zur Stadt Wuppertal zusammengeschlossen.

*Schwebebahn

Die Stadtteile Barmen, Elberfeld und Vohwinkel sind durch die berühmte Schwebebahn miteinander verbunden, die zum Wahrzeichen Wuppertals geworden ist. Die 1898–1901 konstruierte Bahn ist 13,3 km lang und folgt in ihrem Streckenverlauf großenteils dem Lauf der Wupper. Eine besondere Attraktion ist der stilecht renovierte "Kaiserwagen". In diesem leuchtend roten Wagen, Baujahr 1900, schwebten zur Einweihung der Schwebebahn Kaiser Wilhelm II. und seine Gemahlin Auguste Victoria über die Stadt. 1997 wurde die Schwebebahn in die Denkmalliste der Stadt eingetragen. Einige Stationen sollen historisch getreu rekonstruiert werden, während im übrigen für die Stützen, Bahnsteige und Züge der Bahn eine "Verjüngungskur" angesagt ist.

Sehenswertes in Wuppertal

Stadtteil Elberfeld

*Von-der-Heydt-
Museum

Eine Fundgrube für Kunstfreunde ist das Von-der-Heydt-Museum im Stadtteil Elberfeld (Turmhof 8). Zu sehen sind bedeutende Werke der niederländischen Malerei, deutsche und französische Gemälde der Romantik bis zum Impressionismus, Meisterwerke des 20. Jh.s sowie eine bedeutende Sammlung von Plastiken des 19. und 20. Jahrhunderts. Von den Künstlern des 20. Jh.s sind u. a. Braque, Corinth, Dali, Degas, Max Ernst, Feininger, Kokoschka, Marc, Macke, Monet und Picasso vertreten.
Die kostbare Sammlung des Wuppertaler Uhrenmuseums in der Poststraße 11 zeigt etwa 2000 Objekte zur Zeitmessung – von der Wasseruhr der Ägypter über die Sonnenuhr bis hin zum High-Tech-Chronometer und den modernsten Armbanduhren mit Quarzantrieb.
Die Stadthalle auf dem Johannisberg ist eines der akustisch besten Konzerthäuser Europas, in dem klassische Konzerte ebenso wie Musicals auf dem Programm stehen.
Am Westrand von Elberfeld (Hubertusallee 30) liegt der Wuppertaler Zoo, ein landschaftlich reizvoller Tiergarten mit Freigehegen für ca. 3500 Tiere.
Nahe der Schwebebahn-Station Ohligsmühle, der modernsten der insgesamt 19 Schwebebahnstationen, widmet sich das nach dem Entdecker des Neandertalers benannte Fuhlrott-Museum (Auer Schulstraße 20) der

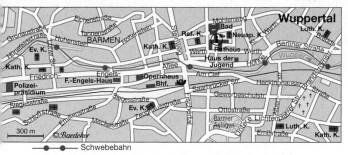

Schwebebahn

Naturgeschichte des Bergischen Landes. Die Palette der Themen reicht von den Lebensräumen der Tiere und Pflanzen bis zu Fragen der Trinkwasserversorgung.

Stadtteil Elberfeld
(Fortsetzung)

Die 1670 gestiftete Kirche der Unbefleckten Empfängnis im wenig nördlich von Elberfeld liegenden Neviges ist dank ihres Gnadenbildes – ein Kupferstich von 1661 in einer Monstranz – einer der berühmtesten Wallfahrtsorte des Rheinlands.

Neviges
*Wallfahrtskirche

Im Stadtteil Barmen befinden sich das Rathaus und die Oper, wo das Tanztheater von Pina Bausch zu Hause ist. Im Geburtshaus von Friedrich Engels (1820 – 1895) an der Friedrich-Engels-Allee informiert eine ständige Ausstellung über Leben und Werk des Mitautors des Kommunistischen Manifests. Das Museum für Frühindustrialisierung hinter dem Engelshaus hat die sozialen Verhältnisse und technischen Veränderungen der Zeit von 1780 bis 1850 im Wuppertaler Raum zum Thema. Alte Spinnmaschinen, Webstühle, Bilder u. a. dokumentierten die Arbeitswelt jener Zeit.

Stadtteil Barmen

Von Barmen aus lohnt sich ein Ausflug in östlicher Richtung in den Stadtteil Beyenburg, dessen Bürgerhäuser mit schwarzer Schieferverkleidung typisch für das Bergische Land sind. Auf dem Beyenburger Stausee werden Kanuregatten ausgetragen. Der malerische Ort bietet sich als Ausgangspunkt für Spaziergänge in die waldreiche Umgebung an.

Stadtteil
Beyenburg

Bergisches Land

Das Bergische Land, die ehemalige Grafschaft Berg zwischen Ruhr und Sieg, Rhein und Sauerland, wird geprägt von Bergen, Wäldern, Wiesen und Flußläufen. Einst trieb die Wasserkraft hier Hammerwerke und Mühlen an, es entwickelte sich eine für diese Region typische Kleineisenindustrie. Heute sind zahlreiche Flüsse durch große Talsperren aufgestaut. Das Bergische Land ist kulturell und wirtschaftlich stärker als das sich nördlich anschließende Sauerland zum Rhein hin orientiert. Mit seinen zahlreichen industriellen Siedlungen ist es die städtereichste Region Deutschlands. Typisch sind die bergischen Häuser mit schwarz-weißem Fachwerk, grünen Fensterläden und Schieferverkleidung auf dem Dach, die sich oft auch über die Seitenwände hinabzieht.

Landschaft
und Industrie

In Ennepetal, 9 km östlich von Wuppertal, befindet sich die Kluterthöhle, mit 5,2 km Gesamtlänge eine der größten deutschen Höhlen. Sie wird bei Erkrankungen der Atemwege und bei Asthma als Heilstätte genutzt.

*Kluterthöhle

Das südlich von Wuppertal liegende Remscheid ist ein Zentrum der deutschen Werkzeugindustrie. Holz, Eisenerz und Wasserkraft standen in der Umgebung reichlich zur Verfügung und bildeten die Grundlage für die Entwicklung von Handwerk und Industrie; bereits im 15. Jh. gab es wasser-

Remscheid

Ein beliebtes Freizeit- und Erholungsgebiet dehnt sich rund um die Wupper-Talsperre aus.

Remscheid
(Fortsetzung)

kraftbetriebene Schmieden und Schleifereien. Aus Remscheid stammt Reinhard Mannesmann, der zusammen mit seinem Bruder Max ein Verfahren zur Fertigung nahtloser Stahlrohre entwickelte. Im heutigen Stadtteil Lennep wurde Wilhelm Conrad Röntgen (1845–1923) geboren, der für die Entdeckung der von ihm als "X-Strahlen" bezeichneten Röntgenstrahlen 1901 als erster Deutscher den Physik-Nobelpreis erhielt.

Im Stadtteil Hasten (Cleffstraße 2–6) sind in einem schönen Patrizierhaus von 1779 zwei Museen untergebracht. Das Heimatmuseum besitzt eine umfangreiche Sammlung zur bergischen Wohnkultur. Zu sehen sind komplett eingerichtete Wohnräume des Barock, des Empire und des Biedermeier; ferner gibt es ein Zinnkabinett. Das Deutsche Werkzeugmuseum zeigt alte Werkstätten und Werkzeuge zur Eisenverhüttung. Es betreut auch die Hammerwerke am industriegeschichtlichen Lehrpfad im Geptal.

*Deutsches
Röntgenmuseum

Das Deutsche Röntgenmuseum im Stadtteil Lennep (Schwelmer Straße 41) besitzt Gegenstände aus dem Nachlaß des Physikers sowie moderne Röntgengeräte. Ferner wird eine Sammlung von Apparaturen zur Erzeugung und Anwendung der Strahlen gezeigt.

Wupper-Talsperre
*Hückeswagen

Wenige Kilometer östlich von Remscheid hat sich die aufgestaute Wupper zu einem beliebten Freizeitgebiet entwickelt. Am Südrand des Stausees steigt malerisch das Städtchen Hückeswagen an, mit seinen schieferverkleideten Häusern typisch für das Bergische Land. Über dem Ort ragt das ehemalige gräfliche Schloß auf, heute Rathaus und Heimatmuseum.

Solingen

*Deutsches
Klingenmuseum

Die Stadt Solingen wenig westlich von Remscheid ist berühmt für die hier produzierten Eßbestecke, Messer und Scheren. Kein Wunder, daß hier – im nördlichen Stadtteil Gräfrath (Klosterhof 4) – das Deutsche Klingenmuseum zu Hause ist. Es zeigt Bestecke und Schneidegeräte aus allen Epochen, von Klingen der frühen Steinzeit bis hin zum zeitgenössischen Design-Eßbesteck. Auch im Museum Baden (Werke Solinger Künstler, Graphiken, Münzen, Porzellan) kommt der Kunstinteressierte auf seine Kosten. Südöstlich der Innenstadt – jenseits der Wupper – steht Schloß Burg, einst Sitz der Grafen von Berg, nach denen das Bergische Land benannt ist. Es beherbergt das Bergische Museum. Dokumentiert wird der mittelalterliche Alltag der Burgbewohner; Möbel und Tafelgerät veranschaulichen die damalige Wohnkultur. Weiter westlich liegt an der Wupper der Balkhauser Kotten, ein Fachwerkhaus mit alter Werkzeugschleiferei.

Wuppertal und Bergisches Land (Fortsetzung) Schloß Burg

Im westlichen Stadtteil Ohligs-Merscheid wurde im Gebäude der ehemaligen Gesenkschmiede Hendrichs, einem wertvollen Industriedenkmal, das Rheinische Industriemuseum eingerichtet. Die in ihrem ursprünglichen Charakter erhaltenen Produktionsräume – Schmiede, Schneiderei und Werkzeugmacherei – stehen im Mittelpunkt der Museumspräsentation.

Rheinisches Industriemuseum

Am Ostrand der Stadt überspannt die Müngstener Brücke, Deutschlands höchste, 500 m lange Eisenbahnbrücke, eine eindrucksvolle Stahlgitter-Bogenkonstruktion, in 107 m Höhe das Tal der Wupper.

*Müngstener Brücke

Würzburg

F 6

Bundesland: Bayern
Höhe: 182 m ü.d.M.
Einwohnerzahl: 128 000

Die alte Bischofsstadt Würzburg liegt mitten im fränkischen Weinbaugebiet, an beiden Ufern des Mains. Mit zahlreichen Bildungseinrichtungen, darunter einer Universität, bedeutenden Industriebetrieben und dem Zentrum des fränkischen Weinbaus und -handels ist sie wirtschaftlicher und kultureller Mittelpunkt Unterfrankens. Ferner spielt der Binnenhafen am Rhein-Main-Donau-Großschiffahrtsweg eine Rolle.

Lage und Allgemeines

Das Gesamtbild der Stadt wird von der mittelalterlichen Festung Marienberg beherrscht; ihr zu Füßen und auf dem rechten Mainufer steht die fürstbischöfliche Residenz, eine der großartigsten Schloßbauten des Barocks und seit 1982 auf der UNESCO-Liste des Weltkulturerbes. Darüber hinaus erwarten die Besucher zahlreiche bedeutende Kunstwerke u. a. von dem Holzschnitzer Tilman Riemenschneider sowie von dem venezianischen Maler Giovanni Battista Tiepolo. Nach dem Kunstgenuß laden zahlreiche traditionelle Weinstuben ein, in denen der weithin bekannte fränkische Wein angeboten wird. Einen guten Überblick über die Anbaugebiete erteilt das Haus des Frankenweins am Alten Kranen.

*Stadtbild

Bereits um 1000 v. Chr. bestand auf dem linksmainischen Virteberg eine Fliehburg. Am Fuße des später Marienberg genannten Berges entwickelte sich eine Siedlung, die um 650 Sitz eines fränkischen Herzogshofs wurde. Dessen Entwicklung erhielt Auftrieb durch die Missionstätigkeit der irischen Mönche Kilian, Kolonat und Totnan, die 686 an den Hof kamen. Obwohl sie nur drei Jahre später im Auftrag der Herzogsgattin Gailina ermordet wurden, setzte sich der neue Glaube durch: 742 wurde das Bistum Würzburg gegründet. 1030 verlieh Konrad II. der bereits befestigten Stadt Münz-, Zoll- und Marktrechte. Unter den Staufern erlebte Würzburg eine erste Blütezeit. 1156 feierte Friedrich Barbarossa hier seine Hochzeit mit Beatrix von Burgund; mehrere Reichstage wurden in der Stadt abgehalten. Barbarossa war es auch, der die Würzburger Bischöfe zu Herzögen von Franken erhob. In der Folgezeit kam es häufiger zu Zusammenstößen zwischen der bischöflichen Herrschaft und dem selbstbewußt gewordenen Bürgertum. Ihre zweite Blütezeit erlebte die Stadt dann im 17. und 18. Jh. unter den drei Fürstbischöfen aus dem Hause Schönborn, damals erhielt Würzburg sein barockes Aussehen. 1802/1803 und endgültig 1815 fiel Würzburg an Bayern. Am 16. März 1945 wurde das Stadtzentrum von Bomben zerstört. Die Namen dreier herausragender Künstler sind mit der Stadt verbunden: Tilman Riemenschneider, der 1483 aus dem Harz nach

Geschichte

Geschichte
(Fortsetzung)

Würzburg zugewanderte Bildhauer und Holzschnitzer († 1531), Balthasar Neumann (1678–1753), der geniale Barockbaumeister, und der venezianische Maler Tiepolo (1696–1770).

Sehenswertes in Würzburg

**Residenz

Am weiten Residenzplatz steht die 1720–1744 unter dem Barockbaumeister Balthasar Neumann (1678–1753) errichtete fürstbischöfliche Residenz, welche die alte Festung Marienberg ersetzte. An ihrer Ausgestaltung waren die Maler J. R. Byss und Johann Zwick sowie die Bildhauer J. W. van der Auwera und J. P. Wagner beteiligt. Zu den eindrucksvollsten Räumen gehört das monumentale Treppenhaus, dessen 600 m² großes Deckengewölbe von einem Freskengemälde des Venezianers Tiepolo eingenommen wird. Dieser malte 1752/1753 das bis heute größte Deckengemälde der Welt. Dargestellt sind die damals bekannten vier Erdteile Europa, Asien, Afrika und Amerika sowie antike Gottheiten, die dem fränkischen Herrscher huldigen. Einen Höhepunkt stellen auch die Stuckarbeiten von A. Bossi im Weißen Saal dar, über den man in den Kaisersaal gelangt, dessen Fresken mit Ereignissen aus der Würzburger Geschichte ebenfalls von Tiepolo stammen. Es schließen sich weitere, im Stil der Zeit ausgestattete Räume sowie die schöne, ebenfalls von Neumann entworfene Hofkirche an. Die Gemälde über den Seitenaltären sind von Tiepolo. Die Residenz dient heute v. a. repräsentativen Zwecken; alljährlich findet hier z. B. das Mozart-Fest statt; im Nordflügel ist das Staatsarchiv und im Südflügel das Martin-von-Wagner-Museum untergebracht. Letzteres zeigt Gemälde aus

Museum

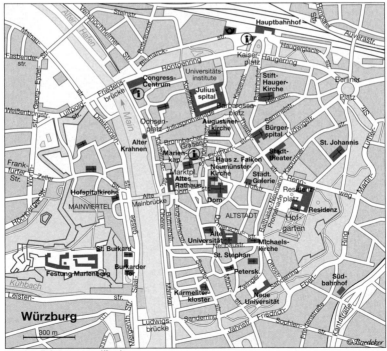

Fußgängerzone   Käppele

*Die Alte Mainbrücke verbindet den Stadtteil links des Mains mit der
Würzburger Innenstadt, aus der die Türme des Rathauses und des
Doms herausragen.*

dem 14. bis zum 19. Jh., Altarbilder Würzburger Meister des 14. – 16. Jh.
und Holzplastiken, u. a. von Riemenschneider; die Antikensammlung umfaßt vor allem antike Kleinkunst aus dem 6. bis 4. Jh. v. Chr. sowie griechische und römische Bronzeplastiken und -geräte. Hinter der Residenz erstreckt sich der Hofgarten mit zahlreichen Steinplastiken des Johann Peter
Wagner. (Öffnungszeiten: April bis Okt. Di.–So. 9.00–17.00 Uhr; Nov. bis
März Di. – So. 10.00 – 16.00 Uhr.)

Martin-von-
Wagner-Museum
(Fortsetzung)

Über die Hofstraße erreicht man den 1045–1188 erbauten Dom, den nach
Mainz und Speyer drittgrößten romanischen Sakralbau Deutschlands.
Nach seiner Zerstörung wurde er wiederaufgebaut. Heute kontrastieren in
seinem Innern das flachgedeckte, romanische Mittelschiff mit dem Barock-
stuck des Chores und seiner erst in den achtziger Jahren abgeschlossenen Ausschmückung; der Altar stammt von Albert Schilling (1966). Beachtenswert sind die Bischofsgrabmäler (12.–17. Jh.) an den Pfeilern des
Langhauses, darunter am 7. und 8. Pfeiler zwei Arbeiten von Riemenschneider für Rudolf von Scherenberg und Lorenz von Bibra. 1721–1736
fügte Balthasar Neumann am nördlichen Querschiff die Schönbornkapelle
als Grablege für die Fürstbischöfe an. An die Südseite des Doms schließt
sich der gotische Kreuzgang an.

*Dom St. Kilian

Über der Grabstätte der irischen Mönche Kilian, Kolonat und Totnan wurde
im 11. Jh. eine Basilika erbaut, die im Barock ihre mächtige, achtseitige
Kuppel und die schwungvoll gestaltete Westfassade erhielt. Unter der Ausstattung sind Riemenschneiders Sandsteinmadonna (unter der Kuppel),
seine Büsten der Frankenapostel auf dem Hauptaltar und die Darstellung
Christi mit unter der Brust verschränkten Armen (Mitte 14. Jh.) besonders
zu beachten. Im sog. Lusamgärtlein hinter dem Neumünster befindet sich
der Flügel eines Kreuzganges aus der Stauferzeit und ein Gedenkstein für

Neumünster

Würzburg

Neumünster
(Fortsetzung)

den berühmten Minnesänger Walther von der Vogelweide (geb. um 1170, wahrscheinlich in Österreich), der vermutlich 1230 in Würzburg starb.

*Marienkapelle

Am Markt steht die Ende des 14. Jh.s erbaute Marienkapelle, Würzburgs Bürgerkirche. Im Innern befinden sich Grabmäler fränkischer Ritter und bedeutender Würzburger Bewohner, darunter das Grabmal für Konrad von Schaumberg (Riemenschneider) sowie das Grab von Balthasar Neumann. Die beiden Sandsteinfiguren Adam und Eva am Kirchenportal sind ebenfalls von Riemenschneider (Originale im Mainfränkischen Museum). Das

Haus zum Falken

Haus zum Falken, östlich der Marienkapelle, besitzt die schönste Rokokostuck-Fassade der Stadt (1752).

Rathaus
Grafeneckart

Das Würzburger Rathaus, südwestlich vom Marktplatz, kurz vor Beginn der Alten Mainbrücke, entstand im 13. Jh. als Sitz des bischöflichen Burggrafen. Im Laufe der Jahrhunderte wurde es ständig erweitert sowie der nach dem Burggrafen Eckart benannte Steinturm auf 55 m erhöht. Etwas zurückversetzt schließt sich der Rote Bau (1659/1660) mit seiner reichgegliederten Renaissancefassade an. Der sog. Vierröhrenbrunnen vor dem Rathaus ist von 1765.

*Alte Mainbrücke

Über die mit barocken Heiligenstandbildern geschmückte Alte Mainbrücke gelangt man in den linksmainischen Stadtteil. Die Pfeiler sind aus dem 15. Jh.; zunächst waren sie nur durch hölzerne Konstruktionen verbunden. Erst 1703 wurde das letzte Joch eingewölbt. Von der Brücke sieht man die zwei ausladenden Arme des Alten Kranen (1767–1775) sowie das Congress Centrum der Stadt.

Festung
Marienberg

Das beherrschende Wahrzeichen Würzburgs ist die mächtige Festung Marienberg, die sich über dem linken Flußufer erhebt. An der Stelle einer keltischen Fliehburg entstand um 706 eine erste Marienkirche. 1201 wurde mit

Hoch über dem Main thront die Festung Marienberg, das Wahrzeichen Würzburgs. Heute beherbergt es zwei Museen.

dem Bau der Festung begonnen, die bis 1719 Sitz der Fürstbischöfe blieb und im Laufe der Jahrhunderte, vor allem während der Renaissance und des Barock, mehrfach umgebaut und erweitert wurde. Besonders hervorzuhebende Bauteile sind der 30 m hohe Bergfried (13 Jh.) im innersten Burghof, die nebenstehende, 706 geweihte und mehrfach veränderte Marienkirche sowie das zierliche Renaissance-Brunnenhaus über dem 102 m tiefen Brunnen. Vom Fürstengarten hat man einen schönen Blick über Würzburg. In der Festung befinden sich zwei Museen: Das ehem. Zeughaus der Festung beherbergt das Mainfränkische Museum (Eingang rechts im ersten Burghof; geöffnet Apr.–Okt. Di.–So. 10.00–17.00, Nov.–März Di.–So. 10.00–16.00 Uhr). Es birgt eine Fülle bedeutender Kunstwerke aus dem mainfränkischen Raum, darunter viele Meisterwerke Tilman Riemenschneiders und Originalfiguren von Ferdinand Tietz; sehenswert sind auch die vorgeschichtliche Sammlung, Zeugnisse fränkischer Weinkultur und die Volkskundeabteilung. Im Fürstenbau-Museum erhält der Besucher einen Einblick in die 1200jährige Stadtgeschichte sowie in die Wohnwelt der Würzburger Fürstbischöfe (geöffnet: Apr.–Sept. Di.–So. 9.00–12.30 und 13.00–17.00, Okt.–März Di.–So. 10.00–12.30 und 13.00–16.00 Uhr).

Würzburg, Festung Marienberg (Fortsetzung)

**Mainfränkisches Museum

Fürstenbau-Museum

Die Wallfahrtskirche Käppele, etwas flußaufwärts auf dem Nikolausberg, entstand 1747–1750 als letztes Bauwerk von Balthasar Neumann. Man erreicht sie zu Fuß über einen steilen Treppenweg mit Stationsbildern. Der herrliche Stuck im Innern ist von Johann Michael Feuchtmayer und Materno Bossi, die Fresken malte Matthäus Günther.

*Käppele

Umgebung von Würzburg

Rund 7 km nordwestlich von Würzburg, es besteht auch eine Schiffsverbindung, liegt Schloß Veitshöchheim, die ehem. Sommerresidenz der Würzburger Fürstbischöfe. Sie wurde 1682 errichtet, um 1750 von Balthasar Neumann erweitert und dient heute vorwiegend Repräsentationszwecken. Der besuchenswerte Schloßgarten, 1703–1774 nach französischem Vorbild angelegt, ist der besterhaltene Rokokogarten Deutschlands. Mittelpunkt ist ein großer künstlicher See mit Fontänen und der Parnaßgruppe, einer von einem Pegasus bekrönten Skulpturengruppe; im weitläufigen Garten sind viele Barockplastiken aufgestellt.

Schloß Veitshöchheim

*Schloßgarten

In der Umgebung von Würzburg laden zahlreiche Winzerorte zum Besuch ein. Einige von ihnen liegen auf der sog. Bocksbeutelstraße, die es in verschieden langen Varianten gibt. Nähere Informationen gibt es beim örtlichen Fremdenverkehrsamt. Vermutlich brachten Mönche im frühen Mittelalter den 799 erstmals urkundlich erwähnten Weinbau nach Würzburg. Heute wird auf rund 5000 ha Anbaufläche Wein angebaut. Zu den wichtigsten Rebsorten gehören Müller-Thurgau, Silvaner, Riesling, Kerner, Schreurebe, Bachus und Spätburgunder. Die besten Weine werden in Bocksbeutel abgefüllt (flache, bauchige Flaschen); Qualitätsstufen sind Kabinett, Spätlese, Auslese, Beerenauslese und Trockenbeerenauslese.

*Bocksbeutel-straße

Xanten

C 4

Bundesland: Nordrhein-Westfalen
Höhe: 24 m ü.d.M.
Einwohnerzahl: 20 000

Die alte Stadt Xanten am Niederrhein, aus einer römischen Garnison hervorgegangen, wird im Nibelungenlied als Heimat Siegfrieds genannt.

Lage und Allgemeines

Um 15 v. Chr. gründeten die Römer auf dem Fürstenberg südlich der heutigen Stadt ihr "Castra Vetera". Von hier zog Varus mit drei Legionen zur

Geschichte

Xanten

Schlacht im Teutoburger Wald. Im Jahr 100 n. Chr. gründete Kaiser Ulpius Traianus weiter nördlich die Bürgerstadt "Colonia Ulpia Traiana". Das heutige Xanten entwickelte sich südlich über dem Grab des Märtyrers Viktor und seiner Gefährten. Im 8. Jh. bestand bereits ein Stift, um das sich eine Kaufmannssiedlung bildete. 1228 erhielt Xanten die Stadtrechte. 1975 wurde im Rahmen des Nordrhein-Westfalen-Programms beschlossen, die Stadt als Fremdenverkehrsgebiet zu gestalten.

Sehenswertes in Xanten

*Dom

Der Dom St. Viktor am Markt, der um 1200 als romanische Anlage errichtet und ab 1263 durch einen gotischen Neubau ersetzt wurde, ist nächst dem Kölner Dom der bedeutendste gotische Kirchenbau am Niederrhein. Im Inneren sind beachtenswert der Hochaltar aus dem 16. Jh. mit den Reliquienbüsten und Schnitzarbeiten von Heinrich Douvermann und den Flügelgemälden von Barthel Bruyn d. Ä., ferner der Marienaltar von Heinrich Douverman (um 1535), der aus Eichenholz gearbeitete Szenen des Marienlebens zeigt.

Regionalmuseum

Südlich vom Dom befindet sich in der Kurfürstenstr. 7 – 9 das Regionalmuseum Xanten. In seiner ständigen Ausstellung präsentiert das Museum die Geschichte des Xantener Raumes. Außerdem sind Objekte ausgestellt, die man bei archäologischen Grabungen fand: Waffen aus römischen Militärlagern, Geschirr, schöner Schmuck und diverse Kunstwerke aus der römischen Zivilstadt.

Gotisches Haus
Klever Tor

Unter den mittelalterlichen Bauten der Altstadt sind das Gotische Haus am Markt, ein schönes Beispiel spätgotischer Architektur, und das Klever Tor zu nennen. Das 1393 erbaute Doppeltor ist ein eindrucksvoller Rest der mittelalterlichen Stadtbefestigung, zwei Rundtürme flankieren die Toröffnung auf der Feldseite, eine brückenartige Zufahrt führt zum Haupttor.

Freizeitzentrum
Xanten

Das Freizeitzentrum Xanten am Niederrhein bietet Gelegenheit zu Erholung und Wassersport: Die "Xantener Nordsee" ist ein ideales Segel- und Surfrevier, das Nibelungenbad bietet ein Wellenfreibecken und die Strandbadelandschaft "Xantener Südsee".

*Archäologischer
Park Xanten

Nördlich der Stadt, jenseits der Bundesstraße 57, liegt der Archäologische Park Xanten. Hier kann man auf dem Areal der Römersiedlung "Colonia Ulpia Traiana" Rekonstruktionen römischer Bauten sehen. Zur Befestigung der Siedlung gehörte neben der römischen Stadtmauer (z.T. rekonstruiert) auch ein Grabensystem vor der Mauer. Die Gräben waren als Hindernis gegen Angreifer gedacht, jedoch nicht mit Wasser gefüllt. Ein Rundweg innerhalb der Stadtmauer führt zu 30 Stationen, darunter ein Amphitheater, das Stadtbad, eine Jupitergigantensäule und ein Altar des Mars Cicollvis (Abguß; Original im Rheinischen Landesmuseum Bonn). Auf dem östlichen Gebiet der Römerstadt finden an verschiedenen Stellen Grabungen statt, bei denen der Besucher unmittelbaren Einblick in die Arbeit des Archäologen nehmen kann. Ein Ackerfeld mitten in der Stadt ist mit "römischem" Getreide bestellt – dazu zählen Dinkel, Emmer, Einkorn, Weizen und Gerste; auch einen Backofen hat man nachgebaut. Im Informationszentrum des Archäologischen Parks gibt es ein Modell der Colonia Ulpia Traiana, dort kann sich der Besucher über Grabungsmethoden und Auswertung der archäologischen Untersuchungen informieren. In einer Dia-Multivisionsschau werden Themenbereiche wie "Bauen und Wohnen zur Römerzeit" dargestellt. In einer Herberge genießt man römisches Wirtshausleben mit Speisen nach Rezepten von Apicius.
Längs der Römerstadt Colonia Ulpia Traiana verlief in römischer Zeit ein Rheinarm, der als Hafen ausgebaut war. Es ist geplant, im Rahmen einer Auskiesung des Altrheinarms die Situation der Römerstadt mit vorgelagertem Hafen wiederherzustellen.

Umgebung von Xanten

Östlich von Xanten liegt an der Mündung der Lippe in den Niederrhein Wesel, eine Stadt, von deren alten Befestigungsanlagen noch das Zitadellentor (1718) und das repräsentative Berliner Tor (1722) erhalten sind. In der Zitadelle befindet sich ein nach dem preußische Kommandeur Ferdinand von Schill benanntes Museum. 1809 kämpfte er mit seinen Truppen im Rheinland gegen die Franzosen; elf preußische Offiziere, die unter Schill dienten, wurden in Wesel von den Franzosen erschossen. Beachtenswert ist der Dom St. Willibrord am Willibrordiplatz, eine Kirche mit reichem Netz- und Sterngewölbe sowie schönen Maßwerkfenstern. Wesel

Westlich von Xanten liegt, nahe der deutsch-niederländischen Grenze, die Stadt Goch. Sie entstand im Schutz einer Burg der Grafen von Geldern und fiel 1473 an das Herzogtum Kleve. Auffallend sind im Stadtbild die Pfarrkirche St. Maria Magdalena, das Steintor und das Haus zu den fünf Ringen. Vom Kultur- und Kongreßzentrum Kastell besteht Zugang zum Foyer des Museums für Kunst- und Kulturgeschichte der Stadt Goch (Kastellstraße 9), dessen Schwerpunkte neben der Stadtgeschichtlichen Sammlung die Kunst des 19. und 20. Jh.s (u. a. Rudolf-Schoofs-Kabinett) sowie eine Grammophon-Sammlung bilden. Goch

Zittau L 5

Bundesland: Sachsen
Höhe: 250 m ü.d.M.
Einwohnerzahl: 33 000

Im hintersten Winkel von Deutschland, im Dreiländereck mit Polen und der Tschechischen Republik, liegt Zittau, sorbisch Žitawa. Die Stadt, einst durch die Lage an Fernstraßen für den Handel bedeutend, ist heute Hochschulstadt sowie wichtiges Kultur- und Industriezentrum, vor allem aber besitzt sie eine schöne Altstadt und ist ein günstiger Ausgangspunkt für Ausflüge in das etwas versteckt liegende Zittauer Gebirge. In Zittau wurde Christian Weise (1644–1708) geboren, Rektor des Gymnasiums und Verfasser der sog. Zittauer Schuldramen. Lage und Allgemeines

Urkundlich erstmals 1238 erwähnt, erreichte Zittau unter dem Schutz der böhmischen Könige sehr schnell eine bedeutende Stellung, die die Mitgliedschaft im 1346 gegründeten Oberlausitzer Sechsstädtebund sichern sollte. Mit dem Übergang der Oberlausitz an Kursachsen 1635 und der Schließung der Grenze zu Böhmen verschlechterten sich die Handelsbedingungen, und im Siebenjährigen Krieg wurde Zittau am 23. Juli 1757 von den Österreichern zerstört. Nach der Neugliederung des Gebietes durch den Wiener Kongreß hemmte die neue preußisch-sächsische Grenze im Norden die Entfaltung; die zunehmende Industrialisierung und der Anschluß an das Eisenbahnnetz machten dann jedoch eine wirtschaftliche Entwicklung wieder möglich. Nach dem Zweiten Weltkrieg war man jedoch durch die Abschottung des Ostblocks wieder einigermaßen isoliert. Die Wiederbelebung des Dreiländerecks als Drehscheibe zwischen West- und Osteuropa verschafft Zittau vielleicht wieder seine alte Bedeutung als Stadt an wichtigen Verkehrswegen. Geschichte

Sehenswertes in Zittau

Der Markt, Zittaus Mittelpunkt, besitzt mit dem 1840–1845 nach Plänen von Karl Friedrich Schinkel im Stil der italienischen Renaissance erbauten Rathaus eine städtebauliche Besonderheit. Weiterhin herausragende Bauten sind der Barockbau des ehemaligen Gasthofes Zur Sonne (um 1710), *Markt
*Rathaus

Zittau

Markt (Fortsetzung)

die Fürstenherberge (1767) im Rokokostil und das Noacksche Haus (1689), eines der schönsten erhaltenen barocken Patrizierhäuser der Stadt. An der Westseite des Platzes steht der Rolandbrunnen von 1585, auch Marsbrunnen genannt, denn die Brunnenfigur stellt den Kriegsgott Mars dar. Das Dornspachhaus an der Ecke zur Bautzner Straße ist 1553 errichtet worden und besitzt einen schönen Arkadenhof.

*Johanniskirche

Von hier blickt man auf die klassizistische Johanniskirche (1837), erbaut nach Entwürfen von Karl Friedrich Schinkel. Die Türmerwohnung kann besichtigt werden; von oben bietet sich eine schöne Aussicht. Am Johannisplatz befindet sich das Alte Gymnasium mit dem Grabmal des Bürgermeisters Nikolaus Dornspach.

Weberkirche

Vom Johannisplatz geht die Innere Weberstraße ab, wo die prunkvollen Handelshöfe Beachtung verdienen. Am Ende, außerhalb der ehemaligen Stadtbefestigung, steht die um 1500 erbaute Weberkirche.

Ehem. Franziskanerkloster

Museen

Vom Johannisplatz ist es nicht weit zum Klosterplatz. Hier befindet sich das 1268 gegründete und 1522 säkularisierte Franziskanerkloster mit der spätgotischen Klosterkirche St. Petri und Pauli. Der bedeutendste Teil der Klosteranlage ist dank seines herrlichen Volutengiebels der sog. Heffterbau (1622), in dem das Stadt- und Kreismuseum sowie das Dr.-Curt-Heinke-Museum für Mineralogie und Geologie untergebracht sind.

Konstitutionssäule

Unweit des Heffterbaus erinnert vor dem spätklassizistischen Johanneum die Konstitutionssäule an die sächsische Verfassung von 1831.

Marstall

Vom Klosterplatz geht man zum August-Bebel-Platz, der beherrscht wird vom Marstall mit seinem mächtigen Mansardendach, erbaut 1511 als Salzhaus. Auffällig sind auch der Samariterinnen-, der Schwanen- und der Herkulesbrunnen, allesamt schöne Beispiele barocker Bildhauerkunst.

Blumenuhr

Östlich vom Platz liegt die Fleischerbastei, geschmückt von einer Blumenuhr mit einem Glockenspiel aus Meißner Porzellan.

Kreuzkirche

Auf dem Kreuzfriedhof steht die unter böhmischem Einfluß entstandene Kreuzkirche, ein zweischiffiger spätgotischer Bau (15. Jh.) mit sehenswerten Wandgemälden und einer Kreuzigungsgruppe. Gegenüber der Schleifermännchenbrunnen, für den ein Zittauer Original Pate stand.

Umgebung von Zittau

*Großschönau

Über Bertsdorf gelangt man nach Großschönau, ein Idyll der Oberlausitz mit wunderschönen Umgebindehäusern. Daß Großschönau einst eines der größten Damastweberdörfer Europas war, belegt das Heimat- und Damastmuseum. Auch ein Motorradmuseum gibt es hier.

Zittauer Gebirge *Landschaftsbild

Das kleine Zittauer Gebirge liegt zwischen der oberen Neiße und dem Lausitzer Bergland südlich von Zittau. Wie das Elbsandsteingebirge besteht es aus Sandstein. Sein Nordabfall ist steil und zeigt aufgelöste Felsformen ähnlich denen der → Sächsischen Schweiz, während es nach Süden hin abflacht. Im Zittauer Gebirge wechseln sich malerische Wälder mit wilden Klammen und vulkanischen Kegeln ab – ein ideales Wandergebiet, wie geschaffen für Kur und Erholung.

*Zittauer Bimmelbahn

Wer Zeit hat, sollte von Zittau aus mit der "Zittauer Bimmelbahn" nach Oybin oder Jonsdorf fahren. Die dampfbetriebene Schmalspurbahn verkehrt im regulären DB-Verkehr.

*Kurort Oybin Berg Oybin

Hauptort des Zittauer Gebirges ist der Kurort Oybin am Fuße des kegelförmigen Sandsteinberges Oybin. Auf ihm wurde bereits 1258 eine Burg angelegt, die von Raubrittern übernommen und 1291 zerstört wurde; ab 1311 entstand die Leipaburg, deren Ruinen noch erhalten sind. 1346 an Kaiser

Großschönau ist dank seiner Umgebindehäuser ein Idyll geblieben.

Karl IV. gefallen, wurde die Burg zur Festung ausgebaut und den Zittauern zur Verwaltung übergeben. Zwei Jahre später siedelten Mönche aus Avignon auf dem Berg, die 1384 die Klosterkirche vollendeten. Berg und Burg waren ein vielbesuchtes Ziel romantischer Maler, allen voran Caspar David Friedrich. Die Ruinen von Kloster, Kirche und Burg geben heute die Kulisse ab für den Bergfriedhof, das Bergmuseum und natürlich den Berggasthof. Von der Burg führt ein Ringweg zu den schönsten Aussichtspunkten des Bergplateaus. Am Fuße des Berges steht die barocke Dorfkirche (1709) mit herrlichen bemalten Emporen. Unterhalb der Burgkeller von 1560, am Bahnhof ein Museum über die Bimmelbahn.

Zittau, Umgebung, Kurort Oybin (Fortsetzung)

Dorf Oybin

Im alten Zittauer Ratsdorf und heutigen Kurort Jonsdorf gibt es Kuranlagen, eine Freilichtbühne und eine Volkssternwarte. Südlich von Kurort Jonsdorf liegen die Mühlsteinbrüche mit interessanten Sandsteinaufschlüssen und vulkanischem Gestein, u. a. die "Drei Tische".

Kurort Jonsdorf

Zwickau

I 5

Bundesland: Sachsen
Höhe: 263 m ü.d.M.
Einwohnerzahl: 107 000

Die Stadt Zwickau, der Geburtsort des Komponisten Robert Schumann (1810–1856), liegt rund 40 km südwestlich von → Chemnitz an der Mulde. Die Tuchmacherei, der Handel mit dem "Zwickisch Tuch" und vor allem die Beteiligung am erzgebirgischen Silberbergbau begründeten Zwickaus Ansehen und Reichtum, der im 20. Jh. durch den Automobilbau (Horch, Wanderer, DKW, Auto-Union und später Trabant) gemehrt wurde. Zwickau gilt als das "Tor zum westlichen Erzgebirge", beginnt hier doch die Sächsische Silberstraße (→ Erzgebirge).

Lage und Allgemeines

Zwickau

Geschichte

Das 1118 erstmals urkundlich erwähnte Zwickau hatte sich bereits um 1200 als Fernhandelsstützpunkt an der Handelsstraße Altenburg–Prag eine herausragende Position erworben. Tuchfertigung und Schmiedehandwerk, dazu Gewinnanteile aus dem erzgebirgischen Bergbau führten dann im 15./16. Jh. zu wirtschaftlicher und kultureller Blüte. Zwickau war zu dieser Zeit die größte Stadt Kursachsens. Wachsende Bedeutung erlangte die Stadt durch den Aufschwung des Steinkohlenbergbaus im 19. Jh. und durch das Entstehen zahlreicher Industriebetriebe.

Sehenswertes in Zwickau

Markt

Am Markt steht zunächst das 1862 neugotisch umgestaltete Rathaus, ursprünglich 1403 erbaut. Aus dieser Anfangszeit stammen noch der Rats- und Empfangssaal, die einstige Jakobskapelle und spätere Ratstrinkstube.

*Gewandhaus

Das Gewandhaus (1522–1525), ein spätgotischer Bau mit einigen Renaissance-Elementen, ist das schönste Gebäude am Markt dank seines ungewöhnlichen Staffelgiebels. Seit 1823 wird es als Stadttheater genutzt.

*Robert-
Schumann-
Haus

Im Geburtshaus von Robert Schumann (Hauptmarkt 5) erinnert eine Ausstellung an den Komponisten und seine Frau, die Pianistin Clara Schumann-Wieck, deren Flügel eines der Hauptschaustücke ist.

Am Markt und in der Altstadt findet man bemerkenswerte Bürgerhäuser, so das Kräutergewölbe (Hauptmarkt 17/18; frühes 16. Jh.), das Dünnebierhaus (1480) mit Staffelgiebel (Innere Dresdner Str. 1) und das Schiffchen (um 1485; Münzstr. 12).

*Dom St. Marien

Der auf das Jahr 1206 zurückgehende spätgotische Dom St. Marien, nach mehreren Bränden ab 1453 neu erbaut, birgt zahlreiche Kunstschätze, darunter einen spätgotischen Hochaltar (1479) mit vier Marienbildern des Nürnbergers Michael Wolgemut, ein Heiliges Grab (1507), die Pietà des Zwickauers Peter Breuer und eine Frührenaissencekanzel von 1538. Thomas Müntzer predigte hier im Jahr 1520 wie auch in St. Katharinen.

Schloß Osterstein

Im Nordosten der Altstadt erhebt sich das düstere Schloß Osterstein. Es ist 1590 anstelle eines kurz nach 1212 errichteten Baues vollendet worden und diente lange Zeit als Haftstätte, in der u. a. auch der Schriftsteller Karl May einsaß.

St. Katharinen

Die Pfarrkirche St. Katharinen südlich des Schlosses – zwischen 1206 und 1219 gegründet und nach einem Brand im 14. Jh. neu erbaut – besitzt u. a. einen Flügelaltar aus der Cranach-Werkstatt (1517).

Städtisches
Museum

Im Städtischen Museum (Lessingstr. 1) sind Zeugnisse der Stadtgeschichte und des Steinkohlenbergbaus, kunst- und kulturgeschichtliche Exponate sowie eine Mineralien- und Fossiliensammlung zu sehen. Auch Gemälde des gebürtigen Zwickauers Max Pechstein sind ausgestellt.

Automobilmuseum
"August Horch"

Nördlich außerhalb der Altstadt beleuchtet das Automobilmuseum "August Horch" auf dem ehemaligen Fabrikgelände von Horch, Wanderer, DKW und Auto-Union die traditionsreiche Geschichte der Autoproduktion in Zwickau bis hin zu nie in Serie gebauten Prototypen der Trabantwerke.

Barockschloß
Planitz

Der Stadtteil Planitz besitzt ein hübsches barockes Schloß mit einem Park und einem sehr schönen Teehaus von 1769.

Umgebung von Zwickau

Hartenstein

In Hartenstein, Ortsteil Stein (17 km südöstlich), gibt es ein ursprünglich romanisches Schloß mit gut erhaltenen Wehranlagen und einem Heimatmuseum. In ihm werden Leben und Werk des in Hartenstein geborenen Dichters Paul Fleming (1609–1640) dokumentiert.

Auch das 10 km südwestlich gelegene Schönfels nennt eine sehr gut erhaltene spätgotische Burg mit bemerkenswerter Burgkapelle, Bergfried und Wehrgang sein eigen.

Die Stadt Glauchau liegt 15 km nordöstlich von Zwickau. Ihre größte Sehenswürdigkeit ist das aus zwei Teilen bestehende Schloß: Schloß Hinterglauchau (1460–1470) mit dem "Steinernen Saal" beherbergt das Städtische Museum mit einer feinen Gemälde- und Möbelsammlung sowie Ausstellungen zum Leben der Glauchauer Weber und über den in Glauchau geborenen Bergbauwissenschaftler Georgius Agricola (1494–1555); in Schloß Forderglauchau (1527–1534) ist die Stadtbibliothek eingerichtet. Sehenswert sind außerdem die barocke Kirche St. Georg (1726–1728) mit ihrem gotischen Flügelaltar (um 1510) und einer Silbermann-Orgel (1730) sowie die wunderbar nostalgische Schalterhalle des Postamts.

Im Töpferstädtchen Waldenburg, 8 km nordöstlich von Glauchau, lohnt ein Besuch im Linckschen Naturalienkabinett. Diese Sammlung, überwiegend Herbarien, aber auch manche Monstrosität, ist bereits 1670 von einer Leipziger Apothekerfamilie begonnen worden.

20 km nordwestlich von Zwickau kommt man zum ehemaligen Wasserschloß Blankenhain, Mittelpunkt eines großzügigen Agrar- und Freilichtmuseums mit Dorfschule, Bäckerei und Brauerei.

**Praktische
Informationen
von A bis Z**

Praktische Informationen von A bis Z

Auskunft

Zentrale Fremdenverkehrsorganisationen

Deutsche Zentrale für Tourismus (DZT), Beethovenstr. 69,
D-60325 Frankfurt am Main, Tel. (069) 97 46 40, Fax 75 19 03

Deutscher Fremdenverkehrsverband (DFV), Bertha-von-Suttner-Platz 13,
D-53111 Bonn, Tel. (02 28) 98 52 20, Fax 69 87 22

Deutscher Bäderverband, Schumannstr. 111, D-53113 Bonn,
Tel. (02 28) 26 20 10, Fax 21 55 24

Regionale Fremdenverkehrsorganisationen

Baden-Württemberg

LFV-Marketing GmbH Baden-Württemberg, Esslinger Str. 8,
D-70182 Stuttgart, Tel. (07 11) 23 85 80, Fax 2 38 58 99

Tourismusverband Bodensee-Oberschwaben, Schützenstraße 8,
D-78462 Konstanz, Tel. (0 75 31) 9 09 40, Fax 90 94 94

Tourismusverband Neckarland-Schwaben, Lohtorstraße 21,
D-74072 Heilbronn, Tel. (0 71 31) 7 85 20, Fax 78 52 30

Tourismusverband Schwarzwald, Bertoldstraße 45, D-79016 Freiburg i. Br.,
Tel. (07 61) 3 13 17, Fax 3 60 21

Bayern

Bayerischer Tourismusverband, Prinzregentenstraße 18,
D-80538 München, Tel. (0 89) 2 12 39 70, Fax 29 35 82

Tourismusverband Allgäu / Bayerisch-Schwaben, Fuggerstraße 9,
D-86150 Augsburg, Tel. (08 21) 3 33 35, Fax 3 83 31

Tourismusverband Franken, Postfach 810269, D-90247 Nürnberg,
Tel. (09 11) 26 42 02, Fax 27 05 47

Tourismusverband München-Oberbayern, Bodenseestraße 113,
D-81243 München, Tel. (0 89) 8 29 21 80, Fax 82 92 18 28

Tourismusverband Ostbayern, Landshuter Straße 13,
D-93047 Regensburg, Tel. (09 41) 58 53 90, Fax 5 85 39 39

Berlin

Berlin Tourismus Marketing GmbH, Am Karlsbad 11, D-10785 Berlin,
Tel. (0 30) 2 64 74 80, Fax 26 47 48 99

◀ *Nach dem Aufstieg auf das Nebelhorn bei Oberstdorf wird man belohnt
mit einem guten Essen und einem herrlichen Blick auf die Allgäuer Alpen.*

Tourismusverband des Landes Brandenburg, Schlaatzweg 1,   Brandenburg
D-14473 Potsdam, Tel. (03 31) 27 52 80, Fax 2 75 28 10

Verkehrsverein der Freien Hansestadt Bremen, Hillmannplatz 6,   Bremen
D-28195 Bremen, Tel. (04 21) 30 80 00, Fax 3 08 00 30

Tourismus-Zentrale Hamburg, Steinstraße 7, D-20095 Hamburg,   Hamburg
Tel. (0 40) 30 05 10, Fax 30 05 12 20

Hessischer Fremdenverkehrsverband e.V., Abraham-Lincoln-Str. 38-42,   Hessen
D-65189 Wiesbaden, Tel. (06 11) 77 88 00, Fax 7 78 80 40

Tourismusverband Mecklenburg-Vorpommern, Platz der Freundschaft 1,   Mecklenburg-
D-18059 Rostock, Tel. (03 81) 44 84 24, Fax 44 84 23   Vorpommern

Tourismusverband Niedersachsen - Bremen, Hannover Tourismus Center,   Niedersachsen
Theodor-Heuss-Platz 1-3, D-30175 Hannover, Tel. (05 11) 8 11 35 08,
Fax 8 11 35 53

Fremdenverkehrsverband Nordsee, Niedersachsen - Bremen, Bahnhofstraße 19-20, D-26122 Oldenburg, Tel. (04 41) 92 17 10, Fax 9 21 71 90

Fremdenverkehrsverband Lüneburger Heide, Barckhausenstraße 35,
D-21335 Lüneburg, Tel. (0 41 31) 7 37 30, Fax 4 26 06

Harzer Verkehrsverband, Marktstraße 45, D-38640 Goslar,
Tel. (0 53 21) 3 40 40, Fax 34 04 66

Fremdenverkehrsverband Weserbergland - Mittelweser, Inselstraße 5,
D-31787 Hameln, Tel. (0 51 51) 9 30 00, Fax 93 00 33

Verkehrsbüro Weserbergland, Postfach 1330, D-37164 Uslar,
Tel. (0 55 71) 50 44, Fax 78 06

Tourismusverband Hannover Region, Theodor-Heuss-Platz 1-3,
D-30175 Hannover, Tel. (05 11) 8 11 35 69, Fax 8 11 35 49

Fremdenverkehrsverband Osnabrücker Land, Am Schölerberg 6,
D-49082 Osnabrück, Tel. (05 41) 95 11 10, Fax 9 51 11 22

Verkehrsverein Braunschweiger Land, Bahnhofstraße 11,
D-38300 Wolfenbüttel, Tel. (0 53 31) 8 42 60

Kommunalverband Ruhrgebiet, Kronprinzenstraße 35, D-45128 Essen,   Nordrhein-
Tel. (02 01) 2 06 90, Fax 2 06 95 01   Westfalen

Landesverkehrsverband Westfalen, Friedensplatz 3, D-44135 Dortmund,
Tel. (02 31) 52 75 06, Fax 52 45 08

Landesverkehrsverband Rheinland, Rheinallee 69, D-53173 Bonn,
Tel. (02 28) 36 29 21, Fax 36 39 29

Fremdenverkehrs- und Heilbäderverband Rheinland-Pfalz,   Rheinland-Pfalz
Löhrstraße 103 - 105, D-56068 Koblenz, Tel. (02 61) 91 52 00,
Fax 9 15 20 40

Saarland Touristik, Landesfremdenverkehrsverband Saarland,   Saarland
Postfach 101031, D-66010 Saarbrücken, Tel. (06 81) 3 53 76,
Fax 3 58 41

Landesfremdenverkehrsverband Sachsen, Friedrichstraße 24,   Sachsen
D-01067 Dresden, Tel. (03 51) 49 17 00, Fax 4 96 93 06

Auskunft

Sachsen-Anhalt	Landes-Tourismusverband Sachsen-Anhalt, Große Diesdorfer Str. 12, D-39108 Magdeburg, Tel. (03 91) 7 38 43 00, Fax 7 38 43 02
Schleswig-Holstein	Fremdenverkehrsverband Schleswig-Holstein, Niemannsweg 31, D-24105 Kiel, Tel. (04 31) 5 60 00, Fax 5 60 01 40
Thüringen	Thüringer Landesfremdenverkehrsverband, Stauffenbergallee 18, D-99005 Erfurt, Tel. (03 61) 5 40 22 34, Fax 6 46 14 75

Auskunftsbüros der Städte und Gemeinden

Aachen	Verkehrsverein, Friedrich-Wilhelm-Platz, D-52062 Aachen, Tel. (02 41) 1 80 29 60, Fax 1 80 29 31
Ahrtal	Fremdenverkehrs- und Heilbäderverband Rheinland-Pfalz, Löhrstraße 103-105, D-56068 Koblenz, Tel. (02 61) 91 52 00, Fax 9 15 20 40
Allgäu	Tourismusverband Allgäu/Bayerisch-Schwaben, Fuggerstraße 9, D-86150 Augsburg, Tel. (08 21) 3 33 35, Fax 3 83 31
Altenburg	Altenburg-Information, Markt 17, D-04600 Altenburg, Tel. (0 34 47) 31 11 45
Altmark	Fremdenverkehrsverband Altmark e.V., Marktstraße 13, D-39590 Tangermünde, Tel. (03 93 22) 34 60, Fax 4 32 33
Altmühltal	Tourismusverband Franken, Postfach 810269, D-90429 Nürnberg, Tel. (09 11) 26 42 02, Fax 2 78 05 47
Ammersee	Fremdenverkehrsverband Starnberger Fünf-Seen-Land, Wittelsbacherstr. 9, D-82306 Starnberg, Tel. (0 81 51) 9 06 00, Fax 90 60 90
Ansbach	Verkehrsamt, Johann-Sebastian-Bach-Platz 1, D-91522 Ansbach, Tel. (09 81) 5 12 43, Fax 5 13 90
Aschaffenburg	Tourist-Information, Schloßplatz 2, D-63739 Aschaffenburg, Tel. (0 60 21) 39 58 00, Fax 39 58 02
Augsburg	Tourist- und Kongreß-Service, Bahnhofstraße 7, D-86150 Augsburg, Tel. (08 21) 50 20 70, Fax 5 02 07 45
Baden-Baden	Kurverwaltung, Augustaplatz 8, D-76530 Baden-Baden, Tel. (0 72 21) 27 52 00, Fax 27 52 02
Bad Homburg v.d.H.	Verkehrsamt, Louisenstraße 58, D-61348 Bad Homburg v.d.H., Tel. (0 61 72) 12 13 10, Fax 12 13 27
Bad Reichenhall	Kur- und Verkehrsverein, Wittelsbacherstraße 15, D-83435 Bad Reichenhall, Tel. (0 86 51) 30 03, Fax 24 27
Bamberg	Fremdenverkehrsamt, Geyerswörthstraße 3, D-96047 Bamberg, Tel. (09 51) 87 11 61, Fax 87 19 60
Bautzen	Bautzen-Information, Fleischmarkt 2, D-02625 Bautzen, Tel. (0 35 91) 4 20 16, Fax 4 40 71
Bayerische Alpen	Tourismusverband München-Oberbayern, Bodenseestraße 113, D-81243 München, Tel. (0 89) 8 29 21 80, Fax 82 92 18 28
Bayerischer Wald	Tourismusverband Ostbayern e.V., Landshuter Straße 13, D-93047 Regensburg, Tel. (09 41) 58 53 90, Fax 5 85 39 39

Verkehrsverein, Luitpoldplatz 9, D-95444 Bayreuth,
Tel. (09 21) 88 50, Fax 8 85 38 — Bayreuth

Kurdirektion, Königsseer Straße 2, D-83741 Berchtesgaden,
Tel. (0 86 52) 96 70, Fax 6 33 00 — Berchtesgaden

Berlin Tourismus-Marketing-GmbH, Am Karlsbad 11, D-10785 Berlin,
Tel. (0 30) 2 64 74 80, Fax 26 47 48 99 — Berlin

Stadtinformation, Lindenplatz 9, D-06406 Bernburg,
Tel. (0 34 71) 2 60 96, Fax 2 60 98 — Bernburg

Tourist-Information, Am Bahnhof 6, D-33602 Bielefeld,
Tel. (05 21) 17 88 44, Fax 17 88 11 — Bielefeld

Verkehrsverein, Kurt-Schumacher-Platz, D-44787 Bochum,
Tel. (02 34) 1 30 31, Fax 6 57 27 — Bochum

Tourismusverband Bodensee-Oberschwaben, Schützenstraße 8,
D-78462 Konstanz, Tel. (0 75 31) 9 09 40, Fax 90 94 94 — Bodensee

Tourist-Information, Münsterstraße 20, D-53103 Bonn,
Tel. (02 28) 77 34 66, Fax 77 31 00 — Bonn

Brandenburg-Information, Hauptstraße 51, D-14776 Brandenburg,
Tel. (0 33 81) 52 42 57, Fax 22 37 43 — Brandenburg

Verkehrsverein, Langer Hof 6, D-38100 Braunschweig,
Tel. (05 31) 2 73 55 13, Fax 2 73 55 19 — Braunschweig

Verkehrsverein der Freien Hansestadt Bremen, Hillmannplatz 6,
D-28195 Bremen, Tel. (04 21) 30 80 00, Fax 3 08 00 30 — Bremen

Verkehrsamt, Van-Ronzelen-Straße 2, D-27568 Bremerhaven,
Tel. (04 71) 4 20 95, Fax 4 60 65 — Bremerhaven

Verkehrsverein, Markt 6, D-29221 Celle, Tel. (0 51 41) 12 12, Fax 1 24 59 — Celle

Tourist-Information, Rathausstraße 1, D-09009 Chemnitz,
Tel. (03 71) 4 50 87 50, Fax 4 50 87 25 — Chemnitz

Tourismusverband Chiemsee, Alte Rathausstraße 11, D-83209 Prien,
Tel. (0 80 51) 22 80 oder 69 05 35, Fax 69 05 40 — Chiemsee

Tourist-Information, Herrngasse 4, D-96450 Coburg,
Tel. (0 95 61) 7 41 80, Fax 74 18 29 — Coburg

Cottbus-Information, Karl-Marx-Str. 68, D-03044 Cottbus,
Tel. (03 55) 2 42 54, Fax 79 19 31 — Cottbus

Kurverwaltung, Cuxhavener Straße 92, D-27476 Cuxhaven,
Tel. (0 47 21) 4 70 81, Fax 40 40 — Cuxhaven

Verkehrsamt, Luisenplatz 5, D-64283 Darmstadt,
Tel. (0 61 51) 13 27 83, Fax 13 20 75 — Darmstadt

Dessau-Information, Friedrich-Naumann-Straße 12, D-06844 Dessau,
Tel. (03 40) 21 46 61, Fax 21 52 33 — Dessau

Fremdenverkehrs- und Heilbäderverband Rheinland-Pfalz,
Löhrstraße 103-105, D-56068 Koblenz,
Tel. (02 61) 91 52 00, Fax 9 15 20 40 — Deutsche Weinstraße · Pfälzer Wald

Auskunft

Dinkelsbühl	Verkehrsamt, Markplatz, D-91550 Dinkelsbühl, Tel. (0 98 51) 9 02 40, Fax 9 02 79
Donautal	LFV-Marketing Baden-Württemberg e.V., Esslinger Straße 8, D-70182 Stuttgart, Tel. (07 11) 23 85 80, Fax 2 38 58 99
	Bayerischer Tourismusverband, Prinzregentenstr. 18, D-80538 München, Tel. (0 89) 2 12 39 70, Fax 29 35 82
Dortmund	Verkehrsverein, Königswall 20, D-44137 Dortmund, Tel. (02 31) 2 56 66, Fax 16 35 93
Dresden	Dresden-Werbung und Tourismus GmbH, Goetheallee 18, D-01309 Dresden, Tel. (03 51) 4 91 92-0, Fax 4 95 12 76
Duisburg	Stadtinformation, Königstr. 53, D-47051 Duisburg, Tel. (02 03) 3 05 25 61, Fax 3 05 25 62
Düsseldorf	Verkehrsverein, Immermannstraße 65 b, D-40210 Düsseldorf, Tel. (02 11) 17 20 20, Fax 16 10 71
Eberswalde	Fremdenverkehrs-Information, Pavillon am Markt, D-16225 Eberswalde, Tel. (0 33 34) 2 31 68, Fax 6 41 90
Eichsfeld	Thüringer Landesfremdenverkehrsverband e.V., Stauffenbergallee 18, D-99005 Erfurt, Tel. (03 61) 5 40 22 34, Fax 6 46 14 75
Eifel	Vulkaneifel Touristik & Werbung GmbH, Mainzerstraße 25a, D-54550 Daun, Tel. (0 65 92) 93 32 00, Fax 93 32 50
	Eifel Touristik NRW, Marktstraße 15, D-53902 Bad Münstereifel, Tel. (0 22 53) 60 75, Fax 53 06
Eisenach	Eisenach-Information, Bahnhofstraße 3, D-99817 Eisenach, Tel. (0 36 91) 6 90 40, Fax 7 61 61
Emsland	Fremdenverkehrsverband Nordsee, Niedersachsen-Bremen, Bahnhofstraße 19-20, D-26122 Oldenburg, Tel. (04 41) 92 17 10, Fax 9 21 71 90
Erfurt	Fremdenverkehrsamt, Krämerbrücke 3, D-99084 Erfurt, Tel. (03 61) 5 62 62 67, Fax 5 62 33 55
Erzgebirge	Landesfremdenverkehrsverband Sachsen, Friedrichstraße 24, D-01067 Dresden, Tel. (03 51) 49 17 00, Fax 4 96 93 06
Essen	Essen Marketing Gesellschaft, Touristikzentrale Essen, Postfach 101017, D-45010 Essen, Tel. (02 01) 8 87 20 41, Fax 8 87 20 44
Esslingen am Neckar	Amt für Touristik, Marktplatz 16, D-73728 Esslingen am Neckar, Tel. (07 11) 35 12 24 41, Fax 35 12 29 12
Fehmarn	Insel-Information, Breite Straße 28, D-23769 Burg auf Fehmarn, Tel. (0 43 71) 30 54, Fax 5 06 81
Fichtelgebirge	Tourismusverband Ostbayern, Landshuter Straße 13, D-93047 Regensburg, Tel. (09 41) 58 53 90, Fax 5 85 39 39
Fläming	Tourismusverband des Landes Brandenburg, Schlaatzweg 1, D-14473 Potsdam, Tel. (03 31) 27 52 80, Fax 2 75 28 10
Flensburg	Tourist-Information, Speicherlinie 40, D-24937 Flensburg, Tel. (04 61) 2 30 90, Fax 1 73 52

Tourismusverband Franken, Postfach 810269, D-90247 Nürnberg,
Tel. (09 11) 26 42 02, Fax 27 05 47 — Frankenwald

Tourismus- und Congress GmbH Frankfurt/M.,
Kaiserstraße 52, D-60329 Frankfurt/M.,
Tel. (0 69) 21 23 08 08, Fax 21 23 07 76 — Frankfurt am Main

Fremdenverkehrsverein, Karl-Marx-Straße 8a, D-15230 Frankfurt/Oder,
Tel. (03 35) 32 52 16, Fax 2 25 65 — Frankfurt an der Oder

Tourismusverband Franken, Postfach 810269, D-90247 Nürnberg,
Tel. (09 11) 26 42 02, Fax 27 05 47 — Fränkische Schweiz

Freiburg Information, Rotteckring 14, D-79098 Freiburg im Breisgau,
Tel. (07 61) 38 81 01, Fax 3 70 03 — Freiburg im Breisgau

Stadtverwaltung, Markt 1, D-06632 Freyburg, Tel. (03 44 64) 2 72 60 — Freyburg/Unstrut

Verkehrsbüro, Schloßstraße 1, D-36037 Fulda,
Tel. (06 61) 10 23 45, Fax 10 27 75 — Fulda

Kurverwaltung, Kaiser-Maximilian-Platz 1, D-87629 Füssen,
Tel. (0 83 62) 70 77, Fax 3 91 81 — Füssen

Verkehrsamt im Stadtteil Garmisch, Richard-Strauß-Platz,
D-82467 Garmisch-Partenkirchen, Tel. (0 88 21) 18 06, Fax 1 80 55 — Garmisch-Partenkirchen

Tourist-Information, Breitscheidstr. 1, D-07545 Gera,
Tel. (03 65) 2 64 32, Fax 2 41 92 — Gera

Stadt- und Touristikinformation Berliner Platz 2, D-35390 Gießen,
Tel. (06 41) 3 06 24 89, Fax 7 69 57 00 — Gießen

Tourist-Information, Markt 7, D-38640 Goslar,
Tel. (0 53 21) 28 46, Fax 2 30 05 — Goslar

Euro-Tour-Zentrum, Obermarkt 29, D-02826 Görlitz,
Tel. (0 35 81) 40 69 99, Fax 40 52 40 — Görlitz

Fremdenverkehrsverein, Markt 9, D-37073 Göttingen,
Tel. (05 51) 5 40 00, Fax 4 00 29 98 — Göttingen

Gotha-Information, Blumenbachstraße 1-3, 99867 Gotha,
Tel. (0 36 21) 5 40 36, Fax 22 21 34 — Gotha

Fremdenverkehrsverein, Schuhhagen 22, D-17489 Greifswald,
Tel. (0 38 34) 34 60, Fax 37 88 — Greifswald

Güstrow-Information, Gleviner Straße 33, D-18273 Güstrow,
Tel. (0 38 43) 6 10 23, Fax 6 30 75 — Güstrow

Tourist-Information, Marktplatz 1, D-06108 Halle,
Tel. (03 45) 2 33 40, Fax 50 27 98 — Halle

Tourismus-Zentrale Hamburg, Steinstraße 7, D-20095 Hamburg,
Tel. (0 40) 30 05 13 00, Fax 30 05 13 33 — Hamburg

Verkehrsverein, Deisterallee 3, 31785 Hameln,
Tel. (0 51 51) 20 26 17, Fax 20 25 00 — Hameln

Tourist-Information, Ernst-August-Platz 2, D-30159 Hannover,
Tel. (05 11) 30 14 22, Fax 30 14 14 — Hannover

Auskunft

Harz	Harzer Verkehrsverband, Marktstraße 45, D-38640 Goslar, Tel. (0 53 21) 3 40 40, Fax 34 04 66
Heidelberg	Verkehrsverein, Friedrich-Ebert-Anlage 2, D-69115 Heidelberg, Tel. (0 62 21) 14 22 11, Fax 14 22 22
Heilbronn	Verkehrsamt, Marktplatz, D-74072 Heilbronn, Tel. (0 71 31) 56 22 70, Fax 56 31 40
Helgoland	Kurverwaltung, Lung Wai 28, D-27498 Helgoland, Tel. (0 47 25) 8 08 50, Fax 4 26
Hessisches Bergland	Hessischer Fremdenverkehrsverband, Abraham-Lincoln-Straße 38-42, D-65189 Wiesbaden, Tel. (06 11) 77 88 00, Fax 7 78 80 40
Hildesheim	Verkehrsverein, Am Ratsbauhof 1c, D-31134 Hildesheim, Tel. (0 51 21) 1 59 95, Fax 3 17 04
Hochrhein	Tourismusverband Schwarzwald, Bertoldstraße 45, D-79016 Freiburg i. Br., Tel. (07 61) 3 13 17, Fax 3 60 21 Touristinfo Schwarzwald, Südlicher Hochrhein-Hotzenwald, Postfach 1642, D-79744 Waldshut-Tiengen, Tel. (0 77 51) 8 64 44, Fax 8 64 94
Hohenlohe · Taubertal	Touristikverband Neckarland-Schwaben, Lohtorstraße 21, D-74072 Heilbronn, Tel. (0 71 31) 7 85 20, Fax 78 52 30 Touristikgemeinschaft Neckar-Hohenlohe-Schwäbischer Wald, Am Markt 9, D-74523 Schwäbisch Hall, Tel. (07 91) 75 13 85, Fax 75 13 75
Holsteinische Schweiz	Fremdenverkehrsgemeinschaft Holsteinische Schweiz, Bahnhofstraße 4a, D-23714 Bad Malente-Gremsmühlen, Tel. (0 45 23) 23 56, Fax 62 21
Hunsrück · Nahetal	Naheland-Touristik, Bahnhofstraße 31, D-55606 Kirn, Tel. (0 67 52) 20 55, Fax 31 70 Fremdenverkehrsverein Rhein-Hunsrück, Ludwigstraße 4, D-55469 Simmern, Tel. (0 67 61) 83 70
Husum · Halligen	Tourist-Information, Großstraße 21, D-25813 Husum, Tel. (0 48 41) 8 98 70, Fax 47 28 Fremdenverkehrsverband Nordsee, Niedersachsen-Bremen, Bahnhofstraße 19-20, D-26122 Oldenburg, Tel. (04 41) 92 17 10, Fax 9 21 71 90
Ingolstadt	Verkehrsamt, Rathausplatz 2, D-85049 Ingolstadt, Tel. (08 41) 30 54 17, Fax 30 54 15
Inntal	Tourismusverband München-Oberbayern, Bodenseestraße 113, D-81243 München, Tel. (0 89) 8 29 21 80, Fax 82 92 18 28
Jena	Fremdenverkehrsamt, Löbderstraße 9, D-07743 Jena, Tel. (0 36 41) 2 20 50, Fax 2 46 71
Kaiserslautern	Verkehrsamt, Willy-Brandt-Platz 1, D-67653 Kaiserslautern, Tel. (06 31) 3 65 23 17, Fax 3 65 27 23
Karlsruhe	Verkehrsverein, Bahnhofplatz 6, D-73137 Karlsruhe, Tel. (07 21) 3 55 30, Fax 35 53 43
Kassel	Kassel-Service-Zentrale, Königsplatz 53, D-34117 Kassel, Tel. (05 61) 70 77 07, Fax 7 07 72 00
Kempten/Allgäu	Amt für Tourismus, Rathausplatz 29, D-87435 Kempten/Allgäu, Tel. (08 31) 2 52 52 37, Fax 2 52 54 27

Tourist-Information, Sophienblatt 30, D-24103 Kiel, Tel. (04 31) 67 91 00, Fax 67 54 39	Kiel
Verkehrsamt, Kavarinerstraße 20, D-47533 Kleve, Tel. (0 28 21) 8 42 67, Fax 2 37 59	Kleve
Touristik- und Congressamt, Pavillon am Hauptbahnhof, D-56068 Koblenz, Tel. (02 61) 3 13 04, Fax 1 29 38 00	Koblenz
Verkehrsamt, Unter Fettenhennen 19, D-50667 Köln, Tel. (02 21) 2 21 33 45, Fax 2 21 33 20	Köln
Tourist-Information, Bahnhofplatz 13, D-78462 Konstanz, Tel. (0 75 31) 90 03 76, Fax 90 03 64	Konstanz
Verkehrs- und Werbeamt, Theaterplatz 1, D-47798 Krefeld, Tel. (0 21 51) 2 92 90, Fax 6 90 94	Krefeld
Stadtverwaltung, Marktplatz 1, D-16866 Kyritz, Tel. (0 33 97) 20 05	Kyritz
Hessischer Fremdenverkehrsverband, Abraham-Lincoln-Straße 38–42, D-65189 Wiesbaden, Tel. (06 11) 77 88 00, Fax 7 78 80 40 Landesverkehrsverband Rheinland, Rheinallee 69, D-53173 Bonn, Tel. (02 28) 36 29 21, Fax 36 39 29	Lahntal
Verkehrsverein, Altstadt 315, D-84028 Landshut, Tel. (08 71) 92 20 50, Fax 8 92 75	Landshut
Fremdenverkehrsverband Schleswig-Holstein, Niemannsweg 31, D-24105 Kiel, Tel. (04 31) 5 60 00, Fax 5 60 01 40	Lauenburgische Seen
Tourismusverband Oberlausitz, Taucherstraße 39, D-02625 Bautzen, Tel. (0 35 91) 4 87 70, Fax 48 77 48	Lausitz
Fremdenverkehrs- und Kongreßamt, Katharinenstraße 11, D-04109 Leipzig, Tel. (03 41) 7 10 40, Fax 28 18 54	Leipzig
Verkehrsverein, Ludwigstraße 68, D-88131 Lindau (Bodensee), Tel. (0 83 82) 26 00 30, Fax 26 00 26	Lindau/ Bodensee
Ludwigsburg-Information, Wilhelmstraße 10, D-71638 Ludwigsburg, Tel. (0 71 41) 91 02 52, Fax 91 07 74	Ludwigsburg
Verkehrsverein, Holstenstraße 20, D-23552 Lübeck, Tel. (04 51) 7 23 00, Fax 70 48 90	Lübeck
Touristik-Information, Am Markt, D-21335 Lüneburg, Tel. (0 41 31) 30 95 93, Fax 30 95 98	Lüneburg
Fremdenverkehrsverband Lüneburger Heide, Barckhausenstraße 35, D-21335 Lüneburg, Tel. (0 41 31) 7 37 30, Fax 4 26 06	Lüneburger Heide
Fremdenverkehrsbüro Wittenberg-Information, Schloßplatz 2, D-06886 Lutherstadt Wittenberg, Tel. (0 23 91) 40 22 39, Fax 25 37	Lutherstadt Wittenberg
Magdeburg-Information, Alter Markt 9, D-39104 Magdeburg, Tel. (03 91) 3 53 52, Fax 3 01 05	Magdeburg
Tourismusverband Franken, Postfach 810269, D-90429 Nürnberg, Tel. (09 11) 26 42 02, Fax 27 05 47 Hessischer Fremdenverkehrsverband e.V., Abraham-Lincoln-Str. 38–42, D-65189 Wiesbaden, Tel. (06 11) 77 88 00, Fax 7 78 80 40	Maintal

Auskunft

Mainz	Verkehrsverein, Bahnhofstraße 15, D-55116 Mainz, Tel. (06131) 286 21 55, Fax 2 86 21 55
Mannheim	Tourist-Information, Willy-Brandt-Platz 3, D-68161 Mannheim, Tel. (0621) 10 10 11, Fax 2 41 41
Marburg	Verkehrsamt, Neue Kasseler Str. 1, D-35039 Marburg, Tel. (06421) 20 12 62, Fax 68 15 26
Mecklenburgische Seenplatte	Tourismusverband Mecklenburg-Vorpommern, Platz der Freundschaft 1, D-18059 Rostock, Tel. (0381) 44 84 24, Fax 44 84 23
Meiningen	Tourist-Information, Bernhardstraße 6, D-98617 Meiningen, Tel. (03693) 27 70, Fax 27 70
Meißen	Tourist-Information, An der Frauenkirche 3, D-01662 Meißen, Tel. (03521) 45 44 70, Fax 45 82 40
Memmingen	Verkehrsamt, Ulmer Straße 9, D-87700 Memmingen, Tel. (08331) 85 01 72, Fax 85 01 78
Merseburg	Tourist-Information, Burgstraße 5, D-06217 Merseburg, Tel. (03461) 21 41 70, Fax 21 20 09
Minden	Verkehrsamt, Großer Domhof 3, D-32387 Minden, Tel. (0571) 8 93 85, Fax 8 96 79
Moseltal	Fremdenverkehrs- und Heilbäderverband Rheinland-Pfalz, Löhrstraße 103-105, D-56068 Koblenz, Tel. (0261) 91 52 00, Fax 9 15 20 40
Mönchengladbach	Presse- und Informationsamt, Rathaus Abtei, D-41050 Mönchengladbach, Tel. (02161) 25 25 92, Fax 25 26 09
Mühlhausen i. Th.	Fremdenverkehrsamt, Ratsstraße 20, D-99974 Mühlhausen, Tel. (03601) 45 23 35, Fax 45 23 16
München	Verkehrsamt, Sendlinger Straße 1, D-80331 München, Tel. (089) 2 39 11, Fax 2 39 13 13
Münster	Stadtwerbung und Touristik, Berliner Platz 22, D-48127 Münster, Tel. (0251) 4 92 27 10, Fax 4 92 77 43
Naumburg	Fremdenverkehrsamt, Markt 6, D-06618 Naumburg, Tel. (03445) 20 16 14, Fax 20 16 14
Neubrandenburg	Tourist-Information, Turmstraße 11, D-17033 Neubrandenburg, Tel. (0395) 5 82 22 67, Fax 5 82 22 67
Nürnberg	Tourismus-Zentrale, Frauentorgraben 3, D-90443 Nürnberg, Tel. (0911) 2 33 60, Fax 2 33 61 66
Oberpfalz	Tourismusverband Ostbayern, Landshuter Straße 13, D-93047 Regensburg, Tel. (0941) 58 53 90, Fax 5 85 39 39
Oberschwaben	Tourismusverband Bodensee-Oberschwaben, Schützenstraße 8, D-78462 Konstanz, Tel. (07531) 9 09 40, Fax 90 94 94
Oberstdorf · Kleinwalsertal	Kurverwaltung, Marktplatz 7, D-87561 Oberstdorf, Tel. (08322) 70 00, Fax 70 02 36 Verkehrsamt, Walserstraße 64, D-87568 Hirschegg, Tel. (08329) 51 14, Fax 51 14 21

Hessischer Fremdenverkehrsverband, Abraham-Lincoln-Str. 38-42, D-65189 Wiesbaden, Tel. (06 11) 77 88 00, Fax 7 78 80 40

Odenwald · Bergstraße

Tourismusverband des Landes Brandenburg, Schlaatzweg 1, D-14473 Potsdam, Tel. (03 31) 27 52 80, Fax 2 75 28 10

Odertal

Verkehrsverein, Wallstraße 14, D-26122 Oldenburg, Tel. (04 41) 1 57 44, Fax 2 48 92 02

Oldenburg

Verkehrsamt, Markt 22, D-49074 Osnabrück, Tel. (05 41) 3 23 22 02, Fax 3 23 42 13

Osnabrück · Osnabrücker Land

Fremdenverkehrsverband Osnabrücker Land, Iburger Straße 225, D-49082 Osnabrück, Tel. (05 41) 95 11 10, Fax 9 51 11 22

Fremdenverkehrsverband Nordsee, Niedersachsen-Bremen, Bahnhofstraße 19-20, D-26122 Oldenburg, Tel. (04 41) 92 17 10, Fax 9 21 71 90

Ostfriesland und Ostfriesische Inseln

Verkehrsverein, Marienplatz 2a, D-33098 Paderborn, Tel. (0 52 51) 2 64 61, Fax 2 28 84

Paderborn

Fremdenverkehrsverein, Rathausplatz 3, D-94032 Passau, Tel. (08 51) 3 34 21, Fax 3 51 07

Passau

Stadtinformation, Marktplatz 1, D-75175 Pforzheim, Tel. (0 72 31) 30 23 14, Fax 3 31 72

Pforzheim

Kultur- und Fremdenverkehrsamt, Dankelsbachstraße 19, D-66953 Pirmasens, Tel. (0 63 31) 84 23 55, Fax 9 94 09

Pirmasens

Potsdam-Information, Friedrich-Ebert-Straße 5, D-14467 Potsdam, Tel. (03 31) 2 33 85, Fax 2 30 12

Potsdam

Quedlinburg-Information, Markt 2, D-06484 Quedlinburg, Tel. (0 39 46) 28 66, Fax 28 66

Quedlinburg

Verkehrsamt, Kirchstraße 16, D-88212 Ravensburg, Tel. (07 51) 8 23 24, Fax 8 24 66

Ravensburg

Tourist-Information, Rathausplatz 3, D-93047 Regensburg, Tel. (09 41) 5 07 44 10, Fax 5 07 44 19

Regensburg

Fremdenverkehrsverein, Markt Kavalierhaus, D-16831 Rheinsberg, Tel. (03 39 31) 20 59, Fax 20 59

Rheinsberg · Neuruppin

Stadtverwaltung, Wichmannstraße 8, D-16816 Neuruppin, Tel. (0 33 91) 23 45, Fax 26 86

Landesverkehrsverband Rheinland, Rheinallee 69, D-53173 Bonn, Tel. (02 28) 36 29 21, Fax 36 39 29

Rheintal

Fremdenverkehrs- und Heilbäderverband Rheinland-Pfalz, Löhrstraße 103, D-56068 Koblenz, Tel. (02 61) 91 52 00, Fax 9 15 20 40

Fremdenverkehrsverband Rhön, Wörthstraße 15, D-36037 Fulda, Tel. (06 61) 6 00 63 05, Fax 6 00 63 09

Rhön

Rostock-Information, Schnickmannstraße 13, D-18055 Rostock, Tel. (03 81) 4 92 52 60, Fax 4 93 46 02

Rostock

Verkehrsamt, Marktplatz, D-91541 Rothenburg ob der Tauber, Tel. (0 98 61) 4 04 92, Fax 8 68 07

Rothenburg ob der Tauber

Auskunft

Rottweil	Verkehrsbüro, Hauptstraße 21, D-78628 Rottweil, Tel. (0741) 494280, Fax 494355
Rügen	Fremdenverkehrsverband Rügen, Am Markt 4, D-18528 Bergen, Tel. (03838) 80770, Fax 254440
Ruhrgebiet	Landesverkehrsverband Westfalen, Friedensplatz 3, D-44135 Dortmund, Tel. (0231) 527506, Fax 524508
Saaletal	Landes-Tourismusverband Sachsen-Anhalt, Große Diesdorfer Str. 12, D-39108 Magdeburg, Tel. (0391) 7384300, Fax 7384302 Thüringer Landesfremdenverkehrsverband, Stauffenbergallee 18, D-99005 Erfurt, Tel. (0361) 5402234, Fax 6461475
Saarbrücken · Saarland	Verkehrsverein, Großherzog-Friedrich-Straße 1, D-66111 Saarbrücken, Tel. (0681) 36901, Fax 390353 Saarland-Touristik, Landesfremdenverkehrsverband Saarland, Postfach 101031, D-66010 Saarbrücken, Tel. (0681) 35376, Fax 35841
Sächsische Schweiz	Fremdenverkehrsverband Sächsische Schweiz, Zehistaer Straße 9, D-01796 Pirna, Tel. (03501) 515454, Fax 515456
Sauerland	Touristikzentrale Sauerland, Heinrich-Jansen-Weg 14, D-59929 Brilon, Tel. (02961) 943229, Fax 943247
Schleswig	Touristinformation, Plessenstraße 7, D-24837 Schleswig, Tel. (04621) 248786, Fax 20703
Schwäbische Alb · Neckarland	Tourismusverband Neckarland-Schwaben, Lohtorstraße 21, D-74072 Heilbronn, Tel. (07131) 78520, Fax 785230
Schwäbisch Hall	Touristik-Information, Am Markt 9, D-74501 Schwäbisch Hall, Tel. (0791) 751246, Fax 751375
Schwarzwald	Tourismusverband Schwarzwald, Bertoldstr. 45, D-79098 Freiburg i. Br., Tel. (0761) 31317, Fax 36021
Schwerin	Schwerin-Information, Markt 11, D-19010 Schwerin, Tel. (0385) 83081, Fax 864509
Siegen · Siegerland	Presse- und Informationsamt, Markt 2, D-57072 Siegen, Tel. (0271) 593349, Fax 22687 Touristikverband Siegerland-Wittgenstein, Koblenzer Straße 73, D-57072 Siegen, Tel. (0271) 3331020, Fax 3331029
Soest	Verkehrsamt, Am Seel 5, D-59494 Soest, Tel. (02921) 103323, Fax 33039
Spessart	Hessischer Fremdenverkehrsverband, Abraham-Lincoln-Straße 38-42, D-65021 Wiesbaden, Tel. (0611) 778800, Fax 778 8040
Speyer	Verkehrsamt, Maximilianstr. 11, D-67346 Speyer, Tel. (06232) 14395, Fax 14239
Spreewald	Tourismusverband des Landes Brandenburg, Schlaatzweg 1, D-14473 Potsdam, Tel. (0331) 275280, Fax 2752810
Stade	Fremdenverkehrsamt, Bahnhofstraße 3, D-21682 Stade, Tel. (04141) 401450, Fax 401457
Stralsund	Tourist-Information, Ossenreyerstraße 1/2, D-18408 Stralsund, Tel. (03831) 252195, Fax 254427

Verkehrsamt, Theresienplatz 20, D-94315 Straubing,
Tel. (09421) 944307, Fax 944103

Straubing

Stuttgart Marketing GmbH, Lautenschlagerstraße 3, D-70173 Stuttgart,
Tel. (0711) 2228240, Fax 2228201

Stuttgart

Nordseebäderverband Schleswig-Holstein, Parkstraße 7, D-25813 Husum,
Tel. (04841) 89750, Fax 4843
Bädergemeinschaft Sylt GmbH, Stephanstraße 6, D-25980 Westerland,
Tel. (04651) 82020, Fax 820222

Sylt

Hessischer Fremdenverkehrsverband, Abraham-Lincoln-Str. 38-42,
D-65189 Wiesbaden, Tel. (0611) 778800,
Fax 7788040

Taunus

Fremdenverkehrsverband Teutoburger Wald, Felix-Fechenbach-Straße 3,
D-32756 Detmold, Tel. (05231) 623473, Fax 623478

Teutoburger Wald

Fremdenverkehrsgemeinschaft Thüringer Wald, August-Bebel-Str. 16,
D-98527 Suhl, Tel. (03681) 722179, Fax 722179

Thüringer Wald

Torgau-Information, Schloßstraße 11, D-04860 Torgau,
Tel. (03421) 712571, Fax 3541

Torgau

Tourist-Information, An der Porta Nigra, D-54290 Trier,
Tel. (0651) 978080, Fax 44759

Trier

Verkehrsverein, An der Neckarbrücke 1, D-72072 Tübingen,
Tel. (07071) 91360, Fax 35070

Tübingen

Landesfremdenverkehrsverband Brandenburg, Schlaatzweg 1,
D-14473 Potsdam, Tel. (0331) 275280, Fax 2752810

Uckermark

Tourist-Information Ulm/Neu-Ulm, Münsterplatz 50, D-89073 Ulm,
Tel. (0731) 1612830, Fax 1611641

Ulm/Donau

Tourismusverband Insel Usedom, Bäderstraße 4, D-17459 Ückeritz,
Tel. (038375) 23410, Fax 23429

Usedom

Fremdenverkehrsverband Vogtland, Engelstraße 18, D-08523 Plauen,
Tel./Fax (03741) 225166

Vogtland

Touristikzentrale Waldeck-Ederbergland, Südring 2, D-34497 Korbach,
Tel. (05631) 954361, Fax 954378

Waldecker Land

Tourist-Information, Markt 10, D-99421 Weimar,
Tel. (03643) 202173, Fax 61240

Weimar

Landes-Tourismusverband Sachsen-Anhalt, Große Diesdorfer Str. 12,
D-39108 Magdeburg, Tel. (0391) 7384300, Fax 7384302

Wendland ·
Elbetal

Wernigerode Tourismus GmbH, Nicolaiplatz 1, D-38855 Wernigerode,
Tel. (03943) 33035, Fax 32040

Wernigerode

Fremdenverkehrsverband Weserbergland-Mittelweser, Inselstraße 3,
D-31787 Hameln, Tel. (05151) 93000, Fax 930033

Weserbergland

Westerwald-Touristik, Siegener Straße 20, D-57610 Altenkirchen,
Tel. (02681) 81358, Fax 81445

Westerwald

Verkehrsbüro, An den Quellen 10, D-65028 Wiesbaden,
Tel. (0611) 1729700, Fax 1729799

Wiesbaden

Autohilfe

Auskunft (Fts.) Wismar	Wismar-Information, Am Markt 11, D-23966 Wismar, Tel. (03841) 251815, Fax 282958
Wolfenbüttel	Tourist-Information, Stadtmarkt 9, D-38300 Wolfenbüttel, Tel. (05331) 86487, Fax 86444
Wolfsburg	Touristik-Information, Pavillon Rathausvorplatz, D-38440 Wolfsburg, Tel. (05361) 282828, Fax 282899
Worms	Verkehrsverein, Neumarkt 14, D-67547 Worms, Tel. (06241) 25045, Fax 26328
Wuppertal · Bergisches Land	Informationszentrum, Pavillon Döppersberg, D-42103 Wuppertal, Tel. (0202) 5632270, Fax 5638052 Bergisches Land Touristik GmbH, Schloßstraße 82, D-51429 Bergisch Gladbach, Tel. (02202) 58116, Fax 54870
Würzburg	Fremdenverkehrsamt, Am Congress Centrum, D-97070 Würzburg, Tel. (0931) 37335, Fax 37652
Xanten	Verkehrsamt, Karthaus 2, D-46509 Xanten, Tel. (02801) 37238, Fax 37205
Zittau	Tourist-Information, Markt 1, D-02763 Zittau, Tel. (03583) 752138, Fax 510370
Zwickau	Tourist-Information, Hauptstr. 6, D-08056 Zwickau, Tel. (0375) 293713, Fax 293715

Autohilfe

Notruf	Polizei und Unfallrettung: Tel. 110
Notruf- säulen	Die bundesdeutschen Autobahnen und einige wichtige Bundesstraßen sind mit Notrufsäulen versehen, über die Hilfe herbeigerufen werden kann. Ein kleiner Pfeil auf den seitlich der Straßen stehenden Leuchtpfählen zeigt die Richtung mit der kürzesten Entfernung zur Notrufsäule.

Automobilclubs

AvD	Automobilclub von Deutschland (AvD), Lyoner Str. 16, D-60528 Frankfurt am Main, Tel. (069) 66060, Fax 6606210
ACE	Auto Club Europa (ACE), Schmidener Str. 233, D-70374 Stuttgart, Tel. (0711) 5303100, Fax 5303166 ACE-Notrufzentrale und Pannendienst: Tel. (0711) 5303-111; 24-Stunden-Dienst
ADAC	Allgemeiner Deutscher Automobil-Club (ADAC), Am Westpark 8, D-81373 München, Tel. (089) 76760, Fax 767625 00 ADAC-Notrufzentrale und Pannendienst: Tel. (01802) 222222 (Ortstarif) und Kurzwahl in allen Mobilfunknetzen: 222222; 24-Stunden-Dienst ADAC-Ambulanzdienst: Tel. (089) 767676, Fax 76762501; 24-Std.-Dienst
ARCD	Auto- und Reiseclub Deutschland (ARCD), Oberntieferstr. 20, D-91438 Bad Windsheim, Tel. (09841) 4090, Fax 40964
DTC	Deutscher Touring Automobil Club (DTC), Amalienburgstr. 23, D-80333 München, Tel. (089) 8911330, Fax 8116288

Badeparadiese

Badeparadiese (Erlebnisbad, Freizeitbad, Spaßbad) sind Bäder mit ausgedehntem Erlebnisbereich: Dazu gehören Einrichtungen wie Wellen- und/oder Brandungsbad, Wasserrutsche, Meerwasserbecken, Whirlpool, Sauna, Fitnessräume u.v.a. Das Angebot wird ergänzt durch eine vielfältige und attraktive Gastronomie.
Da sich die Öffnungszeiten laufend ändern, ist es angebracht, vorab telefonische Erkundigungen einzuholen. Nachfolgend eine Auswahl beliebter Erlebnisbäder.

Allgemeines

Freizeitbad Berliner Park Ahlen, Dolberger Str. 66, D-59229 Ahlen, Tel. (0 23 82) 78 82 49; Öffnungszeiten: Mo. 14.00 bis 23.00 Uhr, Di. bis Sa. 9.00 bis 23.00 Uhr, So. 9.00 bis 20.00 Uhr; Freizeitbad, Wasserrutschen, Finnisches Saunadorf, Liegewiesen, Bistro.

Ahlen

Schwaben-Therme, Ebisweilerstr. 5, D-88326 Aulendorf, Tel. (0 75 25) 93 50, Fax 93 51 11; Öffnungszeiten: Mo. bis Do./So. 9.00 bis 22.00 Uhr, Fr./Sa. 9.00 bis 23.00 Uhr; Thermalbad, Freizeitbad, Kneipp-Kurgarten, Sauna & Römerbad, Erlebnisgastronomie.

Aulendorf

Taunus Therme, Seedammweg, D-61352 Bad Homburg v.d.H., Tel. (0 61 72) 4 06 40, Fax 4 20 03; Öffnungszeiten: Mo./Di./Do./So. 9.00 bis 23.00 Uhr, Mi./Fr./Sa. 9.00 bis 24.00 Uhr; Thermalbad, Einzigartige Wasserlandschaft, Saunalandschaft, Thermal-Außenbecken, Paradiesgarten, Medizinische Therapie, Umfangreiches Kursprogramm, Restaurants.

Bad Homburg v.d.H.

Kur- und Freizeitbad "Riff", Am Riff Nr. 3, D-04651 Bad Lausick, Tel. (03 43 45) 7 15 12, Fax 715 20; Öffnungszeiten: Mo. bis Fr. 10.00 bis 22.00 Uhr, Sa./So. 9.00 bis 22.00 Uhr; Freizeitbad, Attraktionsbecken, Spaßpyramide, Kinderbereich, Außenbecken, Saunalandschaft, Restaurant.

Bad Lausick

Westfalen-Therme, Schwimmbadstraße, D-33175 Bad Lippspringe, Tel. (0 52 52) 96 40; Öffnungszeiten: täglich 9.00 bis 23.00 Uhr; Erlebnisbad, Sportbecken, Sauna-Paradies, Freibad, Fitness, Shopping & Beauty-Center, Vital-Hotel.

Bad Lippspringe

FEZ Freizeit GmbH, Lindenstr. 50, D-06905 Bad Schmiedeberg, Tel. (03 49 25) 7 02 09, Fax 7 11 19; Öffnungszeiten: So. bis Do. 9.00 bis 22.00 Uhr, Fr./Sa. 9.00 bis 23.00 Uhr; Großwasserrutsche, Mutter-Kind-Bereich, beheizte Außenbecken, Saunalandschaft, Solarien, Restaurants.

Bad Schmiedeberg

blub Badeparadies, Buschkrugallee 64, D-12359 Berlin, Tel. (0 30) 6 06 60 60, Fax 6 06 60 73; Öffnungszeiten: Mo. bis Sa. 10.00 bis 23.00 Uhr, So. 9.00 bis 23.00 Uhr; Bade- und Erlebnisparadies, Wellenbad, Rutschbahnen, Sommer-Strandbad, Kinderbecken, Sole-Becken, Gemeinschafts-Sauna.

Berlin

Center Parcs Bispinger Heide, Tübinger Str. 69, D-29646 Bispingen, Auskünfte: Center Parcs GmbH & Co. KG, Postfach 100 633, D-50446 Köln, Tel. (02 21) 97 30 30 30; Öffnungszeiten: ganzjährig, keine Tagesbesuche möglich; Bungalowpark, Bungalows und Hotel Badeparadies "Aqua Mundo", Saunalandschaft, Sport Center, Kinderangebote, Shopping- und Gourmetcenter.

Bispingen

Aquadrom am Weserpark, Hans-Bredow-Str. 17, D-28307 Bremen, Tel. (04 21) 4 27 47 14, Fax 4 27 47 77; Öffnungszeiten: Mo. 14.00 bis 23.00 Uhr, Di. bis Do. 10.00 bis 23.00 Uhr, Fr./Sa. 10.00 bis 24.00 Uhr, So. 10.00 bis 22.00 Uhr; Erlebnisbad, Wellenbad, Turborutsche, Saunaparadies, Massage, Restaurant & Bar.

Bremen

Badeparadiese

Bocholt   Bahia, Hemdener Weg 169, D-46399 Bocholt, Tel. (0 28 71) 36 66, Fax 3 76 87; Öffnungszeiten: täglich von 10.00 bis 22.00 Uhr; Erlebnisbad, Riesenrutsche, Wasserspielgarten, Außenbecken, Spiele-Außenbereich, Sauna, Bar & Restaurant.

Bochum   Aquadrom am Ruhrpark, Kohlleppelsweg 45, D-44791 Bochum, Tel. (02 34) 92 69 90; Öffnungszeiten: Mo. 11.00 bis 23.00 Uhr, Di. bis Do. 10.00 bis 23.00 Uhr, Fr. 10.00 bis 24.00 Uhr, Sa. 9.00 bis 24.00 Uhr, So. 9.00 bis 23.00 Uhr; Spaßbad, Wellenbad, Riesenrutschen, Kinderparadies, Saunaparadies, Außenanlage, Restaurants und Bars.

Dresden   Elamare Erlebnisbad, Wölfnitzer Ring 65, D-01169 Dresden, Tel. (03 51) 41 00 90, Fax 4 10 09 99; Öffnungszeiten: täglich von 10.00 bis 22.00 Uhr; Erlebnisbad, Riesenrutsche, Außenbecken, Kinderbereich, Sportbecken, Saunabereich, Restaurant.

Gelsenkirchen   Sport-Paradies Gelsenkirchen, Adenauerallee 118, D-45891 Gelsenkirchen, Tel. (02 09) 9 76 60, Fax 9 76 61 50; Öffnungszeiten: Mo. 14.00 bis 23.00 Uhr, Di. bis Do. 10.00 bis 22.00 Uhr, Fr. bis So. 9.00 bis 22.00 Uhr; Hallen- und Wellenbad, Superwasserrutschbahn, Solarien, Saunen, Fitness, Freibadeanlage mit "Paradiesgarten" (FKK).

Haren   Ferienzentrum Schloß Dankern, D-49733 Haren/Ems, Tel. (0 59 32) 20 06, Fax 61 72; Öffnungszeiten: März bis Oktober täglich 10.00 bis 20.00 Uhr; Erlebnis-Hallenbad, Wasserrutschen, Wasserspielattraktionen, Restaurant.

Herten   COPA CA BACKUM, Über den Knöchel/Teichstraße, D-45699 Herten, Tel. (0 23 66) 3 46 58 und 80 01 00; Öffnungszeiten: Mo. 10.00 bis 22.00 Uhr, Di. 8.00 bis 22.00 Uhr, Mi./Do./Fr. 8. 00 bis 23.00 Uhr, Sa./So. 8.00 bis 21.00 Uhr; Erlebnisbecken, Wasserrutsche, Sportbecken/Hallenbad, Freibad, Kinderparadies, Saunalandschaft, Restaurants & Bistros.

Kassel   Kurhessen Therme, Wilhelmshöher Allee 361, D-34131 Kassel, Tel. (05 61) 31 80 80, Fax 3 18 08 13; Öffnungszeiten: Mo./Di./Do./So. 9.00 bis 23.00 Uhr, Mi./Fr./Sa. 9.00 bis 24.00 Uhr; Thermal-Solebad, Innen- und Außenbecken, Wasserrutsche, Kino, Solarien, Saunawelt, Squashcourts, Restaurant & Bistro.

Kirchen   monte mare Freizeitbad GmbH, Auf dem Molzberg, D-57548 Kirchen/Sieg, Tel. (0 27 41) 6 20 77; Öffnungszeiten: Mo. bis Do. 13.00 bis 23.00 Uhr, Fr. 13.00 bis 24.00 Uhr, Sa. 10.00 bis 23.00 Uhr, So. 10.00 bis 21.00 Uhr; Freizeitbad, Röhrenrutsche, Kinderbereich, Sportbecken, Außenanlage mit 10 m-Sprungturm, Saunabereich, Restaurants.

Köln   Aqualand, Merianstr. 1/Ecke Neusser Landstr., D-50765 Köln, Tel. (02 21) 7 02 80, Fax 7 00 36 58; Öffnungszeiten: So. bis Do. 10.00 bis 23.00 Uhr, Fr./Sa. 10.00 bis 24.00 Uhr; Erlebnisbad, Saunaland, Röhrenrutschen, Außenbereich, Animation, Kinderland, Fitnessland, Restaurants.

Münster   Die therme/Erlebnisbad Münster, Grevener Str. 89-91, D-48159 Münster, Tel. (02 51) 92 53 50, Fax 9 25 35 55; Öffnungszeiten: täglich von 10.00 bis 23.00 Uhr; Erlebnisbad, Wasserrutsche, Solebad, Kinderbecken, Außenbäder, Sport und Fitness, Saunalandschaft, Gastronomie.

Neckarsulm   Freizeitbad AQUAtoll, Am Wilfenseeweg, D-74172 Neckarsulm, Tel. (0 71 32) 20 52, Fax 23 93; Öffnungszeiten: Mo./Di./Fr. 10.00 bis 22.00 Uhr, Mi./Sa./So. 9.00 bis 22.00 Uhr; Wildwasserfluß, Röhrenrutsche, Erlebnisbecken, Saunalandschaft, Sommerbad, Kinderbecken.

Neustadt   monte mare Freizeitbad GmbH, Götzinger Str. 12, D-01844 Neustadt , Tel. (0 35 96) 50 20 70; Öffnungszeiten: Mo. 14.00 bis 23.00 Uhr, Di./Mi./Do./ Sa. 10.00 bis 23.00 Uhr, Fr. 10.00 bis 24.00 Uhr, So. 10.00 bis 21.00 Uhr;

Sport- und Erlebnisbad, Ganzjahresaußenbecken, Wellenbecken, Riesen- Badeparadiese
rutsche, Kinderbereich, Saunalandschaft, Erlebnisgastronomie. (Fortsetzung)

Arriba Erlebnisbad, Am Hallenbad 14, D-22850 Norderstedt, Norderstedt
Tel. (0 40 52) 1 98 40; Öffnungszeiten: Mo. bis Do. 6.30 bis 22.00 Uhr,
Fr. 6.30 bis 23.00 Uhr, Sa./So. 9.00 bis 22.00 Uhr; Erlebnisbereich, Was-
serrutsche, Baby/Kleinkinderbereich, Sportbecken, Thermalbad/Solebad,
Sauna und Dampfbad, Freibad, Restaurants, Animation.

monte mare Reichshof Freizeitbad GmbH, Hahnbucherstr. 21, Reichshof
D-51580 Reichshof-Eckenhagen, Tel. (0 22 65) 5 01; Öffnungszeiten:
Mo. 14.00 bis 23.00 Uhr, Di./Mi./Do./Sa. 10.00 bis 23.00 Uhr, Fr. 10.00 bis
24.00 Uhr, So. 10.00 bis 21.00 Uhr; Sport- und Erlebnisbad, Ganzjahresaußenbecken, Riesen- und Turborutschen, Kinderbereich, Saunalandschaft, Erlebnisgastronomie.

monte mare Bäder-Betriebsges. mbH, Monte-Mare-Weg 1, Rengsdorf
D-56579 Rengsdorf, Tel. (0 26 34) 13 81, Fax 21 34; Öffnungszeiten: Mo.
14.00 bis 23.00 Uhr, Di. bis Do. 11.00 bis 23.00 Uhr, Fr. 11.00 bis 24.00 Uhr,
Sa. 10.00 bis 23.00 Uhr, So. 10.00 bis 21.00 Uhr; Spaß- und Wellenbecken,
Riesenrutschen, Kindererlebniswelt, Kinderrutschen, Außenbereich, Sauna-
landschaft, Animationsprogramme, Erlebnisrestaurant.

Ostsee-Therme, An der Kammer, D-23683 Scharbeutz, Scharbeutz
Tel. (0 45 03) 35 26 11, Fax 35 26 30; Öffnungszeiten: täglich von 9.00 bis
23.00 Uhr; Erlebnisbecken, Tropenlandschaft, Kinderwelt, Sauna-Para-
dies, Fitness-Studio, Massage, Beauty-Center, Boutique, Bars und Restaurant.

Schwaben-Quellen Sauna- und Vitalbad GmbH, Plieninger Straße 100/1, Stuttgart
D-70567 Stuttgart, Tel. (07 11) 72 52 53; Öffnungszeiten: Mo./Di./Do. 10.00
bis 23.00 Uhr, Mi./Fr. 10.00 bis 24.00 Uhr, Sa. 9.00 bis 24.00 Uhr, So. 9.00
bis 23.00 Uhr; Saunen und Dampfbäder; Außenbereich "Tempel der
Maya", Edelsteinsaunen, Gletscherhöhle, Türkisches Hamam, Relax- und
Vitalcenter, Restaurant, Boutique, Kinderhaus/Spielplatz.

Laguna Badeland, Sportplatz 1, D-79576 Weil am Rhein, Weil am Rhein
Tel. (0 76 21) 7 00 71, Fax 7 10 54; Öffnungszeiten: Mo. 14.00 bis 22.00 Uhr,
Di. bis Do. 10.00 bis 22.00 Uhr, Fr. 10.00 bis 23.00 Uhr, Sa. 9.00 bis 22.00,
So. 9.00 bis 21.00 Uhr; Wellenbad, Riesenrutsche, Sauna, Solarium, Fit-
ness, Restaurant, Tauchkurse.

Bergische Sonne Freizeitbad Lichtscheid, Lichtscheider Str. 90, Wuppertal
42285 Wuppertal, Tel. (02 02) 55 36 05, Fax 55 76 11; Öffnungszeiten: Mo./
Di./Do./So. 9.00 bis 23.00 Uhr, Mi./Fr./Sa. 9.00 bis 24.00 Uhr; Erlebnisbad,
Kinderspielecke Wasserrutschen, Außenbereich, Saunalandschaft, Son-
nenparadies, Restaurant & Bars, Sporting Club.

Behindertenhilfe

Die Vermittlung von Reiseassistenten (u.a. auch Reiseassistenten-Schu- Reisehelfer-
lungen, in denen hilfreiche Kenntnisse für eine Urlaubsreise mit Behinder- Börse
ten vermittelt werden) bietet BSK-Service GmbH/Reiseservice, Altkrauthei-
mer Str. 17, D-74238 Krautheim (Jagst), Tel. (0 62 94) 6 83 03, Fax 6 81 07.
Der Verband organisiert außerdem Gruppenreisen.

Behinderten Fahrgästen, die mit der Deutschen Bahn (DB) reisen möchten, Bahnreisen
wird empfohlen, sich an die DB-Agenturen oder an ein DER-Reisebüro zu
wenden. Dort ist auch der "Reiseführer für unsere behinderten Fahrgäste"
erhältlich, der u.a. Auskünfte über rollstuhlgerechte Großraumwagen in

Behindertenhilfe (Fortsetzung)	den InterCity-Zügen und Vergünstigungen für Behinderte (und ihre Begleitpersonen) im DB-Bereich erteilt.
Blinden-fahrplan	Der Bonner Blindenverein hat einen Fahrplan der Deutschen Bahn in Blindenschrift (Braille) entwickelt, der kostenlos erhältlich ist beim Blindenverein Bonn, Dorotheenstr. 7, D-53111 Bonn, Tel. (02 28) 69 22 00
Flugreisen	Die Lufthansa-Broschüre "Reisetips für behinderte Fluggäste" ist kostenlos bei allen Lufthansa-Stadtbüros und auf Flughäfen erhältlich.
Behinderten-service an Autobahnen	An den bundesdeutschen Autobahnen sind u.a. Parkplätze für Behinderte, behindertengerechte Telefone, behindertengerechte Zugänge zu den Restauranträumen und über 200 rollstuhlgerechte Sanitäranlagen (einheitliche Schließanlage; Verkauf des Einheitsschlüssels: Club Behinderter und ihrer Freunde, Fünfkirchner Str. 82, D-64295 Darmstadt) vorhanden. Die Broschüre "Autobahn-Service für Behinderte" ist erhältlich bei der Gesellschaft für Nebenbetriebe der Bundesautobahnen (GfN), Poppelsdorfer Allee 24, D-53115 Bonn, Tel. (02 28) 92 20.
Literatur	Der Hotel- und Reiseratgeber "Handicapped-Reisen" mit über 1150 Hotels, Pensionen und Ferienhäusern ist erschienen im Verlag FMG, Postfach 1547, D-53005 Bonn, Tel. (02 28) 61 61 33 Der Spezialkatalog "Urlaub für Behinderte und ihre Begleiter" (mit Maßangaben von Hoteleinrichtungen und vielen anderen nützlichen Hinweisen) liegt in den DER-Reisebüros auf.
Weitere Kontakt-adressen	Informationen über weitere Reisemöglichkeiten für Behinderte erhält man bei nachfolgenden Kontaktstellen:

Bundesarbeitsgemeinschaft Hilfe für Behinderte e.V., Kirchfeldstr. 149, D-40215 Düsseldorf, Tel. (02 11) 31 00 60
Bundesarbeitsgemeinschaft der Clubs Behinderter und ihrer Freunde e.V., Eupener Str. 5, D-55131 Mainz, Tel. (0 61 31) 22 55 14
Reisen mit Behinderten, Am Anker 2, D-40668 Meerbusch, Tel. (0 21 50) 91 98 30, Fax 91 98 40

Camping und Caravaning

Allgemeines	Über 2000 Campingplätze (auch Wintercampingplätze) und Zeltmöglichkeiten stehen in der Bundesrepublik Deutschland zur Verfügung.
Auskunft	ADAC – Allgemeiner Deutscher Automobil-Club, Am Westpark 8, D-81373 München, Tel. (0 89) 7 67 60, Fax 76 76 25 00 Deutscher Camping-Club, Mandlstr. 28, D-80802 München, Tel. (0 89) 3 80 14 20
Campingführer	Alljährlich aktualisiert erscheint der ADAC-Campingführer (Band 2: Deutschland, Mitteleuropa, Nordeuropa), der in allen ADAC-Geschäftsstellen erhältlich ist. Der Deutsche Camping-Club (DCC) in München bringt ebenfalls jährlich einen Campingführer auf den Markt.
Camping Voranmeldung	Voranmeldung für den Aufenthalt auf einem Campingplatz während der Hauptsaison ist in jedem Falle ratsam (Anschriften und Telefonnummern der Campingplätze in den Campingführern, s.o.).
Hinweisschilder	Blaue Tafeln mit dem internationalen Zeltsymbol (schwarzes Zelt auf weißem Grund) weisen auf einen Campingplatz hin.
Verbot	Camping auf freiem Gelände ist in der Regel untersagt.

Diplomatische und konsularische Vertretungen

Österreichische Botschaft, Johanniterstr. 2, D-53113 Bonn,   Republik
Tel. (02 28) 53 00 60   Österreich

Schweizerische Botschaft, Gotenstr. 156, D-53175 Bonn,   Schweiz
Tel. (02 28) 81 00 80

Eisenbahn

InterCityExpress- (ICE-), InterCity- (IC-), EuroCity- (EC-) und InterRegio-   IC-, EC-, ICE- und
(IR-) Züge verkehren im Fernverkehr. Im InterCity-/EuroCity-Netz werden   IR-Züge
80 Städte im Stunden- oder 2-Stundentakt durch moderne, vollklimati-
sierte Züge verbunden. Als Ergänzung zum ICE/IC/EC-Netz verbindet der
InterRegio die regionalen Zentren Deutschlands im 2-Stunden-Takt.

Es gibt Fahrkarten der 1. und 2. Klasse. Zuschläge müssen für InterCity   Fahrkarten
(IC-), EuroCity- (EC-), InterCityExpress- (ICE-) und für InterRegio- (IR-) Zü-   Zuschläge
ge sowie für D- und FD-Züge bezahlt werden (das Nachlösen im Zug ist
möglich, aber etwas teurer).

Auf mehreren Strecken innerhalb der Bundesrepublik Deutschland sowie   Autoreisezüge
zu verschiedenen ausländischen Zielbahnhöfen verkehren Autoreisezüge
der DB. Nähere Informationen enthält der Prospekt "Autoreisezüge".

Attraktiv wird die Fahrt mit der Bahn u.a. durch die zahlreichen Fahrpreis-   Fahrpreis-
ermäßigungen, die in der Broschüre 'Bahnangebote' der Deutschen Bahn   ermäßigungen
ausführlich dargelegt werden. Nachfolgend eine Auswahl:
Dieses Bahnangebot für Häufigfahrer halbiert den normalen Fahrpreis je-   BahnCard und
der Bahnfahrt. Das Angebot gilt für ein Jahr, an allen Tagen und auf dem   BahnCard First
gesamten Streckennetz der Bahn.
Dieses Ticket gilt für jedermann auf fast allen Zügen, jeden Tag zwischen   Guten-Abend-
19.00 Uhr abends und 2.00 Uhr morgens.   Ticket
Günstiger Pauschalpreis für Hin- und Rückreise. Mitfahrer (bis 4 Erwach-   Sparpreis und
sene und 1 Kind) zahlen bei gemeinsamer Hin- und Rückfahrt die Hälfte.   ICE-Sparpreis
Flugreisende mit gültigem Flugschein für Hin- und Rückflug können dieses   Rail & Fly
Angebot nutzen. Die Tickets sind zwei Monate gültig; es können bis zu fünf
Personen gemeinsam reisen.
Diese Netzfahrscheine gelten für die Fahrt auf 27 Bahnen und einer Schiff-   Euro Domino
fahrtslinie alternativ an frei wählbaren Tagen innerhalb eines Monats.
Mit dem FerienTicket können beliebig viele Fahrten innerhalb einer deut-   FerienTicket
schen Ferienregion mit der 3-Wochen-Netzkarte unternommen werden.
Sie gelten nur in Verbindung mit einem Fernverkehrsfahrschein.

Nähere Informationen sind bei den Fahrkartenausgaben der Deutschen   Auskunft
Bahn sowie bei den DER-Reisebüros erhältlich. Dort kann auch das jährlich zweimal erscheinende Kursbuch erworben werden.

Ferien auf dem Bauernhof

Zahlreiche Bauernhöfe in der Bundesrepublik Deutschland bieten vor   Allgemeines
allem Familien mit Kindern Möglichkeiten für erholsame Ferienaufenthalte.
Etliche Höfe sind in Ferienringen zusammengeschlossen, die auch
Gemeinschaftsveranstaltungen organisieren.

Die Deutsche Zentrale für Tourismus (→ Auskunft) vermittelt Anschriften   Informationen
von Bauernhöfen, die Zimmer und Wohnungen vermieten.

Ferien auf
dem Bauernhof
(Fortsetzung)

Der jährlich aktualisierte Katalog "Ferien auf dem Lande" ist erhältlich beim Landschriften-Verlag, Heerstr. 73, D-53111 Bonn, Tel. (02 28) 63 12 84 Informationen über Urlaub auf dem Bauernhof sind ferner u.a. bei den einzelnen Fremdenverkehrsverbänden (→ Auskunft) erhältlich.
Weiterführende Auskünfte erteilen:
Arbeitsgemeinschaft Urlaub und Freizeit auf dem Lande, Bürgerhaus, Horstweg, D-27386 Bothel, Tel. (0 42 66) 9 30 60
Agrartour GmbH (DLG-Reisedienst für die Land- und Ernährungswirtschaft), Eschborner Landstr. 122, D-60489 Frankfurt/Main, Tel. (0 69) 24 78 80.

Freilichtmuseen (Auswahl)

Allgemeines

Der Verlust an historischer Bausubstanz – vor allem im ländlichen Bereich – hat das Empfinden für Erhaltenswertes geweckt, so daß es heute in vielen Freilichtmuseen gut restaurierte, charakteristische Bauten und Hofanlagen, Mobiliar, Handwerksgeräte u.v.a. zu sehen gibt. Aus Platzgründen kann nur eine kleine Auswahl namhafter Freilichtmuseen aufgeführt werden, einige sind auch in den Reisezielen von A bis Z beschrieben. Weitere Auskünfte erteilen die Landesfremdenverkehrsverbände → Auskunft.

Cloppenburg

Stiftung Museumsdorf Cloppenburg/Niedersächsisches Freilichtmuseum, Bether Straße 6, D-49661 Cloppenburg, Tel. (0 44 71) 9 48 40, Fax 94 84 74

Detmold

Westfälisches Freilichtmuseum Detmold/Landesmuseum für Volkskunde, Krummes Haus, D-32760 Detmold, Tel. (0 52 31) 70 60, Fax 70 61 06

Großweil

Freilicht-Museum des Bezirks Oberbayern, An der Glentleiten 4, D-82439 Großweil, Tel. (0 88 51) 18 50, Fax 1 85 11

Hagen

Westfälisches Freilichtmuseum Hagen, Mäckingerbach, D-58091 Hagen, Tel. (0 23 31) 7 80 70, Fax 78 07 20

Mechernich

Rheinisches Freilichtmuseum Kommern/Landesmuseum für Volkskunde, Auf dem Kahlenbusch, D-53894 Mechernich, Tel. (0 24 43) 50 51, Fax 55 72

Molfsee

Schleswig-Holsteinisches Freilichtmuseum, Hamburger Landstraße 97, D-24113 Molfsee, Tel. (0 43 31) 6 55 55, Fax 65 84 94

Oerlinghausen

Archäologisches Freilichtmuseum, Barkhauser Berg, D-33813 Oerlinghausen, Tel. (0 52 02) 22 20, Fax 22 20

Tittling

Museumsdorf Bayerischer Wald, Am Dreiburgensee, D-94104 Tittling, Tel. (0 85 04) 4 04 62, Fax 49 26

Uhldingen-
Mühlhofen

Freilichtmuseum Deutscher Vorzeit/Pfahlbaumuseum in Unteruhldingen, Seepromenade 6, D-88690 Uhldingen-Mühlhofen, Tel. (0 75 56) 85 43, Fax 58 86

Xanten

Archäologischer Park Xanten, Trajanstraße 4, D-46509 Xanten, Tel. (0 28 01) 71 20, Fax 71 21 49

Freizeit- und Erlebnisparks

Allgemeines

Freizeit- und Erlebnisparks haben sich in den letzten Jahren sehr ausgebreitet. Es gibt Parks mit Fahrattraktionen, Tier- und Wildparks sowie Blumen- und Gartenparks. Eine Reihe dieser Parks veranstaltet während der Hochsaison spezielle Show-Programme.

Eine informative Broschüre ist zu beziehen über den Verband Deutscher Freizeitunternehmen e.V., Mittlerer Steinbachweg 2, D-97082 Würzburg, Tel. (09 31) 7 63 92, Fax 7 63 58 — Informationen

Wildpark Bad Mergentheim, D-97980 Bad Mergentheim, Tel. (0 79 31) 4 13 44, Fax 4 44 26; Öffnungszeiten: März bis Oktober, 9.00 bis 18.00 Uhr, im Winter nur an den Wochenenden und Feiertagen von 10.30 Uhr bis Sonnenuntergang — Bad Mergentheim

Spreepark Berlin, Kiehnwerderallee 1-3, D-12437 Berlin-Treptow, Tel. (0 30) 53 33 50, Fax 53 33 52 42; Öffnungszeiten: März bis Oktober, 9.00 bis 19.00 Uhr — Berlin-Treptow

Fort Fun Abenteuerland, D-59909 Bestwig-Wasserfall, Tel. (0 29 05) 8 10, Fax 8 11 18; Öffnungszeiten: März bis Oktober, 10.00 bis 19.00 Uhr — Bestwig-Wasserfall

Freizeitpark Schloß Beck, Am Dornbusch 39, D-46244 Bottrop-Kirchhellen, Tel. (0 20 45) 51 34, Fax 8 45 25; Öffnungszeiten: März bis Oktober, 9.00 bis 18.00 Uhr — Bottrop-Kirchhellen

Warner Bros. Movie World, Warner Allee 1, D-46244 Bottrop-Kirchhellen, Tel. (0 20 45) 89 90, Fax 8 52 62; Öffnungszeiten: März bis Oktober 10.00 bis 18.00 Uhr

Phantasialand, Berggeiststr. 31-41, D-50321 Brühl Tel. (0 22 32) 3 62 00, Fax 3 62 22, Öffnungszeiten: März bis Oktober, 9.00 bis 18.00 Uhr — Brühl

Churpfalzpark Loifling, D-93455 Cham/Opf., Tel. (0 99 71) 3 03 00, Fax 3 03 30; Öffnungszeiten: Ostern bis Mitte Oktober, 9.00 bis 18.00 Uhr — Cham

Erlebnispark Tripsdrill, D-74389 Cleebronn/Tripsdrill, Tel. (0 71 35) 99 99, Fax 99 96 66; Öffnungszeiten: April bis Oktober, 9.00 bis 18.00 Uhr; Wildpark außerhalb der Saison nur an Wochenenden und Feiertagen geöffnet. — Cleebronn/Tripsdrill

Hirsch- und Saupark Daun, D-54550 Daun, Tel. (0 65 92) 31 54; Öffnungszeiten: ganzjährig, 9.00 bis 18.00 Uhr, im Winter bis 16.00 Uhr. — Daun

Tierpark Thüle, Über dem Worberg 1, D-26169 Friesoythe-Thüle, Tel. (0 44 95) 2 55, Fax 421; Öffnungszeiten: März bis Oktober, 9.00 bis 19.00 Uhr — Friesoythe-Thüle

Bavaria Filmtour, Bavariafilmplatz 7, D-82031 Geiselgasteig, Tel. (0 89) 64 99 23 04, Fax 64 99 31 52; Öffnungszeiten: März bis Oktober, 9.00 bis 16.00 Uhr — Geiselgasteig

Freizeit-Land Geiselwind, D-96160 Geiselwind, Tel. (0 95 56) 2 24, 3 57, Fax 6 41; Öffnungszeiten: April bis Oktober, 9.00 bis 17.00/18.00 Uhr — Geiselwind

Eifelpark Gondorf, D-54647 Gondorf bei Bitburg, Tel. (0 65 65) 21 31, Fax 33 15; Öffnungszeiten: April bis Oktober, 9.30 bis 17.00 Uhr; Wildpark ganzjährig geöffnet, 10.00 bis 16.00 Uhr — Gondorf

Freizeitpark Ketteler Hof, Rekener Str. 211, D-45721 Haltern-Lavesum, Tel. (0 23 64) 34 09, Fax 16 72 30; Öffnungszeiten: März bis Oktober, 9.00 bis 18.00 Uhr — Haltern-Lavesum

Ferienzentrum Schloß Dankern, D-49733 Haren/Ems, Tel. (0 59 32) 7 22 30, Fax 6172; Öffnungszeiten: März bis Oktober, 9.00/10.00 bis 18.00 Uhr — Haren

Holiday-Park, D-67454 Haßloch, Tel. (0 63 24) 5 99 39 00, Fax 59 93 50; Öffnungszeiten: März bis September ab 10.00 Uhr; im Oktober nur an den Wochenenden geöffnet — Haßloch/Pfalz

Freizeit- und Erlebnisparks

Heroldsbach	Erlebnispark Schloß Thurn, Schloßplatz 4, D-91336 Heroldsbach, Tel. (0 91 90) 5 55, Fax 5 56; Öffnungszeiten: April bis Oktober 9.00 bis 18.00 Uhr
Hodenhagen	Serengeti Safaripark Hodenhagen, D-29693 Hodenhagen, Tel. (0 51 64) 5 31, Fax 24 51; Öffnungszeiten: März bis Oktober, 10.00 bis 18.00 Uhr
Jaderberg	Tier- und Freizeitpark Jaderberg, Tiergartenstr. 69, D-26349 Jaderberg, Tel. (0 44 54) 15 15 oder 2 23, Fax 3 75; Öffnungszeiten: März bis Oktober, 9.00 bis 18.00 Uhr
Kaisersbach-Gmeinweiler	Schwaben-Park Gmeinweiler, D-73667 Kaisersbach-Gmeinweiler, Tel. (0 71 82) 93 61 00, Fax 9 36 10 33; Öffnungszeiten: April bis Oktober, 9.00 bis 18.00 Uhr
Kirchhundem-Oberhundem	Panorama-Park Sauerland, D-57399 Kirchhundem-Oberhundem, Tel. (0 27 23) 77 41 00, Fax 77 42 34; Öffnungszeiten: April bis Oktober, 10.00 bis 17.00/18.00 Uhr, Wildpark außerhalb der Saison 11.00 bis 16.00 Uhr
Kronberg	Georg von Opel-Freigehege für Tierforschung e.V., Königsteiner Str. 35, D-61476 Kronberg/Taunus, Tel. (0 61 73) 7 97 49, Fax 7 89 94; Öffnungszeiten; ganzjährig, 8.30 Uhr bis Sonnenuntergang
Lennestadt-Elspe	Elspe Festival, Zur Naturbühne 1, D-57368 Lennestadt-Elspe, Tel. (0 27 21) 9 44 40, Fax 2 04 78; Sommerprogramm von Anfang Juni bis Anfang September; an Aufführungstagen ab 10.00 Uhr geöffnet
Löffingen	Schwarzwaldpark Löffingen, D-79843 Löffingen, Tel. (0 76 54) 6 06; Öffnungszeiten: Ostern bis Oktober, 9.00 bis 18.00 Uhr
Minden	potts park, Bergkirchener Str. 99, D-32429 Minden, Tel. (05 71) 5 10 88, Fax 5 80 04 21; Öffnungszeiten: April bis September, 10.00 bis 18.00 Uhr
Neuenstein-Aua	Salzberger Erlebnis-Park, In den Auewiesen 1-3, D-36286 Neuenstein-Aua, Tel. (0 66 77) 1 84 50, Fax 18 66; Öffnungszeiten: März bis Oktober, 10.00 bis 18.00 Uhr
Nindorf	Wildpark Lüneburger Heide, D-21271 Nindorf, Tel. (0 41 84) 10 40, Fax 82 40; Öffnungszeiten: im Sommer von 8.00 bis 19.00 Uhr, im Winter von 9.00 Uhr bis Sonnenuntergang
Plech	Fränkisches Wunderland, Zum Herlesgrund 13, D-91287 Plech, Tel. (0 92 44) 98 90, Fax 74 29; Öffnungszeiten: April bis Oktober, 9.00 bis 18.00 Uhr
Poing	No Name City, Gruberstr. 60 a, D-85586 Poing, Tel. (0 81 21) 7 96 66, Fax 7 63 52; Öffnungszeiten: April bis Oktober, 9.30 bis 18.00 Uhr
Potsdam	Babelsberg Studiotour, August-Bebel-Str. 26-53, D-14482 Potsdam, Tel. (03 31) 7 21 27 55, Fax 7 21 27 37; Öffnungszeiten: März bis Oktober, 10.00 bis 18.00 Uhr
Rehburg-Loccum	Dinosaurierpark Münchehagen, Alte Zollstraße, D-31547 Rehburg-Loccum, Tel. (0 50 37) 20 73, Fax 57 39; Öffnungszeiten: Februar bis November, 9.00 bis 19.00 Uhr
Reisbach	Bayern-Park, Fellbach 1, D-94419 Reisbach, Tel. (0 87 34) 8 17, Fax 42 68; Öffnungszeiten: April bis Oktober, 9.00 bis 18.00 Uhr
Rosengarten-Vahrendorf	Hochwild-Schutzpark Schwarze Berge, D-21224 Rosengarten-Vahrendorf, Tel. (0 40) 7 96 42 33; ganzjährig geöffnet, 8.00 Uhr bis Sonnenuntergang

*Kaum an einem Tag zu bewältigen sind die vielen Attraktionen – von
Wildbachfahrten über Eisrevues und Laser-Shows – im Europapark Rust.*

Märchen- und Familienpark Ruhpolding, Bärngschwendt 10,
D-83324 Ruhpolding, Tel. (0 86 63) 14 13, Fax 80 06 23;
Öffnungszeiten: Ostern bis Oktober 9.00 bis 18.00 Uhr

Ruhpolding

Europa-Park, Europa-Park-Str. 2, D-77977 Rust/Baden, Tel. (0 78 22) 7 70,
Fax 77 62 77; Öffnungszeiten: April bis Oktober, 9.00 bis 18.00 Uhr

Rust

Rasti-Land, D-31020 Salzhemmendorf, Tel. (0 51 53) 68 74 und 60 14,
Fax 58 40; Öffnungszeiten: Mai bis August, 10.00 bis 17.00/18.00 Uhr

Salzhemmen-
dorf

Taunus-Wunderland, D-65388 Schlangenbad, Tel. (0 61 24) 40 81,
Fax 48 61; Öffnungszeiten: April bis September, 9.00/10.00 bis 18.00 Uhr
sowie an den Oktoberwochenenden

Schlangenbad

Hollywood-Park, Mittweg 16, D-33758 Schloß Holte-Stukenbrock,
Tel. (0 52 07) 8 86 96, Fax 39 10; Öffnungszeiten: März bis Oktober, 9.00 bis
18.00 Uhr

Schloß Holte-
Stukenbrock

Hansa-Park, Am Fahrenkrog 1, D-23730 Sierksdorf, Tel. (0 45 63) 47 40,
Fax 47 41 00; Öffnungszeiten: April bis Oktober, 9.00 bis 18.00 Uhr

Sierksdorf

Heide-Park, D-29614 Soltau, Tel. (0 51 91) 91 91, Fax 9 11 11;
Öffnungszeiten: März bis Oktober, 9.00 bis 18.00 Uhr

Soltau

Traumland auf der Bärenhöhle, D-72820 Sonnenbühl-Erpfingen,
Tel. (0 71 28) 21 58; Öffnungszeiten: Ostern bis Oktober, 9.00 bis 18.00 Uhr

Sonnenbühl-
Erpfingen

Tolk-Schau, Am Finkmoor 1, D-24894 Tolk bei Schleswig,
Tel. (0 46 22) 9 22, Fax 9 23; Öffnungszeiten: April bis Oktober 10.00 Uhr bis
18.00 Uhr

Tolk/Schleswig

Höhlen

Freizeitparks (Fts.) Ueckermünde	Tierpark Ueckermünde, Chausseestr. 76, D-17373 Ueckermünde, Tel. (03 97 71) 2 27 48, Fax 2 42 07; Öffnungszeiten: April bis September, 9.00 bis 16.00 Uhr (im Sommer bis 18.00 Uhr)
Uetze	Erse-Park Uetze, Gifhorner Str. 2, D-31311 Uetze, Tel. (0 51 73) 3 52; Öffnungszeiten: April bis Oktober, 10.00 bis 18.00 Uhr
Verden	Freizeitpark Verden, Osterkrug 7, D-27283 Verden/Aller, Tel. (0 42 31) 6 40 83, Fax 6 47 68; Öffnungszeiten: März bis Oktober, 9.00 bis 18.00 Uhr
Wachenheim	Kurpfalzpark Wachenheim, Forsthaus Rotsteig, D-67157 Wachenheim/ Weinstraße, Tel. (0 63 25) 20 77, Fax 83 58; Öffnungszeiten: April bis Oktober 9.00 bis 18.00 Uhr (Wildpark ganzjährig, 10.00 bis 16.00 Uhr)
Wehrheim	Freizeitpark Lochmühle, D-61273 Wehrheim/Taunus, Tel. (0 61 75) 70 84, Fax 38 76; Öffnungszeiten: März bis Oktober, 9.00 bis 18.00 Uhr
Weitnau/ Kleinweiler-Hofen	Freizeit- und Miniaturpark Allgäu, Zur Eisenschmiede 1-3, D-87480 Weitnau/Kleinweiler-Hofen, Tel. (0 83 75) 16 07, Fax 14 77; Öffnungszeiten: März bis Oktober 9.30 bis 18.00 Uhr
Witzenhausen	Erlebnispark Ziegenhagen, D-37217 Witzenhausen, Tel. (0 55 45) 2 46 und 5 04, Fax 63 72; Öffnungszeiten: März bis Oktober, 10.00 bis 17.00 Uhr (im März nur am Wochenende, Mai bis August, 9.00 bis 18.00 Uhr)
Wolfratshausen-Farchet	Märchental im Isartal, Kräuterstr. 39, D-82515 Wolfratshausen-Farchet, Tel. (0 81 71) 1 87 60, Fax 2 22 36; Öffnungszeiten: April bis Oktober, 9.00 bis 18.00 Uhr

Höhlen

Hinweis	Wer einen Blick in die Welt der Tropfsteine und unterirdischen Wasserläufe tun möchte, findet vor allem in Kalkformationen eine große Zahl gut erschlossener und gesicherter Schauhöhlen. Da die Lufttemperaturen in den Höhlen auch im Hochsommer selten über 9 Grad Celsius liegen, ist wetterfeste Kleidung, vor allem aber festes Schuhwerk angebracht. Wer unbeleuchtete Höhlen besuchen möchte, sollte eine leistungsstarke (Taschen-)Lampe mit sich führen und gegebenenfalls ein Orientierungsband auslegen, um aus einem Gangsystem wieder herauszufinden. Unter keinen Umständen sollte man Fackeln benutzen!

Schauhöhlen (Besichtigung gegen Eintrittsgebühr)

Attendorn	Attahöhle (Tropfsteine) Information: Attendorner Tropfsteinhöhle, Postfach 130, D-57439 Attendorn, Tel. (0 27 22) 30 41, Fax 33 15
Bad Grund	Iberger Tropfsteinhöhle (Fossilien) Information: Kurbetriebsgesellschaft, Clausthaler Str. 38, D-37539 Bad Grund, Tel. (0 53 27) 20 21
Bad Segeberg	Kalkberghöhle Segeberg (Gipshöhle, Laugungsformen) Information: Kalkberghöhle, Karl-May-Platz, D-23795 Bad Segeberg, Tel. (0 45 51) 5 72 36 oder (0 45 51) 5 72 38
Balve	Balver Höhle (Steinwerkzeuge, Tierskelette) Reckenhöhle (Knochenfunde), in Balve/Binolen Information: Verkehrsverein, Kirchplatz 2, D-58802 Balve, Tel. (0 23 75) 53 80

Wendelsteinhöhle (nahe dem Wendelsteingipfel; keine Tropfsteine)   Brannenburg
Information: Wendelsteinbahn GmbH, Kerschelweg 30,
D-83098 Brannenburg, Tel. (0 80 34) 30 80, Fax 30 81 06

Eberstadter Tropfsteinhöhle   Buchen/Eberstadt
Information: Verwaltung Eberstadter Tropfsteinhöhle, Rathaus,
D-74722 Buchen-Eberstadt, Tel. (0 62 92) 2 25 und 5 78

Aggertalhöhle bei Ründeroth/Engelskirchen (Kristallbildungen)   Engelskirchen
Information: Verkehrsamt im Rathaus, D-51766 Engelskirchen,
Tel. (0 22 63) 8 31 37 und 54 80

Kluterthöhle bei Ennepetal-Altenvoerde (auch Höhlensanatorium)   Ennepetal
Information: Haus Ennepetal und Kluterthöhle, Verwaltungs- und
Betriebs-GmbH, Gasstr. 10, D-58256 Ennepetal, Tel. (0 23 33) 9 88 00,
Fax 7 33 73

Großes Schulerloch bei Neuessing (Knochenfunde)   Essing
Information: Tropfsteinhöhle Schulerloch Oberau, D-93343 Essing,
Tel. (0 94 41) 32 77, Fax 2 12 11

Verwaltung der Marienglashöhle, D-99894 Friedrichroda,   Friedrichroda
Tel. (0 36 23) 49 53

Charlottenhöhle bei Hürben (Tropfsteine)   Giengen/Brenz
Information: Bürgermeisteramt, Postfach 1140, D-89537 Giengen/Brenz,
Tel. (0 73 22) 13 92 17

Erdmannshöhle   Hasel
Information: Bürgermeisteramt, D-79686 Hasel, Tel. (0 77 62) 93 07 92 07

Friedrichshöhle oder Wimsener Höhle (Quellhöhle, keine Tropfsteine)   Hayingen-
Information: Gasthaus zur Friedrichshöhle, D-72534 Hayingen-Wimsen,   Wimsen
Tel. (0 73 73) 8 13

Heinrichshöhle bei Hemer-Sundwig (Höhlenbären-Skelett)   Hemer
Information: Stadtverwaltung, Postfach 120, D-58675 Hemer,
Tel. (0 23 72) 5 51

Sontheimer Höhle   Heroldstatt-
Information: Verwaltung Sontheimer Höhle, Weberstr. 36,   Sontheim
D-72535 Heroldstatt, Tel. (0 73 89) 12 12 und 4 63

Einhornhöhle (Steinzeitfunde)   Herzberg
Information: Harzklub, Zweigverein Scharzfeld,
D-37412 Herzberg-Scharzfeld, Tel. (0 55 21) 36 16

Schloßberghöhlen (im Buntsandstein künstlich angelegte Höhlen)   Homburg
Information: Verkehrsverein, Am Forum, D-66424 Homburg/Saar,
Tel. (0 68 41) 20 66

Dechenhöhle bei Iserlohn-Letmathe (Erosionsformen, Tropfsteine)   Iserlohn
Information: Betriebsführung Dechenhöhle, Dechenhöhle 5,
D-58644 Iserlohn, Tel. (02 37 72) 7 14 21

Tschamberhöhle   Karsau-Riedmatt
Information: Schwarzwaldverein, Verwaltung Tschamberhöhle,
D-79618 Karsau-Riedmatt, Tel. (0 76 23) 52 56

Kittelsthaler Tropfsteinhöhle   Kittelsthal
Information: Gemeindeverwaltung Kittelsthal, Hauptstr. 71,
D-99843 Kittelsthal, Tel. (03 69 29) 33 18

Höhlen

Kolbingen	Kolbinger Höhle Information: Schwäb. Albverein, Ortsgruppe Kolbingen, Hölderlinstr. 12, D-78600 Kolbingen, Tel. (0 74 63) 85 34
Laichingen	Laichinger Tiefenhöhle (Fossilien; Höhlenmuseum) Information: Höhlen- und Heimatverein, Postfach 1367, D-89150 Laichingen, Tel. (0 73 33) 44 14 und 55 86
Lenningen- Gutenberg	Gutenberger Höhle (Tropfsteinhöhle) und Gußmannshöhle Information: Verwaltung der Gutenberger Höhlen, Rathaus Gutenberg, D-73252 Lenningen, Tel. (0 70 26) 78 22
Lichtenstein- Honau	Olgahöhle (Tuffhöhle) Information: Schwäb. Albverein, Ortsgruppe Honau, Schloßstr. 8, D-72805 Lichtenstein, Tel. (0 71 29) 25 01
Marktschellen- berg	Schellenberger Eishöhle im Untersberg Information: Verein für Höhlenkunde Schellenberg e.V., Dr.-Brinkmann-Str. 13, D-83487 Marktschellenberg, Tel. (0 86 50) 3 41
Neuhaus an der Pegnitz	Maximilianshöhle bei Krottensee, (Tropfsteine, Höhlenbärenknochen); Information: Grottenhof, D-91284 Neuhaus an der Pegnitz, Tel. (0 91 56) 4 34
Obermaiselstein	Sturmannshöhle (Erosionserscheinungen, keine Tropfsteine) Information: Gemeinde Obermaiselstein, D-87538 Obermaiselstein, Tel. (0 83 26) 2 60
Pottenstein	Teufelshöhle (Tropfsteine, Höhlenbärenskelett) Zweckverband Teufelshöhle, Forchheimer Str. 1, D-91278 Pottenstein, Tel. (0 92 43) 2 08
Rehlingen- Siersburg	Tropfsteinhöhle Niedaltdorf Information: Neunkircher Str. 10, D-66780 Rehlingen-Siersburg, Tel. (0 68 33) 84 00 und 15 10
Rottleben/ Kyffhäuser	Barbarossahöhle bei Rottleben/Kyffhäusser Information: Einrichtung Erholungswesen, Bereich Barbarossahöhle, D-06567 Rottleben/Kyffhäuser, Tel. (03 46 71) 45 86 24 81
Rübeland	Baumanns- und Hermannshöhle bei Rübeland Auskunft: Höhlenverwaltung Rübeländer Schauhöhlen, Blankenburger Str. 35, D-38889 Rübeland, Tel. (03 94 54) 91 32
Saalfeld	Saalfelder Feengrotten Information: Saalfelder Feengrotten, Feengrottenweg 2, D-07318 Saalfeld, Tel. (0 36 71) 23 51
Schweina	Altensteiner Höhle Information: Rat der Gemeinde, Höhlenverwaltung, D-36448 Schweina, Tel. (03 69 61) 26 87 und 26 88
Schelklingen	Hohler Fels (Knochenfunde) Information: Bürgermeisteramt, Marktstr. 15, D-89601 Schelklingen, Tel. (0 73 94) 24 80
Sonnenbühl- Erpfingen	Bärenhöhle (Tropfsteine, Höhlenbärenskelett) und Karlshöhle Information: Ortschaftsverwaltung, D-72820 Sonnenbühl-Erpfingen, Tel. (0 71 28) 6 96, 6 35
Sonnenbühl- Genkingen	Nebelhöhle Information: Nebelhöhlenverwaltung, D-72820 Sonnenbühl-Genkingen, Tel. (0 71 28) 6 82 und 6 05

Teufelshöhle (Tropfsteine)
Information: Städt. Verkehrsamt, Brüder-Grimm-Str. 47,
D-36396 Steinau an der Straße, Tel. (0 66 63) 56 55

Syrauer Drachenhöhle
Information: Rat der Gemeinde Syrau, Höhlenverwaltung, D-08548 Syrau,
Tel. (03 74 31) 3 27

Osterhöhle (Sinterbecken)
Information: Waldschänke Osterhöhle, Neidsteiner Str. 8,
D-92259 Torndorf-Neukirchen, Tel. (0 96 63) 10 10

Heimkehle bei Uftrungen
Informationen: Karstmuseum Heimkehle, Postfach 61, D-06548 Uftrungen,
Tel. (03 46 53) 3 05, Fax 3 05

König-Otto-Tropfsteinhöhle mit Adventhalle
Information: Fremdenverkehrsverein, D-92355 Velburg,
Tel. (0 91 82) 16 07, 4 46

Warsteiner Bilsteinhöhlen (Tropfsteine)
Information: Stadtverwaltung Warstein, D-59581 Warstein,
Tel. (0 29 02) 8 10
und 27 31

Sophienhöhle bei Schloß Rabenstein
Information: Sophienhöhle, D-91344 Waischenfeld, Tel. (0 92 02) 3 20

Kubacher Kristallhöhle (Calcitkristalle, Perlsinter)
Information: Höhlenverein Kubach, D-35781 Weilburg-Kubach,
Tel. (0 64 71) 48 13

Schertelshöhle (Tropfsteine)
Information: Höhlenverein e.V., Siedlungsstr. 7, D-72589 Westerheim,
Tel. (0 73 33) 64 06

Wiehler Tropfsteinhöhle
Information: Waldhotel Hartmann, Tropfsteinhöhle, D-51674 Wiehl,
Tel. (0 22 62) 9 91

Binghöhle (Tropfsteine) bei Streitberg;
Information: Gemeindeverwaltung, D-91346 Markt Wiesenttal-Streitberg,
Tel. (0 91 96) 3 40

Hotels

Die nachstehend genannten Unterkunftsmöglichkeiten können verständlicherweise nur eine sehr kleine Auswahl des mannigfaltigen Übernachtungsangebots in Deutschland darstellen. Sie konzentriert sich auf die größeren Städte und touristisch interessantesten Gebiete sowie auf Orte in zentraler Lage zu einem Feriengebiet. Vollständige Unterkunftslisten halten die regionalen und lokalen Fremdenverkehrsämter bereit. Hingewiesen sei auch auf den VARTA-Führer, der mehr als 18 000 Adressen von Hotels und Restaurants nennt.

Über die Allgemeine Deutsche Zimmerreservierung (ADZ) können alle deutschen Hotels, Gasthöfe und Pensionen gebucht werden.
ADZ (Allgemeine Deutsche Zimmerreservierung), DZT Service Abteilung
Corneliusstraße 34, D-60325 Frankfurt/Main
Tel. (0 69) 74 07 67, Fax 75 10 56

Hotels

Außerdem gibt es zentrale Buchungseinrichtungen von Hotelketten oder Hotel-Kooperationen. Nachfolgend stellen wir eine Auswahl vor:

European Castle Hotels & Restaurants (Gast im Schloß)
Postfach, D-67142 Deidesheim/Weinstraße, Tel. (0 63 26) 7 00 00,
Fax 70 00 22

Holiday Inns International
Busitel 3, Orlyplein 65, NL-1043 DR Amsterdam
Tel. (01 30) 81 51 31 (Gratisnummer in Deutschland),
Fax (00 31/20) 6 06 54 64

Kempinski AG
Am Forsthaus Gravenbruch 9-11, D-63263 Neu-Isenburg,
Tel. (01 30) 33 39, Fax (069) 13 88 51 40

Relais du Silence - Silencehotels Deutschland e.V.
Am Kurpark 1, D-82435 Bayersoien, Tel. (0 88 45) 1 21 10, Fax 83 98

Ringhotels e.V.
Belfortstraße 6-8, D-81667 München, Tel. (0 89) 4 58 70 30,
Fax 45 87 03 30

Romantik Hotels und Restaurants GmbH & Co. KG
Postfach 11 44, D-63791 Karlstein, Tel. (0 61 88) 9 50 20, Fax 60 07

SRS - Steigenberger Reservation Service
Lyoner Str. 40, D-60528 Frankfurt/M., Tel. (0 69) 6 65 64 05,
Fax 66 56 45 45

Maritim Supranational
Külpstraße 2, D-64293 Darmstadt, Tel. (0 61 51) 90 57 60, Fax 90 57 50

Saisonpreise/
Wochenend-
angebote

Zahlreiche Hotels und Gasthöfe bieten außerhalb der Hauptsaison günstige Pauschalarrangements; preiswerte Inklusivangebote am Wochenende offerieren vor allem große Hotelketten.

Hotelauswahl

Preise

Die in der Auflistung genannten Preise sind unverbindliche Durchschnittspreise für ein Doppelzimmer mit Frühstück und können nach oben und unten abweichen. Sie sind nur bedingt Anhaltspunkt für eine Kategorisierung. Bei vielen Hotels lohnt sich eine Nachfrage nach den z. T. recht günstigen Gruppen-, Pauschal- oder Wochenendarrangements.

*****	über 400 DM
****	300 – 400 DM
***	200 – 300 DM
**	100 – 200 DM
*	unter 100 DM

Aachen

****Quellenhof Aachen, Monheimsallee 52, D-52062 Aachen,
Tel. (02 41) 9 13 20, Fax 9 13 25 55; 175 Z., Restaurant, Diätküche, Bar, Wellness- und Thermaleinrichtungen, Solarium, Konferenzräume, Garage.
Das traditionsreiche Kur- und Kongreßhotel, direkt neben Spielcasino und Kurpark gelegen, hat direkten Zugang zum Kurmittelhaus.

** Hotel Benelux, Franzstr. 21-23, D-52064 Aachen, Tel. (02 41) 2 23 43,
Fax 2 23 45; 33 Zi., Dachgarten mit Pavillon, Fitnessraum, Garage, Kinderermäßigung.
Ruhiges, kinderfreundliches Haus in der Innenstadt.

In Blaichach:
*/**Allgäuer Berghof, D-87544 Blaichach-Gunzesried, Tel. (0 83 21) 80 60, Fax 80 62 19; 86 Z., 7 Ferienwohnungen, drei Restaurants, Schwimmbad, Sauna, Tennis.
Sehr kinderfreundliches und dazu preiswertes Berghotel. Herrliche Lage in der Allgäuer Bergwelt in über 1200 m Höhe.

Allgäu

In Oberstaufen:
**Kur- und Ferienhotel Traube, Thalkirchdorf 14, D-87534 Oberstaufen-Thalkirchdorf, Tel. (0 83 25) 92 00, Fax 9 20 39; 29 Z., Restaurant, Diät-küche,Tennis, Golf, Reiten, Garten, Schwimmbad, Kurmittel.
Das Hotel in einem Fachwerkhaus von 1797 ist im Bauernbarock eingerich-tet. Es liegt sehr günstig für Ausflüge nach Österreich, in die Schweiz oder an den Bodensee. Von den Gästen wird die angebotene Schroth-Kur besonders geschätzt.

→ Füssen, → Oberstdorf, → Pfronten

In Stendal:
**Altstadt-Hotel, Breite Str. 60, D-39576 Stendal, Tel. (0 39 31) 6 98 90, Fax 69 89 39; 18 Zi., Parkplatz.
Solider Familienbetrieb, verkehrsgünstig in der Innenstadt gelegen.

Altmark

In Eichstätt:
**Zum Adler (garni), Marktplatz 22, D-85072 Eichstätt, Tel. (0 84 21) 67 67, Fax 82 83; 28 Z.
Solides, zentral gelegenes Haus in einem Barockbau.

Altmühltal

In Gunzenhausen:
**Zur Post, Bahnhofstr. 7, D-91710 Gunzenhausen, Tel. (0 98 31) 70 61, Fax 92 85; 26 Z., Restaurant.
Fränkische Gastlichkeit der gehobenen Art in der ehemaligen Reichspost-halterei aus dem Jahr 1656.

In Feldafing:
**Golf Hotel Kaiserin Elisabeth, Tutzinger Str. 2 – 6, D-82340 Feldafing, Tel. (0 81 57) 10 13, Fax 49 39; 100 Z., Restaurant, Garten, Tennis, Segeln.
Ein Haus mit Tradition und gediegenem Komfort, das schon Kaiserin Elisa-beth ("Sissi") zu schätzen wußte. Von vielen der geräumigen Zimmer Blick auf die Alpen und den Starnberger See.

Ammersee ·
Starnberger See

In Pöcking-Possenhofen:
/*Forsthaus am See, Am See 1, D-82343 Pöcking-Possenhofen, Tel. (0 81 57) 9 30 10, Fax 42 92; 22 Z., Restaurant, Badesteg, Bootsliegeplatz.
Zünftig-bayerische Unterkunft in dem 1870 gebauten Forsthaus, in dem schon König Ludwig und seine Cousine Sissi zusammenkamen. Große Zimmer, gute Fischgerichte im Restaurant.

****Drei Mohren, Maximilianstr. 40, D-86150 Augsburg, Tel. (08 21) 5 03 60, Fax 15 78 64; 102 Z., 5 Suiten; Restaurants, Bar, Garage.
Das Haus liegt direkt im Stadtzentrum. Die lärmgeschützten Zimmer sind bequem ausgestattet, das freundliche Personal verbreitet eine angenehme Atmosphäre.

Augsburg

**Dom-Hotel, Frauentorstr. 8, D-86152 Augsburg, Tel. (08 21) 34 64 90, Fax 51 01 26; 43 Z., Schwimmbad, Sauna, Solarium, Konferenzraum, Garten.
Das ruhige Stadthotel, in einem historischen Gebäude untergebracht, be-findet sich im Herzen der Altstadt.

*****Brenner's Parkhotel, An der Lichtentaler Allee, D-76530 Baden-Baden, Tel. (0 72 21) 90 00, Fax 3 87 72; 32 App., 68 Z., behindertengerecht, Restaurant, Bar, Garten, Schwimmbad, Sauna, Tennis, Golf.

Baden-Baden

Hotels

Baden-Baden
(Fortsetzung)

Das renommierteste und traditionsreichste Haus in Baden-Baden zählt zur deutschen Hotellerie-Spitze. Kein Wunsch bleibt offen. Es gibt auch preisgünstigere Zimmer (die immer noch teuer genug sind).

****Steigenberger Avance Badischer Hof, Lange Str. 47, D-76530 Baden-Baden, Tel. (0 72 21) 93 40, Fax 93 44 70; 139 Z., Bar, Restaurant, Sauna, Schwimmbad, Thermalanwendungen, Garten.
Traditionshaus beim Thermalbrunnen mit allem erdenklichen Komfort. Grande cuisine und badische Küche bietet das Restaurant; hervorragend bestückter Weinkeller.

Bad Reichenhall

***Steigenberger Axelmannstein, Salzburger Str. 2–6, D-83435 Bad Reichenhall, Tel. (0 86 51) 77 70, Fax 59 32; 151 Z., Restaurant, Bar, Garten, Tennis, Sauna, Kurmittel.
Das 1846 als Kur- und Grandhotel eröffnete, altehrwürdige Haus liegt zentral und ist umgeben von einem Park mit altem Baumbestand. Ein Drittel der Zimmer blickt zum Park.

Bamberg

***Romantik-Hotel Messerschmitt, Lange Str. 41, D-96047 Bamberg, Tel. (09 51) 2 78 66, Fax 2 61 41; 13 Z., Restaurant.
Das Hotel in der Bischofsstadt bietet nicht nur eine gediegene Unterkunft in Alt-Bamberger Gemütlichkeit, sondern auch beste fränkische Weine, denn seit 1832 ist es als Weinhaus bekannt.

**Barock-Hotel am Dom (garni), Vorderer Bach 4, D-96049 Bamberg, Tel. (09 51) 5 40 31, Fax 5 40 21; 19 Z., Parkplatz.
Sehr persönliches Hotel in einem der stillsten Winkel Bambergs unterhalb des Doms.

Bayerische Alpen

→ Bad Reichenhall, → Berchtesgaden, → Füssen,
→ Garmisch-Partenkirchen, → Oberstdorf

Bayerischer Wald

In Neukirchen b. Hl. Blut:
***Burghotel am hohen Bogen, D-93453 Neukirchen, Tel. (0 99 47) 20 10, Fax 20 12 93; 125 Z., 35 Ferienwohnungen, Restaurants, Bar, Konferenzraum, Wellness-Center, Tennis, Reiten, Wintersport.
Das komfortable Burghotel ist eine Urlaubsoase zum Wohlfühlen. Die erstklassig ausgestatteten Zimmer und Ferienwohnungen lassen keinen Wunsch offen, und in den diversen Restaurants wird man kulinarisch verwöhnt. Dem Wellness-Center ist eine Beauty-Farm sowie eine medizinische Massage- und Bäderabteilung angeschlossen.

In Grafenau:
***Parkhotel, Freyunger Str. 51, D-94481 Grafenau, Tel. (0 85 52) 44 90, Fax 44 91 61; 37 Z., 8 Suiten, Restaurant, Bäderlandschaft und hauseigene Massagepraxis.
Das sehr schön in einem großen Park gelegene Hotel besitzt komfortable Zimmer mit Blick auf den angrenzenden Kurpark. Die exzellente Küche serviert neben bayerischen auch internationale Spezialitäten.

In Zwiesel:
**Landhotel Magdalenenhof, Ahornweg 17, D-94227 Zwiesel, Tel. (0 99 22) 85 60, Fax 67 08; 35 Z., Restaurant, Konferenzraum, Babysitter, Fahrradverleih, Sauna, Solarium, Fitnessraum, Tennis, Golf, Wintersport.
Das Sporthotel liegt ruhig am Waldrand und bietet viele Möglichkeiten für einen erholsamen Ferienaufenthalt.

Bayreuth

**Hotel Eremitage, Eremitage 6, D-95448 Bayreuth, Tel. (09 21) 79 99 70, Fax 7 99 97 11; 6 Z., zwei Restaurants.
Intimes Hotel im Marstall aus dem 17. Jh. Außer dem Gourmetrestaurant "Cuvée" gibt es noch das Hausrestaurant mit bürgerlicher Küche und vor allem einen sehr beliebten Biergarten.

***Hotel Geiger, Ortsteil Stanggaß, D-83471 Berchtesgaden, Tel. (08652)   Berchtesgaden
9653, Fax 965400; 60 Z., Restaurant, Schwimmbad, Sauna, Garten.
Die großzügigen Zimmer strahlen alpin-rustikale Gemütlichkeit aus.

*****Adlon Kempinski Berlin, Am Pariser Platz (Mitte), D-10117 Berlin, Tel.   Berlin
(030) 22610, Fax 22612222; 342 Z., Restaurant / Bistro, American Bar,
Club Bar, zwei Wintergärten, Business Center, Geschäfte etc.
Das traditionsreichste und legendärste Haus Berlins, unmittelbar am Brandenburger Tor, ist im Sommer 1997 hinter der althergebrachten Sandsteinfassade wiedereröffnet worden. Die Gestaltung der Lobby mit Marmor und
Goldmosaik ist Luxus pur. Eine Unterkunft für höchste Ansprüche, die der
großen Tradition des Hauses gerecht wird.

Das legendäre Hotel Adlon in Berlin ist wieder da: Blick in die Lobby.

*****Grand Hotel Berlin, Friedrichstr. 158–164 (Mitte), D–10117 Berlin, Tel.
(030) 20270, Fax 20 2733 62; 358 Z. und Appartements, Schwimmbad,
Restaurants, Geschäfte, Fitnessbereich.
Hier vereinigt sich harmonisch großzügige Eleganz der Altberliner Hotel-
kultur mit modernstem Komfort auf höchstem Niveau; beeindruckend
prächtige, imposante Hotelhalle mit mehreren Galerien.

*****Kempinski Hotel Bristol Berlin, Kurfürstendamm 27 (Charlottenburg),
D-10719 Berlin, Tel. (030) 884340, Fax 8 83 60 75; 263 Z., 52 Luxussuiten,
Restaurant, Boutiquen, Schwimmbad, Fitnessbereich.
Traditionsreiches Spitzenhotel in absolut zentraler Lage am Kurfürsten-
damm, in dem viele prominente Gäste schon logierten.

***Bleibtreu, Bleibtreustr. 31 (Charlottenburg), D-10707 Berlin, Tel. (030)
884740, Fax 8 84 44 44; 60 Z., Bar, Geschäfte, Fitnessbereich, Restaurant.
In den Mauern eines alten großbürgerlichen Stadthauses eingerichtetes
Hotel mit Schwerpunkt auf italienischem Design. Es liegt in der Nähe des
Ku'damms.

Hotels

Berlin
(Fortsetzung)

***Estrel Residence Congress Hotel, Sonnenallee 225 (Treptow), D-12057 Berlin, Tel. (0 30) 6 83 10, Fax 68 31 23 45.; 1125 Z.
Zwar etwas ab vom Schuß, dafür ein supermodernes Haus mit riesigem Atrium und allen Möglichkeiten für Tagungen, Fitness, mehreren Restaurants und Bars – Deutschlands größtes Hotel.

***Fischerinsel, Neue Roßstr. 11 (Mitte), D-10179 Berlin, Tel. (0 30) 23 80 77 00, Fax 23 80 78 00, 100 Z;
Günstiges, größeres Haus auf der zentral gelegenen Fischerinsel.

***Riehmers Hofgarten, Yorckstr. 83 (Kreuzberg), D-10965 Berlin, Tel. (0 30) 78 10 11, Fax 7 86 60 59; 31 Z., Restaurant.
Das in einem großbürgerlichen Haus der Jahrhundertwende gelegene kleine Privathotel verfügt über stilvolle, mit Kirschbaummöbeln ausgestattete Zimmer, besonders schön sind diejenigen mit Blick auf den Innenhof.

*Fasanenhaus, Fasanenstr. 73 (Charlottenburg), D-10719 Berlin, Tel. (0 30) 8 81 67 13, Fax 8 82 39 47; 16 Z.
Günstige Hotelpension in zentraler Lage.

Bochum

**Art-Hotel Tucholsky, Viktoriastr. 73, D-44787 Bochum, Tel. (02 34) 1 35 43, Fax 6 04 49; 15 Z., Bar.
Die Zimmer in diesem kleinen Designerhotel, in der Innenstadt gelegen, sind komfortabel eingerichtet. Leichte Bistroküche im "Café" Tucholsky.

Bodensee

Auf der Insel Reichenau:
***Seeschau, An der Schiffslände 8, D-78479 Reichenau / Mittelzell, Tel. (0 75 34) 2 57, Fax 72 64; 23 Z., Restaurant, Seeterrasse.
Sehr schmuckes Gründerzeithaus in phantastischer Lage am See.

In Uhldingen-Mühlhofen:
**Seevilla, Seefelderstr. 36, D-88690 Uhldingen-Mühlhofen, Tel. (0 75 56) 65 15, Fax 56 91; 27 Z., Restaurant, Sauna, Fitnessraum, Liegewiese.
Sehr elegante und geschmackvoll eingerichtete Villa, von manchen Zimmern geht der Blick auf die Mainau. Für die Kleinen ist im "Kinderparadies" gesorgt.

→ Konstanz, → Lindau, → Meersburg

Bonn

***Best Western Domicil, Thomas-Mann-Str. 24 / 26, D-53111 Bonn, Tel. (02 28) 72 90 90, Fax 69 12 07; 42 Z., Gourmetrestaurant, zwei Bars, Sauna.
Originell ist zunächst die Zusammensetzung: sieben Häuser verschiedener Epochen gruppieren sich um einen Innenhof. Ansonsten edles Design, wohin man blickt.

Braunschweig

***Ritter St. Georg, Alte Knochenhauerstr. 12, D-38100 Braunschweig, Tel. (05 31) 24 41 20, Fax 1 30 38; 21 Z., 1 App., Konferenzeinrichtung, Restaurant, Bar, Garage.
Das familiär geführte Hotel befindet sich in einem schönen alten Haus aus dem 14. Jahrhundert innerhalb der verkehrsberuhigten Innenstadt. Im Restaurant wird eine gutbürgerliche Küche gepflegt.

Bremen

***Hotel Strandlust Vegesack, Rohrstr. 11, D-28757 Bremen-Vegesack, Tel. (04 21) 6 60 91 11; 47 Z., Restaurant, Bistro, Café.
Aus dem 1898 gegründeten Ausflugslokal ist ein solides, modernes Hotel mit hellen Bädern geworden. Trotzdem herrscht noch Ausflugsstimmung: herrliche Caféterrasse mit Weserblick, Seemannskneipe und sonntags sogar Tanztee und Konzerte im Ballsaal.

In Worpswede:
***Eichenhof, Ostendorfer Str. 13, D-27726 Worpswede, Tel. (0 47 92) 26 76, Fax 44 27; 21 Z., Vollwertrestaurant, Sauna, Park.

Im idyllischen Künstlerdorf ein Künstlerhotel im Park: Alle Zimmer sind nach einem zeitgnössischen Künstler benannt und ihrem Namenspatron entsprechend eingerichtet.

Bremen
(Fortsetzung)

***Fürstenhof Celle, Hannoversche Str. 55 / 56, D-29221 Celle, Tel. (0 51 41) 20 10, Fax 20 11 20; 76 Z., Gourmetrestaurant, zwei Bars, Schwimmbad.
Eine wahrlich fürstliche und trotzdem charmant-freundliche Unterkunft im Palais des Barons Capellini-Stechinelli aus dem Jahr 1656. Zentrale Lage neben dem Celler Schloß.

Celle

***Burghotel Rabenstein, Grünaer Str. 2, D-09117 Chemnitz-Rabenstein, Tel. (03 71) 85 65 02, Fax 85 05 79; 16 Z., 4 Suiten, Restaurant, Gartenrestaurant, Wintergarten.
Unterhalb der Burg gelegenes, renoviertes Haus, von außen Jahrhundertwende, Inneneinrichtung im Bauhausstil.

Chemnitz

In Prien:
**Villa am See, Harrasser Str. 8, D-83209 Prien, Tel. (0 80 51) 10 13, Fax 6 43 46; 15 Z., Restaurant.
Familiäre Unterkunft mit unaufdringlicher Atmosphäre. Ausflüge zur Herren- und Fraueninseln werden organisiert.

Chiemsee

In Seebruck:
**Malerwinkel, D-83358 Seebruck-Lambach, Tel. (0 86 67) 488, Fax 14 08; 19 Z., Restaurant, Sauna, Bootssteg, Badestrand, Liegewiese.
Sehr idyllische Lage am See, die schon manchen Maler inspiriert hat. Es gibt auch Drei- und Vierbettzimmer.

***Maritim Hotel Cottbus, Vetschauer Str. 12, D-03048 Cottbus, Tel. (03 55) 4 76 10, Fax 4 76 19 00; 241 Z., behindertengerecht, Restaurant, Konferenzräume, Solarium.
1994 eröffneter Neubau in geringer Entfernung zum Zentrum und zum ehemaligen BUGA-Gelände.

Cottbus

***Steigenberger, Friedensplatz, D-06844 Dessau, Tel. (03 40) 2 51 50, Fax 2 51 51 77, 198 Z., 6 Suiten; Restaurant, Konferenzraum, Fitnessraum, Sauna, Solarium.
Das Seminar- und Konferenzhotel bietet komfortable Zimmer mit Fax-Anschlüssen. Im Restaurant werden überwiegend internationale Gerichte serviert.

Dessau

In Neuleiningen:
**Alte Pfarrey, Untergasse 54, D-67271 Neuleiningen, Tel. (0 63 59) 8 60 66, Fax 8 60 60; 10 Z.; Restaurant.
Das kleine Hotel bietet in drei historischen Gebäuden Romantik pur. Der gepflasterte Innenhof führt in eine kleine Dornröschenwelt mit Erkern und Laubengängen. Das Gourmetrestaurant bietet im Pavillon und auf der Gartenterrasse beste kreative Regionalküche.

Deutsche
Weinstraße

In Deidesheim:
/*Deidesheimer Hof, Am Marktplatz 1, D-67146 Deidesheim, Tel. (0 63 26) 18 11, Fax 76 85; 20 Z., Restaurant, Konferenzraum, Golf.
Die Architektur paßt sich gut dem Stadtbild Deidesheims an. Einige Zimmer und zwei Suiten wurden modern gestaltet und mit viel Komfort ausgestattet. Im Gourmetrestaurant Schwarzer Hahn wird gehobene Pfälzer Küche erfolgreich demonstriert.

*/**Zum Eisenkrug, Dr.-Martin-Luther-Str. 1, D-91550 Dinkelsbühl, Tel. (0 98 51) 5 77 00, Fax 57 70 70; 21 Z., Sauna.
Altehrwürdige Unterkunft im ehemaligen Pfarrhaus mitten in der Dinkelsbühler Altstadt; leicht nostalgisch und mit viel Holz ausgestattete Zimmer. Hochgelobtes Restaurant "Zum kleinen Obristen".

Dinkelsbühl

Hotels

Dortmund

****Dortmund Renaissance, Lindemannstr. 88, D-44137 Dortmund, Tel. (0231) 9 11 30, Fax 9 11 39 99; 223 Z., 5 Suiten; Konferenzraum, Restaurant, Bar, Sauna, Solarium, Fitnessraum.
Die luxuriösen Gästezimmer sind in hellbraunen Tönen gehalten, die Badezimmer mit hellgrauem Marmor ausgestattet. Die großzügige Lobby vermittelt einen Hauch Extravaganz. Im Restaurant wird internationale Küche serviert.

***Römischer Kaiser, Olpe 2, D-44135 Dortmund, Tel. (0231) 54 32 00, Fax 57 43 54; 118 Z., 10 Suiten; Konferenzeinrichtungen, Restaurant, Diätküche, Bar, Sauna, Solarium.
Das gut ausgestattete Stadthotel bietet komfortable Zimmer sowie ein ausgezeichnetes Spezialitätenrestaurant.

Dresden

*****Kempinski Hotel Taschenbergpalais, Am Taschenberg, D-01067 Dresden, Tel. (0351) 4 91 20, Fax 4 91 28 12; 188 Z., 32 Nichtraucherzimmer, Restaurant, behindertengerechte Ausstattung, Schwimmhalle, Sauna, Solarium, Fitnessraum, Konferenzsäle.
Die Nr. 1 der Stadt: Wohnen in adeligem Ambiente des wiederaufgebauten Taschenbergpalais – das hat seinen Preis.

Eine fürstliche Unterkunft: das Hotel Taschenbergpalais in Dresden

****Bülow-Residenz, Rähnitzgasse 19, D-01097 Dresden, Tel. (0351) 8 00 30, Fax 8 00 31 00; 30 Z., Top-Restaurant "Caroussel", aller erdenklicher Komfort inkl. Konferenzraum.
Sehr schönes Barockhaus in der Neustadt. Harte Konkurrenz für die ganz Großen, da um einiges heimeliger.

****Villa Emma, Stechgrundstr. 2, D-01324 Dresden, Tel. (0351) 37 48 10, Fax 3 74 81 18; 17 Z., hervorragendes Restaurant, Konferenzraum, Sauna.
Wer es ruhig und nobel haben möchte, übernachte in dieser Jugendstilvilla im Stadtteil Weißer Hirsch.

**Rothenburger Hof, Rothenburger Str. 15, D-01099 Dresden, Tel. (0351)
801717, Fax 8022808; 20 Z., Restaurant.
Gutes Haus für Preisbewußte.

*****Nikko, Immermannstr. 41, D-40210 Düsseldorf, Tel. (0211) 8340, Fax
161216; 301 Z., behindertengerecht, Restaurants, Bar, Schwimmbad,
Konferenzraum.
Ein (teures) Stück Japan in Deutschland: modern, japanische Höflichkeit
und vor allem beste Küche aus Nippon.

/*Hotel Am Hofgarten, Arnoldstr. 5, D-40479 Düsseldorf, Tel. (0211)
491990, Fax 4919949; 24 Z.
Kleines, freundliches und preiswertes Haus in ruhiger Lage, ca. 10 Minuten
Fußweg zur Altstadt und Kö.

/*Villa Fiore (garni), Niederrheinstraße 270, D-40489 Düsseldorf, Tel.
(0211) 4089017, Fax 4089019; 11 Z., Bar, Parkplätze.
Das Haus wurde mit exellentem Geschmack eingerichtet: In den Zimmern
herrscht italienisches Design vor; am originellsten sind die Giebelzimmer.
Messehotel mit Privatatmosphäre in vornehmer Villenlage.

***Arabella Airport, Im Flughafen, D-40474 Düsseldorf, Tel. (0211) 41730,
Fax 4173707; 184 Z., 16 Suiten, behindertengerecht, Konferenzeinrichtun-
gen, Restaurant, Weinstube, Bar, Garage.
Kongreßhotel mit modernen, zweckmäßig eingerichteten Zimmern. Das
Haus hat direkten Zugang zum Airport; im Panorama-Restaurant lassen
sich Wartezeiten gut überbrücken.

**Fischerhaus, Bonifatiusstraße 35, D-40547 Düsseldorf, Tel. (0211)
597979, Fax 5979759; 39 Z., Restaurant, Parkplatz.
Das komfortable Familienhotel im Stadtteil Lörick gelegen, bietet in Pastell-
tönen gehaltene Zimmer mit geschmackvollen Bädern. Freundlicher Service und gutes Spezialitäten-Restaurant.

In Adenau:
**Blaue Ecke, Am Marktbrunnen, D-53518 Adenau, Tel. (02691) 2005,
Fax 3805; 7 Z., Restaurant.
Die rechte Unterkunft für Nürburgringbesucher, denn das nostalgische
Eifelhaus ist voller Rennsouvenirs, und die Zimmer sind nach Abschnitten
des Rings benannt. Gute Regionalküche.

In Daun:
**Landgasthof Michels, St.-Martin-Str. 9, D-54552 Schalkenmehren (3 km
außerhalb), Tel. (06592) 7081, Fax 7085; 38 Z.; behindertengerecht,
Schwimmbad, Sauna, Solarium, Dampfbad, Fitness, Massage, Garten,
Restaurant, Diätküche.
Kinderfreundliches Familienhotel mit großem Fitnessangebot.

***Hotel auf der Wartburg, D-99817 Eisenach, Tel. und Fax (03691) 5111;
35 Z., Restaurants.
Man wohnt zwar nicht direkt auf der Burg, aber gerade mal 10 m darunter.
Das traditionsreiche Hotel bietet efeuumrankte Winkel, rustikale Zimmer
und einzigartige Ausblicke.

***Sorat Erfurt, D-99084 Erfurt, Tel. (0361) 67400, Fax 6740444; 17 Z.,
Konferenzeinrichtungen, Restaurant, Bar, Solarium, Garage.
Gelungene Synthese von Alt und Neu im Herzen der restaurierten Altstadt.
Im Restaurant wird leichte deutsche Küche geboten.

In Annaberg-Buchholz:
**Alt-Annaberg, Farbegasse 4, D-09456 Annaberg-Buchholz, Tel. (03733)
18310, Fax 183111.

Hotels

Erzgebirge,
Annaberg-
Buchholz (Fts.)

Neues Apartment-Hotel in altem Stadthaus, 7 sehr schön eingerichtete Suiten, jeweils bestehend aus Wohnraum, Schlafzimmer, kleiner Küche, Bad; 5 Minuten vom Marktplatz. Wirklich preiswerte Alternative zu gewöhnlichen Hotels.

In Seiffen:
**Berghof, Kurhausstr. 36, D-09548 Seiffen, Tel. (03 73 62) 77 20, Fax 77 22 20; 20 Z., Restaurant, Konferenzraum.
Ruhige Lage und schöner Ausblick in der Nähe des Erzgebirgischen Freilichtmuseums; im rustikalen Stil eingerichtet.

In Altenberg:
**Ladenmühle, Bielatalstr. 8, D-01773 Hirschsprung, Tel. / Fax (03 53 56) 3 42 40; 46 Z., Restaurant, Konferenzräume, Sauna, Solarium.
Ruhig gelegenes, neues Haus, Verleih von Wintersportgeräten, Organisation von Rundfahrten.

Essen

*****Schloß Hugenpoet, August-Thyssen-Str. 51, D-45219 Essen-Kettwig, Tel. (0 20 54) 1 20 40, Fax 12 04 50; 24 Z., Restaurant, Garten, Tennis, Golf.
Hochherrschaftliche und deshalb nicht billige Unterkunft im 300 Jahre alten Wasserschloß Hugenpoet.

***Parkhaus Hügel Imhoff, Freiherr-vom-Stein-Str. 209, D-45133 Essen-Bredeney, Tel. (02 01) 47 10 91, Fax 44 42 07; 13 Z., Restaurant, Tennis- und andere Sportmöglichkeiten.
Die 1870 gebaute Gründerzeitvilla nahe der Villa Hügel wird seit 1923 als Hotel in Familienbesitz betrieben. Erhalten hat sich eine großbürgerliche Atmosphäre, die vor allem in der "Kaffeewirtschaft" noch zu spüren ist.

Fichtelgebirge

→ Bayreuth

Schon viele berühmte Persönlichkeiten – von Thomas Mann bis Henry Kissinger – sind im stilvollen Frankfurter Hof abgestiegen.

*****Steigenberger Frankfurter Hof, Am Kaiserplatz 17, D-60311 Frankfurt a. M., Tel. (0 69) 2 15 02, Fax 21 59 00; 347 Z., Restaurants, Bistro, Sauna, Fitness.
Prachtvolles Grandhotel alter Schule in zentraler Lage.

Frankfurt am Main

****Hessischer Hof, Friedrich-Ebert-Anlage 40, D-60325 Frankfurt a. M., Tel. (0 69) 7 54 00, Fax 7 54 09 24; 117 Z., Restaurant, Bar, Wintergarten.
Direkt gegenüber dem Haupteingang der Messe wohnt man hier im ehemaligen Stadtpalais des Prinzen von Hessen. Besonders edel und individuell ausgestattete Zimmer gibt es im Nordflügel.

** / ***Am Dom garni, Kannengießergasse 3, D-60311 Frankfurt a. M., Tel. (0 69) 28 21 41, Fax 28 32 37; 30 Z.
Im historischen Zentrum der Stadt gelegenes Haus mit gemütlichen Zimmern und vier Appartments.

** / ***Nizza (garni), Elbestr. 10, D-60329 Frankfurt a. M., Tel. (0 69) 2 42 53 80, Fax 24 25 38 30; 24 Z., Dachgarten, Bar, Billardsaal.
Ein ganz besonderes kleines Hotel in einem Gründerzeithaus im Bahnhofsviertel. Von Künstlern gestaltete, große und helle Zimmer, die nicht alle ein Bad haben, dafür gibt es herrlich nostalgische, gepflegte Etagenbäder.

/*Robert Mayer (garni), Robert-Mayer-Straße 44, D-60486 Frankfurt, Tel. (0 69) 9 70 91 00, Fax 97 09 10 10; 11 Z.
Das kleine, feine Hotel residiert in einer Gründerzeitvilla. Frankfurter Künstler haben die Zimmer mit den großzügigen Bädern unterschiedlich gestaltet. Zum Frankfurter Messegelände sind es ca. 10, zur Alten Oper 15 Minuten zu Fuß.

**Zur Alten Oder (garni), Fischerstr. 32, D-15230 Frankfurt a. d. O., Tel. (03 35) 55 62 20, Fax 32 44 39; 25 Z., Sauna, Fitnessraum.
Renoviertes Familienhotel mit gutem Preis-Leistungs-Verhältnis.

Frankfurt an der Oder

In Aufseß (bei Heiligenstadt):
* / **Brauereigasthof Sonnenhof, Im Tal 70, D-91437 Aufseß, Tel. (0 91 98) 736, Fax 737; 12 Z., Restaurant, Biergarten, Swimmingpool, Liegeweise, Kinderspielplatz.
Hübsche Unterkunft im stillen Aufseß, seit 1823 in Familienbesitz. Das Restaurant bietet fränkische Küche und Bier aus der hauseigenen Brauerei.

Fränkische Schweiz

In Gößweinstein:
* / **Scheffel-Gasthof Distler, Balthasar-Neumann-Str. 6, D-91327 Gößweinstein, Tel. (0 92 42) 201; 10 Z., Restaurant.
Das erste Haus am Platz in unmittelbarer Nähe der Wallfahrtskirche.

*****Colombi-Hotel, Am Colombi-Park, D-79098 Freiburg, Tel. (07 61) 2 10 60, Fax 3 14 10; 82 Z., 39 Suiten, behindertengerecht, Schwimmbad.
Freiburgs Spitzenhotel mit einem ebensolchen Spitzenrestaurant.

Freiburg

****Zum Roten Bären, Oberlinden 12, D-79098 Freiburg, Tel. (07 61) 38 78 70, Fax 3 87 87 17; 25 Z., Restaurant, Garten, Sauna.
Sicher nicht billig, aber wer in Deutschlands ältestem Gasthof – seit 1311 sind alle Wirtsleute nachgewiesen – übernachten will, muß etwas anlegen.

***Oberkirchs Weinstuben, Münsterplatz 22, D-79098 Freiburg, Tel. (07 61) 3 10 11, Fax 3 10 31; 23 Z.
Das Hotel gehört zu Freiburgs renommiertester Weinstube, in der nach wie vor die Honoratioren zum Viertele und bester badischer Küche zusammenkommen. Von den Zimmern des alten Teils Blick auf das Münster.

***Hotel Karpfen, Simpliziusbrunnen 1, D-36037 Fulda, Tel. (06 61) 7 00 44, Fax 7 30 42; 45 Z., 5 Suiten, Restaurant, Bar, Garage.

Fulda

Hotels

Fulda
(Fortsetzung)

Das Haus befindet sich seit fast 100 Jahren in Familienbesitz. Die geräumigen und ruhigen Zimmer weisen verschiedene Stilelemente auf und sind mit geschmackvollen Bädern ausgestattet. Das angeschlossene Gourmetrestaurant ist einen Besuch wert.

Füssen

***Luitpoldpark, Luitpoldstraße, D-87629 Füssen, Tel. (8 83 62) 90 40, Fax 90 46 78; 123 Z., 8 Suiten, Konferenzeinrichtungen, Bar, Sauna, Solarium, Fitnessraum, Kegeln, Garage.
Das Ferien- und Kongreßhotel liegt sehr schön am Kurpark. Die Zimmer sind hell und freundlich gehalten.

**Hotel Hirsch, Kaiser-Maximilian-Platz 7, D-87620 Füssen, Tel. (0 83 62) 50 80, Fax 50 81 13; 47 Z., Konferenz-Einrichtungen, Restaurant, Bierstüberl, Garage.
Das Hotel in einem historischen Gebäude liegt in der Füssener Innenstadt; angeschlossen ist ein Restaurant mit international ausgerichteter Küche.

In Bad Faulenbach:
**Alpenschlössle, Alatseestr. 28, D-87629 Bad Faulenbach, Tel. (0 83 62) 40 17, Fax 3 98 47; 11 Z., Reitmöglichkeiten, Golf.
Das ruhige Haus liegt abseits der Straße im Grünen und bietet freundlich ausgestatte Zimmer mit großzügigen Bädern.

**Garmisch-
Partenkirchen**

***Reindl's Partenkirchner Hof, Bahnhofstr. 15, D-82454 Garmisch-Partenkirchen, Tel. (0 88 21) 5 80 25, Fax 7 34 01; 42 Z., behindertengerecht, Schwimmbad, Sauna.
Am Fuß der Zugspitze gelegen, ist das Haus Inbegriff für Eleganz gepaart mit bayerischer Gemütlichkeit.

**Gasthof Fraundorfer, Ludwigstr. 24, D-82467 Garmisch-Partenkirchen, Tel. (0 88 21) 21 76, Fax 7 10 73; 33 Z., Restaurant, Sauna, Dampfbad.
Was sich außen mit der Lüftlmalerei andeutet, wird innen fortgesetzt: echtes Bayern gepaart mit origineller Zimmerausstattung und deftiger Küche.

Gießen

**Parkhotel Sletz (garni), Wolfstraße 26, D-35394 Gießen, Tel. (06 41) 40 10 40, Fax 40 10 41 40; 20 Z., Garage.
Das sehr persönlich geführte Haus bietet liebevoll eingerichtete Zimmer in angenehmer Atmosphäre.

Görlitz

***Sorat Hotel Görlitz, Struvestr. 1, D-02826 Görlitz, Tel. (03 581) 40 65 77, Fax 40 65 79; 46 Z., 6 Nichtraucherzimmer, Restaurant, Konferenzraum.
Renoviertes Jugendstilhaus im Zentrum nahe Marienplatz, wenige Minuten zum Ober- und Untermarkt.

Goslar

*** /****Der Achtermann, Rosentorstr. 20, D-38640 Goslar, Tel. (0 53 21) 2 10 01, Fax 4 27 48; 152 Z., Restaurants, Bar, Fitnessraum, Schwimmbad, Sauna, Therme.
Schnörkellos komfortables Haus in zentraler Lage zwischen Bahnhof und historischer Altstadt.

Güstrow

** /***Best Western Hotel Stadt Güstrow, Pferdemarkt 58, D-18273 Güstrow, Tel. (0 38 43) 78 00, Fax 78 01 00; 71 Z., behindertengerecht, Restaurant, Sauna.
Der ehemalige Tanzpalast, verkehrsgünstig am Marktplatz gelegen, hat sich zu einem modernen Stadthotel gewandelt. Im sehr guten Restaurant wird bodenständig gekocht.

Halle

****Maritim Halle, Riebeckplatz 4, D-06009 Halle, Tel. (03 45) 5 10 10, Fax 5 10 17 77; 314 Z., 8 Suiten, Hallenbad, Fitnessclub, Nightclub, Restaurant.
Der Bauklotz am Bahnhof von Halle wirkt nach wie vor häßlich, doch im Innern wurde aufwendig restauriert. Die relativ kleinen Zimmer sind zweckmäßig und komfortabel eingerichtet.

**Steigenberger Esprix Halle, Neustädter Passage 5, D-06122 Halle, Tel. Halle
(03 45) 6 93 10, Fax 6 93 16 26; 186 Z., Konferenz-Einrichtungen, Restau- (Fortsetzung)
rant, Sonnenterrasse, Garage.
Das neuerbaute Haus im Stadtteil Neustadt bietet eine gute Alternative zu
den höherpreisigen Hotels in der Innenstadt.

*****Vier Jahreszeiten, Neuer Jungfernstieg 9, D-20356 Hamburg, Hamburg
Tel. (0 40) 3 49 40, Fax 3 49 46 02; 158 Z., Restaurant, Sauna.
Dieses zu den besten Häusern Deutschlands zählende "Stück Hamburg"
beherbergt seit 1897 Gäste aus aller Welt. Luxus pur, es gibt aber auch
etwas günstigere Zimmer.

*****Kempinski Hotel Atlantic, An der Alster 72, D-20099 Hamburg, Tel.
(0 40) 2 88 80, Fax 24 71 29; 241 Z., Restaurant, Schwimmbad, Sauna.
Das 1909 gegründete Atlantic streitet mit dem Vier Jahreszeiten um den
ersten Rang unter Hamburgs Hotels.

*** / ****Elysée, Rothenbaumchaussee 10, D-20148 Hamburg, Tel. (0 40)
41 41 20, Fax 41 41 27 33; 299 Z., Restaurants, Bar, Schwimmbad, Sauna.
Auch von Hotelarchitekten hochgelobtes modernes Haus mit unaufdringlicher Perfektion. Ruhe findet man in der Bibliothek.

** / ***Hafen Hamburg, Seewartenstr. 9, D-20459 Hamburg, Tel. (0 40)
31 11 30, Fax 3 19 27 36; 239 Z.
Der Blick aus den Zimmern macht dem Namen des Hotels oberhalb der
St.-Pauli-Landungsbrücken alle Ehre. Die freie Sicht auf den Hafen fasziniert immer wieder. Besonders die Turmzimmer sind einmalig und gewähren individuelles Wohnen.

**Das Feuerschiff, Vorsetzen, City-Sporthafen, D-20459 Hamburg, Tel.
(0 40) 36 25 53, Fax 36 25 55; 6 Z., Bar.
Wenn schon in Hamburg, dann auch in der Koje übernachten: Wasserrat-
ten sollten die Kojen auf dem Feuerschiff rechtzeitig buchen.

***Kastens Hotel Luisenhof, Lusienstr. 1 – 3, D-30519 Hannover, Tel. (05 11) Hannover
3 04 40, Fax 3 04 48 07; 160 Z., behindertengerecht, Restaurant, Bar.
Der traditionsreiche Luisenhof in zentraler Lage am Bahnhof ist das erste
Haus am Platz.

***Seidler Hotel Pelikan, Podbielskistr. 45, Tel. (05 11) 9 09 30, Fax
9 09 35 55; 123 Z., behindertengerecht, Restaurant, Bar, Sauna.
Wer ein Faible für italienisches Design hat, ist in diesem modernen Haus
im Stadtteil List gut aufgehoben.

In Clausthal-Zellerfeld: Harz
***Parkhotel Calvör, Treuerstr. 6, D-38678 Clausthal-Zellerfeld, Tel. (0 53 23)
95 00, Fax 95 02 22; 34 Z., Restaurant, Sauna.
Komfortables und ruhiges Übernachten ist in der 1675 erbauten ehemali-
gen Superintendentur gesichert. Gute Weine und kleine Gerichte gibt es im
Gewölbekeller.

In Wickerode (bei Sangerhausen):
* / **Landhotel Fünf Linden, Schulplatz 94, D-06536 Wickerode, Tel.
(03 46 51) 3 50, Fax 25 95; 35 Z., Restaurant, Sauna, Kinderspielplatz.
So recht zum Entspannen eignet sich das Hotel im ehemaligen Schulhaus
des 300-Seelen-Dorfs. Freundliche Atmosphäre, hübsche Zimmer, Natur
vor der Tür und verfeinerte regionale Küche versüßen den Aufenthalt.

→ Goslar, → Quedlinburg, → Wernigerode

****Romantik Hotel Zum Ritter St. Georg, Hauptstr. 178, D-69117 Heidel- Heidelberg
berg, Tel. (0 62 21) 13 50, Fax 13 52 30; 34 Z., Restaurant.

Hotels

Heidelberg
(Fortsetzung)

Auch wenn die altdeutsche Gemütlichkeit vielleicht etwas angestaubt wirken mag: das Hotel in einem prächtigen Renaissancebau mitten in der Heidelberger Altstadt gelegen, zählt zu den besten am Platz. Im Restaurant wird Wild aus eigener Jagd auf den Tisch gebracht.

***Hotel am Schloß (garni), Zwingerstr. 20, D-69117 Heidelberg, Tel. (0 62 21) 1 41 70, Fax 14 17 37; 24 Z.
Wer jeden Morgen auf die Altstadt und den Neckar blicken will, ist in diesem ruhigen Familienbetrieb gut aufgehoben.

Holsteinische
Schweiz

In Malente:
***See-Villa Garni, Frahmsallee 11, D-23714 Malente, Tel. (0 45 23) 18 71, Fax 99 78 14; 12 Z., 2 Suiten, Sauna, Solarium, Tennis, Golf.
Das First-class-Hotel im Kurgebiet verfügt über moderne Zimmer und einen idyllischen Garten mit Liegewiese.

In Eutin:
**Hotel-Restaurant Uklei-Fährhaus, Eutiner Str. 1, D-23701 Eutin, Tel. (0 45 21) 24 58, Fax 55 76; 22 Z., Solarium.
Das Haus im Ortsteil Sielbeck liegt sehr schön am Kellersee. Auch vom Restaurant genießt man die bezaubernde Aussicht auf Wald und See.

Husum

***Altes Gymnasium, Süderstr. 6, D-25813 Husum, Tel. (0 48 41) 83 30, Fax 8 33 12; 66 Z., 6 Suiten, Konferenzeinrichtungen, Restaurant, Weinstube, Schwimmbad, Sauna, Solarium, Fitnessraum, Golf.
Das gediegene Hotel mit seinen behaglichen Zimmern befindet sich in der Nähe des historischen Marktplatzes. Im Restaurant werden gute norddeutsche Gerichte serviert.

Inntal

In Rosenheim:
***Parkhotel Crombach, Kufsteiner Str. 2, D-83022 Rosenheim, Tel. (0 80 31) 35 80, Fax 3 37 27; 62 Z., Konferenzraum, Weinstube, Garage.
Familiär geführtes Hotel in schöner Umgebung.

In Wasserburg:
**Fletzinger, Fletzingergasse 1, D-83512 Wasserburg/Inn, Tel. (0 80 71) 9 08 90, Fax 9 08 91 77; 40 Z., Konferenzeinrichtung, Garage.
Das historische Gebäude in der Altstadt offeriert freundliche Zimmer.

Kaiserslautern

***Dorint Hotel, St.-Quentin-Ring 1, D-67663 Kaiserslautern, Tel. (06 31) 2 01 50, Fax 1 48 09: 149 Z., Konferenzraum, Bier- und Weinstube, Bar, Hallenbad, Fitnessraum, Sauna, Garage.
Das moderne Haus mit seinen hellen, freundlichen Zimmern liegt am Rande des Pfälzer Waldes, in der Nähe des Betzenberg-Stadions.

Karlsruhe

***Schloßhotel, Bahnhofsplatz 2, D-76137 Karlsruhe, Tel. (07 21) 3 83 20, Fax 3 83 23 33; 93 Z., 3 Suiten, Konferenzräume, Restaurant.
Die ruhigen, hellen Zimmer sind mit großem Komfort ausgestattet. Hauptbahnhof und Zoo liegen in unmittelbarer Nähe. Im Restaurant wird eine badisch-mediterrane Küche serviert.

**Kübler (garni), Bismarckstr. 39, D-76133 Karlsruhe, Tel. (07 21) 14 40, Fax 14 44 41; 120 Z., Fitnessraum, Sauna.
Angenehme Unterkunft in ruhiger Lage gegenüber der Pädagogischen Hochschule; Schloßgarten und Innenstadt sind nicht weit.

Kassel

***Schloßhotel Wilhelmshöhe, Schloßpark 8, D-341313 Kassel, Tel. (05 61) 3 08 80, Fax 3 08 84 28; 106 Z., Schwimmbad, Sauna, Solarium, Restaurant, Café, Bar, Kegelbahnen, Spielbank.
Ruhig gelegen im Bergpark Wilhelmshöhe. Die Hotelhalle wurde im Stil der 70er Jahre gestaltet, in den eleganten Zimmern herrscht dunkles Holz vor. Im Restaurant 'Grimms' gibt es Märchenmenüs.

**Hotel Schweizer Hof, Wilhelmshöher Allee 288, D-34131 Kassel, Tel. (05 61) 9 36 90, Fax 9 36 99; 63 Zi., Konferenzeinrichtung, Kegelbahnen.
Das moderne Stadthotel liegt günstig zwischen Bahnhof und Wilhelmshöhe.

Kassel
(Fortsetzung)

****Maritim Hotel Bellevue, Bismarckallee 2, D-24105 Kiel, Tel. (04 31) 33 89 40, Fax 33 84 90; 80 Z., Konferenzräume, Restaurant, Nightclub, Schwimmbad, Sauna, Solarium, Garage.
Modernes, komfortables Hotel mit allen Annehmlichkeiten. Im Restaurant kocht der Chef selbst.

Kiel

**Hotel Birke, Martenshofweg 2–8, D-24209 Kiel, Tel. (04 31) 5 33 10, Fax 5 33 13 33; 64 Z., behindertengerecht, Restaurant, Sauna.
Das neue Haus befindet sich rund 5 km außerhalb der Innenstadt in ruhiger Waldrandlage. Von außen wirkt es nicht gerade ansprechend, innen ist es aber funktionell, komfortabel und modern.

*****Hotel im Wasserturm, Kaygasse 2, D-50676 Köln, Tel. (02 21) 2 00 80, Fax 2 00 88 88; 90 Z., Restaurant, Garten, Sauna, Massage.
In puncto Luxus und Exklusivität ist eine Steigerung nicht mehr möglich: Das Hotel im 1872 erbauten Wasserturm erstreckt sich über elf Stockwerke. Hinter dem alten Zweckgemäuer verbirgt sich Zeitgeist-Design der gehobenen Art. Selbst wer mit dem Hubschrauber kommt oder einen Hundesitter braucht, wird hier nicht enttäuscht.

Köln

****Maritim Hotel Köln, Heumarkt 20, D-50667 Köln, Tel. (02 21) 2 02 70, Fax 2 02 78 26; 454 Z., Restaurants, Schwimmbad, Sauna, Fitnessraum, Einkaufsmöglichkeiten.
Südlich der Altstadt direkt am Rhein gelegen, besticht dieses Hotel durch die riesige verglaste Halle mit Rezeption und Edelgeschäften. Die hellen, komfortablen Zimmer liegen allesamt zur Halle hin.

Die imposante Hotelhalle des Kölner Maritim Hotels ist von exklusiven Geschäften und guten Restaurants und Cafés gesäumt.

Hotels

Köln
(Fortsetzung)

**Altstadt-Hotel garni, Salzgasse 7, D-50667 Köln, Tel. (02 21) 25 77 85 12, Fax 2 57 78 53; 23 Z., Sauna.
Mitten in der Altstadt liegt dieses rustikale und gemütliche Haus. An Restaurants und Kneipen vor der Tür herrscht daher kein Mangel.

**Chelsea, Jülicher Str. 1, D-50674 Köln, Tel. (02 21) 23 47 55, Fax 23 91 37; 31 Z., Restaurant.
Künstleratmosphäre beseelt dieses äußerlich unscheinbare Szenehotel, denn die meist einfachen Zimmer sind von Künstlern ausgestattet worden. Trubel herrscht im Café Central im Haus.

Konstanz

****Seehotel Siber, Seestraße 25, D-78464 Konstanz, Tel. (0 75 31) 6 30 44, Fax 6 48 13; 11 Z., 1 Suite, Restaurant, Diätküche, Diskothek, Garage.
Die Zimmer sind geräumig und gut ausgestattet, unvergleichlich ist der Seeblick. Gourmetrestaurant der gehobenen Preisklasse.

***Bayerischer Hof, Rosgartenstr. 30, D-78462 Konstanz, Tel. (0 75 31) 13 04 13; 25 Z., Restaurant, Bar.
Das Ferien- und Kongreßhotel liegt ruhig in einem historischen Gebäude innerhalb der Altstadt.

Lausitz

→ Dresden, → Görlitz, → Zittau

Leipzig

****Adagio (garni), Seeburgstr. 96, D-04103 Leipzig, Tel. (03 41) 21 66 99, Fax 9 60 30 78; 32 Z., Konferenzraum, kostenpflichtige Tiefgarage.
Im Gründerzeitstil, zentral gelegen, Adagio-Club im Kellergewölbe mit kleinen Speisen, Bar und kulturellen Veranstaltungen.

***Sea Side Park Hotel, Richard-Wagner-Str. 7, D-04109 Leipzig, Tel. (03 41) 9 85 20; 233 Z., 78 Nichtraucherzimmer, 40 Apartments, Küche, Restaurant, Sauna.
Neueröffnetes modernes Haus hinter einer Jugendstilfassade verbirgt.

**Gästehaus agra-Park, Bornaische Str. 219, D-04279 Leipzig, Tel. (03 41) 3 38 16 21, Fax 3 38 16 13; 53 Z., Haustiere erlaubt, Tagungsräume.
Das Haus liegt äußerst ruhig im agra-Park.

Lindau

***Bayerischer Hof, Seepromenade, D-88131 Lindau, Tel. (0 83 82) 91 50, Fax 91 55 91; 64 Z., behindertengerecht, Konferenz- und Bankettäume, Restaurant, Weinstube, Diätküche, Bar, Swimmingpool, Garage.
Zum Bayerischen Hof gesellen sich die Hotels Seegarten und Reutemann, die unter derselben Leitung stehen und sich neben dem Pool auch den Blick auf die Bregenzer Bucht und die Alpen teilen. Die großartige Aussicht entschädigt für die eher konservative Ausstattung der Zimmer.

**Insel-Hotel, Maximilianstr. 42, D-88131 Lindau, Tel. (0 83 82) 50 17, Fax 67 56; 28 Z., behindertengerecht, Bar, Garage.
Das ruhige Stadthotel, als Familienbetieb geführt, befindet sich in einem historischen Gebäude in der Altstadt.

Lutherstadt Wittenberg

Sorat Hotel, Braunsdorfer Straße 19, D-06886 Lutherstadt Wittenberg, Tel. (0 34 91) 66 31 90, Fax 66 31 91; 80 Z., Restaurant, Bar, Sauna, Fitnessraum
Am Stadtrand von Wittenberg steht dieses sympathische Hotel mit zeigemäßem Komfort. Bis auf die Mansardenzimmer haben alle Zimmer Balkon, teils zur Straße hin, teils nach hinten hinaus zum Wald.

Schwanenteich (garni), Töpferstraße 1, D-06886 Lutherstadt Wittenberg, Tel. (0 34 91) 41 10 34, Fax 28 07; 11 Z., Bar, Parkplätze
Das Haus liegt mitten in der Altstadt des historischen Städtchens, in unmittelbarer Nähe eines kleinen Parks und einige Minuten vom Rathaus entfernt. Die geschmackvolle Pension wird mit viel privatem Engagement betrieben.

***Senator Hotel Lübeck, Willy-Brandt-Allee 6, D-23554 Lübeck, Tel. (04 51) 14 20, Fax 14 22 22 22; 224 Z., behindertengerecht, Restaurant, Weinstube, Schwimmbad, Sauna. `Lübeck`
Das moderne und großzügige Haus besticht durch seine einzigartige Lage: auf der Wallhalbinsel unmittelbar am Holstentor mit Blick auf den Museumshafen und die Altstadt.

**Park Hotel am Lindenplatz, Lindenplatz 2, D-23554 Lübeck, Tel. (04 51) 8 71 97 29, Fax 8 71 97 29; 18 Z., kinderfreundlich, Parkplatz.
Das familiär geführte Hotel in einer schönen Jugendstilvilla liegt ruhig und zentral.

In Lüneburg: `Lüneburger Heide`
***Bergström, Bei der Lüner Mühle, D-21335 Lüneburg, Tel. (0 41 31) 30 80, Fax 30 84 99; 69 Z., 1 Suite, Restaurant, Sauna- und Fitnessclub, Pianobar, Wintergarten, Lounge mit Kamin, Garage.
Der denkmalgeschützte alte und der neuere Bau liegen sehr schön inmitten der Altstadt von Lüneburg und spiegeln sich in der idyllischen Ilmenau. Die Zimmer sind geschmackvoll möbliert, die Bäder hell und freundlich gehalten. Im Sommer sitzt man gerne auf der großen Terrasse direkt am Wasser.

In Schneeverdingen:
**Der Heide Treff, Osterwaldweg 55, D-29640 Schneverdingen, Tel. (0 51 93) 80 80, Fax 80 84 04; 135 Z., behindertengerecht, Konferenzeinrichtung, Restaurant, Bar, Fitnessraum, Schwimmbad, Sauna, Solarium, Kegeln, Tennis.
Dem Ferien- und Sporthotel sind eine Beautyfarm und eine Tennisschule angeschlossen.

In Soltau:
**Herz der Heide, Ernst-August-Str. 7/9, D-29614 Soltau, Tel. (0 51 91) 9 80 20, Fax 177 65;11 Z., 7 Appartements, Sauna, Solarium, Fahrradverleih.
Das Ferienhotel liegt ruhig am Waldrand, unweit des Solethermalbades.

***Best Western Hotel Herrenkrug, Herrenkrugstr. 194, D-39114 Magdeburg, Tel. (03 91) 8 50 80, Fax 8 50 85 01; 135 Z., Restaurants, Sauna, Fitness, Garten, Reiten. `Magdeburg`
Das Hotel liegt etwas außerhalb der Stadt im Herrenkrugpark an der Elbe. Die großen und ruhigen Zimmer sind im modernen Anbau des einzigartigen Ballsaals aus der Jahrhundertwende eingerichtet.

****Hilton, Rheinstraße 68, D-55116 Mainz, Tel. (0 61 31) 24 50, Fax 24 55 89; 424 Z., 9 Suiten, behindertengerecht, Konferenzeinrichtungen, Bar, Bistro, Lobby-Lounge, Fitnessraum, Sauna, Garage. `Mainz`
Das Hilton liegt direkt neben dem Mainzer Kongreßzentrum. Der Anbau auf der anderen Straßenseite ist mit modernem Komfort ausgestattet und durch eine überdachte Brücke mit dem Stammhaus verbunden. Hier gibt es Zimmer mit Rheinblick.

***Atrium Hotel Kurmainz, Flugplatzstr. 44, D-55126 Mainz, Tel. (0 61 31) 49 10, Fax 49 11 28; 75 Z., 35 Appartements, behindertengerecht, Konferenzeinrichtungen, Solarium, Kaminbar, Dampfbad, Tennis, Garage.
Das Sport- und Kongreßhotel liegt mit seinen modernen Zimmern mitten im Grünen.

**Waldecker Hof, Bahnhofstr. 23, D-35037 Marburg a. d. Lahn, Tel. (0 64 21) 6 00 90, Fax 34 79 51 22; 40 Z., Konferenzeinrichtung, Schwimmbad, Sauna, Solarium, Fitnessraum. `Marburg`
Das Kongreßhotel in der Innenstadt wird als Familienbetrieb geführt. Moderne, funktionale Zimmer.

Hotels

Mecklenburgische Seenplatte

In Klink:
**Hotel Müritz, an der B 192, D-17192 Klink, Tel. (039 91) 1 40, Fax 14 17 94; 362 Z., Restaurant, Sauna, Fitnessraum, Strandbad.
Das Großhotel ist die bekannteste Adresse an der Müritz. Gerne besucht wegen seines großen Freizeitangebots wie Nationalparkbesuche und Gesundheitswochenenden.

*/**Ringhotel Waren Villa Margarete, Fontanestr. 11, D-17192 Waren, Tel. (0 39 91) 62 50, Fax 62 51 00; 28 Z., Sauna, Garten, Segeln.
Im Ortsteil Ecktannen unweit von Müritz und Müritz-Nationalpark gelegenes, angenehmes Hotel in einer alten Stadtvilla.

→ Güstrow, → Schwerin

Meersburg

***Weißhaar, Stefan-Lochner-Straße 24, D-88709 Meersburg, Tel. (0 75 32) 4 50 40, Fax 45 04 45; 21 Zi., Restaurant, Terrasse, Konferenzeinrichtungen, Garage.
Die gemütlich eingerichteten Zimmer haben teilweise Balkon bzw. Seeblick. Sehr schöne Lage mit großartigem Blick über den Bodensee.

**Bären, Marktplatz 11, D-88709 Meersburg, Tel. (0 75 32) 4 32 20, Fax 43 22 44; 17 Zi., Restaurant.
Eines der bekanntesten Gebäude am Marktplatz mit stolzem Giebel und malerischem, zweigeschossigem Erker, umrahmt von wildem Wein. Die gemütlichen Zimmer sind entweder mit bemaltem Bauernbarock oder mit Stilmöbeln ausgestattet.

Moseltal

In Cochem:
***Parkhotel von Landenberg, Sehler Anlagen 1, D-56812 Cochem, Tel. (0 26 71) 30 43, Fax 83 79; 22 Z., Konferenz-Einrichtung, Restaurant, Weinstube, Bar, Schwimmbad, Solarium, Sauna, Garage.
Das freundliche Ferienhotel befindet sich in schöner ruhiger Lage. Der Chef kocht selbst; die Weine stammen vom hauseigenen Weingut.

In Traben-Trarbach:
**Bisenius, An der Mosel 56, D-56841 Traben-Trarbach, Tel. (0 65 41) 68 10, Fax 68 05; 12 Z., Schwimmbad, Sauna, Solarium, Parkplatz.
Das Haus, ein Ferienhotel im Familienbetrieb, liegt direkt an der Mosel. Freundlich eingerichtete Zimmer mit Aussicht.

In Alf:
**Bellevue, Am Moselufer, D-56859 Alf, Tel. (0 65 42) 25 81, Fax 2 29 63; 13 Z., Restaurant, Garage.
Landschaftlich sehr schön gelegenes Ferienhotel. Die Schiffsanlegestellen befinden sich ganz in der Nähe. Das Restaurant bietet Wildspezialitäten.

München

*****Bayerischer Hof, Promenadeplatz 2-6, D-80333 München, Tel. (0 89) 2 12 00, Fax 2 12 09 06; 364 Z., 45 Suiten, Konferenzeinrichtungen, Restaurants, Schwimmbad, Fitnessraum, Sauna, Solarium, Garage.
Elegant und abwechslungsreich sind die Zimmer in diesem repräsentativen Haus. Vor allem Prominente freuen sich über das gepflegte Ambiente, das Schwimmbad im Dachgeschoß und evtl. über die größte Suite Europas mit 584 Quadratmetern. Erstklassig wie das Hotel ist auch das Garden-Restaurant mit seiner klassisch-modernen Küche.

/*Opéra (garni), St.-Anna-Straße 10, D-80538 München, Tel. (0 89) 22 55 33, Fax 22 55 38; 28 Z., Bar, Wintergarten, Parkplätze.
Das schöne Stadthaus beeindruckt im Innern durch seine perfekte Architektur und erlesene Ausstattung. Die attraktiven Erkerzimmer liegen zur Straße hin, nach hinten zeigen die ruhigen Balkon- und Terrassenzimmer. Bei gutem Wetter kann man das Frühstück unter Arkaden im Innenhof einnehmen.

***Admiral, Kohlstraße 9, D-80469 München, Tel. (0 89) 22 66 41, Fax 29 36 74, 33 Z., Bar, Garten, Garage.
Das sehr gepflegte Haus liegt in der Nähe des Deutschen Museums. Die großen Zimmer sind mit perfekten Bädern, einige auch mit einen Balkon zum Garten hinaus, ausgestattet.

***König Ludwig (garni), Hohenzollernstraße 3, D-80801 München, Tel. (0 89) 33 59 95, Fax 39 46 58; 48 Z., 1 Suite, Garage.
Die zentrale Lage in Schwabing hat ihren Preis. Die Zimmer sind großzügig mit kleiner Sitzgruppe, Suite mit Dachterrasse und Kamin.

***Insel-Mühle, Von Kahr-Straße 87, D-80999 München, Tel. (0 89) 8 10 10, Fax 8 12 05 71; 38 Z., 1 Suite, Restaurant, Bar, Biergarten, Garage.
Die denkmalgeschützte, ehemalige Kornmühle liegt inmitten ungestörter Natur – auf einer Insel in der Würm. Die rustikalen Zimmer sind sehr komfortabel, das Restaurant offeriert moderne Regionalküche. Und von Untermenzing sind es nur ca. 20 Autominuten bis München.

**Acanthus (garni), Blumenstraße 40, D-80331 München, Tel. (0 89) 23 18 80, Fax 2 60 73 64; 37 Z., Bar, Garage.
Ein kleines, preiswertes Hotel mit komfortablen Zimmern. Die Bar in der Halle bietet einen 24-Stunden-Service.

***Hof zur Linde, Handorfer Werse-Ufer 1, D-48157 Münster, Tel. (02 51) 3 27 50, Fax 32 82 09; 49 Z., Restaurant, Sauna, Dampfbad, Fitnessstudio, Liegewiesen, Garage.
Das Romantik-Hotel liegt in idyllischer Lage an der Werse. Der Fachwerkbau hat elegante, komfortable Zimmer, besonders schön sind die geräumigen Appartements und Turmsuiten. Im altwestfälischen Landgasthof gibt es eine offene Feuerstelle und eine sehr gute Küche.

***Krautkrämer, Zum Hiltruper See, D-48165 Münster, Tel. (0 25 01) 80 50, Fax 80 51 04; 68 Z., 4 Suiten, Konferenz-Einrichtungen, Restaurant, Bar, Schwimmbad, Sauna, Solarium, Beautyfarm.
Das Haus liegt sehr schön am Naturschutzgebiet Hiltruper See. Besonderen Wohnkomfort zeichnen die Zimmer und Suiten aus, einige haben sogar Balkon und Blick zum See. Das Gourmet-Restaurant überrascht ebenso wie der gut bestückte Weinkeller.

In Kleinjena:
**Wasserschlößchen, An der B 180, D-06618 Kleinjena, Tel. (0 34 45) 20 83 37, Fax 20 83 37; 6 Z., 1 Suite, Restaurant, Bar, Reiten.
Das Ferienhotel befindet sich in ruhiger Lage mit sehr schöner Aussicht. Die hoteleigene Flußfähre führt über die Saale.

**Radisson SAS, Treptower Str. 1, D-17033 Neubrandenburg, Tel. (03 95) 5 58 60, Fax 5 58 66 05; 180 Z., Restaurant.
Schon zu DDR-Zeiten Neubrandenburgs größte Unterkunft, bietet das nun renovierte, zentral gelegene Haus internationalen Standard.

***Dürer, Neutormauer 32, D-90403 Nürnberg, Tel. (09 11) 20 80 91, Fax 22 34 58; 101 Z., 5 Suiten, Konferenzräume, Bar.
Das Touristen- und Businesshotel mit funktional eingerichteten Zimmern liegt in der oberen Altstadt, neben Dürers Geburtshaus.

***Schindlerhof, Steinacher Straße 6-8, D-90427 Nürnberg, Tel. (09 11) 9 30 20, Fax 9 30 26 20; 71 Z., Konferenzeinrichtungen, Restaurant, Sauna, Fitnesscenter, Garage.
Ein Landhotel der besonderen Art im Stadtteil Boxdorf, liebevoll restauriert und mit interessanten Details versehen. Die Palette reicht von urgemütlich über ländlich bis bunt und formverrückt. Der schöne Innenhof wird bei gutem Wetter zum beliebten Treffpunkt.

Hotels

Nürnberg
(Fortsetzung)

** Zirbelstube, Friedrich-Overbeck-Straße 1, D-90455 Nürnberg, Tel. (09 11) 99 88 22, Fax 9 98 82 20; 8 Z., Restaurant, Garten/Terrasse, Parkplätze.
Idyllisch und dennoch verkehrsgünstig am alten Ludwigs-Kanal im Stadtteil Worzeldorf gelegen, überrascht dieses kleine, liebenswerte Hotel. In einem denkmalgeschützten Schleusenwärterhaus bieten die individuell eingerichteten Zimmer eine gemütlich-elegante Atmosphäre. Das Gourmetrestaurant ist rundum mit Zirbelkiefernholz getäfelt.

Oberschwaben

→ Meersburg, → Ravensburg, → Ulm

Oberstdorf

***Exquisit, Prinzenstraße 17, D-87561 Oberstdorf, Tel. (0 83 22) 9 63 30, Fax 96 33 60; 38 Z., 2 Suiten, Konferenzeinrichtungen, Restaurant, Bar, Schwimmbad, Solarium, Massagen, Kosmetik, Putting-Green, Eisstockbahn, Übungsloipe.
Das Kur- und Sporthotel liegt sehr schön im Grünen. Von den großen, freundlichen Zimmern fällt der Blick auf die Oberstdorfer Bergwelt.

**Viktoria, Riedweg 5, D-87561 Oberstdorf, Tel. (0 83 22) 20 36, Fax 86 86; 18 Z., behindertengerecht, Restaurant, Sauna, Solarium, Tennis, Garage.
Das ruhige Ferienhotel mit funktional eingerichteten Zimmern befindet sich in schöner Aussichtslage.

Odenwald

In Beerfelden:
**Schwanen, Metzkeil 4, D-64743 Beerfelden, Tel. (0 60 68) 22 27, Fax 23 25; 8 Z., Restaurant.
Der sehr schön in der Altstadt gelegene Familienbetrieb bietet funktional eingerichtete Zimmer.

In Michelstadt:
*Am Kellereiberg (garni), Am Kirchenfeld 12, D-64720 Michelstadt, Tel. (0 60 61) 48 80, Fax 7 16 45; 10 Z., Garage.
Das freundliche Stadthotel liegt in ruhiger Aussichtslage in der Michelstädter Altstadt.

Oldenburg

**Heide, Melkbrink 47-52, D-26121 Oldenburg, Tel. (04 41) 80 40, Fax 88 40 60; 93 Z., Konferenzeinrichtungen, Restaurant, Bar, Saula, Solarium, Fitnessraum, Garage.
Verkehrsgünstig in der Innenstadt gelegener freundlicher Familienbetrieb mit funktional eingerichteten Zimmern.

Osnabrück

***Hohenzollern, Heinrich-Heine-Straße 17, D-49074 Osnabrück, Tel. (05 41) 3 31 70, Fax 3 31 73 51; 92 Z., 6 Suiten, Konferenzeinrichtungen, Restaurant, Bar, Schwimmbad, Sauna, Solarium.
Stadthotel in unmittelbarer Nähe zum Zentrum. Einige der Zimmer wurden neu gestaltet und sehr ansprechend in Neo-Art-déco eingerichtet.

Ostfriesische Inseln

Auf Borkum:
***Nordsee-Hotel, Bubertstraße 9, D-26757 Borkum, Tel. (0 49 22) 30 80, Fax 30 81 13; 89 Z., Restaurant, Diät, Kureinrichtungen, Badelandschaft mit Meeressolbecken, Whirlpool, Wasserfall, Dampfbad, Bio-Kosmetik.
Das Ferien- und Kurhotel liegt direkt am Strand. Die Zimmer sind funktional eingerichtet.

Auf Juist:
***Achterdiek, Wilhelmstraße 36, D-26571 Juist, Tel. (0 49 35) 80 40, Fax 17 54; 29 Z., 13 Suiten, 10 App., Restaurant, Schwimmbad, Bar.
Das Inselhotel zeichnet sich durch sein freundliches Ambiente aus. Auch ist die maritime Küche des Hotel-Restaurants einen Besuch wert.

Auf Norderney:
****Villa Ney, Gartenstraße 59, D-26548 Norderney, Tel. (0 49 32) 91 70, Fax 10 43; 14 Suiten, Restaurant, Bar, Dampfbad, Fitnessräume.

Die postmoderne Villa liegt sehr ruhig, bis zum Zentrum sind es trotzdem nur ein paar Minuten. Die sehr großen, nach Süden ausgerichteten Zimmer verfügen über Erker, andere besitzen Balkone oder Terrassen; alle Suiten haben prachtvolle Bäder.

Ostfriesische Inseln, Norderney (Fortsetzung)

Auf Spiekeroog:
**Alte Inselkirche, Norderloog 4, D-26474 Spiekeroog, Tel. (0 49 76) 2 51, Fax 15 42; 9 Zi., 4 Ferienwohnungen, Restaurant, Café, Garten.
Idyllisches Hotel direkt neben der alten Inselkirche gelegen. Die rustikalen Zimmer sind mit Biedermeiermöbeln ausgestattet, gemütlich wirken auch die Bäder unter den Dachschrägen.

***Best Western Hotel Arosa, Westernmauer 38, D-33098 Paderborn, Tel. (0 52 51) 12 80, Fax 12 88 06; 112 Z., 3 Suiten, Konferenzeinrichtungen, Restaurant, Sauna, Solarium.
Modernes Hotel mit funktional eingerichteten Zimmern; verkehrsgünstig in der Nähe der Paderquellen gelegen.

Paderborn

**Wilder Mann, Am Rathausplatz, D-94032 Passau, Tel. (08 51) 3 50 71, Fax 3 17 12; 37 Z., 3 Suiten, Restaurant.
Traditionsreiches Haus mit zeitgemäßem Komfort. Von der Dachterrasse und vom Restaurant im 5. Stock reicht der Blick über Donau und Altstadt.

Passau

**König, Untere Donaulände 1, D-94032 Passau, Tel. (08 51) 38 50, Fax 38 54 60; 41 Z., behindertengerecht, Konferenzeinrichtungen, Restaurant, Bar, Sauna, Solarium, Garage.
Das Ferien- und Kongreßhotel in schöner Aussichtslage in der Altstadt gelegen, besitzt funktional eingerichtete Zimmer.

***Parkhotel, Deimlingstr. 36, D-75175 Pforzheim, Tel. (0 72 31) 16 10, Fax 16 16 90; 144 Z., behindertengerecht, Restaurant, Piano-Bar, Konferenzeinrichtungen, Beauty-Bereich mit Sauna, Solarium, Massage, Garage.
Schönes zentral gelegenes Haus am Ufer der Enz, direkt neben Stadthalle und Stadttheater. Freundlich eingerichtete Zimmer.

Pforzheim

In Bad Liebenzell:
***Waldhotel Post, Hölderlinstr. 1, D-75378 Bad Liebenzell, Tel. (0 70 52) 40 70, Fax 4 07 90; 43 Z., Restaurant, Sauna, Solarium, Garage.
Das Komfort-Hotel liegt in aussichtsreicher Höhenlage. Von den Zimmern hat man einen schönen Blick auf den Kurort.

In Wildbad:
/*Sommerberg-Hotel, Heermannsweg 5, D-75313 Wildbad, Tel. (0 70 81) 17 40, Fax 17 46 12; 97 Z., Restaurant, Weinstube, Bar, Konferenzeinrichtungen, Schwimmbad, Sauna, Solarium, Kuranwendungen, Tennis.
Von den komfortablen Zimmern, fast alle mit Balkon versehen, hat man eine schöne Aussicht. Im Gästehaus Jägerhof sind die Zimmer rustikaler.

**Krone, Tiroler Straße 29, D-87459 Pfronten, Tel. (0 83 63) 60 76, Fax 61 64; 30 Z., 2 Suiten, Restaurant, Garage.
Das denkmalgeschützte Haus, 1770 als Amtshaus erbaut, wurde umgebaut und bietet nun komfortable Zimmer. Im Restaurant wird die feine, regionale Küche gepflegt.

Pfronten

****Schloßhotel Cecilienhof, Neuer Garten, D-14469 Potsdam, Tel. (03 31) 3 70 50, Fax 29 24 98; 43 Z., 3 Suiten, Restaurant, Terrasse.
Übernachten an historischem Ort: Für die Schwiegertochter von Kaiser Wilhelm II., Cecilie, wurde um 1900 das im englischen Landhausstil gestaltete Haus errichtet. Es befindet sich in einem schönen Park an der Havel. Das heutige Schloßhotel war Ort der Potsdamer Konferenz von 1945 und somit Gastgeber von Churchill, Truman und Stalin. Der Konferenzraum kann besichtigt werden.

Potsdam

Hotels

Potsdam
(Fortsetzung)

art'otel, Zeppelinstr. 136, D-14471 Potsdam, Tel. (03 31) 9 81 50, Fax
9 81 55 55; 115 Z., 8 Suiten, Restaurant, Bar, Tagungsateliers, Fitnesscenter, Sauna, Solarium.
Dieses runig gelegene Haus besticht durch sein originelles, kühles Design
und die futuristisch anmutenden Fotoarbeiten einer Düsseldorfer Künst-
lerin. Die funktional eingerichteten Zimmer und Suiten haben teilweise
Havelblick, den man allerdings auch vom Restaurant aus genießen kann.

Quedlinburg

**Am Brühl, Billungstraße 11, D-06484 Quedlinburg, Tel. (03 9 46) 9 61 80,
Fax 9 61 82 46; 44 Z., 2 Suiten, 1 App., Restaurant, Weinstube, Sauna, Solarium.
Das Haus liegt direkt unter dem Schloßberg, zentral in der Fachwerk-Altstadt. Die hellen Zimmer sind geschmackvoll eingerichtet; am schönsten
sind die Mansardenzimmern Nr. 34 und Nr. 35 mit Blick auf das Schloß.

**Theophano, Markt 13-14, D-06484 Quedlinburg, Tel. (0 39 46) 9 63 00,
Fax 96 30 36; 22 Z., Weinstube, Garage.
Zentral, d.h., direkt gegenüber dem Rathaus, liegt das stilvoll eingerichtete
Haus aus dem 16. Jahrhundert.

Ravensburg

***Waldhorn, Marienplatz 15, D-88212 Ravensburg, Tel. (07 51) 3 61 20, Fax
3 61 21 00; 27 Z., 1 Suite, 2 App., Restaurant, Weinstube, Konferenzeinrichtungen, Hallenbad, Sauna, Tennis, Garage.
Das Stammhaus am Marienplatz und die moderne Dependance in der
Schulgasse sind durch eine Brücke miteinander verbunden. Die mit zeitgemäßem Komfort ausgestatteten Zimmer sind chic und gemütlich.

Regensburg

***Park-Hotel Maximilian, Maximilianstr. 28, D-93047 Regensburg, Tel.
(09 41) 5 68 53 00, Fax 5 29 42; 52 Z., Restaurant, Konferenzeinrichtungen,
Garage.
Stilvolles Haus mit komfortabel ausgestatteten Zimmern und Bädern.
Gutes Preis-Leistungs-Verhältnis.

/*Sorat Insel-Hotel, Müllerstraße 7, D-93059 Regensburg, Tel. (09 41)
8 10 40, Fax 8 10 44 44; 63 Z., 12 Suiten, Restaurant, Bar, Konferenzeinrichtungen, Sauna, Solarium, Fitnessraum, Garage.
Das Kongreßhotel mit seiner modernen Einrichtung liegt in ruhiger Lage
über der Donau.

Rheinsberg

***Deutsches Haus, Seestr. 13, D-16831 Rheinsberg, Tel. (03 39 31) 3 90 59,
Fax 3 90 63; 28 Z., Restaurant, Biergarten, Sauna, Fitnessraum.
Das 1992 eröffnete Hotel bietet solide Unterkunft in hübsch eingerichteten
Zimmern.

In Warenthin:
*Gast- und Logierhaus Am Rheinsberger See, D-16831 Warenthin, Tel.
(03 39 31) 21 31; 11 Z., Restaurant, Parkplatz, Bootsverleih.
Der freundliche Familienbetrieb liegt ruhig und direkt am Wasser.

Rhön

→ Fulda

Rostock

** / ***Ramada Hotel Rostocker Hof, Kröpeliner / Schwaansche Str. 6,
D-18055 Rostock, Tel. (03 81) 4 97 00, Fax 4 97 07 00; 150 Z., Restaurant,
Sauna, Fitnessraum.
Modernes Quartier in altem Gebäude. Der Rostocker Hof ist ein elegantes
Stadthotel im Zentrum.

In Warnemünde:
***Strandhotel Hübner, Seestr. 12, D-18119 Rostock, Tel. (03 81) 5 43 40,
Fax 5 43 44 44; 95 Z., behindertengerecht, Restaurant, Sauna.
Das neue Strandhotel Hübner trägt außen wie innen dem Zeitgeschmack
Rechnung. Unter der Glaskuppel auf dem Dach großes Fitness-Angebot.

***Bären, Hofbronnengasse 4-9, D-91541 Rothenburg o. d. Tauber, Tel. (0 98 61) 9 44 10, Fax 94 41 60; 28 Z., Restaurant, Bar, Konferenzräume. Das denkmalgeschützte Haus liegt sehr ruhig mitten in der Stadt, unterhalb des Marktplatzes. Seit 1577 wird hier eingekehrt und übernachtet. Die Zimmer sind ausgesprochen komfortabel, die Küche im Gourmetrestaurant bewegt sich auf hohem Niveau.

***Burg-Hotel (garni), Klostergasse 1-3, D-91541 Rothenburg o. d. T., Tel. (0 98 61) 9 48 90, Fax 94 89 40; 10 Z., 5 Suiten, Garage. Rothenburgs kleinstes, feines Hotel, im Stil eines gepflegten Landhauses eingerichtet, thront auf der Stadtmauer mit weitem Blick ins Taubertal. In den schönen, großen Zimmern mit den geschnitzten Himmelbetten und tadellosen Bädern fühlt man sich wohl.

In Binz:
**Vier Jahreszeiten, Zeppelinstr. 8, D-18609 Binz, Tel. (03 83 93) 5 00, Fax 5 04 30; 57 Z., Restaurant, Sauna, Fitness, Tennis. Das Hotel bietet geschmackvoll eingerichtete, großzügige Zimmer in einer beeindruckenden, renovierten Seebad-Villa. Zwei Minuten zum Strand.

In Göhren:
***Nordperd, Nordperdstr. 11, D-18586 Göhren, Tel. (03 83 08) 70, Fax 71 60; 69 Z., Restaurant, Sauna, Fitnessraum. Das beste Haus in Göhren zeichnet sich durch hohen Komfort und beste regionale Küche aus. 10 Minuten zum Strand.

In Saßnitz:
**Villa Aegir, Mittelstraße 5, D-18546 Saßnitz, Tel. (03 83 92) 3 30 02, Fax 3 30 46; 36 Z., Restaurant, Terrasse. Alle Zimmer in der Gründerzeitvilla sind renoviert und mit weißen Bädern ausgestattet; der Neubau ist moderner möbliert. Das rustikale Restaurant bietet regionale Küche und von der Terrasse Ostseeblick.

→ Naumburg

***Am Triller, Trillerweg 57, D-66117 Saarbrücken, Tel. (06 81) 58 00 00, Fax 58 00 03 03; 114 Z., Restaurant, Bierstube, Bar mit offenem Kamin, Konferenzeinrichtungen, Billard, Jet-Stream-Anlage, Sauna, Solarium, Garage. Das gutbürgerliche Haus liegt sehr ruhig mit Blick über die Saar. Aufwendig renovierte Gäste- und Badezimmer.

**Domicil Leidinger, Mainzer Straße 10, D-66111 Saarbrücken, Tel. (06 81) 3 80 11, Fax 3 80 13; 58 Z., 4 Suiten, Restaurant, Wein-Bistro mit Biergarten, Bar, Konferenzeinrichtungen, Solarium, Garage. Am Rande der Altstadt gelegen, bestechen die beiden Altbauten im Innern mit ihrem modernen Design. Das Bistro entwickelte sich zum beliebten Treffpunkt, im Restaurant wird französisch-italienisch gekocht.

In Pirna:
**Romantik Hotel Deutsches Haus, Niedere Burgstr. 1, D-01796 Pirna, Tel. (03 501) 44 34 40, Fax 52 81 04; 40 Z., Restaurant, sommers im Innenhof Gartenrestaurant, abendliche Weinstube. In der Altstadt gelegenes Renaissancehaus, Blechschmidt-Haus genannt nach dem bedeutenden Baumeister des 16. Jh.s, der hier wohnte. Bauernmöbel- und Biedermeierzimmer sowie die zahlreichen Antiquitäten schaffen eine gemütliche Atmosphäre.

In Rathen:
**Erbgericht, D-01824 Rathen, Tel. (03 50 24) 4 54, Fax 4 27; 37 Z., Restaurant, Hallenbad, Sauna, Solarium. Ruhig und schön gelegen, hübsche Elbterrasse. Zufahrt nur mit Sondergenehmigung, bei Reservierung bzw. Ankunft erhältlich.

Margin notes:
Rothenburg o. d. Tauber

Rügen

Saaletal
Saarbrücken

Sächsische Schweiz

Hotels

Sauerland

In Winterberg:
/*Astenkrone, Astenstraße 24, D-59955 Winterberg, Tel. (0 29 81) 80 90, Fax 80 91 98; 45 Z., Restaurants, Konferenzräume, Erlebnisbad, Whirlpool, Dampfbad, Solarium, Sauna, Kegelbahn, Lese- und Kaminhalle, Garage, Wintersport.
Das Ferien- und Kongreßhotel, in der Ortsmitte von Altastenberg gelegen, bietet einen angenehmen Aufenthalt in modernen Räumen.

In Schmallenberg:
***Waldhaus Ohlenbach, D-57392 Schmallenberg, Tel. (0 29 75) 8 40, Fax 84 48; 48 Z., 2 Suiten, Restaurant, Schwimmbad, Garage.
Das Haus befindet sich in idyllischer Lage im Ortsteil Ohlenbach mit schöner Fernsicht ins Rothaargebirge. Moderne, komfortable Zimmer mit liebenswertem Service und hervorragende Küche.

Schwäbische Alb   → Ravensburg, → Stuttgart, → Tübingen, → Ulm

Schwäbisch Hall   **Goldener Adler, Am Markt 11, D-74523 Schwäbisch Hall, Tel. (07 91) 61 68, Fax 73 15; 20 Z., 1 Suite, Restaurant, Garage.
Der schön restaurierte Fachwerkbau aus dem Jahre 1500 liegt mitten in der Stadt. Zwei Zimmer zieren hübsche Erker, andere schöne Stuckdekken. Gutes Preis-Leistungs-Verhältnis.

*Sonneck, Fischweg 2, D-74523 Schwäbisch-Hall, Tel. (07 91) 97 06 70, Fax 0 70 67 89; 25 Z., behindertengerecht, Restaurant, Tagungsraum, Biergarten, Kegelbahn, Billard, Garage.
Das familiär geführte Haus liegt im Stadtteil Gottwollshausen. Die Zimmer sind funktional eingerichtet.

Schwarzwald   → Baden-Baden, → Freiburg, → Pforzheim

In Badenweiler:
****/*****Römerbad, Schloßplatz 1, D-79410 Badenweiler, Tel. (0 76 32) 7 00, Fax 7 02 00; 84 Z., Restaurant, Bar, Konferenzeinrichtungen, Schwimmbad, Sauna, Kinderhaus, Garten, Veranstaltungen, Kosmetiksalon, Golf.
Traditionsreiches Haus mit hellen, geräumigen Zimmern, wundervollem Garten und zuvorkommendem Service.

/*Schwarzmatt, Schwarzmattstraße 6a, D-79405 Badenweilerr, Tel. (0 76 32) 8 20 10, Fax 82 01 20; 29 Z., 4 Suiten, 8 App., Restaurant, Schwimmbad, Golf, Garage.
Ruhig gelegenes Haus im eleganten Landhausstil mit freundlich eingerichteten Zimmern. Ein Ferienhotel für Golfer.

In Bühl:
*****Schloßhotel Bühlerhöhe, Schwarzwaldhochstraße 1, D-77815 Bühl, Tel. (0 72 26) 5 50, Fax 5 57 77; 69 Z., 13 Suiten, 8 App., Gourmet-Restaurants, Konferenzzentrum, Beauty & Spa Resort, Schwimmbad, Sauna, Solarium, Tennis, Golf, Garage.
Eleganz und Komfort pur auf der Schwarzwaldhöhe: Das berühmte Schloßhotel, in einem wunderschönen Park gelegen, repräsentiert internationalen Spitzenstandard. Hier ist alles vom Feinsten. Die großzügigen Zimmer, die wunderbare Badelandschaft, der Blick von der "Hirsch-Terrasse", die Menüs in den beiden Gourmetrestaurants oder der zuvorkommende Service – alles ist unübertroffen.

/*Plättig-Hotel, Schwarzwaldhochstraße 1, D-77815 Bühl, Tel. (0 72 26) 5 30, Fax 5 34 44; 57 Z., Suiten, App., Restaurant, Weinstube, Schwimmbad, Sauna, Solarium, Tennis, Garage.
Das gemütliche Freizeithotel im Schwarzwälder Stil zeichnet sich besonders durch seinen Komfort aus; alle Zimmer und Sanitärbereiche wurden großzügig renoviert. Schöne Terrassen.

In Baiersbronn:
*****Bareiss, Gärtenbühlweg 14, D-72270 Baiersbronn, Tel. (0 74 42) 4 70, Fax 4 73 20; 51 Z., 7 Suiten, 42 App., Gourmet-Restaurant, Bar, Schwimmbad, Sauna, Fitnessraum, Kurabteilung, Terrasse, Boutique, Bibliothek, Tennis, Reiten, Garage.
Elegantes Hotel im Ortsteil Mitteltal mit höchstem Komfort und vielfältigem sportlichen Angebot. In den behaglich eingerichteten Zimmern ist alles vom Feinsten. Freundlicher, perfekter Service im Hotel und in den Restaurants der Spitzenklasse.

****/*****Traube Tonbach, Tonbachstraße 237, D-72270 Baiersbronn, Tel. (0 74 42) 49 20, Fax 49 26 92; 109 Z., 10 Suiten, 56 App., Gourmet-Restaurant, Schwimmbad, Fitnessraum, Sauna, Kurabteilung, Terrasse, Tennis, Reiten, Boutique, Bibliothek, Kino, Garage.
Ferienhotel der Spitzenklasse mit Luxussuiten und Appartements. Ein einladendes Haus mit liebenswürdigen Gastgebern und perfektem Service. In den verschiedenen Restaurants werden kulinarische Höchstleistungen geboten.

In Freudenstadt:
**Birkenhof, Wildbader Str. 95, D-72250 Freudenstadt, Tel. (0 74 41) 89 20, Fax 47 63; 60 Z., Restaurant, Bar, Kur- und Konferenzeinrichtungen, Schwimmbad, Sauna, Solarium, Kegeln, Golf, Garage.
Das Ferien-, Sport- und Kurhotel befindet sich in sehr schöner Lage. Die gemütlichen Zimmer besitzen zeitgemäßen Komfort.

In Hinterzarten:
****Adler, Adlerplatz 3, D-79856 Hinterzarten, Tel. (0 76 52) 12 70, Fax 12 77 17; 46 Z., 32 Suiten, Restaurants, Konferenz-Einrichtungen, Schwimmbad, Sauna, Solarium, Tennis, Golf, Wintersport, Garage.
Das traditionsreiche Schwarzwaldhotel, bestehend aus altem Haupthaus, Restaurant und dem Neubau Adler-Residenz, liegt in einem großzügigem Park mit Wildgehege und Ententeich. Die gemütlichen Zimmer sind im typischen Schwarzwälder Stil eingerichtet.

In Titisee-Neustadt:
***Treschers Schwarzwaldhotel, Seestraße 10, D-79822 Titisee-Neustadt, Tel. (0 76 51) 80 50, Fax 81 16; 84 Z., Konferenzeinrichtung, Restaurant, Bar, Schwimmbad, Sauna, Solarium, eigener Badestrand, Beautyfarm, Fitnesscenter, Tennis, Kegeln, Segeln, Garage.
Das Ferien- und Kongreßhotel liegt sehr schön am Ufer des Titisees. Freundliche, funktional eingerichete Zimmer.

***Arte Schwerin, Dorfstr. 6, D-19061 Schwerin-Krebsförden, Tel. (03 85) 6 34 50, Fax 63 45 100; 40 Z., Restaurant, Sauna.
Restauriertes Bauernhaus, etwas außerhalb gelgen, mit ländlich-ruhiger Atmosphäre und modern ausgestatteten Zimmern.

→ Cottbus

/*Parkhotel Stralsund, Lindenallee 61, D-18437 Stralsund, Tel. (0 38 31) 47 40, Fax 47 48 60; 120 Z., Restaurant, Garten, Sauna, Fitnessraum.
Geschmackvolles Geschäftshotel mit angenehmen Zimmern in einem Neubau am westlichen Stadtrand.

*****Steigenberger Hotel Graf Zeppelin, Arnulf-Klett-Platz 7, D-70173 Stuttgart, Tel. (07 11) 2 04 80, Fax 2 04 85 42; 195 Z., Restaurants, Sauna, Schwimmbad, Fitnessraum.
Das Flaggschiff der Stuttgarter Hotellerie ist jüngst von Grund auf renoviert worden. Seitdem gibt es zwar fünfzig Zimmer weniger, doch ist alles größer und moderner geworden. Absolut zentrale Lage.

Hotels

Stuttgart
(Fortsetzung)

/*Schatten, Magstadter Straße, D-70569 Stuttgart, Tel. (07 11) 6 86 70, Fax 6 86 79 99; 121 Z., 12 Suiten, Restaurants, Weinstube, Bar, Terrassen, Fitnesscenter, Whirlpool, Dapfbad, Sauna, Solarium, Golf, Garage.
Das Haus liegt sehr schön im Grünen, nahebei die ehemals spektakuläre "Schattenkurve". Zum Flughafen sind es rund 20, zur Innenstadt 15 Autominuten. Die Zimmer im Altbau verfügen alle über einen Balkon, die Räume im Neubau sind groß und modern eingerichtet. In den gemütlichen Restaurants ißt man sehr gut.

**Sautter, Johannesstr. 28, D-70176 Stuttgart, Tel. (07 11) 6 14 30, Fax 61 16 39; 60 Z., Restaurant.
Beste schwäbische Solidität bietet dieses zentrumsnah im Stuttgarter Westen gelegene Familienhotel. Im Restarauant lernt man die schwäbische Küche kennen.

**Geroksruhe (garni), Pischekstr. 68 – 70, D-70184 Stuttgart, Tel. (07 11) 23 86 90, Fax 2 36 00 23; 18 Z.
Schnörkelloses Hotel etwas außerhalb über dem Stuttgarter Talkessel gelegen. Die Straßenbahn in die Innenstadt und zum Fernsehturm hält vor der Tür.

Sylt

In Kampen:
****Rungholt Meeresblick, Kurhausstr. 35, D-25999 Kampen, Tel. (0 46 51) 44 80, Fax 4 48 40; 64 Z., Restaurant, Sauna, Golf.
Landschaftlich wunderschöne Lage am Ortsrand Richtung See, familiäre Atmosphäre, erstklassiges Restaurant für Hausgäste.

In Keitum:
***Ringhotel Seiler Hof, Gurtstig 7, D-25980 Keitum, Tel. (0 46 51) 9 33 40, Fax 3 53 70; 8 Z., Restaurant, Sauna, Fitnessraum.
Hübsches kleines Haus direkt im Zentrum des idyllischen Keitum, ruhig, Liegewiese mit Strandkörben.

In Westerland:
*****Miramar, Friedrichstr. 43, D-25980 Westerland, Tel. (0 46 51) 85 50, Fax 85 22 22; 86 Z., behindertengerecht, Restaurant, Garten, Schwimmbad, Sauna, Kurmittel.
Grandhotel mit Familientradition seit 1903. Toplage direkt oberhalb des Strands, erstklassiger Service.

Thüringer Wald

In Ilmenau:
/*Gabelbach, Waldstraße 23a, Tel. (0 36 77) 5 66, Fax 31 06; 146 Z., Restaurant, Konferenzräume, Schwimmbad, Sauna, Fitnesscenter, Kegelbahn, Terrasse, Garten, Reiten, Garage.
Das Berg- und Jagdhotel liegt landschaftlich sehr schön. Im Anbau befinden sich 60 moderne Zimmer; hervorragendes Restaurant.

In Sonneberg:
**Schöne Aussicht, Schöne Aussicht 24, D-96515 Sonneberg, Tel. (0 36 75) 80 40 40, Fax 80 40 41; 12 Z., Restaurant.
Das familienfreundliche Haus befindet sich in ruhiger, waldreicher Lage. Die Zimmer sind freundlich und zweckmäßig eingerichtet.

In Suhl:
***Thüringen, Platz der Deutschen Einheit 2, D-98527 Suhl, Tel. (0 36 81) 30 38 90, Fax 2 43 79; 124 Z., Restaurants, Bar, Gartenterrasse, Konferenzeinrichtungen, Sauna, Garage.
Alle Zimmer dieses Tagungshotels wurden modernisiert und mit zeitgemäßem Komfort ausgestattet. Gute Küche, freundlicher Service.

Trier

**Villa Hügel, Bernhardstraße 14, D-52495 Trier, Tel. (06 51) 3 30 66, Fax 3 79 58, 35 Z., Restaurant, Bar, Panoramaterrasse, Hallenbad, Sauna.

Die Jugendstilvilla liegt oberhalb der Kaiserthermen und des Palastgartens, rund 10 Gehminuten zur Altstadt. Von den gemütlichen Zimmern geht der Blick ins Grüne. Gutes Preis-Leistungsverhältnis. Trier (Fortsetzung)

***Domizil, Wöhrdstraße 5-9, D-72072 Tübingen, Tel. (0 70 71) 13 90, Fax 13 92 50; 80 Z., behindertengerecht, Restaurant, Bar, Konferenzräume, Sauna, Solarium, Fitnessraum, Garage. Tübingen
Das sehr schön gelegene Stadthotel wurde vom Bund Deutscher Architekten ausgezeichnet. Von den elegant eingerichteten Zimmern fällt der Blick auf Altstadt und Neckar.

**Hotel Am Schloß, Burgsteige 18, D-72070 Tübingen, Tel. (0 70 71) 9 29 40, Fax 92 94 10; 33 Z., Restaurant, Gartenterrasse.
Familienbetrieb in historischem Altstadtgebäude. Herrlicher Blick auf Tübingen, schwäbische Küche.

****Maritim, Basteistraße 40, D-89073 Ulm, Tel. (07 31) 92 30, Fax 9 23 10 00, 276 Z., 11 Suiten, Restaurant, Bar, Konferenzeinrichtungen, Schwimmbad, Sauna, Solarium, Fitnessraum, Garage. Ulm
Kongreßhotel mit viel Glas und Marmor, am Ufer der Donau gelegen. Vom Panoramacafé schöner Blick auf das Ulmer Münster.

**Ulmer Spatz, Münsterplatz 27, D-89073 Ulm, Tel. (07 31) 6 80 81, Fax 6 02 19 25; 40 Z., Restaurant, Konferenzeinrichtungen, Garage.
Sehr schön gelegenes historisches Haus in der Altstadt. Restaurant mit schwäbischen Spezialitäten.

In Ahlbeck:
/*Seehotel Ahlbecker Hof, Dünenstr. 47, D-17419 Ahlbeck, Tel. (03 83 78) 6 20, Fax 6 21 00; 39 Z., Restaurant, Schwimmbad, Sauna. Usedom
Dieses Haus im Stil der Bäderarchitektur ist die "Verwöhnadresse" von Usedom: gutes Restaurant und großes Fitnessangebot.

In Heringsdorf:
/*Diana, Delbrückstraße 13-14, D-17424 Heringsdorf, Tel. (03 83 78) 3 19 52, Fax 3 19 53; 8 Z., 4 Suiten, Restaurant, Sauna, Solarium, Fitnessraum, eigener Strandabschnitt mit Strandkörben.
Die schön gelegene Villa war einst das großbürgerliche Palais einer Bankiersfamilie. Nach stilgerechter Renovierung herrscht wieder zeitgemäßer Komfort und Eleganz. Gemütlicher Salon mit Kamin. Von den teilweise mit Balkon versehenen Zimmern geht der Blick entweder zur Seeseite oder in den großzügigen Park. Preiswerteres Gästehaus an der Einfahrt.

In Bansin:
Strandhotel, Bergstraße 30, D-17429 Bansin, Tel. (03 83 78) 2 23 42, Fax 2 23 43; 62 Z., Konferenzeinrichtungen, Restaurant, Café, Bierstube, Sauna, Solarium, Kegelbahn, eigener Strandabschnitt, Terrasse/Garten.
Renoviertes Haus am FKK-Strand. Einige der solide ausgestatteten Zimmer bieten Seeblick.

In Bad Elster: Vogtland
*Haus Linde, Beuthstr. 1, D-08645 Bad Elster, Tel. (03 74 37) 34 43; 8 Z.
Freundliche Familienpension in Waldnähe.

In Markneukirchen:
*Berggasthof Heiterer Blick, Oberer Berg 54, D-08258 Markneukirchen, Tel. (03 74 22) 26 95, Fax 4 85 18; 7 Z.
Der Berggasthof liegt sehr hübsch; bekannt wurde er vor allem durch seine Kaffeetafel.

***Flamberg Hotel Elephant, Markt 19, D-99423 Weimar, Tel. (036 43) 80 20, Fax 6 53 10; 102 Z., Restaurants, Bar, Garten. Weimar

Hotels

Weimar
(Fortsetzung)

Der "Elephant" ist das klassische Hotel in der Weimarer Altstadt. Ein Blick in das sorgsam gehütete Gästebuch zeigt, daß es ein Stück Stadtgeschichte darstellt. Ausgezeichnetes Küche.

**Wolff's Art Hotel, Freiherr-vom-Stein-Allee 34a, D-99425 Weimar, Tel. (03643) 54060, Fax 540699; 30 Z., behindertengerecht, Restaurant, Sauna, Fitnessraum.
Das Haus liegt sehr ruhig in der Nähe des Europäischen Centrums für Innovationen.

Wernigerode

**Gothisches Haus, Am Markt 1, D-38855 Wernigerode, Tel. (03943) 3750, Fax 375537; 118 Z., behindertengerecht, Konferenz-Einrichtungen, Restaurant, Bar, Sauna, Solarium, Fitnessraum.
Altes Fachwerkgebäude, zentral gelegen, mit viel Holz und hübsch renovierten Zimmern. Im Anbau liegen die neuen, moderneren Räume.

**Weißer Hirsch, Marktplatz 5, D-38855 Wernigerode, Tel. (03943) 602020, Fax 633139; 47 Z., Restaurant, Bar, Konferenz-Einrichtungen, Garage.
Das Haus, gegenüber dem historischen Rathaus gelegen, verfügt über komfortable Zimmer. Freundlicher Service.

Weserbergland

In Bad Oeynhausen:
**Hahnenkamp, Alte Reichsstr. 4, D-32549 Bad Oeynhausen, Tel. (05731) 75740, Fax 757475; 27 Z., Restaurant, Konferenzeinrichtungen, Terrasse, Liegewiese, Golf.
Das kleine Hotel mit seiner schönen Parkanlage befindet sich in einer ehemaligen Postkutschenstation, einige Kilometer außerhalb des Kurortes. Die modernen Zimmer sind alle komfortabel eingerichtet. Gutes Restaurant.

In Höxter:
**Niedersachsen, Möllingerstr. 4, D-37671 Höxter, Tel. (05271) 6880, Fax 688444; 80 Z., 1 Suite, behindertengerecht, Restaurant, Bar, Konferenz-Einrichtungen, Schwimmbad, Sauna, Solarium, Kegelbahn.
Das zentral gelegene Haus verfügt über helle, freundliche Zimmer, in denen man sich wohlfühlt.

Wiesbaden

*****Nassauer Hof, Kaiser-Friedrich-Platz 3-4, D-65183 Wiesbaden, Tel. (0611) 1330, Fax 133632; 178 Z., 20 Suiten, Gourmetrestaurants, Bar, Konferenzeinrichtungen, Schwimmbad mit Sonnenterrasse, Sauna, Solarium, Fitnessraum, Beauty Spa mit Schönheits- und Fitnessprogrammen, Kuranwendungen, Golf, Reiten, Garage.
Das Grandhotel der Spitzenklasse liegt direkt gegenüber dem Kurhaus. Die eleganten Zimmer und das freundliche Ambiente bieten höchsten Komfort und lassen keine Wünsche offen. Vom Thermalschwimmbad und der Sonnenterrasse im obersten Stockwerk reicht der Blick weit über Wiesbaden. Und in den Gourmetrestaurants wird auf höchstem Niveau gespeist.

**Drei Lilien, Spiegelgasse 3, D-65183 Wiesbaden, Tel. (0611) 991780, Fax 991788; 13 Z., Restaurant, Weinstube, Konferenzeinrichtungen.
Das im Kurviertel gelegene Haus weist Jugendstilelemente auf. Einige der freundlichen Zimmer sind mit antiken Möbeln eingerichtet.

Wismar

**Best Western Hotel Alter Speicher, Bohrstr. 12, D-23966 Wismar, Tel. (03841) 211746, Fax 211747; 75 Z., Restaurant, Sauna.
Mitten in der Altstadt liegt dieses komfortable Stadthotel in historischem Ambiente. Idealer Standort für Stadterkundungen.

Würzburg

/*Rebstock, Neubaustraße 7, D-97070 Würzburg, Tel. (0931) 30930, Fax 3093100; 72 Z., 9 Suiten, 1 App., Restaurant, Weinstube, Bar im Wintergarten, Konferenzeinrichtungen.

Die prachtvolle Stuckverzierung an der heiteren Fassade lädt ebenso zum Verweilen ein wie der wunderschöne Wintergarten mit Bar. Ruhig sind die kleinen rustikalen Studios zum Innenhof, reizvoll die Zimmer mit Schrägen und interessant die hübschen Designer-Zimmer in den unterschiedlichsten Stilrichtungen.

Hotels, Würzburg (Fortsetzung)

** Zur Stadt Mainz, Semmelstr. 39, D-97070 Würzburg, Tel. (09 31) 5 31 55, Fax 5 85 10; 15 Z., Restaurant.
Mainfranken at its best erlebt man in diesem auf das Jahr 1430 zurückgehende Gasthof mitten in der Altstadt: solide Zimmer und beste regionale Küche nach seit 1850 überlieferten Hausrezepten.

**Ringhotel Wittelsbacher Höh, Hexenbruchweg 10, D-97082 Würzburg, Tel. (09 31) 4 20 85, Fax 41 54 58; 74 Z., Restaurant, Garten, Sauna.
Das Hotel liegt zwar etwas außerhalb, dafür ist es ruhig und bietet eine herrliche Aussicht.

In Kurort Oybin:
**Oybiner Hof, Hauptstr. 5, D-02729 Kurort Oybin, Tel. (03 58 44) 7 02 97, Fax 7 03 71; 50 Z., Restaurant, Kegelbahn, Tagungsräume.
Das angenehme Haus bietet ein vernünftiges Preis-Leistungs-Verhältnis.

Zittau

Jugendherbergen

Rund 600 Jugendherbergen (JH) stehen jedem offen, der im Besitz eines gültigen Jugendherbergsausweises ist; dieser Ausweis wird durch eine an den internationalen Verband (IYHF) angeschlossene Jugendherbergsvereinigung ausgestellt. Jugendliche Mitglieder (bis 25 Jahre) werden bevorzugt aufgenommen. Familien sowie Leiter von Schulen und Jugendgruppen benötigen eine besondere Mitgliedskarte, die bei der Einschreibung vorgelegt muß.

Aufnahme

Deutsches Jugendherbergswerk (DJH), Postfach 1455, D-32704 Detmold, Tel. (0 52 31) 7 40 10, Fax 74 01 49.

Auskunft in der Bundesrepublik Deutschland

Im Verlag des Deutschen Jugendherbergswerkes erscheint alljährlich das Deutsche Jugendherbergsverzeichnis.

Verzeichnis

Karten

Übersichtskarten für die Reiseplanung und Anfahrt:
Hallwag: Deutschland (mit Distoguide und Transitplänen)
Mair: Autobahnkarte Deutschland
Mair: Shell EuroKarte Deutschland Nord
Mair: Shell EuroKarte Deutschland Süd
ADAC: ADAC-Straßenkarte Deutschland, Nord;
ADAC-Straßenkarte Deutschland, Süd
Hallwag: Deutschland Nord, Deutschland Ost, Deutschland Süd
(jeweils mit Distoguide und Transitplänen)

Übersichtskarten
1:700 000
1:600 000
1:500 000

Regionalkarten für Rundfahrten und Ausflüge:
ADAC: ADAC Straßenkarten Deutschland Blatt 1-11
Mair: Die Generalkarte Blatt 1–37 (einzeln oder in Kassette; auch als Großblatt), sehr detailliert, mit zahlreichen Hinweisen zur Touristik.
ADAC: ADAC Regionalkarten Blatt 1 bis 24
Mair: Allianz-Freizeitkarten mit Freizeittips. In fast allen Karten sind auch besonders empfehlenswerte Radtouren eingezeichnet.

Regionalkarten
1:300 000
1:200 000

1:150 000
1:100 000
(110 000)

Karten (Fortsetzung) Wanderführer und -karten	Deutscher Wanderverlag Dr. Mair & Schnabel & Co.: Kompass-Wanderführer und Radwanderführer (mit Übersichtskarten und farbigen Wegeskizzen) Haupka Verlag: Deutsche Radtourenkarte, Deutsche Ausflugskarte, Motorradfahrerkarte, Autobahnkarte Kompass-Karten H. Fleischmann: Kompass-Wanderkarten, Kompass Rad- und Freizeitkarten, daneben auch die amtlichen Wanderkarten der Landesvermessungsämter.
Atlaswerke	Empfehlenswert wegen ihrer reichhaltigen Karten und Stadtpläne sind ferner "Der Große Shell Atlas", der ADAC Generalatlas sowie der ADAC AutoAtlas Deutschland und Europa.

Kur und Erholung

Allgemeines	In der Bundesrepublik Deutschland gibt es 350 anerkannte Heilbäder und Kurorte mit modernsten Einrichtungen.
	Man unterscheidet Heilbäder (Heilquellen- oder Moorkurbetrieb), Heilklimatische Kurorte, Seeheilbäder sowie Kneippheilbäder und -kurorte.
Deutscher Bäderverband	Die meisten der Heilbäder und Kurorte sind Mitglieder des Deutschen Bäderverbandes, Schumannstr. 111, 53113 Bonn, Tel. (02 28) 26 20 10
Literatur	Detaillierte Angaben über die Bade- und Kurorte enthält der vom Deutschen Bäderverband herausgegebene "Deutsche Bäderkalender", der in regelmäßigen Abständen aktualisiert wird. Der Kalender erscheint im Flöttmann-Verlag, D-33330 Gütersloh, Berliner Straße 63.

Mietwagen

Avis	Zentrale: AVIS Autovermietung, Zimmersmühlenweg 21, D-61437 Oberursel, Tel. (0 61 71) 6 80, Fax 5 29 32 Reservierung: (01 80) 5 55 77
Europcar	Zentrale: Europcar Autovermietung, Tangstedter Landstr. 81, D-22415 Hamburg, Tel. (0 40) 52 01 80, Fax 52 01 86 10 Reservierung: (01 80) 5 22 11 22
Hertz	Zentrale: Hertz Autovermietung, Gennheimer Straße 4, D-65760 Eschborn, Tel. (0 61 96) 93 70, Fax 93 71 53 Reservierung: (01 80) 5 33 35 35
Sixt/Budget	Zentrale: Sixt/Budget Rent-a-car, Dr.-Carl-von-Linde-Straße 2, D-82049 Pullach, Tel. (0 89) 74 44 40, Fax 74 44 42 82 Reservierung: (01 80) 5 25 25 25
Weitere Mietwagenfirmen	Die Adressen weiterer Mietwagenfirmen erfährt man auf den Gelben Seiten des Telefonbuchs.

Museumseisenbahnen

Allgemeines	Oldtimer-Eisenbahnen erfreuen sich zunehmender Beliebtheit. Viele dieser Museumseisenbahnen, die teilweise auch bewirtschaftet sind, werden privat betrieben. Sie verkehren nur im Sommerhalbjahr und zu unterschiedlichen Zeiten.

Im Verlag Uhle & Kleinmann, Postfach 1543, D-32295 Lübbecke, Tel.
(0 57 41) 72 09, Fax 9 02 24 erscheint jährlich das Kursbuch der deutschen
Museumseisenbahnen. Außerdem enthält das Kursbuch der Deutschen
Bahn eine Auflistung der wichtigsten Oldtimer-Eisenbahnen.

Bei allen Anfragen an die nachfolgend genannten Vereine, die hier in einer
Auswahl vorgestellt werden, sollte ein frankierter Rückumschlag beigefügt
werden.

Achern – Ottenhöfen (Achertalbahn); Streckenlänge: 11 km
Achertäler Eisenbahnverein, c/o Willi Reichert, Schäffersheimer Str. 12,
D-77656 Offenburg, Tel. (07 81) 5 87 89

Amstetten – Gerstetten; Streckenlänge: 20 km
Amstetten – Oppingen; Streckenlänge: 6 km
Gemeindeverwaltung, Rathaus, D-73340 Amstetten, Tel. (0 73 31) 3 00 60

Aulendorf – Altshausen – Pfullendorf; Streckenlänge: 35 km
Eisenbahnfreunde Zollernbahn, Europastr. 61, D-72072 Tübingen,
Tel. (0 70 71) 7 67 44, Fax 7 67 49

Ettlingen – Busenbach – Bad Herrenalb (Albtalbahn);
Streckenlänge: 19 km
Ulmer Eisenbahnfreunde, Arbeitsgruppe Karlsruhe, Tullastr. 30,
D-76344 Eggenstein-Leopoldshafen, Tel. (0 72 47) 2 12 30, Fax 2 25 74

Tübingen – Eyach – Haigerloch – Hechingen; Streckenlänge: 52 km
Eisenbahnfreunde Zollernbahn, Europastr. 61, D-72072 Tübingen,
Tel. (0 71 71) 7 67 44, Fax 7 67 49

Gaildorf – Untergröningen; Streckenlänge: 18,5 km
Dampfbahn Kochertal, Postfach 41, D-74429 Sulzbach-Laufen,
Tel. (0 71 83) 87 00, Fax (0 75 41) 2 75 75

Kandern – Haltingen – Basel – Lörrach (Kandertalbahn, auch "Chanderli").
Verkehrsamt Kandern, Postfach, D-79400 Kandern, Tel. (0 76 26) 8 99 60,
Fax 8 99 11

Hechingen – Gammertingen – Münsingen; Streckenlänge: 66 km
Eisenbahnfreunde Zollernbahn, Europastr. 61, D-72072 Tübingen,
Tel. (0 71 71) 7 67 44, Fax 7 67 49

Korntal – Weissach; Streckenlänge: 22 km
Gesellschaft zur Erhaltung von Schienenfahrzeugen (GES),
Postfach 710116, D-70607 Stuttgart, Tel. (07 11) 44 67 06 (abends),
Fax (0 71 27) 36 89

Neresheim (Härtsfeldbahn-Museum)
Härtsfeld-Museumsbahn, Dischinger Str. 11, D-73450 Neresheim,
Tel. (073 26) 57 55

Nürtingen – Neuffen; Streckenlänge: 9 km
Gesellschaft zur Erhaltung von Schienenfahrzeugen (GES),
Postfach 710116, D-70607 Stuttgart, Tel. (0711) 44 67 06 (abends),
Fax (071 27) 36 89

Schorndorf – Rudersberg; Streckenlänge: 10 km
Dampfbahn Kochertal, Postfach 41, D-74429 Sulzbach-Laufen,
Tel. (071 83) 87 00 und Tel./Fax (075 41) 275 75

Zollhaus-Blumberg – Weizen (Wutachtal- oder "Sauschwänzlesbahn");
Streckenlänge: rund 26 km

Museumseisenbahnen

Baden-Württemberg (Fts.)
Stadt Blumberg - Museumsbahn Wutachtal - Postfach 120,
D-78170 Blumberg, Tel. (077 02) 51 27, Fax 51 55

Bayern
Gotteszell – Viechtach – Streckenlänge: 25 km
Interessengemeinschaft Schienenverkehr Niederbayern, Postfach 1329,
D-82181 Gröbenzell, Tel. (0 89) 8 11 46 52

Ebermannstadt – Behringersmühle
Dampfbahn Fränkische Schweiz, Postfach 1101, D-91316 Ebermannstadt,
Tel. (0 91 31) 6 58 73

Fünfstetten – Monheim; Streckenlänge: rund 6 km
Bayerisches Eisenbahnmuseum, Postfach 1316, D-86713 Nördlingen,
Tel. (0 90 81) 98 08

Kahl (am Main) – Schöllkrippen; Streckenlänge: 23 km
Dampfbahnfreunde Kahlgrund, Ahornweg 36, D-63741 Aschaffenburg,
Tel. (0 60 21) 8 88 72

Nürnberg-NO – Eschenau – Gräfenberg; Streckenlänge: 28,5 km
Fränkische Museums-Eisenbahn, Glogauer Str. 15, D-90473 Nürnberg,
Tel. (09 11) 5 10 96 38

Prien – Stock (Chiemseebahn); Chiemsee-Schiffahrt Ludwig Feßler,
Postfach 1162, D-83201 Prien am Chiemsee, Tel. (0 80 51) 60 90

Tegernsee – Gmund – Schaftlach; Streckenlänge: 12 km
Bayerischer Localbahn Verein, Postfach 1311, D-83682 Tegernsee

Berlin
Berlin-Reinickendorf (Dampfzugfahrten über die Gleise der Reinicken-dorfer Industriebahn); Berliner Eisenbahnfreunde, Stresemannstr. 30,
D-10963 Berlin, Tel. (0 30) 25 11 081, Fax 2 51 41 86

Berlin-Wuhlheide; Streckenlänge: 7,5 km
FEZ Wuhlheide, Berliner Parkeisenbahn GmbH, Eichgestell,
D-12459 Berlin, Tel. (0 30) 63 88 76 72

Britzer Museumsbahn Berlin; Streckenlänge: 6 km
Britzer Museumsbahn Berlin, Klaus Gränert, Belziger Str. 72,
D-10823 Berlin, Tel. (0 30) 81 39 89

Brandenburg
Knappenrode – Zeißholz (Lausitzer Grubenbahn)
Förderverein Lausitzer Grubenbahn, Ernst-Thälmann-Str. 8,
D-02979 Knappenrode, Tel. (0 35 71) 67 26 64, Fax 67 22 26

Hamburg
Bergedorf (HH) – Geesthacht (Schleswig-Holstein; s. auch dort);
Streckenlänge: 12 km
Arbeitsgemeinschaft Geesthachter Eisenbahn, Postfach 1341,
D-21495 Geesthacht, Tel. an Betriebstagen: (0 41 52) 7 78 99,
Tel. (0 41 52) 1 32 78 (Stadt Geesthacht)

Hessen
Bad Nauheim – Rockenberg – Münzenberg; Streckenlänge: 9 km
Eisenbahnfreunde Wetterau, Bad Nauheim, Postfach 1212,
D-61212 Bad Nauheim, Tel. (0 60 32) 3 21 25 oder (0 60 31) 1 54 01

Frankfurt Eiserner Steg – Griesheim/Mainkur; Streckenlänge: 5,5 km
Historische Eisenbahn, Postfach 900345, D-60443 Frankfurt am Main,
Tel. (0 69) 43 60 93 oder Tel. (0 61 71) 70 07 12

Kassel-Wilhelmshöhe – Elgershausen – Naumburg; Streckenlänge: 33 km
Arbeitskreis Historischer Zug Hessencourrier, Kaulenbergstr. 5,
D-34131 Kassel, Tel. (05 61) 58 15 50

Darmstadt-Ost – Bessunger Forsthaus;
Eisenbahnmuseum Darmstadt-Kranichstein, Steinstr. 7,
D-64291 Darmstadt, Tel. (0 61 51) 37 64 01, Fax 37 76 00

Wiesbaden-Dotzheim – Bad Schwalbach – Hohenstein (Aartalbahn);
Streckenlänge: 24 km
Nassauische Touristik-Bahn, Moritz-Hilf-Platz 2, 65199 Wiesbaden,
Tel./Fax (06 11) 41 04 66

Putbus – Göhren ('Rasender Roland'), Streckenlänge 24,4 km
Förderverein zur Erhaltung der Rügenschen Kleinbahn, Binzer Str. 2
D-18581 Putbus, Tel. (03 83 01) 25 42 96

Mecklenburg-
Vorpommern

Börßum – Salzgitter; Streckenlänge: 15 km
Dampflok-Gemeinschaft, Postfach 511380, D-38243 Salzgitter,
Tel. (05 31) 2 26 24 24 oder (0 53 46) 23 33

Niedersachsen

Bremen-Kirchhuchting – Leeste – Thedinghausen; Streckenlänge: 25 km.
Kleinbahn Leeste, Rambertiring 53, D-28203 Bremen, Tel. (04 21) 32 47 53
und 2 20 33 42

Bruchhausen-Vilsen – Heiligenberg – Asendorf (erste Museumseisenbahn
Deutschlands); Streckenlänge: 8 km
Deutscher Eisenbahn-Verein, Postfach 1106,
D-27300 Bruchhausen-Vilsen, Tel. (0 42 52) 9 30 00, Fax 93 00 12

Buxtehude – Harsefeld; Streckenlänge: 14,8 km
Buxtehude-Harsefelder Eisenbahnfreunde, Am Busbahnhof 2,
D-21698 Harsefeld, Tel. (0 41 64) 42 81

Celle – Müden/Örtze; Streckenlänge: 36 km
Braunschweigische Landes-Museums-Eisenbahn, Postfach 1827,
D-38338 Helmstedt, Tel. (0 53 41) 39 29 30, Fax 3 55 83

Celle – Hankensbüttel – Wittingen – Brome – Braunschweig (Preußenzug);
Streckenlänge: 64 km
Braunschweigische Landes-Museums-Eisenbahn, Postfach 1827,
D-38338 Helmstedt, Tel. (0 53 41) 39 29 30, Fax 3 55 83

Harpstedt – Delmenhorst; Streckenlänge: 22 km
Delmenhorst-Harpstedter Eisenbahnfreunde, Postfach 1236,
D-27732 Delmenhorst, Tel. (0 42 44) 23 80

Eystrup – Hoya – Bruchhausen – Heiligenfelde; Streckenlänge: 31 km
Deutscher Eisenbahn-Verein, Postfach 1106,
D-27300 Bruchhausen-Vilsen, Tel. (0 42 52) 9 30 00, Fax 93 00 12

Letter – Wunstorf – Bokeloh; Streckenlänge: 7 km
Interessengemeinschaft Schienenbus, c/o W. Pehl, Berliner Str. 7,
D-30926 Seelze, Tel. (05 11) 40 59 87

Lüneburg – Bleckede – Waldfrieden; Streckenlänge: 26 km
Touristik-Eisenbahn Lüneburger Heide, Theodor-Haubach-Str. 3,
D-21337 Lüneburg, Tel. (0 41 31) 5 81 36, Fax 5 06 29

Lüneburg-Süd – Hützel – Salzhausen; Streckenlänge: 21 km.
Touristik-Eisenbahn Lüneburger Heide, Theodor-Haubach-Str. 3,
D-21337 Lüneburg, Tel. (0 41 31) 5 81 36, Fax 5 06 29

Meppen – Haselünne – Löningen – Essen (Oldbg.); Streckenlänge: 51 km.
Eisenbahnfreunde Hasetal – Haselünne, Paulusweg 15,
D-49740 Haselünne, Tel. (0 59 61) 5 09 32

Museumseisenbahnen

Niedersachsen (Fortsetzung)

Norden – Dornum (Küstenbahn Ostfriesland); Streckenlänge: 16 km.
Museumseisenbahn "Küstenbahn Ostfriesland", c/o Mirko Folkerts,
Am Bahndamm 17b, D-26506 Norden, Tel. (0 49 31) 1 43 69 (abends)

Osnabrück-Piesberg – Eversburg
Osnabrücker Dampflokfreunde, c/o Albert Merseburger, Am Friedhof 6,
D-49477 Ibbenbüren, Tel./Fax (0 54 51) 1 31 62

Soltau – Bispingen – Döhle; Streckenlänge: 30 km
Verkehrsverein Soltau, Postfach, 1442, D-29604 Soltau,
Tel. (0 51 91) 8 44 40

Spiekeroog (Insel): Offener Museums-Pferdebahnwagen;
Streckenlänge: 1,3 km
Hans Roll, Genossenschaftsstraße 21, D-75173 Pforzheim,
Tel. (0 72 31) 2 74 87 oder (0 49 76) 17 22

Verden/Aller – Stemmen Streckenlänge: 12 km
Verdener Eisenbahn-Freunde, Postfach 1408, D-27264 Verden,
Tel. (0 42 38) 6 22 oder (0 42 31) 26 31

Wilstedt – Zeven – Tostedt; Streckenlänge: 61 km
Eisenbahnfreunde der WZTE Zeven, Postfach 1213, D-27392 Zeven,
Tel. (0 42 81) 45 91, Fax (04 21) 44 08 47

Winsen-Süd – Salzhausen – Döhle – Hützel Streckenlänge: 41 km.
Touristik-Eisenbahn Lüneburger Heide, Theodor-Haubach-Str. 3,
D-21337 Lüneburg, Tel. (0 41 31) 5 81 36 und (0 41 37) 2 84,
Fax (0 41 31) 5 06 29 und (0 41 37) 2 84

Nordrhein-Westfalen

Barntrup – Bösingfeld – Rinteln (Extertalbahn); Streckenlänge: 23 km
Landeseisenbahn Lippe, Am Bahnhof 1, D-32683 Barntrup,
Tel. (0 52 63) 84 97

Bochum-Dahlhausen (Bahnhof) – Eisenbahnmuseum Bochum-Dahlhausen
Eisenbahnmuseum Bochum-Dahlhausen, Dr.-C.-Otto-Str. 191,
D-44879 Bochum, Tel. (02 34) 49 25 16

Hattingen – Wengern; Streckenlänge: 18 km
Eisenbahnmuseum Bochum-Dahlhausen, Dr.-C.-Otto-Str. 191,
D-44879 Bochum, Tel. (02 34) 49 25 16

Essen-Kupferdreh – Haus Scheppen (Hespertalbahn); Streckenlänge: 3 km
Verein zur Erhaltung der Hespertalbahn, Postfach 150223, D-45242 Essen,
Tel./Fax (02 01) 64 43 82

Geilenkirchen-Gillrath – Schierwaldenrath – Streckenlänge: 5,5 km
Interessengemeinschaft Historischer Schienenverkehr (IHS), Postfach 603,
D-52007 Aachen, Tel. (02 41) 8 23 69 oder Tel. (0 24 54) 66 99 (Bahnhof
Schierwaldenrath)

Gütersloh – Lengerich – Ibbenbüren; Streckenlänge: 66 km
Eisenbahn-Tradition, Drosselweg 8, D-48268 Greven, Tel. (0 54 81) 8 29 14,
Fax (0 25 75) 85 09

Hamm – Maximilianpark – Lippborg; Streckenlänge: 19 km
Hammer Eisenbahnfreunde im Verkehrsverein, Postfach 2611,
D-59016 Hamm, Tel. (0 23 81) 2 34 00

Holzhausen-Heddinghausen – Preuß. Oldendorf – Bad Essen – Bohmte –
Schwegermoor; Streckenlänge: 33 km
Minden – Kleinbremen; Streckenlänge: 15 km

Minden – Hille; Streckenlänge: 13 km
Rahden – Uchte; Streckenlänge: 25 km
Museums-Eisenbahn Minden, Postfach 110131, D-32404 Minden,
Tel. (05 71) 5 83 00 oder Tel. 2 41 00, Fax 5 30 40

Moers – Oermterberg; Streckenlänge: 17 km
Niederrheinische Verkehrsbetriebe AG (NIAG), Postfach 1940,
D-47409 Moers, Tel. (0 28 41) 20 53 11, Fax 20 53 30

Plettenberg – Hüinghausen
Märkische Museumseisenbahn Postfach 1346, D-58813 Plettenberg,
Tel./Fax (0 23 91) 1 30 35

St. Tönis – Krefeld – Hülser Berg; Streckenlänge: 14 km
Städtische Werke Krefeld, St. Töniser Straße 270, D-47809 Krefeld,
Tel. (0 21 51) 98 44 82, Fax 98 44 94

Solingen (Kohlfurther Brücke – Greuel)
Bergische Museumsbahnen, Postfach 101508, D-42015 Wuppertal,
Tel. (02 02) 47 02 51

Wesel: Bahnhof Wesel (Ladegleis) – Rheinpromenade (Hafenbahn);
Streckenlänge: 3,5 km, Historischer Schienenverkehr Wesel,
Halterner Str. 2a, D-46485 Wesel, Tel. (02 81) 9 62 03 09

Brohl – Oberzissen – Engeln; Streckenlänge 17 km
Verkehrsbüro Brohltal, Kapellenstr. 12, D-56651 Niederzissen,
Tel. (0 26 36) 8 03 03, Fax 8 01 46

Hermeskeil – Ruwer; Streckenlänge: 50 km
Hochwaldbahn, Postfach 2147, D-54211 Trier, Tel. (0 65 03) 9 50 75,
Fax 9 50 74

Neustadt an der Weinstraße – Lambrecht – Elmstein; Streckenlänge: 13 km
Deutsche Gesellschaft für Eisenbahngeschichte, Postfach 100318,
Hindenburgstr. 12, D-67403 Neustadt an der Weinstraße,
Tel. (0 63 21) 3 03 90 oder (06 32 25) 86 26

Merzig – Losheim – Niederlosheim (Saar-Hochwald-Museumsbahn);
Streckenlänge: 16 km, Verkehrsverein, Saarbrücker Str. 1369,
D-66679 Losheim, Tel. (0 68 72) 6 1 69

Cranzahl – Oberwiesenthal
Fremdenverkehrsverband "Oberes Erzgebirge", Karlsbader Str. 164,
D-09465 Neudorf, Tel./Fax (03 73 42) 83 88

Dresden – Gittersee; Streckenlänge: 12 km
Sächsischer Museumseisenbahn-Verein Windbergbahn,
Hermann-Michel-Straße, D-01189 Dresden, Tel. (03 51) 4 03 16 02,
Fax 4 01 34 63

Jöhstadt – Schmalzgrube (Preßnitztalbahn); Streckenlänge: 8 km
Interessengemeinschaft Preßnitztalbahn, Markt 188, D-09477 Jöhstadt,
Tel./Fax (03 73 43) 23 00

Radebeul – Radeburg; Streckenlänge: 16 km
Traditionsbahn Radebeul, Postfach, D-01436 Radebeul,
Tel. (03 51) 4 61 51 00, Fax 4 61 26 08

Schönheide – Neuheide; Streckenlänge: 2 km
Museumsbahn Schönheide/Carlsfeld, Am Fuchsstein,
D-08304 Schönheide, Tel./Fax (03 77 55) 43 03

Nationalparks

Weißwasser – Kromlau – Bad Muskau, Streckenlänge 11,2 km
Waldeisenbahn Muskau, Bautzener Str. 48, D-02931 Weißwasser,
Tel. (0 35 76) 20 74 72, Fax 20 74 73

Freital – Kurort Kipsdorf (Weißeritzbahn), Streckenlänge 26,3 km
Gemeindeverwaltung Kipsdorf, Altenberger Str. 28, D-01776 Kipsdorf
Tel. (03 50 52) 42 26

Zittau – Bertsdorf – Oybin (Zittauer Bimmelbahn), Streckenlänge 13 km
Interessenverband der Zittauer Schmalspurbahnen, Konrad Springer,
Bergweg 8, D-02797 Oybin, Tel. (0 35 84) 7 04 46

Sachsen-Anhalt

Gernrode – Harzgerode/Stiege – Hasselfelde/Eisfelder Talfelde (Selketalbahn); Streckenlänge: 52 km
Wernigerode – Drei-Annen-Hohne – Nordhausen (Harzbahn); Streckenlänge: 60 km
Drei-Annen-Hohne – Brocken; Streckenlänge: 19 km
Harzer Schmalspurbahnen, Friedrichstr. 151, D-38855 Wernigerode,
Tel. (0 39 43) 55 80, Fax 55 81 12

Klostermansfeld – Hettstedt; Streckenlänge: 9 km
Mansfelder Bergwerksbahn, Weg zum Hutberg 5, D-06295 Eisleben,
Tel. (0 34 75) 64 84 27

Schleswig-Holstein

Geesthacht – Bergedorf (Hamburg; s. auch dort); Streckenlänge: 12 km
Arbeitsgemeinschaft Geesthachter Eisenbahn, Postfach 341,
D-21495 Geesthacht, Tel. (0 41 52) 7 78 99

Kappeln – Süderbrarup; Streckenlänge: 15 km
Angeln - Bahn und Freunde des Schienenverkehrs Flensburg,
Postfach 1617, D-24906 Flensburg, Tel. (04 61) 1 31 12 und (0 46 42) 44 45

Schönberger Strand – Schönberg (Holstein); Streckenlänge: 4 km
Verein Verkehrsamateure und Museumsbahn, Dimpfelweg 10,
D-20537 Hamburg, Tel. (0 40) 7 89 21 16 und Tel. (0 43 44) 23 23

Nationalparks

Allgemeines

Nationalparks sind nach internationalen Kriterien großräumige Naturlandschaften, die das Ziel haben, natürliche Entwicklungsprozesse zuzulassen. Sie dienen der Erhaltung eines möglichst artenreichen heimischen Tier- und Pflanzenbestandes. Da in Deutschland nicht alle Flächen der 12 Nationalparks diesen strengen Kriterien entsprechen, teilt man das Schutzgebiet in unterschiedliche Zonen ein. Höchsten Schutz haben die Kernzonen, in denen die Natur sich selbst überlassen bleibt. In den Entwicklungs- und Pflegezonen soll der Einfluß des Menschen möglichst reduziert werden.

Nationalpark
Schleswig-
Holsteinisches
Wattenmeer

Der Nationalpark Schleswig-Holsteinisches Wattenmeer, 1985 gegründet, hat eine Größe von 2 850 km^2. Es liegt zwischen der dänisch-deutschen Grenze im Norden und der Elbe im Süden vor den Küsten von Dithmarschen und Nordfriesland. Zu diesem Nationalpark gehören neben reinen Wattflächen und Sandbänken auch Dünen, Salzwiesen, Halligen und angrenzende Flachmeerbereiche.
Information: Landesamt für den Nationalpark Schleswig-Holsteinisches Wattenmeer, Schloßgarten 1, D-25832 Tönning, Tel. (0 48 61) 61 60, Fax 4 59.

Nationalpark
Hamburgisches
Wattenmeer

Vergleichsweise klein ist der im Jahre 1990 gegründete Nationalpark Hamburgisches Wattenmeer mit einer Fläche von 117 km^2. Auf den Inseln Scharhörn und Nigehörn sowie in den Salzwiesen im östlichen Vorland

Neuwerks liegen einzigartige Seevögel-Brutgebiete. Damit spielt dieser Nationalpark eine wichtige Rolle im internationalen Vogelschutz. Information: Nationalparkverwaltung Hamburgisches Wattenmeer, Naturschutzamt, Billstraße 84, D-20539 Hamburg, Tel. (0 40) 7 88 00, Fax 78 80 25 79.

Nationalpark
Hamburgisches
Wattenmeer
(Fortsetzung)

Der Nationalpark Niedersächsisches Wattenmeer besteht seit 1986. Der 2400 km² große Nationalpark erstreckt sich von Emden bis Cuxhaven. Er schließt nicht nur das eigentliche Watt ein, sondern auch angrenzende Meeresgebiete, diverse Sandbänke sowie Teile der Ostfriesischen Inseln. Information: Nationalparkverwaltung Niedersächsisches Wattenmeer, Virchowstraße 1, D-26382 Wilhelmshaven, Tel. (0 44 21) 91 12 71, Fax 97 72 80

Nationalpark
Niedersächsisches
Wattenmeer

Der 1990 eingerichtete Nationalpark Vorpommersche Boddenlandschaft ist mit einer Fläche von 805 km² der größte Ostdeutschlands. Er umfaßt die Boddenlandschaft zwischen den Halbinseln Darß, Zingst, der Insel Hiddensee und der Westküste Rügens. Urwüchsige Wälder, Dünen, Moore und Heideflächen bestimmen das Bild im Nationalpark. Information: Nationalpark Vorpommersche Boddenlandschaft, Am Wald 13, D-18375 Born, Tel. (03 82 34) 50 20, Fax 5 02 24

Nationalpark
Vorpommersche
Boddenlandschaft

Der Nationalpark Jasmund, 1990 gegründet, erstreckt sich zwischen Lohme im Norden und Sassnitz im Süden an der Ostküste der gleichnamigen Halbinsel. Trotz der kleinen Fläche von 30 km² sind hier unterschiedliche Naturräume anzutreffen: die Buchenwälder der Stubnitz, aktive Kliffhänge, Quellen, Bäche, Seen und Moore, offengelassene ehemalige Kreideabbaugruben sowie der Küstenbereich und die Flachwasserzone der Ostsee. Besuchermagnet des Nationalparks Jasmund sind die beeindruckenden Kreidefelsen, vor allem der Königsstuhl und die Wissower Klinken. Information: Nationalparkamt Rügen, Blieschow 7a, D-18586 Lancken-Granitz, Tel. (03 83 93) 24 25

Nationalpark
Jasmund

Der Müritz-Nationalpark, 1990 gegründet, umfaßt als Teil der Mecklenburgischen Seenplatte etwa eine Fläche von 310 km². Der Müritz-Nationalpark besteht aus zwei Teilen, einem ca. 250 km² großen Gebiet zwischen Waren und Neustrelitz östlich der Müritz, und dem Teil Serrahn (ca. 60 km²), der sich zwischen Neustrelitz und Feldberg befindet. Im Müritz-Nationalpark haben See- und Fischadler ihre Reviere. Kraniche, Grau- und Bleßgänse sind hauptsächlich im Frühjahr und Herbst anzutreffen – auf ihren Flügen gen Süden oder Norden. Information: Nationalparkamt Müritz, An der Fasanerie 13, D-17235 Neustrelitz, Tek. (0 39 81) 4 58 90, Fax 45 89 50

Müritz-
Nationalpark

Der Nationalpark Unteres Odertal, 1990 gegründet, umfaßt eine Fläche von 224 km². Von Anfang an ist er als deutsch-polnisches Naturschutzprojekt angelegt worden. Es umfaßt das gesamte untere Odertal von Hohensaaten bis Stettin auf einer Länge von 60 Kilometern. In diesem Nationalpark wird eine der letzten naturnahen Stromauenlandschaften Mitteleuropas geschützt. Besonders artenreich ist die Vogelwelt vertreten. Das Gebiet ist auch ein bedeutender Rastplatz für Zugvögel aus Nordeuropa. Information: Nationalparkverwaltung Unteres Odertal, Bootsweg 1, D-16303 Schwedt/Oder, Tel. (0 33 32) 2 54 70, Fax 25 47 33.

Nationalpark
Unteres Odertal

Das 59 km² große Gebiet um den Brocken, zwischen Eckertalsperre und Großem Sandtal im Norden und Großem Winterberg, Schierke und Drei Annen Hohne im Süden, wurde 1990 zum Nationalpark Hochharz erklärt. Hier erhielt sich eine fast unberührte Pflanzen- und Tierwelt mit völlig intakten Hoch- und Übergangsmooren. Der Nationalpark Hochharz grenzt im Westen an den niedersächsischen Nationalpark Harz. Information: Nationalparkverwaltung Hochharz, Lindenallee 35, D-38855 Wernigerode, Tel. (0 39 43) 5 50 20, Fax 55 02 37.

Nationalpark
Hochharz

Notdienste

Nationalparks (Fortsetzung) Nationalpark Harz

Auf der Niedersächsischen Seite des Hochharzes wurde 1994 der fast 158 km² große Nationalpark Harz ausgewiesen. Er erstreckt sich von Bad Harzburg im Norden über die Hochlagen bis nach Herzberg und zum Oderstausee im Süden. Dichte Bergfichtenwälder, die durch Hochmoore aufgelockert sind, bilden die natürliche Vegetation dieses Nationalparks. Nach dem geplanten Zusammenwachsen beiden Nationalparks im Harz werden alle typischen Landschaftsteile dieses Mittelgebirges unter Naturschutz stehen.
Information: Nationalparkverwaltung Harz, Oderhaus, D-37444 St. Andreasberg, Tel. (0 55 82) 9 18 90, Fax 91 89 19.

Nationalpark Sächsische Schweiz

Der Nationalpark Sächsische Schweiz, der 1990 geschaffen wurde, umschließt auf 93 km² Fläche zwei räumlich getrennte Gebiete: im Westen die Region zwischen Stadt Wehlen und Prossen einschließlich Bastei und Hohnstein, im Osten das Gebiet zwischen den Schrammsteinen und der deutsch-tschechischen Grenze. In diesem Park wurde die einmalige naturräumliche Eigenart des Elbsandsteingebirges unter Natur- und Landschaftsschutz gestellt.
Information: Nationalparkverwaltung, Schandauer Straße 36, D-01824 Königstein, Tel. (03 50 21) 6 82 29, Fax 6 84 46.

Nationalpark Bayerischer Wald

Der 130 km² große Nationalpark Bayerischer Wald – eine Erweiterung auf 250 km² ist in naher Zukunft geplant – wurde 1970 als erster Nationalpark in Deutschland eingerichtet. Der Nationalpark liegt in der Mitte des Hinteren Bayerischen Waldes. Er schließt die höchsten Gipfel dieses Gebirges mit Großem Rachel (1453 m) und Lusen (1373 m) ein und reicht hinab bis auf eine Höhe von 700 Metern. Weite Teile des Waldes werden sich selbst überlassen, denn langfristig soll sich dieser Nationalpark wieder zu einem Urwald entwickeln.
Information: Nationalparkverwaltung Bayerischer Wald, Freyunger Strße 2, D-94481 Grafenau, Tel. (0 85 52) 9 60 00, Fax 13 94.

Nationalpark Berchtesgaden

Der Nationalpark Berchtesgaden, 1978 gegründet und 210 km² groß, liegt im äußersten Südosten Bayerns. Er umfaßt im wesentlichen die Berchtesgadener Alpen, die sich auf österreichischer Seite als Salzburger Kalkalpen fortsetzen. Als Glanzpunkte des Nationalparks Berchtesgaden gelten der fjordartige Königssee, der fast vollständig von 1500 m hohen Bergen umschlossen ist, und die unvergleichliche Majestät des Watzmann-Massivs, mit 2713 m der zweithöchste Berg Deutschlands.
Information: Nationalparkverwaltung Berchtesgaden, Doktorberg 6, D-83471 Berchtesgaden, Tel. (0 86 52) 9 68 60, Fax 96 86 40

Notdienste

Polizei

Tel. 110

Feuerwehr

Tel. 112

Rettungsdienst

Tel. 1 92 22 bzw. 112

Notrufsäulen

Notrufsäulen, über die bei Unfällen oder Pannen Hilfe angefordert werden kann, stehen an allen Autobahnen sowie an verschiedenen Bundesstraßen. Die Richtung der nächstgelegenen Notrufsäule zeigt ein kleiner schwarzer Pfeil an den Straßenbegrenzungspfosten.

Notarzt- und Apothekendienst

Die Telefonnummer der ärztlichen Notdienste findet man im jeweiligen örtlichen Telefonbuch. An jeder Apotheke ist die Adresse der nächsten diensthabenden Apotheke ausgehängt.

Pannendienste

→ Autohilfe

Reisedokumente

Zur Einreise nach Deutschland werden Reisepaß, Personalausweis oder Paßersatz (z.B. Seefahrtbuch) benötigt. Kinder unter 16 Jahren müssen im Besitz eines Kinderausweises (ab 10 Jahren mit Lichtbild) oder im Elternpaß eingetragen sein.

Personalpapiere

Einen Personalausweis benötigen die Staatsangehörigen von Andorra, Belgien, Dänemark, Frankreich, Griechenland, Großbritannien, Irland, Italien, Liechtenstein, Luxemburg, Malta, Monaco, den Niederlanden, Österreich, Polen, Portugal, San Marino, der Schweiz und Spanien.

Personalausweis

Mit gültigem Reisepaß, aber ohne Visum, dürfen Staatsangehörige folgender Länder bis zu drei Monaten einreisen: Argentinien, Australien, Benin, Bolivien, Brasilien, Burkina Faso, Chile, Costa Rica, Ecuador, Elfenbeinküste, El Salvador, Finnland, Guatemala, Honduras, Island, Israel, Jamaika, Japan, Jugoslawien, Kanada, Kenia, Kolumbien, Republik Korea, Kroatien, Malawi, Malaysia, Mexiko, Nepal, Neuseeland, Niger, Norwegen, Panama, Paraguay, Peru, Schweden, Singapur, Slowakei, Slowenien, Togo, Tschechien, Ungarn, Uruguay, Vatikan, Venezuela, USA, Zypern.

Reisepaß

Die Staatsangehörigen aller nicht genannten Länder sowie Staatenlose benötigen vor ihrer Einreise in die Bundesrepublik Deutschland ein Visum.

Visum

Bei Einreise mit einem Kraftfahrzeug aus dem Ausland werden nationale Führerscheine und Fahrzeugscheine bei einem Aufenthalt von maximal zwölf Monaten in Deutschland anerkannt. Bei einem längeren Aufenthalt ist eine Umschreibung der Papiere erforderlich. Reisenden aus Nicht-EU-Ländern wird empfohlen, den internationalen Führerschein und den internationalen Fahrzeugschein mitzuführen.

Kfz-Papiere

Ein Versicherungsschutz ist in Deutschland für alle Fahrzeuge gesetzlich vorgeschrieben. Als Nachweis gilt die internationale grüne Versicherungskarte. Bei Fahrzeugen aus folgenden Ländern wird auf den direkten Nachweis verzichtet: Europäische Union, Island, Liechtenstein, Monaco, Norwegen, San Marino, Schweiz, Tschechische Republik, Slowakische Republik, Ungarn und Vatikan. Kraftfahrzeuge ohne gültige Pflichtversicherung müssen an der Grenze eine befristete Versicherung abschließen.

Kfz-Versicherung

Ausländische Kraftfahrzeuge müssen an der Rückseite generell das ovale Nationalitätskennzeichen tragen.

Nationalitätskennzeichen

Restaurants

Aus Platzgründen konnte nur eine begrenzte Anzahl von Restaurants (analog zu den Reisezielen von A bis Z) aufgenommen werden. Selbstverständlich soll die nachstehende Auswahl keinerlei Vorurteil gegenüber den nicht genannten Häusern erwecken. Mehr als 18 000 Adressen von Hotels und Restaurants nennt der VARTA-Führer

Allgemeines

Gala und Palm Bistro, Monheimsallee 44, Tel. (02 41) 15 30 13, Fax 15 85 78 Eigenwilliges Ambiente im Gala, das sich wie das Palm Bistro im Spielcasino befindet: Spiegelornamente vergrößern den Raum optisch. In der Mitte befindet sich ein offener Kamin, an den Wänden hängen Dali-Grafiken.

Aachen

Ristorante Italia Uno, Heinrichsallee 13, Tel. (02 41) 3 52 22, Fax 3 52 24 Der Szene-Italiener serviert Köstlichkeiten seiner sardischen Heimat in einem denkmalgeschützten Haus mit Backsteinwänden und altem Steinfußboden.

Restaurants

Ahrtal

In Bad Neuenahr-Heppingen:
Alte Post, Landskroner Str. 110, Tel. (0 26 41) 70 11, Fax 70 13
Hans Stefan Steinheuer überzeugt mit seiner leichten, modernen Küche.
mit besten Zutaten der Region. Das Gourmetrestaurant wirkt mit seinen feingedeckten Tischen und modernen Bildern an den Wänden sehr einladend.
Im Landgasthof Poststuben der Steinheuers ist die Küche einfacher und bodenständiger, aber ebenso frisch wie im Gourmetrestaurant.

Allgäu

In Irsee:
Irseer Klosterbräu, Klosterring 1, Tel. (0 83 41) 43 22 00
Das hausgebraute Klosterbier wissen nicht nur die Kongreßbesucher, die im ehemaligen Kloster nebenan konferieren, zu schätzen. Die vielseitige Küche ist in erster Linie bodenständig.

In Isny:
Adler, Hauptstr. 27, Tel. (0 75 62) 20 41
In der alten Poststation aus dem 15. Jahrhundert werden in gemütlichen Räumen oberschwäbische Traditionsgerichte serviert.

In Wangen:
Alte Post, Postplatz 2, Tel. (0 75 22) 9 75 60, Fax 2 26 04
Das stilvoll eingerichtete Haus befindet sich im denkmalgeschützten mittelalterlichen Stadtkern. Die Küche ist bekannt für ausgezeichnete Wild- und Fischgerichte.

Altenburg

Die Villa, Friedrich-Ebert-Str. 14, Tel. (34 47) 55 18 39, Fax 31 12 81
Je nach Jahreszeit laden Wintergarten oder Terrasse – mit Blick aufs Schloß – zum Verweilen ein. Das Restaunt offeriert klassische Küche und edle Weine, im Café gibt es hausgemachte Kuchen und in der Bar Cocktails und freitags Livemusik.

Altmark

In Stendal:
Ratskeller, Kornmarkt 1, Tel. (0 39 31) 79 50 50
Das Kellergeschoß des gotischen Rathauses wurde im 19. Jahrhundert zum Ratskeller ausgebaut. Man sitzt gemütlich in den historischen Räumen bei altmärkischen Spezialitäten.

Altmühltal

In Eichstätt:
Domherrnhof, Domplatz 5, Tel. (0 84 21) 61 26, Fax 8 08 49
In dem renovierten Barock-Palais mit seinen schönen Räumen speist man vorzüglich: Die hervorragende Küche ist einen Besuch wert.

Krone, Domplatz 3, Tel. (0 84 21) 44 06
Der denkmalgeschützte Gasthof im historischen Zentrum Eichstätts offeriert vorwiegend bayerische Spezialitäten (Biergarten vorhanden).

**Ammersee ·
Starnberger See**

In Andechs:
Bräustüberl, Auf dem "Heiligen Berg", Tel. (0 81 52) 37 60
Der Andrang zu dieser altbayerischen "Bier-Wallfahrtsstätte" ist zu allen Zeiten groß: Süffig ist das Klosterbier, und deftig sind die Speisen der Benediktiner auf dem "Heiligen Berg".

In Starnberg:
Illguths Gasthaus, Starnberger Alm, Schloßbergstr. 24, Tel. (0 81 51) 1 55 77
Die Speisekarte bietet neben bayerischen auch schwäbische Spezialitäten. Besonders hervorzuheben ist die große Auswahl an Württemberger Weinen, von denen auch einige offen ausgeschenkt werden.

In Wolfratshausen:
Patrizierhof, Untermarkt 17, Tel. (0 81 71) 2 25 33, Fax 2 24 38
Man speist hier an schön gedeckten Tischen ausgesprochen mediterran. Gemütlich wirkt der weiß-blaue Kachelofen im hellen Gastraum.

In Bad Windsheim:
Goldener Schwan, Rothenburger Str. 5, Tel. (0 98 41) 50 61
In den gemütlichen Räumen des schmucken Gasthauses, dessen Geschichte sich bis in das Jahr 1780 verfolgen läßt, werden vor allem fränkische Spezialitäten serviert.

Zum Freilandmuseum, Bernhard-Bickert-Weg 1, Tel. (0 98 41) 43 01
Das Fachwerk-Wirtshaus von 1705 gehört zum Fränkischen Freilandmuseum. In der jahrhundertealten Original-Inneneinrichtung speist man typisch fränkisch.

Schloßweinstuben, Schloß Johannisburg, Schloßplatz 4,
Tel. (0 60 21) 1 24 40
In den stilvoll eingerichteten Weinstuben – und bei gutem Wetter auf der Schloßterrasse – werden auch fränkische Brotzeitgerichte angeboten. Bemerkenswert ist der Wein aus dem staatlichen Hofkeller Würzburg.

Die Ecke, Elias-Holl-Platz 2, Tel. (08 21) 51 06 00, Fax 31 19 92
Dieses "Restaurant für Feinschmecker und Weinkenner", wie Die Ecke firmiert, ist ein historisches Haus. Berühmtheiten wie Holbein, Mozart und Brecht fühlten sich zu ihrer Zeit genauso wohl wie die Stammgäste von heute. Die Atmosphäre ist familiär, die Küche modern und schnörkellos.

Welser Kuche, Maximilianstr. 83, Tel. (08 21) 3 39 30
Aus dem 14. Jahrundert stammt das Stiermannhaus mit seinem gastlichen Kellergewölbe. Für besonders hungrige Gäste sind die 5 Menüs nach Rezepten der "schönen Augsburgerin" Philippine Welser (1527 bis 1580) gedacht, die mit Met aus dem Kuhhorn hinuntergespült werden.

Stahlbad, Augustaplatz 2, Tel. (0 72 21) 2 45 69, Fax 39 02 22
Das Haus zeichnet sich durch besonders Flair und eine lobenswerte Küche aus. Besonders fein sind die Petit fours, die zum Kaffee gereicht werden.

Im Ortsteil Neuweier:
Zum Alde Gott, Weinstr. 10., Tel. (0 72 23) 55 13, Fax 6 06 24
In diesem Restaurant wird jeder Besuch zum Erlebnis: Koch Wilfried Serr ist überzeugter Badener, auch beim Essen. Da werden liebevoll Ortenauer Schmankerl serviert und wundervolle, selbstgemachte Petit fours, die das Menü abrunden.

Schloß Neuweier, Mauerbergstr. 21, Tel. (072 23) 579 44
Die ehemalige Wasserburg aus dem 12. Jh. ist bekannt für ihren hauseigenen Riesling, der zur badischen Küche hervorragend mundet. Im Innenhof und auf der Terrasse sitzt man sehr schön mit Blick auf die Rebhänge.

Hofwirt, Salzburger Str. 21, Tel. (0 86 51) 9 83 80
Das bereits 1583 urkundlich erwähnte Gasthaus steht unter Denkmalschutz. Die Küche bietet bayerische und österreichische Spezialitäten.

Schlenkerla, Dominikanerstr. 6, Tel. (09 51) 5 60 60
Dieses Gasthaus mit seiner rauchgeschwärzten Holzdecke ist eine Bamberger Institution. Hier ißt man Urig-Fränkisches und trinkt das "aecht Schlenkerla Rauchbier".

Weinhaus Messerschmitt, Lange Str. 41, Tel. (09 51) 2 78 66
Das Geburtshaus des Flugzeugkonstrukteurs Willy Messerschmitt, ein historisches Weinhaus, pflegt heute eine vorzüglich fränkische Küche. Gut sortiert ist auch der Keller dieser traditionsreichen Gaststätte.

Gasthof Dreikretscham, Nr. 12, Tel. (03 59 37) 32 04
Das Dorf Dreikretscham, nordwestlich von Bautzen, ist eine Idylle. Der Gasthof bietet neben sächsischer Küche auch sorbische Spezialitäten.

Restaurants

Bayerische Alpen

In Kreuth:
Hirschberg, Scharling, Nördliche Hauptstr. 89, Tel. (0 80 29) 3 15
Der rustikale Landgasthof offeriert nicht nur Bajuwarisches. Erfreulich ist
auch die Weinkarte, auf der sich einige gute Tropfen aus Franken finden.

In Miesbach:
Waitzinger, Stadtplatz 12, Tel. (0 80 25) 25 45 45
Bayerische Schmankerln werden in diesem alten Gasthaus serviert: Einla-
dend wirken das Bräustüberl mit seinem sehenswerten Gewölbe und der
Biergarten auf der Rückseite.

Bayerischer Wald

In Freyung:
Brodinger am Freibad, Zuppingerstr. 3, Tel. (0 85 51) 43 42
In diesem freundlichen Gasthof gibt es eine besondere Attraktion: Die von
der Wirtin eigenhändig kreierten Gerichte sind preisgekrönt, das Fleisch
stammt aus der eigenen Metzgerei.

Bayreuth

Schloßhotel Thiergarten, Tel. (0 92 09) 98 40, Fax 9 84 29
Das barocke Jagdschloß liegt 6 km südlich von Bayreuth in Thiergarten. Im
Sommer genießt man die fränkische Küche im idyllischen Schloßgarten.

Berchtesgaden

Geiger, Berchtesgadener Str. 103-115, Tel. (0 86 52) 96 53, Fax 96 54 00
Bei Stefan Geiger, im Ortsteil Stanggaß, sitzt man behaglich und studiert
die mit Bedacht zusammengestellte Speisenkarte. Es überwiegen leichte
Gerichte und interessante Kombinationen.

Berlin

Borchardt, Französische Str. 47, Gendarmenmarkt, Tel. (0 30) 2 29 31 44
Mitten im Herzen Berlins, vis-à-vis der Galerie Lafayette, liegt der "Gour-
mettempel" mit seinem Säulensaal. Er gilt als beliebter Treffpunkt für Fla-
neure und Theaterbesucher. Gespeist wird u.a. auch auf der Terrasse im
Innenhof.

Altes Zollhaus, Carl-Herz-Ufer 30, Tel. (0 30) 6 92 33 00, 6 91 76 76
Zu den schönsten Restaurants Berlins zählt das idyllisch am alten Land-
wehrkanal in Kreuzberg im Grünen gelegene alte Fachwerkhaus. An schönen Sommertagen wird auch im Garten gedeckt. Die konstant gute Küche
hat sich einen Namen gemacht.

Zur letzten Instanz, Waisenstr. 14-16, Tel. (0 30) 2 42 55 48
Die letzte Instanz gilt als älteste Berliner Kneipe (gegründet 1621). Den
Gastraum, in dem Traditionsgerichte serviert werden, schmückt ein alter
Majolika-Ofen.

Bistro Bamberger Reiter, Regensburger Str. 7, Tel. (0 30) 2 18 42 82,
Fax 2 14 23 48
Behagliches Interieur und lockere Atmosphäre mit preiswerteren Gerichten
als im Feinschmecker-Restaurant nebenan. Dort werden in stilvollem Rahmen Gerichte der europäischen Küche sowie Süßspeisen in höchster Vollendung serviert; im Sommer sitzt es sich angenehm in der Laube.

Großbeerenkeller, Großbeerenstr. 90, Tel. (0 30) 2 51 30 64
In dieser Altberliner Kellerkneipe (mit Originaleinrichtung) hielt sich Hans
Albers gerne auf. Auch heute noch schauen ab und zu Prominente vorbei, um
die unübertroffenen Bratkartoffeln zu probieren.

Zitadellen-Schänke, Am Juliusturm, Tel. (0 30) 3 34 21 06
Die Schänke in der sehenswerten Zitadelle serviert mittelalterliche märkische Traditionsgerichte.

Wirtshaus Moorlake, Pfaueninselchaussee 2, Tel. (0 30) 8 05 58 09
Das direkt an der Havel gelegene über 150 Jahre alte Wirtshaus bietet
deftige Berliner Gerichte.

Ana e Bruno, Sophie-Charlotten-Straße 101, Tel. (0 30) 3 25 71 10
Dieses italienische Spezialitäten-Restaurant besticht durch seine kreative,
mediterrane Küche.

Fofis Estiatorio, Rathausstraße 25, Tel. (0 30) 2 42 34 35
Die Speisekarte des Prominentenlokals wechselt täglich zweimal; es werden griechische, aber auch internationale Spezialitäten serviert. Das Interieur ist klassisch und zeigt viel Kunst.

Historisches Gasthaus Buschkamp, Museumshof Senne, Bielefeld
Buschkampstraße 75, Tel. (05 21) 49 28 00, Fax 49 33 88
Die alten westfälischen Fachwerkhäuser des Museumshofes Senne lohnen
immer einen Besuch. Besonders einladend wirkt das historische Gasthaus
Buschkamp mit seiner phantasievollen Regionalküche.

In Herford:
Haus Sahrmann, Laarer Str. 207, Tel. (0 52 21) 3 24 20
Das Haus Sahrmann befindet sich seit 1875 in Familienbesitz. Die regionalen Spezialitäten werden wahlweise in der rustikalen Gaststube oder im
eleganten Restaurant serviert.

Brinkhoff's Stammhaus, Harpener Hellweg 157, Tel. (02 34) 23 35 49 Bochum
Beide Gasträume präsentieren sich – mit Korbstühlen und Grünpflanzen –
in einer mediterran anmutenden Atmosphäre. Eine Vorliebe der Küche sind
Kräuter und Gewürze des Orients.

In Singen: Bodensee
Jägerhaus, Ekkehardstr. 84-86, Tel. (0 77 31) 6 50 97
Holzdecken, bleiverglaste Fenster und Jugendstillampen verleihen diesem
Restaurant einen besonderen Reiz. Die Spezialitäten haben regionalen
Charakter, Obst und Gemüse kommen direkt von der Reichenau.

In Überlingen:
Hecht, Münsterstr. 8, Tel. (0 75 51) 6 33 33
In diesem 300 Jahre alten Haus erwartet den Gast eine feine Fischküche,
badische Spezialitäten und erlesene Weine.

In Radolfzell:
Kreuz, Obertorstr. 3, Tel. (0 77 32) 33 73
Mitten in der historischen Altstadt liegt dieser Gasthof aus dem 17. Jh. Im
Sommer genießt man die gutbürgerliche Küche im großen Biergarten unter
alten Nußbäumen.

Cäcilienhöhe in Bad Godesberg, Goldbergweg 17, Tel. (02 28) 32 10 01, Bonn
Fax 32 83 14
Einen wunderschönen Blick auf Bonn und den Rhein hat man von der großen Terrasse bei Bruno Pierini. Bei italienischem Wein treffen sich hier nicht
nur Politiker zum Meinungsaustausch.

Felix Krull, Thomas-Mann-Str. 24, Tel. (02 28) 65 53 00, Fax 69 66 32
Schwarzbezogene Bänke, weißgedeckte Tische und große Fenster zum
Innenhof erinnern an ein Bistro. Von der Theke blickt Thomas Mann auf die
meist jugendlichen Gäste, denen die französische Küche schmeckt.

Bellevuechen in Rolandseck, Bonner Str. 68, Tel. (0 22 28) 79 09, Fax 79 09
Direkt am Rhein, an der Fähre nach Bad Honnef, liegt dieses kleine
Restaurant mit seiner schmackhaften Küche. Im Sommer sitzt man drau-
ßen unter großen Sonnenschirmen, mit Blick ins Siebengebirge.

Ritter St. Georg und Altes Haus, Alte Knochenhauerstr. 11-13, Tel. (05 31) 1 30 39 Braunschweig
Beide Häuser sind behaglich eingerichtet. Ihre Küchen verarbeiten vorwiegend regionale Produkte.

Restaurants

Braunschweig (Fortsetzung)

Bei Salzgitter:
Gutsschenke des Fürsten zu Münster in Holle-Astenbeck,
Tel. (0 50 62) 18 66
Die ehemalige Klostergutsschenke ging 1815 in den Besitz der Grafen zu Münster über. Heute wird in dem alten Fachwerkhaus vor allem Deftiges geboten.

Bremen

Meierei Bürgerpark, Im Bürgerpark, Tel. (04 21) 3 40 86 19, Fax 21 99 81
Die Lage dieses Lokals im Bremer Bürgerpark ist einmalig: Besonders von der Terrasse genießt man einen weiten Blick in Richtung Innenstadt.

Übersee, im Völkerkundemuseum, Tel. (04 21) 1 44 45, Fax 1 44 64
Das Restaurant, mit Requisiten aus dem Fundus des Völkerkundemuseums ausstaffiert, bietet eine internationale Küche, in der mexikanische und asiatische Elemente vorherrschen.

In Bremerhaven:
Natusch, Am Fischbahnhof, Tel. (04 71) 7 10 21, Fax 7 50 08
Der Besuch dieses nostalgisch-maritimen Restaurants im Fischereihafen ist ein Muß.

Celle

Stillers Restaurant, Langensalzaplatz 1, Tel. (0 51 41) 90 82 00, Fax 90 82 60
Das Restaurant, im großzügigen Wintergarten eines ehemaligen Offizierskasinos der Gründerzeit untergebracht, zeichnet sich durch eine sehr gute Küche aus. Im Sommer speist man im Garten, mit Blick ins Grüne.

Chemnitz

Villa Posthof, Zwickauer Str. 154, Tel. (03 71) 30 61 46
Pflanzen und Steinfiguren, hübsch arrangiert um Tische mit Korbstühlen, dazu ein Springbrunnen: Der helle Gastraum in der Villa Posthof wirkt mediterran. Ebenso leicht und rundum gelungen ist die Küche.

Chiemsee

In Gstadt:
Café am See, Seeplatz 3, Tel. (0 80 54) 2 24
Immer wieder zog es Maler in das alte Haus mit seinem großartigen Blick zur Fraueninsel. Auf der Speisekarte findet sich eine gute Auswahl an Fischgerichten.

Inselwirt, Fraueninsel im Chiemsee, Tel. (0 80 54) 6 30
Auf der Klosterinsel sitzt man im Sommer (mit vielen Gleichgesinnten) im Garten unter Linden, genießt bayerische Spezialitäten – und das Leben.

Coburg

Waldgasthof Bächlein, Mitwitz-Bächlein, Tel. (0 92 66) 96 00
Im Weiler Mitwitz-Bächlein, östlich von Coburg, lädt dieser Gasthof zur Rast ein. Die vorzüglichen Wildgerichten werden entweder in der gemütlichen Zirbelstube oder auf der Terrasse serviert.

Cuxhaven

Fährkrug, Deichstr. 1, Osten, Tel. (0 47 71) 23 38
Im Elbe-Weser-Raum ist der Fährkrug, südöstlich von Cuxhaven, ein beliebter Treffpunkt zum Gänseessen im November und Dezember. Im Sommer locken die idyllische Lage an der Oste, der schöne Garten und die regionalen Spezialitäten.

Darmstadt

Richters Restaurant Georgi, Bahnhofstr. 7, Gross-Zimmern,
Tel. (0 60 71) 4 12 79
Geflügel aus Gross-Zimmern sind die Spezialität dieses Restaurants, südöstlich von Darmstadt gelegen. Bei gutem Wetter sitzt man im Garten, ansonsten in der mit Antiquitäten ausgestatteten Gaststube.

Dessau

Am Museum, Franzstr. 90, Tel. (03 40) 21 53 81
Das Restaurant Am Museum liegt in der Innenstadt. Auf der Speisekarte finden sich deftige anhaltinische Spezialitäten; unbedingt probieren sollte man das Dessauer Castor-Pils.

In Landau:
Raddegaggel-Stubb, Industriestr. 9, Tel. (0 63 41) 8 71 57
Ein trockener, süffiger Wein gab dem rustikalen Lokal seinen Namen: der
"Raddegaggel forzdrogge" führt die Weinkarte an. Dazu schmecken typi-
sche Pfälzer Gerichte besonders gut.

Deutsche
Weinstraße ·
Pfälzer Wald

In Edesheim:
Weinstube im alten Posthof, Staatsstr. 17, Tel. (0 63 23) 98 01 23
Die ehemalige Poststation stammt aus dem Jahre 1717. Es werden Weine
aus der hauseigenen Lage Edesheimer Ordensgut und Pfälzer Spezialitäten gereicht.

Goldener Anker, Untere Schmiedsgasse 22, Tel. (0 98 51) 5 78 00
Die Speisekarte offeriert fränkisch-schwäbische Spezialitäten; serviert wird
die gutbürgerliche Küche in einer behaglichen Atmosphäre.

Dinkelsbühl

Zum Kleinen Obristen → Hotels

In Feuchtwangen:
Greifen-Post, Marktplatz 8, Tel. (0 98 52) 20 02
In der romantischen Greifen-Post aus dem 15. Jh. wird die original fränki-
sche Küche gepflegt und in sechs gemütlichen Gaststuben serviert.

Storchen-Nest, Demleitnerstr. 6, Fristingen, Tel. (0 90 71) 45 69, Fax 61 80
Das Storchen-Nest, ein ehemaliges Dorfgasthaus mit Stammtisch und grünem Kachelofen, liegt 6 km südöstlich von Dillingen. Die Speisekarte
weist interessante Kombinationen auf, die Weinkarte wurde mit Bedacht zusammengestellt.

Donautal

Haus Overkamp, Höchsten, Wittbräucker Str. 633, Tel. (02 31) 46 27 36
Die Gasträume sind gediegen-komfortabel, der Wintergarten hell und
freundlich. Ausschließlich deftige westfälische Spezialitäten.

Dortmund

Kahnaletto, Terrassenufer/Augustusbrücke, Tel. (03 51) 4 95 30 37,
Fax 4 95 24 28
Italienische Küche auf dem Elbeschiff "Marion" mit schönem Ausblick und
musikalischer Untermalung; große Auswahl an Grappe.

Dresden

Caroussel, Hotel Bülow, Rähnitzgasse 19, Tel. (03 51) 4 40 33
Viele halten das Restaurant im Barockhotel in der Neustadt für das beste
Dresdens. Barocke Ausstattung mit viel Blumenschmuck, hübscher Innen-
hof, ausgewählte Weinkarte.

Café Toscana, Schillerplatz 7, Tel. (03451) 3 07 54
In diesem Traditionscafé wird echt sächsischer Kaffee serviert – mit Blick
auf das Blaue Wunder.

Brauerei zum Schiffchen, Hafenstr. 5, Tel. (02 11) 13 24 21
Im Jahre 1811 war in diesem Haus Napoleon zu Gast. Doch die Geschichte dieses Hauses reicht bis ins Jahr 1628 zurück. Noch heute sitzt
man an blankgescheuerten Holztischen und genießt die rheinischen Spezialitäten.

Düsseldorf

Im Füchschen, Ratinger Str. 28, Tel. (02 11) 13 74 70
Diese Düsseldorfer Institution liegt mitten in der Altstadt. In rustikalem
Rahmen wird hier das hausgebraute Füchskes-Alt ausgeschenkt, dazu
werden regionale Deftigkeiten aus der hauseigenen Schlachterei gereicht.

Kartoffel-Kiste, Schweizer Str. 105, Tel. (02 03) 33 38 27
Aus dem Jahre 1770 stammt das Fachwerkhaus, seit Beginn des 20. Jahrhunderts ein beliebtes Ausflugslokal. Im großen Biergarten sitzt man unter
alten Kastanien und genießt herzhafte Kartoffelgerichte.

Restaurants

Eichsfeld

In Duderstadt:
Zum Löwen, Markstr. 30, Tel. (0 55 27) 30 72
Das Gourmetrestaurant Löwen gehört zu den ersten Adressen. Im rustikalen Marktstübchen Alt-Duderstadt serviert man Eichsfelder Spezialitäten.

Eifel

In Mayen:
Hannes-Mühle, Nettetal, Bürresheimer Str. 1, Tel. (0 26 51) 7 64 64
Dieses Haus, das bereits im 17. Jh. in der Schloßchronik erwähnt wurde, bietet rustikale Gaumenfreuden: Das ganze Jahr über wird auf einem Buchenholzfeuer Spießbraten zubereitet.

Eisenach

Glockenhof, Grimmelgasse 4, Tel. (0 36 91) 23 40, Fax 23 41 31
Die Küche des Glockenhofs, mit einem lustigen Türmchen versehen, präsentiert vor allem traditionsreiche Thüringer Spezialitäten.

Emsland

In Lingen:
Altes Forsthaus Beck, Georgstr. 22, Tel. (05 91) 37 98
Das Alte Forsthaus Beck bietet neben einer erlesenen Küche, die regionale Elemente aufweist, auch eine ständige Kunstausstellung.

Erfurt

Castell, Kleine Arche 4, Tel. (03 61) 6 44 22 22
Dieses gemütliche Restaurant mit seinem schönen Garten liegt in der Nähe des Domplatzes. Die kreative Küche verarbeitet vor allem frische Produkte aus der Region.

Erzgebirge

In Frohnau:
Frohnauer Hammer, Gehmatalstr. 3, Tel. (0 37 33) 2 21 07
Bereits seit 1908 befindet sich neben dem Frohnauer Eisenhammer, in dem heute nur noch Schauvorführungen stattfinden, eine Gaststätte. Hinter der Fachwerkfassade mit Butzenscheiben schmecken die erzgebirgischen Gerichte besonders gut.

Essen

La Buvette, An der Altenburg 30, Tel. (02 01) 40 80 48, Fax 40 80 49
Im Stadtteil Werden liegt dieses Restaurant, in dem die klassische Küche vorherrscht. Serviert wird in den beiden hellen Gasträumen und im Sommer im grünüberwucherten Freisitz.

Emile, Emilienstr. 2, Tel. (02 01) 79 13 18, Fax 79 13 31
Die täglich wechselnden Angebote des kleinen Eck-Ristorantes stehen auf der Schiefertafel. Tino Battistella empfiehlt dazu einen guten italienischen Wein und zur Abrundung ein wundervolles Dessert.

Esslingen

Dicker Turm, Burg Esslingen, Tel. (07 11) 35 50 35
Der alte Turm der Esslinger "Burg" beherbergt seit 1976 ein gemütliches Restaurant. Mit Blick über die Altstadt genießt man die moderne schwäbische Küche. Dazu mundet ein guter Württemberger.

Fehmarn

Aalkate, Königstr. 22, Lemkenhafen, Tel. (0 43 72) 5 32
Die Aalkate bietet ihren Gästen ein uriges Interieur: Eichentische und Eichenbänke, an den Wänden Fischereigerät und am Tresen (zur Selbstbedienung) eine reiche Auswahl von Räucherfischen.

Fläming

In Jüterbog:
Alte Försterei, Markt 7, Kloster Zinna, Tel. (0 33 72) 46 50, Fax 46 52 22
Die historische Bausubstanz blieb beim Umbau weitgehend erhalten, das Ergebnis ist ein sehr schönes Restaurant.

Flensburg

In Oeversee:
Historischer Krug, An der B 76, südl. Flensburgs, Tel. (0 46 30) 94 00, Fax 7 80
Den Namen Historischer Krug erhielt das Gasthaus nach der Schlacht bei Oeversee 1864. Heute vereint das Haus, seit 1815 in Familienbesitz, Behaglichkeit und Spitzengastronomie unter einem schmucken Reetdach.

Windows im Europa-Turm, Wilhelm-Epstein-Str. 20, Tel. (0 69) 53 30 77
Vom Gourmetrestaurant genießt man einen herrlichen Blick aus 202 Meter
Höhe.

Humperdinck, Grüneburgweg 95, Tel. (0 69) 72 21 22
Das Humperdinck gilt als Spitzenrestaurant, das exklusive Gästen anzieht,
denen. Mittags kocht Alfred Friedrich auch Gerichte aus seiner österreichischen Heimat.

Villa Leonhardi, Zeppelinallee 18, Tel. (0 69) 74 25 35, Fax 74 04 76
Am Rande des Palmengartens liegt dieses hübsche Restaurant mit seiner
romantischen Atmosphäre. Der Blick auf den Park und die mediterrane
Küche lassen den Großstadttrubel für einige Zeit vergessen.

Daitokai, Friedberger Anlage 1/Ecke Hanauer Landstr., Tel. (0 69) 4 99 00 21
Die klassisch-moderne Küche dieses japanischen Restaurants bietet u.a.
Spezialitäten mit rohem Fisch.

Bistro 77, Ziegelhüttenweg 1-3, Sachsenhausen, Tel. (0 69) 61 40 40
Dieses schöne Terrassenlokal offeriert erstklassige französische Küche.

Speisekammer, Alt Heddernheim 41, Tel. (0 69) 58 77 11, Fax 58 67 78
Das gutbürgerliche Gasthaus wartet mit einer 200 Jahre alten Eichentheke
auf; die Einrichtung ist im Stil der Jahrhundertwende gehalten. Im Sommer
sitzt man unter Platanen und Kastanien und genießt die quirlige Mischung
der Gäste aus nah und fern.

In Bad Homburg:
Zum Wasserweibchen, Am Mühlberg 57, Tel. (0 61 72) 2 98 78, Fax 30 50 93
Das Altstadtlokal besitzt Charme: Ist die Wirtsstube wieder einmal besetzt,
findet man in der ersten Etage in gemütlichen Räumen einen Platz. Die
Frankfurter Grüne Soße schmeckt besonders gut.

Colombi, Am Colombi-Park, Tel. (07 61) 2 10 60, Fax 3 14 10
Die Gäste in der Zirbelstube des Colombi-Hotels sind es gewöhnt, von
Roland Burtsche persönlich begrüßt zu werden. Handelt es sich hier doch
um Freiburgs erste Gourmet-Adresse.

Zum Roten Bären, Oberlinden 12, Tel. (07 61) 3 69 13
Das Haus am Schwabentor ist eines der ältesten Gasthäuser Deutschlands: Es stand bereits 1120. Kein Wunder, daß man sich hier der Tradition
verpflichtet fühlt und regionale Spezialitäten auf die Speisekarte setzt.

Schiller, Hildastr. 2, Tel. (07 61) 70 33 70, Fax 7 03 37 77
Das Schillereck wartet mit einer Art-déco-Einrichtung und einer original
Pariser Bartheke auf. Über der offenen Küche werden die Spezialitäten
angeschrieben, die täglich frisch auf den Tisch kommen. Buntgemischt ist
die Speisekarte in diesem gut besuchten französischen Lokal.

Zum Schwanen, Brotmarkt 4, Tel. (0 83 62) 61 74
Malerisch liegt der Gasthof in der Altstadt. Aus der eigenen Wursterei kommen frische Spezialitäten auf den Tisch.

In Hopfen am See:
Landhaus Enzensberg, Höhenstr. 53, Tel. (0 83 62) 40 61, Fax 3 91 79
Freundlich und einladend wirkt das Ambiente des schmucken Landhauses
am Hopfensee. Das Restaurant wartet mit einer modernen Küche auf, die
Fischgerichte werden meist mit mediterran gewürzten Saucen gereicht.

Weinstube Dachsbau, Pfandhausstr. 8, Tel. (06 61) 7 41 12
In der ältesten Weinstube der Stadt bekommt man gekonnt zubereitete
Gerichte serviert, die immer wieder überraschen und ihren Preis wert sind.

Restaurants

Garmisch-Partenkirchen

Restaurant Husar, Fürstenstr. 25, Tel. (0 88 21) 17 13, Fax 94 81 90
Das Restaurant residiert hinter einer der schönsten Fassaden Garmisch-Partenkirchens. Die alte Lüftlmalerei verdient genauso Beachtung wie die Speisekarte im Innern.

Gießen

Da Michele, Grünberger Str. 4, Tel. (06 41) 3 23 26
In diesem schmucken Bistro wird konsequent italienisch gekocht, frischen Fisch gibt es mittwochs bis freitags.

In Wetzlar:
Böhmisch Eck, Fischmarkt 4, Tel. (0 64 41) 4 66 46, Fax 7 33 52
In diesem gutbürgerliche Lokal munden einfache hessische Spezialitäten genauso wie die kleinen Schmankerln, die je nach Saison angeboten werden.

Görlitz

Gutshof Hedicke, Dorfstr. 114, Ludwigsdorf, Tel. (0 35 81) 3 80 00, Fax 38 00 20
Der restaurierte Gutshof besitzt ein schönes Gewölberestaurant mit lustiger Dekoration. Man speist gut bei klassischer Musik.

Goslar

Das Brusttuch, Hoher Weg 1, Tel. (0 53 21) 2 10 81
Das berühmte Bürgerhaus "Das Brusttuch" beherbergt heute ein Restaurant, das deutsche Küche, mit Spezialitäten aus der Region, anbietet.

Schwarzer Bär, Kurze Str. 12, Tel. (05 51) 5 82 84
Im Schwarzen Bären war Fürst Bismarck während seines Studiums Stammgast, und auch den Chemiker Otto Hahn konnte man hier treffen. In der Bären-, Ritter- oder Kaminstube speist man regional bodenständig und trinkt das dunkle Bärenpils, das extra für den Schwarzen Bären gebraut wird.

Greifswald

Galloway im Europa-Hotel, Hans-Beimler-Str. 1-3, Tel. (0 38 34) 80 10, Fax 80 11 00
Das Galloway zeichnet sich durch eine angenehme Atmosphäre aus; die Küche ist international ausgerichtet.

Halle/Saale

Holly Marie's, Ankerstr. 3c, Tel. (03 45) 21 75 70
Das New Yorker Spezialitäten-Restaurant, in einem uralten Gemäuer untergebracht, offeriert mit moderner Kunst und Mittwochs-Jazz im Innern einen stilvollen Kontrast. Eine Attraktion ist das rund 7 Meter lange Aquarium, aus dem sich der Gast seinen Fisch aussuchen kann, der dann vor seinen Augen frisch zubereitet wird.

Hamburg

Anna E Sebastiano, Lehmweg 30, Tel. (0 40) 4 22 25 95, Fax 4 20 80 08
Das Gourmetrestaurant von Anna und Sebastiano in Eppendorf gilt als Geheimtip für Feinschmecker.

Le Canard, Elbchaussee 139, Tel. (0 40) 8 80 50 57, Fax 47 24 13
Der Blick auf Elbe und Hafenanlagen ist genauso großartig wie die phantasiereiche, moderne Küche. Zählt doch das Le Canard nicht umsonst zu den besten Restaurants Deutschlands.

Mühlenkamper Fährhaus, Hans-Henny-Jahnn-Weg 1, Tel. (0 40) 2 20 69 34, Fax 2 20 69 32
Im Mühlenkamper Fährhaus ist die Zeit stehengeblieben: So ähnlich hat man wohl vor einem halben Jahrhundert in Hamburg gegessen – solide und der Tradition verpflichtet.

Rive, Van-der-Smissen-Str. 1, Tel. (0 40) 3 80 59 19, Fax 3 89 47 75
Das große Restaurant hat eine der schönsten Aussichten auf Elbe und Hafeneinfahrt. Da kann es schon mal vorkommen, daß man auf einen Tisch warten muß. Eine funktionsfähige Bar tröstet jedoch darüber hinweg.

Tao, Poststr. 37, Tel. (0 40) 34 02 30, Fax 35 19 79
Dieses mondän gestaltete China-Restaurant bietet auf zwei Stockwerken
feinste fernöstliche Küche.

Rattenfängerhaus, Osterstr. 28, Tel. (0 51 51) 38 88
Der Besuch des Rattenfängerhauses, das delikate Wildgerichte anbietet,
ist ein Muß in Hameln. Eine Inschrift verweist auf die Rattenfängerlegende.

Die Insel, Rudolf-von-Benningsen-Ufer 81, Tel. (05 11) 83 12 14,
Fax 83 13 22
In diesem hübschen Restaurant am Marschsee-Strandbad herrscht die
feine Bistro-Küche. Sie wird ergänzt durch ein ausgesuchtes Weinangebot.

Rossini, Ferdinandstr. 5, Tel. (05 11) 3 48 02 87, Fax 3 18 07 38
Im schönsten Kellerlokal der Stadt wird man aufmerksam bedient, die
italienische Küche ist ausgezeichnet.

Titus, Wiehbergstr. 98, Tel. (05 11) 83 55 24, Fax 8 38 65 38
In diesem kleinen Restaurant sollte man nicht nur der Küche Aufmerksamkeit zollen: die Bilder an den Wänden verdienen mehr als einen Blick.

In Braunlage:
Tanne, Herzog-Wilhelm-Str. 8, Tel. (0 55 20) 9 31 20
Die Küche ist ein kulinarisches Erlebnis. Serviert werden die Köstlichkeiten
entweder in der urigen Bierstube oder in den feiner gehaltenen Räumen
des Romantik-Hotels.

Landhaus bei Wolfgang, Hindenburgstr. 6, Tel. (0 55 83) 8 88
Wolfgang Stolze in Hohegeiss ist nicht nur Koch und Maler, er brilliert zu
vorgerückter Stunde auch als Sänger. In dem typischen Harzer Holzhaus
dominiert die regionale Küche.

In Brandenburg:
Ratskeller, Altstädtischer Markt 10, Tel. (0 33 81) 22 40 51
Der Ratskeller bietet im gotischen Rathaus in erster Linie regionale
Gerichte, die entweder im modern eingerichteten Restaurant oder in der
Bier- und Weinstube serviert werden.

Roter Ochsen, Hauptstr. 217, Tel. (0 62 21) 2 09 77
In diese Heidelberger Studentenkneipe geht man der "alten Burschenherr-
lichkeit" wegen: An den holzgetäfelten Wänden hängen Erinnerungs-
stücke, in den Gästebüchern verewigten sich berühmte Persönlichkeiten.

Backmulde, Schiffgasse 11, Tel. (0 62 21) 5 36 60, Fax 53 66 60
Vor allem Einheimische treffen sich in dieser Weinstube und genießen zur
guten Hausmannskost ihr Viertele Wein.

Schönmehls Schloßweinstube, Schloßhof, Tel. (0 62 21) 9 79 70,
Fax 16 79 69
Die großartige Heidelberger Schloßkulisse verführt zur Einkehr in Schön-
mehls Restaurant. Zum Studium der Speisekarte, die immer wieder auf die
Wittelsbacher zurückkommt, sollte man sich viel Zeit nehmen.

Beichtstuhl, Fischergasse 9, Tel. (0 71 31) 8 95 86, Fax 62 73 94
Man speist ganz hervorragend in diesem Beichtstuhl, in dem Antiquitäten
sowie eine alte Holzdecke zu bewundern sind.

In Bad Hersfeld:
Kniese's Gute Stuben, Linggplatz 11, Tel. (0 66 21) 18 90
Feldmarschall Tilly und die Brüder Grimm schätzten bereits die Gast-
freundschaft dieses sehr alten Hauses. Eine Spezialität ist das je nach
Saison wechselnde Hessenmenü, bestehend aus 8 bis 10 Gängen.

Restaurants

Hildesheim

Kupferschmiede, Steinberg 6, Tel. (0 51 21) 26 30 25, Fax 26 30 70
Auch Feinschmecker pilgern gerne in dieses malerische Ausflugslokal im Wald. Vogelgezwitscher und Blick auf das Rotwildgehege sind im Preis inbegriffen.

Hochrhein

In Lörrach:
Kranz, Basler Str. 90, Tel. (0 76 21) 8 90 83, Fax 1 48 43
Das Restaurant ist fast immer gut besucht, und das nicht nur bei schönem Wetter, wenn die Terrasse geöffnet ist. Hier stimmt einfach das Preis-Leistungsverhältnis.

Inzlinger Wasserschloß, Riehenstr. 5, Inzlingen, Tel. (0 76 21) 4 70 57, Fax 1 35 55
Niveau und Ansprüche sind hoch im Wasserschloß zu Inzlingen. Dagegen herrscht im Sommer der Bistrostil vor: Kleine Gerichte werden dann im Freien und unter Sonnenschirmen serviert.

**Hohenlohe ·
Taubertal**

In Bad Mergentheim:
Markthalle im Hotel Victoria, Poststr. 2-4, Tel. (0 79 31) 59 30
Die kleinen Gerichte kommen im Bistrostil auf den Tisch. Sonn- und feiertags trifft man sich in der Markthalle zum Brunch und mittwochs zum Wein-Event.

In Tauberbischofsheim:
Grüner Baum in Distelhausen, Tel. (0 93 41) 24 19
Das alteingesessene Landgasthaus im malerischen Taubergrund zeichnet sich durch seine kreative deutsch-italienische Küche aus.

**Holsteinische
Schweiz**

In Eutin:
Le Bistro, Lübecker Landstr. 36, Tel. (0 45 21) 70 28 60
Das kleine Bistro mit der extravaganten Einrichtung liegt über dem L'Etoile. Die Speisekarte weist sowohl mediterran ausgerichtete, als auch holsteinisch orientierte Gerichte aus.

In Plön:
Niedersächsisches Bauernhaus, Prinzeninsel, Tel. (0 45 22) 36 70
Dieses alte Gasthaus, auf der Halbinsel im Plöner See gelegen, ist nur zu Fuß oder mit dem Boot zu erreichen. Fleisch und Wurst stammen aus eigener Schlachtung, die Fische kommen aus dem Plöner See.

Husum · Halligen

In Norderhafen/Nordstrand:
Halligblick, Norderhafen 18, Tel. (0 48 42) 2 56
Das urige Lokal, direkt am Deich gelegen, verdankt seine Existenz einem friesischen Original: Edmar Dau. Beim Essen und beim abschließenden Pharisäer, der auf Nordstrand erfunden wurde, schweift der Blick über den Deich zu den Halligen.

Ingolstadt

Schweigers Restaurant, Egerlandstr. 61, Tel. (08 41) 94 04 03, Fax 6 41 67
Der Familienbetrieb bittet am Stadtrand von Ingolstadt zu Tisch. Die bodenständige Küche ist mediterran beeinflußt, ebenso die Weinkarte.

Inntal

In Wasserburg:
Herrenhaus, Herrengasse 17, Tel. (0 80 71) 28 00
Im ersten Stock eines gotischen Bürgerhauses befindet sich diese Gaststätte, die neben der regionalen Küche auch immer wieder interessante Fischgerichte anbietet.

In Bad Aibling:
Maxlrain, Schloßwirtschaft, Freiung 1, Tel. (0 80 61) 83 42
Das einfach Gasthaus mit seiner Lüftlmalerei steht direkt neben dem prächtigen Renaissance-Schloß. Im Biergarten schmeckt die Brotzeit zum Bier aus der Schloßbrauerei nochmal so gut.

Schwarzer Bär, Lutherplatz 2, Tel. (0 36 41) 40 60, Fax 40 61 13
Das traditionsreiche Haus ist für seine Gastlichkeit berühmt. Die Küche entspricht dem guten Ruf des Hauses. Die regionalen Spezialitäten sind ein Genuß.

Uwe's Tomate, Schillerplatz 4, Tel. (06 31) 9 34 06, Fax 69 61 87
Lockere Bistroatmosphäre herrscht in Uwe's Tomate, die anspruchsvolle Gastronomie bietet. Im Sommer werden vor dem Haus kleine herzhafte Gerichte serviert.

Oberländer Weinstube, Akademiestr. 7, Tel. (07 21) 2 50 66
Seit Generationen ist diese behaglich eingerichtete Weinstube in Familienbesitz. Der Keller bietet über 500 Weine aus Baden, dem Elsaß, Burgund und Bordeaux. Die leichte badische Küche wird im Sommer gerne im romantischen Innenhof serviert.

Steinernes Schweinchen, Konrad-Adenauer-Str. 117, Tel. (05 61) 94 04 80,
Fax 40 58 54
Das traditionsreiche Haus zu Füßen des Herkules ist eine feine Adresse. Abends genießt man den großartigen Blick übers Kasseler Lichtermeer.

M & M, Mozartstr. 8, Tel. (08 31) 2 63 69
Fröhlich und locker ist die Atmosphäre bei Margret und Michael Mehner: Sie hatten die Idee, Bistro und Restaurant zu vereinen.

September, Alte Lübecker Ch. 27, Tel. (04 31) 68 06 10, Fax 68 88 30
Dieses Gourmet-Restaurant bietet Spitzenklasse zu erschwinglichen Preisen. Besonders lecker sind die hausgemachten Brotspezialitäten vorab. Man sitzt bequem zwischen Grünpflanzen und modernen Bildern.

Restaurant im Schloß, Wall 80/am Oslokai, Tel. (04 31) 9 11 55, Fax 9 11 57
Man trifft sich im Restaurant im Schloß, speist vorzüglich in gediegener Atmosphäre und läßt dabei den Blick über den Hafen gleiten.

Loup de Mer, Neustadt 12/Schloßrondell, Tel. (02 61) 1 61 38,
Fax (0 67 42) 31 02
Die Spezialität bei Hermann Christiaans ist Fisch. Die reichbestückte Fischtheke ist eine Augenweide, ebenso die Galerie, eine Treppe höher. Die Bilder moderner Maler stehen zum Verkauf.

Päffgen, Friesenstr. 64-66, Tel. (02 21) 13 54 61, Fax 1 39 20 05
Im Päffgen, einem der ältesten und traditionsreichsten Brauhäuser der Stadt, geht es immer lebhaft zu. Zum deftigen Essen trinkt man das im Hause gebraute Kölsch. Im Sommer wird auch im Garten serviert.

Brauhaus Sion, Unter Taschenmacher 5-7, Tel. (02 21) 2 08 17 50
Eine gute Adresse für echt kölsches Lokalkolorit ist dieses Brauhaus in der Altstadt. Rustikal ist die Einrichtung, Stiche und Fotos vom alten Köln zieren die Wände und das Essen ist deftig: Typisch kölsche Gerichte sind z.B. "Himmel und Ääd" (Kartoffel-Apfel-Püree mit Blutwurst), "Hämcher" (Schweinshaxe mit Sauerkraut) und "Rievkooche" (Reibekuchen).

Rino Casati, Ebertplatz 3-5, Tel. (02 21) 72 11 08
Das Rino Casati ist Kölns erste und teuerste Adresse für italienisches Essen. Die Gerichte sind delikat, die Stimmung ist festlich und die Weinkarte exquisit.

Rössle, Radolfzeller Str. 19 a, Tel. (0 75 31) 9 26 00, Fax 92 60 20
Das Wollmatinger Rössle, ein traditionsbewußter Gasthof, hat auch nach seinem Umbau nichts von seinem Charme verloren. Familie Stadelhofer, bereits in der neunten Generation hier ansässig, ist bekannt für gepflegte Küche und umfassenden Service.

Restaurants

Konstanz (Fortsetzung)	Insel Mainau: Schwedenschänke, Tel. (0 75 31) 30 31 56 Das Restaurant, eine ehemalige Kutscherschenke, besitzt einen schönen Kastaniengarten. Neben Bio-Menüs und Sonntagsbrunch offeriert die Küche vor allem fangfrische Fische und Wild aus eigener Jagd. Bei den Weinen dominieren die Meersburger Gewächse.
Krefeld	Le Crocodile, Uerdinger Str. 336, Tel. (0 21 51) 50 01 10, Fax 50 01 10 Im Le Crocodile werden frische Produkte zu einer leichten Küche verarbeitet. Abstrakte Bilder, die auch käuflich zu erwerben sind, passen ganz gut in das Jugendstil-Ambiente dieses Restaurants. Große Sonnenschirme laden im Sommer zum Genießen im Freien ein.
Lahntal	In Herborn: Hohe Schule, Schulhofstr. 5, Tel. (0 27 72) 28 15, Fax 4 32 12 Die Hohe Schule, mitten in der malerischen Altstadt gelegen, ist nicht nur für die Herborner ein beliebter Treffpunkt. Vor allem im Sommer versammeln sich Einheimische und Gäste im romantischen Innenhof und lassen sich die leckeren Gerichte munden.
Landshut	Bernlochner, Ländtorplatz 4-8, Tel. (08 71) 8 99 90, Fax 8 99 94 Helmut Krausler gehört zweifelsohne zu den deutschen Spitzenköchen. In seinem neuen Domizil bietet er im größeren Rahmen eine moderne Bistro-Küche. Und nebenan wird weiterhin für die Gourmets aus nah und fern die ganz große Küche komponiert.
Lauenburgische Seen	In Mölln: Ratskeller, Am Markt 12, Tel. (0 45 42) 83 55 75, Fax 8 66 57 Der Gewölbekeller des Rathauses aus dem Jahre 1373 korrespondiert mit der regional ausgerichteten Küche, die mitunter mediterran beeinflußt wird. Ergänzt dazu finden sich auf der Weinkarte einige Bordeaux-Raritäten.
Lausitz	In Cottbus: Molle, Stadtpromenade 10, Tel. (03 55) 2 21 11 Dieses Lokal ist eine Mischung aus englischem Pub und gediegener Gaststätte. Verschiedene Faß- und Flaschenbiere nationaler und internationaler Brauereien werden hier angeboten.
Leipzig	Auerbachs Keller, Mädlerpassage, Tel. (03 41) 21 61 00 Diese Leipziger Institution wurde im Frühjahr 1996 neu eröffnet und serviert wieder herzhafte, bodenständige Gerichte. Besonders zu empfehlen ist die Mephistotorte, eine hauseigene Spezialität. Weltberühmt wurden die mächtigen Kellergewölbe vor allem durch Goethes "Faust". Café Corso, Markt 17, Königshauspassage, Tel. (03 71) 9 60 56 52 Der Besuch dieses alten Leipziger Kaffeehauses ist ein Muß für alle, die sich in der Messestadt aufhalten.
Lindau	Schachener Hof, Schachener Str. 76, Tel. (0 83 82) 31 16, Fax 54 95 Bei Thomas Kraus hat der Gast die Wahl zwischen schwäbischer Hausmannskost und Grande cuisine – alles vom Feinsten, versteht sich. Das Preis-Leistungs-Verhältnis stimmt hier auch. Ausgesuchte Weine aus der Region ergänzen das kulinarische Angebot.
Ludwigsburg	In Bietigheim-Bissingen: Schiller, Marktplatz 5, Tel. (0 71 42) 4 10 18, Fax 4 60 58 Die Tradition des Hauses – das Restaurant ist bereits in der vierten Generation in Familienbesitz – schlägt sich auch im kulinarischen Angebot nieder. Erfreulich ist das große Sortiment erlesener Weine.
Lutherstadt Wittenberg	Luther-Schenke, Markt 2, Tel. (0 34 91) 40 65 92 Die mittelalterliche Schenke befindet sich in einem Tonnengewölbe direkt am Markt. Bedient wird in historischen Gewändern im Stil des 16. Jh.s.

Ratsschänke, Markt 14, Tel. (0 34 91) 40 53 51
Das Restaurant liegt in einem über 100 Jahre alten Gebäude direkt am
historischen Marktplatz.

Ristorante Roberto Rossi, Mühlenstr. 9, Tel. (04 51) 7 07 09 08, Fax 70 45 39
Die Speisekarte hält immer wieder Überraschungen bereit. Rossi gilt nicht
umsonst als einer der besten Italiener der Hansestadt; entsprechend groß
ist die Nachfrage nach freien Tischen.

In Lüneburg:
Kronen-Brauhaus, Heiligengeiststr. 39-41, Tel. (0 41 31) 71 32 00, Fax 9 51 40
Die Kronen-Brauerei, 1485 erstmals urkundlich erwähnt, setzt alte Brau-
tradition fort. Zu besichtigen sind die Kronen-Festdiele und das Brauerei-
Museum. Auf der Speisekarte finden sich vor allem regionale Gerichte .

Historischer Eiskeller, Herrenkrug 3, Tel. (03 91) 8 50 80, Fax 8 50 86 01
In den Mauern eines ehemaligen Eiskellers befindet sich heute ein edles
Restaurant. Marktfrische Produkte werden zu sehr guten bürgerlichen Ge-
richten verarbeitet. Und als Zugabe spielt der Pianist am Flügel klassische
Musik.

In Wertheim:
Adalbert Schmid hat in den letzten Jahrzehnten in der Großen Küche Vie-
les bewegt. Vor allem aber hat er die Küchen seiner drei Häuser in Wert-
heim (Schweizer Stuben, Taverna La Vigna, Landgasthof Schober) zu kuli-
narischen Höhen geführt.
Schweizer Stuben, Geiselbrunnweg 11, Tel. (0 93 42) 30 70, Fax 30 71 55
Dieses Haus gehört zu den besten Restaurants in Deutschland. Gourmets
erleben hier kulinarische Höhepunkte á la Provence.
Taverna La Vigna
Hier ist große italienische Küche zu Hause, die ihresgleichen sucht.
Landgasthof Schober
Als Ergänzung zu den beiden anderen Häusern dominiert hier das Gut-
bürgerliche.

Leininger Hof, Kappelhofgasse 2, Tel. (0 61 31) 22 84 84
Das tiefe Gewölbe in der Altstadt lädt zu kulinarischen Genüssen ein.

Stein's Traube, Poststraße 4, Tel. (0 61 31), Fax 4 02 49
Hinter der Fassade eines alten Patrizierhauses verbirgt sich ein rustikal ein-
gerichtetes Restaurant mit guter Küche und einem besonderen Service:
Für Kinder wurde ein separates Spielzimmer eingerichtet.

Grimms Märchen, G7,17, Tel. (06 21) 10 36 36, Fax 56 28 12
In diesem gemütlichen Restaurant sitzt man behaglich am offenen Kamin
und trinkt seinen Roten oder Weißen.

Lindbergh, Seckenheimer Landstr. 170, Tel. (06 21) 41 24 65, Fax 41 46 89
Das Lindbergh, am Mannheimer Flughafen gelegen, verfügt u.a. über eine
große Terrasse auf der man sich im Sommer gerne trifft. Das Innere
schmücken Accessoires aus der Fliegerei.

Das Kleine Restaurant, Barfüßertor 25, Tel. (0 64 21) 2 22 93, Fax 5 14 95
Dieses kleine Restaurant zeichnet sich durch eine große Küche aus.
Besonders gefragt sind die kreativen Schlemmereien, die zu vernünftigen
Preisen angeboten werden.

In Güstrow:
Barlach-Stuben, Hageböcker Straße 109, Tel. (0 38 43) 68 48 81
Dieses gemütliche Lokal besticht durch seine üppigen Blumenarrange-
ments auf den Tischen. In den Barlach-Stuben werden traditionelle mecklenburgische Spezialitäten serviert.

Restaurants

Mecklenburgische Seenplatte (Fortsetzung)

In Neustrelitz:
Orangerie, An der Promenade, Tel. (0 39 81) 20 61 22
Das im klassizistischen Stil errichtete Gebäude wirkt auch im Innern nachhaltig. Wunderschön ist das Ambiente der Gasträume mit Malereien an Decken und Wänden. Die Speisekarte bietet neben regionalen Gerichten auch Internationales.

Meersburg

Bären, Marktplatz 11, Tel. (0 75 32) 4 32 20, Fax 43 22 44
Gemütlich wirkt der Gasthof am historischen Marktplatz mit seinem Staffelgiebel und den markanten Erkertürmchen. Der freundliche Familienbetrieb serviert vor allem Fisch, aber auch oberschwäbische Spezialitäten.

Drei Stuben, Winzergasse 1, Tel. (0 75 32) 8 00 90/20, Fax 13 67
Die Einrichtung der Drei Stuben ist modern puristisch. In der Küche wird italo-germanisch gekocht; das Weinangebot ist entsprechend sortiert.

Meiningen

Sächsicher Hof, Georgstr. 1, Tel. (0 36 93) 45 70, Fax 50 28 20
Im "Sächser", wie dieses Haus in Meiningen liebevoll genannt wird, besticht vor allem das Jugendstil-Ambiente.

Meißen

Vincenz Richter, An der Frauenkirche 12, Tel. (0 35 21) 45 32 85, Fax 45 37 63
Eine der Attraktionen in dieser Weinschenke, die sich in einem Fachwerkhaus aus dem Jahre 1525 befindet, sind Folterkammer und Raritätensammlung. Witzig sind die Geschichten, die der Wirt zum Besten gibt, während man sich an rustikalen Holztischen sächsische Spezialitäten schmecken läßt.

Memmingen

Bauerntanz, Herrenstraße 10, Tel. (0 83 31) 24 25
Mitten in der Altstadt lädt dieser Gasthof, erbaut um 1500, zu bayerisch-schwäbischen Schmankerln ein.

Minden

In Petershagen:
Schäferbarthold, Südfelder Dorfstr. 6, Tel. (0 57 04) 6 43, Fax 1 61 21
Die Spezialität des Landhauses sind schmackhafte Wildgerichte. Vor oder nach dem Essen bietet sich ein Spaziergang zum nahen Wildgehege an.

Mönchengladbach

Dohrenhof, Zoppenbroich 87, Tel. (0 21 66) 18 74 64, Fax 18 62 24
Das Restaurant am Gestüt Zoppenbroich zeichnet sich durch seine moderne, frische Küche aus. Im Sommer sitzt man im Freien und genießt die bürgerlichen Spezialitäten.

Moseltal

In Traben-Trarbach:
Claus-Feist im Hotel Bellevue, Am Moselufer, Tel. (0 65 41) 70 30, Fax 70 34 00
Dieses Jugendstilhaus ist innen wie außen sehenswert: Eingangshalle und Speisesaal mit Blick auf die Mosel sind im Originalzustand erhalten. Die Küche serviert gutbürgerliche Gerichte.

In Moselkern:
Moselstübchen im historischen Bahnhof, Bahnhofsplatz, Tel. (0 26 72) 12 99, Fax 89 49
Der historische Bahnhof aus dem Jahre 1909 wurde 1990 zu einem behaglichen Restaurant umgebaut. Man sitzt in den Aufenthaltsräumen der I. und II. Klasse und genießt – frisch zubereitet – alte moselländische Küche.

Mühlhausen

Postkeller, Steinweg 6, Tel. (0 36 01) 44 00 91
Der traditionsreiche Postkeller steht unter Denkmalschutz. Die Karte bietet vor allem Thüringer Traditionsgerichte sowie Saale-Unstrut-Weine.

München

Andechser am Dom, Weinstr. 7a, Tel. (0 89) 29 84 81, Fax 29 18 91
In dieser ungewöhnlichen Wirtschaft wird zwar Bier aus dem berühmten Kloster Andechs getrunken, und auf der Karte erscheinen weiß-blaue

Schmankerl. Doch ist alles andere gewöhnungsbedürftig: die Designer-Kleidung der Bedienung entwarf eine in München bekannte Modeschöpferin, die Decke bemalte ein Beuys-Schüler, und die Beleuchtung gehört eigentlich in ein Museum für moderne Popart.

München
(Fortsetzung)

Franziskaner-Fuchsenstuben, Perusastraße 5, Tel. (0 89) 2 31 81 20, Fax 23 18 12 44
Ein echtes bayerisches Wirtshaus mit blankgescheuerten Tischen und Kellnerinnen im Dirndl. Die Weißwürste sind besonders gut. Hier trifft man sich auch gerne nach dem Einkaufsbummel.

Grüne Gans, Am Einlaß 4, Tel. (0 89) 26 62 28, Fax 26 61 81
Das kleine Restaurant, das im englischen Stil mit viel Mahagoni eingerichtet ist, besticht durch die persönliche Atmosphäre. Man sitzt gemütlich auf breiten Samtsofas, genießt das Essen und kostet Weine aus Frankreich.

Italfisch, Zenettistraße 25, Tel. (0 89) 77 68 49
Das Ambiente ist schlicht, dafür gibt es hier Fisch in allen Variationen und vorwiegend italienische Weine.

Kay's Bistro, Utzschneiderstr. 1, Tel. (0 89) 2 60 35 84, Fax 2 60 55 26
Viermal im Jahr wird das Bistro am Viktualienmarkt komplett umdekoriert. Eine Hollywood-Glitzerwelt, in der sich Münchner Prominenz gerne trifft. Wer will, kann sich über Marlene Dietrich und Josephine Baker informieren: zwei Räume sind mit ihren Fotos ausstaffiert.

Ristorante Spago, Neureutherstr. 15, Tel. (0 89) 2 71 24 06, Fax 2 78 04 48
Mitten in Schwabing liegt dieses kleine Lokal, ein Laufsteg der Eitelkeiten, um zu sehen und gesehen zu werden. Im Sommer lädt eine der schönsten Terrassen Schwabings zum Verweilen ein.

Davert-Jagdhaus, Wiemannstr. 4, Tel. (0 25 01) 5 80 58
Das Jagdhaus Davert im Stadtteil Amelsbüren ist ein beliebtes Ausflugslokal. Man ißt konventionell gut, im Münsterländer Schankraum mit seinem original Delfter Kacheltresen ebenso wie im Wintergarten oder im Flämischen Zimmer.

Münster

Hof zur Linde, Handorfer Werseufer 1, Tel. (02 51) 3 27 50, Fax 32 82 09
Dieses schöne Landgasthaus im altwestfälischen Stil offeriert die Klassiker der westfälischen Küche. Die Gasträume sind gemütlich mit Kamin, Jagdtrophäen und wertvollen Antiquitäten ausgestattet. Im Sommer sitzt man auf der Terrasse.

Krautkrämer, Hiltruper See 173, Tel. (0 25 01) 80 50, Fax 80 51 04
Inmitten von Wiesen und Wäldern liegt das Waldhotel Krautkrämer im Stadtteil Hiltrup. Die Einrichtung ist elegant rustikal mit viel Holz und warmem Licht. Besonders schön sind die Tische am Fenster mit Blick auf den Hiltruper See. Krautkrämers Weinkeller verdient höchstes Lob.

In Bretzenheim:
Landhaus le Passé, Naheweinstraße, Tel. (06 71) 4 61 68, Fax 4 55 60
Dieser gemütliche Landgasthof lädt im Sommer in seinen üppig begrünten Innenhof. In uriger Atmosphäre munden die besten Nahe-Weine nochmal so gut.

Nahetal

In Hackenheim:
Metzlers Gasthof und Weinstube, Hauptstr. 69, Tel. (06 71) 6 53 12, Fax 6 53 10
Die Gäste können wählen zwischen Gasthof und Weinstube, im Sommer kommt die Terrasse dazu. Zu zivilen Preisen werden regionale Klassiker serviert, die Weine stammen aus den Nahe-Anbaugebieten.

Restaurants

Naumburg

Ratskeller, Markt 1, Tel. (0 34 45) 20 20 63
Der Ratskeller ist bekannt für seine gute Küche und die vorzüglichen
Saale-Unstrut-Weine.

Neubrandenburg

Werderbruch, Lessingstr. 14, Tel. (03 95) 5 44 30 13, Fax 5 82 37 95
Das Werderbruch erinnert an eine finnische Hütte. Ob man nun im gemütlichen Fischerstübchen oder im stilvollen Restaurant Platz nimmt, die
Fischspezialitäten munden immer. Besonders schön sind der Sommergarten und die Lage am Tollensesee.

Nürnberg

Biss, Johannisstr. 38, Tel. (09 11) 39 62 15, Fax 39 62 56
In Nürnbergs Kreativ-Szene ist das Biss die Adresse. Serviert wird entwe-
der im kühl designten Restaurant oder im Wintergarten, und bei schönem
Wetter auf der Terrasse.

Gasthaus Rottner, Winterstr. 15, Tel. (09 11) 61 20 32, Fax 61 37 59
Die Fassade des Rottner mit den rot-grün-weißen Fensterläden und den
überquellenden Blumentöpfen lädt zum Besuch ein. Im Innern dominieren
Antiquitäten und interessante Bilder. Gut sind die regionale Saisonküche
und die glasweise ausgeschenkten Weine.

Oberpfalz

Bei Amberg:
Post, Vilstalstr. 82, Kümmersbruck-Haselmühl, Tel. (0 96 21) 77 50
Die Post in Kümmersbruck-Haselmühl besitzt natürlich ein gemütliches
Poststüberl und eine Gaststube mit Kachelofen. Ein besonderer Genuß
sind die Wildgerichte.

In Neumarkt:
Lehmeier, Obere Marktstr. 12, Tel. (0 91 81) 17 22
Der Gasthof mit dem "böhmischen Gewölbe" liegt direkt im Stadtzentrum.
Die Küche bietet neben altbayerischen Mahlzeiten auch ein Oberpfälzer
Menü. Kosten sollte man die hausgemachten Getränke wie Schlehen-
oder Aprikosenlikör.

Oberschwaben

In Saulgau:
Kleber-Post, Hauptstr. 100, Tel. (0 75 81) 50 10, Fax 50 14 61
Bei Klebers speist man schon seit Generationen, ist die Kleber-Post doch
über 300 Jahre in Familienbesitz und nachweislich die erste Posthalterei
mit Gastwirtschaft in Süddeutschland. Der Gegenwart angepaßt, kommen
hier leichte und phantasievolle Gerichte auf den Tisch.

In Bad Schussenried:
Schinderhannes, Robert-Bosch-Str. 4, Tel. (0 75 83) 32 95
Das urige Lokal, in dem deftige schwäbische Spezialitäten serviert werden,
erinnert mit seiner Einrichtung an den berühmten Pfälzer Räuber und
Volkshelden Schinderhannes.

Oberstdorf

Maximilians Restaurant, Freibergstr. 21, Tel. (0 83 22) 9 67 80, Fax 96 78 43
Auf der Karte des Maximilian, am westlichen Stadtrand gelegen, finden
Feinschmecker viel Fisch und Krustentiere.

7 Schwaben, Pfarrstr. 9, Tel. (0 83 22) 38 70
Der Inhaber dieses Lokals ist Mitbegründer der "Bruderschaft der 7
Schwaben", die nur Gastronomen mit alten heimischen Rezepten auf-
nimmt. So gibt es hier unverfälschte schwäbische Küche.

**Odenwald ·
Bergstraße**

In Zwingenberg:
Weinstube Piano, Obertor 6, Tel. (0 62 51) 7 55 16, Fax 78 86 41
Uralt und windschief präsentiert sich die Weinstube der beiden Winzer
Bürkle und Simon. Man sitzt an blankgescheuerten Tischen, probiert die
vielfältigen guten Tropfen und labt sich an verschiedenen köstlichen
Schmankerln.

In Bensheim:
Schlinkenstube und Schlinkenkeller, Schlinkengasse 7,
Tel. (0 62 51) 6 23 23
Das Deckengewölbe des gemütlichen Schlinkenkellers ist teilweise mit
Faßdauben verkleidet, man sitzt an urigen Wurzelholztischen. Darüber liegt
das Restaurant Schlinkenstube. In beiden Räumen werden regionale
Gerichte serviert.

Schloß Auerbach, im Stadtteil Auerbach, Tel. (0 62 51) 7 29 23
Wer will, kann in der alten Burg- und Schloßanlage aus dem 13. Jahrhundert an einem üppigen Rittermahl teilnehmen. Ansonsten bietet die Küche
regionale Gerichte.

Seewolf, Alexanderstr. 41, Tel. (04 41) 8 65 60   Oldenburg
Dieses Fisch-Restaurant wartet mit sehr frischen und einwandfrei zuberei-
teten Gerichten auf.

In Bad Zwischenahn:
Apicius, Im Jagdhaus Eiden am See, Tel. (0 44 03) 69 84 16, Fax 69 83 98
Das Jagdhaus Eiden, von hohen Bäumen umgeben, liegt direkt am Zwi-
schenahner Meer. Auf der Speisekarte finden sich grüne oder geräucherte
Aale, die frisch aus dem Zwischenahner Meer kommen.

Hohenzollern, Heinrich-Heine-Str. 17, Tel. (05 41) 3 31 70, Fax 3 31 73 51   Osnabrück
Man sitzt sehr angenehm im Restaurant des Hotels Hohenzollern; die
Bilder an den Wänden sind allesamt Originale. In der Küche achtet man
auf Qualität und gute Zubereitung.

In Bramsche:
Landhaus Hellmich, Malgarten, Sögelner Allee 47, Tel. (0 54 61) 38 41
In diesem Haus fühlt man sich einer 200 jährigen Tradition verbunden. Die
Küche ist klassisch orientiert und hat sich auf Wild- und Lammgerichte
spezialisiert. Ein altes Kloster bildet übrigens die stimmungsvolle Kulisse
dieses kulinarischen Refugiums.

Auf Juist: Ostfriesische
Die gute Stube, Wilhelmstr. 36, Tel. (0 49 35) 80 40, Fax 17 54   Inseln
In der gemütlich eingerichteten guten Stube des kleinen Restaurants im
Hotel Achterdiek werden frische regionale Produkte serviert. Dazu gehören
auf einer Insel auch Fischgerichte: besonders schmackhaft sind die fang-
frischen Nordseeschollen und Seezungen.

Auf Norderney:
Marienhöhe, Tel. (0 49 32) 6 86
Das traditionsreiche Café Marienhöhe, seit über 75 Jahren in Familienbe-
sitz, hat so manche Persönlichkeit von Rang und Namen gesehen. Auch
heute noch sitzt man wunderschön auf dieser Anhöhe mit Blick auf den
Strand und die See und genießt die kleinen Köstlichkeiten aus Küche und
Konditorei.

In Aurich: Ostfriesland
Brems Garten, Kirchdorfer Straße 7,
Tel. (0 49 41) 1 00 08 / 92 00, Fax 1 04 13
Der vielgelobte Familienbetrieb, zentral und dennoch ruhig gelegen, ist für
seine gute Küche mit Produkten aus der Region bekannt. Besonders
lecker sind die Fischspezialitäten.

In Norden:
Café Remmers, Neuer Weg 28, Tel. (0 49 31) 24 62
Das traditionsreiche Café Remmers lädt zu ostfriesischen Leckereien ein.
Man sitzt gemütlich in der Teestube am Kaminfeuer und genießt echten
Ostfriesentee mit Kluntje.

Restaurants

**Ostfriesland
(Fortsetzung)**

In Dornum:
Beninga-Burg, Beningalohne 2, Tel. (0 49 33) 29 11
Die Burg der Beninga, im 14. Jahrhundert als sogenannte Häuptlingsburg
erbaut, bietet heute ostfriesische Küche vom Feinsten. In der behaglichen
Teestube wird Ostfriesentee und selbstgebackener Kuchen gereicht.

Paderborn

Balthasar, An der alten Synagoge 1, Tel. (0 52 51) 2 44 48, Fax 2 44 58
Das Balthasar, in der Nähe des Doms gelegen, verarbeitet ausschließlich
frische Produkte. Auf der kleinen Weinkarte finden sich Gewächse aus
deutschen und französischen Anbaugebieten.

Passau

Bräustüberl Hacklberg, Bräuhausplatz 7, Tel. (08 51) 5 83 82
Im Bräustüberl, der heute noch aktiven Brauerei am nördlichen Ufer der
Donau, wird Bierliebhabern das würzige Hacklberger "Zwicklbier" ausgeschenkt. Dazu gehören urbayerische Schmankerln, die im Sommer auch
im weitläufigen Biergarten serviert werden.

Pforzheim

Gasthaus Seehaus, Tiefenbronner Str. 201, Tel. (0 72 31) 65 11 85
Das beliebte Ausflugslokal, in unmittelbarer Stadtnähe gelegen, wartet mit
einem großen Biergarten auf. Die Küche bietet regionale Spezialitäten zu
akzeptablen Preisen.

Potsdam

Villa Kellermann, Mangerstraße 34-36, Tel. (03 31) 29 15 72, Fax 2 80 37 38
Die Villa liegt am Heiligen See mit Blick auf das Marmorpalais am anderen
Ufer. Die klassischen Räume sind gekonnt mit modernem italienischen Design ausstaffiert worden. Und die Küche hat überdurchschnittliches Niveau; groß ist das Wein- und Grappaangebot.

Schloß Gut Golm, Am Zernsee in Golm, Tel. (03 31) 50 05 21, Fax 50 05 21
Schloß Gut Golm hatte eine bewegte Vergangenheit, bevor es zu neuem
Leben erweckt wurde. Ausgefallen ist nicht nur das Inventar, auch die
Küche ist nicht alltäglich. Kaffee und selbstgebackenen Kuchen nimmt
man im Schloßpark ein, den Seeblick gibt's gratis dazu.

Quedlinburg

Schloßkrug am Dom, Schloßberg 1, Tel. (0 39 46) 28 38
Das Gasthaus mit seinem holzgetäfelten Aurora-Zimmer stammt aus dem
15. Jahrhundert. Zu den Spezialitäten des Schloßkrugs gehören u.a. auch
Wildgerichte. Und vom Garten des historischen Lokals reicht der Blick weit
über die geschichtsträchtige Stadt.

Ravensburg

Waldhorn, Marienplatz 15, Tel. (07 51) 3 61 20, Fax 3 61 21 00
Dieses Haus, im Jahre 1789 erstmals als "Stadtwirtschaft" erwähnt, hat
eine lange gastronomische Tradition. Heute treffen sich im Waldhorn
Gourmets aus nah und fern, denn hier wird, unter der Regie von Albert
Bouley, auf höchstem Niveau gekocht. Eine Alternative bietet das Rebleu-
tehaus in der Schulgasse 15. Hier sitzt man gemütlich im gotischen Spei-
sesaal, der sich hinter Butzenscheiben versteckt, und genießt die kleinen
Leckereien, für die Bouleys Bistro bekannt ist.

Regensburg

Historisches Eck, Watmarkt 6, Tel. (09 41) 5 89 20, Fax 56 29 69
In dem ehemaligen Patrizierhaus, mitten in der Altstadt, wird traditionsbe-
wußt gekocht; besonders lecker sind die Nachspeisen.

Beim Dampfnudel-Uli, Watmarkt 4, Tel. (09 41) 5 32 97
Im historischen Baumburger Turm gibt es die besten Dampfnudeln – das
Markenzeichen von Uli Deutzer. Daneben bietet er seinen Gästen noch an-
dere warme Süßspeisen, und natürlich deftige altbayerische Schmankerln.

**Rheinsberg ·
Neuruppin**

Enklave, Netzeband, Tel. (03 39 24) 89 80, Fax 8 98 60
Das hübsch eingerichtete Kamin-Restaurant der Enklave im Landhotel
Märkische Höfe zieht sich über zwei Stockwerke hin. Man sitzt dort sehr
angenehm und genießt u.a. aromatische Wildgerichte und gute Weine.

In Bingen:
Brunnenkeller, Vorstadt 60, Tel. (0 67 21) 1 61 33
Die Küche des Brunnenkellers in Bingen am Rhein wird auch gehobenen
Ansprüchen gerecht. Die Weine kommen vor allem aus Spitzenbetrieben
der Naheregion.

In Guldental bei Rüdesheim:
Kaiserhof, Hauptstr. 2, Tel. (0 67 07) 87 46
Der Kaiserhof, seit 1846 in Familienbesitz, bietet Spezialitäten aus Produkten der Region. Serviert wird in behaglicher Atmosphäre im rustikal eingerichteten Restaurant.

In Bad Kissingen: Restaurant in Laudensacks Parkhotel, Kurhausstr. 28, Rhön
Tel. (09 71) 7 22 40, Fax 72 24 44
Das Haus besticht durch seine Lage: Der Garten des Hotels geht direkt in
den Kurpark über. Auch Keller und Küche begeistern immer wieder.

In Ehrenberg-Seiferts:
Krone, Eisenacher Str. 24, Tel. (0 66 83) 9 63 40
Als Ausgangspunkt für schöne Wanderungen bietet sich dieser Gasthof im
Herzen der Rhön an, der leckere Rhön-Spezialitäten anbietet.

Sieben Türme, Steinstr. 7, Tel. (03 81) 4 92 22 85 Rostock
Elegant ist das Ambiente im Restaurant Sieben Türme im Hotel Nordland.
Die Küche versteht sich neben Internationalen auch auf deftige regionale
Gerichte.

In Warnemünde:
Fischrestaurant, Am Strom 107, Tel. (03 81) 5 26 55, Fax 5 26 05
In diesem Fischrestaurant, das sich im Erdgeschoß des Haus Atlantic be-
findet, stehen regionale Fischgerichte auf der kleinen Karte. Schön ist das
Ambiente mit viel dunklem Holz und Messing.

In Kühlungsborn:
Borgholm im Hotel Arendsee, Ostseeallee 30, Tel. (03 82 93) 7 03 00,
Fax 7 04 00
Das Restaurant, im skandinavischen Stil gehalten, gilt als gute Adresse an
der mecklenburgischen Ostseeküste. Neben der klassischen Küche wird
hier auch die regionale Kochkunst gepflegt.

Louvre, Klingengasse 15, Tel. (0 98 61) 8 78 09, Fax 48 81 Rothenburg
Das Gebäude an der Klingengasse stammt aus dem 13. Jahrhundert. Im ob der Tauber
Innern wurde Altes und Neues gut kombiniert, an den Wänden hängt
moderne Kunst in kräftigen Farben. Und die Küche bietet neben Boden-
ständigem auch neuere Trends.

Glocke, Am Plönlein 1, Tel. (0 98 61) 30 25
Seit 1898 befindet sich das typische fränkische Haus aus dem 16. Jahrhundert in Familienbesitz. In der denkmalgeschützten Glocke wird eine
unverfälschte fränkische Küche gepflegt.

Villa Johanniterstube im Hotel Johanniterbad, Johannsergasse 12, Rottweil
Tel. (0741) 53 07 00
Das altehrwürdige Gebäude steht hoch über dem Festungsgraben und
dem Neckartal. Seit 1929 ist hier die Gastronomie zuhause. Sie offeriert
vorwiegend regionale Spezialitäten.

In Göhren: Rügen
Nordperd, Nordperdstr. 11, Tel. (03 83 08) 70, Fax 71 60
Der modern ausgestattete Gastraum des Nordperd und die Gartenterrasse
gelten als Treffpunkte für Feinschmecker: Das Lokal überzeugt durch seine
feine regionale Küche.

Restaurants

Rügen
(Fortsetzung)

In Binz:
Poseidon, Lottumstr. 1, Tel. (03 83 93) 26 69
Das Fischrestaurant befindet sich in einer alten Seebäder-Villa. Es offeriert regionale Spezialitäten aus den umliegenden Seen und Gewässern.

In Putbus-Wreechen:
Wreecher Hof, Kastanienallee, Tel. (03 83 01) 8 50, Fax 8 51 00
Idyllisch am Wreecher See gelegen, bietet der Hof in seinem elegant eingerichteten Restaurant vorwiegend regionale Gerichte, die mit viel Kreativität zubereitet werden. Besonders begehrt sind die Plätze im Wintergarten.

In Sassnitz:
Kapitänsmesse, Walterstr. 8, Tel. (03 83 92) 2 27 25
Das kleine Restaurant, das sich der Seefahrt verbunden fühlt, wartet mit zwei Gasträumen auf. Im Sommer sitzt man auf der Terrasse, blickt auf den Hafen und genießt die regionalen Gerichte.

Ruhrgebiet

In Bochum:
Brinkhoff's Stammhaus, Harpener Hellweg 157, Tel. (02 34) 23 35 49
In den beiden Gasträumen wurde eine mediterran anmutende Atmosphäre geschaffen: Man sitzt in Korbstühlen zwischen zahlreichen Grünpflanzen und genießt die Küche von Claudia Baumhoff, die gekonnt Kräuter und Gewürze des Orients verarbeitet.

In Gelsenkirchen:
Hüller Mühle, Hüller Mühle 111, Tel. (02 09) 8 55 06
1860 als Wassermühle erbaut und seit 1900 Ausflugsgaststätte: Die Gäste der Hüller Mühle sind unkonventionell. Im Sommer genießt man die vorwiegend italienische Küche im großen Mühlengarten.
In Moers:
Kurlbaum, Burgstr. 7, Tel. (0 28 41) 2 72 00
Michael Kurlbaum schuf mitten in der Moerser Fußgängerzone eine kulinarische Oase in legerer Atmosphäre. Im ersten Stock seines Restaurants erwartet den Gast neben gutem Essen wunderschönes Art déco.

Saarbrücken ·
Saarland

Alain, Mainzer Str. 54, Tel. (06 81) 68 45 54
Das Bistro von Alain Klein vermittelt die legere Atmosphäre eines französischen Straßencafés. Die handgeschriebene Speisekarte bietet zweisprachig traditionelle französische Gerichte mit elsässischem Einschlag.

Ristorante Roma, Klausenerstr. 25, Tel. (06 81) 4 54 70, Fax 4 17 01 05
Das Roma gehört zu den beliebtesten Italienern Saarbrückens. Stammgäste werden hier noch mit Handschlag begrüßt, die Weinkarte bietet edle Gewächse aus Piemont und der Toskana.

Schloß Halberg, Auf dem Halberg, Tel. (06 81) 6 31 81) Fax 63 86 55
Das Ambiente des Schloß-Restaurants ist sehr elegant. Die Küche bietet phantasievolle kulinarische Kreationen, die angemessen kalkuliert sind. Der Weinkeller ist gut sortiert mit Rot- und Weißweinen aus den nahen Anbaugebieten, von der Loire und aus Burgund.

Stiefel, Am Stiefel, Tel. (06 81) 3 12 46, Fax 3 70 18
Mitten in der Altstadt liegt das Restaurant Zum Stiefel – die Adresse für Saarbrücker Spezialitäten und Braukunst. Seit 1702 braut Familie Bruch ihr Stiefel Bräu, naturtrüb und ein besonderer Genuß. Wer will, kann in der Gasthausbrauerei beim Bierbrauen zuschauen.

In Neunkirchen:
Hostellerie Bacher, Limbacher Str. 2, Tel. (0 68 21) 3 13 14
In diesem Gourmetrestaurant der Spitzenklasse stimmt auch der festliche Rahmen: Die Tische sind mit geschmackvollem Geschirr und dekorativen Blumengestecken gedeckt, im Hintergrund ertönt klassische Musik.

In Bad Schandau:
Elbhotel, An der Elbe 2, Tel. (03 50 22) 4 25 06
Für Wanderungen in der Sächsischen Schweiz ist Bad Schandau ein guter
Ausgangspunkt. Im 1888 erbauten Elbhotel werden Sächsische Spezialitä-
ten serviert, dazu trinkt man ein kühles Pils oder einen süffigen Elbtalwein.

In Winterberg:
Waldhaus, Kieferweg 12, Tel. (0 29 81) 20 42
Im Waldhaus wird wieder eine sehr gute Küche mit freundlichem Service
geboten. Außerdem stimmt das Preis-Leistungsverhältnis.

In Brilon-Gudenhagen:
Waldsee, Am Waldfreibad, Tel. (0 29 61) 33 18
Ein Sauerländer Restaurant wie aus dem Bilderbuch: Fachwerk, Schiefer-
dach, altes Eichenholz, gekachelter Tresen – und eine echt westfälische
Küche zu zivilen Preisen.

In Schmallenberg-Ohlenbach:
Schneiderstube, Tel. (0 29 75) 8 40, Fax 84 48
Am Südhang des Kahlen Asten, auf 700 m Höhe, liegt das Waldhaus. Mit
Balkendecke und rustikalen Schränken strahlt es behagliche Wohnatmo-
sphäre aus. Neben den deftigen Gerichten genießt man einen herrlichen
Blick über das Rothaargebirge.

In Eckernförde:
Kiekut, Altenhof, Tel. (0 43 51) 4 13 10, Fax 49 24
Das kleine Reetdachhaus liegt direkt am Ufer der Eckernförder Bucht. An
warmen Abenden sitzt man auf der geräumigen Gartenterrasse, blickt aufs
Wasser und genießt die hervorragende bodenständige Küche.

In Maasholm:
Martensens Gasthaus, Hauptstr. 38, Tel. (0 46 42) 60 42
In diesem schlichten Lokal kommen täglich fangfrische Ostseefische auf
den Tisch. Eine Spezialität des Hauses ist der Maasholmer Heringstopf.

In Kappeln:
Schlie-Krog, Dorfstr. 19, Tel. (0 43 52) 25 31
Im Schlie-Krog in Damp-Sieseby sitzt man noch wie zu Hause in der guten
Stube, genießt einen freundlichen Service und die delikaten Fischgerichte.

In Nördlingen:
Meyer's Keller, Marienhöhe 8, Tel. (0 90 81) 44 93
In Meyer's Keller richtet der Küchenchef sein Augenmerk besonders auf
frische regionale Produkte, die an lauen Sommerabenden auch im gemütlichen Biergarten serviert werden.

In Saalach:
Burgrestaurant Staufeneck, Tel. (0 71 62) 50 28, Fax 4 43 00
Der Patron in der Burgruine überrascht immer wieder durch neue Kreationen der regionalen Küche. Man genießt die Köstlichkeiten im Sommer auf
der Terrasse mit Blick ins Land und auf die Alb.

In Hechingen:
Brielhof, An der Bundesstraße 27, Tel. (0 74 71) 40 97
Unterhalb der Burg Hohenzollern liegt der über 350 Jahre alte historische
Gasthof. Das Wildbret stammt aus eigener Jagd, und im Weinkeller lagern
gute Tropfen, darunter auch zahlreiche Württemberger Weine.

In Schwäbisch Gmünd:
Fuggerei, Münstergasse 2, Tel. (0 71 71) 3 00 03, Fax 3 83 82
Die Fuggerei gilt als die erste Adresse für Gourmets in der Stauferstadt. Es
werden raffiniert zubereitete Spezialitäten der regionalen Küche serviert.

Restaurants

In Nürtingen-Hardt
Ulrichshöhe, Herzog-Ulrich-Str. 14, Tel. (0 70 22) 5 23 36
Die Ulrichshöhe, eines der besten und schönsten Restaurants im Albvorland, wartet mit einer hervorragenden Küche auf, die durch ihre kulinarischen Überraschungen besticht.

In Heidenheim:
Weinstube zum Pfauen, Schloßstr. 26, Tel. (0 73 21) 4 52 95
Die rustikal-gemütliche Weinstube in Heidenheim offeriert neben einer gutsortierte Weinkarte allerhand Köstlichkeiten für den kleinen und großen Hunger.

Schwäbisch Hall

Krone, Schmiedsgasse 1, Tel. (07 91) 9 40 30
Die Krone in Hessental, ein stattliches Haus aus dem 16. Jahrhundert, befindet sich seit über 100 Jahren in Familienbesitz. Die besondere regionale Küche verarbeitet schwäbische und fränkische Spezialitäten.

Schwarzwald

In Offenburg:
Becks Sonne Stub, Hauptstr. 94, Tel. (07 81) 7 37 88, Fax 7 37 98
Das historische Gasthaus existiert bereits seit 1858. In der gemütlichen Gaststube genießt man die deutsch-französische Atmosphäre, das gute Essen und vor allem die badischen Weine.

In Schramberg:
Hirsch, Hauptstr. 11, Tel. (0 74 22) 2 05 30, Fax 2 54 46
Dieses Schwarzwälder Kleinod befindet sich seit über 240 Jahren in Familienbesitz. Familiär ist auch der Ton im Restaurant, das sich durch seine feine Küche auszeichnet.

In Achern:
Adler, Rathausstr. 5, Tel. (0 78 41) 41 04
Der Adler residiert in einem alten Fachwerkhaus, direkt gegenüber vom Rathaus, im Ortsteil Önsbach. Im gemütlichen Lokal wird die klassische Küche serviert, mit ausgewählten frischen Zutaten.

In Bühl:
Burg Windeck, Kappelwindecker Str. 104, Tel. (0 72 23) 9 49 20, Fax 4 00 16
Vom Panoramarestaurant auf Burg Windeck hat man bei gutem Wetter eine hervorragende Sicht; im Sommer ist auch der Garten bewirtschaftet. Preiswert sind die ausgesuchten Weine auf der kleinen Karte.

In Baiersbronn:
Schwarzwaldstube Traube Tonbach, Tel. (0 74 42) 49 26 65, Fax 49 26 92
Die Schwarzwaldstube im Kur- und Sporthotel Traube Tonbach gehört zu den besten deutschen Restaurants. Augen, Nase und Gaumen kommen hier voll auf ihre Kosten. Harald Wohlfahrts Kombination von französischer Küche und badischen Zutaten ist wirklich meisterhaft. Verfeinert wird der Genuß noch durch die ausgezeichnete Weinkarte und die exzellente Beratung.

Dorfstuben, Gärtenbühlweg 14, Tel. (0 74 42) 4 70, Fax 4 73 20
Die originale Bauernstube aus dem 19. Jahrhundert im Hotel Bareiss im Ortsteil Mitteltal ist eine Augenweide, die badische Küche ein Gaumenschmaus. Es lohnt sich auch zum Vespern einzukehren: Die "Murgtäler Brotzeit" ist einen Umweg wert.

Schwerin

Pück, Schliemannstraße 2, Tel. (03 85) 56 32 53
Sehr lecker sind die mit frischen Zutaten gekochten Gerichte. Wer nach dem Essen noch immer nicht genug hat, sollte sich im Delikatessenverkauf in der "Buscherie" umschauen: Terrinen, Pasteten oder Räucherfisch stehen zur Auswahl.

Efeu, Marienborner Str. 7, Tel. (02 71) 5 64 33
Der Name macht dem Haus alle Ehre: Die grüne Pflanze schlingt sich an der Fassade empor, und auch im Innenbereich grünt es überall. An warmen Tagen lädt der hübsche Sommergarten ein, die italienisch ausgerichtete Küche zu genießen.

Biermann's Restaurant, Thomästr. 47, Tel. (0 29 21) 1 33 10, Fax 1 32 34
Bei Wilhelm Biermann hat man die Qual der Wahl: neben einem kleinen Café mit Theke lockt ein französisch anmutendes Bistro mit schwarz/weißen Fliesen sowie ein kleines Gourmetrestaurant.

In Schöllkrippen:
Landgasthof Behl in Blankenbach, Krombacherstr. 2, Tel. (0 60 24) 47 66, Fax 57 66
In ländlicher Atmosphäre locken neben gutem Essen, fränkische Weine – und Schnäpse vom Meisterbrenner nebenan. In der über 100 Jahre alten Apfelweinkelterei von Arno Dirker finden mehrmals im Jahr Brennabende statt. Zu einem fünfgängigen Menü werden dann seine Schnäpse serviert.

Backmulde, Karmeliterstr. 11-13, Tel. (0 62 32) 7 15 77, Fax 7 09 03
In der gemütlichen Wohnzimmeratmosphäre der Backmulde – und im Sommer im Innenhof – schmecken Pfälzer Spezialitäten nochmal so gut. Obst und Gemüse stammen aus eigenem Anbau, die Obstbrände werden ebenfalls selbst hergestellt.

In Burg:
Linde, Hauptstraße 38, Tel. (03 56 03) 2 09
Das typische Spreewald-Bauernhaus besitzt drei Gasträume mit gemütlichem Ambiete: eine gute Stube, ein Hochzeitszimmer sowie ein Spreewaldeck. In diesem Lokal werden nur hauseigene Spreewald-Produkte aufgetischt, im Sommer natürlich auch auf der Gartenterrasse.

In Lübben:
Cartoon, Gubener Straße 9, Tel. (0 35 46) 71 09
In der niveauvollen Altstadtkneipe wird mittwochs zu bodenständigen Gerichten Live-Musik geboten.

Post, Am Neuen Markt, Tel. (0 38 31) 20 05 00, Fax 20 05 10
Mitten in der historischen Altstadt liegt dieses elegante Restaurant im gleichnamigen Hotel mit seinem modernen Interieur. Die Küche glänzt mit ihren ideenreichen und dennoch bodenständigen Gerichten.

Tafernwirtschaft, Donaugasse, Tel. (0 94 21) 8 14 89
In dem originell eingerichteten Gebäude unweit der Donaubrücke trifft sich vor allem ein junges Publikum. Regionale Spezialitäten werden schmackhaft und frisch zubereitet.

Seethaler, Theresienplatz 25, Tel. (0 94 21) 2 25 07
Der Gasthof aus dem 16. Jahrhundert, der sich seit 1908 in Familienbesitz befindet, hat über all die Jahre seinen volkstümlichen Charakter bewahren können. In der Küche entsteht regional Bodenständiges.

Wielandshöhe, Alte Weinsteige 71, Tel. (07 11) 6 40 88 48, Fax 6 40 94 08
Vincent Klinks elegantes Restaurant, mit herrlichem Blick auf Stuttgart, ist eine der "Top-Adressen" für Gourmets in Stuttgart. Der Meisterkoch verwendet für seine Kreationen nur ausgesuchte Produkte, die oft aus der eigenen Gärtnerei stammen. Auf der Karte finden sich Weine aus aller Welt, die kompetent empfohlen werden.

Speisemeisterei, Am Schloß Hohenheim, Tel. (07 11) 4 56 00 37, Fax 4 56 00 38
Der älteste erhaltene Bauteil der Schloßanlage Hohenheim – der Speisemeisterflügel – ist Namensgeber des heutigen Top-Restaurants. Sonntag-

Restaurants

nachmittags trifft man sich hier zu Kaffee und Kuchen und abends, fein gekleidet, zur fürstlichen Tafel. Der wunderschöne Park und die historische Umgebung bilden den entsprechenden Rahmen.

Délice Vinothek & Gastrosophie, Hauptstätter Str. 61, Tel. (07 11) 6 40 32 22
Mit viel Geschmack entstand aus einem 200 Jahre alten ehemaligen Winzerkeller ein uriges Restaurant mit elegantem Flair. Die Einrichtung verleiht dem kleinen Feinschmeckerlokal mit der großen Küche eine besondere Note. Die Weinkarte mit über 700 Positionen ist ein Ereignis für sich.

Fässle, Löwenstr. 51, Tel. (07 11) 76 01 00, Fax 76 44 32
Im Fässle im Stadtteil Degerloch stimmt das Preis-Leistungsverhältnis. Die hervorragenden Gerichte nimmt man im Sommer auch gerne im Gartenrestaurant des Innenhofes ein.

Pfund, Waiblinger Str. 61a, Tel. (07 11) 56 63 63, Fax 56 63 63
Im Pfund im Stadtteil Bad Cannstatt läßt man in gemütlicher Atmosphäre bei einem guten Essen den Tag ausklingen. Der Chef des Hauses kümmert sich persönlich um seine Gäste und gibt gerne die passende Weinempfehlung.

In Leonberg:
Schloß Höfingen, Am Schloßberg 17, Tel. (0 71 52) 2 10 49, Fax 2 81 41
Schloß Höfingen gibt sich von außen trutzig, von innen einladend rustikal mit viel Holz und sehr gemütlich. Die Atmosphäre ist familiär, das Essen wird höchsten Ansprüchen gerecht und ist, wie die Weine, regional ausgerichtet.

In Keitum/Sylt:
Fisch-Fiete, Weidemannweg 3, Tel. (0 46 51) 3 21 50, Fax 3 25 91
Die schönsten Plätze befinden sich in den historischen Räumen mit ihren gekachelten Wänden und kleinen Nischen und natürlich im Garten. Hier lassen sich die Sylt-Urlauber bei Fisch-Spezialitäten gerne verwöhnen.

In Rantum/Sylt:
Sansibar, Hörnumer Straße, Tel. (0 46 53) 4 17, Fax 4 55
Fröhlich ist die Stimmung und urig die Atmosphäre im Sansibar, dem Treffpunkt in Rantum. Die Bayerische Almhütte mit Blick auf die Dünen, den Sansibar-Strand und die Nordsee bietet internationale und regionale Küche und etwa 800 Weine aus aller Welt.

In Wittdün/Amrum:
Weiße Düne, Achternstrand 6, Tel. (0 46 82) 94 00 18
Die Weiße Düne liegt strandnah und ist behaglich eingerichtet. Der Küchenchef empfiehlt seine tollen Fischgerichte.

In Süderende/Föhr:
Altes Pastorat, Tel. (0 46 83) 2 26
Das wunderschöne Friesenhaus aus dem Jahre 1769 wurde liebevoll eingerichtet. Im Alten Pastorat gibt es keine Speisekarte, denn das 6-Gänge-Menü wird jeden Tag frisch zusammengestellt. Das große Weinsortiment kommt aus deutschen und französischen Anbaugebieten.

In Bad Homburg vor der Höhe:
Oberles Restaurant, Obergasse 1, Tel. (0 61 72) 2 46 62, Fax 2 46 62
In Oberles Restaurant herrscht eine angenehme Atmosphäre: begehrt ist der Tisch Nr. 3, direkt am großen Kamin, und je nach Jahreszeit wechselt die üppige Tischdekoration. Die internationale Küche serviert Köstlichkeiten gehobenen Niveaus mit frischen Produkten aus der Region.

Wasserweibchen, Am Mühlberg 57, Tel. (0 61 72) 2 98 78, Fax 30 50 93
Wenn die Wirtsstube wieder einmal besetzt ist, bieten auf der ersten Etage

drei weitere gemütliche Räume genügend Platz, um sich die köstlichen Gerichte schmecken zu lassen. In dem lebendigen Altstadtlokal wird nach alten Rezepten gekocht, unübertroffen ist die Frankfurter Grüne Soße.

In Bad Schwalbach:
Moorgrube, Am Kurpark 1, Tel. (0 61 24) 50 24 59
Einladend wirken die gemütlichen Nischen in der Moorgrube, deren Name an das Bäderangebot des Kurortes erinnert. Beliebt ist die Hessenkarte mit wechselnden regionalen Gerichten.

In Gütersloh:
Bockskrug, Parkstr. 44, Tel. (0 52 41) 5 43 70
Am Gütersloher Stadtpark liegt das traditionsreiche Ausflugslokal. Bei gutem Wetter sitzt man auf der Terrasse und genießt die köstlichen Gerichte.

In Versmold:
Alte Schenke, Bockhorst 3, Tel. (0 54 23) 9 42 80
In den Mauern eines alten Fachwerkhauses von 1748 werden in rustikalem Rahmen westfälische Spezialitäten serviert. Zu den kulinarischen Höhepunkten zählt u.a. eine täglich wechselnde Speisenfolge in fünf Gängen.

In Ilmenau:
Gabelbach, Waldstr. 23a, Tel. (0 36 77) 20 25 55, Fax 31 06
Die Lage des Berg- und Jagdhotels ist einmalig, die Gastronomie gut besucht. Zur Auswahl stehen das Hotelrestaurant, die Hubertusstube, der Rote Salon, das Kaminzimmer, das Café Kickelhahn und im Sommer die Terrasse. Der waldreichen Umgebung entsprechend, stehen auf der Speisekarte vor allem schmackhafte Wildgerichte.

Pfeffermühle, Zurlaubener Ufer 76, Tel. (06 51) 2 61 33
Die Pfeffermühle, in der Nähe der Kabinenbahn gelegen, erstreckt sich über zwei Stockwerke. Die Küche ist klassisch orientiert, die Weine stammen aus Bordeaux und von nahen Anbaugebieten (Mosel, Saar, Ruwer).

Domstein, Hauptmarkt 5, Tel. (06 51) 7 44 90
Vereint unter einem Dach werden in der Weinstube Alter Domstein, im Römischen Weinkeller, in der Küferstube und im elegantenm Moselstübchen über 200 Mosel-Saar-Ruwer-Weine angeboten. Auf der Speisekarte stehen regionaltypische Spezialitäten.

Mauganeschtle, Burgsteige 18, Tel. (0 70 71) 92 94 14
Nicht weniger als 28 Maultaschenrezepte sprechen dafür, daß es sich um ein Restaurant mit ausgesprochen schwäbischer Küche handelt.

Waldhorn, Schönbuchstr. 49, Tel. (0 70 71) 6 12 70
Gemütlich sind die beiden Gaststuben im Gourmetrestaurant Waldhorn im Ortsteil Bebenhausen, und immer gut besucht. Aus Küche und Keller kommt nur das Beste auf den Tisch. Die international leichte Küche mit regionalem Einschlag ist deshalb auch über die Grenzen Tübingens bekannt.

Schloß Hohenentringen , Tel. (0 70 73) 63 66
Dieses beliebte Ausflugsziel bei Tübingen-Hagelloch bietet in seinem Restaurant neben guter schwäbischer Küche vorzüglichen Kuchen aus der eigenen Konditorei.

In Ueckermünde:
Wirtshaus am Speicher, Ueckerstr. 109, Tel. (03 97 71) 2 22 29
Im gemütlichen Wirtshaus am Speicher wird feine pommersche Küche serviert. Damit Eltern diese Spezialitäten in Ruhe genießen können, darf sich der Nachwuchs in einer Spielecke die Zeit vertreiben.

Restaurants

Ulm

Forelle, Fischergasse 25, Tel. (0731) 63924, Fax 69869
Idyllisch liegt die Forelle am Flüßchen Blau, das von alten Trauerweiden gesäumt wird. Die Fischgerichte kommen klassisch zubereitet auf den Tisch; serviert wird entweder in einer der alten Weinstuben oder auf der Sonnenterrasse.

Florianstuben, Keplerstraße 26, Tel. (0731) 610220
Uriges, mit viel Flair eingerichtetes Restaurant. Die raffinierte Küche wird durch ein gutes Weinangebot zu moderaten Preisen ergänzt.

In Erbach:
Schloß-Café-Restaurant, Am Schloßberg 1, Tel. (07305) 6954
Ein Ausflug in das Renaissance-Schloß lohnt allemal: Die elsässisch ausgerichtete Küche überrascht ebenso wie die tagesfrischen Angebote auf der großen Tafel. Auf der Weinkarte finden sich vorwiegend Gewächse aus Frankreich.

Usedom

In Bansin:
Forsthaus Langenberg, Tel. (038378) 32111, Fax 29102
Der Weg zum Forsthaus Langenberg, oberhalb der Steilküste gelegen, führt durch einen wunderschönen Buchenwald. Auf den Tisch kommt hier das, was heimische Jagd und Gewässer hergeben. An den "Hubertusabenden" gibt es im großen Garten Wildschwein vom Grill.

In Ahlbeck:
La Mer, Dünenstraße 19, Tel. (038378) 520, Fax 30101
Das Restaurant La Mer befindet sich im sechsten Stock des Strandhotels. Man blickt durch die Panoramafenster aufs Meer und genießt gute internationale Küche.

In Heringsdorf:
Wald und See, Rudolf-Breitscheid-Str. 8, Tel. (038378) 31416
Behagliches Ambiente strahlt dieses Hotel-Restaurant aus. Die regionalen Spezialitäten werden frisch und schmackhaft zubereitet.

Vogelsberg

In Ulrichstein:
Landgasthof Groh, Hauptstr. 1, Tel. (06645) 310
In einer der kleinsten Städte Hessens steht dieser altdeutsch eingerichtete Landgasthof mit eigener Metzgerei. Er lädt zu deftigen regionalen Spezialitäten ein.

Vogtland

In Remtengrün:
Turm, Turmweg 14, Tel. (037423) 2334
Ein Aussichtsturm war der Namensgeber für den 300 Jahre alte Gasthof. In gemütlicher Atmosphäre genießt man die reiche Auswahl vogtländischer Spezialitäten.

In Markneukirchen:
Heiterer Blick, Oberer Berg 54, Tel. (037422) 2695
In der urgemütlichen Gaststube, die mit Musikinstrumenten geschmückt ist, schmecken die deftigen vogtländischen Gerichte nochmal so gut.

Weimar

Esplanade , Belvederer Allee 25, Tel. (03643) 7220, Fax 722699
Das elegante Restaurant im Hilton bietet die gehobene gutbürgerliche Küche. Man sitzt sehr schön mit Blick in den Park, in dem Goethes Gartenhaus steht.

Weißer Schwan, Am Frauenplan, Tel. (03643) 202521, 518290, Fax 202575
In diesem Gasthaus, einem der ältesten Weimars, verkehrten schon Goethe, Schiller und Eckermann. Es werden vor allem Thüringische Spezialitäten serviert.

Waldschlößchen, Jenaer Str. 56, Tel. (0 36 43) 37 08
Das Waldschlößchen liegt am Rande der Altstadt in landschaftlich schöner
Umgebung. Die gutbürgerliche Küche offeriert stets spezielle Angebote.

Weimar
(Fortsetzung)

Gothisches Haus, Am Markt 1, Tel. (0 39 43) 37 50, Fax 37 55 37
Das Gothische Haus mit der schönen Renaissancefassade stammt aus
dem 15. Jahrhundert. Man sitzt entweder im neuen Wintergarten oder in
der gemütlichen kleinen Weinstube.

Wernigerode

Ratskeller, Markt 1, Tel. (0 39 43) 63 27 04
Das schöne spätgotische Rathaus beherbergt im Kellergeschoß den Ratskeller. Hier kommen deftige Harzer Spezialitäten auf den Tisch.

In Uslar:
Menzhausen, Lange Str. 12, Tel. (0 55 71) 9 22 30
Dieses Haus, 1576 erbaut, besitzt eine schöne Fachwerkfassade und
einen idyllischen Innenhof. Die hervorragende Küche verarbeitet Produkte
der Region zu schmackhaften Gerichten.

Weserbergland

In Herborn:
Hohe Schule, Schulhofstr. 5, Tel. (0 27 72) 28 15, Fax 4 32 12
Im Herzen der malerischen Altstadt liegt dieses bürgerliche Lokal, das sich
zu einem beliebten Treffpunkt entwickelt hat. Im Sommer sitzt man im romantischen Innenhof, genießt die Atmosphäre und die leckeren Gerichte.

Westerwald

Le Bistro, Schloßstr. 4, Tel. (0 27 72) 70 66 08, Fax 70 66 30
Das Bistro im Schloßhotel bietet eine solide, internationale Küche. Kulinarische Abwechslung garantieren die "Spezialitäten-Wochen".

Die Ente vom Lehel, Kaiser-Friedrich-Platz 3-4, Tel. (06 11) 13 36 66,
Fax 13 36 32
Die Ente im Nassauer Hof gehört seit Jahren zu den besten Gourmetrestaurants. Man tafelt ungezwungen auf höchstem Niveau, läßt sich von
den Sommeliers fachkundig beraten und genießt den vorbildlichen Service.

Wiesbaden

Domäne Mechtildshausen, An der Air-Base, Tel. (06 11) 73 74 60,
Fax 73 74 79
Das Feinschmeckerlokal mit seinem kühlen Ambiente bezieht seine fri-
schen Produkte direkt vom angeschlossenen biologisch-kontrollierten
Gutsbetrieb. Im Hofladen können übrigens alle Produkte der Domäne käuf-
lich erworben werden.

Am Markt im Hotel Stadt Hamburg, Am Markt 24, Tel. (0 38 41) 23 92 50,
Fax 23 92 39
Das Restaurant am Markt, mitten in der Stadt gelegen, verbirgt sich hinter
historischen Fassaden. Die kreative Küche überrascht durch ihre Vielfalt.

Wismar

La In Weyhausen:
Alte Mühle, Wolfsburger Str. 72, Tel. (0 53 62) 6 20 21, Fax 77 10
Die Alte Mühle an der Bundesstraße 188 ist für Gourmets eine gute Adres-
se. Beim Lesen der umfangreichen Speisenkarte fällt die Auswahl schwer.

Wolfsburg

Rôtisserie Dubs, Kirchstr. 6, Tel. (0 62 42) 20 23, Fax 20 24
In der Rôtisserie Dubs, im Stadtteil Rheindürkheim gelegen, ist die hohe
Kochkunst zu Hause. Eine gut sortierte Weinkarte ergänzt das niveauvolle
Angebot.

Worms

In Bermersheim:
Weingewölbe, Hauptstr. 32, Tel. (0 62 44) 52 42, Fax 52 46
Die gehobene Weinstube offeriert neben Weinen aus der näheren Umgebung auch einige Gewächse aus französischen Anbaugebieten. Man sitzt
angenehm in dem kleinen Restaurant und im Sommer im Garten.

Wuppertal · Bergisches Land	Gredies Restaurant, Katernberger Str. 2, Tel. (0202) 318848, Fax 311094 Die liebevoll arrangierten Dekorationen im Gredies, im Stadtteil Elberfeld gelegen, wechseln wöchentlich und orientieren sich an den Jahreszeiten. An den Wänden hängt moderne Kunst, und aus der Küche kommen leckere Spezialitäten, die ebenso überraschen wie das Ambiente.

El Flamenco, Neue Friedrichstr. 43, Tel. (0202) 440939
Wuppertals Spanier bietet eine hervorragende, kreative Küche. Serviert wird in zwei wunderschönen Speiseräumen, die gehobene spanische Wohnkultur des 19. Jahrhunderts vermitteln.

In Bergisch-Gladbach:
Eggemanns Bürgerhaus, Bensberger Str. 102, Tel. (02202) 36134, Fax 32505
Das Bürgerhaus, rustikal eingerichtet, geschmackvoll und gemütlich, trägt seinen Namen zu Recht. Die gehobene Küche orientiert sich vorwiegend an den Jahreszeiten. Besonders schmackhaft sind die hausgemachten Marmeladen, die auch käuflich zu erwerben sind.

Würzburg	Bürgerspital, Theaterstr. 19, Tel. (0931) 352880, Fax 571512 Im Bürgerspital zum Heiligen Geist gab es zum ersten Mal die Bocksbeutelflasche. Heute werden in zehn Räumen über dreißig verschiedene Weine zu fränkischen Spezialitäten angeboten. Die Preise des guten Essens sind bürgerlich-zivil.

Juliusspital, Juliuspromenade 19, Tel. (0931) 54080, Fax 571723
Im Jahre 1576 wurden Spital und Weingut gegründet. Noch heute werden in einem riesigen Keller in alten Eichenholzfässern ein Teil der Weine gelagert, die in den Weinstuben verkostet werden können. Dazu gibt es deftige fränkische Spezialitäten.

Backöfele, Ursulinergasse 2, Tel. (0931) 59059, Fax 50274
Das Backöfele, ein witziger Szenetreff mit fränkischen Spezialitäten, liegt etwas versteckt in einer Seitengasse. Das leicht bizarre Ambiente und der überdachte Innenhof ergänzen sich vortrefflich.

Xanten	Köpp, Husenweg 147, Tel. (02804) 1626 Jürgen Köpps Landhaus im Ortsteil Obermörmter, beeindruckt durch seine Innenarchitektur. Die kreative Küche ist weit über Xanten hinaus bekannt wird und hoch gelobt.
Zweibrücken	Fasanerie, Fasaneriestr. 1, Tel. (06332) 9730 Antike Möbel und Gemälde an den Wänden verleihen der Fasanerie ein edles Ambiente. Deutsche und französische Weine ergänzen die feinen Gerichte der gehobenen Küche.
Zwickau	Posthalterei, Katharinenstr. 27, Tel. (0375) 25350 Die Posthalterei gilt als erste Adresse für die Zwickauer. Man trifft sich hier zu sächsischen Spezialitäten.
Zittau	Klosterstüb'l, Johannisstr. 4-6, Tel. (03583) 512576 Gemütlich ist die Atmosphäre des rustikalen Restaurants mit seinen bodenständigen Gerichten. Außerdem gibt es im Klosterstüb'l historische Wandmalereien mit Stadtansichten von 1736 und 1844 zu sehen.

Schiffsverkehr

Allgemeines	Auf allen größeren Flüssen, Seen sowie an der Küste kann im Linienverkehr gereist werden. Dies gilt besonders für die Flüsse Donau, Elbe, Main, Mosel, Neckar, Oder, Saale, Rhein und Weser.

Von Bremerhaven, Cuxhaven, Hamburg und Wilhelmshaven sowie von einigen anderen Orten an der Nordseeküste besteht Linienverkehr zu den friesischen Nordseeinseln.

Schiffsverkehr
(Fortsetzung)
Nordseeinseln

Auch die größeren Binnenseen wie Ammersee, Bodensee, Chiemsee, Königssee, Müritzsee, Rursee und Starnberger See sind in den Linienverkehr eingebunden.

Binnenseen

Darüber hinaus besteht die Möglichkeit, auf komfortablen Schiffen die Landschaften und historischen Orte an Rhein, Main und Mosel zu erkunden. Die Flotte der KD verkehrt von April bis Oktober. Außerdem werden Schiffstouren mit Bordprogramm und Landausflügen angeboten.
Die KD offeriert Fahrten auf der Elbe zwischen Hamburg und Dresden. Außerdem bietet die Sächsische Dampfschiffahrts GmbH & Co Conti Elbschiffahrt KG Ausflugsfahrten auf Saale und Elbe an.

Flußreisen

Nähere Auskünfte erteilen
KD Köln-Düsseldorfer/Deutsche Rheinschiffahrt AG, Frankenwerft 15,
   D-50667 Köln, Tel. (02 21) 20 88 01 und 2 58 30 11, Fax 2 08 82 29
Sächsische Dampfschiffahrts GmbH & Co., Hertha-Lindner-Str. 10,
   D-01067 Dresden, Tel. (03 51) 86 60 90, Fax 4 96 93 50
Für Schiffsfahrten von Cuxhaven oder Hamburg nach Helgoland sowie von Travemünde nach Warnemünde/Rostock ist die Seetouristik zuständig.
Seetouristik, Postfach 2626, D-24916 Flensburg, Tel. (04 61) 86 40,
   Fax 8 64 64.
Weitere Informationen → Sport

Information

Im Jaeger-Verlag, Darmstadt erscheint alljährlich im Februar ein Kursbuch über die Deutsche Binnen- + Küsten-Personenschiffahrt mit Fahrplänen und Anschriften der Schiffahrtsunternehmen.

Literatur

Sport

In der Bundesrepublik Deutschland bieten sich unzählige Möglichkeiten zum Ausüben verschiedenster Sportarten. Informationen erteilen u. a. der Deutsche Sportbund/Haus des deutschen Sports,
Otto-Fleck-Schneise 12, D-60528 Frankfurt am Main, Tel. (0 69) 6 70 00,
die unter → Auskunft genannte Deutsche Zentrale für Tourismus, die Verkehrsämter und Fremdenverkehrsverbände sowie die nachfolgend erwähnten Spitzenverbände für die einzelnen Sportarten.

Allgemeines

Deutscher Behinderten-Sportverband, Friedrich-Alfred-Straße 10,
D-47055 Duisburg, Tel. (02 03) 7 38 16 22
Deutscher Gehörlosen-Sportverband, Adolfstraße 3, D-45130 Essen,
Tel. (02 01) 77 76 71

Behinderten-
sport

Sportarten

Freier Fischfang ist in der Bundesrepublik Deutschland nicht gestattet. Gesetzlich verlangte Ausweise sind der Jahresfischereischein (zuständig: Landratsamt bzw. Ordnungsamt von Stadtverwaltungen) und der Fischerei-Erlaubnisschein (zeitlich begrenzt; zuständig: Fischwasserbesitzer oder -pächter). Schonzeiten sind zu beachten. Detaillierte Informationen enthält die Gewässerordnung vom
Verband Deutscher Sportfischer, Siemensstraße 11-13,
D-63071 Offenbach am Main, Tel. (0 69) 85 50 06

Angeln
Sportfischerei

Der Deutsche Alpenverein (DAV), Von-Kahr-Str. 2-4, D-80997 München,
Tel. (0 89) 14 00 30, Fax 14 00 3 11, unterhält über 250 Hütten, die allen

Bergsteigen

*Ein Paradies für Wanderlustige sind die Allgäuer Alpen
(hier das Stillachtal bei Oberstdorf).*

**Bergsteigen
(Fortsetzung)**

Bergfreunden offenstehen, sowie ein umfangreiches Wegenetz.
Einführungslehrgänge und Tourenwochen zum Erlernen des Bergsteigens
werden u.a. von der Berg- und Skischule des Deutschen Alpenvereins
(Anschrift s. zuvor) veranstaltet. Ebenso ist die Vermittlung von erfahrenen
Bergführern möglich.

Flugsport

Die Aerosportarten (Motor-, Segel-, Delta- bzw. Drachen- und Gleitschirm-
fliegen; Fallschirmspringen) erfreuen sich ebenfalls zunehmender Beliebt-
heit. Umfassende Informationen über den Flugsport sind dem Buch der
Luft- und Raumfahrt, erschienen bei der Südwestdeutschen Verlagsanstalt
(Mannheim), zu entnehmen. Hinweise über die verschiedenen Flugsportar-
ten, Rundflüge u.a. erteilt auch der
Deutsche Aero-Club, Rudolf-Braas-Str. 20, D-63150 Heusenstamm,
Tel. (0 61 04) 6 99 60, Fax 69 96 11

Golf

Erste Golfplätze entstanden 1889 in Bad Homburg und in Berlin; inzwi-
schen gibt es unzählige Golfanlagen in der Bundesrepublik Deutschland
Auskunft: Deutscher Golf-Verband, Friedrichstraße 12,
D-65185 Wiesbaden, Tel. (06 11) 99 02 00, Fax 9 90 20 40

Minigolf

Minigolfanlagen gibt es in zahlreichen Fremdenverkehrsorten; Informatio-
nen erteilen die unter → Auskunft genannten Stellen; ferner
Deutscher Bahnengolf-Verband, Bernkasteler Straße 33a,
D-54472 Brauneberg, Tel. (0 65 34) 12 79, Fax 86 47

Radwandern

Informationen erteilt der
Bund Deutscher Radfahrer, Otto-Fleck-Schneise 4, D-60528 Frankfurt am
Main, Tel. (0 69) 9 67 80 00, Fax 96 78 00 80
Literatur: "Kompass-Radwanderführer" aus dem Deutschen Wanderverlag
Dr. Mair & Schnabel & Co., Ostfildern

Möglichkeiten zum Reiten finden sich in zahlreichen Orten, z.B. in Reit- Reiten
schulen, Reiterclubs und -vereinen. Groß ist das Angebot an Pony- und
Reiterhöfen, die Kurse für Anfänger und Fortgeschrittene anbieten. Infor-
mationen erteilen u.a. die unter Fremdenverkehrsämter und -verbände
(→ Auskunft); ferner die
Deutsche Reiterliche Vereinigung, Freiherr-von-Langen-Straße 13,
D-48231 Warendorf, Tel. (0 25 81) 6 36 20, Fax 6 21 44

Deutscher Squash Verband, Weidenweg 10, D-47059 Duisburg, Squash
Tel. (02 03) 31 50 75, Fax 31 48 13

Tennisplätze und -hallen finden sich in nahezu allen größeren Fremdenver- Tennis
kehrsorten. Informationen erteilen u.a. die unter → Auskunft erwähnten
Fremdenverkehrsstellen; ferner der
Deutscher Tennis-Bund, Hallerstraße 89, D-20149 Hamburg,
Tel. (0 40) 41 17 80, Fax 41 17 82 22

Ein dichtes Netz markierter Wanderwege durchzieht die deutschen Mittel- Wandern
gebirge. Es wird von regionalen Wandervereinen, die auf Wunsch u.a. über
Wege, Wanderheime und Hütten informieren, betreut. Sie sind in der nachstehend erwähnten Dachorganisation zusammengefaßt, bei der u.a. auch
ein Adressenverzeichnis der diversen Wandervereine erhältlich ist:
Verband Deutscher Gebirgs- und Wandervereine, Reichsstraße 4,
66111 Saarbrücken, Tel. (06 81) 39 00 70, Fax 390 46 50
Unter der zuvor genannten Anschrift ist auch die Europäische Wander-
vereinigung erreichbar, die Auskünfte über die Europäischen Fernwanderwege erteilt.

Zahlreiche detaillierte Karten und Wanderführer sind im Buchhandel und in Wanderkarten
Fachabteilungen großer Warenhäuser erhältlich, so beispielsweise die um- und -führer
fangreiche Wanderbücher-Reihe "Kompass-Wanderführer", "Kompass-
Streckenwanderwege", "Europäische Fernwanderwege" sowie die "Kom-
pass-Wanderkarten" und "Kompass-Wanderbücher".

Wassersport

Bestimmungen, die den Wassersport, insbesondere den Bootssport Allgemeines
regeln, sind von Gewässer zu Gewässer verschieden, so daß hier keine
allgemein gültigen Detailinformationen gegeben werden können. Es ist daher unbedingt erforderlich, sich bei den entsprechenden nachfolgenden
Verbänden bzw. jeweils zuständigen Stellen über die örtlichen Vorschriften
zu erkundigen.

Den größten Teil der Gewässer in der Bundesrepublik Deutschland, auf Flußwandern
denen Flußwandern ganzjährig möglich ist, findet man im Deutschen Fluß-
wanderbuch des Deutschen Kanu-Verbandes; überdies sind u.a. diverse
Regionalführer mit Beschreibungen kleinerer Flüsse bei der DKV-Wirt-
schafts- und Verlags-GmbH erschienen. Detaillierte Auskünfte erteilt:
Deutscher Kanu-Verband, Bertaallee 8, D-47055 Duisburg,
Tel. (02 03) 9 97 59 60, Fax 99 75 90

Deutscher Motoryacht-Verband, Vinckeufer 12-14, D-47119 Duisburg, Motoryacht-
Tel. (02 03) 80 95 80, Fax 8 09 58 58 sport

Deutscher Ruderverband, Maschstraße 20, D-30169 Hannover, Rudern
Tel. (05 11) 98 09 40, Fax 9 80 94 25

In den meisten Fremdenverkehrsorten sind Schwimmbäder (Hallen- und/ Schwimmen
oder Freibäder, → Badeparadiese) vorhanden; ferner verfügen zahlreiche
Hotels über eigene Hallenbäder. Thermal- und Mineralbäder finden sich
vor allem in Kurorten und Heilbädern (→ Kur und Erholung).

Sport

Schwimmen (Fortsetzung)	Auskunft bei Deutscher Schwimm-Verband, Korbacher Straße 93, D-34132 Kassel, Tel. (05 61) 94 08 30, Fax 9 40 83 15 Deutsche Lebens-Rettungs-Gesellschaft, Im Niedernfeld 2, D-31542 Bad Nenndorf, Tel. (0 57 23) 95 50, Fax 95 59 99
Segeln	An Nord- und Ostsee und an den großen Binnenseen gibt es rund 200 Segelschulen. Informationen über Segelschulen erhält man über den Deutschen Segler-Verband, Gründgensstraße 18, D-22309 Hamburg, Tel. (0 40) 6 32 00 90, Fax 63 20 09 28. Besondere Vorschriften gelten für den Bodensee und den Rhein.
Surfen	Auskunft über den Deutscher Sportbund, Otto-Fleck-Schneise 12, D-60528 Frankfurt/Main, Tel. (0 69) 6 70 00, Fax 67 49 06
Wasserski	Deutscher Wasserski-Verband, Jeichenweg 12, D-54338 Schweich, Tel. (0 65 02) 63 14, Fax 2 06 91

Wintersport

Allgemeines	Die Bundesrepublik Deutschland bietet eine Vielfalt an Wintersportmöglichkeiten. Die schönsten und beliebtesten Wintersportgebiete liegen im Allgäu und in Oberbayern. Alle Skiregionen in diesen Gebieten verfügen über gute Skigelände mit entsprechenden Aufstiegshilfen. Sprungschanzen, Rodel- und Eisbahnen, gespurte Langlaufloipen und geräumte Winterwanderwegen finden sich sowohl in den genannten Wintersportgebieten als auch in den deutschen Mittelgebirgen.
Auskunft	Der ADAC informiert im Winterhalbjahr über Schneehöhen und Wintersportverhältnisse in deutschen Wintersportgebieten: Schneeberichte: ADAC-Schneetelefon (Bandansage) (089) 76 76 25 56 Informationen über Wintersporteinrichtungen erteilen die Deutsche Zentrale für Tourismus, ferner die nachfolgend aufgeführten Wintersportgebiete sowie die unten genannten Verbände.

Wintersportgebiete

Allgäu · Oberstaufen	Kurverwaltung, D-87528 Oberstaufen, Tel. (0 83 86) 9 30 00, Fax 93 00 20, Schneetelefon:
Bayerischzell	Kuramt, D-83735 Bayerischzell, Tel. (0 80 23) 6 48, Fax 10 34, Schneetelefon: 4 28
Berchtesgadener Land	Kurdirektion Berchtesgadener Land, Königsseerstraße 2, D-83471 Berchtesgaden, Tel. (0 86 52) 96 70, Fax 6 33 00, Schneetelefon: 96 72 97
Garmisch-Partenkirchen	Verkehrsamt der Kurverwaltung, Postfach 1562, D-82455 Garmisch-Partenkirchen, Tel. (0 88 21) 18 06, Fax 1 80 55, Schneetelefon: Wank-, Eckbauer- und Hausberggebiet 75 33 33, Zugspitz- und Alpspitzgebiet 79 79 79
Hindelang	Kurverwaltung, D-87539 Hindelang, Tel. (0 83 24) 89 20, Fax 80 55, Schneetelefon: 80 81
Hörnergruppe Bolsterlang Ofterschwang	Verkehrsamt, D-87538 Bolsterlang, Tel. (083 26) 83 14, Fax 94 06, Schneetelefon 90 93 Verkehrsamt, 87527 Ofterschwang, Tel. (083 21) 821 57 und 890 19, Fax 897 77, Schneetelefon: 80 60

Gästeamt, Marienplatz 3, D-87509 Immenstadt, Tel. (0 83 23) 91 41 76, Fax 91 41 95
Gästeamt Rettenberg, 87549 Rettenberg, Tel. (0 83 27) 12 09, Fax 71 59, Schneetelefon: (0 83 27) 2 31

Immenstadt · Rettenberg

Verkehrsamt, D-83661 Lenggries, Tel. (0 80 42) 50 08 20, Fax 50 08 50, Schneetelefon: 50 08 49 und 89 10

Lenggries

Kurverwaltung, D-82481 Mittenwald, Tel. (0 88 23) 3 39 81, Fax 27 01, Schneetelefon: Kranzberg 59 95 und Dammkar 53 96

Mittenwald

Verkehrs- und Reisebüro der Gemeinde Oberammergau, Eugen-Papst-Straße 9a, D-82487 Oberammergau, Tel. (0 88 22) 10 21, Fax 73 25, Schneetelefon: 3 22 80

Oberbayern Oberammergau

Touristik-Information, D-87553 Oberstdorf, Tel. (0 83 22) 70 00, Fax 70 02 36, Schneetelefon: Fellhorn 30 35, Nebelhorn 96 00 96, Söllereck 57 57

Oberstdorf

Tourismusverband Ostallgäu, 87610 Marktoberdorf, Tel. (0 83 42) 91 13 14, Fax 91 15 51, Schneetelefon: Breitenbergbahn (0 83 63) 3 92; Tegelbergbahn (0 83 62) 8 10 10; Alpspitzbahn (0 83 61) 7 71

Ostallgäu

Verkehrsamt, Rathausplatz 1, D-83242 Reit im Winkl, Tel. (0 86 40) 8 00 21, Fax 8 00 29, Schneetelefon: 8 00 25

Reit im Winkl

Kurverwaltung, D-83727 Schliersee, Tel. (0 80 26) 40 69, Fax 23 25, Schneetelefon: 70 99

Schliersee · Spitzingsee

Tegernseer Tal-Gemeinschaft, Hauptstraße 2, D-83682 Tegernsee, Tel. (0 80 22) 18 01 49, Fax 37 58

Tegernseer Tal

Informationen zu weiteren Wintersportregionen der wichtigsten deutschen Mittelgebirge Eifel, Erzgebirge (Oberwiesenthal), Harz (Ost- und Westharz), Ostbayern (Bayerischer Wald, Oberpfälzer Wald, Steinwald, Fichtelgebirge, Frankenwald), Rhön (Wasserkuppe), Sauerland (Winterberg, Willingen), Schwäbische Alb , Schwarzwald (Feldberg, Belchen, Herzogenhorn), Taunus (Großer Feldberg), Thüringer Wald (Oberhof) erteilen die entsprechenden Fremdenverkehrsverbände (→ Praktische Informationen von A bis Z, Auskunft).

Deutsche Mittelgebirge

Verbände für Wintersportarten

Deutscher Bob- und Schlittensportverband, An der Schießstätte 6, D-83471 Berchtesgaden, Tel. (0 86 52) 9 58 80, Fax 95 88 22
Deutscher Skibob-Verband, Oswaldweg 3, D-81245 München, Tel. (0 89) 8 63 27 40, Fax 8 64 27 40

Bob- und Schlittensport

Deutscher Eissport-Verband, Menzinger Straße 68, D-80992 München, Tel. (0 89) 8 11 10 57 Fax 8 11 10 57
Eisschießen (Curling) ist eine besonders in Oberbayern beliebte Wintersportart.

Eissport

Deutscher Skiverband, Hubertusstraße 1, D-82152 Planegg, Tel. (0 89) 85 79 00, Fax 85 79 02 63

Skisport

Eine gute Übersicht über den Wintersport in der Bundesrepublik Deutschland vermittelt der jährlich aktualisierte ADAC Ski Atlas (ADAC Verlag GmbH, München – Mairs Geographischer Verlag GmbH, Ostfildern), erhältlich in ADAC-Geschäftsstellen, in Buchhandlungen oder Fachabteilungen der Warenhäuser.

Literatur

Straßenverkehr

Autobahnnetz
Auskunft über die Serviceleistungen entlang der deutschen Autobahnen erhält man bei der Autobahn Tank- und Rast AG, Andreas-Hermes-Straße 7-9, D-53175 Bonn, Tel. (02 28) 92 20, Fax 9 22 41 01. Sie gibt u.a. die Broschüren "Autobahn-Service", "Kinderfreundlicher AutobahnService" und "Autobahn-Service für Behinderte" heraus.

Staukalender
In ADAC-Geschäftsstellen ist der "Staukalender" (eine kalendarische Übersicht) erhältlich, der dazu beitragen soll, Stauungen auf Fernstraßen und in überfüllten Urlaubsregionen möglichst zu meiden.

Notrufsäulen an Autobahnen
Über die orangefarbenen, bei Dunkelheit beleuchteten Notrufsäulen kann bei der Autobahnmeisterei Hilfe angefordert werden. Kleine schwarze Pfeile an den Straßenbegrenzungspfählen zeigen die Richtung zur nächsten Notrufsäule (Abstand zwischen den Säulen: 2 km).
In jedem Falle sollte zuvor das Fahrzeug mit einem Warndreieck (möglichst auch Warnblinklicht einschalten) gesichert sein. Zur zusätzlichen Warnung Kofferraumdeckel hochklappen.

Veranstaltungen

Allgemeines
Die wichtigsten Veranstaltungen sind im Hauptteil dieses Reiseführers, im Kapitel "Reiseziele von A bis Z", bei den jeweiligen Stichwörtern genannt.

Jährlich erscheint eine Veranstaltungsvorschau der Deutschen Zentrale für Tourismus (→ Auskunft). Sie informiert über Termine von Messen und Ausstellungen, Theater und Musik, Volksfesten, Sportveranstaltungen, Tagungen und Kongressen in Deutschland.

Zeit

Allgemeines
In der Bundesrepublik Deutschland gilt die Mitteleuropäische Zeit (MEZ). Zwischen Ende März und Ende Oktober werden die Uhren eine Stunde vorgestellt (Sommerzeit). Nach Möglichkeit legt man den ersten und den letzten Tag auf einen Sonntag. Die exakten Termine werden rechtzeitig in den Tageszeitungen veröffentlicht.

Zollbestimmungen

Einreise aus EU-Staaten
Die Zollkontrollen zwischen den Ländern der EU sind seit dem 1. Januar 1993 weggefallen. Das bringt erhebliche Vorteile für alle, die innerhalb der EU-Staaten reisen. Es ist nun möglich, aus jedem Land der EU – von wenigen Ausnahmen (zum Beispiel den Kanarischen Inseln und den britischen Kanalinseln) abgesehen – ohne mengen- und wertmäßige Beschränkung Waren für den persönlichen Bedarf mitzubringen. Voraussetzung ist also, daß die Waren weder zum Handel, noch zur gewerblichen Verwendung bestimmt sind.

Einreise aus Drittländern
Für Waren aus sogenannten Drittländern, also Staaten, die nicht der EU angehören, gelten entsprechende Freigrenzen, die bei den Zollstellen an der Grenze erfragt werden können. Bei Einfuhren aus solchen Staaten können Steuern und Zölle anfallen, so daß Zollkontrollen nach wie vor getätigt werden.

Zoologische Gärten, Tierparks, Vogelparks, Aquarien

Zahlreiche Zoos, Tierparks, Wildgehegen, Aquarien und Schmetterlings-   Allgemeines
gärten in der Bundesrepublik Deutschland präsentieren neben einheimi-
schem Tieren eine große Vielfalt exotischer Wildtiere. Die nachfolgend genannten Einrichtungen stellen eine Auswahl dar und sind der Einfachheit
halber nicht regional, sondern alphabetisch geordnet.

Tierpark Aachen, Obere Drimbornstraße 44, D-52066 Aachen,   Aachen
Tel. (0241) 59385
Ganzjährig geöffnet von 9.00 bis 18.30 Uhr, im Winter bis 16.30 Uhr.

Niederbayerischer Vogelpark, Welschenbach 3, D-93326 Abensberg,   Abendsberg
Tel. (09443) 7110. Ganzjährig geöffnet von 9.00 bis 19.00 Uhr.

Fliegenpilz-Freizeit-Zoo, Glenetalstraße 45, D-31061 Alfeld,   Alfeld
Tel. (05181) 6161. Geöffnet von April bis Oktober, 9.00 bis 18.00 Uhr.

Inselzoo, Markt 1, D-04600 Altenburg, Tel. (03447) 316005   Altenburg
Geöffnet von Mai bis Oktober, 9.00 bis 18.00 Uhr.

Städt. Tierpark, Puschkinallee 12b, D-16278 Angermünde,   Angermünde
Tel. (03331) 32143
Ganzjährig geöffnet von 7.00 bis 19.00 Uhr, im Winter bis 16 Uhr.

Naturerlebnis Wildwald, D-59757 Arnsberg-Vosswinkel,   Arnsberg
Tel. (02932) 97230
Ganzjährig geöffnet von 8.00 Uhr bis Sonnenuntergang.

Tierpark, Auf der Alten Burg, D-06449 Aschersleben,   Aschersleben
Tel. (03473) 3324. Geöffnet von 9.00 bis 18.00 Uhr, im Winter bis 16.00 Uhr.

Tierpark, Schwarzenbergstraße, D-08280 Aue, Tel. (03771) 23773   Aue
Geöffnet von 9.00 bis 18.00 Uhr, im Winter bis 16.00 Uhr.

Zoo, Brehmplatz 1, D-86161 Augsburg, Tel. (0821) 555031   Augsburg
Geöffnet von 8.30 bis 18.30 Uhr, im Winter bis 17.00 Uhr.

Wildfreigehege, Stadtverwaltung, Postfach 2260, D-97672 Bad Kissingen,   Bad Kissingen
Tel. (0971) 8070. Geöffnet von 9.00 bis 18.00 Uhr, im Winter bis 17.00 Uhr.

Tierpark im Kurpark, Freunde des Tierparks, Parkstraße 3,   Bad Kösen
D-06628 Bad Kösen. Geöffnet von 8.00 bis 18.00, im Winter bis 16.00 Uhr.

Wildpark, Kurverwaltung, Postfach 2000, D-56570 Bad Marienberg,   Bad Marienberg
Tel. (02661) 1666 (Wildhüter Opfermann). Ganzjährig geöffnet.

Tierpark, Hauptmann-Boelke-Weg 1, D-31812 Bad Pyrmont,   Bad Pyrmont
Tel. (05281) 2539. Geöffnet von April bis September, 9.00 bis 19.00 Uhr, im
Winter 10.00 Uhrbis Sonnenuntergang.

Greifenvogelschau "Adlerhorst", Im Zillertal, D-86825 Bad Wörishofen,   Bad Wörishofen
Tel. (08247) 4104. Geöffnet von 8.00 bis 18.00 Uhr.

Wildpark im Naturpark Schönbuch, Im Schloß 4, D-72074 Tübingen,   Bebenhausen
Tel. (07071) 602174. Ganzjährig geöffnet.

Burgfalknerei Hohenbeilstein, Burg Langhans, D-71717 Beilstein,   Beilstein
Tel. (07062) 5212
Geöffnet von 9.00 bis 17.00 Uhr; Flugvorführungen werktags um 15.00 Uhr,
sonn- und feiertags um 11.00 und 15.00 Uhr; im Winter geschlossen.

Zoologische Gärten, Tierparks, Vogelparks, Aquarien

Bendorf-Sayn	"Garten der lebenden Schmetterlinge", Im Schloßpark, D-56170 Bendorf-Sayn, Tel. (0 26 22) 1 54 78 Geöffnet von Frühlingsanfang bis 1. Nov., täglich von 9.00 bis 18.00 Uhr.
Berlin	Tierpark Friedrichsfelde, Am Tierpark 125, D-10307 Berlin, Tel. (0 30) 51 53 10, Fax 5 12 40 61 Geöffnet von 9.00 bis 18.00 Uhr, im Winter bis 16.00 Uhr.
	Zoologischer Garten Berlin, Hardenbergplatz 8, D-10787 Berlin, Tel. (0 30) 25 40 10, Fax 25 40 12 55 Geöffnet von 9.00 bis 18.30 Uhr; Aquarium: 9.00 bis 18.00 Uhr.
Bernburg	Tiergarten, Bernburger Freizeit GmbH, Lindenplatz 9, D-06404 Bernburg, Tel. (0 34 71) 2 60 96 Geöffnet von 9.00 bis 20.00 Uhr, im Winter von 10.00 bis 16.00 Uhr.
Bielefeld	Heimattierpark "Olderdissen", Forstverwaltung, Dornbergerstraße 151, D-33619 Bielefeld, Tel. (05 21) 51 29 56. Ganzjährig geöffnet.
Bischofswerda	Tierpark, Stadtverwaltung, Postfach 1173, D-01871 Bischofswerda, Tel. (0 35 94) 78 60. Geöffnet von 9.00 bis 17.00 Uhr, im Winter nur an den Wochenenden 10.00 bis 16.00 Uhr.
Bobenheim-Roxheim	Vogelpark, Kleiner Weg 1, D-67240 Bobenheim-Roxheim , Tel. (0 62 39) 68 59. Ganzjährig geöffnet.
Bochum	Tierpark Bochum, Klinikstraße 49, D-44791 Bochum, Tel. (02 34) 59 02 12, Fax 5 99 95 Geöffnet von 9.00 bis 19.00 Uhr, im Winter bis 16.30 Uhr.
Braunschweig	Zoo "Arche Noah", Am Zoo 35, Stöckheim, D-38124 Braunschweig, Tel. (05 31) 61 12 69. Ganzjährig geöffnet.
Bremerhaven	Zoo am Meer, H.-H.-Meier-Straße 5, D-27569 Bremerhaven, Tel. (04 71) 4 20 71, Fax 4 20 72 Geöffnet von 8.00 bis 19.00 Uhr, im Winter bis 17.00 Uhr.
Burg Gutenberg-Neckarmühlbach	Deutsche Greifenwarte Claus Fentzloff, D-74855 Burg Guttenberg-Neckarmühlbach, Tel. (0 62 66) 3 88. Vorführungen: im Sommer täglich um 11.00 und 15.00 Uhr, im März und November um 15.00 Uhr.
Burg Stargard	Tierpark Klüschenberg, Postfach 1129, D-17092 Burg Stargard, Tel. (03 96 03) 20 02 26 Geöffnet von 8.00 bis 16.30 Uhr, im Winter bis 16.00 Uhr.
Chemnitz	Tierpark, Nevoigtstraße 14a, D-09117 Chemnitz, Tel. (03 71) 85 00 28 Ganzjährig von 9.00 bis 19.00 Uhr geöffnet, im Winter bis 17.00 Uhr.
Cleebronn	Erlebnispark Tripsdrill und Wildparadies Stromberg, D-74389 Cleebronn/Tripsdrill, Tel. (0 71 35) 40 81 Geöffnet von April bis Okt. tgl. ab 9.00 Uhr; im Winter nur Sa. und So.
Cottbus	Tierpark Cottbus, Kiekebuscher Str. 5, D-03042 Cottbus, Tel. (03 55) 71 41 59, Fax 72 21 03 Geöffnet von 8.00 bis 17.30 Uhr, im Winter 9.00 bis 15.30 Uhr.
Darmstadt	Vivarium, Schnampelweg 4, D-64287 Darmstadt, Tel. (0 61 51) 13 33 91, Fax 13 33 93 Geöffnet von 9.00 bis 19.00 Uhr, im Winter bis 16.00 Uhr.

Hirsch- und Saupark, Vulkaneifel-Touristik, Mainzer Straße 25a,   Daun
D-54550 Daun, Tel. (0 65 92) 93 32 06. Geöffnet von 9.00 bis 18.00 Uhr.

Tierpark Nadermann, Grafhörsterweg 5, D-33129 Delbrück-Schöning,   Delbrück
Tel. (0 52 44) 51 63. Geöffnet Mitte März bis Mitte Nov. 9.00 bis 18.00 Uhr,
sonst bis 19.00 Uhr.

Tiergarten, Am Rosenthal, D-04509 Delitzsch, Tel. (03 42 02) 5 64 19   Delitzsch
Ganzjährig geöffnet von 8.00 Uhr bis Sonnenuntergang geöffnet.

Tierpark, Querallee 8, D-06846 Dessau, Tel. (03 40) 61 44 26   Dessau
Geöffnet von 8.00 bis 19.00 Uhr, im Winter von 9.00 bis 17.00 Uhr.

Adlerwarte Berlebeck, Adlerweg 3-5, D-32760 Detmold,   Detmold
Tel. (0 52 31) 4 71 71. Geöffnet von April bis Oktober von 8.30 bis 18.00 Uhr
(Freiflüge 11.00 und 15.00 Uhr); Nov. bis März ab 10.00 Uhr (Freiflüge 11.00
und 14.30 Uhr).

Vogel- und Blumenpark, Ostertalstraße 1, D-32760 Detmold,   Detmold-
Tel. (0 52 31) 4 60 22. Geöffnet von April bis Oktober, 9.00 bis 18.00 Uhr.   Heiligenkirchen

Wildpark, Verkehrsamt, Hauptstraße 19, D-35683 Dillenburg,   Dillenburg
Tel. (0 27 71) 9 61 17. Geöffnet 8.00 bis 20.00, im Winter 10.00 bis 16.00 Uhr.

Wildpark, Burgallee 1, D-49413 Dinklage, Tel. (0 44 43) 89 70   Dinklage
Täglich geöffnet.

Wildpark Tannenbusch, Stadt Dormagen, D-41538 Dormagen,   Dormagen
Tel. (0 21 33) 5 30. Geöffnet geöffnet von 10.00 Uhr bis Sonnenuntergang.

Tierpark Dortmund, Mergelteichstraße 80, D-44225 Dortmund,   Dortmund
Tel. (02 31) 5 02 85 81, Fax 71 21 75
Geöffnet von 9.00 bis 18.30 Uhr, im Winter bis 16.30 Uhr.

Zoo Dresden, Tiergartenstraße 1, D-01219 Dresden,   Dresden
Tel. (03 51) 4 71 54 45, Fax 4 71 86 25
Geöffnet von 8.30 bis 18.30 Uhr, im Winter bis 16.30 Uhr.

Zoo Duisburg, Mülheimer Straße 273, D-47058 Duisburg,   Duisburg
Tel. (02 03) 3 05 59 23, Fax 3 05 59 22
Geöffnet von 8.30 bis 18.30 Uhr, im Winter bis 16.30 Uhr.

Merfelder Bruch, Herzog von Croysche Verwaltung, Schloßpark 1,   Dülmen
D-48249 Dülmen, Tel. (0 25 94) 96 30. Geöffnet von März bis November an
Wochenenden und Feiertagen von 10.00 bis 18.00 Uhr.

Löbbecke Museum und Aquazoo, Kaiserswerther Straße 380,   Düsseldorf
D-40200 Düsseldorf, Tel. (02 11) 8 99 61 50, Fax 8 99 44 93
Ganzjährig von 10.00 bis 18.00 Uhr geöffnet.

Tierpark, Am Wasserfall, D-16225 Eberswalde, Tel. (0 33 34) 2 27 33   Eberswalde-
Ganzjährig geöffnet von 9.00 Uhr bis Sonnenuntergang.   Finow

Wildpark Edersee, Hessisches Forstamt, Ratzeburg 1,   Edertal
D-34549 Edertal-Affoldern, Tel. (0 56 23) 40 35
Geöffnet von 9.00 bis 18.00 Uhr, im Winter von 10.00 bis 16.00 Uhr.

Tierpark, Stadtpark 3, D-04838 Eilenburg, Tel. (0 34 23) 29 84   Eilenburg
Geöffnet von 8.00 bis 19.00 Uhr, im Winter bis 17.00 Uhr.

Tiergarten, Geyers Garten, D-07607 Eisenberg, Tel. (03 66 91) 4 22 71   Eisenberg
Geöffnet von 9.00 bis 18.00 Uhr, im Winter bis 17.00 Uhr.

Zoologische Gärten, Tierparks, Vogelparks, Aquarien

Eisenhüttenstadt	Tiergehege, Insel 8, D-15890 Eisenhüttenstadt, Tel. (033 64) 466 00 Ganzjährig von 10.00 bis 18.00 Uhr, im Winter bis 16.00 Uhr geöffnet.
Erbach	Natur- und Wildpark Brudergrund, Marktplatz 1, D-64711 Erbach/Odenwald, Tel. (060 62) 640. Ganzjährig geöffnet.
Erfurt	Thüringer Zoopark, Zum Zoopark 8-10, D-99087 Erfurt, Tel. (03 61) 72 31 60, Fax 71 36 04. Geöffnet von April bis September von 8.00 bis 18.00 Uhr, Oktober bis März von 9.00 Uhr bis Sonnenuntergang.
Erkrath	Wildgehege Neandertal, Thekhauser Quall 2, D-40699 Erkrath, Tel. (021 04) 311 49. Ganzjährig geöffnet.
Eulbach	Wildgehege im englischen Garten, Gräfliche Rentkammer, Postfach 1252, D-64702 Erbach, Tel. (060 62) 37 00, Fax 58 21 Ganzjährig ab 9.00 Uhr geöffnet.
Falkenstein	Tiergarten, Allee 9, D-08223 Falkenstein, Tel. (037 45) 54 21 Ganzjährig von 8.00 bis 18.00 Uhr, im Winter 9.00 bis 17.00 Uhr geöffnet.
Frankfurt/Main	Zoologischer Garten, Alfred-Brehm-Platz 16, D-60316 Frankfurt/M., Tel. (069) 21 23 37 35, Fax 21 24 05 59 Geöffnet von 9.00 bis 19.00 Uhr, im Winter bis 17.00 Uhr.
Freiburg/Breisgau	Tiergehege, Gartenamt, Postfach, D-79095 Freiburg/Breisgau, Tel. (07 61) 20 10. Ganzjährig geöffnet.
Friedrichsruh	"Garten der Schmetterlinge", Schloßgärtnerei, D-21521 Friedrichsruh, Tel. (041 04) 60 37. Geöffnet von Ostern bis Ende Okt., 9.00 bis 18.00 Uhr.
Friesoythe	Tierpark Thüle, Über dem Worberg 1, D-26169 Friesoythe, Tel. (044 95) 255 Geöffnet von März bis September, 9.00 bis 19.00, Oktober bis 18.00 Uhr.
Fürstenwalde	Heimtiergarten, Im Stadtpark, D-15517 Fürstenwalde, Tel. (033 61) 45 41 Ganzjährig geöffnet von 9.00 bis 18.00 Uhr, im Winter bis 16.00 Uhr.
Fürth-Erlenbach	Bergtierpark, Tierparkstraße 20, D-64658 Fürth-Erlenbach, Tel. (062 53) 33 85. Ganzjährig von 9.00 bis 18.00 Uhr geöffnet.
Gackenbach	Wild- und Freizeitpark Westerwald, D-56412 Gackenbach, Tel. (064 39) 233. Geöffnet von 9.00 bis 18.00 Uhr, im Winter von 10.00 bis 16.00 Uhr.
Gangelt	Hochwild-Freigehege, Heinsberger Straße 15, D-52538 Gangelt, Tel. (024 54) 24 59. Geöffnet von 9.00 bis 19.00 Uhr
Gelsenkirchen	Ruhrzoo, Bleckstraße 64, D-45889 Gelsenkirchen, Tel. (02 09) 98 08 70, Fax 87 47 82. Geöffnet von 9.00 bis 18.30 Uhr, im Winter bis 17.00 Uhr.
Gera	Tierpark, Martinsgrund, Postfach 44, D-07548 Gera, Tel. (0 36 65) 81 01 85 Geöffnet von 8.00 bis 18.00 Uhr.
Gerolstein	Adler- und Wolfspark Kasselburg, D-54568 Gerolstein/Pelm, Tel. (0 65 91) 42 13. Geöffnet von Anfang März bis Mitte November, 10.00 bis 18.00 Uhr; 15.00 Uhr; Wolfsfütterung, 15.30 Uhr Hauptflugvorführung.
Gersfeld	Städt. Wildpark, D-36129 Gersfeld, Tel. (0 66 54) 6 80 Geöffnet von 9.00 bis 18.00 Uhr, im Winter von 10.00 bis 17.00 Uhr.
Gettorf	Tier-, Vogel- und Blumenpark, Süderstraße 33, D-24214 Gettorf, Tel. (0 43 46) 70 73. Geöffnet von 9.00 bis 18.00 Uhr, im Winter von 10.00 Uhr bis Sonnenuntergang.

Eifelpark, D-54647 Gondorf, Tel. (0 65 65) 21 31   Gondorf
Geöffnet von 9.00 bis 18.00 Uhr, im Winter von 10.00 bis 16.00 Uhr.

Naturschutz-Tierpark, Zittauer Straße 43, D-02826 Görlitz,   Görlitz
Tel./Fax (0 35 81) 40 74 00
Geöffnet von 8.00 bis 18.00 Uhr, Oktober bis März ab 9.00 Uhr.

Nationalpark Bayerischer Wald, Postfach 1152, D-94475 Grafenau,   Grafenau
Tel. (0 85 52) 96 99 52. Das Freigelände ist jederzeit zugänglich.

Tierpark, Postfach 1103, D-17646 Greifswald, Tel. (0 38 34) 50 22 79   Greifswald
Geöffnet von 9.00 Uhr bis 18.00 Uhr, im Winter bis 16.00 Uhr.

"Arche Noah", Mühlenstraße 32, D-23743 Grömitz, Tel. (0 45 62) 56 60   Grömitz
Geöffnet von 9.00 bis 18.00 Uhr, im Winter bis Sonnenuntergang.

Städt. Tiergarten, Konrad-Adenauer-Straße 1, D-48599 Gronau,   Gronau
Tel. (0 25 62) 2 23 32. Ganzjährig geöffnet.

Wildpark Eckholt, D-24623 Großenaspe, Tel. (0 43 27) 10 33   Großenaspe
Geöffnet von 9.00 Uhr bis Sonnenuntergang.

Natur- und Umweltpark, Verbindungschaussee 8, D-18273 Güstrow,   Güstrow
Tel./Fax (0 38 43) 8 24 85. Geöffnet von 9.00 bis Sonnenuntergang.

Tierpark, D-38820 Halberstadt, Tel. (0 39 41) 2 41 32   Halberstadt
Geöffnet von 9.00 bis 19.00 Uhr, im Winter bis 17.00 Uhr.

Zoologischer Garten, Fasanenstraße 5a, D-06114 Halle, Tel. (03 45) 5 20 33,   Halle
Fax 2 55 06. Geöffnet von 8.00 bis 19.00 Uhr, im Winter bis 16.30 Uhr.

Tierpark Carl Hagenbeck, Postfach 540 930, D-22509 Hamburg,   Hamburg
Tel. (0 40) 54 00 01 47, Fax 54 00 01 32. Ganzjährig ab 9.00 Uhr geöffnet.

Tierpark, Grünstraße, D-59063 Hamm, Tel. (0 23 81) 5 31 32   Hamm
Geöffnet von 9.00 bis 18.30 Uhr, Oktober bis März von 10.00 bis 16.30 Uhr,
November und Februar an den Wochenenden.

Wildpark "Alte Fasanerie", Klein-Auheim, D-63456 Hanau,   Hanau
Tel. (0 61 81) 6 96 91. Geöffnet von 9.00 bis 17.00 Uhr, an den Wochenenden bis 18.00 Uhr.

Zoo Hannover, Adenauerallee 3, D-30175 Hannover, Tel. (05 11) 28 07 40,   Hannover
Fax 2 80 74 56. Geöffnet von 9.00 bis 18.00 Uhr, im Winter bis 17.00 Uhr.

Wildpark Lüneburger Heide, D-21271 Hanstedt-Nindorf,   Hanstedt-
Tel. (0 41 84) 8 93 90. Geöffnet von 8.00 bis 19.30 Uhr, im Winter von 8.30   Nindorf
bis 18.00 Uhr.

Tiergarten Heidelberg, Tiergartenstraße 3, D-69120 Heidelberg,   Heidelberg
Tel. (0 62 21) 41 11 61, Fax 4 92 42.
Geöffnet von 9.00 bis 19.00 Uhr, im Winter bis 17.00 Uhr.

Wildpark Eichert, Postfach 1146, D-89501 Heidenheim,   Heidenheim
Tel. (0 73 21) 32 73 44. Ganzjährig geöffnet.

Schauaquarium und Freilandbecken für Seehunde, Postfach 180,   Helgoland
D-27483 Helgoland, Tel. (0 47 25) 81 90. Geöffnet von Montag bis Freitag,
10.00 bis 17.00 Uhr, am Wochenende von 13.00 bis 16.00 Uhr.

Wildgehege, D-53940 Hellenthal, Tel. (0 24 82) 22 92   Hellenthal
Ganzjährig geöffnet; im Sommer Flugvorführungen um 11.00, 14.30, 16.00 Uhr.

Zoologische Gärten, Tierparks, Vogelparks, Aquarien

Herborn-Uckersdorf
Vogelpark, D-35745 Herborn-Uckersdorf, Tel. (0 27 72) 4 25 22
Geöffnet von April bis Oktober, 9.30 bis 18.00 Uhr.

Hirschfeld
Tierpark, Hauptstraße 41, D-08144 Hirschfeld, Tel. (03 76 07) 52 08
Geöffnet von 9.00 bis 18.00 Uhr, im Winter bis 17.00 Uhr.

Hodenhagen
Serengeti-Safaripark, D-29691 Hodenhagen, Tel. (0 51 64) 5 31
Geöffnet von März bis Oktober, 10.00 bis 17.00 Uhr.

Hof
Zoologischer Garten, Am Theresienstein 6, D-95028 Hof/Saale,
Tel. (0 92 81) 8 54 29
Ganzjährig von 9.00 bis 18.00 Uhr, im Winter bis 16.00 Uhr geöffnet.

Hoyerswerda
Tiergarten Hoyerswerda, Am Haag 15, D-02977 Hoyerswerda,
Tel. (0 35 71) 45 64 50, Fax 45 64 55
Geöffnet von 8.30 bis 18.30, im Winter 9.00 bis 16.00 Uhr.

Hundshaupten
Wildgehege, Verwaltung Hundshaupten, D-91349 Egloffstein,
Tel. (0 91 97) 2 41. Geöffnet von April bis Oktober, 9.00 bis 17.00 Uhr, im
Winter an den Wochenenden von 10.00 bis 17.00 Uhr.

Jaderberg
Zoo, Tiergartenstraße 69, D-26349 Jaderberg, Tel. (0 44 54) 15 15
Ganzjährig geöffnet von 9.00 Uhr bis Sonnenuntergang.

Kalletal
Tierpark, Dalbke 1, D-32689 Kalletal, Tel. (0 52 64) 2 42
Ganzjährig geöffnet von 9.30 bis Sonnenuntergang.

Karlsruhe
Zoologischer Garten, Ettlinger Straße 6, D-76124 Karlsruhe,
Tel. (07 21) 13 30, Fax 1 33 68 09
Geöffnet von 8.00 bis 18.30 Uhr, Oktober bis April von 9.00 bis 16.00 Uhr.

Kiel
Aquarium des Instituts für Meereskunde, Düsternbrooker Weg 20,
D-24105 Kiel, Tel. (04 31) 5 97 39 27
Geöffnet April bis September von 9.00 bis 19.00 Uhr, im Winter bis
17.00 Uhr.

Kirchhundem
Panorama-Park Sauerland, D-57399 Kirchhunden-Oberhundem,
Tel. (0 27 23) 77 41 00. Geöffnet von April bis Oktober, täglich ab 10.00 Uhr.

Klotten
Wildpark, Familie Hennes, D-56818 Klotten, Tel. (0 26 71) 76 60
Geöffnet von Ostern bis Allerheiligen und an den Wochenenden im Winter
von 9.00 Uhr bis Sonnenuntergang. Im Februar geschlossen.

Köln
Zoologischer Garten, Riehler Straße 173, D-50735 Köln, Tel. (02 21) 7 78 50,
Fax 77 85 11. Geöffnet von 9.00 bis 18.00 Uhr, im Winter bis 17.00 Uhr.

Krefeld
Krefelder Zoo, Uerdinger Straße 377, D-47800 Krefeld,
Tel. (0 21 51) 5 80 43, Fax 59 08 87. Geöffnet von 8.00 bis 17.30 Uhr.

Kronberg/Taunus
Opel-Zoo, Georg-von-Opel-Freigehege, Königsteiner Straße 35,
D-61476 Kronberg, Tel. (0 61 73) 7 97 49
Geöffnet von 8.30 bis 18.00 Uhr, im Winter von 9.00 bis 16.00 Uhr.

Landau
Zoologischer Garten, Hindenburgstraße 12-14, D-76829 Landau,
Tel. (0 63 41) 1 31 61, Fax 1 31 60
Geöffnet von 9.00 bis 18.00 Uhr, im Winter bis 16.00 Uhr.

Lauenbrück
Wildpark, D-27387 Lauenbrück, Tel. (0 42 67) 3 51
Ganzjährig geöffnet von 8.00 Uhr bis Sonnenuntergang.

Lehre
Tierpark Essehof, D-38165 Lehre, Tel. (0 53 09) 88 62
Ganzjährig geöffnet.

Zoologischer Garten Leipzig, Pfaffendorfer Straße 29, D-04105 Leipzig, Tel. (03 41) 5 93 35 00, Fax 59 33 03 Geöffnet von 8.00 bis 19.00 Uhr, im Winter bis 17.00 Uhr.	Leipzig
Städt. Tierpark, Amt 40, Rathausplatz 1, D-09212 Limbach-Oberfrohna, Tel. (0 37 22) 7 80. Geöffnet von 8.00 bis 18.00 Uhr, im Winter bis 16.00 Uhr.	Limbach-Oberfrohna
Vogelpark, Am Altrhein 1, D-76351 Linkenheim, Tel. (0 72 47) 8 96 66 Ganzjährig geöffnet.	Linkenheim-Hochstetten
Tiergarten, Am Tiergarten 16, D-59555 Lippstadt, Tel. (0 29 41) 42 53 Geöffnet von April bis September, 9.00 bis 18.00, im Winter bis 17.00 Uhr.	Lippstadt
"Schwarzwaldpark", D-79843 Löffingen, Tel. (0 76 54) 6 06 Geöffnet von Ostern bis Anfang November, 9.00 bis 18.00 Uhr.	Löffingen
Bayerwald-Tierpark, D-93470 Lohberg, Tel. (0 99 43) 81 45 Geöffnet von April bis Oktober und von Juli bis August, 9.00 bis 17.00 Uhr, in den anderen Monaten ab 10.00 Uhr.	Lohberg
Tierpark, Neue Parkstraße 5, D-14943 Luckenwalde, Tel. (0 33 71) 61 03 73 Ganzjährig von 7.00 bis 19.00 Uhr, im Winter bis 16.00 Uhr geöffnet.	Luckenwalde
Wildgehege der Stadt Lützen, Grünflächenamt, D-06686 Lützen, Tel. (03 44 44) 2 03 51. Ganzjährig geöffnet von 7.00 bis 20.00 Uhr.	Lützen
Zoo Magdeburg, Am Vogelgesang 12, D-39124 Magdeburg, Tel. (03 91) 27 82 19, Fax 22 32 91 Geöffnet von April bis September, 8.00 bis 19.00 Uhr, im Winter bis Sonnenuntergang.	Magdeburg
Luisenpark, Stadtpark, Postfach 103061, D-68030 Mannheim, Tel. (06 21) 41 00 50, Fax 4 10 05 55 Geöffnet von 9.00 bis 21.00 Uhr, im Winter bis Sonnenuntergang.	Mannheim
Haupt- und Landgestüt Marbach, D-72532 Gomadingen-Marbach, Tel. (0 73 85) 9 69 50 Ganzjährig von April bis Oktober, 8.00 bis 12.00 und 13.00 bis 18.00 Uhr geöffnet, November bis März nur bis 16.00 Uhr geöffnet.	Marbach
Wildgehege, Ludwig-Uhland-Straße 25, D-72469 Meßstetten, Tel. (0 74 31) 67 64. Ganzjährig geöffnet.	Meßstetten
Vogelpark, Samberg 60, D-48629 Metelen, Tel. (0 25 56) 3 00 Geöffnet von März bis November, 9.00 bis 19.00 Uhr.	Metelen
Tiergarten, Am Pixbusch 22, D-41199 Mönchengladbach, Tel. (0 21 66) 60 14 74 Geöffnet von 9.00 bis 18.00 Uhr, im Winter bis Sonnenuntergang.	Mönchengladbach
Wildgehege, Sächsisches Forstamt Moritzburg, Fasanerie 4, D-01468 Moritzburg, Tel. (03 52 07) 3 07 Geöffnet von 9.00 bis 18.00 Uhr, im Winter bis 16.00 Uhr.	Moritzburg
Tierpark Hellabrunn, Tierparkstraße 30, D-81543 München, Tel. (0 89) 62 50 80, Fax 6 25 08 32 Geöffnet von April bis September, 8.00 bis 18.00 Uhr, von Oktober bis März 9.00 bis 17.00 Uhr	München
Westfälischer Zoologischer Garten, Sentruper Straße 315, D-48161 Münster, Tel. (02 51) 8 90 40, Fax 89 04 90 Geöffnet von 9.00 bis 18.00 Uhr, im Winter bis 16.00 Uhr.	Münster

Zoologische Gärten, Tierparks, Vogelparks, Aquarien

Neuhaus
Wildpark, Eichenallee 2, D-37599 Holzminden, Tel. (0 55 36) 2 22
Geöffnet Mai bis Oktober, 9.00 bis 19.00 Uhr, im Winter bis 17.00 Uhr.

Neumünster
Tierpark Neumünster, Geerdstraße 100, D-24537 Neumünster,
Tel. (0 43 21) 5 14 02, Fax 5 31 62
Geöffnet von 9.00 bis 18.00 Uhr, im Winter bis 17.00 Uhr.

Neunkirchen
Neunkirchener Zoologischer Garten, Am Jedermannsbrunnen,
D-66538 Neunkirchen, Tel. (0 68 21) 2 18 53
Geöffnet von 8.30 bis 18.00 Uhr, im Winter bis 17.00 Uhr

Neuruppin
Tierpark Kunsterspring, D-16818 Kunsterspring, Tel. (03 39 29) 2 71
Geöffnet von 9.00 bis 19.00 Uhr, im Winter bis 17.00 Uhr.

Neuwied
Zoo Neuwied, Waldstraße 160, D-56566 Neuwied, Tel. (0 26 22) 8 11 66,
Fax 8 11 69. Geöffnet von 9.00 bis 18.00 Uhr, im Winter bis 17.00 Uhr.

Niederfischbach
Tierpark, D-57572 Niederfischbach, Tel. (0 27 34) 6 11 75
Geöffnet von April bis Oktober, 10.00 bis 18.00 Uhr.

Niendorf
Vogelpark und Eulengarten Timmendorfer Strand, An der Aalbeek,
D-23669 Niendorf/Ostsee, Tel. (0 45 03) 47 40
Geöffnet von März bis November, 9.00 bis 19.00 Uhr.

Nordhorn
Tierpark, Heseper Weg 140, D-48531 Nordhorn, Tel. (0 59 21) 3 23 97
Ganzjährig von 9.00 bis 18.00 Uhr geöffnet.

Nürnberg
Tiergarten Nürnberg, Am Tiergarten 30, D-90480 Nürnberg,
Tel. (09 11) 5 43 03 48, Fax 16 41 44
Geöffnet von 8.00 bis 19.30, im Winter bis 17.00 Uhr.

Oberried
Berg-Wild-Park Steinwasen, Postfach 21, D-79670 Todtnau,
Tel. (0 76 71) 4 51. Ganzjährig geöffnet.

Ortenburg
Wildpark Schloß Ortenburg, Vorderschloß, D-94496 Ortenburg,
Tel. (0 85 42) 71 71. Geöffnet von April bis November, 9.00 bis 18.00 Uhr

Vogelpark Irgenöd, D-94496 Ortenburg, Tel. (0 85 42) 71 30
Geöffnet von April bis November, 9.00 bis 19.00 Uhr.

Aquarium Jaging, Jaging 8, D-94496 Ortenburg, Tel. (0 85 42) 551
Ganzjährig ab 10.00 Uhr geöffnet.

Oschatz
Städt. Tierpark, Stadtverwaltung, Neumarkt 1, D-04758 Oschatz,
Tel. (0 34 35) 97 02 49. Ganzjährig von 10.00 bis 16.00 Uhr geöffnet.

Osnabrück
Zoo Osnabrück, Am Waldzoo 2/3, D-49082 Osnabrück,
Tel. (05 41) 95 10 50, Fax 9 51 05 22
Geöffnet von 8.00 bis 18.30, im Winter von 9.00 Uhr bis Sonnenuntergang.

Osterholz-Scharmbeck
Tiergarten Ludwigslust, Dieter Seedorf, Garlstedter Kirchweg 31,
D-27711 Osterholz-Scharmbeck
Geöffnet April bis Oktober von 9.00 bis 19.00 Uhr.

Pegnitz
Wildgehege, Hubertusweg 4, D-91257 Pegnitz, Tel. (0 92 41) 60 09
Ganzjährig von 8.00 bis 18.00 Uhr geöffnet.

Pforzheim
Städt. Wildpark, Eutinger Straße 4, D-75175 Pforzheim,
Tel. (0 72 31) 39 23 30. Ganzjährig geöffnet.

Poing
Wildpark, Hauptstr. 29, D-85586 Poing, Tel. (0 81 21) 83 00
Geöffnet von April bis November, 9.00 bis 17.00, im Winter bis 16.00 Uhr.

Wildpark, Gemeindeverwaltung, Schulstraße 3-7, D-66885 Altenglan,   Potzberg
Tel. (0 63 81) 4 20 90
Geöffnet von 9.00 bis 19.00 Uhr, im Winter von 10.00 bis 17.00 Uhr.

Wildpark, Postfach 1111, D-18577 Putbus, Tel. (0 38 01) 2 71   Putbus
Ganzjährig geöffnet.

Schwentinepark, Gemeindeverwaltung, Postfach 1133, D-24221 Raisdorf,   Raisdorf
Tel. (0 43 07) 92 11. Ganzjährig geöffnet.

Reptilienzoo, Obertraublinger Straße 25, D-93055 Regensburg,   Regensburg
Tel. (09 41) 7 69 29. Geöffnet von 10.00 bis 18.00 Uhr

Vogelpark, D-51580 Reichshof-Eckenhagen, Tel. (0 22 65) 87 86   Reichshof-
Geöffnet von März bis November, 9.00 bis 19.00 Uhr.   Eckenhagen

Wildpark Frankenhof, D-48734 Reken, Tel. (0 28 62) 27 65   Reken
Geöffnet von 9.00 Uhr bis Sonnenuntergang.

Wildpark Rolandseck, D-53424 Remagen, Tel. (0 22 28) 4 33   Remagen
Geöffnet von 9.00 bis 18.00 Uhr, im Winter bis Sonnenuntergang.

Hochwildschutzpark Hunsrück, D-55494 Rheinböllen, Tel. (0 67 64) 12 05   Rheinböllen
Ganzjährig von 9.00 bis 18.00 Uhr geöffnet

Tierpark Rheine, Salinenstraße 150, D-48432 Rheine, Tel. (0 59 71) 5 56 66,   Rheine
Fax 5 55 64. Geöffnet von 9.00 bis 18.00, im Winter bis Sonnenuntergang.

Tiergarten, Rathausplatz 1, D-01589 Riesa, Tel. (0 35 25) 7 00 02 47   Riesa
Geöffnet von 8.00 bis 18.00 Uhr, im Winter von 9.00 bis 16.00 Uhr.

Wildpark Schwarze Berge, D-21224 Rosengarten-Vahrendorf,   Rosengarten
Tel. (0 40) 7 96 42 33. Ganzjährig ab 8.00 Uhr geöffnet.

Zoologischer Garten, Rennbahnallee 21, D-18059 Rostock,   Rostock
Tel. (03 81) 3 71 11, Fax 4 93 44 00. Geöffnet von April bis September 9.00
bis 18.00 Uhr, Oktober bis März 9.00 bis 17.00 Uhr.

Zoologischer Garten, Graf-Stauffenberg-Straße, D-66121 Saarbrücken,   Saarbrücken
Tel. (06 81) 81 24 94, Fax 81 76 30
Geöffnet von 8.30 bis 18.00 Uhr, im Winter bis 17.00 Uhr

Tierpark, Kasinoweg 22, D-34369 Hofgeismar, Tel. (0 56 71) 8 00 12 51   Sababurg
Geöffnet von Mai bis August, 8.00 bis 20.00 Uhr, von Nov. bis Februar,
10.00 bis 16.00 Uhr.

"Affenberg", Mendlishausen, D-88682 Salem, Tel. (0 75 53) 3 81   Salem
Geöffnet von Mitte März bis Ende Oktober, 9.00 bis 12.00 und 13.00 bis
18.00 Uhr.

Schlitzer-Tierfreiheit, D-36110 Schlitz-Unterschwarz, Tel. (0 66 53) 2 14   Schlitz
Ganzjährig geöffnet von 9.00 bis 19.00 Uhr bzw. bis Sonnenuntergang.

Safariland, D-33758 Schloß Holte-Stukenbrock, Tel. (0 52 07) 88 69 67   Schloß Holte-
Geöffnet von April bis Oktober, 9.00 bis 18.00 Uhr.   Stukenbrock

Zoo Schwerin, Waldschulenweg 1, D-19061 Schwerin,   Schwerin
Tel. (03 85) 21 30 00. Geöffnet von April bis September, 9.00 bis 17.00 Uhr,
im Winter von 10.00 bis 16.00 Uhr.

Wild- und Wanderpark Südl. Weinstraße, D-76957 Silz, Tel. (0 63 46) 55 88   Silz
Ganzjährig geöffnet von 8.30 Uhr bis Sonnenuntergang.

Zoologische Gärten, Tierparks, Vogelparks, Aquarien

Solingen
Tierpark Fauna, Postfach 180251, D-42627 Solingen, Tel. (0212) 591256
Ganzjährig von 9.00 bis 18.00 Uhr, im Winter bis 17.00 Uhr geöffnet.

Soltau
Heidepark, D-29614 Soltau, Tel. (05191) 9191
Geöffnet von März bis Oktober, 9.00 bis 18.00 Uhr.

Springe
Wisentgehege, D-31832 Springe, Tel. (05041) 5828
Ganzjährig geöffnet.

Staßfurt
Tiergarten, Luisenplatz 11, D-39418 Staßfurt, Tel. (03925) 623063
Geöffnet von Mai bis September, 9.00 bis 18.00, im Winter bis 16.00 Uhr.

Stavenhagen
Ivenacker Tiergarten, An den Tannen 1, D-17139 Gielow,
Tel. (039957) 20527. Ganzjährig geöffnet.

Steinen-Hofen
Vogelpark Wiesental, D-79585 Steinen-Hofen, Tel. (07627) 7420
Geöffnet von Mitte März bis Ende Oktober, 9.00 bis 18.00 Uhr.

Stendal
Städt. Tiergarten, Postfach 12, D-39551 Stendal, Tel. (03931) 41746
Ganzjährig von 9.00 bis 18.00 Uhr, im Winter bis 16.00 Uhr geöffnet.

Stralsund
Tierpark, Barther Straße/Stadtwald, D-18437 Stralsund,
Tel./Fax (03931) 293033. Geöffnet von 9.00 bis 18.30, im Winter bis 16.00 Uhr.

Straubing
Tiergarten der Stadt Straubing, Lerchenhaid 3, D-94315 Straubing,
Tel. (09421) 21277. Geöffnet von 8.30 bis 19.00 Uhr, im Winter von 10.00
Uhr bis Sonnenuntergang.

Stuttgart
Zoologisch-Botanischer Garten Wilhelma, Postfach 501227,
D-70342 Stuttgart, Tel. (0711) 54020, Fax 5402222
Geöffnet von 8.15 bis 18.45, im Winter bis 16.45 Uhr.

Suhl
Tierpark, Postfach 22, D-98527 Suhl, Tel./Fax (03681) 60441
Geöffnet von 9.00 bis 18.00 Uhr, im Winter bis Sonnenuntergang.

Tambach
Wildpark Schloß Tambach, D-96479 Tambach/Ofr., Tel. (09567) 201
Ganzjährig von 8.00 bis 19.00 Uhr geöffnet.

Thale
Tierpark Hexentanzplatz, Hexentanzplatz 4, D-06502 Thale,
Tel. (03947) 2880. Ganzjährig von 8.00 bis 19.00 Uhr geöffnet, im Winter
von 9.00 bis 17.00 Uhr.

Ueckermünde
Tierpark, Chausseestraße 76, D-17373 Ueckermünde,
Tel. (039771) 22748. Geöffnet von 9.00 bis 18.00, im Winter bis 16.00 Uhr.

Viechtach
Vogelpark, Lammerbach 1, D-94234 Viechtach, Tel. (09942) 1398
Geöffnet von April bis Oktober, 10.00 bis 18.00 Uhr.

Wachenheim
Kurpfalz-Park, D-67157 Wachenheim, Tel. (06325) 2077
Geöffnet von April bis November täglich ab 9.00 Uhr.

Wagenfeld-Ströhen
Naturtierpark und Gestüt, D-49419 Wagenfeld-Ströhen, Tel. (05774) 505
Geöffnet von 9.00 bis 18.00 Uhr, im Winter bis 17.00 Uhr.

Waldkirch
Schwarzwaldzoo, Am Buchenbühl, D-79183 Waldkirch, Tel. (07681) 8961
Geöffnet von 9.00 bis 18.00 Uhr, im Winter bis 17.00 Uhr.

Walsrode
Vogelpark, Am Rieselbach, D-29664 Walsrode, Tel. (05161) 2015
Geöffnet von Anfang März bis Anfang November, 9.00 bis 19.00 Uhr.

Warder
Tierpark, Langwedeler Weg 11, D-24646 Warder, Tel. (04329) 1280
Ganzjährig ab 9.00 Uhr geöffnet.

Natur- und Wildpark, Gemeindeverwaltung, Talstraße 11,
D-08358 Waschleithe, Tel. (0 37 74) 2 42 52
Geöffnet von 8.00 bnis 18.00 Uhr. Waschleithe

Wildpark, Hessisches Forstamt Weilburg, Frankfurter Str. 31,
35781 Weilburg, Tel. (0 64 71) 3 90 75. Ganzjährig von 9.00 bis 19.00 Uhr
geöffnet, im Winter bis Sonnenuntergang. Weilburg

Heimatnaturgarten, Langendorferstraße 33, D-06667 Weißenfels,
Tel. (0 34 43) 30 47 76. Ganzjährig von 9.00 bis 17.00 Uhr geöffnet. Weißenfels

Wildpark, Lindenstraße 8, D-39517 Weißewarte, Tel. (0 39 35) 24 44
Ganzjährig geöffnet, im Sommer von 8.00 bis 19.00 Uhr, im Winter von 9.00
bis 17.00 Uhr. Weißewarte

Städt. Tierpark, Stadtverwaltung, Postfach 38, D-02931 Weißwasser,
Tel. (0 35 76) 3 20 06
Geöffnet von 8.30 bis 18.00 Uhr, Oktober bis April von 9.00 bis 16.00 Uhr. Weißwasser

Wildpark Christianental, D-38855 Wernigerode, Tel. (0 39 43) 2 52 92
Ganzjährig geöffnet. Wernigerode

Städt. Tier- und Pflanzenpark Fasanerie, Amt 8103, Postfach,
D-65193 Wiesbaden, Tel. (06 11) 31 37 76 Wiesbaden

Wildfreigehege Wildenburg, D-55758 Kempfeld/Hunsrück,
Tel. (0 67 86) 72 12. Ganzjährig von 8.30 bis 17.00 Uhr geöffnet. Wildenburg

Wild- und Freizeitpark, Amt Ettelsberg, D-34508 Willingen,
Tel. (0 56 32) 6 91 98
Ganzjährig von 9.00 bis 18.00 Uhr geöffnet bzw. bis Sonnenuntergang. Willingen

Erlebnispark Ziegenhagen, D-37217 Witzenhausen, Tel. (0 55 45) 2 46
Geöffnet von April bis Ende Oktober. Witzenhausen

Tierpark Tannenkamp, D-17438 Wolgast, Tel. (0 38 36) 60 24 31
Geöffnet von 9.00 bis 18.00 Uhr, im Winter bis 16.00 Uhr. Wolgast

Eichsfeldtierpark, Stadthaus, Straße der Freundschaft 8a,
D-37339 Worbis, Tel. (03 60 74) 7 00. Geöffnet von 9.00 bis 17.00 Uhr. Worbis

Zoologischer Garten, Hubertusallee 30, D-42117 Wuppertal,
Tel. (02 02) 2 74 70, Fax 5 63 80 05
Geöffnet von 8.30 bis 18.30 Uhr, im Winter bis 17.00 Uhr. Wuppertal

Tierpark, Weinaupark 2a, D-02763 Zittau, Tel. (0 35 83) 70 11 22
Geöffnet von 9.00 bis 19.00 Uhr, November bis Februar bis 17.00 Uhr. Zittau

Register

Register

Register

Register

Register

Verzeichnis der Karten und Pläne

Bildnachweis

Archiv für Kunst und Geschichte: S. 36, 38, 39, 45, 55, 649
Baedeker-Archiv: S. 33
Barten, R. : S. 451
Beyer, Klaus: S. 771
Bildarchiv preußischer Kulturbesitz: S. 379
Borowski, Birgit: S. 367, 697, 701
Branscheid, Barbara: S. 1, 51, 123 (2x), 226, 268, 271, 276, 277, 299, 303, 305, 338, 349, 350, 386, 387, 418, 422 (2x), 424, 427, 444, 445, 452, 493 (2x), 497, 520 (re), 560, 650, 688, 689, 723, 743 (re), 844, 849
Branscheid, Ursula: S. 117, 195, 197, 217 (2x), 327, 363, 364, 389, 403, 450, 508, 509, 772, 788, 800
Braunger, Manfred: S. 698, 705
dpa: S. 58
Eisenschmid, Rainer: S. 154, 167, 246, 248, 284, 466
Expo 2000: S. 370, 371
Fremdenverkehrsamt Goslar: S. 336
Fremdenverkehrsverbund Ostbayern: S. 462
Hotel Adlon, Berlin: S. 839
IFA-Bilderteam: S. 60/61, 397, 358, 642, 691, 762
Ihlow, Frank: S. 10/11, 66, 93, 95, 96, 98, 125, 170, 194, 212, 220, 251, 346, 457, 469, 492, 515, 523, 526, 562, 568, 570, 613, 625, 637, 666, 670, 719, 775, 777, 786, 805
Jörss: 517
Koch, Manfred / Staatliche Museen Meiningen: S. 520 (li)
Lade Fotoagentur: S. 446/447
Lange, Harald: S. 209, 279, 282, 467, 472, 765
laif Bildagentur: S. 7 (oben), 86, 187, 318, 320 (unten), 330, 460, 487, 538, 592, 594, 595, 596, 598, 644, 674, 796, 831
Linde, Helmut: S. 547, 680, 684
Löber: S. 294
Mauritius Bildagentur: S. 6 (oben), 269, 323, 353, 455, 533, 651
Mercedes-Benz Classic Archiv: S. 46
Messe Leipzig: S. 476
Müller, Kai Ulrich: S. 152, 164
Nahm, Peter: S. 754
Otto, Werner: S. 3, 5, 6 (unten), 20, 80, 101, 104, 106, 109, 112, 115, 129, 130, 157, 161, 175, 184, 201, 203, 214, 222, 224, 240, 256, 260, 264, 289, 310, 314, 342, 344, 361, 368, 394, 397, 400, 409 (li), 417, 428, 430, 435, 438, 463, 474, 482, 490, 496, 502, 511, 521, 528, 529, 531, 554, 573, 580, 585, 588, 590, 600, 628/629, 638, 654, 656, 663, 664, 683, 692, 699, 713, 714, 717, 725, 728, 729, 737, 741, 743 (li), 747, 751, 757, 759, 767, 770, 779, 784, 790, 793, 799
Pellmann, Udo: S. 245, 842
Reincke, Madeleine: S. 142
Schenk-Kern, Radegunde: S. 64, 69, 735, 736
Schinner, Dieter: S. 6/7 (unten), 91, 134, 274, 320 (oben), 557, 558, 808/809, 904
Schlemmer, Herbert: S. 150/151
Schliebitz, Anja: S. 262, 373, 376, 377, 380, 611, 617, 718
Schulze: S. 392
Sperber: S. 708
Staatliche Museen Preußischer Kulturbesitz: S. 162
Steffens, Bildarchiv : S. 6/7 (oben), 17, 22, 27, 30, 84, 119, 120, 139, 176, 181, 183, 190. 229, 232 (re), 266, 296, 297, 325, 346, 405, 409 (re), 413, 480, 500, 505, 506, 534, 535, 542, 577, 582, 603, 606, 622, 633, 660, 672, 686, 760, 791
Stetter, Wolfgang: S. 545, 553
Stuttgart Marketing GmbH: S. 484
Szerelmy, Beate: S. 290, 730
Tourist-Info Kiel: S. 433
Ullstein-Bilderdienst: S. 53, 56
Wurth, Andrea: S. 232 (li), 619
ZEFA-Bildagentur: S. 7 (unten), 75, 567

Impressum

Ausstattung:
331 Abbildungen
75 Karten und Pläne, 1 große Reisekarte

Texte:
Baedeker-Redaktion sowie Wolfgang Liebermann (Geschichte und Kultur; Special S. 50/51)

Bearbeitung: Baedeker-Redaktion

Kartographie: Christoph Gallus, Hohberg-Niederschopfheim; Harald Harms, Kandel; Franz Huber, München; Franz Kaiser, Sindelfingen; Mairs Geographischer Verlag, Ostfildern

Gesamtleitung: Rainer Eisenschmid, Baedeker Stuttgart

4. Auflage 1998
Gänzlich überarbeitete und neugestaltete Auflage (Jubiläumsausgabe zum fünfzigjährigen Bestehen der Firma Mairs Geographischer Verlag GmbH & Co.)

Urheberschaft: Karl Baedeker GmbH, Ostfildern
Nutzungsrecht: Mairs Geographischer Verlag GmbH & Co., Ostfildern

Druck: Körner Rotationsdruck, Sindelfingen
Printed in Germany
ISBN 3-89525-697-8   Gedruckt auf 100% chlorfreiem Papier

Die wichtigsten Reiseziele auf einen Blick

**

Aachen
Allgäu
Bamberg
Bayerische Alpen
Berchtesgaden
Berlin
Bodensee
Dresden
Erzgebirge

**

Frankfurt am Main
Fränkische Schweiz
Freiburg im Breisgau
Hamburg
Harz
Heidelberg
Hildesheim
Köln
Lübeck

**

Mecklenburgische
  Seenplatte
München
Potsdam
Regensburg
Rothenburg o. d. Tauber
Sächsische Schweiz
Schwarzwald
Weimar

*

Altmühltal
Ammersee
Augsburg
Baden-Baden
Bad Reichenhall
Bayerischer Wald
Bayreuth
Bonn
Braunschweig
Bremen
Celle
Chiemsee
Coburg
Darmstadt
Deutsche Weinstraße
Dinkelsbühl
Dortmund
Düsseldorf
Eifel
Eisenach
Erfurt
Essen
Esslingen
Freiberg
Fulda
Füssen
Garmisch-
  Partenkirchen
Görlitz
Goslar
Göttingen

*

Greifswald
Güstrow
Halle
Hameln
Hannover
Helgoland
Holsteinische Schweiz
Kassel
Kiel
Koblenz
Konstanz
Lauenburgische Seen
Leipzig
Lüneburger Heide
Lutherstadt
  Wittenberg
Maintal
Mainz
Marburg
Meißen
Minden
Moseltal
Münster
Naumburg
Nürnberg
Oberschwaben
Oberstdorf
Odenwald ·
  Bergstraße
Ostfriesische Inseln
Paderborn

*

Passau
Quedlinburg
Ravensburg
Rostock
Rügen
Saaletal
Sauerland
Schleswig
Schwäbische Alb
Schwäbisch Hall
Schwerin
Soest
Speyer
Spreewald
Stade
Stralsund
Stuttgart
Sylt
Thüringer Wald
Trier
Tübingen
Ulm
Wernigerode
Weserbergland
Wiesbaden
Wismar
Wolfenbüttel
Worms
Würzburg
Xanten
Zittau

N.B.: Die obenstehende Übersicht zeigt lediglich die bedeutenderen Reiseziele in Deutschland, die schon für sich allein bzw. mit interessanten Plätzen in der Umgebung den Besuch lohnen. Darüber hinaus gibt es eine Vielzahl von anderen Sehenswürdigkeiten, die innerhalb der Einzelkapitel durch die bewährten Baedeker-Sterne hervorgehoben werden.